AEQUALIS OMNIBUS CARITAS

ARCHBISHOP
REMBERT G. WEAKLAND

Die Kirchenmusik als Musik der Kirche, die in der liturgischen Ordnung und Bestimmung ihre Gestalt erhält, ist an den Menschen und den Wandel seiner religiösen und musikalischen, seiner geistigen und gesellschaftlichen Einstellung in mehrfacher Weise gebunden. Kirchenmusik im engeren Sinne des Wortes ist in Form und Ausdruck ein Teil der Liturgie, gleichzeitig ist sie religiöse Musik, die in ihrem Ausdrucksbereich über die liturgischen und kultischen Bindungen hinausgreift und einem ungebundenen Frömmigkeitsausdruck entspricht. Damit erscheinen die Formen und auch die Ausdrucksgestaltungen der religiösen Musik als Brücke zur weltlichen Musik. Die Kirchenmusik ist ebenso ein theologisches und musikalisches wie ein soziologisches und psychologisches Problem, gebunden an Erlebnisse und allgemeine geistige und religiöse Vorstellungen des Menschen. In Raum und Zeit suchen die verschiedenen Schichten der kirchlichen Gesellschaft ihren liturgischen Ausdruck in der Musik. So findet die Kirchenmusik sowohl mit den Periodisierungen der Kirchengeschichte in den einzelnen Kulturkreisen und Gesellschaftsschichten als auch mit der Periodisierung der Musik ihre innere Verbindung.

Es gibt zur Geschichte der katholischen Kirchenmusik zahllose Einzelstudien, auch eine Reihe kleinerer Gesamtdarstellungen, doch ist seit Martin Gerberts Werk „De cantu et musica sacra" von 1774 keine größere, das Gesamtgebiet in mehreren Bänden erfassende „Geschichte der katholischen Kirchenmusik" mehr erschienen. Eine zusammenfassende Darstellung scheint zum gegenwärtigen Zeitpunkt dringend geboten, weil musikwissenschaftliche, theologische und liturgiegeschichtliche Studien neue und vertiefende Erkenntnisse erbracht haben, die in den Gesamtzusammenhang gestellt werden müssen. Ein solches naturgemäß großes Unternehmen kann heute nicht mehr von einem einzelnen Forscher erstellt werden. Zur Mitarbeit an der „Geschichte der katholischen Kirchenmusik" konnten daher über fünfzig Wissenschaftler aus dem In- und Ausland gewonnen werden, die mit ihren Beiträgen zum Teil neue Forschungsergebnisse vorlegen. Trotz der so entstandenen großen Zahl von Einzelbeiträgen will das Werk nicht als Aufsatzsammlung verstanden werden. Vielmehr hat sein Herausgeber, Prof. Dr. Dr. h. c. Karl Gustav Fellerer, eine übergreifende Gesamtkonzeption erarbeitet, der sich die einzelnen Beiträge unterordnen. Die Fülle des Materials zwang zu einer Aufteilung auf zwei Bände. Dabei ergab sich der Schnitt aus der Bedeutung des Konzils von Trient für Liturgie und Musik der katholischen Kirche. Der vorliegende erste Band „Von den Anfängen bis zum Tridentinum" enthält eine Darstellung der Kirchenmusik in Frühchristentum, Mittelalter und der Renaissance, erfaßt daneben aber auch das große und weitverzweigte Gebiet der Ostkirchen und ihrer Kultmusik. Zahlreiche Notenbeispiele und Abbildungen

Die Kirchenmusik nach dem Vaticanum II

Das Werk darf den Anspruch eines Kompendiums erheben, das den Stand der Forschung zu einem der wichtigsten Gebiete der Musikgeschichte in umfassendem Sinne repräsentiert.

Geschichte der katholischen Kirchenmusik

unter Mitarbeit zahlreicher Forscher des In- und Auslandes
herausgegeben von Karl Gustav Fellerer

Band I
Von den Anfängen bis zum Tridentinum

Bärenreiter-Verlag Kassel Basel Tours London 1972

Die Mitarbeiter dieses Bandes:

Higinio Anglès (†), Rom; Bonifazio Baroffio, Genua; Rudolf Bockholdt, München; Solange Corbin, Paris; Dagmar Droysen, Berlin; Johann von Gardener, München; Arnold Geering, Bern; Marie Louise Martinez-Göllner, St. Barbara (Kalifornien); Ferdinand Haberl, Rom; Michael Härting, Köln; Heinrich Hüschen, Köln; Michel Huglo, Paris; Heinrich Husmann, Göttingen; René Bernard Lenaerts, Löwen; Christoph-Hellmut Mahling, Saarbrücken; René Ménard, Kimbulu (Kongo); Klaus Wolfgang Niemöller, Köln; Maurus Pfaff, Beuron; Fritz Reckow, Freiburg i. Br.; Karlheinz Schlager, Kassel; Joseph Schmit, Luxemburg; Franz A. Stein, Regensburg; Jürg Stenzl, Freiburg (Schweiz); Oliver Strunk, Grottaferrata; Anton Stuiber, Bochum; Walter Suppan, Freiburg i. Br.; Heinz Wagener, Münster (Westfalen); Eric Werner, New York / Tel Aviv.

Inhalt

Vorwort

Seit Martin Gerberts *De cantu et musica sacra a prima ecclesiae aetate usque ad praesens tempus* (St. Blasien 1774) ist keine größere, das Gesamtgebiet in mehreren Bänden erfassende „Geschichte der katholischen Kirchenmusik" mehr erschienen. Inzwischen haben musikwissenschaftliche, theologische und liturgiegeschichtliche Studien neue und vertiefende Erkenntnisse erbracht, die eine zusammenfassende Darstellung der Geschichte der katholischen Kirchenmusik dringend fordern. Es ist dem Verleger D Dr. h. c. Karl Vötterle zu danken, daß er der ebenfalls bei Bärenreiter erschienenen *Geschichte der evangelischen Kirchenmusik* von Friedrich Blume eine großzügig konzipierte *Geschichte der katholischen Kirchenmusik* an die Seite zu stellen angeregt hat. Ein solches umfangreiches Unternehmen kann heute nicht mehr von einem Einzelnen bewältigt werden. Erfreulicherweise konnten über fünfzig Forscher aus dem In- und Ausland gewonnen werden, die mit ihren Beiträgen zum Teil neue Forschungsergebnisse vorlegen. Trotz der sich aus dieser Situation ergebenden großen Fülle von Einzeldarstellungen, deren individueller Charakter möglichst beibehalten wurde, versteht sich das Werk dennoch nicht als Aufsatzsammlung, vielmehr fügen sich die einzelnen Beiträge zu einer übergeordneten inhaltlichen Gesamtkonzeption. Um den Zusammenhang der Darstellung nicht zu stören, wurden die Literaturverzeichnisse zusammenfassend in alphabetischer Anordnung an den Schluß der jeweiligen größeren Abschnitte gestellt. — Die Fülle des Materials zwang zu einer Aufteilung auf zwei Bände. Dabei ergab sich der Schnitt aus der Bedeutung des Konzils von Trient für die Geschichte der katholischen Kirche und mit ihr für Liturgie und Musik. Der erste Band *Von den Anfängen bis zum Tridentinum* vermittelt eine Darstellung der Kirchenmusik in Frühchristentum, Mittelalter und Renaissance, daneben aber auch des großen und weitverzweigten Gebietes der Ostkirchen und ihrer Kultmusik. Der zweite Band sucht die Entwicklung der katholischen Kirchenmusik *Vom Tridentinum bis zur Gegenwart* zu erfassen, unter Einschluß besonderer Situationen außerhalb des Abendlandes, wie etwa in den Missionsgebieten. — Der Herausgeber dankt auch an dieser Stelle allen Autoren und dem Verlag für die verständnisvolle Zusammenarbeit.

Karl Gustav Fellerer

Abkürzungen

AA — Archivio Ambrosiano
AAS — Acta Apostolicae Sedis
ACMs (ACMS) — Atti di Congresso Internazionale di musica sacra Rom 1950, Tournai 1953
AH (Anal. hymn.) — Analecta hymnica
AM (AnnMl) — Annales Musicologiques
AMl — Acta Musicologica
AMS — J. Hesbert, Antiphonale missarum sextuplex, Brüssel 1935
AMw (AfMW) — Archiv für Musikwissenschaft
AnM — Anuario Musical
AR — Archiv für Religionswissenschaft

BCU — Bibliothèque cantonale et universitaire
BKV — Bibliothek der Kirchenväter
BN (Bibl. Nat.) — Bibliothèque Nationale / Biblioteca Nazionale
BPI — Bollettino degli amici del Pontificio Istituto di musica sacra
Br. Mus. (Brit. Mus.) — British Museum
BSAC — Bulletin de la Société d'Archéologie copte
Bsp — Beispiel
Bull — Bulletin del la Société „Union musicologique"
BzAfMw — Beihefte zum Archiv für Musikwissenschaft

CAO — J. Hesbert, Corpus Antiphonalium Officii, Rom 1963/65
CHR — The Catholic Historical Review
CMM — Corpus mensurabilis musicae
CS (CoussS) — Coussemaker, Scriptores de musica medii aevi
CSEL — Corpus scriptorum ecclesiasticorum latinorum
CSM — Corpus scriptorum de musica

DACL (D. A. C. L.) — Dictionnaire d'Archéologie chrétienne et Liturgie
DJbMw — Deutsches Jahrbuch für Musikwissenschaft
DTÖ — Denkmäler der Tonkunst in Österreich
DVfLG — Deutsche Vierteljahresschrift für Literatur und Geistesgeschichte

EGr — Etudes grégoriennes
EL — Ephemerides Liturgicae

Fs (FS) — Festschrift

GA — Gesamtausgabe
GCS — A. Meister, Die griechischen christlichen Schriftsteller der ersten drei Jahrhunderte, Leipzig 1897 ff.
GrBl — Gregorius-Blatt
GS (GSS) — M. Gerbert, Scriptores ecclesiastici de musica sacra

Hb — Handbuch
HJb — Historisches Jahrbuch der Görresgesellschaft
HS (Hs) — Hispania sacra
HUCA — Hebrew Union College Annual

Ja — Journal asiatique
JAMS — Journal of the American Musicological Society
JbLw — Jahrbuch für Liturgiewissenschaft
JbStI — Jahrbuch des Staatlichen Instituts für Musikforschung Stiftung Preußischer Kulturbesitz
JHSt — Journal of Historical Studies
JJFC (JiFC) — Journal of the International Folkmusic Council
JJSt — Journal of Jewish Studies
JM — Journal de musicologie
JR — Journal of Religion

KB (KBMf) — Kölner Beiträge zur Musikforschung
KmJb — Kirchenmusikalisches Jahrbuch
KrB — Kongreßbericht

LB — Landesbibliothek
LLb — Liturgisches Leben
LQF — Liturgiegeschichtliche Quellen und Forschungen
LThK — Lexikon für Theologie und Kirche
LuM — Liturgie und Mönchtum

MA — Mittelalter
MaEo — Musica antiqua Europae orientalis
Mansi — Sacrorum conciliorum nova et amplissima collectio
MD — Musica Disciplina
MEL — Monumenta Ecclesiae Liturgica
Mf — Die Musikforschung
MfM — Monatshefte für Musikgeschichte
MG (MGA) — Monumenta Germaniae Historica
MGG — Die Musik in Geschichte und Gegenwart. Allgemeine Enzyklopädie der Musik, hrsg. von Friedrich Blume, 14 Bände, Kassel etc. 1949–1968, Supplement Kassel etc. 1969 ff.

ML	Music and Letters	RQ	Römische Quartalschrift für christliche Altertumskunde und für Kirchengeschichte
MMB	Monumenta Musicae Byzantinae		
MO	Musik des Ostens		
MPG	Migne, Patrologia graeca		
MPL (Pl, PL)	Migne, Patrologia latina	SE	Sacris erudiri
MQ	Musical Quaterly	SJbMw	Schweizerisches Jahrbuch für Musikwissenschaft
Ms	Musica sacra		
MuK	Musik und Kirche	SIMG	Sammelbände der Internationalen Musikgesellschaft
NA	Note d'Archivio per la storia musicale	SitzBÖAdW	Sitzungsbericht der Österreichischen Akademie der Wissenschaften
NCE	New Catholic Encyclopedia		
NF	Neue Folge	SpF	Spanische Forschungen der Görresgesellschaft
NOHM	New Oxford History of Music		
OC	Oriens christianus	St. B.	Staatsbibliothek
OCA	Orientalia Christiana Analecta	StGr	Studi Gregoriani
(Or. Christ. Anal.,		StM	S. Martial
OrChrA)		Stm	Studia musicologica
OCP	Orientalia Christiana Periodica	StMw	Studien zur Musikwissenschaft
(Or. Christ. Per.,		SS	Scriptores
OrChrP)			
OH	Old Hall Manuskript	ThG	Theologie und Glaube
OSt	Ostkirchliche Studien	ThZ	Theologische Zeitschrift
		TSG	Tribune de Saint Gervais
PalMus	Paléographie Musicale		
Ps	Psalm	UB	Universitätsbibliothek
Pt	Petrusbrief		
		Vat	Biblioteca Apostolica Vaticana
QT	Quatuor temporum	VfMw	Vierteljahrsschrift für Musikwissenschaft
RaGr	Rassegna Gregoriana		
RB	Revue Belge de Musicologie	ZAL	Zeitschrift für deutsches Altertum und deutsche Literatur
RBen (Revbén)	Revue Bénédictine		
RCGr	Revue du chant grégorien	ZDMG	Zeitschrift der deutschen morgenländischen Gesellschaft
REJ	Revue des études Juives		
RGG	Die Religion in Geschichte und Gegenwart	ZfÄKw	Zeitschrift für Ästhetik und allgemeine Kunstwissenschaft
RGr	Revue Grégorienne	ZfKg	Zeitschrift für Kirchengeschichte
RISM	Répertoire International des Sources Musicales	ZfM	Zeitschrift für Musik
		ZfMw	Zeitschrift für Musikwissenschaft
RM	Revue Musicale	ZIMG	Zeitschrift der Internationalen Musikgesellschaft
RMl	Revue de Musicologie	ZMG	Zeitschrift für Musik und Gottesdienst
RMI	Rivista Musicale Italiana	ZVK	Zeitschrift für Volkskunde

Katholische Kirchenmusik

Die katholische Kirchenmusik in Geschichte und Gegenwart

Mit der Entwicklung des Kults der christlichen Kirche beginnt die Geschichte der katholischen Kirchenmusik.

Die Kirchenmusik als Musik der Kirche, die in der liturgischen Ordnung und Bestimmung ihre Gestalt erhält, ist an den Menschen und den Wandel seiner religiösen und musikalischen, seiner geistigen und gesellschaftlichen Einstellung in mehrfacher Weise gebunden. Einerseits ist es die schöpferische Gestaltung, die von der künstlerischen und liturgischen Haltung des schaffenden Menschen bestimmt wird, andererseits die dem Frömmigkeitserleben und dem musikalischen Empfinden entsprechende Rezeption des Einzelmenschen wie der Gemeinde, die in Raum und Zeit unterschiedlich bestimmt sind.

Ist die Kirchenmusik im engeren Sinne des Wortes in Form und Ausdruck ein Teil der Liturgie, so ist sie gleichzeitig religiöse Musik, die in ihrem Ausdrucksbereich über die liturgischen und kultischen Bindungen hinausgreift und einem ungebundenen Frömmigkeitsausdruck entspricht. Damit erscheinen die Formen und auch die Ausdrucksgestaltungen der religiösen Musik als Brücke zur weltlichen Musik. Die Kirchenmusik ist ebenso ein theologisches, ein musikalisches wie ein soziologisches und psychologisches Problem, gebunden an Erlebnisse und allgemeine geistige und religiöse Vorstellungen des Menschen.

Die theologische Deutung der Musik gewinnt in der Geschichte wie in der systematischen Auffassung des Gott-Mensch-Verhältnisses ihren Sinn. Der neutestamentliche Text (Mark. 14, 26, Apg. 16, 25, Apg. 2, 22—36) berichtet von der Gemeinde Christi als singender Gemeinde in der Tradition der Synagoge. Das Kerygma der Christengemeinde findet in den Psalmen, Oden und Hymnen seinen Ausdruck. Bekenntnisbestimmte Verkündigung (1. Tim. 3, 16; Phil. 2, 6—11, Eph. 1, 3—14, 15—23; Joh. 1, 15) wie doxologische Erlebnisgestalt (Joh. Offenb. 5, 9, 12, 13; 12, 10; 19, 1. 6;) kennzeichnen die Hymnen und deren Gesangsvortrag (Joh. Offenb. 5, 8; 14, 2; 15, 2; 2. Kor. 5, 17; Gal. 6, 15; Kol. 3, 16; Eph. 5, 18). Die Hingebung an Gott, seine Verehrung im Gesang, ist ebenso Grundlage der Kirchenmusik, wie das Streben, durch die Musik den Menschen zum pneumatischen und enthusiastischen Gotterleben hinzuführen und, wie Paulus sagt (1. Kor. 14, 3. 26), die Musik im Sinne der *„Auferbauung"* der christlichen Gemeinde zu entwickeln. Das Motuproprio Pius X. hat diese doppelte Bedeutung hervorgehoben:

„Die Kirchenmusik ist ein wesentlicher Bestandteil der feierlichen Liturgie. Daher nimmt sie an dem allgemeinen Zweck derselben teil, der da ist, die Ehre Gottes und die Heiligung und Auferbauung der Gläubigen."

Durch die Jahrhunderte ist die Kirchenmusik an dieser Grundlage orientiert. In Raum und Zeit suchen die verschiedenen Schichten der kirchlichen Gesellschaft ihren liturgischen Ausdruck in der Musik. Sowohl mit den Periodisierungen der Kirchengeschichte in den einzelnen Kulturkreisen und Gesellschaftsschichten als auch mit der Periodisierung der Musik findet die Kirchenmusik ihre innere Verbindung.

Das große *Hallel* (Ps. 113—118) beim letzten Abendmahl (Matth. 26, 30; Mark. 14, 26) bedeutet den Anfang des christlichen Kultgesangs. Die pneumatischen Oden, wie sie vor allem aus Korinth belegt sind, sind individueller empfindungsbetonter Ausdruck der Gesänge im Gegensatz zu den in der Tradition stehenden Bekenntnisgesängen (1. Tim. 3, 16; Phil. 2, 6). Den subjektiv empfundenen Gesängen steht der pneumatische Vortrag gegenüber, der in alle christlichen Gesänge dringt und *ratio* und *emotio* schon in den ältesten christlichen Kultgesängen zur tragenden Kraft in Gestalt und Vortrag in der Richtung auf Gott und den Menschen werden läßt. Paulus unterscheidet bereits das emotionale pneumatische Singen der Psalmen, das μεγαλύνειν (Apg. 10, 46) und den vom Verstand (νοῦς) erfaßten Vortrag (1. Kor. 14, 15). Der Kult aber erfordert die Feierlichkeit des Gesangs (Röm. 15, 9; Jak. 5, 13; Eph. 5, 19).

Im Urchristentum ist der Gesang bereits ein integrierender Bestandteil des Gottesdienstes so wie in allen Kulten. In einem dem rationalen Denken fernen pneumatischen Musikerlebnis ist der Gesang der Ausdruck gegenüber Gott und die Kommunikation gegenüber dem Menschen als Individuum und Gemeinde. Darin beruhen die verschiedenen Gestaltungs- und Vortragsformen, die, vom Christus-Wort und Christus-Glauben bestimmt, als Lobpreis und Dank wie als Verkündigungs- und Lehrgesang in Wort und Weise erscheinen. Augustinus hat in dem Wort *Bis orat, qui cantat* den Kirchengesang als das eigentliche gottesdienstliche Gebet herausgestellt und damit den Trägern des Gottesdienstes ihre Aufgabe in Priester-, Solo-, Chor- und Gemeindegesang gegeben. Nicht nur die Richtung auf Gott und das eigene Erleben (1. Kor. 14, 2), sondern auch das Zeugnis der Gemeinde bestimmen die Kirchenmusik. Darin beruht der Wandel der kirchenmusikalischen Auffassungen und Gestaltungen in verschiedenen Kulturkreisen und in den zeitlichen Entwicklungen ihrer Gesellschaftsgruppen.

Die äußere Gottesdienstform bestimmt die musikalischen Gestalten der verschiedenen Liturgien. Neben Erbe und Tradition steht die zeitgegebene Neugestalt, die ihrerseits neue Überlieferungen begründen kann. Die unterschiedliche Entwicklung orientalischer und abendländischer Kirchenmusik läßt das Problem des Erbes und der Tradition als tragende Kraft kirchlichen Denkens und Erlebens ebenso deutlich werden wie zeitbedingte Entwicklungen in der abendländischen Kirchenmusik.

Mit der Verbreitung des Christentums vollziehen sich Übernahmen und Auseinandersetzungen mit den ortsgegebenen Musikkulturen. Das pneumatische *canere more orientalium* wird mit der durchrationalisierten Musikauffassung und Musikpflege der griechisch-römischen Musik in Verbindung gebracht. Die berufliche und die volksmäßige Musikpflege stehen vom Urchristentum an bis in unsere Zeit nebeneinander und bedingen verschiedene Stufen der Auseinandersetzung. In der Spannung zwischen *consuetudo* und *intelligentia* (Augustinus *De musica* I, 6) und zwischen *musicus* und *cantor* (Isidor) liegt die *musica ecclesiastica* in der Verbindung von Volks- (*musica vulgaris*) und Kunstmusik (*musica mensuralis*). *Usus* und *ars* kommen in der Kirchenmusik zu einem Ausgleich, der letzten Endes in *ratio* und *emotio* begründet ist.

Der Grundgedanke des Frühchristentums, die geistige Einheit kultischen Erlebens in Richtung auf Christus, führt nicht nur zu den theologischen Grundlegungen der Musik bei den Kirchenvätern, die den Gottesdienst ebenso bestimmen wie die Haus- und Brauchtumsmusik im Gegensatz zur heidnischen weltlichen Musiktradition (*pompa diaboli*), sondern auch zu dem „*una voce dicentes*", das in Gedanken des himmlischen Jerusalems die Musik der Engel kennzeichnet.

Mit dem öffentlichen christlichen Kult, der durch Konstantin im 4. Jh. ermöglicht wurde, entwickelten sich die christlichen Musizierformen in der Abgrenzung gegenüber der weltlichen Musik, die vorwiegend vom Instrument getragen war.

Wenn im *Canon 12* der *Canones Hippolyti* der in antiken Auffassungen gebildete Fachmusiker aus der kirchlichen Gemeinschaft ausgeschlossen war, kennzeichnet dies die seit dem Urchristentum entwickelte Eigenständigkeit christlicher Kultmusik. Sie gewinnt vor allem durch Ambrosius 386 im Abendland (auf der östlichen Grundlage des — im Gegensatz zwischen Arius und Athanasius entwickelten — *carmen hymnorum*, als dem zum Bekenntnislied gewordenen Gesang) die erste dichterische und musikalische Ausdrucksgestaltung neben dem Psalmengesang. Die Verbindung dieser christlichen Gesänge mit den ostkirchlichen Grundformen einerseits, und mit der abendländisch lateinischen Gestaltungsweise andererseits bildet eine wesentliche Grundlage der abendländischen Kirchenmusik.

In ihrer Wertung ist die pythagoräisch kanonische Auffassung der platonischen Ethoslehre gegenüber zurückgetreten, um in christlicher Deutung dem Melodietyp entsprechend dem Wort seinen Ausdruckswert zu geben. Platons Mensch-Musik-Beziehung (*Nomoi* II, 5, 8, 9, 11; *Politeia* III, 8, 10) hat in ihrer späteren Verchristlichung das pythagoräische Zahlenproblem in sich aufgenommen und die Harmonia im Mikro- und Makrokosmos als immanente Ordnung in Gott, Mensch und Natur erfaßt.

Seit Clemens von Alexandrien († 215) wird die christliche Musik und in ihr, als Teil des Gottesdienstes, die Kirchenmusik in dieser theologischen Bedeutung im Anschluß an den 21. Vers des 11. Kapitels des Buches der Weisheit Salomonis (*„omnia in mensura et numero et pondero fecisti"*) begründet. Augustinus hat den Gedanken in *De musica* weitergeführt (VI, 14, 17) und in den *Confessiones* (IX, 6, 7; X, 33) als Gefühlsausdruck belegt. Die den Menschen in Seele und Leib erfassende antike Ethoslehre wird zur Gefühlswertung der Musik abgebogen und erkennt Wort- und Musikerlebnis in seinem rationalen und emotionalen Wert als Frömmigkeitserlebnis (X, 33). Der wortlose *Jubilus* erhält damit seine Bedeutung, freilich in der Spannung zwischen *„Sinnenlust und dem Erlebnis heilsamer Wirkung"* als Mittel *„zur höheren Seelenbewegung der Andacht"*.

Der Gegensatz zwischen *ratio* und *emotio* beherrscht die gesamte Entwicklung der Kirchenmusik in ihrer Gestalt und Ausdrucksgebung wie in ihrer Stellung in der Liturgie. Das Ethosdenken der frühchristlichen Musik, das in der Musikanschauung der Kirchenväter im besonderen in der Abgrenzung der christlichen Musik gegenüber heidnischen Musikauffassungen deutlich wird und der Musik ihren Sinn innerhalb der Liturgie wie innerhalb des gesamten Lebens gibt, wird mit einer subjektiven

Gefühlsbetonung konfrontiert. Sucht die frühchristliche Stellungnahme zur Musik im Anschluß an die antike Ethoslehre den ganzen Menschen zu erfassen, so tritt bei Augustinus die Beschränkung auf das Gefühlsleben hervor.

Im 33. Kapitel des X. Buches seiner *Confessiones* wird seine Auseinandersetzung mit diesem Problem, das letzten Endes die Stellung zu Wort und Musik betrifft, deutlich: *„ . . . Mitunter will mir scheinen, ich gäbe den Melodien doch mehr Ehre als ihnen gebührt. Wohl fühle ich dass die heiligen Worte selber, so gesungen, unser Gemüt inniger und lebhafter in der Flamme der Andacht bewegen, als wenn sie nicht so gesungen würden: finden doch alle Regungen unseres Geistes je nach ihrer besonderen Art auch in Stimme und Gesang ihren eigentümlichen Ausdruck, und ich weiss nicht, durch welch geheimnisvolle Verwandtschaft er den Stimmungen entsprechend hervorkommt. Aber meine Sinnesfreude, der sich der Geist doch nicht zur Verweichlichung ergeben darf, hintergeht mich oft: statt daß der empfindende Sinn sich der Vernunft als Begleiter anschlösse, um ihr zu folgen, da er doch nur ihretwegen verdient dabei zu sein, nimmt er sich heraus, ihr voran zu gehen und sie auf seinen Weg zu bringen . . . Wenn ich meiner Tränen gedenke, die ich damals in der ersten Zeit meiner Rückkehr zum Glauben, bei den Gesängen deiner Kirche vergossen habe und wenn es doch auch heute nicht die Melodien sind, die mich bewegen, sondern die gesungenen Worte, wenn sie mit reiner Stimme im gehörigen Fluss der Töne gesungen werden, dann sehe ich wiederum auch den großen Segen dieser Einrichtung.“* Aber nicht nur in dem Gegensatz von Wort und Musik, auch innerhalb der Musik selbst erkennt Augustinus den Unterschied zur sinnlichen Wahrnehmung: *„ . . . Wir unterscheiden äußeres Hören vom inneren Hören, da es sich in Wahrheit um zwei verschiedene Stimmen, eine tönende und eine nicht tönende handelt.“* (*Musica*, 6. Buch, 2. Kap.) Darin ist auch die Anerkennung des wortlosen Gesanges begründet.

Die theologische Spekulation und reale Wertdeutung der Musik als christlicher Ausdruck verbindet sich im Mittelalter mit der von Boethius († 524) überlieferten antik-mathematischen Musikauffassung. Isidor von Sevilla († 636) gewinnt in dieser Verbindung die Sinngebung der Musik im Gedanken des Schöpfers Gott, der, wie Rhabanus Maurus († 856) es ausdrückt, die Welt in den Gesetzen der harmonischen Ordnung geschaffen hat, so daß er den Satz — selbst in Hinsicht auf das göttliche Schöpfungswerk — prägt: *„sine musica nulla disciplina potest esse perfecta; nihil enim est sine illa.“*

Im Klang der Musik wird die Ordnung der Welt als göttliches Gesetz zur Wirklichkeit. Daher ist ihre Gestaltung im Nachvollzug des göttlichen Schöpfungsgedankens ein religiöses Werk, das damit im Kult an erster Stelle steht.

So sehr in der musiktheoretischen Auseinandersetzung musikalisch-technische Fragen seit dem ausgehenden 1. Jahrtausend in den Vordergrund rücken, so tritt immer wieder die Begründung einer christlichen Musik, und damit der Kirchenmusik, hervor, die nicht nur von den Theologen und Musikern, sondern auch von den Naturforschern wie Joh. Kepler (1571—1630) oder Galilei (1632) betont wird und bis in das 18. Jh. in Ethik und Ästhetik weiterwirkt.

Wenn auch seit der Renaissance die theozentrische Musikauffassung einer anthropozentrischen gewichen ist, so bleibt im Erbe liturgischer Musik selbst in Zeiten, die den objektiven *Ordo* der Kultmusik einem subjektiven Affektausdruck gegenüberstellen, ein Rest der ursprünglichen Auffassung erhalten. Die Lösung der *musica* aus der Ordnung des *Quadrivium* zum *Trivium* als menschlicher Ausdrucksvermittlung bis zur *naturalis delectatio* und dem subjektiven Klangerleben im Spätmittelalter kennzeichnet den Weg, der zur liturgischen Melodie zunächst Gestalten einer Klangverbreiterung hinzufügt (Choralbearbeitung) und sie immer mehr im Klang und in der musikalischen Struktur aufgehen läßt.

Zur liturgischen Melodie des Gottesdienstes als seinem integrierenden Bestandteil tritt in der abendländischen Kirche ihre subjektiv künstlerische Gestaltung, die im zeitlichen Wandel Formen und Bestrebungen der allgemeinen Musikentwicklung erfaßt, während in den orientalischen Liturgien der Urbestand der liturgischen Melodien länger erhalten bleibt. Das musikalische Erbe und die Musiktradition bleiben im Werk vom Urchristentum bis zur Gegenwart neben zeitgegebenen, in verschiedenen Gesellschaftsgruppen sich entfaltenden Ausdrucksgestaltungen bestehen, während der Vortrag sich in Zeit und Gesellschaft wandelt und auch zu Umbildungen der traditionellen liturgischen Melodien führt.

In der abendländischen Entwicklung wird dies besonders durch den Wandel der Stimmgebung und der Wortakzentuierung wie in der Darstellung der Tonraumgliederung deutlich. Die „Reformfassungen“ der Gregorianik mit ihren Akzentverschiebungen, tonalen Schwerpunktverlagerungen, Melodiekürzungen und Wortunterlegungen kennzeichnen diese Entwicklung durch die Jahrhunderte. Die Kirchenmusik ist nicht mehr vom immanenten Gesetz bestimmt, sondern Ausdruck einer subjektiven musikalischen Bewegung und damit den allgemeinen musikalischen Entwicklungen geöffnet. Des Tinctoris († 1511) Satz *Musica est modulandi peritia cantu sonoque consistens* weist auf die Ausdrucksmöglichkeiten der *musica poetica*, deren Klangvoraussetzungen durch Glareans *Dodecachordon* 1547 in der Dur-Moll-Bildung geschaffen und deren subjektive Ausdrucksgestalt in der Gegenüberstellung von *ars* und *ingenium* begründet wurde.

In der *musica reservata* ist diese subjektive Ausdrucksdeutung auf Grund humanistischer, inhaltlicher und grammatikalischer Wortauffassung verwirklicht; sie hat dem musikalischen Gestalten seine typischen und einmaligen Ausdrucksformen in homophonen und polyphonen Strukturen sowie den Sinn gegeben, die *affectus movere* und *affectus exprimere*. Josquin konnte in diesem Sinne die im 14./15. Jahrhundert zu höchster Kunstfertigkeit entwickelte Satzstruktur als Ausdruck menschlichen Erlebens gestalten und eine neue Kunst, die vom Menschen und seinem *ingenium* bestimmt ist, in der Kirche begründen. Glarean hat in dem Kapitel *De symphonetarum ingenio* diese vom individuellen Musikerleben des Menschen bestimmte Musik, die in der Kirchenmusik in gleicher Weise das Frömmigkeitserleben voraussetzt, herausgestellt. So bleibt die Spannung zwischen dem im Individuum wie in der Gruppe in Zeit und Raum gegebenen religiösen und musikalischen Empfinden die treibende Kraft der subjektiven kirchenmusikalischen Entwicklung. Die persönliche Auseinandersetzung mit dem religiösen Text und der Musik, die religiöse Aussage und das Bekenntnis bestimmen die Eigenart der Kirchenmusik, die von der subjektiven Empfindungs- und Wirkungskraft der Persönlichkeit als persönliche Tonsprache gestaltet wird.

Damit gewinnt die individuelle künstlerische Gestaltung in der abendländischen Kirchenmusik zunehmende Bedeutung, da sie einem stärkeren Wandel als das in der liturgischen Ordnung begrenzte religiöse Empfinden unterworfen ist. *Affectus* und *ingenium* setzen sich zunächst in der traditionellen Satzstruktur durch, bis über die Homophonie und musikalische Rhetorik in der Monodie der subjektive Ausdruck in Satzgestalt und Vortrag gesteigert wird. *Prima* und *seconda pratica* stehen um 1600 nebeneinander. Der affektbetonte Sologesang in der Kirchenmusik beruht sowohl auf der Grundlage des solistischen *colla-parte*-Vortrags der polyphonen und homophonen Motette, wie auf der Tradition des einstimmigen liturgischen Gemeindegesangs und der neuen rezitativischen Wortgestaltung in der Musik (die im außerkirchlichen Raum, besonders in der Oper, ihre besondere Entwicklung gefunden hat). Die Gemütsbewegung hat im *stile concitato*, *stile temperato*, *stile molle* ihre musikalischen Affektgestalten gefunden. Der von objektiver Struktur bestimmte *stilus gravis* und der subjektive, die verschiedenen zeitgegebenen musikalischen Gestaltungsmittel sich dienstbar machende *stilus luxurians* bezeichnen einerseits die strenge Strukturgesetzlichkeit des Satzes in Harmonie und Kontrapunkt, andererseits die mit Textdeutung und Rhetorik verbundene Affektkunst. Sie entfaltet in der Kirche alle neuen harmonischen, klanglichen und deklamatorischen Mittel in Satz und Vortrag, sowohl im mehrstimmigen wie im solistischen Gesang.

Die in der Vokalmusik entwickelte affektbestimmte Ausdruckskraft ist so groß, daß sie ihre Ausdruckswirkung auch ohne das Wort in der Instrumentalmusik bzw. in der Verbindung von Instrumental- und Vokalsatz zu steigern weiß. Die subjektive Ausdrucksgestaltung bedingt gleichzeitig die Steigerung der musikalischen Technik und Ausdrucksmittel, die von der strukturellen Diminution zur Koloratur, zu Passagen und Akkordbrechungen, vom Gleichrhythmus zur rhythmischen Vielgestalt, vom diatonischen Ablauf zu chromatischer Spannung, von der in sich ruhenden Kontrapunktordnung zu freien Formbildungen, Sequenz- und Ostinatogestaltungen, von spielerischen Manieren zur Einmaligkeit subjektiven Ausdrucks, von Themen und Satztypen zur freien Phantasieentfaltung führt.

Dieser freizügigen Gestaltung gegenüber bleibt die thematische Bindung an die Gregorianik oder das Kirchenlied, aber auch die bewußt kirchliche Ausdrucksgestaltung eines *stilus ecclesiasticus*, trotz der sich bis zum 18. Jh. an Polyphonie und Kantate (von der Mitte des 18. Jh. ab an Symphonik und Oratorien) formal orientierenden Kunstgestaltung, bestehen.

Im Affekt der späteren abendländischen Kirchenmusikentwicklung wird ein neues Wort-Ton-Verhältnis gewonnen, das nicht nur zu verschiedenen Stilarten und musikalischen Gattungen führt, sondern auch eine Differenzierung religiöser Erlebnisformen bringt, die in Wirklichkeit und Symbol die abendländische Kirchenmusik-Entwicklung bestimmen. Diese Gefühlsemanzipation bedingt das Zurücktreten oder die Umdeutung der liturgischen Melodien in bestimmten Zeitabschnitten. Gefühl und Empfindung als subjektiver Ausdruck lassen den instrumentalen Ausdruck vor die vokale Kirchenmusik stellen und führen zu einer dauernden Umwertung des musikalischen Materials in den zeitlichen und gesellschaftlichen Gruppen.

Die Eigenart der Musik- und Kirchenmusikentwicklung ist in dieser dynamisch-subjektiven Entwicklung abendländischen Denkens und Fühlens begründet, während die Ostliturgien sich an die Tradition des liturgischen Gesangs in seiner starren Gestalt halten. Kultmusik und Profanmusik sind dort vielfach zu einer inneren Trennung gekommen, die im kultischen Bereich die starre Tradition erhält, während im weltlichen Bereich sich mehr oder minder entfernte Entwicklungen oder fremde Einflüsse durchsetzen.

Wenn auch die Liturgieordnung die gesetzliche Bestimmung der Kirchenmusik bedeutet, so folgen im Abendland ihre Ausdrucksgestalten der allgemeinen Musikentwicklung. Immer erfolgt ein Ausgleich zwischen den verschiedenen musikalischen Strömungen, die zu mehr zeit- als gattungsbestimmten Erscheinungen in der gesamten abendländischen Musik führen. Die meisten der abendländischen musikalischen Ausdrucksgestaltungen haben sowohl in der weltlichen wie in der geistlichen Musik eine Wurzel. Bereits in der frühen mittelalterlichen Mehrstimmigkeit tritt diese doppelte Verwurzelung auf. In der Polyphonie, in Motette und Madrigal, oder in Motette — Kantate — Oratorium, im liturgischen Spiel und in der Oper, auch in der Kammer- und Orchestermusik, ergeben sich Formen der liturgischen und geistlichen Musik wie der weltlichen Musik.

Der Wandel des Frömmigkeitsempfindens wie des Musikerlebnisses bedingen die unterschiedliche Stellung der Kirchenmusik in der Liturgie wie in der geistlichen Musik, im religiösen Leben wie im Musikleben. Mit der Differenzierung der Gesellschaft erfolgt auch eine Differenzierung der Kirchenmusik und ihrer Entwicklung. Sie wird zu Beginn des ersten Jahrtausends in der Mehrstimmigkeit deutlich. Bis in das 16. Jahrhundert steht noch die Bindung an den *cantus gregorianus* als dem traditionellen liturgischen Gesang der Kirche im Vordergrund, wenn sich auch in zunehmendem Maße rein musikalische Gestaltungs- und Ausdrucksdifferenzierungen in eigener Themen- und Satzgestaltung herausgebildet haben. Neben dem Choral-*cantus-firmus* in der polyphonen Umspielung steht die thematische Entwicklung aus der liturgischen Melodie, bis die freie wort- und ausdrucksbestimmte Thematik die kirchenmusikalische Komposition ebenso wie die weltliche beherrscht. Der subjektive Affektausdruck der Barockmusik hat diese Entwicklung gefördert, in der die konzertanten und monodischen Formen, die zu orchestralen Klangbildungen und symphonischen Gestalten weiterentwickelten Kantaten und die zeitbedingten Klang-, Satz- und Formgestaltungen ihre Deklamation und ihren Ausdruck gewinnen konnten. In der Pflege der Gregorianik und des *stile antico* hat sich in der abendländischen Kirchenmusik neben der zeitbedingten Entwicklung ein Erbe erhalten, das in unterschiedlichen Auseinandersetzungen mit den verschiedenen religiösen und musikalischen Strömungen gewertet wurde. Dazu kommt die Formulierung und die Betonung der gesetzlichen kirchlichen Ordnung, die von Johann XXII. bis zum Vaticanum II ihre Bedeutung gefunden hat.

Die Liturgie und ihr objektivierender Gottesdienst bestimmt die Kirchenmusik. Sie ist damit nicht subjektiver Ausdrucksträger, wie es bestimmte Perioden, z. B. die Aufklärung, forderten. In diesem Gegensatz einer subjektiven, im persönlichen Frömmigkeitsverhältnis und einer objektiven, in und durch die Liturgie bestimmten Grundauffassung liegt die Spannung einer in Gestalt und Ausdruck verschiedenartigen Kirchenmusik.

Die künstlerische Gestalt neigt in den verschiedenen Perioden mehr der einen oder der anderen Grundauffassung zu.

Damit erfolgt nicht nur die künstlerische Entwicklung in verschiedener Richtung, sondern auch das Verhältnis der zeitgebundenen Kirchenmusik zur Gregorianik und zum *stile antico* innerhalb der musikalischen Gottesdienstgestaltung. Konstruktive Musikentwicklungen haben eine andere Stellung in der Liturgie als Entwicklungen, die von der *musica reservata* ausgehend zum subjektiv romantischen Ausdruck sich ergeben. Bestrebungen der neuen Musik zur Abstraktion stehen damit einem liturgischen Erleben ebenso nahe wie die abstrakten Formen der frühen Mehrstimmigkeit oder die kontrapunktischen Strukturen, die das Klangmaterial von subjektiven Gefühlsinhalten lösen. Die „poetische Idee" der musikalischen Gestalt im 19. Jahrhundert wurde zu einer elementaren Musikgestaltung und damit zu kultischer Sinngebung zurückgeführt, von der sich die Kirchenmusik seit dem Erleben der Klangsinnlichkeit und der subjektiven Ausdrucksgebung gelöst hatte. Damit konnte die mittelalterliche liturgische Melodie in der Pflege der Gregorianik wie in ihrer thematischen Verwendung neue Bedeutung gewinnen.

Die Wiederbelebung der Gregorianik im 19. Jahrhundert ist für diese Entwicklung bezeichnend. Zunächst noch auf einer anthropozentrischen Wertung und gesellschaftlichen Aufnahme ihrer der Zeit angepaßten Gestalt fußend, haben die liturgisch-kirchenmusikalischen Bestrebungen des frühen 19. Jahrhunderts auf „Reformfassungen" zurückgegriffen, während die mit der Liturgie gewordene Originalgestalt in ihrer besten Überlieferung in der 2. Hälfte des 19. Jahrhunderts das Ziel neuen liturgischen Strebens wurde und im *Motuproprio* Pius X. zu der historisch begründeten *Editio Vaticana* führte. Ebenso ist die Wiederbelebung der altklassischen Polyphonie in diesem „Historismus" begründet und damit ein neues Ideal und ein richtungweisendes Original gewonnen. Erst in den Tendenzen der Abstraktion der neuen Musik berühren sich damit wieder weltliche und kirchliche Musik in ihrer musikalischen Gestalt.

Wenn Pius X. das Gesetz aufstellte: „*Eine Kirchenkomposition ist um so mehr kirchlich und liturgisch, je mehr sie sich in ihrer Anlage, ihrem Geist und ihrer Stimmung dem Gregorianischen Gesang nähert; umgekehrt ist sie um so weniger des Gotteshauses würdig, als sie sich von diesem Vorbilde entfernt*", so deutet er die Entwicklungslinie der liturgischen Musik an, die freilich zunächst noch nicht in ihrer Wesenheit erfaßt wurde und erst durch die neue Musik Verständnis finden konnte. Gebet und Verkündigung, Abstraktion und Deklamation, inneres Erleben und Außenwirkung sind Gegensätze, die die Kirchenmusikentwicklung bestimmen.

Das dem Wandel der Zeit unterworfene ästhetische Urteil steht der liturgischen Wertung der kirchlichen Musik und ihrer in pastoralem Streben auf den Menschen gerichteten Wirkung gegenüber. Zeit und Ort sind für den Wandel der ästhetischen und pastoralen Auffassungen bestimmend und damit für das Verhältnis der Kirchenmusik zum Menschen. In diesem Zusammenhang ergibt sich auch das Verhältnis von Kult- und Landessprache, von Solo-, Chor- und Volksgesang, vom musikalischen Erbe der zeitgegebenen Musik. Rangordnung und Funktion werden in der kirchlichen Vorschrift wie in der Rezeption unterschiedlich bestimmt. Der Mensch und die Gesellschaft gewinnen ihr Verhältnis zur Kirchenmusik in ihrem Musik- und Frömmigkeitserlebnis. Nicht die Stilrichtung an sich, wie Gregorianik oder Polyphonie, sondern die einzelne Form und Gestalt innerhalb der Stilrichtungen kennzeichnen im Rahmen bestimmter liturgischer und musikalischer Auffassungen die Stellung gottesdienstlicher Musik. Die Breite zwischen Kunst und Unkunst, Ausdrucksgestalt und Trivialspiel ist sowohl an Gesellschaftsschichten als auch an Frömmigkeitsstufen im religiösen und liturgischen Bereich gebunden. Ideal und Wirklichkeit sind in der Gottesdienstgestalt wie im Verhältnis von einem liturgisch-kirchenmusikalischen Gesetz zur praktischen Gottesdienstpflege gegeben.

Die Stellung der Funktion und damit der Gestalt der kirchenmusikalischen Formen, des Gebets und der Verkündigung, der Träger der Kirchenmusik im Gottesdienst und vor allem der Gemeinde im liturgischen Geschehen gibt der Kirchenmusik in den einzelnen von der Urkirche, vom Mittelalter, von den kirchlichen Erlassen von 1324, 1564, 1725, 1902, von den Erlassen der letzten Päpste und dem Vaticanum II 1963 bestimmten Epochen ihre Haltung.

Die ekklesiologische und theologische Orientierung in der pastoralliturgischen Haltung hat durch das Vaticanum II neue Wege geöffnet. Ein neues Verständnis der Kirche und des Gottesdienstes ergänzt den geschichtlichen Wandel dieses Verständnisses und gibt der Kirchenmusik in ihrer gottesdienstlichen Funktion, vor allem im Zusammenhang mit der Beteiligung der Gläubigen neue Aufgaben. In der Funktionsgliederung findet der Gemeindegesang eine neue Bedeutung in Verbindung mit anderen musikalischen Gestaltungsformen des Gottesdienstes.

Wie die kirchenmusikalische Idealform beim Übergang zur Mehrstimmigkeit oder bei der Ausbildung des in sich geschlossenen *Ordinarium missae* im Mittelalter sich aufgrund neuer liturgischer Erlebnisformen gewandelt hat, so auch die Aufgabendifferenzierung der Kirchenmusik nach dem Vaticanum II. Die Auseinandersetzung mit der künstlerischen Entwicklung ist in der Gegenwart ebenso gegeben wie in den früheren Jahrhunderten und damit auch das Problem von Erbe und Neuschöpfung, d. h. mit dem in der Liturgie-Konstitution hervorgehobenen *Thesaurus* der Kirchenmusik (Art. 114) und dem der Liturgie eigenen Gregorianischen Gesang (Art. 116).

Die Differenzierung der liturgischen Schwerpunkte und die Sonderentwicklungen ihrer Gesänge in der Ost- und Westkirche der Spätantike und des Mittelalters hat zu Vereinheitlichungen geführt, die eine größere Uniformität in den einzelnen Liturgiekreisen schufen und vor allem im Abendland die Sonderentwicklungen zugunsten der römischen Melodiefassung zurückdrängten. Durch das *Concilium Tridentinum* ist diese Entwicklung der Liturgievereinheitlichung nach dem römischen Ritus mit wenigen Ausnahmen allgemein geworden.

War schon im Mittelalter trotz der Ausrichtung auf die römische Liturgie- und Melodiefassung im 7. Jahrhundert immer wieder eine Differenzierung der Melodiefassung mit der Verbreitung des Christentums in Missionierung und Kolonisierung aufgetreten, so stellt auch in der Gegenwart die Missionsmusik besondere Probleme. Hatte im 19. Jahrhundert ebenso wie schon im 16. Jahrhundert die Missionierung die aus der Heimat der Missionare stammenden Gesänge in die Missionsgebiete eingeführt, so ist im Anschluß an das 2. Vatikanische Konzil die Eigenständigkeit der Völker und Kulturen in Liturgie und Kirchengesang betont worden. Dem Akkulturations- und Akkomodationsproblem ist die Eigenschöpfung einer katholischen Kirchenmusik der verschiedenen Kulturen entgegengetreten und hat neue Richtungen der Kirchenmusik in der musikalischen Gestalt und Auffassung bestimmt. Seit der Kolonisation und Missionierung zur Zeit der Entdeckungen hat das Problem der Missionsmusik seine Bedeutung, nachdem bereits seit der frühesten kirchenmusikalischen Entwicklung das Problem der Auseinandersetzung der liturgischen Melodien mit den ortsgegebenen Musikkulturen bestand.

Nach der frühchristlichen Entwicklung gliedert sich die Geschichte der katholischen Kirchenmusik in drei große Gruppen: 1. Die Kirchenmusik der Ostliturgien, 2. die abendländische Kirchenmusik, 3. die Kirchenmusik nach dem 2. Vatikanischen Konzil.

Ein bestimmender Einschnitt der abendländischen Kirchen- und Liturgiegeschichte, der auch die Kirchenmusik betrifft, erfolgte im 16. Jahrhundert durch das Konzil von Trient. Auf dieser Grundlage haben sich die verschiedenen Entwicklungen der katholischen Kirchenmusik der folgenden Jahrhunderte entfaltet.

Durch das 2. Vatikanische Konzil aber ist in der Kirche, in ihrer Liturgie und Kirchenmusik aufgrund eines neuen Frömmigkeitsverständnisses eine neue Epoche der katholischen Kirchenmusik eingeleitet. Die vielgestaltigen zeitgeschichtlichen Probleme stehen am Anfang einer Verwirklichung in der Neuschöpfung wie in der Auseinandersetzung und Ablösung der Tradition. Der Gemeindegesang ist ebenso wie der Kirchengesang in der Landessprache zum Problem geworden, eine neue Einheit der Gottesdienstgestaltung durch ihre Träger bringt neue Formen der Kirchenmusik. Die zwei Jahrtausende getrennte Entwicklung ost- und westkirchlicher Liturgie-Vorstellungen sowie abendländischer und außereuropäischer musikalischer Gestaltungen nähern sich trotz der fortschreitenden Differenzierung sprachlicher und kultureller Eigenentwicklungen einander an. Im Weiterwirken der Tradition wie in neuen Lösungen bahnt sich eine Entwicklungsepoche an, die sich in einer umfassenden Katholizität von abendländischen Überlieferungen zu neuen Eigengestaltungen zu lösen sucht. Diese zeitgeschichtlichen, sich an das 2. Vatikanische Konzil anschließenden Bestrebungen stehen am Anfang einer neuen kirchenmusikalischen Epoche.

Karl Gustav Fellerer

Wesen und Gestalten der christlichen Kultmusik

Der Kult *(colere)* nimmt Bezug auf das heilige Handeln Gottes, das durch den Kult vergegenwärtigt und immer wieder neu begründet wird. Er meint eine göttliche Hilfe, die dem Menschen zu seiner Rettung zuteil wird. Diese ist von Christus, dem Erlöser, uns Menschen gebracht und wird dereinst zur eschatologischen Vollendung geführt werden.

Im Kult vollzieht sich eine symbolische Vergegenwärtigung. Er ist insofern ein Spiel, als gewisse Regeln gegeben sind und die Kontemplation der Teilnehmer angesprochen wird. Er ist aber mehr als ein Spiel, da das Tun nicht zweckfrei ist, sondern seinem innersten Wesen nach die im Glauben bewußte und gewollte Darstellung des geschichtlichen Heilshandelns Gottes ist. Diese Darstellung soll über die Situation des kultisch tätigen Menschen Heilsmacht gewinnen. Die geschichtliche Gegenwart einer anderen Zeit wird in der kultischen Feier aktualisiert, was wesentlich mehr bedeutet als eine bloße Erinnerung, ein Gedächtnis. Die Menschheit Christi ist die instrumentale Wirkursache für die Gnade des Menschen, in den Sakramenten im allgemeinen und in der heiligen Eucharistie im besonderen. Tod und Auferstehung des Herrn als Erlösung der Welt ist in der Feier der heiligen Eucharistie gegenwärtig. So wird Kult religiöser Lebensausdruck unmittelbarer personaler Gottesbegegnung. Er ist ein Dienst, den wir Gott schulden, sei es in heiligen Zeichen, sei es in innerer Haltung. In einem Kult, der aus der inneren Haltung hervorgeht, vollendet der Mensch sein eigenes Sein. Glaube, Hoffnung und Liebe, die Grundlagen jeglicher inneren religiösen Haltung, bilden die Quellen für den äußeren Vollzug des gesamten, sowohl des praktischen Alltagslebens als auch des kultischen Handelns. Kult ist heilige Feier, ein Fest, in welchem vor uns aufleuchtet Gott der Herr, uns Heil schenkend zu seiner Verherrlichung.

Die Erlösung durch Christus, besonders sein Tod und seine Auferstehung, bilden als Heilsquellen die Grundlegung jeglichen christlichen Kultes, der sich in der Kirche entfaltet. *„Die Liturgie als Ganzes bildet deshalb den öffentlichen Kult, den unser Erlöser, das Haupt der Kirche, dem himmlischen Vater erweist, und den die Gemeinschaft der Christgläubigen ihrem Gründer und durch ihn dem Ewigen Vater darbringt; um es zusammenfassend kurz auszudrücken: sie stellt den gesamten öffentlichen Kult des Mystischen Leibes Jesu Christi dar, seines Hauptes nämlich und seiner Glieder"* (Mediator Dei, 20, AAS 39, 1947, S. 528/29). Die Liturgie-Konstitution des Zweiten Vatikanischen Konzils führt in Punkt 7 dies näher aus: *„Mit Recht gilt also die Liturgie als Vollzug des Priesteramtes Christi; durch sinnenfällige Zeichen wird in ihr sowohl die Heiligung des Menschen bezeichnet und in je eigener Weise bewirkt, als auch vom mystischen Leib Jesu Christi, d. h. dem Haupt und den Gliedern, der gesamte öffentliche Kult vollzogen. Infolgedessen ist jede liturgische Feier als Werk Christi, des Priesters, und seines Leibes, der die Kirche ist, in vorzüglichem Sinn heilige Handlung, deren Wirksamkeit kein anderes Tun der Kirche an Rang und Maß erreicht."* Kult bedeutet das Wirken Gottes zum Heile des Menschen und die Antwort des Menschen auf dieses personenhaft erlebte Heilswirken Gottes. Alles Seiende ist von Gott, dem Schöpfer, ins Dasein gerufen, und der Mensch ist von Gott zu einer personalen Heilsbegegnung angerufen. Im Wesen der Schöpfung Gottes und der Erlösung durch den Mensch gewordenen Gottessohn liegt der Gemeinschaftscharakter des Heilswirkens Gottes und der kultischen Antwort durch die liturgische Feier begründet. Kultisches Tun basiert immer auf gemeinschaftlichem Tun, auch wenn es ganz persönlich und privat vollzogen wird, also immer in der Gemeinschaft mit Christus, dem Haupt, und allen Gliedern seines geheimnisvollen Leibes.

Der Gemeinschaftscharakter jeglichen kultischen Tuns setzt eine entsprechende Vorbereitung voraus. Sie erfolgt durch Aufnahme oder Eintritt in die Kultgemeinschaft, durch gebührende Kleidung und in würdiger Haltung. Darum ist der Introitus eine wesentliche Vorbereitung und Einleitung zur kultischen Feier. Die musikalische Gestalt kann ähnlich einer Ouverture eine instrumentale Einstimmung sein, wird aber sinndeutend erst durch das Wort, durch den Gesang. So wird durch den Introitus-Gesang das kultische Tun machtvoll eingeleitet. Alles kultische Tun ist sowohl Handlung als auch Wort. Darum ist das Heilswirken Gottes zu feiern durch kultisches Tun in Handlung und Wort und so zu einem persönlichen Gemeinschaftserleben zu führen. Wort und Musik schaffen einen bewußten Ausdruck lebendiger Gemeinschaft.

Dem ewig gezeugten Wort Gottes im Schoß der Trinität, der Zweiten göttlichen Person, entspricht in analoger Weise das von Gott zum Menschen gesprochene Offenbarungswort, der heilsmächtige Anruf Gottes an den Menschen. Im Kult wird dieses Gotteswort erlebnismäßig dargestellt als persönliches Eigentum der Gemeinschaft aller Erlösten. Im Kult kommt somit der Klanggestalt des Offenbarungswortes und der vom Menschen zu gebenden Antwort eine hervorragende Bedeutung zu. Eine wirkkräftige Verkündigung muß eine dem Sprach-Charakter angemessene musikalische Klanggestalt aufweisen, sonst wirkt der gesangliche Vortrag befremdend und abstoßend. Die von der Kultgemeinde zu gebende Antwort kann einfache Melodien aufweisen oder aber künstlerischen Ausdruck höchster geistiger Wirklichkeit symbolisieren durch Anhören des von einer Schola bzw. vom Chor gesungenen Textes.

Nicht bloß bei einschneidenden Übergängen im menschlichen Leben, bei Geburt und Tod, bei der Eheschließung, bei Änderungen des Lebensstandes, immer und überall wird Kult gefeiert als sinnerfüllender Rhythmus des gesamten menschlichen Lebens. Ein solcher sinndeutender Rhythmus tritt aber nicht bloß in Gebärden, in Bewegungen und im Tanz in Erscheinung, das Wort und seine musikalische Klanggestalt erhalten eine über das Irdische hinausgreifende Mächtigkeit. So ist das Wesen der Kultmusik der hörbare und damit auch Gemeinschaft stiftende Ausdruck des persönlich erlebten Heilswirkens Gottes.

Christliche Kultmusik ist nicht bloß Verkündigung der Heilstaten Gottes, sie ist Feier dieser Heilstaten in wohlgeordneter und organisch gegliederter, abgestufter Gemeinschaft. Dies hat Punkt 28 der Liturgie-Konstitution des Zweiten Vatikanischen Konzils folgendermaßen formuliert: „*Bei den liturgischen Feiern soll jeder, sei er Liturge oder Gläubiger, in der Ausübung seiner Aufgabe nur das und all das tun, was ihm aus der Natur der Sache und gemäß den liturgischen Regeln zukommt.*" Christliche Kultmusik wird also nicht allein vom Liturgen, auch nicht allein von der Gemeinde in Verbindung mit dem Liturgen, sondern von einem wohlgegliederten Organismus gestaltet, wobei jedes Glied seine ihm zukommende Aufgabe durch Handlungen und Worte, durch eine mit liturgischem Vollzug verbundene Musik zu erfüllen, aber auch in echter Gemeinschaft die Handlungen und Worte anderer Glieder dieser Gemeinschaft, die Gestaltungen ihrer mit liturgischem Vollzug verbundenen Musik anzuhören und innerlich aufzunehmen hat.

Der im Motu proprio Pius X. formulierte allgemeine Grundsatz, daß die Kirchenmusik ein integrierender Bestandteil der feierlichen Liturgie sei, *parte integrante della solenne liturgia*, erscheint in Punkt 112 der Liturgie-Konstitution des Zweiten Vatikanischen Konzils vertieft: „*Die überlieferte Musik der Gesamtkirche stellt einen Reichtum von unschätzbarem Wert dar, ausgezeichnet unter allen übrigen künstlerischen Ausdrucksformen vor allem deshalb, weil sie als der mit dem Wort verbundene gottesdienstliche Gesang einen notwendigen und integrierenden Bestandteil der feierlichen Liturgie ausmacht.*" Mit diesen Worten beginnt das sechste Kapitel der Konstitution, das über die Kirchenmusik handelt. Zu beachten ist, daß das Konzil hier nicht vom gottesdienstlichen Gesang als solchem redet, sondern von der überlieferten Musik der Gesamtkirche. Diese Musik gilt als der mit dem Wort verbundene gottesdienstliche Gesang, der einen Reichtum von unschätzbarem Wert darstellt und einen notwendigen und integrierenden Bestandteil der feierlichen Liturgie ausmacht. Anschließend wird die Funktion der Kirchenmusik umschrieben: „*So wird denn die Kirchenmusik um so heiliger sein, je enger sie mit der liturgischen Handlung verbunden ist, sei es, daß sie das Gebet inniger zum Ausdruck bringt oder die Einmütigkeit fördert, sei es, daß sie die heiligen Riten mit größerer Feierlichkeit umgibt. Dabei billigt die Kirche alle Formen wahrer Kunst, welche die erforderlichen Eigenschaften besitzen, und läßt sie zur Liturgie zu.*" Die Verbindung mit der liturgischen Handlung kann demnach in dreifacher Weise zur Geltung kommen, als Gesang verleiht die Musik dem Gebet einen innigeren Ausdruck und schafft dadurch Einmütigkeit in der Gemeinde oder verleiht den heiligen Riten größere Feierlichkeit. Der Gesang behält seine Vorzugsstellung, aber auch die Instrumente können in der Kirchenmusik verwendet werden, soweit sie sich für die heilige Liturgie eignen, soweit ihr Klang der Würde des Gotteshauses dienlich und der Erbauung der Gemeinde förderlich ist (siehe Punkt 120 der Liturgie-Konstitution). Somit sind alle traditionellen Formen der Kirchenmusik auch für die Zukunft legitim.

Musik wird erst durch ihren Bezug zu Text und Handlung zu kultischer Musik. Rein musikalische Merkmale kultischer Musik werden von jeder Zeit in anderer Weise empfunden, weil Musikhören und Musikbewerten weitgehend subjektiven Anschauungen unterliegt.

Musik wird dann als gültiger Ausdruck empfunden, wenn sie klanglich als angebracht erscheint. Jedes Volk und jede Periode hat ihr bestimmtes Musik-, aber auch ihr bestimmtes Kirchenmusikideal. Der Vorrang der kultischen Handlung gegenüber berauschenden Rhythmen und Klängen hat die katholische Kirche veranlaßt, ein bleibendes Kirchenmusikideal aufzustellen, den Gregorianischen Choral als die offizielle Klanggestalt des gesungenen liturgischen Wortes der lateinischen römischen Liturgie. Diesen klar betonten Standpunkt des heiligen Papstes Pius X. in seinem Motu proprio hat sich auch die Liturgie-Konstitution zu eigen gemacht (siehe die Punkte 116, 117, 36 und 54). Wie tief ein solches Empfinden verwurzelt ist, daß nämlich der Gregorianische Choral als Norm und Maßstab echter Kirchenmusik zu gelten habe, zeigen sogar jene kläglichen Versuche, choralische Formeln und choralische Rhythmen aus ihrem lateinischen Mutterboden zu entfernen und volkssprachlichen Texten aufzupfropfen. Solche Versuche sind keine Musik, noch viel weniger Kultmusik. Gewiß war bis weit in das Mittelalter hinein der lateinische Choral die einzige Kirchenmusik, entweder in einstimmiger Gestalt oder in mehrstimmiger Bearbeitung. Musik als Kunst, als ars aufgefaßt, galt als Gleichnis der göttlichen Weltordnung, und so kannte man zwischen kirchlich und weltlich, zwischen sakral und profan keinen wesentlichen Unterschied. Parallel mit dem Zerfall des einheitlichen Weltbildes entstehen seit dem 14. Jahrhundert eigene weltliche Formen, die aber noch bis ins 16. Jahrhundert in lebendigem Austausch mit den kirchlichen bleiben. Um 1600 werden dem durch die Palestrina-Schule verkörperten Kirchenstil der Kammermusikstil und der Opernstil entgegengestellt. So erscheint ein wesentlicher Unterschied zwischen kirchlicher und weltlicher Musik.

Jede Zeit hat entsprechend ihrem allgemeinen Musikideal auch zeitgemäße Gestaltungen ihrer Kirchenmusik. So bildete die klassische Vokalpolyphonie ihre kultischen Musikformen aus, wie es auch die nachfolgenden Perioden bis zur Gegenwart machen. Messen, Proprien, Motetten, Vespern, Magnificat, Hymnen, Litaneien, Passionen, Prozessionsgesänge, Kantaten, Oratorien, Instrumentalmusik und Orgelmusik werden in den verschiedenartigsten Techniken zu immer wieder neuen Formen entwickelt und zum kultischen Dienst herangezogen.

Der monodische Kirchenstil des Generalbaßzeitalters, die Wiener Klassik, die Romantik usw. waren für ihre Zeit eine ebenso würdige kultische Musik, wie dies auch die modernen Kompositionen für sich beanspruchen. Alle echte Kunst hat aber eine überzeitliche Geltung, einen bleibenden Wert. Wohl können Kunstwerke vergessen oder nicht mehr verstanden werden, aber sie veralten nie. Wie die anderen Kunstwerke der Architektur, der Plastik und der Malerei als Zeugen christlicher Kultur auch für Gegenwart und Zukunft ihren bleibenden Wert behalten, so auch die kunstvollen Werke der kultischen Musik. Dabei spielt die Sprache der Gesänge eine zweitrangige Rolle. Der musikalische Gehalt und die Echtheit des Ausdrucks sind entscheidend für die Wahrheit, denn gerade durch die Musik soll ein Abbild der göttlichen Schönheit gestaltet werden.

Von jeher hat das landessprachliche katholische Kirchenlied einen bedeutsamen Platz, den es neben dem Gregorianischen Choral und den künstlerisch anspruchsvollen homophonen und polyphonen Kompositionen immer ehrenvoll behaupten kann. In der neuen Liturgie kommt ihm eine erhöhte Bedeutung zu. So können sich ähnlich wie zur Zeit der klassischen Vokalpolyphonie nunmehr aus dem Kirchenlied der Gemeinde neue Gattungen entwickeln, die nach dem ausdrücklichen Willen des Konzils würdig des traditionellen Schatzes der Kirchenmusik sein sollen (siehe Punkt 121 der Liturgie-Konstitution).

Kultische Musik muß in Gestalt und Vortrag von der weltlichen Musik unterschieden sein und den Charakter wahrer Kunst besitzen. Kultische Musik muß im Herzen eines jeden Volkes so verwurzelt sein, daß die Musiküberlieferungen und völkischen Eigenarten die gebührende Berücksichtigung finden bei der Formung des religiösen Sinnes eines jeden Volkes und bei der Anpassung der Liturgie an deren Eigenart.

Darum muß die überlieferte Musik eines jeden Volkes sowohl in den Schulen als auch im Gottesdienst gefördert werden (siehe Punkt 119 der Liturgie-Konstitution). Bei aller überzeitlichen und übernationalen Geltung wahrer Kunst muß die kultische Musik dem nationalen und kulturellen Empfinden eines jeden Volkes angemessen bleiben.

Bei der kultischen Musik zeigen sich zu allen Zeiten und an allen Orten dieselben Probleme und Aufgaben. Das Wesentliche ist immer die geistige Grundlegung, die Stellung als Liturgie, die Abgrenzung gegenüber allem Profanen beziehungsweise die Heimführung alles Weltlichen in den heiligen, in den göttlichen Bezirk. Jede Kunst muß das

Heilige in verständlichen zeitgemäßen Formen künden. Darum ist das Künstlerische die grundlegende Eigenschaft jeder kultischen Musik. Das Wort Kunst ist von Können abzuleiten. Kunst zielt auf das Wissen im Können und umfaßt die spätantiken und mittelalterlichen Begriffe *scientia* und *ars*. Zwar nicht der Etymologie, sondern der Stellung entsprechend, kann Kunst mit Künden in Verbindung gebracht werden. Im christlichen Kult und in der christlichen Kultmusik darf nicht ein sentimental oder kitschig entstelltes Antlitz Christi zum Leuchten kommen, sondern das wahre gottmenschliche Antlitz, das Bild des verklärten Christus zur Rechten des himmlischen Vaters. Dann ist christlicher Kult mit echt kultischer Musik verbunden, wenn Handlung, Wort und Musik das Heilige künden in gültiger, alles ergreifender und auf Gott ausrichtender musikalischer Klanggestalt.

Jeder christliche Kult ist als Gottesdienst der Kirche eine gemeinsame Feier der im Namen Jesu Christi versammelten Gemeinde. Durch das Sakrament der Taufe ist die Aufnahme in das Volk Gottes vollzogen. Darum hat jedes Glied der versammelten Gemeinde bei der Feier des Kultes entsprechend mitzuwirken im Opfer, in der Danksagung, in Gebet und Gesang, aber auch im Aufgeschlossensein für die individuellen Aufgaben der verschiedenen Glieder des Volkes Gottes. So hat die kultische Musik eine einfache volkstümliche Gestalt, wenn sie vom Liturgen oder wenn sie vom Volk vorgetragen wird, sie hat aber auch eine anspruchsvollere Gestalt, die nur von musisch begabten Gliedern des Volkes Gottes zu Gehör gebracht werden kann. Punkt 114 der Liturgie-Konstitution verlangt eine nachdrückliche Förderung der Sängerchöre, deren wahrhaft liturgischer Dienst in Punkt 29 eigens hervorgehoben wird. Auch die Instructio über die Kirchenmusik vom 5. März 1967 betont, daß bisweilen reichere Gesangsformen ebenso wünschenswert sein können wie prachtvollere Aufmachungen bei den Zeremonien (Punkt 16, siehe auch die Punkte 13, 15 b, 16 c, besonders aber 19, 20 und 24). Jede kultische Musik, gleichgültig, ob sie eine einfachere oder reichere Gestalt aufweist, muß grundgelegt sein in einer würdigen und frommen Feier, wie Punkt 11 der Instructio sagt: *ex digna et religiosa celebratione pendere.* Sie muß eine würdige Feier sein, die in den Stand der jeweiligen Kultur und Bildung sich so einordnet, daß der Kult eine Teilhabe an Gott vermittelt, die in der Endzeit, bei der Parusie des Herrn, ihre Vollendung finden wird.

Ferdinand Haberl

Frühchristentum

Die Musik der frühen Kirche

In den ersten christlichen Jahrhunderten haben die Gottesdienstformen langsam Gestalt angenommen. Das christliche Denken und seine geistige Festigung mit der Entwicklung religiöser Auffassungen und philosophischen Denkens der Zeit, gleichzeitig aber in der Abgrenzung zu diesen, hat Kultformen bedingt, die, aus dem Synagogengottesdienst herausgewachsen, im Verbreitungsgebiet des christlichen Glaubens dort gegebene Gestalten der Kult- und Volksmusik in sich aufnahmen. So bedeutsam die äußere Gottesdienstform für die dem neuen Glauben gewonnenen Gläubigen war, Gestalt und Sinn sind in den geistigen Auseinandersetzungen begründet, die das Christentum von gegebenen Glaubensinhalten, insbesondere vom Judentum, unterschied. Die betonte Innerlichkeit des Gebets mußte äußere Kultformen bestimmen und dem Kultgesang seine besondere Aufgabe geben.

Nicht äußere Formen konnten diesen Kultgesang prägen, sondern eine innere Ausdrucksgebung, die im pneumatischen Singen zur freien Improvisation über kultgebundene Melodiemodelle führte. Auf dieser Grundlage entwickelten sich ebenso gefestigte musikalische wie liturgische Formen. Bis sie zu einer festen Gestalt kamen, verging geraume Zeit, in der bei allen Verselbständigungsbestrebungen die Bindung an synagogale Ausdrucksgestaltungen weiter wirkte und sich in östlichen und westlichen Liturgietraditionen bis heute erhielt.

Erst langsam tasteten sich die Christengemeinden zu eigenen liturgischen und musikalischen Lösungen der Gottesdienstgestalt vor. Einerseits die synagogale Praxis, andererseits die örtlichen Traditionen haben die zunächst improvisatorischen Formen bestimmt, die langsam in gewissen Regionalbereichen auf Grund der kirchenpolitischen Organisation zu Vereinheitlichungen kamen. Die Liturgie- und Kirchengesangsregionen der Ostkirchen machen bis heute diese Entwicklungen deutlich. Sie haben in der Frühzeit des westlichen Christentums auch in das Abendland gewirkt, führten hier aber zu neuen Lösungen in Verbindung mit ortsgegebenen Besonderheiten.

Wenn auch äußere Musizierformen in die christlichen Liturgien übernommen wurden, so ist das *canere non solum voce sed etiam corde* der Grundgedanke, der das kirchliche Singen bestimmt und seine Formen gestaltet. Der Anspruch des Christentums, den ganzen Menschen zu erfassen, hat eine Ausweitung des christlichen Denkens und Empfindens über den Gottesdienst bedingt und eine christliche Hausmusik entfaltet. Während im gottesdienstlichen Musizieren vorwiegend eine Auseinandersetzung mit synagogalen Musizierformen erfolgte, war in der christlichen Hausmusik eine Abgrenzung gegenüber der heidnischen Volks- und Kunstmusik notwendig, die letzten Endes im gesamten, auch öffentlichen Musizieren die Christen und Christengemeinden von den Heiden unterscheiden sollte. Die Kirchenväter bemühten sich, diese Gedanken in den christlichen Gemeinden und Familien lebendig werden zu lassen.

Auf der Grundlage des jüdischen Musizierens und synagogaler Gottesdienstformen aber entwickelten sich die christlichen Liturgien und ihre Gesänge. Wenn aus dieser Frühzeit auch keine Belege dieser Gesangsweisen erhalten sind, so wird aus den Schriften der Zeit, durch Vergleiche mit späteren Traditionen und noch heute bestehenden Musizierarten im Mittelmeerraum deutlich, welche Bedeutung die Musik im jungen Christentum hatte. In Rekonstruktionen können auch gewisse Annahmen der Musizierart und des Musizierguts im Frühchristentum gewonnen werden. Geist und Form der christlichen Liturgie haben dem kirchlichen Singen Raum und Gestalt gegeben.

Karl Gustav Fellerer

Grundlagen und erste Entwicklung der christlichen Kultmusik

Die Musik der christlichen Urkirche ist uns im einzelnen nicht bekannt; die wenigen dürftigen Berichte betreffen mehr die Ostkirche als die römische.

Wir können hier also nur einige Arbeitshypothesen darstellen, von denen freilich einige eine große Wahrscheinlichkeit besitzen und wenigstens in ihrem Grundsatz, wenn nicht durch Befunde der Musikethnologie, bestätigt sind. (Die musikethnologischen Methoden und ihre Ergebnisse sind durch die Darlegung von Jan Vansina: *De la tradition orale ...* überprüft worden. Er hat deutlich gezeigt, wie mündliche und schriftliche Überlieferung sich ergänzen und gleichzeitig herangezogen werden müssen, wenn sie beide vorliegen).

Im ersten Jahrhundert der christlichen Zeitrechnung gibt es keine Musik-Notation. Die einzig bekannte ist die griechische Buchstabennotation. Wenn sie auch für kirchliche Gesangstücke da und dort gebraucht wurde, so hat sie anscheinend keine Verbreitung in der jungen christlichen Kirche in Rom gefunden. Diese Notation diente vorwiegend der Musiktheorie; nichts steht aber dieser rationalen *musica* ferner als die Klangwirklichkeit der Kultmusik in der jungen christlichen Gemeinde.

Die Züge der vergehenden antiken Welt verlieren sich in der christlichen Musik. Einer der Hauptgründe hierfür liegt in der besonderen Art des gesungenen Wortes. Für uns ist ein Musikstück eine „Komposition": überlegt gestaltet, aufgezeichnet, dem Interpreten im geschriebenen Zustand überlassen, aufgenommen und ausgeführt von diesem Interpreten. Diese Vorstellung aber steht im Gegensatz zu der der Christenheit in den ersten zwei oder drei Jahrhunderten. Die Musik besitzt vielmehr in dieser frühchristlichen Welt noch die besondere Rolle, die sie in den ältesten Kulturen, im besonderen in der jüdischen und hellenistischen Welt, erhalten hat. Ihre Aufgabe ist nicht, ästhetische Vorstellungen zu schaffen, sondern eine Botschaft in Worten zu übermitteln, deren Ausdruckskraft sie durch Rhythmus und Melodik steigert.

Das geschieht ohne schriftliche Festlegung; oder, wie Brailoiu in seinen *Réflexions* S. 88 sagt: *„L'absence d'écriture bouleverse à ce point les conditions de la création que force nous est de réformer la notation même que nous avons. Sans l'aide d'un écrit le créé ne saurait durer que par le consentement unanime de ceux qui le gardent ...".* Es ist darum nicht möglich, an diese Musik Methoden der Analyse und Kriterien der Bewertung heranzutragen, die an den Kunstwerken einer späteren, uns näherstehenden musikalischen Epoche entwickelt wurden. Das Streben nach Originalität und Neuerungen als Sache des Komponisten hat keinen Platz in der Musikauffassung der alten Welt.

Alle großen Lehr- und Gebetstexte (biblische und apostolische Schriften), die Zwischentexte des Priesters und des Lektors müssen in einem besonderen „Ton" entsprechend jeder Art des Textes, jeder Gegend und vielleicht sogar jedes Interpreten vorgetragen werden; aber — um keinen Irrtum aufkommen zu lassen — die Rolle dieser musikalischen Gestaltung bleibt im Prinzip überall dieselbe, die Wort-Ton-Beziehung ist in Raum und Zeit unveränderlich. Die Worte selbst, die in der *Lectio* ganz einfach dargestellt werden, verweisen nicht auf Spannungen der Stimme im Sinne einer Ausdrucksdarstellung. (Gino Stefani, *La recitazione delle letture* ... hat sich durch das Vokabular Isidors von Sevilla täuschen lassen). Noch in unseren Tagen sprechen die orientalischen Dichter vom „rezitieren" ihrer Verse, in Wirklichkeit aber meinen sie „kantillieren". Es besteht keinerlei Anspielung auf diesen „zurückgehaltenen" Gesang, der als Kantillation bezeichnet wird; der Hörer empfindet diesen Vortrag nicht als Gesang sondern als Wortvortrag. Diese Vortragsart will vor allem tief in den heiligen Text eindringen und ihn einer Gemeinschaft, in der noch das Analphabetentum herrscht, verständlich machen. Für sie besitzt die menschliche Stimme im Kantillieren oder Singen eine ganz andere Bedeutung als für uns heute.

Der Sänger regelt also ganz instinktiv sein Verhalten nach den allgemeinen ererbten Regeln der Tradition, die noch bis heute den Wortvortrag beherrschen. Er besitzt ein Privilegium, aber dieses liegt nur in seiner vollständigen Hingabe an die von ihm im Vortrag gestaltete Sache, das heilige Wort, begründet. Es ist untrennbar mit seinem Vortrag verbunden. Eine absolute Zurückhaltung aber ist in diesem Vortrag für ihn verpflichtend: er erfindet nichts, er reproduziert.

Diese Tatsache begründet die Arbeitshypothese, daß das musikalische Repertorium der Frühzeit allein von den gesungenen Texten her bestimmt ist und den nach und nach einsetzenden Erweiterungen dieser Texte, die nach dem Vorbild der Bibeltexte geschaffen werden. Ästhetische Voreingenommenheit im modernen Sinne ist in dieser Periode fehl am Platze. Der „Ton" ist notwendige Zutat, ein Mittel, Zugang zu den Texten zu gewinnen und sie bewußt werden zu lassen. Er ist Ausdruck der Gottesverehrung. In keinem Falle ist der Sänger ein „Künstler" im heutigen Sinne.

Diese Besonderheiten entnimmt die christliche Welt direkt dem Judentum als dessen Erbe. In der Übernahme der Worttexte auf der Grundlage genau nachgebildeter biblischer Verse ist es schwer anzunehmen, daß der Vortrag dieses Repertoriums der traditionellen jüdischen Vortragsart nicht entsprochen haben sollte, zumal noch bis heute in der jüdischen Welt — trotz mancher Umbildungen in den verschiedenen Diasporagebieten — diese Vortragsart weiterbesteht.

In der jüdischen Musik ist zwischen der Tempel-Liturgie und dem Lehrgottesdienst der Synagoge zu unterscheiden. Im Tempel wird das Opfer gefeiert, in der Synagoge wird gelehrt. Der Tempelgottesdienst erfordert eine große musikalische Beteiligung, die Synagoge kennt nur die Text-Kantillation. Diese aber nimmt die Kirche auf. Sie übernimmt aber gleichzeitig die tiefe Abneigung gegenüber der Instrumentalmusik, die auch von der Synagoge scharf abgelehnt wurde (Werner, *Sacred Bridge* I, S. 334). Die Instrumentalmusik wird zudem von den Christen verworfen, weil sie eng mit den heidnischen Kulten, von denen sie sich ganz abwenden, verbunden ist.

Nicht übersehen werden kann in der christlichen Frühzeit die Art der Musik, die allein in der antiken Welt den Namen *musica* trägt: die Musiktheorie, die gelehrte Musik der Forscher. Am Ende des 2. Jahrhunderts erklärt Clemens von Alexandrien, daß die zentrale Wissenschaft die Philosophie sei und daß die anderen Formen der Erkenntnis, eingeschlossen die Musik, nur ihre Dienerinnen seien, die zur vollkommenen Erkenntnis der Philosophie verhelfen (*Stromata* I, cap. 4).

Für diesen großen Denker ist der mystische Sinn der göttlichen Dinge nur durch die Zahl, das Prinzip der Harmonie, und in den verschiedenen *Modi* der Musik zu erfassen (*Stromata* 6, cap. 2). In der hieratischen und mystischen Interpretation aber steht man in der Klangkunst. Ebenso sagt Clemens in den *Stromata* I, daß gewisse Dinge nicht klar ausgedrückt werden können und daß man den Teil der Weihe zurückhaltend erfassen müsse. Es handelt sich hier ebenso um die Sache selbst bzw. ihren geistigen Gehalt als um die Gefahr des Einsickerns fremder Gedanken in die christlichen Erkenntnisse zur Zeit der Periode der Verfolgung. Immer fehlen aus diesem Grund klare Texte.

Einige Fragen dieser ersten Periode werden daher offen bleiben, da manche Texte weniger sicher interpretiert werden können.

Es ist natürlich unmöglich, hier sämtliche Quellen und Schriften heranzuziehen. Zitate folgen meist älteren Editionen, soweit nicht auch Vergleichstexte herangezogen werden müssen. (Sie sind vor allem den Schriften von Quasten *Initiation* und *Musik und Gesang*, die ihre Bedeutung noch nicht verloren haben, sowie der eigenen Schrift *L'église à la conquète de sa musique* entnommen). In gleicher Weise müssen auch die auf die Musik bezogenen Texte, die außerhalb der christlichen Kulte entstanden sind, herangezogen werden. Deshalb finden apogryphe Schriften oder die Schriften von Philo von Alexandrien Erwähnung; aber wenn dies auch aus einem gewissen Interesse für Nachbarkulte oder für die der Therapeuten geschieht, so liefern sie nicht direkt einen Beitrag zur Wirklichkeit der Entstehung der christlichen Liturgie. (Die Werke von Philo enthalten unzählige Bemerkungen zur Musik. Betreffend die Therapeuten s. *De vita contemplativa* 11 par. 83, übersetzt von Quasten in *Musik und Gesang* ... S. 114 Anm. 8a).

Die kurze Übersicht über die frühchristliche Musik beginnt natürlich mit dem Neuen Testament, dessen Bemerkungen freilich nur Hypothesen ermöglichen. Die *Acta Apostolorum* wie auch die Schriften des hl. Paulus bestätigen mehrmals, daß die Christen sich in den Privathäusern zum Gebet vereinten. Hier war keine besondere musikalische Gestaltung möglich sondern nur die Kantillation des Textes nach den gewöhnlichen Regeln. Um das Jahr 50 singt der Apostel im Gefängnis mit Silas „Hymnen zum Lobe Gottes" und die umstehenden Gefangenen hören sie (*Acta XVI*, 25). Man ist geneigt zu glauben, daß dieser Gesang sehr zurückhaltend war, bis die Wachen durch das Erdbeben geweckt wurden. Diese Zurückhaltung beim Gesang legt auch das Neue Testament nahe, wo es heißt, daß entsprechend der Tradition man im Herzen singen müsse und nicht mit Lärm (Corbin, *L'église* S. 82). Hier wird wahrscheinlich eine Besonderheit des Christentums deutlich: Der

Übergang des äußeren gemeinschaftlichen und lauten Gebets zum inneren Gebet als Meditation (Quasten, *Musik* . . ., Kap. IV; Werner, *Sacred Bridge*, S. 334).

Am Ende des Jahrhunderts entstanden einige weniger dunkle Texte. Die Apokalypse (*Apoc.* IV, 8) bietet ein erstes Zeugnis der Akklamation, die dann zum *Sanctus* der Messe geworden ist. Man findet die Bestätigung dafür in dem Brief an die Korinther des 92—101 regierenden Papstes Clemens (Clemens von Rom, *Epistel* § 59; Gambier, *Deux études* . . .). Der Brief endet mit einem wundervollen Gebet (Abendgebet), das den Eindruck einer Litanei, von der wir die Antworten nicht besitzen, vermittelt. Ein anderer Text, vermutlich etwas später als der des hl. Clemens, überliefert eine sehr wertvolle Kompilation: die *Didache* oder die Apostellehre (Giet, *La Didache*, gibt eine Übersicht über die Bibliographie und die Ausgaben). Dort stehen wir mehreren Texten gegenüber, darunter einem eucharistischen Gebet mit einem Refrain (*Gloria tibi*), der von der Gemeinde aufgenommen wird. Oft, wenn auch unexakt, wird ein Brief des Plinius an Trajan (datiert vom Jahr 110) zitiert, wo der Legat nur berichtet, daß die Christen an manchen Tagen vor Sonnenaufgang sich vereinen und unter sich im Wechselgesang ein *carmen* vortragen, dessen Art freilich nicht im einzelnen beschrieben wird (*Epistola* 97). Dies sind die wichtigsten Texte für die erste Periode.

Man sieht, daß die Quellen nicht von einer geordneten Liturgie, wie wir sie heute kennen, sprechen, auch nicht eine Einheitlichkeit der Riten, die erst später möglich wird, erkennen lassen. Was aber deutlich wird, ist die improvisatorische Eingebung, die trotz der wenigen Quellen in ihrem Ausdruck deutlich wird und nur langsam unter dem Druck der Häresien — als man begann, den persönlichen Improvisationen gegenüber mißtrauisch zu werden — zurücktritt. Hier wird vielleicht eine der großen Traditionen deutlich, die nicht klar erfaßbar sind. Tertullian erinnert noch am Ende des 2. Jahrhunderts an einen Gesang, den jeder selbst aus seinem Sinn entwickelt. (Apologie 39, § 18)

Auf der anderen Seite wird im Neuen Testament häufig vom Singen von Psalmen, Hymnen und geistlichen Gesängen berichtet. Die lateinische Übersetzung entspricht hier allerdings nicht genau der griechischen Fassung, die von Psalmen, Hymnen und Oden spricht (*Eph.* V, 18—20; *Col.* III, 16).

Diese Termini bezeichnen die Probleme unserer Untersuchung: Sie tragen Mehrdeutigkeiten in sich und haben viel Tinte fließen lassen. Sie wurden auch oft schlecht interpretiert. Kein Irrtum ist bezüglich der Psalmen möglich; man steht vor der Bibel. Aber die Hymnen und die „Oden" sind nicht durch die Schrift überliefert. Sie sind mit Recht als neue Kompositionen, sowohl aufgezeichnet wie improvisiert, zu betrachten. Gegenüber den klassischen Psalmen zeichnet sich also ein Repertorium ab, von dem die *Didache* nach dem hl. Clemens einen Eindruck gibt: Dieses dichterische Repertorium wurde später durch Kanon 59 der Konzilbeschlüsse von Laodicea verboten: *non oportet privatos et vulgares aliquos psalmos dici in ecclesia*.

Andererseits: was sind die Hymnen? Wir kennen sie heute in der Form, die der *Liber usualis* überliefert, als volkstümliche strophische Gedichte ohne Refrain. Aber nach dem hl. Ambrosius, der dieser Form Gestalt gegeben hat, ist eine Hymne nur ein „Lobgesang an Gott oder an einen Gott". Die heidnische Welt hat diese Form, die die Christen übernommen haben, wohl gekannt. Für die Hymne sind also nicht Dichtungsart oder eine bestimmte Wortgestalt die konstitutiven Elemente, sondern Gesang, Lob und Gott. Fehlt eines dieser Elemente, so kann nicht von „Hymne" gesprochen werden (Augustinus, *Enarr. in psal.* CXLVIII).

So betrachtet sind gewisse Psalmen wohl Hymnen, aber auf einige „Hymnen" des sogenannten ambrosianischen Repertoriums treffen die Definitionsmerkmale nicht zu. Schließlich ist — nach den Worten der Apostel, man solle den Herrn in „Psalmen, Hymnen und geistlichen Oden" loben — an die Improvisation zu denken

In diesem Zusammenhang muß auf die Arbeit Dom Darrés hingewiesen werden. Er hat sorgfältig die Textfragmente und alle Bemerkungen der frühchristlichen Liturgie, die sich auf die Hymnen beziehen, gesammelt (Dom Darré, *De l'usage des hymnes* . . .). Aus seinen Untersuchungen geht hervor, daß die Hymnen keiner feststehenden Formkategorie folgten, vielmehr die Improvisation bei der Gestaltung ausschlaggebend war. Dagegen findet die Ode in Darrés Arbeit nicht genügend Aufmerksamkeit. So ist die griechische Bezeichnung nicht genau durch die entsprechenden lateinischen Termini *Psalmi*, *Hymni* und *Cantica* wiedergegeben. Denn das Wort Ode bezeichnet ein Gedicht, das zu gesanglichem Vortrag bestimmt ist. Das griechische Wort dagegen meint einen Gesang, der von Instrumenten begleitet ist.

Unter dieser Bezeichnung sind die Oden des Salomon als eine Sammlung von vierzig Stücken, die eine christliche Fassung des 2. Jahrhunderts und eine Art Paraphrase der Psalmen Davids zu sein scheinen, überliefert. (Quasten, *Initiation* I, S. 182; K. Gamber, *Die Oden Salomons*). Diese nicht aufgezeichneten Gesänge gehören zu denen, von denen die Texte der Didache und des Clemens von Rom uns berichten und die die Kirchendisziplin aus Sorge um den rechten Glauben verboten hat.

All diese kultischen Elemente ordnen sich, wie noch heute, um die Lesungen (Lehre) und das Opfer (Eucharistie), aber es ist unmöglich, in dieser Frühzeit eine feststehende Form der Liturgie anzunehmen. Die mündliche Ordnung, die die Funktionen bestimmte, die Gefahr der Verfolgung, die Heimlichkeit der Gottesdienste verlangte, schließlich die ersten Versuche einer Liturgieordnung bestimmen die Gestalt der Liturgie und des Kultgesangs der Frühzeit. Da nur wenige Texte überliefert sind, ist es schwer, ein genaues Bild zu geben. Erst aus dem Anfang des 3. Jahrhunderts besitzen wir von Hippolyt von Rom einen Bericht über die Liturgie.

Man ist sich über die Herkunft Hippolyts nicht einig: die einen halten ihn für einen Griechen aus Alexandrien (J. M. Hanssens), die anderen für einen im alten Griechenland geborenen Griechen, der in Rom seine Laufbahn machte (B. Botte, *La tradition apostolique* ...). In der Tat: Hippolyt war Gegenpapst, dann Papst und endlich Märtyrer. Seine Statue wurde in Rom wiedergefunden. Seine Schriften sind verbreitet. Sein Lebenslauf läßt, trotz der griechischen Abstammung, vermuten, daß seine Schriften ein Licht auf die besonderen römischen Verhältnisse werfen können. Es ist jedoch wahrscheinlich, daß er nicht von „der" römischen Liturgie schreibt, sondern von einer Liturgieform unter anderen, daß er nur ein allgemeines Brauchtum darlegt und noch dazu seiner eigenen Auffassung Ausdruck gibt.

Zunächst fällt an diesem Dokument auf, daß noch von vielen improvisierten Texten die Rede ist. Man ist also dem ursprünglichen Brauch noch sehr nahe. So wird in Kapitel X, das vom Glaubensbekenntnis handelt, davon gesprochen, daß der Bischof den Segen gibt, aber nicht verpflichtet ist, die Formel Wort für Wort zu wiederholen. Jeder soll die Form des Gebets nach seinen Fähigkeiten wählen, vorausgesetzt, daß sein Gebet korrekt ist und der Rechtgläubigkeit entspricht.

Die Gebetsstunden sind in Kapitel 35 geordnet. Die Gläubigen sollen beim Erwachen beten, sofern kein gemeinsames Gebet stattfindet. Andernfalls sollen sie am gemeinsamen Gebet teilnehmen. Man betet des weiteren zur dritten Stunde, allerdings nur „wenn man zuhause ist"; dann zur sechsten und neunten Stunde. Das Lucernarium, das Anzünden der Lampen, das im jüdischen Ritus so wichtig ist, ist besonders erwähnt (Kap. 26). Es scheint eine besondere Feierlichkeit zu bedingen, wenn der Bischof bei der Agape anwesend ist. Der Christ betet noch vor der Nachtruhe. Um Mitternacht erhebt er sich noch einmal und betet, denn zu dieser Stunde „ruht die Schöpfung einen Augenblick, um den Herrn zu loben, die Sterne, die Bäume und die Wasser halten einen Augenblick ein und die Heerscharen der Engel dienen ihm ...". Beim ersten Hahnenschrei wendet man sich wieder dem Gebet zu; die Ordnung des *Officium*, wie sie heute noch besteht, ist in dieser Gebetsregelung nicht fern.

Man weiß nicht viel von der Gestalt dieses privaten Gebets außer der Beschreibung von Plinius. Hippolyt deutet nur an, daß, falls einer der Ehegatten nicht Christ ist, der andere sich zum Gebet in einen anderen Raum zurückziehen solle. Das Gebet ist also still.

Im Gegensatz zu dieser freien Gestaltung finden sich fest gefügte Formeln — heute noch im Gebrauch — für den Ritus der Konsekration und Kommunion. Aufforderungen des Diakons wie „*Betet*" oder „*Neigt das Haupt*" treten zu den langen und improvisatorischen Gebeten des Bischofs, aber der Dialog, der der Konsekration vorausgeht, ist der gleiche wie der, den wir heute vor der Präfation singen.

Diese kurzen Sätze wurden wahrscheinlich auf einem psalmodischen Ton vorgetragen, fast in der Art, wie man sie heute hört. Bei diesen sehr kurzen Dialogen ist die Gemeinde gehalten, sehr kurze Akklamationen, wie Amen und Alleluia in mehrfacher Folge zu wiederholen. So trägt der Diakon während der Agape in mehrfacher Wiederholung „die Psalmen mit Alleluia" vor; während er sie rezitiert, antwortet die ganze Gemeinde mit dem Refrain *Alleluia*. Dieser Brauch kann nicht verwundern; er entstammt den orientalischen Riten, in denen die Lesung im Rezitationston erfolgt, während der Chor oder die Gemeinde unaufhörlich einen Ruf von einem oder zwei Worten wiederholt. Die überraschende Feierlichkeit, die dieser Refrain der Lesung als Klangstütze gibt, hat also sehr alte Vorbilder.

Auf der anderen Seite schaffen gewisse Akklamationen eine besonders feierliche Gestaltung. Man kann annehmen, daß bereits melodisch ausgeweitete Akklamationen gebraucht wurden, denen wahrscheinlich eine Vokalise folgte, die vielleicht sinnlose Silben trägt, wie man sie später sowohl in den byzantinischen wie in einzelnen lateinischen Gesängen findet (J. Handschin, *Das Zeremonienwerk* . . ., S. 30, 54; Tillyard, *The acclamations* . . .; Cabrol in Art. *Acclamations* in D.A.C.L.I, col. 240—265). Aber das sind vielleicht spätere Formen, die wir nur auf eine ferne Vergangenheit beziehen.

Es scheint wahrscheinlicher, daß die Akklamationen dreimal gesungen wurden, und zwar jeweils einen Ton höher. Hier besitzt die lateinische Kirche ein Zeugnis in den ältesten Zeremonien: Bei der Weihe des Krankenöls am Gründonnerstag oder beim *Lumen Christi* am Karsamstag. Dieser Brauch ist in den ältesten Büchern, in denen diese Zeremonien sich finden, lange vor der Verwendung einer musikalischen Notation aufgezeichnet. Er begegnet wieder im mailänder Ritus, in den orientalischen Riten und findet sich häufig auch in der Volksmusik. Es ist sehr wahrscheinlich, daß die so häufigen dreifachen Akklamationen die Feierlichkeit erhöhen (ebenso das *Sanctus*) und vielleicht auch diejenigen, die die byzantinischen Quellen überliefern. Hier handelt es sich stets um wirklich gesungene Akklamationen. (Corbin, *La cantillation* . . . S. 31 ff.; Tillyard, *The acclamations* . . .)

In gleicher Weise sind Hinweise auf die Litaneien gegeben, die Dom Cabrol vielleicht allzu vereinfacht den Akklamationen gleichstellt (Art. *Litanie* in D.A.C.L.IX [2], col. 1540—1571). Eine Litanei besteht aus Bitten, die vom Lektor oder Diakon vorgetragen werden, und aus Antworten.

Diese Antworten stehen der Akklamation sehr nahe: sie sind einander sehr ähnlich und werden von der Gemeinde gesungen. Es handelt sich dabei um eine Form, die dem antiken Gebet insofern verbunden ist, als sie eine gewisse Freiheit in den Bitten bezeugt. Die beeindruckende Gleichheit der Antworten macht die Universalität deutlich. Es handelt sich immer um den Typus *Kyrie eleison* (*Domine miserere*) oder um den Typ *libera nos.* (Cabrol, Art. *Litanie* ebda.). Verschiedenartige Formeln stehen nicht dem Hauptsinn entgegen. Die Litaneien können außerordentlich lang sein (entsprechend der Dauer einer Prozession). Die Bitten werden gelegentlich aufgehoben, so im mozarabischen Ritus, wenn am Karfreitag die Menge „nicht mehr als dreihundertmal" *Indulgentia* ruft, oder im *Kyrie* der Messe, das der Rest einer sehr alten Litanei ist (E. Wellesz, *Gregory the Great's Letter* . . .). Die Litanei ist also das Mittel, eine analphabetische Menge beten bzw. singen zu lassen.

Man sieht, daß in der Liturgie der Frühzeit einer musikalischen Entfaltung nur wenig Raum gegeben war. Auch die christliche Gemeinde hatte an der Gestaltung der Liturgie nur geringen Anteil. Wenn man auch nicht annehmen kann, daß es anders war, so ist doch zu fragen, ob neben den kantillierten Lesungen und Orationen des Celebrans und des Lektors und den kurzen Responsorien der Gemeinde noch bestimmte Interpreten eine bedeutende Rolle spielen.

Hier berührt man tiefste Grundfragen. Auf der rein musikalischen Seite zeigen die Arbeiten von Dom Claire, daß es eine Art *Prae-Repertorium* der kleinen Antiphonen gegeben hat, die einer sehr einfachen Melodie folgten und auf einer sicherlich älteren Grundgestalt, als sie die gregorianischen Modi bezeichnen, aufgebaut sind. All diese Antiphonen lassen sich in drei einfache *Modus*-Formen einordnen und können uns einen Eindruck von dem vermitteln, was der antiphonische Refrain, seit er in der Praxis eingeführt wurde, war (Jean Claire, *L'évolution modale*, S. 230 ff.).

Andererseits ist sicherlich das Alternieren von Lesungen, Psalmen und Gesängen sehr alt und konnte nicht plötzlich in der Zeit, als die gregorianische Kunst bereits weitgehend entwickelt war (im 7. Jahrhundert), in die Kirche eingeführt werden. Es war vielmehr ein von der Synagoge ererbter Brauch.

Man sieht nicht recht ein, warum die Christen ihn nicht weitergeführt, stattdessen so lange verlorene Bräuche wieder aufgenommen haben sollten in einer Zeit, da historische Überlegungen nicht bestanden. Das, was sich in dieser Frage klären läßt, ist leider wenig. Die sehr begründete Annahme von Dom Froger (*Origines* . . ., Nr. 18, S. 2) führt die Entstehung der verzierten Stücke der Messe (auch die des Kantors: *Graduale, Alleluia, Tractus* und die der Schola: *Introitus*, die Antiphonen von *Offertorium* und *Communio*), in das 5. und 6. Jahrhundert zurück. Ist dies zu summarisch? Man kann das hier nicht mehr feststellen und die herangezogenen Begründungen erscheinen stichhaltig; indessen ist es nicht wahrscheinlich, daß der verzierte Gesang plötzlich nach dieser Periode aufgetreten sein soll, selbst wenn man feststellt, daß z. B. im 7. Jahrhundert zahlreiche griechische Texte ins Abendland gedrungen sind.

Es ist festzuhalten, daß man einerseits keine alte Quelle für diese Stücke — seien sie melismatisch oder syllabisch — besitzt, daß andererseits ihre Melodiegestalt in der Geschichte nicht weiter als bis zum 7. Jahrhundert, in den notierten Texten bis zum 10. Jahrhundert, zurückzuverfolgen ist. Infolgedessen besteht also ein offener Widerspruch: einerseits ist ein geschichtlicher und paläographischer Quellennachweis unmöglich, andererseits kann nicht übersehen werden, daß die Forschung eine vollständige Entwicklung des verzierten Gesangs entdeckt hat und ihn im Banne der jüdischen, griechischen und syrischen Traditionen sieht. Nur in einer sehr sorgfältigen Analyse wird man eine Lösung dieses sehr schwierigen Problems finden können.

Solange Corbin

Die jüdischen Wurzeln der christlichen Kirchenmusik

> Dein Lied, sich drehend wie
> das Sterngewölbe,
> Anfang und Ende immerfort
> dasselbe.   (Goethe)

Für das Alter der vielfachen jüdischen Wurzeln, welche der frühen Kirchenmusik zugrundeliegen, läßt sich kein sicherer, noch ein auf alle Kategorien zutreffender Terminus a quo angeben. Jedenfalls haben wir es mit dem hellenistischen Judentum und seinen Institutionen zu tun. Doch waren in ihm noch manche sehr alte religiös-kulturelle Ideen und Bräuche aus biblischen Zeiten lebendig und wirksam, deren Ursprünge sich einer genauen Datierung entziehen (E. Peterson, *Frühkirche, Judentum und Gnosis*, Rom - Wien 1959). Dagegen ist das Ende der intensiven gegenseitigen Durchdringung von Judentum und Christentum durch die Auswirkungen des Konzils von Nicaea klar bestimmt (ca. 350): mit dem Verbot des Judenchristentums war einer Symbiose der beiden Religionen der Nährboden entzogen und dieses zum Untergang verurteilt.

Den geographischen Rahmen bildet der größte Teil der damals bekannten Kulturwelt, nicht nur Palästina, da die jüdische Diaspora, Mutterboden des Christentums, in Rom, Alexandria, Antiochia, Corinth, Athen, Nisibis und Susa, kurz, sowohl im römischen wie im persisch-babylonischen Großreich wichtige und geschichtstragende Zentren geschaffen hatte.

Als Stoffgebiet dürfen wir uns auf direkte und indirekte Beziehungen zwischen jüdischer und christlicher Kultmusik der ersten Jahrhunderte beschränken; doch soll dabei die überaus tiefgehende Nachwirkung hebräischen Geistes in seinen verschiedenen, über die Musik hinausreichenden Ausprägungen (Literatur, Theologie, Liturgie, Kalender etc.) nicht ganz vernachlässigt werden.

Die Quellen

Man ist von der historischen Musikforschung gewohnt, sich soweit wie möglich an schriftlichen Dokumenten musikalischer oder theoretischer Natur zu orientieren, die deskriptiv oder präskriptiv feste Anhaltspunkte für die in Frage stehende Musikübung gewähren. Doch läßt sich dieses Prinzip nur auf solche Musik anwenden, die aus der Fülle vieler Varianten eine oder höchstens zwei als „authentisch" bewahrt, also im Wesentlichen auf die Kunstmusik des Westens (C. Sachs, *Wellsprings of Music*, Leyden, 1962; W. Danckert, *Das Volkslied im Abendland*, Bern und München, 1966). Schon in der westlichen Volksmusik hilft diese Untersuchungsregel nicht viel weiter, geschweige denn im nicht-okzidentalen Kulturkreis. Dennoch sei hier der bekannte Unterschied zwischen schriftlicher und mündlicher Überlieferung anerkannt, obwohl wir uns der Fragwürdigkeit dieser Kategorisierung von der Phänomenologie der Musik her wohl bewußt sind (Congress-Book of the International Musicological Society: Symposium Prof. Fellerer, New York 1961).

Musikalische Denkmäler jüdischer Herkunft in europäischer Notation existieren erst von etwa 1130 an, und auch diese vereinzelten Stücke stehen weithin isoliert in ihrer Zeit. Diese notierten Stücke — es sind drei, und sie sind erst kürzlich sicher entziffert und identifiziert worden — wurden von einem jüdischen Proselyten geschrieben, einem normannisch-süditalienischen Baron Jean Drocos, der im Jahre 1102 zum Judentum übertrat und dann den Rest seines Lebens im Nahen Osten verbrachte. Wir wissen allerdings nicht, ob er die — in beneventanischen Neumen geschriebenen — Stücke selbst komponiert hat oder ob er nur mit ihrer Hilfe das orientalisch-jüdische Gesangsgut seiner Zeit festhalten wollte (I. Adler, *Les Chants synagogaux notés au XIIe siècle par Abdias, le prosélyte Normand*, in: *Journal de Musicologie*, LI, Paris 1965, S. 19–51). Zwei der Stücke sind in mehr oder weniger strikter, eins in mehr melismatischer Psalmodie gehalten. Unzweifelhaft stehen einige Stellen daraus dem Gregorianischen Stil des 12. Jahrhunderts nahe, doch gilt das auch von gewissen Psalmodien der heutigen orientalischen Juden, besonders der Israeliten von Djerba, aus dem Jemen oder aus Kurdistan (R. Lachmann, *The Cantillation of the Djerba Jews,* Jerusalem 1940). Wir geben im folgenden die drei Stücke in der Entzifferung von Dr. I. Adler und in lateinischer Notation.

I. (Ms. Adler 4096 b)

in der zweiten Strophe   Abgesang:

II. Cambridge T.S.K. 5 / 41.

III. Psalmodien für Jer. 17:7; Sprüche 3:5; 3:6; 3:15.

Erste Vershälfte

Zweite Vershälfte

Es gibt aber auch viel ältere Denkmäler, seien sie nun Beschreibungen der Musikübung oder ekphonetische Notationen hebräischer Texte. Die deskriptiven „Musiknotizen" reichen bis tief in das Zeitalter der biblischen Chronisten und Psalmisten zurück. Die ekphonetischen Akzentzeichen der Heiligen Schrift stammen freilich erst aus der Periode zwischen 450—900 der christlichen Zeitreichnung. Sie sind durch die verschiedenen Schulen der Masoreten geschaffen und kodifiziert worden, wohl in Wechselwirkung mit syrischen und byzantinischen Systemen jener Zeit (E. Werner, *Preliminary Notes for a comparative study of Catholic and Jewish Musical Punctuation*, in: *Hebrew Union College Annual* (HUCA), XV, 1940, Cincinnati). Da aber, von diesen und ähnlichen schriftlichen Dokumenten abgesehen, der Großteil der synagogalen Musik sich auf die mündliche Überlieferung stützte, mußten bis vor kurzem die von J. Handschin vorgebrachten Zweifel an der Authentizität der in der mündlichen Tradition verankerten Melodik, Modalität und Formstruktur ernst genommen werden. Nicht einmal die von A. A. Idelsohn und P. Wagner entdeckten und erörterten Ähnlichkeiten und Identitäten von jemenitisch-jüdischen und frühgregorianischen Melodien vermochten diese Zweifel ganz zu zerstreuen. Sie sind erst in den letzten Jahren durch drei Funde entscheidend widerlegt worden: durch die in den Toten-Meer-Rollen enthaltenen Hinweise auf die Vorform der Antiphone und ähnliche Belege der Musikübung in frühchristlicher Zeit, durch die vor kurzem entdeckten *graffiti* von chorisch geordneten Sängern, Tänzern und Instrumentalisten aus der frühhellenistischen Zeit, und schließlich durch die Auffindung und Interpretation alter *Midraschim*, welche auf eine dem Oktoechos nahe verwandte Modus-Systematik hinweisen (E. Werner, *The Origin of the Octoechos*, in: HUCA, Cincinnati 1948).

Davon abgesehen, wird in der jüdischen Theologie die sogenannte „mündliche" Überlieferung der schriftlichen gleichgesetzt und gleichgeschätzt, besteht aber paradoxerweise aus kodifizierten *schriftlichen* Dokumenten: *Mischna, Tosefta, Talmud* und deren Kommentaren. Es ist also die mündliche Lehre schriftlich festgehalten worden. Läßt sich etwas ähnliches über den jüdischen Kultgesang ausagen? Nur mit bedeutenden Vorbehalten; denn man muß sich vor Augen halten, daß die jüdische Kult- und Musiküberlieferung in drei kulturell verschiedene Stile (*minhagim*) gespalten ist, und zwar schon seit dem Ende des ersten Jahrtausends christlicher Zeitrechnung. Dies steht im Gegensatz zur nahezu völlig einheitlich erhaltenen theologischen Überlieferung. Die drei Stile werden tradiert von den Juden aus dem Jemen, den spaniolisch-mediterranen inklusive Holland, Griechenland, Türkei und Südfrankreich (*Sephardim*), endlich von den mittel- und osteuropäischen, auch den amerikanischen Juden, die *Aschkenasim* genannt werden. Dazu kommen noch vereinzelte Ableger, d. h. Enklaven von jüdischen Gemeinden in isolierter Lage, wie die Djerba-Gemeinde, die kurdistanischen Überbleibsel und dergl. mehr. Von ihnen allen ist die jemenische Überlieferung sicherlich die älteste (A. Z. Idelsohn, *Hebräisch-orientalischer Melodienschatz*, Bd. I, Wien - Leipzig, 1913/14).

Neben die konventionelle Auswertung der mündlich tradierten und erst viel später notierten Überlieferung sind aber in den letzten Jahren neue, sehr verfeinerte statistische Vergleichsmethoden getreten, die auf gewissen allgemeinen empirischen Tatsachen beruhen und zu mathematisch erarbeiteten und fundierten Theorien geführt haben. Zwei dieser Gesetze, die der Verfasser erst vor kurzem bestätigen konnte, lassen sich auf unseren Aufgabenkomplex anwenden und seien hier erwähnt: ein geographisches, sprachlich mehr oder minder einheitliches Gebiet werde offen genannt, wenn es oft Durchzugsland gewesen ist, geschlossen, wenn dies nicht zutrifft. Für geschlossene Gebiete gelten die empirischen Regeln:
I. Im Laufe der Jahrhunderte erhöht sich die Zahl der diskreten Töne einer rein mündlich überlieferten Traditionsmelodie in allen ihren Varianten sehr langsam, wobei die numerische Vergrößerung eine nicht-elementare logarithmische Funktion der Zeitspanne zwischen der ältesten und jüngsten Variante zu sein scheint.
II. Es kann mathematisch bewiesen werden und ist eine empirische Tatsache, daß dort, wo viele, mehr oder minder gleichzeitige Varianten einer und derselben Melodie vorliegen, und diese parametrisch-numerisch definiert werden, sie dem Gesetz der sogenannten normalen Fehlerverteilung (Gaussisches Fehlergesetz) folgen, ganz wie organische Gebilde.
Bei Anwendung dieser mathematisch-statistischen Methoden ergeben sich oft Rückschlüsse auf das Alter mancher Melodien. Sie stehen meistens in gutem Einklang mit den Ergebnissen stilkritischer und morphologischer Methoden (E. Werner, *The Sacred Bridge*, Vol. II, chap. 7).

Die Formen

Von den alten jüdischen Formelementen, die in den Kirchengesang aufgenommen worden sind, haben wir es hauptsächlich mit verschiedenen Arten der Psalmodie zu tun, sodann mit gebundener Schriftkantillation und schließlich mit melismatischen Formen. Sie scheinen alle gleichzeitig nebeneinander bestanden zu haben und sind auch sicherlich intensiv gepflegt worden, wie wir aus der rabbinischen Literatur wissen. Unter ihnen wurde die strenge Solopsalmodie (mit einem oder zwei *tenores*) als der am höchsten entwickelte Formtypus angesehen, nach ihm die melismatisch geschmückte Psalmodie, dann die Schriftkantillation und erst zuletzt rein melismatische Vokalisen, wie Halleluja-Gesänge und dergl. Die alten Theologen standen ihnen nicht ohne Mißtrauen gegenüber, weil diese *„wortlosen Hymnen"* der sogenannten *Glossolalie*, d. h. dem wort- und sinnlosen ekstatischen Reden und Singen *„in Zungen"* nahekamen, hinter dem sich oft sektiererische oder heterodoxe Tendenzen verbargen. Aus diesem Grunde wurde das wortlose *„Jubilieren"* in der orthodoxen jüdischen Tradition unterdrückt; erst im Hasidismus fand es wieder Eingang in die jüdische Gesangspraxis — doch war das eine späte Nachblüte der Tradition (18. und 19. Jahrhundert). Mit Ausnahme der rein melismatischen Gesänge ist aller andere jüdische Kultgesang streng wortgebunden, doch in grundsätzlich anderer Art als im antiken griechischen Kunstgesang. Die Hauptkriteria der echten Psalmodie sind:

1. Der Text und seine musikalische Interpretation folgen dem Gesetz des semitischen *Parallelismus membrorum*.
2. Der Text wird im wesentlichen syllabisch vorgetragen; nur in der *Pausa* (d. h. in jenen Worten, die grammatisch oder syntaktisch einen Satz-Einschnitt oder im Vers eine Zäsur darstellen) treten kurze *Interpunktionsmelismen* auf. Ich habe andernorts gezeigt, daß diese Melismen das genaue Gegenstück zu den für die altsemitische Grammatik charakteristischen Elongationsformeln von Worten sind, die in Pausa stehen (E. Werner, Art. *Psalm* in: MGG 10, Sp. 1668 ff.).
3. Der Hauptteil des Textes wird auf einem, gewöhnlich aber auf zwei Tönen rezitiert; diese Tenores werden manchmal durch Ornamente umspielt.
4. In der gesamt-jüdischen Tradition lassen sich viele Modi der Psalmodie erkennen: sie sind gewöhnlich regional verschieden. Bis ins 9. Jahrhundert n. Chr. kann man in der rabbinischen Literatur Zeugnisse eines Systems von 8 Modi verfolgen, das auf uralte, vielleicht im babylonischen Kalender fußende Wurzeln aus vorjüdischer Überlieferung zurückgehen mag. Schon im Text der Psalmen lassen sich Spuren davon erkennen. (Überschriften des 6ten und 12ten Psalms! Vgl. E. Werner, *The Origin of the Octoechos*.)

Grundsätzlich anders liegt der Fall der Schriftkantillation. Hier muß die Melodik jeder Caprice des Textes und seiner minutiösen masoretischen Interpunktion gehorchen, während in der Psalmodie der musikalische Vortrag des Textes „standardisiert" wird. Daher gibt es Systeme in der Psalmodie, aber kein System der Kantillation, wenn man von den wenigen stereotypen Modellmotiven, die sich aus regelmäßig wiederkehrenden Akzentgruppen ergeben, absieht; überdies gibt es ja drei verschiedene Traditionen jener Modellmotive, entsprechend den drei *minhagim* der Jemeniten, Sephardim und Aschkenasim.

Von speziellen Vorformen des gregorianischen Repertoires, auf das wir im einzelnen noch zurückkommen, sind zuerst die primitiven Antiphonen zu nennen, die in den Toten-Meer-Rollen (bes. in den Dankeshymnen — *Hodayot* und in der Liturgie der ägyptisch-jüdischen Therapeuten vorkommen, wie Philo sie beschrieben hat; sodann gewisse, allem *minhagim* gemeinsame, sehr alte psalmodische Rezitative des täglichen Morgengebets, die wir in der Gregorianik der Nokturnen-Matutinen und der Orationen mit einiger Stilisierung wiederfinden, endlich Responsen, die im orientalischen Synagogengesang eine bedeutende Rolle spielen.

Die Instrumente

Musikinstrumente haben für unser Thema kaum Bedeutung, denn das rabbinische Judentum lehnte, genau wie das frühe Christentum, alle Instrumentalmusik, zumindest für den Gottesdienst, ab, wenn auch aus anderen Beweggründen. Diese allen Pharisäern gemeinsame moraltheologische, deutlich puritanische Haltung dringt sogar in die Literatur des Neuen Testaments und vor allem in die frühchristliche Rhetorik und Apologetik ein, wie man aus den Worten des Apostels Paulus in I. Kor. 13 ff. deutlich erkennen mag. Als die westliche Kirche bereit war, zur Ausschmückung der Liturgie Instrumente zuzulassen, war vom altjüdischen Instrumentarium seit vielen Jahrhunderten kein Instrument mehr im Gebrauch, weder in der Synagoge, noch in weltlicher Übung; immer mit Ausnahme des *Schophar*, der aber nicht als Musikinstrument anzusehen ist. Die Hinweise der Kirchenväter in ihren Psalmhomilien und der mittelalterlichen Musiktheoretiker auf alttestamentliche Instrumente sind entweder rein allegorisch zu verstehen oder rhetorisch-theologischer Natur, wie übrigens auch schon viele Anspielungen in den Tote-Meer-Rollen auf Musikinstrumente metaphorisch intendiert sind. Das alte Ideal des „dem Herrn singen" wird sowohl in der nachbiblisch-jüdischen wie in der epistolaren Neuen-Testament-Literatur variiert zu *„mit Verstand singen"*, *„mit Einsicht Gott loben"* etc. Diese Änderung darf aber nicht etwa als Hinwendung zu einem neuen Rationalismus verstanden werden, sondern entspricht der neuen Betonung einer durch Glauben vertieften Weisheit.

Die Aufführungspraxis der späthellenistischen Zeit

Das Institut, an das sich das frühe Christentum in seiner Liturgie und im Zeremoniell anlehnen konnte, war die zeitgenössische Synagoge, nicht der Tempel. Ganz abgesehen von der anti-hierarchischen Tendenz der ersten Christen ist zu bedenken, daß zur Zeit, als der Tempel fiel, die palästinische Christenheit in ihrer Liturgie noch kaum vom Judentum getrennt war (70 n. Chr.).

Erst zur Zeit des hl. Justin beginnen die ersten *liturgischen* Unterschiede ins Gewicht zu fallen. Wenn später — im Zeitalter der großen Kirchenväter — einige von ihnen bewußt auf den Tempel und seine — teilweise auch musikalische — Hierarchie zurückgriffen, dann lagen solcher Regression wohl vor allem politisch-zentralistische Tendenzen der damaligen Kirche zu Grunde. Im übrigen handelt es sich dabei mehr um bewußte Allegoresen als um eine echte Eingliederung von liturgischen Elementen, die als jüdisch erkannt und empfunden wurden, ähnlich den rhetorisch verstandenen Hinweisen auf Musikinstrumente in den Tote-Meer-Rollen. Es gibt allerdings bedeutsame Ausnahmen von dieser etwas groben Vereinfachung: z. B. sind direkte Einflüsse der jüdisch-hellenistischen Musikübung bei Clemens von Alexandria, wohl auch bei Diodor von Tarsus, und auch bei anderen Vätern nachweisbar. Clemens gibt uns sogar den Modus der jüdischen Abendpsalmodie seiner Zeit an, den er nach eigener Erfahrung dem griechischen *Tropos Spondeiakos* gleichsetzte (E. Werner, *The Common Ground*, in: *Atti del Congresso, Città di Vaticano* 1950/1). Man kann annehmen, daß konkrete musikalische Elemente der Synagoge nur während der ersten vier Jahrhunderte von der Kirche rezipiert worden sind; doch haben sie erstaunlich lange nachgewirkt.

Die Synagoge jener Zeit war vom pharisäischen Judentum geprägt; diese Sekte hat zwar durch die Evangelien eine schlimme Reputation erhalten, ist aber in den letzten Jahrzehnten auch von den christlichen Kirchenhistorikern weitgehend rehabilitiert worden.

Jesus selbst und vor allem Paulus gehörten diesem strengen Zweig der jüdischen Lehre an (Herford, Travers R., *Pharisaism, its aim and method*; deutsche Übersetzung von W. Fischel, *Die Pharisäer*, Leipzig 1928; neueste Auflage des grundlegenden Werkes *The Pharisees*). Die Synagoge der ersten christlichen Jahrhunderte pflegte eine sehr bescheidene Musikübung. Sie bestand aus den Gesängen und Kantillationen eines ehrenamtlichen (nicht beamteten) Laien-Cantors oder -Vorsängers, der im Zusammenwirken mit den männlichen Mitgliedern der Gemeinde ein nur durch regelmäßige Wiederholung geordnetes, aber immer noch spontanes Chorsingen improvisierte, meistens in Unisono, später gelegentlich — in einigen orientalischen Gemeinden — in improvisiertem Organum. Die Mehrzahl der Texte biblischen Ursprungs war den Gemeindemitgliedern halbwegs vertraut, die nachbiblischen Hinzufügungen wurden vom Vorsänger teils rezitiert, teils improvisatorisch psalmodiert.

Bei aller Eigenständigkeit der „demokratischen", d. h. von Laien regierten Synagoge (auch der Rabbi gilt als Laie!) scheint doch eine Kontinuität der Musiktradition vom Tempel zur Synagoge bestanden zu haben: sie wurde durch die sogenannten *ma'amadot*, d. h. „Beistände" geschaffen. Diese Beistände waren Delegationen der in 24 Distrikte eingeteilten Landgemeinden Palästinas, die turnusmäßig am Tempelgottesdienst teilnahmen und von Leviten und Priestern systematisch belehrt wurden. Wir kennen sogar noch die Namen der letzten dieser Instruktoren. Doch müssen um etwa 120 n. Chr. die meisten ihrer ehemaligen Schüler gestorben sein. Diese mögen nun ihrerseits das von ihren Meistern Gelernte jüngeren Generationen weitergegeben haben — eine solche „Erhaltung der Traditionskette" wird schon in den frühesten rabbinischen Texten als heilige Pflicht bezeichnet —, aber Beweise dafür gibt es nicht.

Jedenfalls kann man sich die Synagogenmusik jener ersten Jahrhunderte nicht einfach genug vorstellen. Der Vorsänger mußte eine „süße" (d. h. hohe lyrische, tenoral gefärbte) oder „angenehme" (d. h. nicht zu laute und temperierte) Stimme besitzen, ein schriftkundiger und frommer Mann sein, der ehrenhalber bestellt war. Ein zeitgenössischer Kirchenvater, Epiphanius von Jerusalem, nennt ihn ἀζανίτης, was natürlich das hebräische *hazan* gräzisiert; doch bedeutete damals der hebräische Ausdruck mehr einen Synagogenaufseher als einen Sänger. Je mehr dieser den liturgischen Gesang in den Vordergrund stellte, desto mehr provozierte er die Gegnerschaft der Rabbis. Diese, meistens Stockpuritaner, hatten seit dem Fall des Tempels alles getan, was in ihrer Macht stand, um die Musik ganz zu unterdrücken oder sie zumindest soweit wie nur möglich zu diskreditieren.

Es ist dies ein trauriges Kapitel, das Nachwirkungen bis in unsere Tage hat und unter anderem erklärt, warum das von Natur aus so musikalische jüdische Volk nicht mehr und bedeutendere schöpferische Leistungen aufzuweisen hat als einige wenige Psalmodien und Kantillationen. Dies gilt allerdings nur bis zur teilweisen Befreiung von der rabbinischen Zuchtrute. Mit der Emanzipation der westlichen Juden beginnt sich die Musik in der jüdischen Gesellschaft sowohl in Kompositionen als in reproduzierenden Künstlern zu entfalten.

Die musikalische Liturgie der alten Synagoge bestand am Wochentag aus einem psalmodischen Invitatorium und einer Kette von Benediktionen (*Berakot*), dem *Sch'ma'* (Deut. 5.) mit seiner Präambel; dem Achtzehngebet (*'Amida*) mit Sanctus (*Keduscha*) und kleinen Doxologien, dem *Kaddisch* (großer Doxologie) und einigen Bittgebeten, die zu jener Zeit noch durchaus variabel und nicht kodifiziert waren. Eingeschaltet wurden am Montag, Donnerstag und vor allem am Sabbat geordnete Schriftlesungen mit Kantillation; sie bestanden am Sabbat aus einem Pentateuchabschnitt, der Teil einer Bahnlesung (*lectio continua*) war, die sich über das ganze Jahr erstreckte, und einer nichtkontinuierlichen Prophetenlektion (*Haftara*), die ebenfalls kantilliert wurde, deren Wahl und Zusammenhang mit dem Pentateuchabschnitt aber erst im 4. Jahrhundert völlig fixiert wurden (E. Werner, *The Sacred Bridge* I, S. 55 ff.). Das Wort *haftara* für den Prophetenabschnitt bedeutet genau dasselbe wie das lat. *dimissio*, aus dem dann der Ausdruck *missa* hervorging.

Seit kurzer Zeit erst wissen wir, daß die alte Synagoge bis zu Ende des 5. Jahrhunderts eine kantillierte Psalmenlektion pflegte, die irgendwie mit der Thora- und Prophetenlektion koordiniert war, d. h. die von Sabbat zu Sabbat wechselte. Diese Psalmenabschnitte können aus den erhaltenen Homilienbüchern jener Zeit noch rekonstruiert werden. Sie dürften das synagogale Gegenstück, ja vielleicht sogar das Vorbild für die Institution des Proprium, insbesondere des Graduale, gebildet haben (*Sacred Bridge* II, cap. 4).

Die wichtigsten Berührungspunkte zwischen christlicher und jüdischer Musik

Tradition und Tradenten

Schon P. Wagner hat die Vermutung ausgesprochen, daß die unzweifelhaft bestehenden, meistens modal-strukturellen Ähnlichkeiten zwischen Gregorianik und Synagogengesang auf die Überlieferung der synagogalen Gesangsweisen durch jüdische Konvertiten während der ersten Jahrhunderte zurückgeführt werden müssen. Diese Konjektur hat sich als historische Wahrheit erwiesen, nachdem der Verfasser zwei Fälle jüdischer Konvertiten (*Deusdedit* und *Redemptus*) nachgewiesen hat, die als Diakone zur Zeit des Papstes Damasus aus Palästina nach Rom gekommen waren und, wie des einen Grabschrift rühmt, „den alten Propheten (David) in lieblichem Gesange ertönen ließen". Der Name *Deusdedit* ist bezeichnenderweise eine Latinisierung des hebräischen *Jonathan*. Es scheint, daß die nächsten Jahre eine Reihe ähnlich jüdisch-christlicher Proselyten aufdecken werden, die vom zweiten bis ins elfte und zwölfte Jahrhundert anonym, und oft in beiden Richtungen, wirksam waren. Auch der oben erwähnte Giovanni Drocos, genannt Obadia der Konvertit (*Ovadia ha-ger*), ist ein treffendes Beispiel solcher Wechselwirkungen (H. Avenary, *Genizah Fragments of Hebrew Hymns*, in: *Journal of Jewish Studies* XVI, London 1966, S. 87—104; I. Adler, *Les Chants synagogaux*, in: *Journal de Musicologie* II, Paris 1965, S. 19—51; J. Mann, in: *Revue des études Juives*, LXXXIX, Paris 1930, S. 246).

Tempel und Synagoge

Der jüdische Monotheismus kannte zwei Arten der Gottesverehrung: den Opferdienst im weitesten Umfang dieses Begriffes, der allerdings schon seit etwa 900 vor Chr. legaliter auf den Tempel in Jerusalem beschränkt war und von einer erblich-dynastischen Hierarchie verwaltet wurde; und die Liturgie, die mit dem „heiligen Wort" verknüpft war, das entweder nach den heiligen Schriften reproduziert oder vom Betenden improvisiert wurde. Im Tempel existierten beide Typen des Gottesdienstes nebeneinander: dem Opferdienst waren Psalmen, priesterliche Gebete und gelegentlich Schriftlesungen koordiniert. Die Synagoge, deren Existenz sich spätestens um die Zeit der Makkabäer nachweisen läßt, pflegte außer einigen „Stammgebeten" mit festgelegtem Text und Psalmen noch die sorgfältig vorbereitete und vorgetragene Schriftlesung und das intensive Studium ihrer

Auslegung

Daraus ergab sich von selbst der Gegensatz zwischen dem dynastischen Priester (des Tempels) und dem schriftgelehrten Rabbi (der Synagoge) mit all den uns aus der Geschichte vertrauten Folgeerscheinungen. Der Tempel hatte hierarchischen, die Synagoge demokratischen Charakter. Die dynastischen Leviten versahen Instrumentalmusik und den in allen Details regulierten kultischen Gesang im Tempel; die Synagoge, eine Laieninstitution, mußte sich mit einem Laienvorsänger und den spontanen oder habituell geübten Gemeinderesponsen zufriedengeben.

Bei jeder Erörterung des Tempelgottesdienstes müssen zwei Grundsätze berücksichtigt werden: der Tempel wurde, zumindest im hellenistischen Zeitalter, wohl auch schon früher, als ein Kosmos im Kleinen, als Abbild des Universums verstanden, wie ja auch noch Josephus bezeugt, der als Priester diese Tradition genau kannte. Daraus ergibt sich der zweite Grundsatz von selbst: alle wichtigen Kulthandlungen wurden von der Priesterkaste als Arkandisziplin verstanden und vor Nicht-Eingeweihten sorgfältig geheim gehalten. Daraus erklärt es sich auch, daß sehr wichtige Elemente des Tempelgottesdienstes uns bis heute unverständlich oder ganz unklar geblieben sind (R. Patai, *Man and Temple*, London 1947, S. 112 f.).

Das Kalendarium und sein Einfluß auf die liturgische Musik

Aus der Vielfalt der aufeinanderfolgenden Kalendersysteme, die das Judentum von seinem Einzug ins Gelobte Land bis zur Zerstörung des Zweiten Tempels und auch noch nachher benutzt hat, war für den Festkreis des hellenistischen Judentums und auch des frühen Christentums jener besonders einflußreich, der auf dem Prinzip der Pentakontade basierte.

Eine Pentakontade bestand aus 7 Wochen (einschließlich ihrer Sabbate) und einem abschließenden Festtag. Das volle (solare) Jahr zählte 7 Pentakontaden, denen 15 Tage hinzugefügt wurden. Die immer wiederholte Übung der 7 + 1 Tage, von denen der achte Tag ausgezeichnet war, scheint das System der acht Kirchentöne mindestens angeregt zu haben (E. Werner, *The Origin of the Octoechos*, in: HUCA XXI, 1948). Es finden sich viele Anhaltspunkte für diese Annahme. Auch das Konzept und sogar der Ausdruck des Octoechos hatte ursprünglich eine rein kalendarische Bedeutung: er bezog sich auf die 7 Sonntage plus abschließendem Festtag nach Ostern oder Pfingsten (E. Werner, *Sacred Bridge* I, S. 384 ff.). Er findet sich zuerst, als liturgisch-musikalische Bezeichnung, in den *Plerophorai* des Jochanan Rufos (vom Kloster Maiuma bei Gaza) im frühen 5. Jahrhundert.

Sind dies ausschließlich Konsequenzen des beweglichen Festkalenders, der im Judentum wie im Christentum einen Kompromiß zwischen Mond- und Sonnenjahr darstellt, so scheinen auf den ersten Blick die Heiligen- und Märtyrerfeste mit ihren Liturgien auf dem römischen bürgerlichen Kalender zu fußen. Doch ist dies eine Täuschung; seit den grundlegenden Studien von Dom Hansen, Dom Delehaye und Prof. J. Jeremias über den Ursprung der Heiligenverehrung wissen wir, daß ihre Bräuche eine Synthese von griechischer und jüdischer Tradition bilden, wobei die synagogale zumindest die ältere war. Selbst die Verehrung von Heiligengräbern ist jüdischen Ursprungs, wurde allerdings schon im 4. Jahrhundert von den rabbinischen Gesetzgebern ausdrücklich mißbilligt, ja verboten. Sie hat sich trotzdem bei den orientalischen Juden in gewissen Einzelfällen bis heute erhalten.

Notation

Das rabbinische Judentum hat, ganz wie die westlichen und östlichen Kirchen, im späten 5. oder frühen 6. Jahrhundert begonnen, die öffentliche Schriftlesung durch Vortragszeichen zu festigen und zu kodifizieren. Diese Vortragszeichen, die sogenannten ekphonetischen Lektionsakzente, bezeichneten die Interpunktion der Sätze, fixierten die intendierte Stimminflexion des Vorlesers und bezeichneten auch die Betonung der Silben. Im Judentum machte die Lektionsschrift (*ta'ame ha-miqra*) nur einen Teil der gewaltigen Philologenleistung der Masoreten aus, die den biblischen Text mit Vokalen, diakritischen Zeichen und kleinen Emendationen versahen, und die jeden Buchstaben und Vers aufs genaueste zählten und kodifizierten. Es läßt sich sogar eine gegenseitige Abhängigkeit von byzantinischen, syrischen und hebräischen Akzentsystemen nachweisen. Von ihnen haben es aber nur das lateinische und das byzantinische System zu einer echten Musiknotation gebracht (E. Werner, *Preliminary Notes*). Im Judentum blieb man auf halbem Weg stehen, wohl, weil man den organischen Zusammenhang der hochentwickelten Akzentschrift mit dem Text der heiligen Schriften nicht gefährden mochte — was bei einer allgemeinen Musiknotation, die auch außerhalb der Schrift zu funktionieren hatte, unvermeidlich gewesen wäre. Dazu kam, daß die niemals zentral organisierten Synagogengesänge, die sich oft genug auf Improvisation stützten, eine streng notengetreue Fixierung schlecht vertrugen. Ekphonetische Akzente eigneten sich zwar vorzüglich für eine differenzierte, aber doch stets textgebundene Kantillation, aber eine Ton-für-Ton definierende Notation konnte sie nur fesseln und behindern.

Melodische Archetypen und individuelle Weisen

Wenn wir bisher Prinzipien allgemeiner Natur mehr betont haben als Detailfragen, so geschah das, weil die ersteren von wahrhaft historischer Bedeutung sind, die letzteren kaum. So ist das psalmodische Singen in all seinen Spielarten, eine im Altertum völlig neue und revolutionäre Methode der Vertonung poetischer Texte, vom Abendland und seiner Kultur vollständig übernommen worden. Innerhalb solcher Grundformen wieder gibt es Archetypen, die wie riesige Fächer das gleiche musikalische Modell in immer wechselnden Varianten entfalten. Man kennt ihre Herkunft recht gut und kann ihr Alter einigermaßen genau abschätzen. Das läßt sich aber von Individualmelodien nicht behaupten. Nur in ganz seltenen Fällen kennen wir die Geschichte einer Melodie, ihre regionale Herkunft, und nur in Ausnahmefällen wissen wir etwas Genaues über die Zeit, während der sie von einer Gruppe zur anderen übergegangen ist. Denn es handelt sich hier um Wanderungen von Melodien. Die Beziehungen zwischen Judentum und Christentum verlaufen zudem nicht geradlinig. Oft genug können wir höchst verwirrende Wechselwirkungen von einer Religion zur andern und von einer Liturgie zur andern beobachten. Dennoch sei wenigstens an einem Falle gezeigt, wie eine solche „Übernahme" vor sich geht: es handelt sich vielleicht um das späteste Beispiel einer Wanderung von der Synagoge zur Kirche. Dem werden wir ein Gegenbeispiel an die Seite stellen, an dem gezeigt werden kann, wie eine kirchliche Melodie im westlichen Europa ziemlich spät von der Synagoge rezipiert wurde. Beim ersten Fall handelt es sich um das hebräische *'Alenu*-Gebet für die hohen Feiertage, das mittelalterliche Märtyrerbekenntnis zum Judentum. Dieses Stück voll von „Blut und Tränen", wie es genannt wurde, hat eine hochfeierliche Weise, die im 12. oder zu Anfang des 13. Jahrhunderts in Frankreich in das Sanctus der IX. Marienmesse aufgenommen wurde (E. Werner, *Sacred Bridge* I, S. 436, 483, 499).

IV. (a) Sanctus IX.

etc.

(b) *Alenu* der Hohen Feiertage.

etc.

Wir kennen den Anlaß der Übernahme: es war in Blois im Jahre 1171, als die dortigen Juden öffentlich verbrannt wurden. Bei dieser „feierlichen" Gelegenheit stimmten sie etwa die oben zitierte Melodie an, welche die Christen so rührte, daß sie ihre Kopfbedeckungen abnahmen zum Zeichen ihres Respekts. Nachher wurde die Judenmelodie dem gregorianischen Repertoire einverleibt. Das hören wir von zwei verläßlichen jüdischen Chronisten; jüngst sind aber christliche Zeugnisse jener Übernahme ans Licht gekommen, u. a. der sogenannte *Planctus Judaei* (mit ganz ähnlicher Melodie) aus Orléans (Helene Wagenaar-Nolthenius, *Der Planctus Judaei*, in: *Mélanges à René Crozet*, Poitiers 1966, S. 881 ff.).

Beim zweiten Fall handelt es sich um eine sehr bekannte hymnische Melodie, das *Iste confessor*, dessen Text von Paulus Diaconus stammt. Es ist, soweit wir es im gregorianischen Rahmen verfolgen können, immer mixolydisch gewesen, auch hat es noch kein ausgeprägt taktisches Metrum. All das aber ist geändert in der synagogalen Variante: es ist in klarem C-dur, klar metrisch, und trägt unverkennbar Züge der Haydn-Epoche. Aus dieser Zeit stammen auch die ersten handschriftlichen Zeugnisse dieser Melodie in der deutschen Synagoge.

V. (a) Iste confessor.

etc.

(b) *Barchu* der Hohen Feiertage.

Es ist leicht zu erkennen, daß die Melodie, die in der Kirche viel älter ist (dort trägt sie ein leicht pentatonisches Gepräge), während des 18. Jahrhunderts musikalisch „mißverstanden" wurde. Ob das durch eine Verweltlichung geschah, oder ob die Weise öffentlich gehört werden konnte (vielleicht bei Prozessionen u. dergl.), entzieht sich unserer Kenntnis. Die jüdische Version modernisiert die Weise radikal, verleiht ihr aber einen merkwürdig feierlichen Charakter. In solcher oder ähnlicher Weise sind die „Übernahmen" vor sich gegangen und bestimmen die Wechselwirkungen über die Jahrhunderte hinweg.

Eric Werner

Musik der „Anbetung im Geiste"

Die christliche Kirche hat im Lauf ihrer nahezu zweitausendjährigen Geschichte ihre Gläubigen immer wieder zu innerer Wahrhaftigkeit im Denken und Handeln, in Gebet und Gesang ermahnt. Die innere Wahrhaftigkeit, bei der sich das Lippenbekenntnis mit dem Herzensbekenntnis in Einklang befindet, gehört zu den Grundbedingungen und Grundforderungen christlichen Glaubens und christlichen Gottesdienstes. Niemals aber ist der Mahnruf der Kirche nach innerer Aufrichtigkeit eindringlicher erklungen und bereitwilliger befolgt, zu keiner Zeit aber auch strenger ausgelegt und einseitiger aufgefaßt worden als in den Tagen des Ur- und Frühchristentums. Ausgehend von der Anschauung, Gott sei reiner Geist, der Mensch vermöge daher mit ihm nur auf rein geistigem Wege in Verbindung zu treten, glaubt das Ur- und Frühchristentum, der gottesdienstlichen Musik als einer äußerlichen und deshalb unangemessenen Weise der Gottesverehrung gänzlich entraten und sich auf eine rein gedankliche Gottesanbetung beschränken zu müssen.

Die Forderung der Kirche nach innerer Aufrichtigkeit hat in der Formulierung *non solum voce, sed etiam corde* ihren Niederschlag gefunden. Unter dieser Formulierung findet man sie gleichermaßen in den kirchenmusikalischen Erlassen wie auch in den Vorreden der liturgischen Bücher bis in die Gegenwart. Sie stellt ein Kernstück des Musikdenkens nicht allein der Weltkirche, sondern auch der kirchlichen Ordensgemeinschaften dar, welche die Pflege der gottesdienstlichen Musik als *opus Dei* ansehen.

Augustinus (354–430) hat im 3. Kapitel seiner *Regula* (MPL 32, 1379) die Forderung in die Worte gekleidet *Psalmis et hymnis, cum oratis Deum, hoc versetur in corde, quod profertur in voce*, Benedikt von Nursia (480–543) im 19. Kapitel seiner *Regula* (MPL 66, 476) in die Worte *Sic stemus ad psallendum, ut mens nostra concordet voci nostrae*. In der Formulierung Augustins ist sie für die Augustiner sowie für die Dominikaner und Praemonstratenser, in der Formulierung Benedikts von Nursia für die Benediktiner sowie für die Kartäuser und Zisterzienser verbindlich geworden. Sie taucht vorzugsweise in den Psalmenkommentaren, aber auch in anderen exegetischen Werken der griechischen und lateinischen Kirchenschriftsteller immer wieder auf, angefangen bei Didymus von Alexandria (313–398), *Expositio in psalmum CXLIV* (MPG 39, 1607) und Cyrillus von Alexandria (370–444), *Explanatio in psalmum XII* (MPG 69, 802) über Cassiodorus (487–583), *Expositio in psalmum XLVI* (MPL 70, 335), Beda Venerabilis (672–735), *Exegesis de psalmo XII* (MPL 93, 552), Walafried Strabo (808–849), *Commentarius in psalmum CXLIX* (MPL 113, 1078) und Remigius von Auxerre (841–908), *Enarratio in psalmum XLVI* (MPL 131, 384) bis hin zu Gerhoh von Reichersberg (1093–1169), *Commentarius in psalmum CXII* (MPL 194, 707), Petrus Lombardus (1100–1164), *Expositio in psalmum XCIX* (MPL 191, 897), Albertus Magnus (1193–1280), *Commentarius in psalmum XLVI* (GA 15, Paris 1892, 692) und Thomas von Aquin (1227–1274), *Expositio in psalmum XLVI* (GA 14, Parma 1863, 330) und noch weit über diese hinaus.

Von seiten der Kirchenschriftsteller aus der Zeit des Ur- und Frühchristentums hat die Forderung *non solum voce, sed etiam corde* eine extrem strenge Auslegung im Sinne *non voce, sed corde* erfahren. Durch die extrem strenge Ausdeutung wird zwar ein Idealbild an Verinnerlichung und Vergeistigung vorgestellt, zugleich aber die gottesdienstliche Musik in ihrer Existenz verneint. Beide Devisen, sowohl die erste *non solum voce, sed etiam corde* als auch die zweite *non voce, sed corde*, lassen sich aus dem Neuen Testament herleiten. Jene geht auf die Aussprüche des Apostels Paulus in Eph. 5, 19 und Kol. 3, 16, diese auf den Ausspruch Christi in Joh. 4, 23–24 sowie auf den Ausspruch des Apostels Paulus in 1. Kor. 14, 15 zurück. Die nachfolgenden Ausführungen werden zeigen, daß die pneumatisch-spiritualistische Musikanschauung des Ur- und Frühchristentums zur gottesdienstlichen Musikpraxis sowohl des Neuen Testaments (rein vokale Ausführung des Gottesdienstes) als auch besonders des Alten Testaments (vokal-instrumentale Ausführung des Gottesdienstes) in scharfem Gegensatz steht. Ferner werden die nachstehenden

Darlegungen deutlich machen, daß die pneumatisch-spiritualistische Musikauffassung von zwei Seiten her kräftig gefördert worden ist, zunächst durch die religiös-philosophischen Zeitströmungen wie den Montanismus, den Gnostizismus, die jüdisch-alexandrinische und die neuplatonische Philosophenschule, sodann durch die griechischen und lateinischen Kirchenschriftsteller jener Zeit.

Im Gottesdienst des Alten Testaments ist wenigstens während der Königszeit das Gotteslob, vorzugsweise wenn es aus besonderen Anlässen wie Tempelweihe oder Königskrönung dargebracht wird, stets zugleich vokal und instrumental erklungen.

Für die vokal-instrumentale Ausführung des Gottesdienstes gibt es eine Reihe von Zeugnissen, die sich namentlich und vor allem in den beiden Büchern der Chronik sowie im Buch der Psalmen finden. Die Heimholung der Bundeslade unter König David (1012—972) wird in 1. Chron. 16, 4—10 wie folgt dargestellt: *Und David bestellte etliche Leviten zu Dienern vor der Lade des Herrn, daß sie priesen, dankten und lobten den Herrn, den Gott Israels, nämlich Asaph, den ersten, Sacharja, den anderen, Semiramoth, Matthithja, Eliab, Benaja, Obededom und Jahasiel, einige mit Psaltern und Harfen, Asaph mit hellen Zimbeln, Benaja und Jahasiel, die Priester, mit Trompeten, daß sie stünden vor der Lade des Bundes Gottes. Darauf befahl David, zuerst dem Herrn zu danken durch Asaph und seine Brüder: Danket dem Herrn, predigt seinen Namen, tut kund sein Tun unter den Völkern! Singet und spielet ihm, dichtet von allen seinen Wundern! Rühmet seinen heiligen Namen, es freue sich das Herz derer, die den Herrn suchen!* (Vgl. auch 2. Sam. 6, 4—5). Die Einweihung des Tempels unter König Salomo (972—932) wird in 2. Chron. 5, 12—14 folgendermaßen geschildert: *Und die Leviten, die Sänger alle, Asaph, Heman und Jedithun und ihre Kinder und Brüder, angezogen mit feiner Leinwand, standen gegen Morgen des Altars mit Zimbeln, Psaltern und Harfen, und bei ihnen hundertundzwanzig Priester, die auf Trompeten bliesen. Und es war, als wäre es einer, der trompetete und sänge, als hörte man eine Stimme dem Herrn danken und ihn loben, und da die Stimme sich erhob von den Trompeten, Zimbeln und Saitenspielen und von dem Loben des Herrn, daß er gütig sei und seine Barmherzigkeit ewig währe, da ward das Haus des Herrn voll von einer Wolke, daß die Priester nicht stehen konnten, vor der Wolke zu dienen, denn die Herrlichkeit des Herrn erfüllte das Haus Gottes.* (Vgl. auch 2. Chron. 7, 6). Über die Salbung des Königs Joas (836—797) wird in 2. Chron. 23, 13 mitgeteilt: *Und Joas stand an seiner Stätte im Eingang und die Obersten und die Trompeter um den König; und alles Volk des Landes war fröhlich, und man blies Trompeten, und die Sänger sangen Lob mit allerlei Saitenspiel.* Über die Erneuerung des Gottesdienstes durch König Ezechias (719—691) wird in 2. Chron. 29, 25—28 berichtet: *Und Ezechias stellte die Leviten auf im Hause des Herrn mit Zimbeln, Psaltern und Harfen, wie es David befohlen hatte und Gad, der Seher des Königs, und der Prophet Nathan, denn der Herr hatte es geboten durch seine Propheten. Und die Leviten standen mit den Saitenspielen Davids und die Priester mit den Trompeten. Und Ezechias befahl, Brandopfer auf den Altar zu legen. Und um die Zeit, da man das Brandopfer anfing, begann auch der Gesang des Herrn und der Trompetenklang und dazu mancherlei Saitenspiel Davids, des Königs Israels. Und die ganze Gemeinde betete an, und der Gesang der Sänger und das Trompeten der Trompeter währte, bis das Brandopfer ausgerichtet war.* Daß die Tempelmusik unter König David einen vokal-instrumentalen Prunkstil entfaltet und dadurch einen Höhepunkt erreicht hat, geht aus zwei Belegstellen in 1. Chron. 15, 16—28 und in 1. Chron. 25, 1—31 hervor. In jener werden zahlreiche Tempelsänger und -spieler mit Namen genannt und ist von einem Sangmeister die Rede, in dieser wird von insgesamt 288 von König David in ihr Amt eingesetzten Tempelsängern und -spielern gesprochen und werden diese je nach ihrer Familienzugehörigkeit in Zwölfergruppen aufgezählt.

Im Buch der Psalmen zeugen gleichfalls verschiedene Textstellen von einer vokal-instrumentalen Ausführung des Gottesdienstes. Das hier häufig gebrauchte Verbum *psallere* dürfte — wenn vielleicht nicht beständig so doch in gewissen Fällen — im Sinne instrumentalen Musizierens interpretiert werden müssen. Ursprünglich bedeutet das Wort *psallere*, das sich vom griechischen Wort *psallein* herleitet, soviel wie *rupfen* oder *zupfen*, späterhin in der Musik soviel wie *die Saiten anreißen, spielen* bzw. *Psalmen vortragen, singen.* Die instrumentale Wortbedeutung scheint, wenigstens dem anfänglichen Wortsinn nach zu urteilen, die ältere, die vokale hingegen die jüngere zu sein. Das Wort *psallere* kommt nun im Buch der Psalmen mehrfach in Verbindung einerseits mit dem Wort *canere*, andererseits mit den Wörtern *psalterium* und *cithara* vor. So ist in Psalm 32,3, 97,4, 100,1, 104,2, 107,2 und 146,7 von *canere et psallere* die Rede. Desgleichen wird in Psalm 32,2, 91,4 und 143,9 von *psallere in psalterio*, in Psalm 70,22, 97,5 und 146,7 von *psallere in cithara* gesprochen. Die genannten Wortgruppen können wohl nur im Sinne von *singen und spielen, auf dem Psalter spielen* und *auf der Harfe spielen* aufgefaßt werden. Darüber hinaus deutet im Buch der Psalmen die häufige Anführung von Musikinstrumenten auf deren Heranziehung im Gottesdienst. In den Psalmen 32,2, 56,9, 80,3, 91,4, 107,3 und 150,3 finden sich Psalter und Harfe erwähnt, in den Psalmen 46,6, 80,4, 97,6 und 150,3 die Trompete, in den Psalmen 67,26, 80,3, 149,3 und 150,4 die Pauke, im Psalm 150,5 die Zimbel.

In der Zeit von der Reichsteilung 932 bis zum Ende des Nordreiches Israel 722 und des Südreiches Juda 587 schwindet die Pracht der Tempelmusik rasch dahin, und es kommt zur Auflösung des Standes der Tempelmusiker. Während der babylonischen Gefangenschaft 587—538 sowie während der persischen, mazedonischen, ägyptischen und syrischen Fremdherrschaft 538—142 liegt die kultische Musik darnieder, lebt unter den Makkabäern 142—63 für kurze Zeit wieder auf, büßt aber seit der Besetzung des Landes durch die Römer 63 v. Chr. wieder an Bedeutung ein. Sind die Psalmen noch für festliche Aufführungen durch Choristen und Instrumentalisten bestimmt gewesen, so macht sich mit dem Niedergang des Staates und mit dem Verlust der Souveränität eine Abkehr vom vokal-instrumentalen Prunkstil bemerkbar. Die kultische Musik erfährt einen grundsätzlichen Wandel dahingehend, daß auf die Mitwirkung von Instrumenten gänzlich verzichtet wird und in ihr nur noch die menschliche Stimme Platz hat, wie es im Neuen Testament der Fall ist.

Im Neuen Testament sind es vorzugsweise die bereits oben angeführten Textstellen, die als Zeugnisse in Betracht kommen, der Ausspruch Christi in Joh. 4, 23—24 und die Aussprüche des Apostels Paulus in 1. Kor. 14, 15, Eph. 5, 19 und Kol. 3, 16. Der Ausspruch Christi lautet: *Aber es kommt die Zeit und ist schon jetzt, daß die wahrhaftigen Anbeter den Vater im Geist und in der Wahrheit anbeten werden, denn der Vater will haben, daß man ihn also anbetet. Gott ist Geist, und die ihn anbeten, die müssen ihn im Geist und in der Wahrheit anbeten.* In diesem Christuswort erblicken die Vertreter des pneumatisch-spiritualistischen Musikdenkens den Ausgangspunkt und die Grundlage für die Anschauung, zur rechten Gottesverehrung bedürfe es lediglich und ausschließlich der gedanklichen Hingabe des Menschen, nicht aber des äußerlichen Werkzeugs seiner Stimme. Der Apostel Paulus bekennt sich zunächst gleichfalls zum pneumatisch-spiritualistischen Musikdenken, wenn er an der genannten Stelle seines ersten Korintherbriefes sagt: *Ich will beten im Geist und will beten auch im Sinn, ich will Psalmen singen im Geist und will Psalmen singen auch im Sinn.* Das Wort *Sinn* (griech. *nous*, lat. *mens*) kann hier nicht als Gegensatz, sondern nur als Ergänzung zum Wort *Geist* (griech. *pneuma*, lat. *spiritus*) verstanden werden, es bezeichnet nicht das Sinnesorgan, d. h. die Stimme, sondern die aufrichtige und wahrhaftige Gesinnung, d. h. die Sinnesart, die im vorzitierten Christuswort angesprochen ist. Später rückt der Apostel Paulus, wie die erwähnten Stellen seines Epheser- und Kolosserbriefes erkennen lassen, von seiner ursprünglichen Auffassung ab. In Eph. 5, 19 äußert er sich: *Redet untereinander in Psalmen und Lobgesängen und geistlichen Liedern, singet und psalliert dem Herrn in eurem Herzen!* Das Wort *singen* (griech. *aeidein*, lat. *cantare*) bezieht sich hier auf den Gesang von Hymnen und Cantica, während das Wort *psallieren* (griech. *psallein*, lat. *psallere*) hier auf den Gesang von Psalmen bezogen ist und also in diesem Fall nicht instrumentale, sondern vokale Bedeutung hat. In Kol. 3, 16 läßt sich der Apostel Paulus vernehmen: *Lasset das Wort Christi unter euch reichlich wohnen; lehret und ermahnt euch selbst in aller Weisheit mit Psalmen und Lobgesängen und geistlichen Liedern und singet Gott mit Dankbarkeit in euren Herzen!* Beide Textstellen können nicht allein als Beleg für die vokale Ausführung des Gottesdienstes im Neuen Testament dienen, sondern stellen auch zugleich wichtige Argumente gegen die nurgeistige Anschauung der Gottesverehrung dar.

In allen hier angeführten Zeugnissen ist das Wort *Geist* in der lateinischen Fassung des Neuen Testaments durch das Wort *spiritus*, in der griechischen Fassung durch das Wort *pneuma* wiedergegeben. Die Termini *spiritus* und *pneuma*, durch welche die nurgeistige Auffassung der Gottesverehrung starken Auftrieb erhalten hat, bedeuten soviel wie *Luft, Wind, Atem, Leben, Seele, Geist.*

Der Begriff *pneuma* spielt bereits in der griechischen Philosophie eine bedeutende Rolle. Er tritt erstmals bei Diogenes von Apollonia (5. Jh. v. Chr.) auf, später bei Aristoteles (384—322), Zeno (342—265) und Epikur (341—270). Bei Diogenes von Apollonia bezeichnet das Wort *pneuma* die dem Weltall wie dem Menschen immanente, sinnvoll tätige Vernunft, besagt also dasselbe wie bei Heraklit (536—470) das Wort *logos* und wie bei Anaxagoras (500—430) das Wort *arche*. Aristoteles nennt den belebenden Hauch, der dem Blut beigegeben ist und der die Lebenswärme hervorruft, welche die Voraussetzung für die Seelentätigkeit bildet, *pneuma*, in ähnlicher Weise äußern sich Zeno und Epikur. In der griechischen Philosophie erhält der Terminus *pneuma*, indem er zur Bezeichnung der im Weltall wie im Menschen wirksamen lebendigen göttlichen Kraft verwendet wird, seine festumrissene Bedeutung. Die Gnostiker, deren Erkenntnisstreben auf diese göttliche Kraft gerichtet ist, bezeichnen sich als Pneumatiker.

In den vorgenannten Belegstellen Eph. 5, 19 und Kol. 3, 16 ist von *geistlichen Liedern (odai pneumatikai* bzw. *cantica spiritualia)* die Rede. Gemeint sind Gesänge, die vom *Heiligen Geist (Pneuma Hagion* bzw. *Spiritus Sanctus)* eingegeben sind und von ihm ihr Leben empfangen. Ebenda findet sich des weiteren die Bestimmung *in euren Herzen* (*en tais kardiais hymon* bzw. *in cordibus vestris*). Sie muß sicherlich im Sinne einer Verinnerlichung, darf aber ebenso gewiß nicht, wie es beispielsweise Zwingli getan hat, im Sinne einer völligen Ablehnung des äußerlichen Singens und damit einer gänzlichen Aufhebung des gottesdienstlichen Gesangs verstanden werden. Söhngen bemüht sich, die Bestimmung vom Wesen des ur- und frühchristlichen Gottesdienstes her zu begreifen. Er glaubt sie dahingehend interpretieren zu können, daß ein einzelnes Gemeindemitglied einen geistgewirkten, d. h. vom Heiligen Geist eingegebenen Gesang anstimmt, den die übrigen Gemeindemitglieder nicht sogleich mitsingen können, an dem sie sich sehr wohl aber *in ihrem Herzen* zu beteiligen vermögen.

Das pneumatisch-spiritualistische Musikdenken des Ur- und Frühchristentums hat zunächst durch die religiös-philosophischen Zeitströmungen eine nachdrückliche Stützung erfahren. Genannt werden müssen hier namentlich und vor allem die beiden Bewegungen des Montanismus und des Gnostizismus sowie die beiden bedeutendsten Philosophenschulen jener Epoche, die jüdisch-alexandrinische und die neuplatonische. Der Montanismus ist vornehmlich von Montanus aus Phrygien (um 150) und Tertullianus aus Karthago (160—240), der Gnostizismus hauptsächlich von Basilides aus Syrien (um 130), Saturninus aus Antiochia (um 130), Markion aus Pontus (um 140), Karpokrates aus Ägypten (um 140), Tatianus aus Syrien (um 170) und Bardesanes aus Edessa (154—224) vertreten worden. Als Hauptrepräsentant der jüdisch-alexandrinischen Philosophenschule gilt Philon (20 v. Chr. — 54 n. Chr.), als Hauptrepräsentant der neuplatonischen Philosophenschule Plotin (204—270).

Der Montanismus, der erstmals in der nachapostolischen Zeit auftritt, greift den bereits in der apostolischen Epoche geläufigen Gedanken der Abwendung von der argen, bösen, dem Untergang zueilenden Welt in verstärktem Maße wieder auf. Unter Hinweis auf das herannahende Weltende und das bevorstehende Gottesgericht werden Askese und Abstinenz gefordert, wird zum Verzicht auf Erwerb und Besitz, zur Abkehr von Staat und Gesellschaft sowie zur Selbstauferlegung von Entbehrungen und Kasteiungen aufgerufen. Auch die Wissenschaft und die Kunst werden verworfen, ihre Pflege wird für das Erlösungswerk, das Gott am Menschen vollbringen will, als ebenso unnötig wie hinderlich angesehen. Der Mensch muß, um Gott näherzukommen, sein Streben statt auf das Sinnliche auf das Geistige richten, er soll in Zeiten der Verfolgung sogar den Märtyrertod suchen. Im Montanismus wird die strenge, entschiedene, teils mystisch-asketische, teils enthusiastisch-prophetische Grundhaltung des Urchristentums wieder lebendig. Die Kirche hat den Montanismus wegen seiner extrem negativen Einstellung gegenüber der Welt hart bekämpft, sie erblickt die Aufgabe des Menschen nicht in der Flucht vor der Welt, sondern in ihrer Überwindung.

Der Gnostizismus, der erstmalig zur Zeit der römischen Kaiser Trajan (98—117) und Hadrian (117—138) in Erscheinung tritt, sucht den einfachen christlichen Glauben durch Vermischung mit Elementen aus der griechischen Philosophie und Mythologie zu einer höheren religiösen Erkenntnis (*gnosis*) zu erheben. Der Grundgedanke der im einzelnen sehr verschiedenen gnostischen Systeme ist der, daß Gott von Ewigkeit her in unendlicher Ferne außer und über der Welt thront und daß zwischen Gott als dem Urgrund alles Guten und der Welt als dem Urgrund alles Bösen keine unmittelbare Beziehung besteht. Aus Gott fließen in stufenweise abnehmender Vollkommenheit vermittelnde Kräfte, Äonen (*aiones*) genannt, welche die Verbindung zwischen ihm und Welt herstellen. Der auf der niedrigsten Stufe stehende Äon hat Berührung mit dem Stofflichen (*hyle*) und wird zum Erbauer der Welt (*demiourgos*), der auf der höchsten Stufe stehende Äon, als welcher Christus gilt, hat Berührung mit dem Geistigen (*pneuma*) und wird zum Erlöser der Menschen (*soter*). Der Mensch muß danach trachten, die Seele, die von Gott herkommt und wieder zu Gott hinstrebt, je länger je mehr von den Banden und Fesseln des Körpers zu befreien, was einzig und allein durch Loslösung vom Stofflich-Materiellen und Hinwendung zum Geistig-Ideellen geschehen kann. Die Kirche hat sich gegen den Gnostizismus und die durch ihn heraufbeschworenen Gefahren einer Verfälschung des Evangeliums, einer Entartung in Intellektualismus und einer Beschränkung des Heils auf den Kreis der Erkennenden mit aller Entschiedenheit zur Wehr gesetzt. Neben anderen sind es namentlich und vor allem Irenaeus aus Kleinasien (140—200) und Origenes aus Alexandria (185—254) gewesen, die sich in Wort und Schrift auf das Schärfste gegen die Mißdeutung der christlichen Glaubenswahrheiten gewendet haben. Der Gnostizismus hat in seiner Blütezeit zahlreiche Anhänger gefunden und späterhin der Verbreitung des Häretiker- und Sektierertums starken Vorschub geleistet.

Philons Philosophie besteht aus einer Mischung von allegorisch-symbolischer Schriftauslegung mit platonisch-stoischem Gedankengut. Gott als geistiges Prinzip und die Welt als stoffliches Prinzip sind, so lehrt Philon, bei weitem zu verschieden voneinander, als daß sie einander berühren könnten. Zwischen ihnen fungieren Mittelwesen, welche die Verschiedenheit beider Bereiche überbrücken und sich gleichermaßen mit den platonischen Ideen wie auch mit den jüdischen Engeln identifizieren lassen. Sie sind im Begriff des *Logos* zusammengefaßt, dessen Einführung für die Denkweise der jüdisch-alexandrinischen Philosophenschule grundlegende und wegweisende Bedeutung erlangt hat. Der Mensch muß, will er zum Endziel seines Lebens, zum unmittelbaren Anschauen Gottes gelangen, aus dem Bereich des

Stofflich-Materiellen in den Bereich des Geistig-Ideellen vor- und durchdringen. Es bedarf dazu der Loslösung von der Sinnesgebundenheit (*aisthesis*), in der die Sünde ihre Wurzeln hat, und der Hinwendung zur Verstandestätigkeit (*phronesis*). In der Schrift muß zwischen einem wörtlichen und einem übertragenen Sinn oder, wie Philon sich ausdrückt, zwischen ihrem Körper und ihrer Seele unterschieden werden. Nur der kleinere Teil der Menschen vermag den übertragenen Sinn zu erfassen, der größere Teil hat lediglich Zugang zum wörtlichen Sinn, ihretwegen hat Gott seinen Heilsplan in ein anthropomorphes Gewand gekleidet.

Plotins Philosophie stellt sich als die zum Emanatismus umgestaltete Ideenlehre Platons dar. Gott kommen, so sagt Plotin, die Prädikate der Einheit, Vollkommenheit, Selbständigkeit und Unveränderlichkeit, der Welt hingegen die Prädikate der Vielheit, Unvollkommenheit, Abhängigkeit und Veränderlichkeit zu. Die Welt entsteht aus Gott als der vollkommenen und unveränderlichen Ursubstanz durch ewiges Ausströmen, durch unaufhörliche Emanation. Auch die Ideen gehen aus der Ursubstanz durch Emanation hervor, sie sind nicht bloße Vorstellungen (*ennoiai*), sondern bewegende Kräfte (*dynameis*). Die Aufgabe des Menschen besteht darin, durch Erhebung seines Selbst von der niedrigsten auf die höchste Seinsstufe zum Guten und zur Glückseligkeit zu gelangen. Das einzige Mittel, mit dessen Hilfe dieses Ziel erreicht werden kann, ist die Tugendhaftigkeit. Nur sie vermag den Menschen, wie Plotin versichert, von seiner Neigung zum Sinnlichen zu befreien und in ihm das Streben zum Geistigen zu erwecken, lediglich durch sie kann die Seele zum Einssein mit Gott kommen. Die besten Dienste leistet dem Menschen auf diesem Wege die Beschäftigung mit der Dialektik und der Arithmetik als denjenigen enzyklischen Wissenschaften, die von ihrem Gegenstand her am sinnesfernsten und am geistnahesten sind.

Die Bewegungen des Montanismus und des Gnostizismus sowie die jüdisch-alexandrinische und die neuplatonische Philosophenschule haben mit ihrer gottsuchenden, weltflüchtigen Denkweise in starkem Maße dazu beigetragen, die Menschen auf den Weg der Verinnerlichung und Vergeistigung zu führen. Ihre Denkweise ist auf die ur- und frühchristliche Auffassung vom Gottesdienst im allgemeinen wie vom gottesdienstlichen Gesang im besonderen nicht ohne Einfluß geblieben.

Das pneumatisch-spiritualistische Musikdenken des Ur- und Frühchristentums hat sodann durch die griechischen und lateinischen Kirchenschriftsteller jener Zeit eine starke Befürwortung gefunden. Es gibt in ihren Werken zahlreiche Zeugnisse, in denen die vergeistigte Auffassung von der Gottesverehrung zum Ausdruck kommt.

Die Kirchenväter sind sich zunächst in der kategorischen Ablehnung des Gebrauchs von Musikinstrumenten im Gottesdienst einig, nur ganz gelegentlich und ausnahmsweise kommen Zeugnisse vor, aus denen hervorgeht, daß gegen die Verwendung von Instrumenten keine Einwände erhoben worden sind.

Clemens von Alexandria (140—216) verurteilt in seinem Werk *Paedagogus* II, 4 (MPG 8, 443) den Gebrauch von Musikinstrumenten im Gottesdienst als heidnisch: *Wenn man sich viel mit Flöten, Saiteninstrumenten, Reigen, Tänzen, ägyptischen Klappern und ähnlichen ungehörigen Leichtfertigkeiten abgibt, kommt bald Unsitte und Zügellosigkeit auf; man lärmt mit Becken und Pauken, man gerät mit den Instrumenten des heidnischen Wahnkults in Raserei. Wir wollen die Panflöte den Hirten überlassen, die Flöte aber den abergläubischen Menschen, die zum Götzendienst eilen. Von unserem einfachen Mahle laßt uns diese Instrumente ganz und gar verbannen. Wir brauchen nur ein Instrument, das friedebringende Schriftwort allein, nicht dagegen das alte Psalterium, die Tuba, die Pauke und die Flöte, welche diejenigen lieben, die sich zum Kriege üben.* Eusebius von Caesarea (263—339) sieht in seinem *Commentarius in psalmum XCI* (MPG 23, 1171) die Musikinstrumente unter dem Aspekt ihrer allegorisch-symbolischen Bedeutung: *Wir singen Gottes Lob mit lebendigem Psalterium, beseelter Cithara und geistlichen Liedern. Denn Gott wohlgefälliger und angenehmer als alle Instrumente ist der Einklang des ganzen christlichen Volkes; er kommt dadurch zustande, daß wir in allen Kirchen Christi einträchtigen Sinnes und gleichgestimmten Herzens Psalmen und Lieder singen. Das ist der Zweck der Psalmen und der geistlichen Lieder, wie sie bei uns nach der Vorschrift des Apostels gebräuchlich sind. Unsere Cithara ist der ganze Leib, durch dessen Bewegung und Werke die Seele Gott einen geziemenden Hymnus singt, und unser zehnsaitiges Psalterium ist die Verehrung des Heiligen Geistes durch die fünf Sinne des Körpers und ebensoviele Tugenden der Seele.* Johannes Chrysostomus von Antiochia (344—407) vergleicht in seiner *Expositio in psalmum XCI* (MPG 55, 158) das Musikinstrument mit dem menschlichen Körper, in dem nur durch strenge Askese und Abstinenz eine echte und wahre Harmonie entstehen kann: *Hier bedarf es weder einer Cithara noch gespannter Saiten, weder des Plektrums noch überhaupt eines Instruments, vielmehr kann man sich, wenn man will, selbst zum Instrument machen, sofern man das Fleisch kreuzigt und auf diese Weise gleichsam das Instrument des Körpers zu wohlklingender Harmonie gelangen läßt.* Arnobius von Gallien (um 450) hält in seiner Schrift *Adversus nationes* 7, 36 das Spielen auf Musikinstrumenten für eine Sache des Knabenalters und des ungebildeten Volkes, deren der erwachsene und verständige Mensch nicht bedarf: *Ihr Heiden seid überzeugt, daß sich die Götter durch das Tönen des Erzes und das Flötenblasen, durch den Wettlauf der Pferde und durch die Schauspiele sowohl ergötzen als auch anregen lassen und daß sie infolge dieser Art Sühne ihren vielleicht gefaßten Groll besänftigen; uns Christen erscheint dies unangebracht, ja wir halten es für wenig glaubhaft, daß die, welche jede Art von Tugendvollkommenheit bei weitem übertreffen, an solchen Dingen Lust und Behagen finden, die der vernünftige Mensch verlacht und in denen niemand anders irgendeine Annehmlichkeit zu erblicken vermag als kleine Kinder und was zu den niederen einfachen Leuten gehört.*

Die Kirchenväter stimmen sodann in der Auffassung überein, daß der echte und wahre Gottesdienst in der rein geistigen Gottesverehrung bestehe und es nur gelegentlich aus erzieherischen Gründen erlaubt sei, auf die Mithilfe des äußerlichen Werkzeugs der menschlichen Stimme zurückzugreifen.

Hieronymus von Stridon (342—420) sucht in seinem *Commentarius in epistulam ad Ephesios* III, 5 (MPL 26, 528) das Wesen gottesdienstlichen Singens dadurch klarzumachen, daß er es dem Gesang auf dem Theater gegenüberstellt: *Singen, psallieren und lobpreisen müssen wir Gott mehr mit dem Geiste als mit der Stimme. Mögen dies die jungen Leute und die, denen die Pflicht des Psallierens in der Kirche obliegt, hören, daß man Gott nicht mit der Stimme, sondern mit dem Herzen singen muß, daß sie nicht nach Art der Tragöden Kehle und Schlund mit süßen Mitteln schmieren dürfen, so daß in der Kirche theatralisch gedrechselte und verschnörkelte Melodien ertönen, sondern daß sie Gott durch Gottesfurcht, gute Werke und Kenntnis der Heiligen Schrift zu preisen haben.* Theodoretus von Kyrrhos (393—457) sagt in seinem *Commentarius in psalmum* CL (MPG 80, 1996), Gott sei über jeden Lobpreis hoch erhaben, sehe ihn aber dem Menschengeschlecht großmütig nach, weil er es an sich binden wolle: *Die Leviten bedienten sich von alters her im Gotteshaus der Instrumente zum Lobe Gottes, nicht weil Gott sich über ihren Klang freute, sondern weil er die Absicht billigte, die damit verbunden war. Daß nämlich Gott an Liedern und Musik kein Wohlgefallen hat, hören wir von ihm selbst, wenn er zu den Juden spricht: Hinweg von mir mit dem Lärm deiner Lieder, den Klang deines Psalterspiels mag ich nicht hören (Amos 5, 23). Wenn dies dennoch geschah, so erlaubte er es, weil er sie von dem Trug der Götzenverehrung abbringen wollte. Da nämlich viele von ihnen Freunde von Spiel und Scherz waren, dies aber alles in den Tempeln der Götter stattfand, gestattete er es, um sie auf diese Weise an sich zu ziehen und durch ein geringeres Übel das größere zu verhüten.* Methodius von Lykien (250—311) spricht sich in seiner Schrift *De libero arbitrio* (MPG 18, 240) entschieden für das rein geistige Gotteslob, das vom Heiligen Geist eingegeben werde, aus: *Nicht die Sirenen will ich hören, die ein Grablied für die Menschen singen, sondern die göttliche Stimme will ich vernehmen, die ich immer wieder zu hören begehre, so oft ich sie auch schon vernommen haben mag, nicht als Sklave zügelloser Gesänge, sondern als ein in die göttlichen Geheimnisse Eingeweihter. Ein jeder komme also und vernehme den göttlichen Gesang ohne Furcht! O der wohlklingenden Harmonie, die vom Heiligen Geist stammt! So wollen denn auch wir denselben Gesang anstimmen und dem Heiligen Vater einen Hymnus emporsenden. Fliehe nicht, o Mensch, diesen geistlichen Hymnus und verschließe dein Herz nicht feindselig gegen seine Klänge!* Basilius der Große von Caesarea (330—379) führt in seiner *Homilia I in psalmos* aus, der Heilige Geist habe sich der Musik bedient, um den Menschen, vorzugsweise den geistig armen, die Heilswahrheiten mundgerechter zu machen: *Als der Heilige Geist sah, wie schwer sich das Menschengeschlecht zur Tugend leiten ließ und wie oft wir durch unsere Neigung zur Sinnenlust vom züchtigen Leben ferngehalten werden, was tat er da? Er fügte den Glaubenssätzen die Lieblichkeit der Melodie hinzu, damit wir durch die Vermittlung des Gehörs unvermerkt den in den Worten liegenden Nutzen in uns aufnehmen. Die wohlklingenden Melodien zu den Psalmen sind von uns ersonnen worden, damit die dem Alter wie dem Verstande nach noch Unentwickelten, während sie selbst zu musizieren glauben, in Wahrheit ihre Seele zum Guten hinführen.*

Wie die vorstehenden Äußerungen erkennen lassen, betrachten die Kirchenschriftsteller namentlich und vor allem in den ersten nachchristlichen Jahrhunderten die Musik lediglich und ausschließlich und überaus streng unter religiösem, nicht aber unter ästhetischem Aspekt oder auch unter anderen Gesichtspunkten. Der sinnliche Reiz der Musik sowie ihre Fähigkeit zur Erregung von Affekten, jene Eigenschaften der Tonkunst also, die zu allen Zeiten ihr Wesen ausgemacht haben, werden kategorisch in Abrede gestellt. Mit der Leugnung dieser Eigenschaften aber wird nicht allein der Instrumentalmusik das Verdammungsurteil gesprochen, sondern wird überhaupt der Musik als Disziplin der Boden entzogen, wird an ihrer Seinsgrundlage als Kunst gerüttelt. Auf der Grundlage einer solch extrem negativen Beurteilung wäre die erhabene Entwicklung, welche die Musik im allgemeinen und die Kirchenmusik im besonderen im abendländischen Kulturbereich genommen hat, unmöglich gewesen und hätte sie die Aufgabe, die ihr der Schöpfer neben der Wortverkündigung zugedacht hat, nicht erfüllen können, die Aufgabe des Kerygmas, der Heilsverkündigung in Tönen.

Heinrich Hüschen

Die gottesdienstlichen Formen im Frühchristentum

Der christliche Gottesdienst hat seinen Platz in der Versammlung der Gläubigen, die sich unter ihren Vorstehern als örtliche Christengemeinde zusammenfinden; daher heißt *Synaxis* sowohl Versammlung wie auch Gottesdienst (1. Cor. 11, 17 f.; Matth. 18, 20; Justin. apol. 65). Diese Versammlung ist nicht nur räumlich, sondern auch geistlich zu verstehen: die Gläubigen haben Gemeinschaft mit dem Herrn Jesus Christus und in ihm untereinander. Das bedeutet einen beträchtlichen Unterschied zum antiken Kult, der wesentlich in sich ruhender Vollzug von Riten ist, die von Priestern ausgeführt werden; die Teilnahme einer Gemeinde ist dabei nicht unbedingt nötig. Erst in den jüdischen Synagogen wird die Gemeinde ganz zur aktiven Trägerin des Gottesdienstes; nur annähernd vergleichbar sind die Verhältnisse in den spätantiken Kultvereinigungen.

Stärkster Ausdruck der Gemeinschaft ist von Anfang an in der Urgemeinde von Jerusalem und in den heidenchristlichen Gemeinden des Paulus das Herrenmahl (Eucharistiefeier und/oder Agape). Die gottesdienstliche Versammlung wird für mancherlei Zwecke gehalten, die miteinander verbunden oder getrennt erscheinen können: die Eucharistiefeier mit dem Empfang von Leib und Blut Christi, die Agape als gemeinschaftliches Mahl zur richtigen Sättigung der Teilnehmer, der Wortgottesdienst mit Lesungen, Predigt und Gebet, aber auch mit den mancherlei Äußerungen geistlicher Rede.

Das Herrenmahl als Eucharistiefeier, ursprünglich mit einem Sättigungsmahl verbunden, hat seinen Ursprung in der Einsetzung durch Jesus beim letzten Mahle vor seinem Leiden und Sterben (1. Cor. 11, 23/25; Mark. 14, 22/25; Matth. 26, 26/29; Luk. 22, 15/20). Dieses war wohl ein Passahmahl, aber die Besonderheiten des Passahmahls gegenüber sonstigen Festmählern sind für das spätere Herrenmahl nicht wirksam gewesen, vor allem nicht im Termin: das Herrenmahl wurde nicht wie das Passahmahl nur einmal jährlich gehalten, sondern in jeder Woche, oft sogar noch häufiger. Der Verlauf des Passahmahls war folgender: nach Vorspeise und Passahliturgie (Bericht über den Auszug aus Ägypten, Gesang des *Hallel*-Psalmes 113, Trinken des zweiten Bechers) kommt die Hauptmahlzeit, eröffnet mit einem Lobspruch (Beraka, griechisch Eulogia, Eucharistia) über dem ungesäuerten Brot, das gebrochen und ausgeteilt wird. Damit hat das eigentliche Essen und Trinken begonnen. Nach Beendigung des Mahles erfolgt die „*Aufforderung*" zum Lobspruch, d. h. zum Dankgebet nach Tisch über dem dritten Becher. Der Gesang der *Hallel*-Psalmen 114—118 bildet den Abschluß; ein Lobspruch über dem vierten Becher steht ganz am Ende. In diesen Rahmen ist die Einsetzung der Eucharistie durch Jesus einzuordnen. Nach dem Lobspruch über dem Brot reicht Jesus das Brot mit dem Deutewort „*Das ist mein Leib*"; nach Tisch zum Lobspruch über dem dritten Becher gibt Jesus den Wein zu trinken mit dem Deutewort „*Das ist mein Blut*". Mit der Weisung „*Tut dies zu meinem Gedächtnis*" trägt Jesus die Wiederholung dessen, was er über das übliche Passahmahl hinaus vollzogen hatte, den Seinen auf. Wir dürfen annehmen, daß Jesus das Neue, das er selbst getan und zur Wiederholung aufgetragen hatte, im Verlauf des Passahmahls etwas näher erklärt hatte, vielleicht beim Auszugsbericht und bei den beiden Lobsprüchen, die den Deuteworten vorhergingen.

Beim letzten Mahle Jesu war die Verteilung des eucharistischen Brotes und Kelches durch das dazwischenliegende Mahl getrennt (1. Cor. 11, 25; Luk. 12, 20); es ist unklar, ob dies auch noch für die Gemeinde in Korinth galt (1. Cor. 11, 25 könnte einfach alte Formel sein). Man darf vermuten, daß die Nichterwähnung des Mahles bei Mark. und Matth. dem Gemeindebrauch entspricht, die eucharistischen Teile zu einer Einheit zusammenzufassen und sie nicht durch das Mahl zu trennen. Beim jüdischen Mahl wurden das Essen, Trinken und Sprechen bei Tisch beendet mit der Aufforderung zum Lobspruch nach Tisch. Nun finden wir diese Aufforderung ziemlich gleichlautend in sämtlichen Liturgien als Einleitung des Eucharistiegebetes (in bekannter lateinischer Fassung: Sursum corda bis Dignum et iustum est). Wir haben es also jetzt mit einem einheitlichen Eucharistiegebet zu tun, das aus der Verchristlichung des jüdischen Nachtischgebetes entstanden ist.

Selbstverständlich hat es in der zum Herrenmahl versammelten Gemeinde auch Lehre, Verlesung apostolischer Briefe, prophetische Rede, Schriftauslegung, Bekenntnis und Hymnenvortrag gegeben. Aber das war nicht in einer strengen Ordnung festgelegt. Daneben hielt die Urgemeinde auch Versammlungen ohne Herrenmahl, wenn sie im Tempel in der Halle des Salomo zusammenkam, wo nur Gebet und Predigt möglich waren, während das Brotbrechen auf die Häuser beschränkt bleiben mußte (Apg. 2, 46; 5, 12. 42). Paulus benützte zwei Jahre lang einen gemieteten Hörsaal für seine Verkündigung in Ephesus, wo er seine Gemeinde und zugleich alle Interessierten lehrte (Apg. 19, 8/10). Im ganzen müssen wir im ältesten christlichen Gottesdienst eine äußerst bewegliche Ordnung voraussetzen, die einzelne feste Bestandteile, aber noch nicht ihre unveränderliche Zuordnung kennt.

Aus den wenig sachverständigen Angaben des Pliniusbriefes (ep. ad Traian. 10, 96 zwischen 111 und 113) wird nicht klar, worum es sich genau handelt (Wortgottesdienst, Taufe, Eucharistiefeier, Agape). Für die Mitte des 2. Jh. ist die Verbindung von Gemeinschaftsmahl und Eucharistiefeier nachweisbar (*ep. apost.* 15); zumindest ist hier für den besonderen Fall des nächtlichen Passahfestes ein älterer Brauch beibehalten worden.

Zunächst für Rom, vermutlich auch für andere Gebiete, bezeugt Justinus um 150 die Trennung von Agape und Eucharistiefeier; man hält jetzt am Sonntagmorgen einen Wortgottesdienst mit anschließender Eucharistiefeier. Damit ist die später fast ausschließlich herrschende Gottesdienstform geschaffen. Vermutlich hat es in einer Übergangszeit einen christlichen Wortgottesdienst nach synagogalem Vorbild am Sabbatmorgen und dann am Sonntagmorgen gegeben, während die Eucharistie noch am Abend des Freitags oder Samstags gehalten wurde. Bei Justin ist das Herrenmahl auf ein Minimum reduziert: nur noch der Vorsteher befindet sich am Tisch, das Sättigungsmahl ist weggefallen, das für eine größere Gemeinde zu große technische und disziplinäre Schwierigkeiten machte. Die freie und bewegliche Art von Wort und Rede in der Versammlung ist der strengeren Form des synagogalen Wortgottesdienstes gewichen. Justin berichtet im einzelnen, daß bei der Versammlung am Sonntagmorgen die *Denkwürdigkeiten* der Apostel oder die Schriften der Propheten vorgelesen werden, d. h. Evangelien und Altes Testament. Darauf folgt die Predigt des Vorstehers. Stehend verrichtet die Gemeinde Gebete und beschließt sie mit dem Friedenskuß. Schriftlesung, Predigt und Gebet entsprechen im wesentlichen dem Synagogengottesdienst am Sabbatvormittag. Zur anschließenden Eucharistiefeier werden Brot und mit Wasser verdünnter Wein gebracht, der Vorsteher spricht darüber das Eucharistiegebet, auf das die Gläubigen mit Amen antworten. Sofort werden Brot und Wein ausgeteilt, aber nur an die Getauften (Just. apol. 1, 61.65/67).

Die älteste zusammenhängende Darstellung des christlichen Gottesdienstes, in der auch der Wortlaut aller Gebete angegeben ist, besitzen wir in dem Werk Hippolyts von Rom mit dem Titel *Apostolische Überlieferung*. Sie ist um 215 geschrieben und spiegelt römische Verhältnisse gegen Ende des 2. Jh., da Hippolyt als Verteidiger älterer Überlieferung auftritt. Leider kennen wir diese für die ältere Liturgiegeschichte entscheidend wichtige Schrift nur in späteren Bearbeitungen und müssen daher die ursprüngliche Fassung mühevoll und oft unsicher rekonstruieren.

Hippolyt beschreibt die Wahl und Ordination des Bischofs, der Presbyter, der Diakone und anderer Dienste in der Gemeinde. Dann folgen Bestimmungen über die Aufnahme neuer Gemeindemitglieder (Katechumenat, Taufe, Eucharistieempfang). Von den zahlreichen Einzelanweisungen Hippolyts seien hervorgehoben die Angaben über den Verlauf der Agape und die Gebetszeiten. Wichtig ist die Bemerkung, daß die aufgezeichneten Gebetstexte nicht die Freiheit des Bischofs einschränken sollen, Texte nach eigenem Können zu schaffen. Man hat sich dabei natürlich an die herkömmliche Form und den überlieferten Gedankengang gehalten. Im allgemeinen waren fertige Texte als Vorlage sicherlich sogar sehr willkommen.

Bei Hippolyt hören wir nichts über Lesungen und Predigt im sonntäglichen Gottesdienst, aber das Amt des Vorlesers wird genannt. Gelegentlich ist die Rede vom eifrigen Besuch von Katechesen an Wochentagen. Wie nach den Angaben des Justin wird das Gemeindegebet vor der Eucharistiefeier mit dem Friedenskuß beschlossen. Wir dürfen also bei Hippolyt wohl einen Wortgottesdienst nach dem Muster Justins voraussetzen. Zur Eucharistiefeier, die bei der Bischofsordination beschrieben wird, bringen Diakone Brot und Wein; der Bischof spricht das Eucharistiegebet darüber. Dessen kennzeichnende Teile sind die folgenden: Nach der einleitenden Aufforderung folgen Lob und Dank für das Werk der Schöpfung und Erlösung; vom Erlösungswerk aus ergibt sich ungezwungen der Übergang zum Einsetzungsbericht. Der Wiederholungsbefehl führt zur Anamnesis, dem Gedächtnis von Leiden, Tod und Auferstehung. Es folgt die Epiklesis, die Bitte um das Kommen des Geistes auf das Opfer der Kirche, der die Gläubigen einigen, erfüllen und im Glauben bestärken möge. Auf die Schlußdoxologie antwortet die Gemeinde mit Amen. Das Brot wird gebrochen und zusammen mit dem Wein an die Gläubigen ausgeteilt. Im Eucharistiegebet des Hippolyt fehlt das Sanctus und die Gedächtnisse der Lebenden, der Verstorbenen und der Heiligen, alle jene Elemente also, die später das Eucharistiegebet aufgelöst und verdunkelt haben. Der Text Hippolyts ist natürlich nur einer von den möglichen; Texte des 4. Jh. lassen erkennen, daß z. B. das Schöpfungswerk breiter ausgeführt werden konnte, wobei dann die Einfügung des Sanctus nahelag, oder daß die negativen Aussagen über Gott nach dem Muster hellenistischer Theologie außerordentlich gehäuft werden konnten. Hippolyt gibt auch eine genaue Beschreibung der Agape. Sie ist völlig losgelöst von der Eucharistie und dient weniger dem Ausdruck der Gemeindezusammengehörigkeit als der Armenpflege. Diese Agape folgt im ganzen dem Muster des jüdischen Mahles mit seinen Tischgebeten; ein Gottesdienst im strengen Sinn ist hier nicht beabsichtigt.

Im Hinblick auf die Entwicklung des Gottesdienstes im dritten Jh. ist festzustellen, daß am Anfang nicht älteste Einheitlichkeit steht, sondern örtliche Verschiedenheit im Rahmen gemeinsamer Grundformen und Grundgedanken. Erst im 4. Jh. macht sich ein Bestreben zu größerer Einheitlichkeit geltend; aber diese Einheitlichkeit ist nicht für die Gesamtkirche beabsichtigt, sondern nur für die einzelnen Liturgiegebiete mit ihren jeweiligen Mittelpunkten. Tatsächlich entsteht so zwischen den Liturgiezentren eine größere Verschiedenheit über die ganze Kirche hin, als sie jemals vor der Vereinheitlichung bestanden hatte.

Aus der Übergangszeit des 4. Jh. besitzen wir für Antiochien und Alexandrien Zeugnisse für eine Gottesdienstform, die von den späteren Gestaltungen noch verschieden ist, aber die Richtung der Entwicklung gut erkennen läßt. Die Liturgie im 8. Buch der *Apostolischen Konstitutionen* (um 380) ist ein für den Bereich Antiochiens zusammengestelltes Idealformular. Wortgottesdienst und Eucharistie sind fest miteinander verbunden. Es sind vier Lesungen vorgesehen, aus Gesetz, Propheten, Apostelgeschichte und Evangelium. Alle Nichtteilnahmeberechtigten (Katechumenen, Büßer und andere) werden unter Gebeten entlassen; daran schließt sich das Gebet der Gläubigen mit Friedenskuß. Nach der Händewaschung werden die Gaben gebracht und das umfangreiche Eucharistiegebet beginnt, in dem das vom Volk zu sprechende Dreimalheilig (*Sanctus*) eingefügt ist. Nach der Epiklesis folgt ein langes zehngliederiges Fürbittengebet, dann die übliche Schlußdoxologie. Zur Vorbereitung auf die Kommunion dient eine vom Diakon geleitete Litanei und ein bischöfliches Gebet. Mit dem Ruf „*Das Heilige den Heiligen*" wird die Kommunionausteilung eingeleitet; bei dieser singt man den Psalm 33. Den Schluß bildet ein Dankgebet und ein Segnungsgebet des Bischofs. Hier treten die kennzeichnenden Linien der östlichen Liturgie bereits deutlich hervor: mehrere Lesungen, reichere Entfaltung des Gebets der Gläubigen, die Wichtigkeit des Diakons, der als Vermittler zwischen Bischof und Volk auftritt. Das Sanctus steht nun im Eucharistiegebet ebenso wie umfängliche Fürbitten.

Das *Euchologion* (Gebetssammlung) des Bischofs Serapion von Thmuis um die Mitte des 4. Jh. ist Zeugnis nur für die Grundlinien des ägyptisch-alexandrinischen Gottesdienstes, nicht für den Inhalt der Texte, die Serapion nach seiner eigenen Theologie und mit dem Prunk der griechischen Rhetorik geschaffen hat. Die Gebete beginnen zu wuchern: Lesungen und Homilie sind von Gebeten umrahmt, das Gläubigengebet ist breit entfaltet, selbst der Einsetzungsbericht wird mit einem Gebet unterbrochen. Innerhalb des Eucharistiegebets stehen Fürbitten für Verstorbene und Lebende mit Nennung ihrer Namen.

Ein älteres Eucharistiegebet hat vermutlich Basilius von Caesarea († 379) redigiert, das dann in weiterer Umbildung als byzantinisches Basiliusformular bekannt ist. Der alte Text war gut biblisch, aber Basilius hat ihn noch mehr mit biblischen Wendungen aufgefüllt. Das Streben nach Erweiterung der Texte und Verlängerung des Gottesdienstes ist für das 4. Jh. geradezu charakteristisch. Später war man dann gezwungen, die Liturgien wieder zu kürzen. Häufig ging dabei gerade Wertvolles aus älterer Überlieferung zugrunde, während sich Fragwürdiges und Überflüssiges behaupten konnte. Bei Basilius findet sich auch ein anderer Wandel, der für alle östlichen Liturgien kennzeichnend geworden ist, nämlich der Ausdruck eines überwältigenden Schuldgefühls und darin begründet die Scheu vor den *„heiligen Geheimnissen"*, dem *„schrecklichen Opfer"*, dem *„furchtbaren Tisch"*. Die gesamte östliche Frömmigkeit ist von solchen Gefühlen bestimmt geblieben. Damit hängt wenigstens zum Teil zusammen die immer mehr sich steigernde Feierlichkeit der Liturgie, ihres Raumes und ihres Apparates. Licht und Weihrauch werden aufgeboten, Prozessionen von Klerikern ziehen durch die Kirche, alles wird mit zeremonieller Umständlichkeit vollzogen. Imponierendes Vorbild ist hier der Kaiserhof, die nächsten Vermittler sind die so oft am Hof weilenden Bischöfe, die seit Konstantin wenigstens ehrenhalber in die Hof- und Beamtenhierarchie eingestuft worden waren und deshalb entsprechende Insignien trugen und Ehrenrechte genossen. Die Gläubigen werden mehr und mehr zu Zuschauern und akklamierenden Untertanen. Der Altar ist mit Vorhängen den Blicken entzogen, der Altarraum durch immer höher werdende Schranken abgetrennt, die schließlich zur Bilderwand (*Ikonostasis*) mit Türen werden.

Neben den erwähnten Liturgien in griechischer Sprache gibt es die ostsyrische Liturgie, die von Anfang an in syrischer Sprache gehalten wird; in frühester Zeit ist sie von Antiochien her noch unter griechischem Einfluß. Später hat sie sich isoliert, vor allem seitdem die Ostsyrer Nestorianer geworden waren (nestorianische Liturgie). Antiochien und Alexandrien sind die beiden liturgischen Zentren des Ostens geworden; zu ihnen tritt mit immer größerem Einfluß Byzanz-Konstantinopel als Reichshauptstadt. Auch Jerusalem, das zum antiochenischen Bereich gehört, spielt als Wallfahrtszentrum eine bedeutende Rolle, die sich auch liturgisch auswirkt, allerdings weniger für die Grundgestalt des Gottesdienstes, sondern mehr für einzelne Bräuche, die von Pilgern aus Ost und West in ihre Heimat mitgebracht worden sind. Antiochien ist das Zentrum der westsyrischen Liturgie (Jakobusliturgie). Ihre Zeugen sind Johannes Chrysostomus, Theodor von Mopsvestia, Kyrill von Jerusalem und die Apostolischen Konstitutionen. Nach 451 sind die meisten Westsyrer Monophysiten geworden, die zur syrischen Sprache übergegangen sind (Jakobiten im Gegensatz zu den orthodoxen Maroniten, die heute noch im Libanon leben). Die westsyrische Liturgie besitzt ungewöhnlich viele Eucharistieformulare (Anaphoren), von denen die älteren noch griechisch waren.

Ähnliche Entwicklungen zeigt die ägyptisch-alexandrinische Liturgie, auch Markusliturgie genannt. Mit dem Monophysitismus ging man auch in Ägypten zur koptischen Landessprache über. Entsprechendes gilt für Äthiopien. Zeugnisse für die alexandrinische Liturgie haben wir im Euchologion des Serapion, im Papyrus von Dêr-Balyzeh und in Bruchstücken einer älteren Markusanaphora aus dem 4./5. Jh. Koptische Anaphoren gehen unter den Namen Kyrill, Basilius und Gregorius. Anaphoren in äthiopischer Sprache sind 17 bekannt, aber nicht alle sind alexandrinischer Herkunft.

Bereits im 4. Jh. ist Konstantinopel neben Alexandrien und Antiochien als liturgisches Zentrum getreten und hat die älteren Metropolen an Einfluß bald übertroffen. Die Chrysostomus- und die Basiliusliturgie sind die maßgeblichen byzantinischen Formulare geworden. Ihrer Unveränderlichkeit steht eine große Vielfalt von Hymnen und Gesängen gegenüber, die mit dem Kirchenjahr wechseln und die biblischen Gesänge fast ganz verdrängt haben. In altslawischer Übersetzung hat die byzantinische Liturgie später auch das gesamte ostslavische Missionsgebiet beherrscht.

Die Grundlagen der armenischen Liturgie stammen aus der byzantinischen und syrischen Kirche; neben Antiochien hat auch Jerusalem Einfluß ausgeübt. Schließlich findet sich manches, was auf alte bodenständige Überlieferung zurückgehen muß.

Die östlichen Liturgien insgesamt haben die Eigenart, das Kirchenjahr nur in den Lesungen und Gesängen, kaum aber im Gebet und gar nicht in den Anaphoren zu berücksichtigen; die meist in mehreren Textformen vorhandenen Anaphoren sind unveränderlich.

Gegenüber der Vielfalt apostolischer Gemeinden im Osten gibt es im Westen nur eine einzige apostolische Gründung in Rom, das die Führung auch gegenüber Nordafrika hat, wo gegen Ende des 2. Jh. zahlreiche größere Christengemeinden sehr lebendig sind. Soweit es die spärlichen Zeugnisse zulassen, können wir im Westen seit dem 4. Jh. zwei große Liturgiegruppen unterscheiden: die römisch-nordafrikanische und die gallische Liturgie. Diese wiederum zerfällt in vier Untergruppen: die mailändische, die altspanische, die keltische und die gallikanische Liturgie.

Die mailändische (ambrosianische) Liturgie, heute noch im Mailänder Bereich üblich, ist schon früh mit römischen Elementen durchsetzt worden, hat aber doch auch zahlreiche bodenständige Eigenheiten. Die altspanische (westgotische, mozarabische) Liturgie läßt sich noch in der älteren, vor der Invasion von 711 liegenden Gestalt rekonstruieren. Die keltische Liturgie (Iren, Schotten, Wandermönche auf dem Kontinent) ist ein Gemisch von mancherlei abendländischen und sogar östlichen Elementen. Dagegen ist die gallikanische Liturgie eine selbständige Form, die wir wenigstens in ihrer Spätzeit gut kennen. Alle gallischen Liturgien haben als charakteristische Eigenheit die Auflösung des Eucharistiegebets in Einzelstücke, die je nach dem Kirchenjahr stärkstens wechseln, so daß für jedes Fest ein völlig eigenes Gesamtformular üblich ist. Die Herkunft des gallischen Liturgietyps ist umstritten. Zentren gallischer Liturgie bestanden nur für die mailändische und die spanische Liturgie, während in Gallien der bewahrende Mittelpunkt fehlte, so daß dort die gallikanische Liturgie sich selbst aufgelöst hat. Kennzeichnend für die gallische Meßfeier in ihrer Spätform ist die Häufung von Gesangsstücken: ein Psalm zum Einzug, *Trisagion* griechisch und lateinisch, *Kyrie eleison*, *Benedictus* (Luk. 1, 68/79), *Benedictus* es (Gesang der Jünglinge im Feuer), wiederum *Trisagion* vor und nach dem *Evangelium*, *Sonus* zur Gabenprozession. Glanz und Feierlichkeit der Riten entsprechen der wortreichen Rhetorik der Gebetstexte, die den Zerfall der Form darin zeigen, daß sie zwischen Gebet und Ansprache hin und her wechseln.

Zwischen dem Gottesdienst der römischen Kirche, wie er uns in griechischer Sprache bei Hippolyt begegnet, und der Form, die wir zuerst im 6. Jh. genauer erfassen können, besteht ein großer Kontrast. Die frühere Klarheit des allgemeinen Schemas ist verschwunden. Das gilt besonders für das Eucharistiegebet, das nun als unveränderlicher Text Kanon heißt. Gerade dieser lateinische Meßkanon hat Flüssigkeit und Geschlossenheit verloren.

Auf die alte Einleitung folgt ein mit dem Kirchenjahr wechselndes Textstück, Präfation genannt, das zum Sanctus hinleitet. Neuerdings weiß man, daß das Sanctus erst im 5. Jh. in westliche Liturgien aufgenommen worden ist. Von den folgenden, wenig miteinander zusammenhängenden Textstücken stammen aus alter Überlieferung der Einsetzungsbericht, die Anamnesis und die Doxologie. Spätere Einfügungen sind die Bitten für die Kirche, für Lebende, für Verstorbene und zwei lange Reihen von Heiligennamen. Leider wissen wir nicht genügend sicher, wie und wann man in Rom und vielleicht auch in Mailand von der griechischen zur lateinischen Liturgiesprache übergegangen ist. Dies muß spätestens im 4. Jh. geschehen sein; beim Kanon kann es sich aber nicht um eine bloße Übersetzung gehandelt haben, da der lateinische Kanontext sehr stark von der altrömischen Sakralsprache geprägt ist. Neben diesen Veränderungen des Eucharistiegebets ist für die römische und alle lateinischen Liturgien im Gegensatz zum Osten der starke Einfluß des Kirchenjahrs auffällig, der sich nicht auf Lesungen und Gesänge beschränkt, sondern auch die Gebetstexte dem Wechsel unterwirft: ein oder zwei kurze Gebete vor den Lesungen, ein Gebet über die Gaben, die Präfation, ein Gebet nach der Kommunion und eines zum Segen über das Volk. Im 4. Jh. beginnt der römische Gottesdienst noch unmittelbar mit den Lesungen, darauf folgt das Gebet (allgemeines Gebet: Katechumenengebet, Gläubigengebet) in der Form, wie sie später nur noch am Karfreitag üblich ist. Am Ende des 5. Jh. ist wahrscheinlich unter Papst Gelasius dieses Gebet durch eine Kyrielitanei nach östlichem Muster ersetzt worden und hat zugleich den Platz vor den Lesungen erhalten. Bei der Kyrielitanei trägt der Diakon eine Reihe von kurzen Bitten vor, auf die das Volk mit *Kyrie eleison* antwortet. Diese Litanei wurde unter Gregor I. in der Weise verkürzt, daß man die Bitten selbst wegließ und nur noch die Antwort *Kyrie eleison, Christe eleison* in mehrfacher Wiederholung beibehielt. Nur an Ostern blieb es beim alten: Noch heute beginnt die Meßfeier der Osternacht mit einer vollständigen Litanei, die allerdings in mittelalterlicher Umbildung als *Allerheiligenlitanei* erscheint. Die Verselbständigung und Häufung der Kyrierufe wird seit dem frühen Mittelalter zur Stilisierung eines dreimaligen *Kyrie eleison, Christe eleison, Kyrie eleison*. Die genaue Verteilung dieser Akklamationen auf Sänger und Volk ist aber noch lange sehr variabel. Die Kyrielitanei hat man wohl deswegen vor die Lesungen gesetzt, weil man einen Eröffnungsteil schaffen wollte. Zu diesem gehört an erster Stelle der Introitusgesang zum Einzug des Klerus, der in Rom seit dem Anfang des 6. Jh. üblich ist. Dem *Kyrie* folgte als abschließender Text ursprünglich sofort die Oration als erstes Gebet des Liturgen. Seit dem frühen 6. Jh. wird dann aber an ausgezeichneten Tagen zwischen Kyrie und Oration das *Gloria* eingeschoben, das zunächst dem Bischof vorbehalten bleibt. Dieses *Gloria* ist die Übersetzung eines alten griechischen Hymnus, der im Osten nicht in der Meßfeier verwendet wird, sondern als Morgenlied (Große Doxologie) bekannt ist.

In allen Liturgien findet sich vor dem *Evangelium* im Zusammenhang mit den anderen Lesungen ein mehr oder weniger vollständiger Psalm, der mit dem *Alleluia* verbunden wird. Je nach der Zeit des Kirchenjahres heißt dieser Psalm in Rom *Graduale* oder *Tractus*. Zuerst hören wir von einem Psalm bei den Lesungen im 4. Jh.; der Psalm wird von einem Sänger vorgetragen, das Volk respondiert. In einem früheren Stadium scheint der Psalm überhaupt als eine der Lesungen gegolten zu haben; die allgemeine Verbreitung des mit den Lesungen verbundenen Psalms kann nur so erklärt werden, daß dieser Psalm ebenso dem synagogalen Vorbild entstammt wie die übrigen Lesungen. Der Psalm ist also ursprünglich kein „Zwischengesang", sondern ein gleichberechtigter Teil des Lesegottesdienstes. Der Übergang zum Singen und besonders der kunstvolle Vortrag haben dazu geführt, daß der Psalm zwischen den Lesungen nur noch in Resten erhalten geblieben ist, weil kunstvoller Gesang und poetische Ausschmückung immer wieder dazu führen, die biblischen Texte zu verdrängen.

Zu Beginn der Eucharistiefeier wird überall Brot und Wein zum Altar gebracht. Die Gläubigen konnten ihre Gaben schon zu Beginn des Gottesdienstes abliefern, wie das weithin im Osten üblich war; dann haben Diakone (später in feierlicher Prozession, die in östlichen Liturgien als „*Großer Einzug*" bezeichnet wird) die Gaben zum Altar gebracht. Die Gaben konnten aber auch erst unmittelbar vor der Eucharistiefeier abgeliefert werden, wie in Rom, Mailand und Nordafrika. In diesem Fall wurden die Gaben eingesammelt oder vom Volk beim Opfergang am Altar abgegeben. Währenddessen wird das *Offertorium* gesungen. Entsprechend hält man es beim zweiten Gang zum Altar zur Austeilung der Kommunion, wozu die *Communio* gesungen wird. Beide Gesänge sind in Rom und Nordafrika um 400 üblich. Beim römischen (und mailändischen) Offertorium ist der antiphonische Psalmvortrag schon bald durch den responsorialen ersetzt und zugunsten reicherer Melodien der Psalmtext stark gekürzt worden.

Seit dem Ende des 6. Jh. gibt es nur noch wenige und unbedeutende Änderungen. Die Kürzung der Kyrielitanei wurde bereits erwähnt. Da man nicht mehr das lebendige Wissen davon besitzt, daß das Eucharistiegebet das eigentliche Vorbereitungsgebet für den Kommunionempfang ist, bildet man Riten und Gebete aus, die den Kommunionempfang umranken. Dazu gehört vor allem das Gebet des Herrn, das in dieser Verwendung vereinzelt schon im 4. Jh. auftaucht und im 5. Jh. fester Bestandteil wird. Häufig steht aber zwischen dem Eucharistiegebet und dem Gebet des Herrn das Brotbrechen oder ein anderes Gebet. Gregor I. hat das Pater noster unmittelbar an den Kanon angeschlossen; Kommunionvorbereitung ist es aber auch in dieser Stellung geblieben. Der aus einer syrischen Familie Siziliens stammende Papst Sergius I. hat um 700 das *Agnus dei* als Gesang bei der Brechung des Brotes eingeführt und zwar offensichtlich nach östlichem Vorbild. Der Kommunionvorbereitung dient mindestens seit Gregor I. auch der Friedenskuß, zu dem mit *„Pax domini sit semper vobiscum"* aufgefordert wird. Ursprünglich war der Friedenskuß überall die Besiegelung des Gebetes am Ende des Wortgottesdienstes. Nur in der nordafrikanischen und römischen Kirche findet sich der Friedenskuß vor der Kommunion, während er beim allgemeinen Gebet fehlt.

Alfred Stuiber

Frühchristliche Hausmusik

Die Musik des frühen Christentums äußert sich eigentlich und wesentlich in zwei Erscheinungsformen, als Kultmusik und als Hausmusik. Im 1. und 2. Jahrhundert bestand zwischen der Kultmusik und der Hausmusik noch kein nennenswerter Unterschied, da sowohl das Musiziergut (Psalmen, Hymnen, geistliche Lieder) als auch der Musizierort (Privathäuser) beiden Erscheinungsformen gemeinsam war. Erst im 3. und 4. Jahrhundert trat mit der zunehmenden Verlegung der Kultmusik in den Kirchenraum eine Trennung zwischen dieser und der Hausmusik ein, die jedoch, da sie sich lediglich auf den Musizierort, nicht aber auf das Musiziergut bezog, rein äußerlicher Natur war. Kultmusik und Hausmusik des frühen Christentums waren in Zielsetzung und Zweckbestimmung von Anfang an auf das Engste miteinander verwandt und blieben es auch weiterhin.

Die Hausmusik des frühen Christentums diente in gleicher Weise wie die Kultmusik lediglich und ausschließlich dem Lobpreis Gottes, sie war Lobpreis Gottes im häuslichen Kreise. Auf Grund dieser in der frühpatristischen Literatur immer wieder nachdrücklich betonten Zielsetzung und Zweckbestimmung unterschied sie sich grundlegend von der Hausmusik der heidnischen Spätantike.

In der heidnischen Spätantike hatte die Hausmusik zwei verschiedene Aufgaben zu erfüllen, sie stand teils im Dienst der Götterverehrung und des Wunderglaubens, teils im Dienst der Unterhaltung und des Vergnügens. Was die erste Aufgabe angeht, so war sowohl die Anrufung der Götter (griech. *epiklesis*, lat. *invocatio*) als auch die Darbietung des Trankopfers (griech. *sponde*, lat. *libatio*) vor und nach der Mahlzeit mit einem bestimmten musikalischen Ritual bzw. Zeremoniell verbunden, darüber hinaus bediente man sich der Musik, der man magische Kraft zuschrieb, zur Abwendung des Unheils (griech. *apotrope*, lat. *propulsatio*) von Haus und Hof. Was die zweite Aufgabe betrifft, so waren es vorzugsweise Gastmähler und Hochzeiten, aber auch andere Familienfestlichkeiten, die in reichem Maße Gelegenheit zum Musizieren boten. Das frühe Christentum lehnte demgegenüber im häuslichen Kreise jede Musik, welche die Unterhaltung und das Vergnügen förderte und in welcher letztlich statt der Gottergebenheit die Selbstgefälligkeit des Menschen zum Ausdruck kam, auf das Entschiedenste und Schärfste ab und erblickte die einzige und alleinige Aufgabe der Hausmusik im Gotteslob, genauer gesagt, im gesungenen Gotteslob.

Wie für die frühchristliche Kultmusik so ist auch für die frühchristliche Hausmusik die Nachwelt ausschließlich auf literarische Belege angewiesen. Sie finden sich gleichermaßen in den kirchenhistorischen Werken wie auch in den exegetischen und homiletischen Abhandlungen der Kirchenschriftsteller jener Epoche.

Von den griechischen und lateinischen Autoren kirchenhistorischer Werke, in denen Bemerkungen über die frühchristliche Hausmusik vorkommen, verdienen hervorgehoben zu werden Eusebius von Cäsarea (um 260–339: *Historia ecclesiastica*, MPG 20, 9 ff.), Sokrates Scholasticus (um 380–um 450: *Historia ecclesiastica*, MPG 67, 30 ff.), Sozomenos (nachweisbar 443–450: *Historia ecclesiastica*, MPG 67, 843 ff.) und Theodoretus von Kyrrhos (um 395–um 460: *Historia ecclesiastica*, MPG 82, 879 ff.) sowie Toranus Rufinus (345–410: *Historia ecclesiastica*, MPL 21, 461 ff.), Paulus Orosius († nach 418: *Historiae adversus Paganos*, MPL 31, 663 ff.), Hieronymus von Stridon (um 342–420: *Chronicon*, MPL 27, 675 ff.), Severus Sulpicius (363–420: *Chronica*, MPL 20, 95 ff.), Prosper von Aquitanien (390–463: *Chronica*, MPL 51, 535 ff.) und Aurelius Cassiodorus (487–583: *Historia ecclesiastica*, MPL 69, 879 ff.). Unter den Autoren exegetischer und homiletischer Abhandlungen, in denen Äußerungen über die frühchristliche Hausmusik vorkommen, sind erwähnenswert aus dem Orient Clemens von Alexandria (um 150–216), Pseudo-Clemens (Anfang 3. Jh.), Ephrem Syrus (306–377), Epiphanius von Salamis (um 315–403), Basilius von Cäsarea (329–379), Cyrillus von Jerusalem († 386), Gregor von Nazianz (um 330–um 391), Johannes Chrysostomus (354–407), Isidor von Pelusium (um 360–um 435) und Synesius von Kyrene (um 370–413), aus dem Okzident Tertullianus von Karthago (um 160–220), Cyprianus von Karthago (um 200–258), Arnobius (nachweisbar 304–310), Aetheria († 386), Aurelius Ambrosius (339–397), Gaudentius von Brescia († nach 406), Hieronymus von Stridon (s. oben!), Aurelius Augustinus (354–430), Commodianus (5. Jh.) und Caesarius von Arles (um 470–543).

In den nachfolgenden Darlegungen sollen Sinn und Bedeutung sowie Zweck und Aufgabe der frühchristlichen Hausmusik zum Gegenstand näherer Betrachtung gemacht werden. Im einzelnen wird vom häuslichen Psalmen- und Hymnengesang, von der häuslichen Eucharistiefeier, von der Musik bei der Mahlzeit und bei der Hochzeit, vom Unterschied zwischen christlicher und heidnischer Hausmusik, von der Beteiligung der Frauen und vom Gebrauch der Musikinstrumente sowie vom erzieherischen Wert geistlichen Singens die Rede sein.

In der frühchristlichen Hausmusik, deren einzige und alleinige Aufgabe es ist, dem Lobpreis Gottes zu dienen, steht der Psalmengesang an vorderster Stelle. Bereits die ältesten Kirchenschriftsteller griechischer und lateinischer Zunge wissen vom Psalmengesang im häuslichen Kreise zu berichten.

Clemens von Alexandria teilt mit, daß die Christen vor und nach den Mahlzeiten sowie vor dem Schlafengehen zu psalmodieren pflegten (*Stromata* 7, 7, MPG 9, 469). Johannes Chrysostomus ermahnt die Frauen und Kinder der Christen, sich bei der Arbeit und bei der Mahlzeit sowie überhaupt zu Hause des Psalmodierens zu befleißigen (*Expositio in psalmum* 41, MPG 55, 155). Tertullianus von Karthago hebt die hohe Bedeutung hervor, die nach seiner Ansicht der Psalmengesang für die christliche Ehe besitzt: *Zwischen zwei Ehegatten sollen Psalmen erklingen, und sie sollen sich gegenseitig anspornen und wetteifern, wer seinem Gott besser lobsinge* (*Ad uxorem* 2, 9, MPL 1, 1304). Aurelius Ambrosius weist auf den vielfältigen Nutzen hin, der nach seiner Meinung aus dem Psalmengesang für das christliche Leben erwächst: *Der Psalm wird nicht allein von den Herrschenden gesungen, sondern ebenso auch von den einfachen Leuten im Jubel dargebracht. Jede dieser Gruppen bemüht sich, deutlich darzutun, daß der Psalm für alle von Vorteil ist. Ohne Mühe läßt sich der Psalm begreifen und erlernen, ohne Beschwerlichkeit dem Gedächtnis einprägen. Der Psalm führt die Zwieträchtigen zusammen, versöhnt die Zerstrittenen und besänftigt die Beleidigten. Er ist Belohnung und Erquickung in einem, er dient, wenn er gesungen und sein Inhalt verstanden wird, der Erbauung wie auch gleichermaßen der Erziehung der Menschen* (*Enarratio in psalmum* 1, 9, MPL 14, 968 f.).

Neben dem Psalmengesang spielt der Hymnengesang in der frühchristlichen Hausmusik eine nicht geringe Rolle. Ebenso wie von der Psalmodie ist auch von der Hymnodie im häuslichen Kreise bereits bei den ältesten Kirchenschriftstellern die Rede.

Die frühchristliche Hymnendichtung, deren Anfänge bis in das apostolische Zeitalter (Eph. 5, 19; Kol. 3, 16) zurückreichen, nimmt im 2. und 3. Jahrhundert einen bedeutsamen Aufschwung. Sie erreicht im 4. Jahrhundert in Dichtern wie Ephrem Syrus (siehe oben!), Hilarius von Poitiers (um 315–367), Aurelius Ambrosius (siehe oben!) und Aurelius Prudentius (um 348–nach 405) ihren Höhepunkt und erlebt im 5. und 6. Jahrhundert in Dichtern wie Paulinus von Nola († 431), Caelius Sedulius (um 450), Felix Ennodius († 521) und Venantius Fortunatus (um 530–nach 600) ihre Nachblüte. Von den Hymnen der ersten Jahrhunderte sind lediglich die Texte, nicht aber die Melodien auf die Nachwelt gekommen. Die einzige Ausnahme bildet, soweit bisher bekannt, der Oxyrhynchos-Hymnus, von dem, wenn auch nur fragmentarisch, Text und Melodie überliefert sind.

Der nach dem 200 km südlich von Kairo gelegenen Fundort Oxyrhynchos benannte Lobgesang entstammt dem Ende des 3. nachchristlichen Jahrhunderts. Sein Text ist in griechischer Sprache abgefaßt, seine Melodie in griechischer Buchstabentonschrift notiert, in ihm wird die Trinität besungen. Veröffentlicht haben ihn erstmals R. P. Grenfell und A. S. Hunt (*The Oxyrhynchos Papyri, Part XV, with Translations and Notes*, London 1922, Nr. 1786). Es handelt sich bei diesem Hymnus möglicherweise um ein von einem Saiteninstrument begleitetes christliches Hausmusikstück.

Die häusliche Eucharistiefeier, d. h. der ursprünglich in Privathäusern abgehaltene christliche Gottesdienst, geht auf die beiden Schriftzeugnisse Apg. 2, 46—47 und Apg. 20, 7—8 zurück.

Im 2. Kapitel der Apostelgeschichte, in dem sich Petrus an die erste Christengemeinde in Jerusalem wendet, heißt es: *Und sie waren täglich und stets einmütig im Tempel beieinander und brachen das Brot hin und her in Häusern, nahmen die Speise und lobten Gott mit Freuden und einfältigen Herzen und hatten Gnade bei dem ganzen Volk. Der Herr aber tat hinzu täglich, die da selig wurden, zu der Gemeinde.* Im 20. Kapitel der Apostelgeschichte, in dem Paulus in Troas in Kleinasien zu seinen Jüngern spricht, steht zu lesen: *Am ersten Tage der Woche aber, da die Jünger zusammenkamen, das Brot zu brechen, predigte ihnen Paulus und wollte des anderen Tages weiterreisen und zog die Rede hin bis zur Mitternacht. Und es waren viele Lampen auf dem Söller, da sie versammelt waren.* Als Vorbild der häuslichen Eucharistiefeier galt das letzte Abendmahl, wie es Christus unmittelbar vor seiner Gefangennahme mit den zwölf Aposteln gefeiert hatte und wie es bei Matth. 26, 26–29, Mark. 14, 22–25, Luk. 22, 15–20 sowie in 1. Kor. 11, 23–25 bezeugt ist. Anfänglich wurde die Eucharistiefeier, an der nur getaufte Christen teilnehmen durften, durch die Agape, ein in nachapostolischer Zeit aufgekommenes und zugunsten der Armen sowie zur Pflege der christlichen Gemeinschaft veranstaltetes Liebesmahl, eingeleitet. Im 3. Jahrhundert löste sich die Agape von der eigentlichen Eucharistiefeier los, im 4. Jahrhundert verschwand sie endgültig aus der Kirche, bestand aber in Privathäusern vereinzelt bis gegen Ende des 7. Jahrhunderts fort.

Die häusliche Eucharistiefeier ist sowohl bei den lateinischen als auch bei den griechischen Kirchenschriftstellern belegt.

So berichtet Tertullianus von Karthago von einer Hausfeier, an der drei Personen teilnahmen (*De fuga in persecutione* 14, MPL 2, 120). Desgleichen läßt sich Cyprianus von Karthago über eine Hausfeier vernehmen, die, frühchristlicher Gepflogenheit entsprechend, am Abend begangen wurde (*Epistula* 63, 16, CSEL 3, 714). Basilius von Cäsarea bringt die Forderung zum Ausdruck, ein Priester, der seine Amtspflicht verletzt habe, dürfe nicht mehr in der Kirche, sondern nur noch im Privathause tätig sein und das Abendmahl halten (*Epistula* 199, MPG 32, 716). Gregor von Nazianz gibt Kunde von einem Abendmahl, das im Hause seiner Schwester stattfand (*Oratio* 8, 18, MPG 35, 809).

Im 4.–6. Jahrhundert wurde die häusliche Eucharistiefeier teils ganz abgeschafft, teils stark eingeschränkt. Die Synode von Laodicea in Phrygien (um 380) verbot die Hausfeier im Orient (vgl. G. D. Mansi, *Sacrorum conciliorum nova et amplissima collectio*, 31 Bde., Florenz und Venedig 1759–1798, II, 574, can. 58), die Synode von Karthago (um 390) machte sie im Okzident von der Genehmigung des Bischofs abhängig (vgl. Mansi III, 695, can. 9). Durch die Synode von Agde in Gallien (506) wurde bestimmt, die Eucharistiefeier dürfe namentlich an höheren Festtagen nur in der Bischofs- oder Pfarrkirche abgehalten werden (vgl. Mansi VIII, 328, can. 21), durch die Synode von Orleans (541) wurde festgesetzt, die Feier dürfe vor allem am Osterfest nur in der Kirche stattfinden (vgl. Mansi IX, 113, can. 3).

Gelegenheit zu häuslicher Musikübung fand sich namentlich bei der Mahlzeit, und vor allem hier gelangt der Gegensatz zwischen christlichen und heidnischen Bräuchen mit aller Klarheit zum Ausdruck. Die Kirchenschriftsteller äußern sich in ihren Werken an zahlreichen Stellen über das Musizieren bei Tisch sowie über gewisse Gewohnheiten, die sich dabei im Lauf der Zeit herausgebildet haben.

Nach einem Bericht des Tertullianus von Karthago war es in der christlichen Familie nach Tisch üblich, Gott ein Lob- und Danklied darzubringen, das gleichermaßen der Heiligen Schrift entnommen wie auch vom Sänger frei erfunden sein konnte: *Wenn nach beendeter Mahlzeit die Hände gewaschen sind und die Lichter angezündet werden, wird allgemein aufgefordert, Gott Lob und Dank zu singen, wie es jeder nach der Heiligen Schrift oder nach der eigenen Fähigkeit vermag* (*Apologeticum pro Christianis* 39, MPL 1, 477). Nach einer Mitteilung des Cyprianus von Karthago sollte sich möglichst ein sangeskundiges Familienmitglied der Aufgabe unterziehen, ein solches Lob- und Danklied vorzutragen und mit ihm die anwesenden Gäste zu erfreuen: *Auch die Stunde des Gastmahls soll nicht ohne Gnade sein. Die nüchterne Mahlzeit soll von Psalmen ertönen, und hast du ein gutes Gedächtnis und eine gute Stimme, so übernimm das Sängeramt. Du wirst deine Freunde besser bewirten, wenn sie geistliche Gesänge hören und geistlicher Wohlklang ihre Ohren ergötzt* (*Ad Donatum* 16, CSEL 3, 16). Mit scharfen Worten wendet sich Basilius von Cäsarea gegen die Sitte der Heiden, zur Ausschmückung des Gastmahls Musikinstrumente zu verwenden und durch sie im Hörer niedrige Affekte und Instinkte wachzurufen: *Bei länger andauerndem Gastmahl werden Flöten, Zithern und Pauken bereitgestellt, die sonst die Toten betrauern helfen, jetzt aber nach dem Willen der Zecher die Aufgabe haben, den Sinnengenuß zu vergrößern und durch bestimmte Weisen die Lustgefühle in der Seele zu erhöhen* (*Commentarius in Isajam prophetam* 5, 155, MPG 30, 373). Basilius mißbilligt das Verhalten jener Christen, die sich dem Rausch und der Trunkenheit ergeben und den Musikinstrumenten eine übertriebene und unangemessene Wertschätzung entgegenbringen: *Wehe denjenigen, die beim Spiel der Flöten, Zithern und Pauken sowie beim Psalmengesang Wein trinken; die mit Gold und Elfenbein verzierte Leier wird von dir in ähnlicher Weise wie ein Götzenbild verehrt, das auf einen hohen Sockel gestellt ist* (ebenda 5, 158, MPG 30, 376 f.). Nicht minder eindringlich klingen die Worte des Aurelius Ambrosius, der ebenfalls die Christen vor Rausch und Trunkenheit sowie vor dem Gebrauch von Musikinstrumenten beim Gastmahl nachdrücklich warnt: *Wehe denjenigen, die schon morgens ein berauschendes Getränk verlangen; es würde sich für sie ziemen, Gott Lobgesänge darzubringen, im Lobpreis Gottes dem Tageslicht zuvorzukommen und Gott einzig und allein mit dem Gebet der Gerechtigkeit zu begegnen, der die Seinigen heimsucht und für uns eintritt, wenn wir uns für Christus entscheiden, nicht aber im Wein oder in einem anderen berauschenden Getränk unser Heil erblicken. Hymnen werden gesungen, und du hältst die Zither? Psalmen werden gesungen, und du nimmst die Harfe oder die Pauke? Wehe dir, denn du verlierst das Leben und wählst den Tod* (*De Elia et jejunio* 15, 55, MPL 14, 752). In den Schriften des Johannes Chrysostomus kommen an verschiedenen Stellen Äußerungen vor, die den christlichen Tischgesang betreffen. Zunächst fordert der Autor alle Mitglieder der christlichen Familie einschließlich der Frauen und Kinder auf, am Psalmen- und Hymnengesang vor und nach der Mahlzeit teilzunehmen und mit Hilfe des geistlichen Singens den Satan als den gemeinsamen Feind abzuwehren: *Dies sage ich nicht, damit ihr allein lobsinget, sondern damit ihr auch eure Frauen und Kinder solche Lieder, nämlich Psalmen und Hymnen, singen lehrt, und zwar nicht allein am Webstuhl oder bei anderen Arbeiten, sondern vor allem auch bei Tisch. Denn da namentlich bei den Gastmählern der Teufel auf der Lauer liegt, weil er dort Trunksucht, Völlerei und Gelächter sowie Unbescheidenheit und Zügellosigkeit der Seele zu Bundesgenossen hat, so ist es besonders dort notwendig, vor Tisch und nach Tisch die von den Psalmen herrührende Sicherheit wie eine Festung gegen ihn aufzu-*

bauen und, indem man sich vom Mahl erhebt, gemeinsam mit Weib und Kind Gott heilige Hymnen zu singen. Wie nämlich diejenigen, die Schauspieler, Tänzer und unzüchtige Weiber zu den Gastmählern laden, die Dämonen und den Teufel dorthin rufen und auf diese Weise ihre Häuser mit unzähligen Feinden füllen, so holen diejenigen, die David mit der Harfe herbeibitten, durch ihn Christus in ihr Heim. Wo Christus ist, da hat kein Dämon Platz. Jene machen ihr Haus zu einem Theater, du aber mache deine Wohnung zu einer Kirche (Expositio in psalmum 41, 2, MPG 55, 157). Sodann vergleicht der Verfasser die heidnische Tafelmusik mit dem Rausch, der auf den Geist und die Seele des Menschen eine enthemmende und verweichlichende Wirkung auszuüben pflege: *Was die Trunkenheit tut, indem sie Finsternis verbreitet, dasselbe tut beim Gelage auch die Musik, indem sie die Festigkeit des Geistes lockert, die Kraft der Seele schwächt und sie zu immer größerer Wollust verleitet* (Interpretatio in Isajam prophetam 5, 5, MPG 56, 62 f.). Endlich zeiht Johannes Chrysostomus, indem er den grundsätzlichen Unterschied zwischen der heidnischen Tafelmusik und dem christlichen Tischgesang nochmals mit aller Deutlichkeit hervorhebt, diejenigen Christen, die sich von den ausgelassenen Liedern und Tänzen der Heiden betören und umgarnen lassen, der Treulosigkeit und Undankbarkeit gegenüber ihrem Schöpfer und gibt ihnen zu verstehen, daß er sie deshalb niedriger als einen Hund erachte: *Laßt uns indessen einen Blick auf die Unterhaltung nach beendeter Mahlzeit werfen! Dort hört man Flöten, Hirtenpfeifen und Zithern, hier dagegen keine widerlich lärmende Musik, sondern was? Psalmen- und Hymnengesänge. Dort ertönen Lieder zum Preise der Dämonen, hier hingegen zum Lobe Gottes, des alleinigen Herrn der Menschheit und des Weltalls. Siehst du, welch große Dankbarkeit und Klugheit hier, welch große Undankbarkeit und Unklugheit dort herrschen? Denn sage mir doch, was das heißen soll: Gott hat dich mit seinen Gaben genährt, und anstatt ihm zu danken, richtest du deinen Blick auf die Dämonen? Jene mit Saiteninstrumenten begleiteten Lieder nämlich sind die reinsten Teufelsgesänge. Anstatt zu sprechen: Preis dir, o Herr, daß du mich mit deinen Gaben gespeist hast, benimmst du dich wie ein ehrloser Hund, denkst nicht an Gott, sondern läßt die Dämonen besingen? Ja, du beträgst dich noch gemeiner als ein Hund. Die Hunde schmeicheln den Hausangehörigen, ob sie von ihnen etwas erhalten oder nicht, du aber tust nicht einmal das. Der Hund schmeichelt seinem Herrn, auch wenn er nichts erhält, du aber bellst ihn an, selbst nach empfangener Gabe. Ferner gibt der Hund, mag ihm ein Fremder auch noch so schön tun, seine Feindseligkeit gegen denselben nicht auf und läßt mit sich nicht Freundschaft schließen, du aber, wiewohl dir von den Dämonen fortwährend unsäglicher Schaden zugefügt wird, lädst sie zu deinen Gastmählern förmlich ein* (Homilia in Epistulam ad Colossos 1, 5, MPG 62, 305). Auch bei dem Dichter Commodianus und bei Caesarius von Arles finden sich Bemerkungen, die sich auf das Musizieren bei Tisch beziehen. Commodianus vertritt eine freiere Anschauung und erlaubt dem Christen die Teilnahme am heidnischen Gastmahl, bei dem Musikanten mitwirken, wofern er nur die Anbetung Christi darüber nicht vergißt oder versäumt: *Magst du immer mit dem Schwarm der Flötenspieler speisen, wenn du den gekreuzigten Herrn nicht angebetet hast, bist du verloren* (Instructiones 1, 32, 7, CSEL 15, 43). Caesarius von Arles hingegen neigt einer strengeren Auffassung zu und verlangt vom Christen stets und überall eine eindeutige und unmißverständliche Stellungnahme gegen die Verwendung von Musikinstrumenten beim Gastmahl: *Was ist das für ein Schwächling, der nicht der Forderung Geltung verschaffen kann, daß er auf seinem oder auf einem fremden Gastmahl keine ausschweifenden Sänger, Sängerinnen und Spieler zu sehen wünscht, da sie Feinde alles Ehrenhaften und Würdevollen sind?* (Suggestio humilis, hrsg. von A. Malnory, Saint Césaire évêque d'Arles 503–543, Paris 1894, 299).

Ebenso wie bei der Mahlzeit bot sich auch bei der Hochzeit Gelegenheit zu häuslicher Musikübung, und auch hier tritt der Unterschied zwischen christlichen und heidnischen Sitten mit aller Deutlichkeit in Erscheinung. Die Kirchenschriftsteller wenden ihre ganze Beredsamkeit auf, um ihren Schützlingen das Verderbliche und Verwerfliche heidnischer Hochzeitszeremonielle deutlich zu machen.

Ephrem Syrus mahnt die Christen, die an einer Hochzeitsfeier teilzunehmen beabsichtigen, zur *compunctio et devotio cordis,* d. h. zur Gottergebenheit und Gottgefälligkeit des Herzens und warnt sie vor einer unentschlossenen und wankelmütigen Haltung gegenüber den lasziven und obszönen Hochzeitsliedern und -tänzen der Heiden: *Kommen wir vor sein Angesicht mit Lobpreisung und jubeln wir mit Psalmen! Mit Psalmen, sagt der Psalmist, nicht mit lächerlichen Possen, mit Psalmen, nicht mit teuflischen Gesängen! Er spricht: Kommet, fallen wir anbetend vor ihm nieder und weinen wir! Aber nicht: Tanzen wir und spielen wir Zither, sondern: Weinen wir mit Psalmen und Hymnen! Wo in Demut Psalmengesang ertönt, da ist Gott mit den Engeln zugegen. Wo aber die Gesänge des Widersachers erschallen, da ist Gottes Zorn und Weh und Vergeltung für den Übermut und die Freveltat. Wo Zitherspielen und Tanzen und Händeklatschen stattfindet, da ist Verblendung der Männer und Verderbnis der Weiber und Trauer der Engel und Schadenfreude des Teufels. O des tückischen Anschlages des Teufels, wie berückt er jeden! Heute singen die Menschen zum Schein Psalmen, wie Gott befohlen hat, und morgen tanzen sie eifrig, wie der Satan lehrt. Heute schwören sie dem Satan ab, und morgen folgen sie ihm nach, heute sind sie Christen und morgen Heiden. Singe nicht heute mit den Engeln Psalmen, um morgen wieder mit den Dämonen zu tanzen! Es läßt sich nicht in Einklang miteinander bringen, daß du heute wie jemand, der Christus liebt, eine Lesung aus der Heiligen Schrift hörst und morgen wie ein Feind und Verächter Christi auf das Zitherspiel horchst* (Über die Enthaltung von weltlichen Lustbarkeiten, hrsg. von P. Zingerle, BKV 1, Kempten 1870, 414). Gregor von Nazianz erfleht für die christliche Hochzeit die Gegenwart Christi und erblickt in ihr ein Unterpfand der Huld Gottes: *Einer aber der gött-*

lichen Gnadenerweise besteht darin, daß Christus auf den Hochzeiten zugegen ist und das Wasser zu Wein wird, d. h. daß alles sich in Besseres verwandelt, damit nicht das Unvereinbare miteinander in Verbindung gebracht werde und nicht Geistliche und Possenreißer, Gebet und Geschrei, Psalmengesang und Flötenspiel durcheinandergeraten (*Epistula 232, MPG 37, 376*). Johannes Chrysostomus äußert sich an mehreren Stellen seines umfangreichen Schrifttums über den tiefen Gegensatz zwischen christlichen und heidnischen Hochzeitsbräuchen. Zunächst weist der Autor auf die urchristliche Hochzeitsfeier hin, auf der es sittsam und zuchtvoll zugegangen sei und es weder Instrumentenspiel noch Tanz gegeben habe: *Du siehst, mit welcher Würde man früher die Hochzeiten feierte. Da gab es keine Flöten, keine Becken und keine teuflischen Tänze. Hören sollen diese Worte alle diejenigen, die sich hinter dem Satanspomp verkriechen und gleich von Anfang an die Ehrbarkeit der Ehe in den Schmutz ziehen* (*In Genesim 29 homilia 56, 1, MPG 54, 485*). An einer anderen Stelle läßt sich der Verfasser in ganz ähnlicher Weise über die urchristliche Hochzeitsfeier vernehmen: *Das Spiel auf Flöten aber, Hirtenpfeifen und Becken sowie die rauschhaften Tänze und die übrigen Schändlichkeiten von heute lagen den Christen damals gänzlich fern. Bei uns aber singen die Tanzenden am Tag der Hochzeit Hymnen auf Aphrodite und Lieder voller Unkeuschheiten* (*Commentarius in illud verbum: Propter fornicationes autem unusquisque suam uxorem habeat, MPG 51, 210 f.*). Sodann schildert Johannes Chrysostomus mit großer Ausführlichkeit die heidnische Hochzeitsfeier, auf der Schamlosigkeit und Unzüchtigkeit in Gebärden und Gesängen vorherrschend seien und nicht selten wahre Triumphe feierten: *Ich weiß wohl, daß man mich verlacht, wenn ich die heidnischen Sitten tadle, und daß ich vielen wie geistesgestört vorkomme, wenn ich an den alten Bräuchen zu rütteln wage, denn die Gewohnheit ist ein mächtiges Blendwerk, aber nichtsdestoweniger werde ich fortfahren, davon zu sprechen. Der Teufel begnügt sich schon mit unanständigen Reden und Gesängen und damit, daß die Braut öffentlich zur Schau gestellt und mit dem Bräutigam auf den Markt geführt wird. Auf daß die Finsternis — denn es geschieht alles am Abend — nicht etwa einen Schleier über diese Abscheulichkeit breite, bedient man sich zahlreicher Fackeln, welche die Schande nicht im Verborgenen lassen. Wozu dient die große Volksmenge, wozu die Trunkenheit, wozu das Spiel auf der Hirtenpfeife? Geschieht das alles nicht offenbar, damit selbst diejenigen, die sich in ihren Wohnungen aufhalten und in tiefem Schlafe liegen, auch davon erfahren und, von der Hirtenpfeife geweckt, vom Fenster herab Zeugen dieser Komödie werden? Und was soll man erst von den Liedern selbst sagen, die nichts als Wollust zum Inhalt haben und die sowohl unehrbare Liebschaften und verbotenen Umgang fördern als auch tausendfaches Unheil und Verderben für die Familie heraufbeschwören?* (*In Epistulam I ad Corinthios homilia 12, 5 u. 6, MPG 61, 103 f.*). Schließlich bringt Johannes Chrysostomus die Sprache auf den Sinn und den Zweck der christlichen Ehe sowie auf ihren Charakter als göttliches Sakrament, mit dessen Erhabenheit und Größe jede Handlung unvereinbar sei, die zu seiner Entheiligung und Entweihung beitrage: *Wenn nun, so höre ich fragen, weder Mädchen noch verheiratete Frauen tanzen dürfen, wer soll dann tanzen? Überhaupt niemand! Muß denn getanzt werden? Bei den Mysterien der Heiden finden Tänze statt, bei den unsrigen dagegen herrschen Anstand und Stille, Ordnung und würdevolle Ruhe. Ein großes Mysterium wird gefeiert, hinaus mit den Dirnen, hinaus mit den Unreinen! Inwiefern ist es ein Mysterium? Die Neuvermählten kommen zusammen und bilden, wenngleich sie zwei sind, eins. Wenn die Braut einzieht, warum gibt es da keinen Tanz, keine Musik, sondern tiefe Ruhe, tiefe Stille, wenn sie sich aber vereinigen, nicht um das Ebenbild eines irdischen Wesens, sondern um das Ebenbild des heiligen Gottes selbst zu erzeugen, warum veranstaltest du da einen solchen Heidenlärm, störst die Neuvermählten und erfüllst ihre Seele mit Scham und Verwirrung? Sag mir, du feierst das Mysterium Christi und rufst den Teufel herbei? Wo Flötenspieler sind, da ist Christus nie und nimmer. Sollte er sich aber dennoch einfinden, so jagt er diese zuerst hinaus und wirkt erst dann Wunder. Was kann es Widerwärtigeres geben als einen solchen Satanspomp?* (*Homilia in Epistulam ad Colossos 12, 5, MPG 62, 387*). Der Dichter Commodianus bezeichnet die heidnischen Hochzeitsbräuche gleichfalls als Satanswerk und findet für diejenigen unter den Christen, die solche Bräuche nicht eindeutig und unmißverständlich von sich weisen, Worte strengen Tadels: *Was soll ich den ganzen Aufwand des Teufels erwähnen? Ihr verachtet das Gesetz und bevorzugt es, der Welt zu gefallen, ihr tanzt in den Häusern und singt statt Psalmen Liebeslieder* (*Instructiones 2, 19, 17, CSEL 15, 86*). Das Konzil von Laodicea (um 380) faßt, was das Verhalten der Christen auf Hochzeitsfeiern betrifft, zwei bemerkenswerte Beschlüsse, von denen der erste die Laien, der zweite die Priester oder Kleriker angeht. Es heißt dort: *Christen ist es nicht gestattet, zu Hochzeiten zu gehen und zu tanzen, sondern nur in aller Ehrbarkeit das Frühstück oder die Hauptmahlzeit einzunehmen, wie es sich für Christen geziemt. Priester oder Kleriker dürfen sich auf Hochzeiten oder Gastmählern keine Schauspiele ansehen, sondern müssen sich, bevor die Schauspieler eintreffen, erheben und entfernen* (vgl. Karl Joseph Hefele u. H. Leclercq, *Histoire des Conciles 1/2, Paris 1907, 1023, can. 53 u. 54*).

Die Kirchenschriftsteller werden nicht müde, auf den grundlegenden Unterschied, der zwischen dem Wesen und der Zweckbestimmung christlicher Musikpflege einerseits und heidnischer Musikübung andererseits besteht, mit Nachdruck hinzuweisen. Diese Feststellung gilt nicht allein für die Kultmusik, sondern in gleicher Weise auch für die Hausmusik.

Pseudo-Clemens weiß zu melden, daß sich die Christen bei der Abhaltung sowohl des öffentlichen Gottesdienstes als auch der häuslichen Andacht streng für sich halten, daß sie den Umgang mit heidnischen Sängern und Spielern sorgfältig meiden und daß sie stets auf einen guten und untadeligen Ruf bedacht sind: *Wir werfen das Heilige nicht den Hunden und die Perlen nicht den Schweinen vor, sondern wir feiern Gottes Lob in aller Zucht, in aller Weisheit, in aller Ehrerbietung und in aller Frömmigkeit gegenüber dem Herrn. Wir üben den heiligen Kult nicht dort aus, wo die Heiden zechen und in ihrer Gottlosigkeit auf ihren Gelagen den Herrn mit unreinen Worten lästern. Deshalb singen wir vor den Heiden keine Psalmen und lesen ihnen nicht aus der Heiligen Schrift vor, damit wir nicht den Flöten- und Zitherspielern sowie den Sängern und Wahrsagern und vielen anderen ähnlich scheinen, die ihre Tätigkeit gleichsam als Kunst ausüben und sie verrichten, um sich mit einem Bissen Brot, und sei er auch auf unehrenhafte Weise erworben, sättigen zu können, und die wegen eines Schluckes Wein die Lieder des Herrn den Heiden vortragen, sie dadurch deren Gespött preisgeben und also etwas tun, was nicht gestattet ist* (De virginitate 2, 6, 3, MPG 1, 432). In den Apostolischen Konstitutionen (um 420) werden die Christen nachdrücklich vor der Teilnahme an den lasziven und obszönen heidnischen Gesängen gewarnt und diese als Teufelswerk bezeichnet. Es heißt dort: *Ein gläubiger Christ darf keine heidnischen Lieder singen, denn es könnte sich ereignen, daß er beim Singen die Namen der heidnischen Götter aussprüche und auf diese Weise anstatt des Heiligen Geistes dem Satan bei sich Einlaß gewähren würde* (vgl. Franz Xaver Funk, *Didascalia et Constitutiones Apostolorum* 1, Paderborn 1905, 265, 5, 10, 2). Kennzeichnend für die zwiespältige Situation der frühchristlichen Kult- wie auch Hausmusik ist die von Aurelius Augustinus an die Christen gerichtete Forderung, weder zugunsten der Heiden gänzlich auf die Musik zu verzichten noch sich an deren Musikanschauung und -pflege zu orientieren, sondern auf der Grundlage des christlichen Glaubens zu eigener Musikauffassung und -übung zu gelangen: *Wir Christen dürfen die Musik, wenn wir aus ihr etwas zum Verständnis der Heiligen Schrift Nützliches gewinnen wollen, nicht fliehen, was erklärlich wäre, da sie ganz und gar im Dienst des heidnischen Götterglaubens zu stehen scheint, ebensowenig dürfen wir uns, wenn wir über Harfe und Zither sowie überhaupt über Musikinstrumente etwas Rechtes und die Erkenntnis Förderndes aussagen wollen, von den theatralischen Possen der Heiden leiten lassen* (De doctrina christiana 2, 18, MPL 34, 49).

Über die Beteiligung der Frauen am Gesang sowohl im öffentlichen Gottesdienst als auch in der häuslichen Andacht gibt es bis zum Ende des 2. Jahrhunderts kaum nennenswerte Mitteilungen, erst in der Folgezeit finden sich des öfteren einschlägige Nachrichten. Bemerkenswerterweise nehmen die Kirchenschriftsteller in der Frage des Frauengesangs keine einheitliche Haltung ein, vielmehr wird er von den einen gutgeheißen, von den anderen abgelehnt. Für die gleichberechtigte Teilnahme der Frauen am Psalmen- und Hymnengesang sprechen sich u. a. die Pilgerin Aetheria sowie Aurelius Ambrosius aus.

Die Pilgerin Aetheria schildert einen Gottesdienst in der Grabkirche zu Jerusalem, in dem gleichermaßen Mönche (*monazontes*) und Nonnen (*parthenae*), Männer (*viri*) und Frauen (*mulieres*) Gott Lob- und Danklieder sangen (*Aetheriae peregrinatio ad loca sancta* 24, 1, CSEL 39, 71). Aurelius Ambrosius befürwortet mit Rücksicht auf die Einheit und den Zusammenhalt der Christengemeinde gleichfalls die uneingeschränkte Beteiligung der Frauen am Psalmen- und Hymnengesang (*Enarratio in psalmum* 1, 9, MPL 14, 968).

Gegen die Teilnahme der Frauen am Gesang sowohl im öffentlichen Gottesdienst als auch in der häuslichen Andacht sprechen sich u. a. Cyrillus von Jerusalem (*Procatechesis* 14, MPG 33, 356) und Isidor von Pelusium (*Epistulae* 1, 90, MPG 78, 244) aus.

Cyrillus von Jerusalem und Isidor von Pelusium treten ebenso wie etliche weitere Kirchenschriftsteller für ein generelles Verbot des Frauengesangs ein, das schließlich gegen Ende des 4. Jahrhunderts erlassen wurde (vgl. P. Battifol, *Studia Patristica*, Paris 1889, 138 u. 375). Die Gegner des Frauengesangs pflegen sich vorzugsweise auf die Schriftzeugnisse 1. Kor. 14, 34 und 1. Tim. 2, 12 zu berufen. Im 1. Brief an die Korinther sagt Paulus: *Wie in allen Gemeinden der Heiligen lasset eure Weiber schweigen in der Gemeinde, denn es soll ihnen nicht zugelassen werden, daß sie reden, sondern sie sollen untertan sein, wie auch das Gesetz sagt.* Im 1. Brief an Timotheus äußert sich Paulus: *Einem Weibe gestatte ich nicht, daß es lehre, auch nicht, daß es des Mannes Herr sei, sondern es sei stille.* Indes erheben die Gegner des Frauengesangs keine Einwendung dagegen, daß sich die Frauen am Ort strengster Abgeschlossenheit und äußerster Zurückgezogenheit, nämlich in der Schlafkammer, dem Psalmen- und Hymnengesang widmen. Als Kronzeuge für diese überaus weitgehende und einem Verbot nahekommende Einschränkung des Frauengesangs kann Hieronymus von Stridon gelten: *Wer weiß nicht, daß die Frauen im Schlafgemach Psalmen und Hymnen singen dürfen, nicht aber öffentlich, weder vor einer Anzahl von Männern noch überhaupt vor einer Reihe von Leuten?* (Adversus Pelagianos 1, 25, MPL 23, 519). Darüber hinaus ermahnt er die Frauen, bereits von Kindesbeinen an alle weltlichen Gesänge wie auch gleichermaßen alle Musikinstrumente peinlich zu meiden. So heißt es bei ihm: *Das Mädchen soll die Gesänge der Welt nicht kennenlernen* (Epistula 107 ad Laetam de institutione filiae 4, 1, CSEL 55, 294), desgleichen steht bei ihm zu lesen: *Das Mädchen soll gegenüber den Klängen der Orgel unempfindlich sein und es soll nicht wissen, zu welchem Zweck Flöte, Leier und Zither hergestellt sind* (ebenda 8, 3, CSEL 55, 299). Das Auftreten von Harfen- und Lautenspielerinnen wird von ihm als Satansreigen bezeichnet, der im Hause eines Christen unter keinen Umständen geduldet werden dürfe: *Harfen- und Lautenspielerinnen sowie ähnlicher Art Teufelschor entferne gleich den todbringenden Sirenengesängen aus deinem Haus!* (Epistula 54 ad Furiam *de viduitate servanda* 13, CSEL 54, 479). Arnobius gar setzt Frauen, die sich dem Spiel auf der Harfe oder Zither hingeben, den Freudenmädchen gleich: *Hat Gott deswegen die Frauen erschaffen, daß aus ihnen Buhlerinnen sowie Harfen- und Zitherspielerinnen werden, die ihre feilen Leiber preisgeben? (Adversus nationes* 2, 42, CSEL 4, 82).

Der Gebrauch von Musikinstrumenten war in frühchristlicher Zeit sowohl im öffentlichen Gottesdienst als auch in der häuslichen Andacht grundsätzlich verboten. Einzig und allein durch das von Gott geschaffene Instrument, die menschliche Stimme, nicht aber durch das von Menschen verfertigte Klangwerkzeug sollte der Lobpreis Gottes erklingen. Unter den Kirchenschriftstellern gibt es viele, die ihre ablehnende Haltung gegenüber der Verwendung von Musikinstrumenten sowohl im öffentlichen Gottesdienst als auch in der häuslichen Andacht mit aller Deutlichkeit zum Ausdruck bringen.

Epiphanius von Salamis vergleicht die Flöte mit der Schlange des Paradieses und erblickt in ihr ein Instrument der Blendung und der Täuschung: *Die Flöte stellt eine Nachahmung der Schlange dar, durch die der Böse Eva beschwatzte und betrog. Nach diesem Vorbild ist die Flöte den Menschen zum Betrug ersonnen (Panarion haer.* 25, 4, GCS 25, 272). Basilius von Cäsarea sieht gleichermaßen das Spiel auf Musikinstrumenten wie auch den Tanz als eitel und nichtig an und hält beides für ein verderbliches und verwerfliches Tun: *Künste wie das Spielen auf der Flöte oder Zither oder das Tanzen sind ganz und gar unnütz, da, sobald die Darbietung zu Ende ist, das Kunstwerk zu bestehen aufhört. Eine solche Betätigung führt nach dem Ausspruch des Apostels (d. i. Paulus, vgl. Phil. 3, 19) zur Verdammnis (Commentarius in Isajam prophetam* 5, 158, MPG 30, 377). Gaudentius von Brescia setzt das Spiel auf Musikinstrumenten mit der Schaustellung im Theater gleich und bezeichnet es als mit der Würde des christlichen Hauses unvereinbar: *Unselig sind jene Häuser, in denen die Flöte und die Leier ertönen sowie zur Bewegung der Tanzenden jede Art von Musik erklingt, denn sie unterscheiden sich durch nichts vom Theater. Ich bitte also, schafft alles dieses hinweg. Das Haus des Christen sei unberührt vom Reigen des Teufels, es sei geheiligt durch fleißiges Gebet und häufigen Gesang von Psalmen, Hymnen und geistlichen Liedern (Sermo de evangelii lectione primus* 8, MPL 20, 890). Johannes Chrysostomus hebt den Gegensatz zwischen heidnischer Götterverehrung und christlichem Gottesdienst hervor und spricht sich gleichfalls gegen die Verwendung von Musikinstrumenten in Kirche und Haus aus: *In den Häusern der Heiden ertönt die Musik von Flöten, Hirtenpfeifen und Zithern in wirrem Durcheinander, in den Häusern der Christen dagegen lassen sich keine derartigen unharmonischen Klänge vernehmen, sondern was? Psalmen- und Hymnengesänge. Dort werden durch das Singen die Dämonen, hier aber wird Gott, der Allmächtige, verehrt (Homilia in Epistulam ad Colossos* 1, 5, MPG 62, 306).

Vereinzelt finden sich Belegstellen, aus denen hervorgeht, daß der Gebrauch von Musikinstrumenten in der häuslichen Andacht gelegentlich geduldet wurde. Diese Feststellung trifft im besonderen für zwei Instrumente zu, für die Leier und für die Zither. Bemerkenswerterweise handelt es sich dabei um jene Instrumente, denen bereits in der griechischen und römischen Antike ein hoher ethischer Wert beigemessen wurde. Zu den Kirchenschriftstellern der frühchristlichen Epoche, die das Spiel auf der Leier und auf der Zither in der häuslichen Andacht zulassen und also diesen Instrumenten eine gewisse Ausnahmestellung einräumen, gehören u. a. Clemens von Alexandria und Synesius von Kyrene.

Clemens von Alexandria erlaubt die Begleitung des Psalmengesangs durch Leier oder Zither und verweist dabei auf ein alttestamentliches Vorbild: *Wenn du zur Leier oder Zither singen und psallieren willst, so ist das nicht tadelnswert, da du es einem gerechten König der Hebräer (d. i. David, vgl. 1. Sam. 16, 23) gleichtust, der Gott angenehm war (Paedagogus* 2, 4, MPG 8, 443). Synesius von Kyrene berichtet, er habe Christen im häuslichen Kreise gar den heidnischen Nemesis-Hymnus des Mesomedes (um 140 n. Chr.) mit Leierbegleitung singen hören (*Epistula* 94, MPG 66, 1464). Ferner teilt er mit, er selbst habe als erster ein mit Zitherbegleitung versehenes Lied auf Christus verfaßt und vertont (*Hymni* 7, 1, MPG 66, 1612).

In den Werken der Kirchenschriftsteller ist hin und wieder von dem großen erzieherischen Wert, den das geistliche Singen innerhalb der christlichen Hausgemeinschaft hat, die Rede. Vorzugsweise wird den Psalmen, die den Hauptbestandteil des Gesangsgutes der Heiligen Schrift darstellen und die als Lob- und Dank-, Buß- und Klagegesänge im christlichen Leben eine beständige, nie erlöschende Aktualität besitzen, eine hohe erzieherische Bedeutung zuerkannt.

Basilius von Cäsarea läßt sich an mehreren Stellen seines umfänglichen Schrifttums im vorgenannten Sinne über den Psalmengesang vernehmen. Der innerhalb der christlichen Hausgemeinschaft gepflegte Psalmengesang trage, so betont der Autor, zur sittlich-religiösen Erbauung und Erhebung der menschlichen Seele bei: *Wenn jemand noch so verroht sein sollte, so weicht dennoch, sobald Psalmengesang ertönt, die Wildheit aus seiner Seele, und diese wird durch die sanfte Weise gleichsam eingeschläfert (Homilia in psalmum 1, 1, MPG 29, 212)* und: *Jene wohlklingenden Psalmengesänge sind für uns erdacht worden, damit diejenigen, die entweder im Knabenalter stehen oder nach dem Stande ihrer geistigen Entwicklung als Jugendliche angesehen werden müssen, aus dem Singen, das nur als Mittel zum Zweck dient, Gewinn für ihre Seele ziehen (ebenda 1, 1, MPG 29, 212).* Der Psalmengesang erweise sich, so bemerkt der Verfasser weiter, gleichermaßen für junge und alte wie auch für glaubensschwache und glaubensstarke Menschen als heilsam und nützlich: *Der Psalm stellt eine Stärkung für die Kinder, eine Tugend für die Erwachsenen, einen Trost für die Greise und einen gefälligen Schmuck für die Frauen dar (ebenda 1, 2, MPG 29, 212)* und: *Der Psalm bedeutet für die Anfänger eine Grundlage, für die Fortgeschrittenen eine Steigerung und für die Vollkommenen eine Festigung des Glaubens (ebenda 1, 2, MPG 29, 213).* Die Bemerkungen des Basilius gipfeln in einer eindringlichen Warnung der christlichen Jugend vor der Beteiligung an jedweder Art von heidnischer Musik, die den Menschen nur Hemmungs- und Sittenlosigkeit bringe: *Aus dieser Art von Musik, derjenigen der Heiden nämlich, pflegen niedrige und verabscheuungswürdige Leidenschaften zu erwachsen. Wir hingegen müssen nach der anderen Art von Musik trachten, die besser ist, die zu Besserem führt und der sich David, der Dichter der heiligen Gesänge, bedient hat, um den König Saul, wie geschrieben steht, von der Schwermut zu befreien. Pythagoras soll, als er unter betrunkene Zecher geriet, dem Flötenspieler, der den Zug anführte, befohlen haben, die Melodie zu ändern und eine dorische Weise zu spielen, und diese Melodie soll bei jenen eine solche Ernüchterung bewirkt haben, daß sie beschämt nach Hause gingen. Andere rasen und toben beim Flötenspiel wie Bacchanten und Korybanten; es kommt sehr darauf an, ob man guten oder schlechten Weisen sein Ohr leiht. Daher dürft ihr christlichen Jünglinge an der Musik, die gegenwärtig als die herrschende gilt, ebensowenig teilnehmen wie an irgendeiner anderen Schändlichkeit (De legendis libris gentilium 7, MPG 31, 583).* Wenn die Kirchenschriftsteller von der erzieherischen Kraft des Psalmengesangs sprechen, denken sie nicht allein an die männliche, sondern ebenso auch an die weibliche Jugend. Hieronymus von Stridon beispielsweise empfiehlt neben der männlichen ausdrücklich auch der weiblichen Jugend, sich möglichst frühzeitig dem Psalmengesang zuzuwenden. *Die zarte Zunge des Mädchens,* so fordert er, *soll sich mit lieblichen Psalmen vertraut machen (Epistula 107 ad Laetam de institutione filiae 4, 1, CSEL 55, 294). Sobald ein Mädchen,* so verlangt er an einer anderen Stelle, *in das siebente Lebensjahr eintritt, soll es das Buch der Psalmen auswendig zu lernen beginnen (Epistula 128 ad Pacatulam 4, 2, CSEL 56, 160).*

Wie aus den vorstehenden Ausführungen hervorgeht, bewegte sich die frühchristliche Hausmusik, in der lediglich und ausschließlich geistliches Singen, nicht aber weltlicher Gesang oder Instrumentenspiel gestattet war, in recht engen Grenzen. Sie entsprachen sehr weitgehend den Grenzen der frühchristlichen Kultmusik und wurden nicht in erster Linie von musikalischen bzw. ästhetischen, sondern von theologischen bzw. religiösen Gesichtspunkten her bestimmt. Nach der Ansicht der Kirchenschriftsteller kam es wie in der Kultmusik so auch in der Hausmusik weniger auf die Schönheit und Vollkommenheit des Gesangs als vielmehr auf die Gottergebenheit und Gottgefälligkeit des Sängers an. Die Hausmusik hatte, wie schon oben betont, die gleiche Zielsetzung und Zweckbestimmung wie die Kultmusik, der Unterschied zwischen beiden Musikgattungen bestand letztlich nur darin, daß diese im öffentlichen Gottesdienst, jene in der häuslichen Andacht ihren Platz hatte. Es kann nicht wundernehmen, daß die Musikanschauung und -übung der Christen mit ihrem durch und durch asketisch-puritanischen Charakter zur Musikauffassung und -pflege der Heiden alsbald in schärfsten Gegensatz geriet und bis zum Niedergang der Antike in diesem Gegensatz verblieb. Die Christen befanden sich in jener Zeit insofern in einer schwierigen Situation, als sie, in die antike Musiktradition hineingeboren und in dieser Tradition musikalisch erzogen, gehalten waren, zu einem neuen Musikdenken zu finden, wie es dem christlichen Glauben entsprach und durch ihn vorgeschrieben wurde.

Heinrich Hüschen

Ausgewählte Literatur

Abert, H., Die Musikanschauung des Mittelalters und ihre Grundlagen, Halle 1905, Tutzing ²/1964.

ders., Die musikästhetischen Anschauungen der frühesten christlichen Kirche, in: ZfÄKw 1, 1906, 527 ff.

ders., Ein neuentdeckter frühchristlicher Hymnus mit antiken Musiknoten, in: ZfMw 4, 1921/22, 524 ff.

ders., Das älteste Denkmal der christlichen Kirchenmusik, in: Gesammelte Schriften und Vorträge, Halle 1929, 83 ff.

Adam, K., Das Wesen des Katholizismus, Düsseldorf 1949.

Adler, I., Les Chants synagogaux notés au XIIe siècle par Abdias, le prosélyte Normand, in: RMl LI, Paris 1965, 19–51.

Aigrain, R., La musique religieuse, Paris 1929.

Avenary, H., Formal Structure of Psalms and Canticles in Early Jewish and Christian Chant, in: MD 7, 1953, 1 ff.

ders., Jüdische Musik, A: Geschichte der jüdischen Musik, in: MGG 7, 224 ff.

ders., Genizah Fragments of Hebrew Hymns, in: Journal of Jewish Studies, vol. XVI, London 1966, 87–104.

Bardy, G., L'Eglise à la fin du premier siècle, Paris 1932.

Baumstark, A., Vom geschichtlichen Werden der Liturgie, Freiburg i. Br. 1923.

Bayer, B., Material Relics of Music, in: Ancient Palestine and its Environs, Tel Aviv 1963.

Bernet-Kempers, K. Ph., De Muziek der eerste Christenen, in: De Muziek 5, 1930/31, 207 ff. u. 248 ff.

Bogler, Th., Liturgische Haltung und soziale Wirklichkeit, Maria Laach 1956.

Botte, B., La tradition apostolique de Saint Hippolyte, essai de reconstitution, Münster 1963.

ders., et Cassien, La prière des Heures, Paris 1963.

Brailoiu, C., Réflexions sur la création musicale collective, in: Diogène, 1959, 83–93.

Braude, W., The Midrash of Psalms, New York 1959/60.

Bribomont, J., Les hymnes de saint Ephrem sur la Pâque, in: Mélanges Mgr Pierre Dib, Melto, Recherches Orientales, III, Kaslik (Liban) 1967, 147–182.

Buber, M., Der Mensch und sein Gebild, Heidelberg 1955.

Buechler, A., The reading of the Law in a triennial cycle, in: Jewish Quarterly Review V., 420 ff.

ders., Die Priester und der Cultus des Tempels, Wien 1895.

ders., Zur Geschichte der Tempelmusik und der Tempelpsalmen, in: Zeitschrift für Alttestamentarische Wissenschaft, XIX–XX.

Bugnini, A., Documenta pontificia ad instaurationem liturgicam spectantia, Rom 1953/1959.

Cabrol, F., Acclamations, in: DACL, I, 240–265.

ders., Litanie, ebda, IX (2), 1540–1571.

ders., Les livres de la liturgie latine, Paris 1930.

Caillois, R., L'homme et le sacré, Paris ⁴/1953.

Cambier, J., Deux études sur Clément de Rome, in: Revue d'histoire ecclésiastique LXIII (2), 1968, 415–428.

Corpus Scriptorum Ecclesiasticorum Latinorum, Wien 1867 ff.

Cullmann, O., Urchristentum und Gottesdienst, Zürich 1944, ²/1950.

Danckert, W., Das Volkslied im Abendland, Bern und München 1966.

Darre, H., De l'usage des hymnes dans l'Eglise, des origines à saint Grégoire le Grand, in: EGr IX, 1968, 25–47.

Deichgräber, R., Gotteshymnus und Christushymnus in der frühen Christenheit. Untersuchungen zu Form, Sprache und Stil der frühchristlichen Hymnen, Göttingen 1967.

Delling, G., Der Gottesdienst im Neuen Testament, Berlin und Göttingen 1952.

Dölger, Fr. J., Sol salutis, Gebet und Gesang im christlichen Altertum, Münster 1920, ²/1925.

Dohmes, A., Der Psalmengesang des Volkes in der eucharistischen Opferfeier der christlichen Frühzeit, in: LLb 5, 1938, 128 ff.

Dreisoerner, Ch., The Psychology of Liturgical Music, Kirkwood 1945.

Duchesne, L., Origines du culte chrétien, Paris 1889, ⁵/1925.

Egenter, R., Kitsch und Christenleben, Ettal ²/1958.

Eisenhofer, L., Handbuch der katholischen Liturgik, 2 Bde., Freiburg 1932/33.

Eisenhofer, L. – Lechner, J., Liturgik des römischen Ritus, Freiburg i. Br. 1953.

Ĕliade, M., Das Heilige und das Profane, Hamburg 1957.

Fellerer, K. G., Geschichte der katholischen Kirchenmusik, Düsseldorf ²/1949, engl. Baltimore 1961.

ders., Soziologie der Kirchenmusik, Köln und Opladen 1963.

ders., Werden und Wandel der katholischen Kirchenmusik, in: Schweizerische Rundschau, Jg. 33, 1933, 36–47.

ders., Die Musica in den Artes Liberales, in: Studien und Texte zur Geistesgeschichte des Mittelalters, hrsg. von Josef Koch, Bd. 5 (Artes Liberales von der antiken Bildung zur Wissenschaft des Mittelalters), Leiden–Köln 1959, 33–49.

ders., Beziehungen zwischen geistlicher und weltlicher Musik im 16. Jh., in: Report of the Eighth Congress I, New York 1961, Kassel 1961, 203–214.

Fleischhauer, G., Etrurien und Rom, in: Musikgeschichte in Bildern, hrsg. von H. Besseler u. M. Schneider, Bd. II, Musik des Altertums, Lfg. 5, Leipzig 1964, 16 ff.

Forkel, J. N., Allgemeine Geschichte der Musik II, Leipzig 1801, Nachdruck Graz 1967, 126 ff.

Freistedt, E., Altchristliche Totengedächtnistage und ihre Beziehung zum Jenseitsglauben und Totenkultus der Antike, in: LQF 24, Münster 1928.

Froger, Dom J., Origine, histoire et restitution du chant grégorien, in: ML 1950, Nr. 15, 18; 1951, Nr. 19.

Fuerth, M., Das Heilige in der katholischen Liturgie, Mainz 1924.

Gamber, Kl., Die Oden Salomos als frühchristliche Gesänge beim heiligen Mahl, in: OSt XV, 1966, 182–196.

Gaster, M., The biblical lesson, London 1912.

Gastoúe, A., L'église et la musique, Paris 1936.

Gelineau, J., Die Musik im christlichen Gottesdienst, Regensburg 1965.

Georgiades, Thr., Sakral und Profan in der Musik (Münchener Universitätsreden, Neue Folge, Heft 28), München 1960.

Gérold, Th., Les pères de l'église et la musique, Paris 1931.

Gerson-Kiwi, E., Jüdische Musik, in: Riemann Musiklexikon, Sachteil, ^{12}/1967, 427 ff.

dies., Migrating Patterns of Melody among the Berbers and Jews, in: JJFC XIX, 1967.

dies., Musique, in: Dictionnaire de la Bible, Suppl. V, Paris 1956.

Giet, St., La „Didachè", enseignement des douze Apôtres?, in: Mélanges Mgr Pierre Dib. Melto, Recherches orientales III, Kaslik (Liban) 1967, 223–236.

Gold, N., Obadiah the Proselyte, in: JR XLV, Nr. 2, Chicago 1965, 153 ff.

Goldammer, K., Die Formenwelt des Religiösen, Stuttgart 1960.

Gottron, A., Kirchenmusik und Liturgie, Regensburg 1937.

Guardini, R., Die Sinne und die religiöse Erkenntnis, Würzburg 1950.

ders., Vom Geist der Liturgie, Freiburg ^{17}/1951.

Haag, H., Kult, in: LThK Bd. 6, Freiburg 1961, 660–62.

Haberl, F., Le lieu liturgique comme principe formel du chant grégorien, in: BPI, Roma 1958, 5–20.

ders., Die Musik im christlichen Gottesdienst, in: Ms, 86. Jg., Köln 1966, 67–72.

ders., Tradition und Fortschritt in der Kirchenmusik, in: Ms, 87. Jg., Köln 1967, 33–39, 65–69.

Hammerstein, R., Die Musik der Engel, Bern und München 1962.

Hanssens, J. M., La liturgie d'Hippolyte, ses documents, son titulaire, ses origines et son caractère, Rome 1959 (OCA Nr. 155).

Hatzfeld, J., Heilige Musik, in: Priester und Musiker, hrsg. von Johannes Overath, Düsseldorf 1954, 151–246.

Herford, T. R., Pharisaism, its aim and method (dt. Übersetzung: W. Fischel, Die Pharisäer, Leipzig 1928), Boston 1962.

Horn, C., Kultus und Kunst, Berlin 1925.

Hucke, H., Frühchristliche Musik, in: LThK IV, Freiburg i. Br. 1960, 429 ff.

Hume, P., Catholic Churchmusic, New York 1957.

Huot-Pleuroux, P., Histoire de la musique religieuse, Paris 1957.

Idelsohn, A. Z., Phonographierte Gesänge und Ausspracheproben der jemenitischen, syrischen und persischen Juden (Kais. Akademie der Wissensch., Hist.-Philolog. Kl. 177,4), Wien 1917.

ders., Hebraeisch-orientalischer Melodienschatz, Bd. I, Wien–Leipzig 1913/4.

Jammers, E., Musik in Byzanz, im päpstlichen Rom und in Frankreich, Heidelberg 1962.

Jenny, M., Musik und Gottesdienst nach dem Neuen Testament, in: ZMG, Zürich 1949, 97 ff.

Jungmann, J. A., Missarum Sollemnia. Eine genetische Erklärung der römischen Messe, 2 Bde., Freiburg i. Br 1962.

Kahle, P., The Cair o Geniza, 2. ed., Oxford 1959.

Kat, M., De Geschiedenis der Kerkmuziek, Hilversum 1939.

Klauser, Th., Kleine abendländische Liturgiegeschichte, Bonn 1965.

Krausse, B. R., Studie zur altchristlichen Vokalmusik in der griechischen und lateinischen Kirche und ihr Zusammenhang mit der altgriechischen Musik, Diss. Leipzig 1892.

Kroll, J., Die christliche Hymnodik bis zu Clemens von Alexandria (Beilage zum Verzeichnis der Vorlesungen an der Akademie zu Braunsberg), Königsberg 1921.

Lachmann, R., The Cantillation of the Djerba Jews, Jerusalem 1940.

Lanczkowski, G., Kult, in: LThK Bd. 6, Freiburg 1961, 659–60.

Lang, A., Der Mensch im Bannkreis des Heiligen, in: Fs. Theodor Steinbüchel, Düsseldorf 1948, 351–364.

Leitner, Fr., Der gottesdienstliche Volksgesang im jüdischen und christlichen Altertum, Freiburg i. Br. 1906.

Lemacher, H. – Fellerer, K. G., Handbuch der katholischen Kirchenmusik, Essen 1949.

Lewy, J. und H., The Origin of the Week and the Oldest West Asiatic Calendar, in: HUCA XVIII, 1942–1943.

López, J. Calo, Rom, Frühchristentum und Mittelalter, in: MGG XI, 685 ff.

Mantel, H., Studies in the History of the Sanhedrin, Cambridge, Mass., 1961.

Mann, J. und Sonne, I., The Bible as read and preached in the Old Synagogue, II, Cincinnati 1966.

Martimort, A. G., Handbuch der Liturgiewissenschaft, 2 Bde., Freiburg 1963/65.

Messerschmidt, G., Liturgie und Gemeinde, Würzburg 1939.

Moore, G. F., Judaism in the first century of the Christian era, Cambridge, Mass., 1954.

Morgenstern, J., The Hanukka Festival and the Calendar of Ancient Israel, in: HUCA XXI, 1948.

Müller, K.-F. – Blankenburg, W., Leiturgia, 6 Bde., Kassel 1954 ff.

Nemmers, E., Twenty Centuries of Catholic Church Music, Milwaukee 1949.

Nettl, B., Folk- and traditional Musik of the Western Continents, Englewood Cliffs, N. J., 1965.

Neunheuser, B., Kult, in: LThK Bd. 6, Freiburg 1961, 665–667.

Otto, R., Das Heilige, München ^{30}/1958.

Patai, R., Man and Temple, London 1947, 112 f.

Peterson, E., Frühkirche, Judentum und Gnosis, Rom–Wien 1959.

Philo, Alexandrinus, Les œuvres de Philon d'Alexandrie publiées sous le patronage de l'Université de Lyon, par Roger Arnaldez, Claude Mondesert, Jean Pouilloux, Paris, 35 vol. (24 Bde. erschienen).

Philon, Opera omnia, hrsg. v. L. Cohn u. P. Wendland, 6 Bde., Bln. 1896 ff.

Plotin, Enneades, hrsg. v. F. Creuzer u. G. H. Moser, 6 Bde., Paris 1896 ff.

Pons, A., Droit ecclésiastique et Musique sacrée, 5 Bde., St. Maurice 1958–64.

Quasten, J., Initiation aux Pères de L'Eglise, trad. de l'anglais par J. Laporte, 2 vol., Paris, 1955, 1957, et tome 3, Utrecht–Anvers 1960.

ders., Musik und Gesang in den Kulten der heidnischen Antike und christlichen Frühzeit, Münster/W. 1930 (L & F, Heft 25).

ders., Die Leierspielerin auf heidnischen und christlichen Sarkophagen, in: RQ 37, 1929, 1 ff.

ders., The liturgical Singing of Women in Christian Antiquity, in: CHR 27, 1941, 149 ff.

Rado, P., Enchiridion Liturgicum, 2 Bde., Freiburg i. Br. 1961.

Rahner, H., Der spielende Mensch, Einsiedeln ³/1954.

Reese, G., Music in the Middle Ages, New York 1940.

Romita, Fl., Jus musicae liturgicae, Roma 1947.

Sachs, C., The Rise of Music in the Ancient World, New York 1943.

ders., Wellsprings of Music, Leyden 1962.

Schilling, K., Das Sein des Kunstwerkes, Frankfurt 1938.

Schlötterer, R., Die kirchenmusikalische Terminologie der griechischen Kirchenväter, Diss. München 1953, Ms.

ders., Altchristliche Musik, in: RGG I, Tübingen ³/1957, 288 ff.

Schürmann, H., Kult, in: LThK Bd. 6, Freiburg 1961, S. 662—65.

Seeger, Chr., Oral Tradition, in: Funk & Wagnall's Dictionary of Folklore, New York 1949—50.

Segnitz, E., Die Anfänge der Musik im christlichen Altertum, in: ZfM 88, 1921, 78 ff.

Smith, Sh. W., Musical Aspects of the New Testament, Amsterdam 1962.

Söhngen, O., Theologie der Musik, Kassel 1967.

Stäblein, B., Frühchristliche Musik, in: MGG 4, 1036 ff.

Stefani, G., La recitazione delle letture nella liturgia romana antica, in: EL LXXXI, 1967, 13—40.

Tcherikower, V., Hellenistic Civilization and the Jews, Philadelphia 1959.

Tillyard, H., The acclamation of Emperors in Byzantine Ritual, in: Annual of the British School of Athens XVIII, 1911—1912.

Ursprung, O., Der Hymnus aus Oxyrhynchos, das älteste Denkmal christlicher (Kirchen-?) Musik, in: Bull. 3, La Haye 1923.

ders., Der Hymnus aus Oxyrhynchos im Rahmen unserer kirchengeschichtlichen Frühzeit, in: ThG 18, 1926, 387 ff.

ders., Katholische Kirchenmusik, Potsdam 1931.

Vagaggini, C., Il senso teologico della Liturgia, Roma 1957, deutsch: Theologie der Liturgie, Einsiedeln 1959.

ders., Liturgiae pensiero teologico recente, Roma 1962.

Vansina, J., De la tradition orale, essai de méthode historique, Tervuren 1961.

Vogel, C., Introduction aux sources de l'histoire du culte chrétien au moyen âge (Biblioteca degli Studie medievali Spoleto I.), 1966.

Wachsmann, Kl., Untersuchungen zum vorgregorianischen Gesang (Veröffentlichungen der gregorianischen Akademie zu Freiburg/Schweiz 19), Regensburg 1935.

Wagenaar-Nolthenius, H., Der Planctus Judaei, in: Mélanges à René Crozet, Poitiers 1966, 881 ff.

Wagner, P., Einführung in die katholische Kirchenmusik, Düsseldorf 1919.

Wagner, R., Der Oxyrhynchos-Notenpapyrus, in: Philologus 79, 1924, 201 ff.

Weinel, H., Die Wirkungen des Geistes und der Geister im nachapostolischen Zeitalter bis auf Irenaeus, Freiburg i. Br. 1899.

Weinmann, K., Geschichte der katholischen Kirchenmusik, München 1925.

Weinreich, O., Antike und frühchristliche Kultmusik, in: AR 33, 1936, 381 ff.

Wellesz, E., Gregory's the Great's Letter on the Alleluia, in: AM II, 1954, 7—26.

Werner, E., The Sacred Bridge, The Interdependence of Liturgy and Music in Synagogue and Church during the first Millennium, Londres & New York, 1959.

ders., The Conflict between Hellenism and Judaism in the Music of the Early Christian Church, in: HUCA 20, 1947, 407 ff.

ders., Preliminary Notes for a comparative study of Catholic and Jewish Musical Punctuation, in: HUCA XV, Cincinnati 1940.

ders., The Common Ground, in: Atti del Congresso, Citta di Vaticano, Rome 1950/1.

ders., The Origin of the Octoechos, in: HUCA, Cincinnati 1948.

ders., The Origin of Psalmody, in: HUCA, Cincinnati 1954.

ders., If I Speak in the Tongue of Men..., in: JAMS, Jubilee Vol. for O. Kinkeldey, New York 1960.

Wille, G., Musica Romana, Die Bedeutung der Musik im Leben der Römer, Amsterdam 1967.

ders., Rom — Antike, in: MGG XI, 656 ff.

Winter, P., Tacitus and Pliny, The early Christians, in: JHSt, Princeton, 1967—1968, 31—40.

Ostkirche

Die ostkirchlichen Liturgien und ihre Kultmusik

Die orientalische Musik wird oft als eine musikalische Bedeutungslosigkeit oder Merkwürdigkeit hingestellt, wenngleich ihr eigenständiges Interesse wie ihre europabezogene Bedeutung schon seit Jahrhunderten erkannt und betont worden sind. Sie bietet mit ihren von der europäischen Musik oft gänzlich verschiedenen melodischen wie harmonischen Aufbauprinzipien ein grundlegendes Material, ohne das eine Gesamtdarstellung der musikalischen Kunst in wesentlichen Dingen falsch ausfallen müßte.

Für die Musik der christlichen europäischen Liturgie liegen die Dinge noch eindrucksvoller: es mag nicht nur möglich, sondern dürfte sogar wahrscheinlich sein, daß das frühe westliche Christentum aus seiner östlichen Heimat auch seine Kultmusik, zumindest ihre Grundanlagen mitbrachte, und wenn dies der Fall wäre, besäße die orientalische christliche Kirchenmusik eine fundamentale Bedeutung auch für die Erforschung des lateinischen, insbesondere gregorianischen und mailändischen Chorals. Als Beispiel der wesentlichen Zusammenhänge zwischen westlicher und östlicher, insbesondere syrischer Kultmusik sei hier nur auf zwei der verschiedenen Tatsachen hingewiesen: die durchaus glaubhafte Überlieferung, daß Hymnodie und Antiphonie in Mailand von Ambrosius nach orientalischem Vorbild eingerichtet wurden (siehe etwa Pietro Borella, *Il rito ambrosiano*, Brescia 1964, S. 46, und die dort angegebene Spezialliteratur) und die parallele Tradition, daß die griechische Antiphonie aus dem Syrischen übersetzt wurde (siehe H. Leclercq, Art. *Antienne* in DACL I, Sp. 2284).

Was zunächst die Gliederung der orientalischen christlichen Kirchen betrifft, so ist die entscheidende Tatsache die, daß sie alle von den beiden alten Patriarchaten Antiochien und Alexandrien abstammen.

Während die koptische Kirche als Nachfolgerin des alexandrinischen Patriarchats erst in jüngster Zeit der äthiopischen Kirche eine gewisse, sehr beschränkte Selbständigkeit einräumte (über diese und die im folgenden berührten Zusammenhänge vergleiche man die einschlägige theologische und historische Literatur, in die die bekannten Kirchenlexika einen schnellen Zugang geben), zerfiel das Patriarchat Antiochien schon früh in einzelne Zweige. Auf dem 3. ökumenischen Konzil von Ephesus wurde 431 die Zweinaturenlehre des Nestorius verdammt — er vertrat die Anschauung, daß in Christus zwei verschiedene Naturen, eine menschliche und eine göttliche, vereint waren, von denen seine Mutter Maria nur die menschliche Natur geboren hatte, so daß Nestorius folgerichtig die Bezeichnung Marias als „Gottesmutter" ablehnte. Der Lehre des Nestorius blieb vor allem der östliche Teil der christlichen Kirche, namentlich im persischen Reich, treu, von wo eine erfolgreiche Missionstätigkeit das nestorianische Christentum bis nach China brachte. Schon 20 Jahre später wurde die entgegengesetzte Einnaturenlehre des „Monophysitismus" auf dem 4. ökumenischen Konzil von Chalkedon 451 verurteilt und nach einem späteren Reorganisator dieses Kirchenteils, dem Bischof Ja'qub Burde'ānā (gest. 578), wird diese Kirche als jakobitisch bezeichnet. Die von ihren Nachbarn ihnen zugelegten Bezeichnungen „nestorianisch" und „jakobitisch" werden von diesen Kirchen selbst nicht gebraucht — die erstere bezeichnet sich heute als „assyrische Kirche des Ostens", die zweite als „syrische orthodoxe Kirche". Von beiden Kirchen sind — oft erst in jüngster Zeit — Mitglieder und Gruppen zur römischen Kirche übergetreten. Die entsprechenden Kirchen führen die Namen „chaldäische Kirche" bzw. „Kirche Antiochiens der Syrer" (üblicherweise abgekürzt „syrisch-uniert", anstelle dessen ich das sich enger an den offiziellen Titel dieser Kirche anschließende „syrisch-antiochenisch" vorschlage und hier verwende), in ihren Verbreitungsgebieten in Kerala (Südindien) „Kirche der chaldäischen Syrer von Malabar" (abgekürzt „malabarisch" oder „syro-malabarisch", bzw. [abgekürzt] „malankarisch"). Die neutralen europäischen Bezeichnungen „ostsyrisch" bzw. „westsyrisch" werden von den Mitgliedern beider Gruppen wenig geliebt und sollen daher hier ebenfalls nicht verwendet werden — sie sind zudem wissenschaftlich anfechtbar, da nicht nur die assyrische und die syrisch-orthodoxe Kirche im selben Gebiet entstanden, sondern auch heute (noch bzw. wieder) die Verbreitungsgebiete aller dieser syrischen Kirchen übereinstimmen. Zu diesen vier syrischen Kirchen tritt hinzu die sich nach ihrem Begründer Maron (4. Jh.) als „Kirche der syrischen Maroniten" (abgekürzt „maronitisch") bezeichnende Kirche, die zumindest seit den Kreuzzügen mit Rom verbunden ist. Endlich darf man nicht vergessen, daß in demselben vorderasiatischen Raum auch die byzantinische Kirche ihre Anhänger besitzt — neben der byzantinisch-griechischen und der byzantinisch-slawischen Liturgie gibt es also auch noch eine „byzantinisch-syrische". Da die Mitglieder dieser Kirche dem byzantinischen Kaiser treu blieben, werden sie im Orient allgemein als „Melkiten" (von syrisch „malke" = König) bezeichnet — heute wird dieser Name vor allem für Christen der Kirche benutzt, die sich von dieser orthodoxen Kirche gelöst und mit Rom uniert hat. Dem Bischof von Konstantinopel wurde seine Zuständigkeit für Bischofsweihen in Kleinasien zugestanden und damit das byzantinische Patriarchat von Konstantinopel begründet von demselben Chalkedonischen Konzil, das schon die Ablösung des syrisch-orthodoxen Kirchenteils zur Folge hatte. Damit nicht genug — der monophysitische Glaube wurde auch vom armenischen Volke vertreten und das Urteil des Konzils von Chalkedon zog bei dem sehr ausgeprägten nationalen Charakter des armenischen Volkes die Bildung der armenischen Nationalkirche nach sich. Nach dem armenischen Heiligen Gregorius dem Erleuchter (lat. *Illuminator* — 3./4. Jh.) bezeichnet sich diese Kirche als „Gregorianische". Von ihr leitet sich eine mit Rom verbundene „uniert-armenische" oder „katholisch-armenische" Kirche ab. Um auch die weitere Entwicklung zu streifen, sei angemerkt, daß sich von der byzantinischen Kirche in z. T. späterer, oft erst in jüngster Zeit eine ganze Reihe slawischer Nationalkirchen abspaltete, denen zum Teil wieder parallele mit Rom unierte Kirchen entsprechen.

Nicht alle diese Kirchen haben eigene orientalisch-christliche Liturgien und andererseits besitzen einige Kirchen mehrere Liturgien.

So haben die slawischen Kirchen alle die byzantinische Liturgie beibehalten. Ebenso verwenden die unierten Kirchen stets die Liturgie der entsprechenden orthodoxen Kirchen und oft benutzen sie sogar deren liturgische Bücher, so wenn die malankarische Kirche die Ausgaben der indischen syrisch-orthodoxen Kirche eingeführt hat. Umgekehrt findet man auch öfter Mitglieder der syrisch-orthodoxen wie der assyrischen Kirche, die die liturgischen Bücher der entsprechenden unierten Kirchen gebrauchen. Ähnlich der lateinischen Kirche, die im Römischen, Benediktinischen, Ambrosianischen, Gallikanischen und Mozarabischen eine Vielfalt von Liturgien hervorgebracht hat, gibt es auch eine orientalische Kirche, die wenigstens zwei Liturgien besitzt, die syrisch-orthodoxe. Diese Kirche kennt zwar heute nur noch eine einzige Liturgie, aber der Kodex add. 17241 des Britischen Museums aus dem 13. Jh. überliefert eine offensichtlich syrisch-orthodoxe Liturgie, die von der bisher allein bekannten Normalliturgie erheblich verschieden ist. Durch ihre ausgedehnten Psalterlesungen erweist sich diese Liturgie als monastisch — drei Psalterien des syrischen Skete-Klosters in der nordwestägyptischen Wüste, Paris Bibl. Nat. Syr. 178, Britisches Museum add. 14723 und 17221, sind erhalten geblieben und erlauben eine Rekonstruktion der Psalmenverteilung dieser Liturgie. Ich will diese Liturgie daher als „monastische syrisch-orthodoxe" Liturgie bezeichnen. Damit tritt das Syrisch-Orthodoxe direkt neben das Römische, das im Benediktinischen eine monastische Sonderliturgie besitzt. Die monastische syrisch-orthodoxe Liturgie ist für die Liturgiewissenschaft von der größten Bedeutung, da sie eine Mittelstellung zwischen der maronitischen und der säkularen syrisch-orthodoxen Liturgie einnimmt und so ein vertieftes Verständnis des Aufbaus und der Entstehung dieser Liturgien ermöglicht.

Gleiche Liturgien haben im allgemeinen auch die gleiche orientalisch-christliche liturgische Musik; zumindest haben sie ursprünglich dieselbe liturgische Musik besessen. So hat das Chaldäische die liturgischen Melodien des Assyrischen beibehalten, ebenso das Syrisch-Unierte und das Malankarische diejenigen des Syrisch-Orthodoxen. Ebenso hat das Slawische ursprünglich die byzantinischen Melodien benutzt. Da die syrischen Liturgien aber keine Notenschrift geschaffen haben, hat schon allein die in jeder rein mündlichen Melodieüberlieferung auftretende Bildung von Varianten eine Verschiedenheit der Melodien auch in gleichen Liturgien bewirkt. So sind etwa die Melodien der indischen syrisch-orthodoxen Liturgie erheblich verschieden von den entsprechenden vorderorientalischen Melodien, wenn auch der melodische Grundbestand noch deutlich ist, und das gleiche gilt von den malabarischen Melodien im Vergleich mit den assyrischen. Oft gingen auch ganze Melodien im Laufe der mündlichen Tradierung verloren. Im Syrisch-Orthodoxen sind in solchen Fällen dann neue Melodien geschaffen worden und werden auch heute noch komponiert. Im Chaldäischen benutzt man in solchen Fällen dagegen eine einheitliche, sehr einfache, allen Texten gemeinsame Melodie.

Während die Neukomposition von Melodien im Vorderen Orient nur in diesen Ausnahmefällen von Melodienverlust eintritt, haben die byzantinischen Liturgien eine reiche kompositorische Tätigkeit entfaltet. Dabei zeigen sich große Unterschiede in den einzelnen Liturgien: die russische Kirche etwa hat ihre liturgischen Weisen bis an den Beginn der Neuzeit noch geändert, dann die musikalische Tätigkeit aber auf die mehrstimmige Einkleidung des Chorals beschränkt, während die griechische Kirche auch heute noch neue musikalische Weisen für liturgische Texte schafft und das in einem solchen Umfang, daß ihr heute gebräuchliches Melodienrepertoire fast nur Schöpfungen enthält, die im 17. Jh. oder später entstanden sind oder häufig erst aus jüngster Zeit stammen.

Dabei hat die Freiheit des Neuschaffens sich von jeher nicht nur auf die melodische Erfindung beschränkt, sondern auch die Grundlagen des harmonischen Kirchentonartensystems erfaßt. In diesem Prozeß sind nicht nur Änderungen in der harmonikalen Struktur des liturgischen Gesanges eingetreten, sondern auch vollständig neue Harmoniesysteme entstanden, neben denen die älteren z. T. weiter bestehen blieben. So benutzt der russische Choral seine verschiedenen Harmoniesysteme nebeneinander und in der griechischen Kirchentonartenlehre besitzen die einzelnen Kirchentöne nicht nur ein einziges Schema wie im Lateinischen, sondern verfügen z. T. über deren mehrere. Aber der historische Umformungsprozeß der liturgischen Harmonik ist auch in umgekehrter Richtung erfolgt und hat nicht nur zur harmonischen Bereicherung eines Chorals geführt, sondern auch zu seiner harmonischen Verarmung. So besitzen der maronitische wie der assyrisch-chaldäische Choral zwar eine Harmonik, aber die Ordnung des Achttonartensystems ist nicht vorhanden bzw. nicht mehr vorhanden. Man kann sehr einfach erkennen, daß diese Ordnung einmal bestanden haben muß: beide Liturgien verwenden Dichtungen, die auch im Syrisch-Orthodoxen gebräuchlich sind, die *Qāle*, und in den mittelalterlichen Handschriften der syrisch-orthodoxen Liturgie sind diese Stücke nach dem System des Oktoёchos geordnet. Wollen beide Choraltraditionen ihre Harmonik heute beschreiben, so nehmen sie die arabische Tonartenlehre zu Hilfe. Das ist indessen nicht der geringste Beweis, daß die Harmonik dieser Choräle arabischen Ursprungs wäre; denn das Syrisch-Orthodoxe besitzt noch sein intaktes Achttonartensystem und hat auch gleichzeitig arabische Tonartennamen in Benutzung.

Die Elemente der orientalischen Liturgien sind dieselben, die auch den lateinischen Gottesdienst aufbauen: Gebete, Schriftlesungen und Hymnen.

Es sind die Bausteine nicht nur des christlichen Kultes, sondern überhaupt jeder religiösen Zeremonie; denn stets erbittet man etwas von dem göttlichen Wesen, lobt es und dankt ihm, und stets gibt es auch kanonische Schriften, die verlesen werden. Gebete und Schriftlesungen stellen dabei den Übergang von der Sprache zur Musik dar, da sie auch bei musikalischer Formulierung einen rezitativen Charakter beibehalten, der die syntaktische Gliederung des Textes zum Ausgangspunkt nimmt, — das eigentlich musikalische Element stellen die Hymnen dar. Die orientalischen Liturgien machen auch reichlichen Gebrauch von einer Gattung, die es heute im lateinischen Choral überhaupt nicht mehr gibt, die im Mittelalter aber noch in ihm enthalten war, der Kombination von Lesung und Hymnus, wobei beide Teile versweise miteinander abwechseln, dem sogenannten Tropus. Da auch das Gebet faktisch gelesen wird, ist seine musikalische Formulierung mit der der Schriftlesungen im Prinzip gleich, wenn diese etwa bei der Evangelienlesung auch eine höhere musikalische Faktur annehmen mag. So sind also Lesung, Hymnus und Tropus die drei Grundelemente des orientalischen Chorals.

Die liturgische Lesung kann im einfachsten Fall tatsächlich eine rein gesprochene Lesung sein. In dieser Form tritt sie im Byzantinischen besonders eindrucksvoll auf, wo es für diesen Zweck das eigene Amt des Lesers, des *Anagnōstēs*, gibt. Dieser liest aber nur Schriftlesungen — die dem Priester vorbehaltenen Gebete singt dieser. In anderen Liturgien, etwa im Assyrischen und im Chaldäischen, spricht auch der Priester seine Gebete. Auch Kombinationen sind hier gebräuchlich: der Priester beginnt singend, um sprechend fortzufahren, oder er beginnt sprechend, um, besonders eindrucksvoll, die letzte Phrase zu singen. Ähnlich werden stille Gebete im Byzantinischen mit gesungenem Schluß, der Ekphōnēsis, beendet. Wo das Amt des Lesers nicht existiert, versieht der Diakon oder Subdiakon oder sogar ein Chormitglied den Dienst des Schriftlesens, vor allem des Lesens der Epistel, während das Evangelium fast immer für den Priester reserviert ist.

Auch der Chor der Mönche macht in den verschiedenen Riten Gebrauch vom reinen Sprechen, insbesondere um mit den gesprochenen Psalmenlesungen der kanonischen Stunden schneller auszukommen. Üblicherweise ist der Chor dabei in zwei Halbchöre zur rechten und linken Seite des Chorraumes geteilt, die sich im Vortrag der Psalmverse oder der Psalmvershälften abwechseln. Dieser vers- oder halbversweise alternierende Vortrag soll hier nur als „Wechselgesang" bezeichnet werden und der Ausdruck „Antiphonie" der speziellen Art des Wechselgesanges vorbehalten bleiben, die auch eine Antiphon besitzt. Hier wird dann schon oft der erste Schritt zur musikalischen Gestaltung getan: wie von selbst konsolidiert sich im Chor die beim Sprechen wechselnde Tonhöhe auf einer gemeinsamen Tonebene, dem *recto tono* der lateinischen Kirche. Oft setzt hier schon der Beginn der Mehrstimmigkeit ein, wenn sich die Chormitglieder der verschiedenen Stimmlage entsprechend auf zwei Tonhöhen sammeln, die dann meist in den konsonanten Verhältnissen von Quarte oder Quinte stehen. Dies ist der Weg, der zum frühmittelalterlichen Parallelgesang der lateinischen Kirche, dem

Organum, führt. In den syrischen Kirchen aller Riten ist dieses Parallelrezitieren häufig geübt und nicht nur Mönchs- und Seminarchöre gebrauchen es, sondern auch die Gemeinde etwa bei dem Aufsagen des Credo. Im Byzantinischen scheint sich diese Praxis nicht zu finden — hier singen die tieferen Chormitglieder auf der Tonika den Bordun des *Ison*.

Die entwickeltere Ausführung der Lesungen macht bereits von einer stärkeren Musikalisierung Gebrauch: die Satzanfänge, -untergliederungen und -enden werden durch stilisierte musikalische Formeln gekennzeichnet. Eine den lateinischen Orations- und Lektionstönen ähnliche Praxis wird in der byzantinischen Kirche benutzt. Zugleich tritt der fundamentale Unterschied zur lateinischen Kirche sichtbar hervor: in der lateinischen Kirche sind die Kadenzformeln der Orations- und Lektionstöne schon seit dem Mittelalter festgelegt, wenn auch eine Mehrzahl von Formen besteht, zwischen denen z. T. gewählt werden kann; in der byzantinischen Kirche erben sich die Formeln vom Lehrer auf den Schüler in mündlicher Tradierung fort, wobei jede individuelle Handhabung möglich ist und entsprechend große Unterschiede zwischen den verschiedenen Sängern selbst innerhalb einer einzigen Gemeinde vorhanden sind.

Eine noch höhere musikalische Freiheit im Vortrag der Gebete und Lesungen, in den kanonischen Stunden wie in der Messe, gestatten die syrischen Liturgien ihren Diakonen und Priestern. Gewiß spielt auch hier die Übertragung vom Lehrer auf den Schüler eine Rolle und ein Diakon lernt die Handhabung des liturgischen Rezitativs meist von seinem Vater, so daß auch hier eine gewisse Stabilität der Tradition erreicht wird. Aber der Vortrag ist nicht an bestimmte Formeln gebunden, sondern kann sich bis zu vollkommen freier melodischer Improvisation erheben. Häufig wird in der Messe in diesen Liturgien, vor allem im Maronitischen und Syrisch-Antiochenischen, aber ebenso oft im Byzantinischen, auch die (geringe) Partie des Chores noch dem Diakon übertragen, so daß die ganze Messe dann ein frei improvisiertes Duett zwischen Priester und Diakon wird.

In großen Kathedralen, wo mehrere Priester und Diakone zur Verfügung stehen, wie etwa am Sitz des syrisch-orthodoxen Patriarchen in Damaskus, werden die Meßgebete, die dem Diakon zufallen, unter die Priester und Diakone verteilt, während die Partie des Priesters ungeteilt dem einen Zelebranten verbleibt. Dabei können lange Gebete sogar unterteilt von den sich ablösenden Diakonen vorgetragen werden. Ist der Patriarch anwesend, so intoniert er von seinem Thron aus nur einige besonders wichtige Stücke, Trisagion u. a. (sofern er nicht, wie aber nur an den höchsten Feiertagen, selbst zelebriert). Während der Chor neuere volkstümliche Weisen singt, sind die Partien der Priester und Diakone auch hier frei improvisiert und im Zusammenwirken aller dieser Kräfte entsteht schon rein ästhetisch ein Kunstwerk von einer Schönheit, wie sie nicht vollendeter gedacht werden kann — von den religiösen und ethischen Momenten ganz zu schweigen.

Die Praxis der Improvisation wird in den syrischen Liturgien auch beim chorischen Lesen der Psalmen angewandt. Beim chorischen Improvisieren steht jedem Mönch frei, die Psalmen zu lesen, auf einer festen Tonhöhe zu rezitieren oder frei melodisch zu improvisieren. Bei der freien Improvisation ist die einzige Bedingung, daß alle Improvisierenden sich auf eine Tonart einigen und in dieser verbleiben. Es improvisieren dementsprechend nur die in der Musik Erfahrenen. Die so entstehende Polyphonie kann man recht gut mit dem mittelalterlichen Gegenbewegungsorganum bzw. -diskantus vergleichen. Diese einfacheren Arten des Psalmenwechselgesangs können auch anstelle der gesungenen antiphonalen Psalmodie zwecks Verkürzung der Dauer des Stundenoffiziums eintreten, doch sind sie in erster Linie bestimmt für die fortlaufende gesprochene Psalterlesung.

Die fortlaufende Lesung des ganzen Psalters findet ihren Platz vor allem im Nachtgottesdienst der monastischen Liturgien, doch können einerseits auch andere Stunden in sie einbezogen werden; andererseits benutzen auch säkulare Liturgien monastische Bräuche. Die Dauer der abschnittsweisen Lesung des ganzen Psalters schwankt dabei zwischen einem Tag und zwei Wochen. Je konzentrierter die Lesung ist, um so mehr Horen nehmen an ihr teil. Nicht alle Liturgien geben der fortlaufenden Psalterlesung einen eigenen Platz; wo sie, wie im Byzantinischen zum Teil, keinen solchen besitzt, tritt sie hinter die erste antiphonale Psalmengruppe.

Das Armenische und Byzantinische benutzen für die Psalmen die gleiche Zählung wie die Vulgata. Für die syrischen Liturgien verwende ich die davon abweichende syrische Zählung. Es ist syrisch Ps. 1—8 gleich *Vulgata* Ps. 1—8, syrisch Ps. 9/10 gleich *Vulgata* Ps. 9, syrisch Ps. 11—114 gleich *Vulgata* Ps. 10—113, syrisch Ps. 115 gleich *Vulgata* Ps. 114/115, syrisch Ps. 116—150 gleich *Vulgata* Ps. 116—150. In einem Tag lesen nur das monastische Maronitische und das monastische Syrisch-Orthodoxe den ganzen Psalter. Vom Maronitischen ist (bisher) keine eigene monastische Liturgie bekannt — die Klöster dürften also wohl die säkulare Liturgie benutzt und nur die Psalterlesung an geeigneter Stelle eingeschoben haben. Die Verteilung der Psalmen auf die einzelnen Tages- und Nachtstunden ist nur noch handschriftlich erhalten: Laudes Ps. 1–36, Terz Ps. 37–49, Sext Ps. 45–67, Non Ps. 68–82, Vesper Ps. 83–103, Komplet Ps. 104–107, Nokturnen Ps. 108–150 [und Cantica] (Einzelaufteilung und handschriftliche Quellen hier wie im folgenden in den Einzelabschnitten). Das monastische Syrisch-Orthodoxe verteilt die Psalmen in folgender Weise:

Laudes	Ps. 1–6, 8, 11–13, 15, 16, 19, 27, 142
Terz	20, 23–26, 29, 30, 34, 41, 43, 46, 47
Sext	54, 57, 61, 65, 55, 48, 84–87, 91, 93
Non	96–103, 110–113, 115
Vesper	35, 38–40, 31, 48, 59, 71, 28, 116, 117
Komplet	—
1. Nokturn	118
2. Nokturn	119–130
3. Nokturn	17, 86, 131, 136, 137, 139, 144–147
	Cantica des Mose und des Jesaias

Daß Psalmen übergangen wurden, erklärt sich wie im Lateinischen daraus, daß die hier fehlenden Psalmen schon an anderen Stellen als typische Psalmen, z. B. Ps. 140/141 als Abendpsalm, auftreten. Das Assyrische liest den ganzen Psalter in drei Tagen im Nachtgottesdienst: Montag Ps. 1–58, Dienstag Ps. 59–101, Mittwoch Ps. 102–150 und Cantica, sodann wieder Donnerstag bis Samstag wie Montag bis Mittwoch. Das Chaldäische verteilt den Psalter dagegen auf eine Woche: Montag Ps. 1–30, Dienstag Ps. 31–49, Mittwoch Ps. 50–70, Donnerstag Ps. 71–81, Ps. 102–105 (die Lücke erklärt sich aus dem Vorkommen dieser Psalmen an Sonntagen), Freitag Ps. 106–130, Samstag Ps. 131–150 und Cantica. Wieder abweichend braucht das Malabarische zwei Wochen für die Lesung des Psalters, wobei auch die Sonntage mit einbezogen werden: 1. Woche ab Sonntag: Ps. 1–21, 22–32, 33–40, 41–52, 53–64, 65–72, 73–81; 2. Woche ab Sonntag: Ps. 82–92, 93–103, 104–108, 109–118 K, 118 L–134, 135–148, 149/150/Cantica. Im Byzantinischen wird (als Beispiel die Praxis des Klosters Grottaferrata bei Rom nach freundlicher Erläuterung durch P. Bartolomeo di Salvo) der Psalter in den verschiedenen Zeiten des Kirchenjahres verschieden verteilt. Die Normalverteilung auf eine Woche in der Quadragesima sieht so aus:

Samstag:	Abend Kathisma 1
Sonntag:	—
Montag:	Morgen Kath. 2/ 3, Sext Kath. 4, Abend Kath. 5
Dienstag:	Morgen Kath. 6/ 7, Sext Kath. 8, Abend Kath. 9
Mittwoch:	Morgen Kath. 10/11, Sext Kath. 12, Abend Kath. 18
Donnerstag:	Morgen Kath. 13/14, Sext Kath. 15, Abend Kath. 16
Freitag:	Morgen Kath. 19, Sext Kath. 20, Abend Kath. 18
Samstag:	Morgen Kath. 17 (= Ps. 118), Sext —

Das Kathisma 18 (Gradualpsalmen) erscheint mittwochs und freitags wegen der dann stattfindenden Liturgie der vorgeweihten Gaben. In der Sext wird das Kathisma an die Dreiergruppe der festen Psalmen angehängt. In der Karwoche liest man den Psalter zweimal, so daß weitere Stunden beteiligt werden müssen, wobei es verschiedene Traditionen gibt. Andererseits wird in der Osterzeit wegen der vielen Feste die Psalmlesung auf zwei Wochen ausgedehnt. Zur Verkürzung liest man von den Kathismata (auch im Slawischen) oft nur einen einzigen Psalm.

Die fortlaufende Psalterlesung befand sich auch in der armenischen Nachtstunde. Doch ist sie hier so gekürzt worden, daß jeweils nur die letzten Psalmen oder der letzte Psalm als „Termination" übrig blieben. Die Lesung verteilt sich auf acht Tage entsprechend den acht Kirchentönen, die im Armenischen täglich wechseln, wobei der 8. Ton (siehe unten) beginnt. Die verbleibenden Psalmen sind: 8. Ton (= 4. plagaler) Ps. 17, 1. Ton Ps. 34/35, 2. Ton (= 1. plagaler usf.) Ps. 52–54, 3. Ton Ps. 70/71, 4. Ton Ps. 88, 5. Ton Ps. 105, 6. Ton Ps. 118, Abschnitte ʿ und T, 7. Ton Ps. 145–147.

Das Assyrische und Chaldäische hat neben der fortlaufenden Lesung in der Nokturn noch eine zweite fortlaufende Lesung in der Vesper besessen. Diese ist in ähnlicher Weise wie die nächtliche Lesung des Armenischen gekürzt worden. Die übriggebliebenen Terminationen sind: Montag Ps. 11–17, Dienstag Ps. 25–30, Mittwoch Ps. 62–67, Donnerstag Ps. 96–101, Freitag Ps. 85–88, und Samstag Ps. 144–150. Die Einschnitte bei Ps. 17 und bei Ps. 88 stimmen also mit dem Armenischen überein. Diese doppelte Psalterlesung in Nachtstunden und Vesper macht uns die römische und mailändische Praxis einigermaßen verständlich — diese verteilt in so merkwürdiger Weise die Psalmen 1–108 auf die Nachtstunden, wobei das Römische die Psalterlesung über eine Woche, mit Sonntag beginnend, ausdehnt, das Ambrosianische dagegen auf die Wochentage zweier Wochen, die Psalmen 109–147 auf die Vespern, von Sonntag bis Samstag in beiden Liturgien: es wären im Lateinischen zwei ursprünglich vorhanden gewesene Psalterlesungen in eine zusammen gezogen worden, wobei man dem Umfang der Stunden entsprechend den Nokturnen die ersten zwei Drittel, der Vesper das letzte Drittel des Psalters belassen hätte. Das Benediktinische verteilt Ps. 1–19 auf die Primen von

Montag bis Samstag, dann wie im Römischen die Ps. 20–108 auf die Nokturnen, 119–147 auf die Vespern von Sonntag bis Samstag. In der Einbeziehung einer kleinen Tagesstunde schließt sich das Benediktinische den monastischen syrischen und byzantinischen Praktiken an. In den drei lateinischen Liturgien fehlen ähnlich wie im monastischen Syrisch-Orthodoxen in den Nachtstunden jeweils die Psalmen, die in den Laudes und in den kleinen Tagesstunden stehen, wodurch die Psalmen dieser Stunden eine bevorrechtete Stellung erhalten – die fortlaufende Lesung muß sich sozusagen mit dem von diesen Stunden übriggebliebenen Rest begnügen. Die Erklärung dieses Verfahrens ergibt sich aus der Praxis der festen Psalmgruppen.

Der fortlaufenden Lesung des ganzen Psalters steht gegenüber der andere Gebrauch, für die einzelnen Stunden für sie charakteristische Psalmen auszuwählen. Meist treten mehrere solche typische Psalmen zu charakteristischen Psalmgruppen zusammen. So steht Ps. 140 in fast allen Liturgien in der Vesper, da sein 2. Vers vom Weihrauch des Abendopfers spricht, und er zieht fast immer Ps. 141 hinter sich her.

Die verschiedenen Liturgien benutzen im einzelnen folgende charakteristische Psalmen: in der Vesper verwenden das Assyrische Ps. 140/141/118 N/116, das Maronitische Ps. 51 und dieselbe Ps.-140-Gruppe, das monastische Syrisch-Orthodoxe Ps. 86 und die Ps.-140-Gruppe, das säkulare Syrisch-Orthodoxe sonntags Ps. 68 und 51, täglich die Ps.-140-Gruppe, das Armenische Ps. 85 (= syr. 86), Ps. 139/140/141, Ps. 120 und Ps. 90/122/53, das Byzantinische Ps. 103 und die leicht geänderte Ps.-140-Gruppe in der Form 140/141/129/116. In der Komplet stehen im Maronitischen und im monastischen Syrischen Ps. 91, im säkularen Syrischen Ps. 4, Ps. 91 und Ps. 120, in der armenischen Friedensstunde Ps. 33/119/87, Ps. 4/6/12/15/16/42/69/85 und Ps. 26, in der Quadragesima Ps. 118, in der armenischen Komplet Abschnitte aus Ps. 118, sodann Ps. 35/90/122/53/150/137/141/85 und Ps. 4, im byzantinischen Kleinen Apodeipnon Ps. 50/69/142, im Großen Apodeipnon Ps. 4/6/12/24/30/90, Ps. 50/101 und Ps. 69/142/150. Das griechische Mesonyktikon besitzt Ps. 50/118 und Ps. 120/133. Nokturnen und Laudes faßt man am besten zu einer Einheit zusammen. In diesem Nacht-Morgengottesdienst finden sich dann im Assyrisch-Chaldäischen Ps. 100/91/104/113/93, Ps. 148/149/150 und Ps. 51, im Maronitischen Ps. 133/86, Ps. 148/141/150, Ps. 63 und nochmal Ps. 148/149/150, im Syrischen Ps. 133/118 T/116, Ps. 148/149/150, Ps. 51/100/113 und nochmal Ps. 148/149/150, im Armenischen Ps. 3/87/112/142, Ps. 50, Ps. 148/149/150 und Ps. 112, im byzantinischen Orthros Ps. 3/37/62/87/102/142, Ps. 50 und Ps. 148/149/150. Die maronitischen kleinen Stunden Terz, Sext und Non kennen nur Ps. 116; für dieselben Stunden benutzt das Armenische Ps. 50, 67, 22/142 bzw. Ps. 50, Ps. 78, Ps. 40/90 bzw. Ps. 50, 114/115/116, das Byzantinische Ps. 16/24/50 bzw. Ps. 53/54/90 bzw. Ps. 83/84/85, das Byzantinische für die entsprechenden Mesorien Ps. 29/31/60 bzw. Ps. 55/56/69 bzw. Ps. 112/137/139. Das Syrische besitzt in den kleinen Stunden keine typische Psalmgruppe und da das säkulare Syrische im Gegensatz zum monastischen auch keine fortlaufende Psalmlesung hat, tritt hier der seltsame Fall ein, daß diese Gottesdienste überhaupt keinen Psalmengesang kennen. Die Prim existiert in den orientalischen Liturgien nur im Byzantinischen. Sie verwendet hier Ps. 5/89/100, das Mesorion Ps. 45/91/92. Zu den Psalmen treten die Cantica, wie man aus den folgenden Einzelabschnitten ersehen möge. Überblickt man die in den Stunden auftretenden Psalmen, so stellt man leicht die universeller verwendeten von ihnen fest (in der Zählung der Vulgata, die syrische Zählung in Klammern): Ps. 50 (51), Ps. 148–149–150 (die Laudate-Psalmen, daher der Name Laudes für den Morgengottesdienst), mit Abstand nach diesen Ps. 85 (86), Ps. 90 (91), Ps. 4, Ps. 118, Ps. 133 in den Nacht- und Tagesstunden, Ps. 140/141/116 in der Vesper. Dazu kommen die Beziehungen zwischen den einzelnen Liturgien, die leicht zu ersehen sind.

Von den festen Psalmen leitet sich eine besondere psalmodische Form ab, die nicht ganze Psalmen, sondern nur eine Psalmversgruppe umfaßt. Sehr gerne, aber durchaus nicht immer, sind es die ersten Verse eines Psalms und danach heißt diese Form im Assyrisch-Chaldäischen „Šurāiā" (= „Anfang"). Die Anzahl der Psalmverse, die einen Šurāiā bilden, wechselt sehr stark und schwankt normalerweise zwischen drei und acht Versen, wobei am häufigsten vier Verse zur Gruppe zusammengefaßt werden. Eine Ausnahme machen die Šurāie dramšā, die einmal nur zwei Verse besitzen, achtmal aber zwei Abschnitte von Ps. 118 bringen, d. h. 16 Verse. Im Syrisch-Orthodoxen und -Antiochenischen heißt die Form „Quqaliiāon" und umfaßt immer 4 Verse. Im Armenischen werden sehr verschiedene Mengen von Psalmversen zusammengefaßt, die oft sogar aus verschiedenen Psalmen stammen – offenbar liegt hier keine engere Verwandschaft mit den Psalmversgruppen der anderen Liturgien vor. Im Byzantinischen heißt die Form „Antiphōnon" und damit zeigt sich ihr bedeutungsvoller Zusammenhang mit der antiphonalen Psalmodie. In der Messe verbindet das Byzantinische drei Antiphona: das dritte Antiphōnon umfaßt drei Verse, das erste und zweite an Sonntagen drei, an Festen vier Verse, und beide fügen das kleine Gloria hinzu. Daß gerade drei Antiphōna zusammentreten, kann man vielleicht mit der Aneinanderreihung dreier Psalmen in den kleinen Stunden und den Mittelstunden der byzantinischen (und lateinischen) Liturgie vergleichen.

Überblickt man die in den verschiedenen Liturgien in den Psalmversgruppen zusammengefaßten Psalmverse, so stellt man fest, daß es auch hier bevorzugte Psalmen gibt, aus denen sie entnommen werden. Beschränken wir uns zunächst auf die Šurāie des Wochenbreviers, so benutzt das Assyrische für die Šurāie vor bzw. nach der Psalmgruppe 140/141/118 N/116 in der Woche, in der der 1. Chor führt, die Psalmen 12/15, 17/21, 23/24, 25/28, 75/82, 95/138 (für das „mittlere" Freitagsformular) und 30/54, in der Woche des führenden 2. Chors die Psalmen 42/122, 67/70, 72/101, 118o/118ᵉ, 144, 123/124. Die Ordnung beider Reihen ist also im großen und ganzen eine numerische, von der der Samstag merkwürdig zurückfällt. Die Šurāie dramšā stammen vor allem aus Ps. 118, sodann aus Ps. 31, 45 und 115. Die Šurāie des Sonntags kommen aus Ps. 47/48, 65/66, 89, 93/148, 125/126, 49/129 und 136/137. Hier ist noch regelmäßiger als an den Wochentagen der Šurāiā nach Ps. 140 der auf den Psalm des Šurāiā vor Ps. 140 folgende Psalm. Im Syrisch-Orthodoxen bzw. -Antiochenischen nehmen die Quqaliia der Vespern der Wochentage ihre Psalmverse aus Ps. 32, 113, 45, 102, 44, 103, die der Laudes aus Ps. 5, 37, 45, 27 (oder 25), 44 und 131. Damit findet man den Weg auch zu den Stücken des Maronitischen, die den Šurāie bzw. Quqaliia entsprechen: es sind die Psalmen vor dem Räucherungsgebet. Sie kommen aus Ps. 45, 44, 88, 131 und 44. Diese Psalmen sind im Maronitischen aber tropiert und nicht mehr reine Psalmlesungen. Die Meßantiphōna des Byzantinischen sind aus Ps. 91 (92), 92 (93) und 94 (95) genommen, deren beide letzte sich auch im Assyrisch-Chaldäischen finden. Unter den Antiphōna der Feste begegnet man Ps. 44 (45), 65 (66), 71 (72), 114 (115) aus dem Assyrischen, Ps. 131 aus dem Syrischen und Maronitischen. In den armenischen Terminationen des Nachtgottesdienstes steht Ps. 88 (89) aus den assyrischen Sonntagsšurāie, was vielleicht kein Zufall ist.

Von der reinen Psalmlesung im Wechsel der Halbchöre unterscheidet sich die antiphonale Psalmodie dadurch, daß sie mit den vorzutragenden Psalmen Antiphonen verbindet. Es handelt sich also um einen reinen Formbegriff, auch wenn der Oberbegriff der halbchörigen Psalmodie durch die musikalische Vortragsart mitbestimmt ist. Im Lateinischen setzt man der antiphonalen Antiphonie den *Psalmus in directum* oder — in der Regel Benedicts — *decantatum* (cap. 9, 3) gegenüber; aber auch das ist zweideutig, da damit nicht jeder gesprochene oder rezitierte Psalm ohne Antiphon gemeint ist, sondern zugleich eine — besonders einfache — Art des liturgischen Rezitativs verlangt wird. Der rein formalen Bestimmung der antiphonalen Psalmodie entsprechend, findet man sie tatsächlich dann auch bei allen verschiedenen Vortragsarten der halbchörigen Psalmodie, bei der gesprochenen, bei der auf einem Ton rezitierten und bei der nach Satzakzenten gesungenen, und ebenso trifft man sie sowohl bei ganzen Psalmen wie auch bei Psalmversgruppen — ja es kann eine einzige Antiphon auch eine ganze Gruppe von Psalmen, zwei, drei oder vier, umschließen. Freilich hat die antiphonale Psalmodie, da die Antiphon ein gesungenes Stück ist, eine besondere Affinität zur gesungenen Psalmodie. Doch kann man eine antiphonale Psalmodie auch sprechen oder auf einem Ton rezitieren. In diesem Fall kann man auch die Antiphon sprechen oder rezitieren, oder aber — um ein gesungenes Stück nicht zu deklassieren — sie besser weglassen. So bestimmt die Regel Benedicts (cap. 9, 3 bzw. 17, 6) für das Invitatorium der Nacht wie für die Psalmen der kleinen Stunden in sehr feinsinniger Weise, daß sie entweder *cum antiphonis* oder *in directum* gesungen werden können — das heißt, daß beim Vortrag in directum die Antiphonen wegfallen. Umgekehrt kann man dem musikalischen Charakter der antiphonalen Psalmodie entsprechend folgern, daß da, wo man gesprochene oder rezitierte antiphonale Psalmodie antrifft, diese ursprünglich gesungen wurde und die vereinfachte Vortragsart die originale erst später abgelöst hat. So werden die Šurāie im Malabarischen gesprochen, aber im Chaldäischen noch gesungen — und letzteres dürfte daher wohl das ältere sein. Und wenn weiter die *Šurāie* im Assyrisch-Chaldäischen heute mehr oder weniger frei improvisiert werden, während die Quqaliia des Syrisch-Orthodoxen nach strengen Formeln in den acht Kirchentönen gesungen werden, darf man nach dem bekannten philologischen Prinzip, daß die schwierigere Lesart die originalere ist, vielleicht wieder schließen, daß diese syrisch-orthodoxe Form die ursprüngliche ist.

In der einfacheren Form ist die Antiphon nur ein ein-, zwei- oder dreimaliges Halleluia mit mehr syllabischer Melodik, in der entwickelteren Form bringt sie einen kürzeren oder längeren Text mit großräumiger Melodik und oft — vor allem bei den Cantica — mit eingefügten ausgeprägten Melismen. In der zweiten Form lassen sich wieder drei Unterarten unterscheiden: In der ersten — und ältesten — Form ist der Text der Antiphon dem Psalm, zu dem sie gehört, entnommen — meist ist es ein Teil des 1. oder 2. Verses, aber auch oft eines späteren Verses. In der zweiten Unterart stammt der Text aus einem anderen Buch der Bibel, oft dem Propheten Jesaias, an den Herrenfesten den Evangelien. In der dritten Unterart ist der Text frei gedichtet. Wie etwa bei der Entwicklung der Alleluiaverse darf man auch hier schließen, daß die zweite Gruppe später als die erste und die dritte später als die zweite ist. Wie im Lateinischen, wo etwa in der benediktinischen Liturgie in der 1. Nokturn Antiphonen, in der 2. Nokturn Halleluia stehen, an Festen jeder Psalm seine eigene Antiphon hat, an Sonntagen in den Nokturnen je zwei Psalmen unter einer Antiphon stehen, in den kleinen Stunden eine einzige Antiphon alle drei Psalmen umschließt, wird auch im Orient die Verwendung der verschiedenen antiphonalen Typen mit dem feinsten musikalischen wie liturgischen Sinn gehandhabt.

In ihrer Vereinigung von melodischer Antiphon und rezitiertem Psalm ist die antiphonale Psalmodie schon eine Wegbereiterin des Tropus. Was sie von diesem prinzipiell unterscheidet, ist, daß sie den ganzen Psalm nur mit einem einzigen melodischen Gebilde versieht, während der Tropus allen Versen des Psalms oder doch wenigstens mehreren ein solches und zwar jeweils verschiedenes hinzufügt. Zugleich zeigt die oben entwickelte Typologie der antiphonalen Psalmodie die allmähliche Entstehung und Ausbildung des tropierenden Prinzips: ein Halleluia ist zuerst nur ein Ausruf, ein aus dem Psalm selbst stammender Vers ist lediglich eine Textverdoppelung (wie es zu ihr kommt, wird gleich entwickelt), erst beim Übergang auf andere Bibelstellen und noch mehr auf frei gedichtete Texte tritt die Verselbständigung der Antiphon zu einem psalmfremden Element ein. Erhält jeder Vers seinen eigenen Zusatz, so sind wir beim Tropus angelangt.

Bei der Gattung der Halleluia-Antiphonie gibt es eine Fülle von Möglichkeiten der Kombination von Halleluia und Psalm. Zudem kann man jeden Vers des Psalms mit Halleluia versehen oder nur einige ausgewählte, vor allem den ersten und den letzten Vers.

So hängen die armenischen Terminationen im jeweils ersten Psalm Halleluia an die erste und die zweite Hälfte jedes Verses, im zweiten Psalm doppeltes Halleluia an den ersten und den letzten Vers. Einfaches oder doppeltes Halleluia setzen die Quqaliia an das Ende der ersten Hälfte jedes Verses. Das Syrisch-Orthodoxe bzw. -Antiochenische kennt an Sonntagen auch die Praxis, ganze Psalmen in der Mitte jedes Verses mit ein- oder zweifachem Halleluia zu erweitern. Dies Verfahren sieht man als so charakteristisch für die *Quqaliia* an, daß man bei ganzen Psalmen das gleiche Verfahren als eine Übertragung der *Quqaliia*-Praxis betrachtet und den so erweiterten Psalm einen „*Psalm im Quqaliiāon*" nennt und davon spricht, daß er „*im Quqaliiāon gesungen*" wird. Dreifaches Halleluia schieben die assyrisch-chaldäischen Morgenpsalmen in der Mitte jedes Verses ein; aber in den späteren Versen des Psalms nimmt man nur noch doppeltes, sodann nur einfaches Halleluia, um gegen Ende wieder auf das dreifache Halleluia der Anfangsverse zurückzukommen. Im Maronitischen kennt man nicht nur die Anhängung von Halleluia, sondern auch seine Voransetzung.

Die Verwendung von Halleluia und erstem Psalmvers zu gleicher Zeit zeigt das Assyrische vor *Šurāie* und Psalmen. Die Voransetzung des ersten Psalmverses stellt einen direkten Zusammenhang zwischen der syrischen und der lateinischen Psalmodie her. Freilich ist die Vortragspraxis verschieden: im Assyrischen intoniert der Priester oder der Vorsänger der betreffenden Chorhälfte *Šurāiā* oder Psalm, indem er die 1. Hälfte des 1. Psalmverses singt und dreifaches Halleluia anhängt, worauf seine Chorhälfte nochmals diesen Halbvers wiederholt und nun der regelmäßige Wechsel der Chorhälften den Vershälften entsprechend einsetzt. Das Verfahren erklärt zugleich, warum im Lateinischen so oft nur halbe Psalmverse als Antiphon dienen. An die den Psalm beendende kleine Doxologie wird nochmals dreifaches Halleluia angehängt.

Wird anstelle des Halleluia ein Vers eines anderen Psalmes oder eines anderen Bibelbuches oder ein frei gedichteter Vers verwandt, so heißt diese Form im Assyrisch-Chaldäischen *Qānonā*, aus griechisch Kanon.

Der Führer der Chorhälfte, die nach der Vorschrift beginnt, singt dann also die 1. Hälfte des 1. Psalmverses (etwa am Beginn der Ps.-140-Gruppe) und schließt ohne Pause den Qānonā an, worauf seine Chorhälfte mit der Wiederholung der 1. Hälfte des 1. Verses das Wechselspiel der Antiphonie beginnt. Am Ende des Psalms steht wie üblich die kleine Doxologie; auf sie folgt, wieder vom Halbchorführer gesungen, eine Wiederholung der 1. Hälfte des 1. Psalmverses (dieses wieder in vollständiger Übereinstimmung mit der lateinischen Praxis der Wiederholung der Antiphon nach dem *Gloria-Sicut erat*) und des *Qānonā*. Die Wiederholung des 1. Psalmverses kann auch unterbleiben, so daß der Psalm dann glatt durchläuft. Diese Psalmodie kann improvisiert oder mehr oder weniger einfach rezitiert werden. Das Assyrisch-Chaldäische kennt aber darüber hinaus auch eine Form dieser Antiphonie, in der der Qānonā eine echte Melodie bringt und nun alle Verse des dazugehörigen Psalms auf diese Melodie gesungen werden. Es ist dies das Verfahren der Qaltā des Sonntagsnachtgottesdienstes. Die Psalmverse selbst sind durch dreifaches, z. T. einfaches Halleluia erweitert.

Noch wieder anders verfahren die byzantinischen Antiphōna. Sie sind zwar durch einen dem assyrischen Qānonā ähnlichen Stichos erweitert, setzen diesen aber nicht voran, sondern lassen ihn auf jeden Psalmvers und auf die abschließende kleine Doxologie folgen — das ist eher die Technik des Refrains.

Innerhalb aller antiphonalen Psalmodien nimmt die lateinische antiphonale Psalmodie die höchste Stellung dadurch ein, daß sie ebenso wie im Assyrisch-Chaldäischen auf die fortlaufende Psalterlesung angewandt ist, die Antiphonen der fortlaufenden Psalterlesung aber nach Art der assyrischen Qaltā zu vollmelodischen Gebilden entwickelt hat. In beidem aber ist sie nur eine Vervollkommnung des Assyrischen.

Die responsoriale Psalmodie unterscheidet sich von der antiphonalen in erster Linie durch den solistischen Vortrag der Psalmverse, in zweiter Linie im Lateinischen auch durch die kunstvollere Faktur der melodischen Form. Für das Responsorium selbst, seine Herkunft aus dem Psalm usf., gelten dieselben Erwägungen wie für die Antiphonie.

Im Lateinischen schließt sich das Responsorium stets an eine Lectio an; nur das Alleluia, das dem Evangelium vorangeht, macht eine Ausnahme. Das Responsorium begleitet nur höherwertige Lesungen, aus den Propheten, dem Neuen Testament, und *Sermones* über solche Texte — keine Psalmen, denn es ist ja selbst eine Psalmodie, wenn auch eine verkürzte. Während das Lateinische die Lesungen in den meisten Stunden nur zum *Capitulum* verkürzt hat, sind sie im Orient im allgemeinen ganz weggefallen und nur in Vesper, Nokturn, Laudes und Messe erhalten geblieben — und das gilt auch nur an Sonntagen. Im Byzantinischen ist in der Vesper die Lesung ebenfalls weggefallen, aber das Responsorium erhalten geblieben. Es ist ein prinzipielles Charakteristikum der orientalischen Liturgien, daß sie das Responsorium stets der Lesung vorausschicken; entprechend heißt das Responsorium im Byzantinischen deshalb *Prokeimenon*. Während man in den mittelalterlichen Handschriften noch die Melodien des Prokeimenons findet, wird es heute nur noch gesprochen. Im Syrisch-Orthodoxen wird umgekehrt das Meßhalleluia ganz vom Chor gesungen. Die Ausbildung der responsorialen Psalmodie oder zumindest ihre Bewahrung ist also ein Verdienst der westlichen Liturgien.

Der Hymnus ist wie in den westlichen Liturgien auch in den östlichen Liturgien ein konstituierendes Element. Der Lobpreisungshymnus der *Tešboḥtā* läßt sich etwa mit dem lateinischen Tedeum vergleichen. Strophische Form hat der nur dem Orientalischen eigene Gebetshymnus, die *Bā'utā*. Sehr gern wird der Hymnus mit einem Refrain, *'Unāiā*, ausgestattet, so in seiner höchststehenden Form, dem *Madrāšā* Ephrems. Auch die *Bā'utā* kann Refrain aufnehmen. Man erkennt, daß sie mit der Litanei in Beziehung tritt, die ja auch eine Reihe von (freilich Prosa-) Bitten ist, die mit einem Refrain beantwortet werden. Die *Sogītā* führt andererseits mehrere redende Personen ein und leitet damit zum mittelalterlichen Drama über.

Die neben den *Madrāše* Ephrems berühmtesten Hymnen sind die *Ma'niātā* des Oktoëchos des Severus von Antiochien (Patriarch von Antiochien von 512 bis 518). Eine liturgische Verwendung war bisher nicht für sie bekannt; doch zeigt uns die Handschrift add. 17 241 des Brit. Mus. ihren Platz in der monastischen syrisch-orthodoxen Liturgie. Diese Liturgie erhält damit einen besonders ehrwürdigen Charakter.

Eine in allen orientalischen Liturgien wichtige Form ist der mit *Qānonā* versehene Hymnus. Hier verwischt sich die Grenze zum Tropus und tatsächlich werden im Syrisch-Orthodoxen Melodien von Tropen (*'Eniāne*) auch für mit Versen versehene Hymnen (*Qāle*) benutzt.

Der Vers, im Syrisch-Orthodoxen als *Petgāmā* bezeichnet, im Byzantinischen als *Stichos*, geht der Hymnenstrophe immer voraus. Als vorletzter und letzter Vers erscheinen stets Gloria und Sicut erat, das Assyrische und das Maronitische haben hinter Gloria und Sicut erat oft noch einen 3. Schlußvers, das Assyrische das Nemar (Deut. 27,16), das Maronitische das *Niāhā* (für die Toten). Der *Gloria*-Strophe gehen in der assyrischen *'Onītā* 2 Strophen voraus, deren Verse oft aus verschiedenen Psalmen genommen sind. Dies kann man als prinzipiellen Unterschied zum Tropus ansehen, der einen fortlaufenden Psalm mit Einschüben versieht. Die 1. Strophe wird oft zweimal gesungen, jedesmal mit verschiedenem Vers. Das armenische und das byzantinische Troparion schicken der *Gloria*- und *Sicut-erat*-Strophe nur eine Strophe voraus und dieser fehlt im Byzantinischen der vorausgehende Vers. Trotzdem darf man auch das byzantinische Troparion wohl zu dieser Formengruppe rechnen, da, wie sich gleich beim Qālā zeigen wird, der Wegfall der Verse eine allgemeine Erscheinung ist. Noch mehr zusammengeschrumpft ist der syrisch-orthodoxe *'Eqbā*. Er hat nur eine *Gloria-Sicut*-Einleitung und eine einzige Strophe. Im Assyrischen wiederholt man die einstrophigen Hymnen *Lāku mārā* und *Qadīšā alāhā* (das *Trisagion*) mehrmals, wobei ein Vers bzw. das Gloria vorangestellt wird. Diese Gruppe von mit Vers versehenen Hymnen findet ihre Krönung im Qālā. Er ist im Assyrischen und Syrisch-Orthodoxen eine *'Onītā* oder eine Aneinanderreihung verschiedener solcher und tatsächlich benutzen im Assyrischen *'Oniātā* und *Qāle* dieselben Melodien — und dieselben Melodietitel finden sich dann wieder im Syrisch-Orthodoxen und im Maronitischen. Im Assyrischen kann der Qālā sogar aus mehrteiligen Untergruppen mit jeweils verschiedener Melodie bestehen. Die einzelnen Abschnitte eines mehrteiligen *Qālā* sind jeweils einem Thema, Gott Vater, Sohn, Heiliger Geist, Buße, Tote, Heiliges Kreuz u. ä. gewidmet. Während die Strophenzahl der einzelnen Teile im Assyrischen wechselt, sind es im Syrisch-Orthodoxen immer vier Strophen mit *Petgāmā* 1, *Petgāmā* 2, Gloria und Sicut erat als Einleitungsvers. Im Assyrischen hat noch jede Strophe ihren Vers, im Syrisch-Orthodoxen meist nur noch die Strophen des 1. Teils, seltener auch eines späteren Teils. Daß das Assyrische die originale Gestalt hat, ist offensichtlich, ergibt sich aber auch daraus, daß ältere syrisch-orthodoxe Handschriften noch Petgāme enthalten, wo sie in späteren Handschriften fehlen.

Das Maronitische zeigt den Zusammenhang der vorigen Formengruppe mit dem *Tropus* besonders deutlich. Im Maronitischen ist der Qālā ein wirklicher Tropus, der einen ganzen Psalm oder sogar eine Psalmengruppe wie die des Ps. 140 versweise tropiert.

Dabei sind die Melodietitel dieselben wie im Assyrischen und im Syrisch-Orthodoxen. Man kann die Formen der vorigen Gruppe also auffassen als Enden tropierter Psalmen. Das wird noch dadurch unterstützt, daß den syrisch-orthodoxen *'Eqbe* stets ein *Quqaliiāon* oder ein ganzer Psalm ohne *Gloria* vorausgeht, so daß sich das *Gloria patri* des *'Eqbā* daran logisch anschließt. Daß im Assyrischen die Verse der *'Oniātā* aus verschiedenen Psalmen stammen, wäre dann als eine spätere Lockerung aufzufassen, die entstand, als die 'Oniātā sich schon verselbständigt hatten. Im Syrisch-Orthodoxen kann man überdies zeigen, daß Verse im Laufe der Zeit auch durch andere ersetzt wurden. In den maronitischen *Qāle* stehen wie in allen Formeln der vorigen Gruppe die Psalmverse stets vor der Hymnusstrophe, hier also der Tropusstrophe. Dies Verfahren ist dem der lateinischen Tropen genau entgegengesetzt, die die Tropus-verse den Psalmversen etwa des Introitus oder den Abschnitten des Gloria usf. vorausschicken und auch in ihrem Text auf diese hinführen. Lateinische und orientalische Tropen müssen also verschiedenen Ursprungs sein und ich habe (AfMW XVI, 1959, S. 135 ff.) für die lateinischen Tropen auf diakonale Aufforderungen zu liturgischen Handlungen u. a. als Vorbilder verwiesen. Vielleicht ist im Orientalischen das Prinzip des Versvoransetzens bei einstrophigen Hymnen wie dem Trisagion u. a. das Ursprüngliche und die Ausdehnung auf ganze Psalmen wie bei den Qāle das Spätere. Hierfür spräche auch, daß es im Armenischen keine ganztropierten Psalmen gibt, wohl aber mit Versen versehene Hymnen. Vom Armenischen aus ließe sich auch verstehen, wie man überhaupt dazu kam, Psalmverse vor Hymnen zu setzen; dort folgt nämlich stets auf einen Psalm oder eine Psalmgruppe ein *Hymnus*, und, um den Anschluß zu gewinnen, singt man vor dem Hymnus noch einmal den 1. Vers des vorangehenden Psalms. Im Assyrischen findet man ganztropierte Psalmen, etwa bei der Ps.-140-Gruppe, nur an Festen, jeder Psalmvers refrainartig mit demselben Stichos ähnlich den byzantinischen Antiphōna versehen. Im Syrisch-Orthodoxen sind die „*'Eniāne*" dagegen auch an Wochentagen sehr gebräuchlich und im Byzantinischen bilden die *Stichira* gar ein eigenes Buch, das Stichirologion oder Sticherarion. Neben der versweisen Tropierung findet sich im Syrisch-Orthodoxen auch der Brauch, den ganzen *'Eniānā* geschlossen nach dem Psalm zu singen, und sogar der, einen Psalm erst versweise zu tropieren und dann einen zweiten Tropus nachfolgen zu lassen.

Hymnen und Tropen sind im Syrisch-Orthodoxen, Armenischen und Byzantinischen ebenso wie die antiphonale und responsoriale Psalmodie nach dem Achttonartensystem des Oktoëchos geordnet.

Das Assyrische und Maronitische haben heute kein Kirchentonartensystem mehr, dürften früher aber ein solches besessen haben, wie oben schon an den *Qāle* auseinandergesetzt wurde. Das Assyrische und Maronitische benutzen heute zur Kennzeichnung ihrer Tonarten die Namen der korrespondierenden arabischen Leitern und aus ihnen läßt sich ihr Kirchentonartensystem rekonstruieren (siehe die beiden Abschnitte). Für das Byzantinische sind wir in der glücklichen Lage, nicht nur das moderne System zu kennen, sondern auch in mittelalterlichen Traktaten, den Papadiken, Zeugen des damaligen Systems zu besitzen. Oskar Fleischer gebührt das Verdienst, aus ihnen das mittelalterliche byzantinische System der Kirchentöne zuerst klar entwickelt zu haben. Leider geben die Papadiken nur die relative Lage der Kirchentöne an, nicht die genaue Größe der sie aufbauenden Intervalle. Die syrisch-orthodoxen Kirchentöne sind nicht mehr stets genau voneinander unterschieden und es kommt öfter vor, daß dieselbe Melodie unter verschiedenen Kirchentönen erscheint (dies findet man ebenso in den mittelalterlichen lateinischen Tonarien).

Da das mittelalterliche System der Papadiken die älteste — und einzig alte — Überlieferung einer orientalischen Harmonik ist, geht man am besten von ihnen aus. Die Papadike des Barb. gr. 300 erläutert (L. Tardo, *L'antica melurgia bizantina*, S. 158) die gegenseitigen Abstände der Tonarten und gibt dazu ein Notenbeispiel.

Der Text beschreibt, daß man um je einen Ton abwärts gehend vom 1. Ton den plagalen 4. erreicht, von diesem den pl. 3., über dem der 4.(!) liegt, weiter zum pl. 2., über dem der 3. liegt, weiter zum pl. 1., über dem der 2. liegt, über diesem der 3., darüber der 4., darüber der 1., von dem ausgegangen wurde. Das Notenbeispiel liefert darüber nochmals acht weitere Positionen. Die nebenstehende Tafel gibt das Resultat. Bei den authentischen Tönen gibt die

Vorzeichnung, *Martyria*, die Quinte, bei den plagalen den Grundton – ich symbolisiere daher authentische Töne durch eine absteigende Quinte, plagale durch eine aufsteigende Terz. Setzt man den 1. Kirchenton, wie es alle Forscher tun, auf d, so ergeben sich die Töne in europäischer Notenschrift so:

Jeder Kirchenton erscheint in genau zwei Lagen. Auch der gregorianische Choral kennt ebenso transponierte Kirchentöne. Welche Lagen man als original und welche als transponiert ansieht, ist willkürlich. Die gregorianische Theorie betrachtet die Nrn. 2, 4, 6, 8, 11, 13, 15 und 16 als die Originallagen ihrer acht Kirchentöne, die neuere byzantinische Theorie dagegen die Nrn. 4, 6, 8, 10, 13, 15, 16 und setzt pl. 4. einen Ton tiefer als den pl. 1, also auf c.

Vergleicht man hiermit nunmehr die syrischen Kirchentonsysteme, so hat das Syrisch-Orthodoxe (siehe diesen Abschnitt) dieselbe Anordnung wie das Neubyzantinische. Ebenso ergeben meine Rekonstruktionen des assyrischen und des maronitischen Systems wiederum dieselbe Anordnung, da die in diesen Systemen dem arabischen Rast entsprechende Tonart einen Ton unter der dem Nahawand entsprechenden (die wieder dem gregorianischen Dorischen entspricht) liegt.

Ganz besondere Aufmerksamkeit verdient das Armenische. Das System ist wieder das des Syrischen und Neugriechischen. Aber während dort die Reihenfolge 1.d, 2.e, 3.f, 4.c ist, sind die Tonarten hier der Höhe nach angeordnet und gezählt: 1.c, 2.d, 3.e, 4.f (der pl. 4. ist sehr ähnlich nach c transponiert).

Aufschlußreich ist auch ein Vergleich der Anordnung der authentischen und plagalen Tonarten in den einzelnen Chorälen. Das Syrisch-Orthodoxe und das Armenische lassen jedem authentischen Ton seinen plagalen Ton folgen, 1., pl. 1., 2., pl. 2., 3., pl. 3., 4., pl. 4., wobei das Armenische auch authentisch und plagal unterscheidet, das Syrisch-Orthodoxe aber von 1 bis 8 durchzählt. Sie benutzen damit dieselbe Reihenfolge wie der gregorianische Choral. Lediglich das Byzantinische bringt erst alle authentischen und danach die plagalen Töne, 1., 2., 3., 4., pl. 1., pl. 2., pl. 3., pl. 4.

Im Gegensatz zu den lateinischen Liturgien macht der Orient einen sinnvollen Gebrauch von den Kirchentönen, indem im Byzantinischen und Syrisch-Orthodoxen ein Kirchenton jeweils eine Woche, im Armenischen jeweils einen Tag regiert.

Das Syrisch-Orthodoxe wechselt innerhalb der Woche nochmals täglich zwischen dem Ton des Sonntags und dem Viertfolgenden, 1.–5., 2.–6. usw. und umgekehrt. Vesper, Komplet und Laudes der Wochentage sind im Syrisch-Orthodoxen von diesem Zyklus ausgenommen und haben feste Tonarten – die in diesen Stunden gebrauchten Kirchentonarten sind besonders einfache Ferialtöne. Dem wochenweisen Wechsel entsprechend ist das Kirchenjahr in diesen Liturgien in Perioden von je acht Wochen eingeteilt. Das Assyrische teilt sein Jahr in Perioden von sieben Wochen – da die Theorie des Kirchentonsystems hier verloren gegangen ist, bleibt unbekannt, wie sich die Kirchentöne auf die siebenwöchigen Perioden verteilten. Der Ostersonntag bildet stets den Ausgangspunkt und hat den 1. Kirchenton. Der tägliche Wechsel im Syrisch-Orthodoxen führt sehr schön in den nächsten Kirchenton: etwa Sonntag 3. Ton, Montag 7. Ton, Dienstag 3. Ton usf. bis Samstag 3. Ton, an den sich der 4. Ton des nächsten Sonntags unmittelbar anschließt. Dagegen bringt der tägliche Wechsel im Armenischen für die Sonntage eine rückläufige Folge der Kirchentöne: etwa Sonntag 1. Ton, Montag 2. Ton usf. ergibt für Samstag den 7. Ton, für den folgenden Sonntag mithin den 8. Ton, weiter ähnlich für den darauf folgenden Sonntag den 7. Ton usw. Da das Kirchenjahr im Armenischen mit der Quinquagesima, also dem 7. Sonntag vor Ostern, beginnt, steht demzufolge der 8. Kirchenton an der Spitze des jährlichen Tonartenzirkels. Das Syrisch-Orthodoxe benutzt für die Wochentage feste Texte; in den dem Tonartenwechsel unterworfenen Stunden (Nokturnen und kleine Tagesstunden) besitzt jeder Text daher acht verschiedene Melodien in den acht Kirchentonarten. Im Byzantinischen dagegen besitzt jeder Kirchenton eigene Texte, so daß gleicher Text und Melodie erst nach je acht Wochen wiederkehren.

Die Kirchentonarten werden von 1 bis 8 durchgehend oder in zwei Reihen von je 1 bis 4 gezählt. Die griechische Antike hatte zwar die Oktavgattungen gezählt, aber die Kirchentöne lehnen sich an die Transpositionsskalen an (man vgl. etwa Pachymerēs) und diese haben nur die bekannten Stammesnamen „Dorisch" usw. Woher kommt dann aber die Zählung der christlichen Tonarten? Nun, die Zählung der sieben Töne der Oktave ist uraltes orientalisches Gut; sie tritt im Indischen und Persischen auf. Vom Persischen sind die Namen auch ins Arabische gekommen und man darf annehmen, daß sie vor dem Arabischen auch schon im Syrischen bekannt gewesen sind. Da das alte persische System nicht erhalten ist, müssen wir es aus dem Arabischen rekonstruieren. Dort haben folgende Töne noch heute persische Zahlnamen (hohle Noten bezeichnen einen um einen Viertelton erniedrigten Ton), siehe untenstehendes Musikbeispiel. Offenbar ist diese Anordnung nicht mehr

die originale, sondern g dürfte 5. gewesen sein, c 1., was auch die Natur dieser Leitern (1. Ton mit großer Septime, 5. Ton mit kleiner Septime) bestätigt. Die Reihe c, d, e$-\frac{1}{4}$, f trüge dann die Namen 1 bis 4. Das ist genau die armenische Zählung. Ich möchte meinen, daß dies daher die originale Anordnung des christlichen Achttonartensystems gewesen ist. Die syrisch-neubyzantinische wäre aus ihr durch Umnumerierung entstanden.

Dieses Ergebnis hat eine Folge für die Erkenntnis des Mittelbyzantinischen. Der übliche Ansatz des 1. Tons auf d wird nunmehr fraglich; es könnte sein, daß das Mittelbyzantinische ebenso wie das Armenische noch die ursprüngliche Anordnung mit dem 1. Ton auf c bewahrt gehabt hätte. Man würde damit einen besseren Anschluß an das Neubyzantinische erhalten, das dann ebenfalls — mit entsprechender Umnumerierung — im Tonartenkreis der Papadike enthalten wäre. Mir scheint, daß dies das Tonartensystem des Psaltikonstils ist, — in der von Thodberg angegebenen konjunkten Form.

Mit diesen Überlegungen wird zugleich die Diskussion über das Tongeschlecht des christlichen Chorals vorangetrieben. Das Assyrische, Maronitische, Syrisch-Orthodoxe und das Armenische benutzen neben diatonischen Leitern auch chromatische Leitern der Form e f gis a h c dis e und Leitern, die den $^3/_4$-Ton, die Hälfte der kleinen Terz, benutzen. Das Neubyzantinische benutzt ebenfalls die angegebene chromatische Leiter und das spätere Mittelbyzantinische kennt ebenfalls dieses Chroma mit der Formel nenanō. Das Gregorianische hat ebenfalls Vierteltonstufen benutzt. Nunmehr zeigt sich, daß die die originale Struktur des christlichen Chorals wiedergebende Leiter c d e$-\frac{1}{4}$ f ebenfalls eine Leiter mit $^3/_4$-Tönen ist. Man darf daher annehmen, daß die vollständige Diatonisierung bzw. Chromatisierung des lateinischen und byzantinischen Chorals erst das Ergebnis einer späteren Entwicklung ist und daß diese Choräle ursprünglich ebenfalls neben diatonischen Leitern auch Leitern mit $^3/_4$-Tönen benutzten — daß die chromatische Quarte e f gis a als Diatonisierung von e f$+\frac{1}{4}$ g $+\frac{1}{4}$a aufgefaßt werden kann, wird sich bei der Behandlung der Harmonik der assyrischen Kirchentonarten ergeben. Da auch die griechische Antike in ihren chromatischen und enharmonischen Skalen ähnliche Leitern benutzte, fügt sich der christliche Choral auch in diesen umfassenderen Zusammenhang ein.

Heinrich Husmann

Die Gesänge der syrischen Liturgien

Assyrisch-chaldäische Liturgie

Während die Melodien der assyrischen Liturgie ebenso wie diejenigen der anderen syrischen Liturgien nur mündlich überliefert werden, sind die liturgischen Texte der syrischen Kirchen schon seit vielen Jahrhunderten handschriftlich aufgezeichnet und immer wieder, z. T. bis in die Gegenwart hinein, erneut abgeschrieben worden. Eine große Anzahl syrischer Handschriften ist bis heute erhalten geblieben und viele Bibliotheken, öffentliche wie private, verwahren sie.

Im allgemeinen sind diese Manuskripte in die Abteilungen der orientalischen Handschriften eingegliedert, in einigen Bibliotheken, wie der Vaticana, bilden sie sogar eigene Fonds. Nennenswert sind die Bibliotheken von Alkoš (Irak), Hamburg, Jerusalem (Griechisch-orthodoxes Patriarchat sowohl wie Heiliges Grab), Leipzig, München, Leningrad, Rom (Biblioteca Vittorio Emmanuele und Biblioteca Angelica), Séert (Irak), Sinai (Kloster St. Katharina), Scharfeh (Libanon), Turin, Upsala, Urmia (Türkei) und Zürich; an der Spitze aber stehen die reichen Sammlungen in Berlin (Staatsbibliothek), Cambridge (University Library), London (British Museum), Oxford (Bodleian Library), Paris (Bibliothèque Nationale) und im Vatikan (Biblioteca Apostolica Vaticana).

Entsprechend dem wechselvollen Schicksal der assyrischen (und ebenso maronitischen) Kirche sind ihre Handschriften nur in geringer Zahl auf uns gekommen, und die noch vorhandenen sind vorwiegend jüngeren Ursprungs.

Von den Bibelhandschriften, deren älteste schon aus dem 5. und 6. Jh. stammen, und Ritualien aus dem Mittelalter abgesehen, gehen die liturgischen Handschriften höchstens bis ins 15. Jh. zurück. Die älteste datierte syrische Handschrift überhaupt ist der add. 12150 des Brit. Mus. mit patristischen Texten und einem Martyrologium, geschrieben im November 411 in Edessa. Die älteste syrische Bibelhandschrift ist der add. 14425 des Brit. Mus., enthaltend das 1., 2., 4. und 5. Buch Mose, geschrieben 464 in Amida; eine Handschrift mit Teilen des Neuen Testaments aus dem 6. Jh. besitzt die Münchner Staatsbibl. (cod. syr. 8).

Die liturgischen Texte der assyrischen Liturgie sind ebenso wie die der anderen Riten auf verschiedene Bücher verteilt. Der *Gazā* (pers., = Schatz) enthält die Feste der Heiligen und die auf einen festen Tag fallenden Herrenfeste. Der *Ḥudrā* (= Kreis) bringt die Sonntage des Jahres und die beweglichen Herrenfeste. Der *Kaškul* (pers., = Reisetrinkschale der Derwische) enthält die Wochentage des Jahres und die *Qāle d'udrāne*, die aber auch oft dem *Ḥudrā* angehängt sind. Der *Kaškul* heißt auch *Ṭeksā diaomātā šhime* (Ordnung der einfachen Tage) oder *Ktābā* (bzw. *Beit*) *daqdam oadbātar* (= Buch bzw. Haus der vorher und der nachher), da der größte Teil seines Inhalts aus den *Šurāie* und *'Oniātā* vor und nach dem *Māriā qreitāk*, der Psalmgruppe 140, 141, 118 N, 116, besteht. Dazu treten Handschriften für die Lesung von Epistel und Evangelium, für Weihen, Taufe, Begräbnis, Gebete, Hymnenzyklen u. a.

Der älteste Gazā ist der Kodex add. 7179 des Brit. Mus. aus dem 15. Jh., nach ihm kommen der Berliner or. fol. 620, wahrscheinlich von 1537, und der add. 7178 (Brit. Mus.) von 1545. Die Handschrift add. 1980 der Univ.-Bibl. Cambridge ist 1723 geschrieben und gibt die Ordnung des Oberen Klosters von Mossul der hl. Gabriel und Abraham wieder. Die chaldäische Bearbeitung des Gazā durch den chaldäischen Patriarchen Joseph II. von 1707 überliefert die Handschrift Berlin or. fol. 3181 vom Jahre 1778. Die moderne Ausgabe des chaldäischen Breviers von Paul Bedjan von 1886 (Neudruck 1938) geht vor allem auf diese Handschrift zurück, hat einerseits gekürzt, andererseits aber auch Material assyrischer Handschriften eingearbeitet. Der älteste datierte Ḥudrā ist der add. 7177 des Brit. Mus. von 1484. Noch aus dem 15. Jh. stammen der Vaticanus syr. 87 (3. Teil eines Ḥudrā) und der Vat. Borg. syr. 150. Der Vat. syr. 86 kommt aus dem 16. Jh.; der Vat. syr. 83 ist auf 1537 datiert; der add. 1981 der Univ.-Bibl. Cambridge wurde 1607 geschrieben. Die Ordnung des Oberen Klosters ist uns ebenfalls erhalten im Kodex or. quart 1160 von 1686 der Berliner Staatsbibl. Der Kaškul syr. 183 der Pariser Nationalbibliothek wurde noch im 15. Jh. geschrieben, der Vat. syr. 85 1562, der Vat. syr. 84 1572, der syr. 13 der Münchener Staatsbibl. 1599, die Berliner Handschriften or. quart 1161 1782, der Sachau 13 1795, der or. quart 580 1850. Andere Handschriften, die noch aus älterer Zeit stammen, enthalten die Gebete des Priesters und die Meßliturgie (add. 7181 des Brit. Mus. aus dem 16. Jh.), liturgische Hymnen (Paris syr. 181 aus dem 15. Jh. und Cambridge add. 2042 aus dem 16. Jh.), die Liturgie der Ninive-Bitten (Paris syr. 184 von 1430), die Begräbnisriten (London add. 14 260 aus dem 12./13. Jh. und London add. 14 706 aus dem 13. Jh.), Weiheformulare (Cambridge add. 2044 von 1544 und ebda. add. 1988 von 1550) und die 'Oniātā des in der Mitte des 13. Jh. dichtenden Georg Warda (Cambridge add. 1983 von 1550). Besonders interessant ist die Psalteriengruppe, die den Psalmen nicht nur die Cantica, sondern auch Tešbḥātā, „Lobgesänge" nach dem Vorbild der biblischen Cantica — dem lateinischen Tedeum vergleichbar — anfügt. Die älteste Handschrift dieser Gruppe ist der add. 17 219 des Brit. Mus. noch aus dem 13. Jh. Literarische Handschriften von Hymnentexten gehen sehr viel weiter zurück — Madrāše Ephrems sind schon im add. 14 571 des Brit. Mus. aus dem Jahre 518 erhalten.

Die assyrische Liturgie besitzt nicht alle Stunden der lateinischen oder gar byzantinischen Liturgie: ihr fehlen Prim und Sext, die Terz kommt nur in der Fastenzeit vor. Die Komplet ist an die Vesper gefügt — der Name dieses Vesperteils, *Subāʿā*, „Sättigung", entspricht dem der entsprechenden byzantinischen Stunde, *Apodeipnon*, „nach dem Mahl". Einen Rest des byzantinischen Mesonyktikons erkannte J. Mateos (Or. Christ. Per. XXV, 1959, S. 101—113) in dem Einleitungs-Qanonā des Leliā der Fastenzeit wieder.

Das Grundelement der assyrischen Gottesdienste bildet die hier noch in vollem Umfang erhaltene Psalterlesung.

Zur Regelung der Verteilung des Psalters und seiner Teile ist das ganze Psalterium in 20 Hullāle eingeteilt, so genannt, weil am Ende jedes dieser Abschnitte Halleluia angefügt wurde. Dem Psalter sind immer drei Cantica aus den Büchern Mose und Jesaias angehängt — Exodus 15, 1—21 mit Jes. 42, 10—13/45, 8, Deut. 32, 1—21, 1. Hälfte und Deut. 32, 21, 2. Hälfte —43. Diese Cantica werden oft als 21. Hullālā gezählt. Jeder Hullāle besteht wieder aus 3 Marmiātā (sg. Marmītā, von *armī*, „werfen" — vielleicht, weil die Chorhälften sich die Halbverse gegenseitig „zuwerfen"?), nur der 5., 9. und 13. Hullālā aus zweien und der 2. Hullālā aus vier; wenn die Cantica nicht als besonderer Hullālā gezählt werden, der 20. Hullālā aus sechs. Insgesamt ergeben sich so 60 *Marmiātā*. Die Verteilung der Psalmen auf *Marmiātā* (M) und *Hullāle* (H) zeigt die folgende Tabelle.

H	M	Ps	H	M	Ps	H	M	Ps	H	M	Ps
1	1	1— 4	6	16	41—43		31	79—81	17	46	112—114
	2	5— 7		17	44—46	12	32	82—84		47	115—117
	3	8—10		18	47—49		33	85, 86		48	118A—K
2	4	11—14	7	19	50—52		34	87, 88	18	49	118L—T
	5	15—17		20	53—55	13	35	89I II		50	119—124
	6	18I II		21	56—58		36	90—92		51	125—130
	7	19—21	8	22	59—61	14	37	93—95	19	52	131—134
3	8	22I II—24		23	62—64		38	96—98		53	135—137
	9	25—27		24	65—67		39	99—101		54	138—140
	10	28—30	9	25	68I II	15	40	102, 103	20	55	141—143
4	11	31, 32		26	69I II, 70		41	104I II		56	144—146
	12	33, 34	10	27	71, 72		42	105I II		57	147—150
	13	35I II, 36		28	73, 74	16	43	106I II	[21]	58	Ex., Jes.
5	14	37I II		29	75—77		44	107I II, 108		59	Deut. I
	15	38—40	11	30	78I II III		45	109—111		60	Deut. II

Der gesamte Psalter wird noch heute im Nachtgottesdienst Leliā gelesen. Das Assyrische verteilt den ganzen Psalter auf drei Wochentage in der folgenden Weise, wobei der ganze Psalter in einer Woche also zweimal gelesen wird.

Montag, Donnerstag	Hull. 1— 7
Dienstag, Freitag	Hull. 8—14
Mittwoch, Samstag	Hull. 15—21

Die chaldäische sekuläre Ordnung, der P. Bedjan in seinem *Breviarium chaldaïcum* gefolgt ist, verteilt den Psalter auf eine Woche so, wie die folgende Tabelle zeigt.

Montag	Hull. 1—3	Donnerstag	Hull. 10, 11, 15
Dienstag	Hull. 4—6	Freitag	Hull. 16—18
Mittwoch	Hull. 7—9	Samstag	Hull. 19—21

Die fehlenden *Hullāle* 12, 13, 14 erscheinen an den Sonntagen. In den assyrisch-chaldäischen Stundengottesdiensten wechseln die beiden Halbchöre wochenweise ihre Partien. Als maßgebend gilt die *'Onītā der Bāsālīqe* des Abend-gottesdienstes und der Halbchor, der sie am Jahresbeginn singt, heißt der „erste" Chor, der andere Chor der „zweite", demgemäß heißen die Sänger der 1. Chorhälfte „die ersten", die der 2. Chorhälfte „die zweiten". Entsprechend werden die Wochen des Jahres entweder als „erste" oder „zweite" bezeichnet. Damit nicht jede Chorhälfte ihr Leben lang dieselbe Hälfte des liturgischen Textes singt, wird jahrweise gewechselt und zwar in der letzten Dezemberwoche. In den malabarischen Klöstern hängt man ein Holzschild mit der Aufschrift *Bāsālīqe* an die Wand der Chorhälfte, die im Jahr mit der Bāsālīqe beginnt und dieses Jahr hindurch als 1. Chor fungiert. An den Sonntagen „der ersten" singt man im assyrischen Nachtgottesdienst die sieben *Hullāle* 5—11, an den Sonntagen „der zweiten" die sieben *Hullāle* 12—18. Im jeweils letzten *Hullālā* wird jeder Psalmvers in der Mitte durch *Halleluia* erweitert und der letzte Psalm wird nicht gelesen, sondern im antiphonalen „großen Ton" gesungen. Im Chaldäisch-säkularen wechseln die Chor-hälften alle zwei Wochen und die 14 *Hullāle* werden auf 4 Sonntage verteilt: am 1. Sonntag der ersten *Hullālā* 5—7, daran den die *Hullāle* des 2. Sonntags abschließenden Ps. 81 „in seinem Ton", am 2. Sonntag der ersten *Hullāla* 9—11, davon Ps. 81 „in seinem Ton", am 1. Sonntag der zweiten *Hullālā* 12—14, danach die den 2. Sonntag abschließenden Psalmen Ps. 129[/130] „in seinem Ton", am 2. Sonntag der zweiten *Hullālā* 16—18 und deren Endpsalmen Ps. 129[/130]. Das unorganische Antreten von Ps. 81 bzw. Ps. 129/130 auch an die *Hullāle* der jeweils 1. Sonntage zeigt, daß das chaldäische Verfahren erst sekundär aus dem assyrischen abgeleitet ist. Der zwischen 12—14 und 16—18 fehlende *Hullālā* 15 wird nur an besonders hohen Festen, Weihnachten, Epiphanias gesungen; er wird dann an die an Festen zu singenden Hullāle 12—14 als vierter *Hullālā* angehängt. Das Brevier der malabarischen Mönche hat diese komplizierte Anordnung wieder vereinfacht, die Sonntage in die fortlaufende Lesung einbezogen und die Psalter-lesung auf zwei Wochen ausgedehnt. Sonntags werden nur noch 5 Marmiātā, werktags 4 Marmiātā gelesen. Auch die nur sonntags gesungenen Vigilienqāle entnehmen ihre Psalmen der fortlaufenden Reihe, nämlich Marmītā 6 und 7. Doch liest man jetzt Marmītā 6 am 1. Sonntag, Marmītā 7 am 2. Sonntag, was wieder eine unschöne Diskrepanz ergibt. Die heutige Psalmverteilung im Malabarischen zeigt die folgende Tabelle, nach den Nummern der *Marmiātā* bezeichnet.

		1. Woche		2. Woche
Sonntag	Leliā	Marm. 1— 5	Marm.	32—36
	Vigil	6		7
Montag		8—11		37—40
Dienstag		12—15		41—44
Mittwoch		16—19		45—48
Donnerstag		20—23		49—52
Freitag		24—27		53—56
Samstag		28—31		57—60

Beim Vergleich mit der vorigen Tabelle der Psalterteilung bemerkt man, daß diese Einteilung nach Marmiātā die Einschnitte der *Hullāle* nicht berücksichtigt. Auch darin zeigt sich ihre sekundäre Entstehung.

Auch der Abendgottesdienst *Ramšā* hat im Assyrischen eine fortlaufende Psalterlesung gehabt; doch sind von ihr nur die Enden übrig geblieben. Man liest im Assyrischen und im Chaldäischen des vorderen Orients an Wochentagen zwei *Marmiātā*, im Malabarischen nur eine *Marmītā*, wobei die *Marmiātā* des Assyrischen auf zwei Wochen verteilt sind. Die folgende Tabelle zeigt das im einzelnen.

	Assyrisch-chaldäisch	1. Wochen	Malabarisch mittlere Wochen	2. Wochen
Montag	Marm. 4, 5	Marm. 4		5
Dienstag	9, 10	9		10
Mittwoch	23, 24	23		24
Donnerstag	38, 39	38		39
Freitag	33, 34	33	15	34
Samstag	56, 57	56		57

Man sieht deutlich, wie im Malabarischen die *Marmiātā* zwischen den zwei Wochen immer hin- und herspringen und für das mittlere Formular des Freitags, der im *Ramšā* drei Formulare besitzt, eine die numerische Reihenfolge durchbrechende *Marmiātā* eingesetzt wurde — beides Zeichen der späteren Entstehung dieser Verteilung. Die Sonder-stellung des Freitags mag damit zusammenhängen, daß man die *Marmiātā* 33/34 mit Ps. 85—88, von denen Ps. 88 vom Hinabsteigen ins Grab und von den Toten im Grab spricht, für den Freitag, der ja dem Tod Christi geweiht ist, als besonders passend empfand. Hier dürften ursprünglich *Marmiātā* etwa um 44, 45 gestanden haben, die den *Hullālā* 16 beenden. Interessant ist, daß die Reihe die Cantica nicht enthält und mit Marmītā 57, d. h. Ps. 150, endet.

Die *Šurāie* des Ramšā entnehmen ihre Versgruppen Psalmen, von denen man vermuten könnte, daß sie ebenfalls numerische Reihenfolge besitzen und womöglich an entsprechenden Stellen der fortlaufenden Psalterlesung entnommen sind. Die folgende Tabelle zeigt die Psalmen, aus denen die Verse der *Šurāie* vor Ps. 140, nach Ps. 140 und „des Abends" entnommen sind.

| | | 1. Woche | | | mittlerer Freitag | |
	Vorher	Nachher	d. Abends	Vorher	Nachher	d. Abends
Montag	Ps. 12	15	118 A (1)			
Dienstag	17	21	118 G (3)			
Mittwoch	23	24	45			
Donnerstag	25	28	118 Z (7)			
Freitag	75	82	115	95	138	40
Samstag	30	54	118 T (9)			

| | | 2. Woche | | |
	Vorher	Nachher	d. Abends	
Montag	Ps. 42	122	118 L (12)	
Dienstag	67	70	118 S (15)	
Mittwoch	72	101	15	
Donnerstag	118° (6)	118' (16)	118 Q (19)	
Freitag	145	144	31	
Samstag	123	124	118 Š (21)	

Tatsächlich bilden *Šurāie* vor- und nachher numerische Reihen, jede Woche für sich.

Der Freitag ist in der 1. und 2. Woche gegenüber Samstag umgestellt und das mittlere Formular schließt sich an das erste an. Der Psalm des *Šurāiā* nachher folgt stets, meist mit etwas Abstand, auf den des *Šurāiā* vorher, lediglich am Freitag der 2. Woche ist eine Umstellung eingetreten. Der *Šurāiā* nachher des Montags der 2. Woche fällt ganz aus dem Rahmen. Die *Šurāie* des Abends entnehmen ihre Psalmen mit Ausnahme von Mittwoch und Freitag(!) Ps. 118 und wieder ist die Reihenfolge numerisch, läuft diesmal aber durch beide Wochen nacheinander durch — ich habe die Abschnitte numeriert; es sind die Achtvers-Gruppen 1, 3, 7, 9, 12, 15, 19 und die vorletzte des Psalms, 21. Die Sonntage haben für jede der 7 Wochen einer Siebenwochenperiode des assyrischen Kirchenjahres einen eigenen *Šurāiā*. Der *Šurāiā* „des Abends" heißt sonntags „der *Bāsālīqe*", da er dann auf die sonntags gesungene *Bāsālīqe* bzw. die sich ihr anschließenden Suiāke folgt.

		Vorher	Nachher	d. Bāsālīqe
1. Sonntag	Ps.	47	48	
2. Sonntag		65	66	
3. Sonntag		89 I	89 II	
4. Sonntag		93	148	69
5. Sonntag		125	126	
6. Sonntag		49	129	
7. Sonntag		136	137	

Die obenstehende Tabelle zeigt, daß wieder eine numerische Reihenfolge für die *Šurāie* vor- und nachher vorliegt, in der der *Šurāiā* vorher des 6. Sonntags und der nachher des 4. Sonntags eine Ausnahme machen. Der *Šurāiā* der *Bāsālīqe* dagegen wechselt überhaupt nicht. Überblickt man jetzt die ganzen *Šurāiā*-Reihen und vergleicht man sie mit den Psalmen der fortlaufenden Psalterlesung, so sieht man, daß die Psalmen der *Šurāie* nicht aus der Psalterlesung entnommen sind, da vor allem die Psalmen der *Šurāie* vor- und nachher der 1. Wochen fast überhaupt nur der ersten Hälfte des Psalters entstammen, während die Psalterlesung sich ja einigermaßen gleichmäßig auf die einzelnen Wochentage verteilt. Da andererseits die Psalmen der *Šurāie* vor- und nachher der 2. Woche nicht vorwiegend aus der zweiten Psalterhälfte stammen, läßt sich für die *Šurāie* auch keine durch zwei Wochen fortlaufende Psalterlesung konstruieren. Die, wenn auch numerische, Auswahl der antiphonalen Psalmvers-Gruppen der *Šurāie* hängt also nicht mit der fortlaufenden Psalterlesung zusammen.

Zur einfachen Lesung des ganzen Psalters und den antiphonal gesungenen Psalmversgruppen treten hinzu die frei gedichteten Hymnen. Dabei entsteht die grundlegende Frage, ob in dem Zusammenschluß von Psalmen und Hymnen zu Gottesdiensten allgemeine liturgische oder musikalische Prinzipien wirksam sind. Ein durch alle christlichen Bekenntnisse gehendes Aufbauprinzip der

Liturgie ist offensichtlich und bekannt: der Evangelienlesung geht stets ein dreifaches Chor-Halleluia mit solistischem, „responsorialem", Psalmvers voraus. Es fragt sich, ob es auch ähnliche typische Verbindungen von Hymnen mit Gebeten, Lesungen oder Psalmen gibt. Im Assyrischen läßt sich ein solches sofort angeben: jedem Hymnus und jeder Psalmlesung geht ein Gebet voraus.

Der Abendgottesdienst, *Ramšā* (= „Abend") oder *Nāgah* (= „Dämmerung") und der Morgengottesdienst *Ṣaprā* (= „früher Morgen", „Morgendämmerung") besitzen im Assyrischen den folgenden Aufbau (die stets vorangehenden Gebete sind als selbstverständlich nicht eigens aufgeführt; das Trisagion des Abends hat zudem noch ein Gebet nachher).

Einleitungsgebete	Einleitungsgebete
Gebet des Abends	Ps. 100
Fortlaufende Psalterlesung	Ps. 91
Räucherungshymnus *Aik ʿeṭra* (= „Wie Weihrauch")	Ps. 104 I, 113
Hymnus *Lāku mārā* (= „Dir, o Herr",)	Ps. 93, 148, 149, 150, 116
Šurāiā daqdām, ʿOnītā daqdām	Woche: Hymnus *Lāku mārā*
Māriā qreitāk: Ps. 140, 141, 118 N, 116	Sonntags: ʿOnītā dṣaprā
Šurāiā dbātar, ʿOnītā dbātar	Woche: Ps. 51
Kārozutā (Litanei)	Sonntags: Tešbohtā, Canticum Dan. 3
Qadīšā alāhā (Trisagion)	Woche: Tešbohtā
an Festen:	Sonntags: Gloria in excelsis
Suiāke (= „Enden"; 2 Psalmen)	Woche: ʿOnītā dsāhde („Märtyrerhymnus")
ʿOnītā dramšā, sonntags: dbāsālīqe	Schlußgebet
Šurāiā diaomā (= „des Tages")	folgt Messe
Gebete	
ʿOnītā dsāhde („Märtyrerhymnus")	
Slaoātā dʾudrānā (Gebete um Hilfe)	
Ḥutāmā (= „Ende"; Entlassung)	
Ordnung des Ramšā	Ordnung des Ṣaprā

Im *Ramšā* fällt die Paarung *Šurāiā-ʿOnītā* auf (indessen fällt der *Šurāiā* sonntags fort), im *Ṣaprā* die Steigerung von Psalmen zu Cantica bzw. den Cantica nachgebildeten *Tešbḥātā* (= „Lobgesang"), — also wieder die Folge Psalm — Hymnus.

Der Nachtgottesdienst *Leliā* (= „Nacht") läßt auf die einleitende fortlaufende Psalterlesung einen *Maotbā* (= „Sitzung", also = griech. Kathisma) folgen. Sonntags folgt ein zweiter Teil, die *Qāle dšahrā* (= „Vigilientöne"). An Feiertagen können weitere *Maotbe* hinzutreten, dem Sonntagsmaotbā gleich gebaut, ebenso mit beginnender Psalmlesung. Die Anordnung des Sonntags-*Leliā* zeigt die folgende Tabelle.

	Fortlaufende Psalterlesung	Qāle dšahrā:	1 Hullālā
	nur sonntags: Qaltā mit Psalm		—
Maotbā:	ʿOniātā dʾudrāne		ʿOniātā dleliā
	Qanonā mit Psalm		Qanonā mit Psalm
	Bart malkā		Ḥpāktā
	Tešbohtā		Tešbohtā
	Kārozutā		Kārozutā
	Madrāšā		

Ordnung des Leliā

Auch im Nachtgottesdienst erkennt man die Gruppe Psalterlesung-*ʿOniātā*, also Psalm-Hymnus, aber weiter eine dies steigernde Dreiergruppe Psalm (mit *Qanonā*), tropierter Psalm (*Bart malkā*) bzw. Hymnus (*Ḥpāktā*), *Tešbohtā*.

Das *Bart malkā* (Ps. 45, 9) steht nicht in Bedjans *Breviarium chaldaïcum*, findet sich aber in den Handschriften. Es leitet unmittelbar zu demselben Stück im Maronitischen und Syrisch-Orthodoxen hin.

Fragt man nach dem Ursprung dieser Gruppierung, so wird man in die Zeit der Apostelzeit zurückgeführt: Sowohl Epheser 5, 19 wie die damit gleichlautende Stelle Kolosser 3, 16 sprechen von *psalmis, hymnis et canticis spiritualibus*, was genau die eben herausgearbeitete Dreiergruppe ist.

Auch die Terz, *Pelgeh d'imāmā* (= „Mitte des Tages") besitzt einen sehr ähnlichen Aufbau: 1 *Hullālā, Tešbohtā; slotā, 'Onītā, Tešbohtā; Kārozutā,* Schlußgebete, *Hutama* (Entlassung). Hier fehlt der mittlere Psalm mit dem *Qānonā.* Wieder etwas anders ist die Komplet, *Subā'ā,* aufgebaut: *Hullāle, 'Oniātā, Qānonā* mit Psalm, Tesbohta, *Kārozutā,* Schlußgebete, Entlassung. Immer wieder erkennt man die Gruppen Psalm-Hymnus, Psalm-Canticum, Hymnus-Canticum.

Entsprechend der sich steigernden Folge Psalmen—Hymnen—Lobgesänge reicht auch der musikalische Stil der assyrischen liturgischen Gesänge vom einfachen Vorlesen bis zum ausgeweiteten Melismieren. Gebete werden von Priester und Diakon improvisiert, der Chor deklamiert auf einer Tonhöhe oder improvisiert — man vgl. darüber die obige Einleitung. Dabei bilden sich oft gemeinsame Übungen heraus, so daß besonders hervortretende Stücke, wenn auch sehr einfache, so doch überall gleiche Melodien erhalten. Ein solcher Fall ist z. B. beim Vaterunser eingetreten, dessen allgemein verbreitete assyrische Melodie ich im folgenden Melodiebeispiel mitteile. Rev. Aprim Debaz, Priester der assyrischen Mar-Sargis-Kirche in Chicago, ist der Sänger des Stückes. Seine Heimat ist das nördliche Syrien, in das viele Assyrer nach den Verfolgungen durch die Türken geflohen sind.

otes̆ - boḥ - tā l ^{c}ā - lam ^{c}āl - mīn a - mein. Šub - ḥā l' a - bā ola - brā oal -

ru - ḥā dqud - s̆ā. Men ^{c}ā - lam oa - ^{c}da - mā l ^{c}a - lam a - mein o - ʾa - mein.

Abun dbas̆maiā (Vater unser), gesungen von Rev. Aprim Debaz, assyrische Mar - Sargis - Kirche Chicago.

Man vergleiche damit die chaldäische Melodie, wie sie Msgre. Ephrem Bédé, damals Weihbischof in Beirut, jetzt Patriachalvikar in Kairo, gesungen hat, und ich sie in meiner Ausgabe *Die Melodien des chaldäischen Breviers — Commune* (= Or. Christ. Anal. 178), S. 1, veröffentlicht habe.

In dieser einfachen Art werden auch antiphonale Psalmgruppen wie die *Šurāie*, die Litaneien, die *Tes̆bḥātā*, die *Qeriāne* genannten „Lesungen" und die einfacheren *ʿOniātā* gestaltet. Dabei kann sich der melodische Stil in manchen Fällen, wie z. B. beim Trisagion, nach dem Grad des Festes richten, an dem das Stück gesungen wird. Das zeigt das folgende Musikbeispiel, das *Qādīs̆ā alāhā*, wieder gesungen von Rev. Debaz, deutlich.

1. An einfachen Tagen: gesprochen

2. Sonntag Abend

Qa - - - aī · - s̆ā (e - - iā___) a - - lā - hā.

Qa - - dī - s̆ā (e - - iā___) ḥail - - tā - nā.

Qa - di - s̆ā (-a___) lā __ ma - iu - tā et - ra - ḥam - ^{ce} - lain.

3. Messe
a) an Festen

Qa - dī - s̆ā a - lā - hā. Qa - dī - sā ḥail - tā - nā.

Qa - dī - s̆ā lā ma - iu - tā et - ra - ḥam - ^{ce} - lain.

b) am Sonntag Morgen

Qa - di - s̆ā___ (e - iā - - ā - e - - iā___) a - lā - hā.

Qa - dī - s̆ā___ (e - iā - - ā - e - iā___) ḥail - tā - nā.

Qa - dī - s̆ā___ lā ma - iu - tā. et - ra - ḥam - ^{ca} - lain.

Qadīs̆ā alāhā (Trisagion), gesungen von Rev. Aprim Debaz, assyrische Mar - Sargis - Kirche Chicago

Man vergleiche hiermit wieder die chaldäische Melodie, meine Ausgabe der chaldäischen Breviermelodien, S. 20, — offensichtlich eine noch wieder andere Melodie, wenn auch im Stil der letzten Melodie von Rev. Debaz.

Die *Qāle dᶜudrāne* (= *Qāle* der Hilfe, da ihre Texte Bitten um Hilfe sind) oder *Qāle šḥime* („einfache" *Qāle*; jedoch werden sie auch an Sonntagen und Festen gesungen) oder *Qāle dašlaoātā* (*Qāle* „der Gebete") sind die interessanteste Form der assyrischen Liturgie.

Im Nachtgottesdienst, wo sie verwendet werden, lautet die Bezeichnung *ᶜOniātā dᶜudrāne*, und darin spricht sich eine wesentliche Tatsache aus: ihre Melodien sind dieselben wie die der anderen *ᶜOniātā*, der *ᶜOniātā* vor und nach dem *Māriā qreitāk*, den *ᶜOniātā dsāhde* u. a. Die Melodie (*rukābā*) ist in den Handschriften vor jedem Stück angegeben, *brukāb* = „in der Melodie", oder einfach *b-*, „im". Ist die 1. Strophe die Strophe des Melodietitels, so heißt die Überschrift *reš qālā* = „Hauptton" — so auch im Maronitischen. Die Strophen der zu einer Melodie gehörigen *ᶜOniātā* brauchen nicht immer denselben Bau zu besitzen. Durch Wiederholung von Melodieteilen wird die Hauptmelodie Hymnen mit längeren Strophen angepaßt. Das veranschaulicht das folgende Melodiebeispiel: *Qālā 27* und die *ᶜOniātā dsāhde* des Freitags Abend, wieder von Rev. Debaz gesungen. Die Gelehrsamkeit der assyrischen Dichter geht, wie er mit Stolz bemerkt, aus den vielen griechischen Worten der *ᶜOnītā dsāhde* hervor. Der 1., kursiv gedruckte Vers ist der *Petgāmā*, „Vers", der der eigentlichen Hymnenstrophe vorausgeht.

ᶜOnītā dsāhde von Freitag Abend (Bedjan Nr. 9, S. 364* - 367*; Strophe 12 S. 365*), gesungen von Rev. Aprim Debaz, assyrische Mar-Sargis-Kirche Chicago

Qala 27 (Bedjan, S. 208*), gesungen von Rev. Aprim Debaz, assyrische Mar-Sargis-Kirche Chicago

Besitzt die Strophe dieses *Qālā* den musikalischen Bau Pt A A B C, so ist die erweiterte Strophe der *'Onītā dsāhde* Pt A A B C A A B C. Die eigentliche Strophe ist also einfach verdoppelt worden. Die Strophe A A B C ist dieselbe, die man im Französischen als Kanzone, im Deutschen als Barform bezeichnet. Man vergleiche auch die sehr verschiedene chaldäische Gestalt der Melodie in meiner Ausgabe, S. 61.

Nur die *Qāle* 3, 4, 7, 8, 12, 17, 19, 21, 23, 26, 27 und 28 sind einfache Strophenlieder. Die übrigen *Qāle* haben *Šuḥlāpe*, „Veränderungen", nach sich, *Qālā* 5, 10, 13, 14, 15, 24 und 26 einen, *Qālā* 6 und 16 drei, *Qālā* 11 vier, *Qālā*, 2, 9, 18 und 20 fünf, *Qālā* 1 sechs, — den verlorengegangenen *Qālā* 22 immer überschlagen. Bei dem Namen der *Šuḥlāpe* denkt man unwillkürlich an das europäische Thema mit Variationen, und tatsächlich erklärt auch ein gebildeter orientalischer Sänger, wie Msgre. Bédé, daß die *Šuḥlāpā*-Melodien Variationen der *Qālā*-Melodie seien. Um das zu prüfen, teile ich hier *Qālā* 1 und seine *Šuḥlāpe* 2, 3 und 4 mit.

Qālā 1 mit Šuḥlāpā 2, 3 und 4, gesungen von Rev. Aprim Debaz, Mar-Sargis-Kirche Chicago

Man erkennt sofort, daß nur eine sehr allgemeine Ähnlichkeit zwischen dem *Qālā* und seinen *Šuḥlāpe* besteht, die sich nur auf den Charakter der Melodie überhaupt bezieht und nicht hinreicht, die *Šuḥlāpe* als Variationen des *Qālā* anzusehen.

Wie bei allen nur mündlich überlieferten Melodien ist es auch beim assyrischen Kirchengesang eine grundlegende Frage, wie gut sich seine Melodien erhalten haben. Als Beispiel gebe ich den 1. *Qālā*, von vier verschiedenen Sängern gesungen. Die Sänger sind Bischof Dinkha von der assyrischen Kathedrale in Teheran, Diakon Said Khoury aus Beirut, Rev. Debaz, Chicago, und der chaldäische Msgre. Ephrem Bédé, der aus Alqoš bei Mossul stammt.

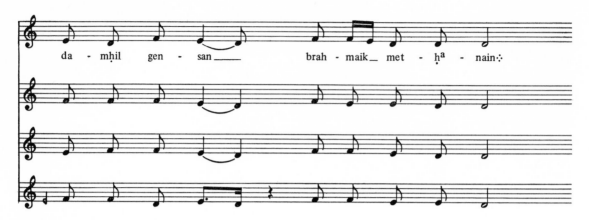

Qālā 1, gesungen von vier verschiedenen Sängern

Die Gesamtlinie der Melodie ist bei allen vier Sängern gut erhalten, auch wenn im einzelnen zahlreiche Varianten auftreten. Auffallend ist, daß Msgre. Bédé die Terz e um einen Viertelton erniedrigt — das ist eine Eigenart der Tonalität Rast, in der das Stück steht. Demgegenüber singen die anderen Sänger die reine Terz, was der nordarabisch-türkischen Musiktradition entspricht. Auch Msgre. Bédé sang ein anderes Mal dasselbe Stück mit der reinen Terz. Man sieht hier die große Freiheit, die dem orientalischen Sänger gegeben ist und die sich nicht nur auf die ornamentale Ausschmückung der Melodielinie bezieht, sondern also auch auf die Intonation erstreckt.

Die Strophen der *Qāle* sind oft sehr verschieden lang. Ob das von Anfang an so gewesen ist oder ob die Differenzen erst im Laufe der Überlieferung eingetreten sind, läßt sich nicht entscheiden. Die Sänger helfen sich, indem sie in längeren Versen größere Partien auf einem Ton rezitieren. Das folgende Notenbeispiel zeigt die 1. Zeile von *Qālā* 1 in drei verschiedenen ʿOniātā in der indischen Tradition, in meiner Ausgabe S. 151, S. 162 und S. 168.

Anpassung einer ᶜOnītā-Melodie an verschieden lange Verse

Den höchsten musikalischen Stil besitzen die Melodien des *Madrāšā*. Der Refrain, ʿUnāiā, wird vom Solosänger vorgesungen und vom Chor wiederholt. Die Strophen, *Bāte* (Einzahl: *Baitā*), singt der Solist; der Chor antwortet nach jeder Stophe mit dem Refrain. Das folgende Musikbeispiel zeigt einen Madrāšā mit seinen typischen Melismen. Der musikalische Aufbau der Strophe ist A B C B A B C B' A B C B', der des Refrains A' B C B.

Bāte

1. Ai - nā_____ dna - gī - rā_____ : ru - ḥeh_____

dneš - ta - ᶜe. ᶜal mag - nat ru - ḥāk_____ : da - msaib - - ra ḥao - bain

ḥtain etm - - līn ᶜāo - lā_____ : šparn etm - - līn ḥut - rā.

oᵓit - tain___ laḥ - dā - de_____ : ḥur - me dlā raḥ - me. dī - reb___

ḥsam - nan beh_____ : o - dan - pal_____ ḥdī - nan leh.

o - kad tāb___ krein ḥa - iain_____ ḥāo - bain a - rī - kīn.

1. Madrāšā des Montags der Ninive-Bitten, gesungen von Rev. Aprim Debaz, Mar-Sargis-Kirche Chicago

Die Harmonik des assyrischen Kirchengesanges besaß vermutlich im Mittelalter ebenso ein Acht-tonartensystem wie das Syrisch-Orthodoxe, das Armenische und das Byzantinische. Wir können das daraus schließen, daß die Texte der *Qāle dᵉ udrāne* ebenso im Syrisch-Orthodoxen und im Maroniti-schen vorkommen, und mittelalterliche Handschriften überliefern für die *Qāle* die Angaben ihrer Kirchentöne. Der Aufbau der Kirchentöne ist heute nicht mehr im Assyrischen bekannt. Der moderne Kirchensänger benutzt zur Kennzeichnung der Tonarten seiner Gesänge die Namen der entspre-chenden arabischen Tonarten, der *Maqamen*.

Nach Angaben meines Gewährsmannes, Msgre. Bédé, sind folgende Leitern gebräuchlich: *Rast, Nawa* bzw. *Nahawand, Hijaz* bzw. *Hijazkar, Segah, Saba, Bayati, Urfali, Turani* und *Araibuni*. Die letzten drei Tonarten sind aus der arabischen und persischen Musiktheorie nicht bekannt. Der *Rast* kommt in zwei verschiedenen Ausführungen vor: im nördlichen Bereich der arabischen Länder und in der Türkei ist er mit unserem Dur identisch, im zentralen und afrikanischen Bereich dagegen benutzt er die neutrale Terz. Nehmen wir Vierteltöne als Einheiten, so ist der Ganzton dann 4, die Quarte 10, die Oktave 24 usw. Unsere Durleiter ist dann also 4 4 2 4 4 4 2. Die neutrale Terz liegt in der Mitte zwischen der kleinen Terz 6 und der großen Terz 8, beträgt also 7. Sie besteht aus dem Ganzton 4 und dem Dreiviertelton 3, der die kleine Terz 6 in der genauen Mitte teilt. Der *Rast* mit der neutralen Terz hat dann die Intervallfolge 4 3 3 4 4 3 3. Msgre. Bédé singt den *Rast* im allgemeinen in der diatonischen Form. Der *Nahawand* ist unsere d-Leiter mit b, also die Folge 4 2 4 4 2 4 4; der *Nawa* ist die ³/₄-Ton-Variante hiervon, also die Reihe 3 3 4 4 3 3 4. Der *Hijazkar* ist die in Europa als „Zigeunertonleiter" bekannte Leiter 2 6 2 4 2 6 2. Der *Hijaz* benutzt wieder ³/₄-Töne, vor allem in der oberen Quarte 3 3 4 statt 2 6 2. Der *Segah* ist eine typisch orientalische Leiter, die die neutrale Terz $e-\frac{1}{4}$ als Tonika benutzt — das ergibt die Folge 3 4 4 3 3 4 3. Msgre. Bédé singt den *Segah* aber nicht in dieser Form, sondern auf e mit einer Quarte der Form 3 4 3, und so existierte im Mittelalter eine arabische Leiter, die also offenbar in der mündlichen Tradition fortlebt, ohne daß die moderne arabische Musiktheorie sie registrierte. Der *Saba* ist die Leiter 3 3 2 6 2 4 4. Msgre. Bédé stellt ausdrücklich fest, daß die große Terz 8 in drei gleiche Teile (das wären Intervalle der Größe 2²/₃) geteilt ist, — und auch diese Leiter gab es in der mittelalterlichen arabischen Musiktheorie. Wiederum lebt also eine mittelalterliche Leiter noch in der heutigen Musikpraxis, ohne daß sie von der heutigen Musiktheorie erfaßt ist. Der *Bayati* ist in der Intervallfolge in der unteren Quarte mit dem *Nawa*, in der oberen mit dem *Nahawand* identisch, benutzt dementsprechend die Intervallfolge 3 3 4 4 2 4 4. Msgre. Bédés *Urfali* ist wieder eine d-Leiter mit b und neutraler Terz in der unteren Quarte, also dieselbe Leiter wie der *Bayati*. Die Unterschiede zweier in der Intervallfolge übereinstimmender Leitern liegen dann in der typischen Motivik, die in den Leitern verschieden ist. Der *Turani* ist eine tiefe d-Leiter mit ³/₄-Tönen, das heißt also: eine a-Leiter. Eine solche Leiter 3 3 4 3 3 4 4, als Variante von 3 3 4 4 3 3 4, findet sich in der arabischen Theorie als *Husayni ʿušayrān* (ʿušayrān der Name des Tons a) und als *Nihuft*. Der *Araibuni* hat nur eine auf den Raum einer Quinte beschränkte Melodik und die Intervallfolge 3 4 2 4 2 — eine Anordnung, die sich offensichtlich wie der *Segah* auf die Tonika e $-\frac{1}{4}$ gründet. Diese Leiter kommt regional als *Maiāh* vor, der sonst die Folge 3 4 4 2 4 besitzt.

Als Beispiel der praktischen Erfassung einer gesungenen Tonleiter sei der *Madrāšā* gewählt, den Rev. Debaz gesungen hat (siehe Beispiel S. 80/81). In diesem Gesang haben die einzelnen Töne folgende Tonhöhen: b 231 Hz (= Hertz, Doppelschwingungen in der Sekunde), as 212 Hz, g 202 Hz, f 177 Hz, e $-\frac{1}{4}$ 162 Hz.

Um Tonhöhen („Frequenzen") nach dem Tonband zu messen, kann man nicht direkt auf einen elektronischen Frequenzzähler gehen, da dieser eine bestimmte Zeit zum Zählen gebraucht (1 Sekunde — wenn man auch eine Stelle nach dem Komma haben will, 10 Sekunden), die die einzelnen Töne oft nicht erreichen. Man stellt dann mit einem Frequenzgenerator (oder „Oszillator") dieselbe Frequenz her, die man messen will und kann nun die Oszillatorfrequenz in Ruhe auszählen. Es gibt auch geeichte Generatoren, an denen sich die Frequenz direkt ablesen läßt. Den Vergleich der Oszillatorfrequenz, die man solange verändert, bis sie mit der zu messenden Frequenz übereinstimmt, mit der Frequenz des gesungenen oder gespielten Tons, kann man mit dem Gehör durchführen, besser aber mit einem Oszillographen. Auf einem Doppelstrahloszillographen gibt man die zwei Schwingungen den beiden Strahlen, wobei ein Bild stillsteht, das andere wandert und in dem Moment stehen bleibt, wo beide Frequenzen übereinstimmen. Mit einem modernen Einstrahloszillographen kann man ebensogut arbeiten, wenn man die eine Schwingung mit der anderen „triggert" (= seitlich ablenkt) — das wandernde Bild kommt wieder zum Stillstand, wenn beide Frequenzen gleich werden.

Aus den Frequenzen kann man die musikalischen Intervalle mit einem logarithmischen Rechenverfahren sofort in Hundertsteln des Halbtons (diese kleinen Miniintervalle heißen Cents, abgekürzt C; der Ganzton hat dann 200 C, die kleine Terz 300 C, die Oktave 1200 C usf.) erhalten.

In meinen „Fünf- und siebenstelligen Centstafeln zur Berechnung musikalischer Intervalle", Leiden 1951, findet man zu jeder Schwingungszahl einen Logarithmus. Durch Subtraktion der Logarithmen zweier Schwingungszahlen erhält man sofort das Intervall zwischen ihnen in Cents. Die zu den eben angegebenen Frequenzen des Notenbeispiels 7 gehörigen Zahlen sind 9422, 9274, 9190, 8961 und 8808. Durch Subtraktion ergeben sich die folgenden Cents.

In Cents ausgedrückt, besitzen die Intervalle zwischen den einzelnen Tönen demnach folgende Werte.

	e	f	g	as	b
Hz:	162	177	202	212	231
C:		153	229	84	148

Diese Werte sind die Tonhöhen und Intervalle des Refrains. In der Strophe hat Rev. Debaz die beiden oberen Töne zu 215 Hz bzw. 242 Hz erhöht. Die beiden oberen Intervalle werden dann 108 C bzw. 205 C. Solche Korrekturen sind etwas ganz Gewöhnliches bei orientalischen (und auch europäischen) Sängern — jeder Sänger muß sich erst einmal „einsingen". Man wird beim Tonleiterstudium also immer die korrigierten späteren Werte zugrundelegen. Rundet man — lediglich der einfacheren Übersicht halber — diese Centszahlen auf volle 50 ab, so erhält man eine Leiter der Form 150, 200, 100, 200 C oder — in Vierteltoneinheiten — 3 4 2 4. Dies ist genau die Leiter, die Msgre. Bédé als *Araibuni* bezeichnete und die damit eine sehr willkommene Bestätigung findet.

Versucht man jetzt, das originale Kirchtonartensystem aus diesen Leitern zu rekonstruieren, so kann man vom Lateinischen und Neubyzantinischen ausgehen und die d-Leiter als 1. Ton ansetzen.

Auf d stehen dann *Nahawand, Nawa, Bayati, Urfali und Saba*. Eine e-Leiter kommt überhaupt nicht vor — aber *Segah* und *Araibuni* stehen auf e $-\frac{1}{4}$. Eine f-Leiter fehlt; aber Msgre. Bédé sang das *Qādīšā alāhā* (siehe meine Ausgabe, S. 20) ganz erheblich höher als den normalen *Rast* auf c, so daß ich annehme, daß er hier einen *Rast* nach f transponierte — eine solche Leiter existiert in der modernen arabischen Theorie ebenfalls und führt hier bei diatonischer Stimmung den Namen *Tschahar-gāh* (das ist zugleich der Name des Tons f). Eine g-Leiter fehlt; stattdessen haben wir den *Rast* auf c unterzubringen. Wenn wir ihn als 4. Ton führen, erhalten wir daher den 4. Ton wie im Neubyzantinischen auf c, nicht wie im Lateinischen auf g. Endlich bleibt der *Hijazkar* übrig. Er kommt ebenso im Neubyzantinischen vor und zählt hier als 2. Ton. So werden wir ihn in unserer Rekonstruktion auf e stellen und erhalten damit auch einen — allerdings chromatischen — Ton auf e. Eine Tabelle mag eine zusammenfassende Übersicht dieser Rekonstruktion geben.

1. Ton	Nawa	d	$e^{-\frac{1}{4}}$	f	g	a	$h^{-\frac{1}{4}}$	c	d
	Bayati, Urfali	d	$e^{-\frac{1}{4}}$	f	g	a	b	c	d
plagaler	Bayati: Turani	a	$h^{-\frac{1}{4}}$	c	d	e	f	g	a, Tonika d
	Nahawand	d	e	f	g	a	b	c	d
	Sabā	d	$e^{-\frac{1}{4}}$	f	ges	a	b	c	d
2. Ton	Segah	$e^{-\frac{1}{4}}$	f	g	a	$h^{-\frac{1}{4}}$	c	d	$e^{-\frac{1}{4}}$
	Araibuni	$e^{-\frac{1}{4}}$	f	g	as	b	c	d	$e^{-\frac{1}{4}}$
	Hijaz	e	f	gis	a	h	$c^{+\frac{1}{4}}$	d	e
	Hijazkar	e	f	gis	a	h	c	dis	e
3. Ton	Johargah	f	g	a	b	c	d	e	f
4. Ton	Rast	c	d	e	f	g	a	h	c

An dieser Zusammenstellung fällt zweierlei auf: einerseits fehlen — mit Ausnahme des Turani — plagale Tonarten, andererseits stehen auf der 1. und 2. Stufe mehrere Leitern. Was die plagalen Tonarten betrifft, so befinden sich solche unter den angeführten Skalen.

So wurde schon auf den beschränkten Umfang von *Araibuni* hingewiesen, und auch der *Segah* wird von Msgre. Bédé nur selten in der Höhe ausgenutzt — man vgl. etwa S. 83 meiner Ausgabe in der umfangsbeschränkten Form des *Segah* mit der bis h hinaufgehenden erweiterten Form S. 85. Mit dem Umfang h — h und der Tonika e ist genau das Bild eines gregorianischen plagalen Tons gegeben. Auch der *Sabā* beschränkt sich zumeist auf seine Quinte — in für ihn typischer Weise auf der Quinte beginnend und zur Tonika absinkend (dies ist indessen im Mittelbyzantinischen gerade ein Charakteristikum authentischer Tonarten). Überhaupt aber ist der Unterschied zwischen authentischen und plagalen Tonarten in der arabischen Musikpraxis fließend, da viele arabische Maqamen in plagaler Weise unter ihre Tonika hinuntergehen, dann oft auch zugleich über ihre Quinte hinaus, so daß sie mehr den „plusquamperfekten" Tönen der gregorianischen Theorie zuzuzählen wären.

Daß mehrere Tonleitern auf einer Grundtonhöhe stehen, erklärt sich aus der schon eben berührten Intonationsfreiheit des orientalischen Sängers.

Es gehört zu den Eigenschaften der Maqamen, daß sie erhebliche Modulationen gestatten, Wechsel der ³/₄-Ton-Intonation zur diatonischen oder chromatischen und umgekehrt, Leittöne nach oben oder unten je nach der Melodierichtung u. ä. So bezeichnet Msgre. Bédé Nawa und Nahawand sowie Hijaz und Hijazkar als identisch. Tatsächlich besitzt jeder von ihnen Modulationen in den anderen, so daß sie sich jeweils auseinander herleiten lassen. Auch der Hijazkar paßt in diese Linie: Wir sahen schon, daß Msgre. Bédé den Segah mit dem Beginn 3 4 4 zu 3 4 3 im Rahmen der Quarte e—a diatonisiert hatte — der nächste Schritt zur vollen Diatonisierung führt logisch von 3 4 3 zu 2 6 2, der typischen Quarte des Hijazkar, die auch in einer großen Anzahl weiterer Maqamen vorkommt. Dies ist besonders wichtig, weil so auch die chromatische Leiter des 2. byzantinischen — authentischen und plagalen — Kirchentons sich zwanglos ergibt; die lateinische Leiter von 2 4 4 wäre ebenso als eine Diatonisierung von 3 4 4 zu 2 4 4 aufzuweisen, wobei das untere Intervall 3 zu 2 verkleinert wurde, während die Bédésche Verkleinerung des oberen Intervalls von 4 zu 3 die charakteristischen ³/₄-Töne des Segah bewahrt. Die Intonationsfreiheit der orientalischen Leitern mag dem Europäer merkwürdig erscheinen, sie führt aber zwanglos auf dieselbe antike Praxis zurück: die griechische antike Musiktheorie erläutert für ihre drei Tongeschlechter enharmonisch, chromatisch und diatonisch jeweils verschiedene — bis zu drei — Einstimmungsarten, deren Auswahl dem betreffenden Künstler überlassen war und die je nach Geschmack, Schule u. ä. schwankte. Von hier konnte diese Praxis unmittelbar in den christlichen Kultgesang übergehen, ehe die arabische Kultur überhaupt existierte, geschweige denn Einfluß ausübte.

Das eben aufgestellte Tonartenschema geht von der Voraussetzung aus, daß die d-Leiter den 1. Kirchenton darstellt. Diese Voraussetzung ist nicht selbstverständlich, da das Armenische seine Kirchentonreihe von c aus beginnt. Auch im Arabischen ist der *Rast* die Grundtonart und auch Msgre. Bédé bezeichnete stets den *Rast* als die erste und wichtigste Tonart — ebenso der maronitische Msgre. Mourad (siehe unten). Die Reihenfolge lautet dann:

1. Ton Rast
2. Ton Nawa, Bayati, Urfali, Nahawand, Sabā
       plagal: Turani
3. Ton Segah, Araibuni, Hijaz, Hijazkar
4. Ton Johar-gah

In dieser Form entspricht die Aufeinanderfolge auch am besten der Reihenfolge, die Msgre. Bédé und Msgre. Mourad bei ihrer Erklärung der orientalischen Kirchentonarten benutzten.

Maronitische Liturgie

Entsprechend den wechselvollen Schicksalen der maronitischen Nation haben sich nur Handschriften erhalten, die frühestens aus dem Mittelalter stammen.

Die früheste datierte maronitische Handschrift ist ein Begräbnis-Rituale von 1266, Cod. syr. 59 der Biblioteca Vaticana; die nächste ist ein Psalter, Cod. Florenz, Bibl. Laurentiana, Plut. I, 12, vom Jahre 1318. Zu den frühesten undatierten Handschriften gehören der add. 14703 des Brit. Mus. mit Qāle und Sugiāta, noch aus dem 12. oder 13. Jh,. und die Festbreviere add. 14707 und 17235 aus dem 1. Drittel des 13. Jhs. Die übrigen liturgischen Handschriften des maronitischen Ritus stammen fast alle frühestens aus dem 16. Jh. Lesungen, Rubriken u. a. sind häufig in arabischer Sprache, entweder in arabischer Schrift oder in syrischer Schrift („Karschuni"), so z. B. der Psalter Nr. 30 der Florentiner Bibl. Palatina-Medicea vom Jahre 1528. Die liturgischen Psalterien des Maronitischen lassen sich leicht dadurch erkennen, daß sie den Psalter in 15 Marmiātā einteilen und den Cantica Ephrems Morgenhymnus *Nuhrā* anfügen, der als Tešbohtā auch in der assyrischen Morgenstunde vorkommt. Das früheste Missale geht noch ins 15. Jh. zurück: Cod. syr. 28 der Bibl. Vaticana; die nächsten stammen von 1501 (Cod. syr. 32 der Vaticana), 1539 (Vat. syr. 29), 1546 (München, Staatsbibl., Cod. syr. 5) usf. Die maronitischen liturgischen Texte, vor allem der Wortlaut der Meßgebete, sind schon vom 16. Jh. an stark umgestaltet worden und haben römische Formulierungen und Textpartien übernommen. Heute versucht man, den Originalzustand wiederherzustellen — bei dem Mangel an alten Handschriften kein leichtes Unternehmen.

Die maronitische Liturgie stimmt in ihren Aufbauprinzipien in vielem mit der syrisch-orthodoxen Liturgie überein; in anderem ist sie einfacher und regelmäßiger. So erscheint sie einerseits wie eine Frühform der syrischen Liturgie; doch andererseits mag ihr einfacherer Charakter auf spätere Vereinfachungen zurückgehen. Jeder Psalmlesung geht wie im Assyrischen ein obligates Gebet voraus (das deswegen in den folgenden Zusammenstellungen nicht eigens aufgeführt wird).

Den einfachsten Aufbau zeigen die drei Tagesstunden Terz, Sext und Non. Am Anfang steht in Terz und Non Ps. 51, in der Sext Ps. 91, darauf folgt die in allen Stundengottesdiensten grundlegende Aufbaugruppe

Prumiiāon Sedrā Qālā ʿEṭrā

und eventuell ein abschließender 2. *Qālā*. Den Beschluß der kleinen Stunden bildet wie in allen anderen Stunden und ebenso im Syrisch-Orthodoxen eine *Baʿutā*. Der *Sedrā* (= „Setzen"; ein Gebet, bei dem die Gemeinde sitzen bleiben darf) wird von dem *Prumiiāon* (= griech. Prooimion) eingeleitet. Der 1. *Qālā* hat in den kleinen Stunden seine Psalmverse z. T. verloren; lediglich sein Name *Mazmurā* (= Psalm) deutet dann auf ihr einstiges Vorhandensein hin. Der *ʿEṭrā* (= „Weihrauch") oder *Qubālā* (= „Empfang"; Abkürzung von *Qubāl ʿeṭrā* = Empfang des Weihrauchs, da der Text stets die Bitte enthält, Gott möge den gespendeten Weihrauch gnädig aufnehmen) ist das die Räucherung begleitende Gebet. Die Konzentration aller Stunden um den Räucherakt ist eine Besonderheit des Maronitischen; das Syrisch-Orthodoxe räuchert nur in Vesper und Laudes, im Nachtgottesdienst nur bei bestimmten Gelegenheiten, z. B. in der Karwoche. Die maronitische Praxis scheint daher ein älteres Stadium darzustellen, wenn auch die Räucherung in den Tagesstunden eine spätere Verallgemeinerung sein könnte. Die Komplet ist ähnlich aufgebaut, fügt aber nach Ps. 51 den typischen Abendpsalm 91 ein. Die abschließende *Bāʿutā* ist wie im Syrisch-Orthodoxen nach den angeblichen Erfindern ihrer Versmaße benannt: *Māri Apreim* siebensilbig, *Māri Iaʿqub* zwölfsilbig, *Māri Balai* fünfsilbig. Der zwölfsilbige Vers ist in drei viersilbige Einheiten zerlegt, die *qupsā* = „Kubus" heißen.

Vesper und Laudes besitzen ihre charakteristischen Psalmgruppen bzw. Cantica oder *Tešbḥātā*: die Vesper die schon bekannte Gruppe Ps. 140/141/118 N/116, die Laudes (ohne Ps. 51) Magnificat, Ps. 63, *Tešboḥtā Nuhrā*, Ps. 148/149/150/116. Darauf folgt in beiden Fällen eine *Sugītā*. Der Nachtgottesdienst besteht aus vier Nokturnen. Voran geht der *Mʿirānā* (von ʿur, „wachen"), der mit *Qālā* verbundene Ps. 133 mit Ps. 88, V. 1/2. Die Nokturnen (*qaomā*, = „Aufstehen", also

= lat. Statio) bestehen aus der normalen Räucherungsgruppe mit abschließender *Bāʿutā*, nur die letzte *Qaomā* setzt das Canticum Daniel 3 und eine *Sugītā* voran.

Das Maronitische kennt auch eine fortlaufende Psalterlesung, deren Verteilung oben schon angegeben wurde.

Sie dürfte sich auf die Klöster beschränkt haben. Formulare einer eigenen monastischen Liturgie sind nicht bekannt geworden. So darf man vermuten, daß die fortlaufende Lesung den charakteristischen Psalmen vorausging oder nachfolgte. Die fortlaufende Psalterlesung dürfte gesprochen oder improvisiert worden sein. Reinen Psalmengesang kennt das Maronitische überhaupt nicht: jeder Psalm ist stets mit einem *Qālā* tropiert. Dabei folgt jedem Psalmvers seine *Qālā*-Strophe nach. Der Psalmvers wird dabei improvisiert, während der *Qālā* seine feste Melodie besitzt. Die Improvisation des Psalmverses geschieht zumeist in sehr einfacher Weise und besteht, von einem kurzen Eingang abgesehen, nur aus einer Deklamation auf der Tonika oder einem Rezitationston. Doch erläuterte mir mein Gewährsmann P. Maroun Mourad, Superior des Klosters St. Antonius in Jezzine (Libanon), daß in Klöstern begabte Sänger auch frei improvisieren dürfen, sofern sie sich nur an die Tonart halten. Es entsteht so wieder eine primitive Mehrstimmigkeit nach Art des frühmittelalterlichen Organums.

Als Beispiel einer maronitischen *Qālā*-Melodie teile ich die folgende nach der Ausgabe P. Paul Ašqars (Jounieh 1939) mit — eine *Sedrā*-Melodie im *Qālā*-Stil; der *Sedrā* ist im Ephremschen Versmaß gehalten und hat deshalb eine eigene feste Melodie.

8.

Sedrā dMāri Apreim, Ašqar S. 50

Um einen Begriff von der Konstanz der Melodien in der mündlichen Tradition zu geben, teile ich dieselbe Melodie in der Form mit, in der P. Maroun Mourad sie für mich gesungen hat.

9.

Die Weise zeigt erhebliche melodische Differenzen zwischen beiden Fassungen, die umso erstaunlicher sind, als P. Mourad Schüler von P. Ašqar ist. Besonders belangreich ist der Unterschied der Harmonik: P. Ašqar singt diatonisch, P. Mourad mit ³/₄-Tönen.

Zur weiteren Erhärtung dieser Erkenntnisse sei eine andere Melodie mitgeteilt, die eines *Mazmurā*, zunächst wieder nach Ašqars Ausgabe.

10.

Mazmurā im Ton *Bṣaprāk rabā*, ed. P. Paul Ašqar, S. 38

Derselbe Mazmurā lautet, von P. Maroun Mourad gesungen, folgendermaßen:

11.

Bpel - geh   dlil - iā __ hāo - ia   qᶜā - tā   dhā̱ hat - nā __ ā - te   tao   puqo   lᶜur - ᶜeh.

oāi - leh   lᵖai - nā __ dlā   ṭā - ieb   leh   zoā - de __ ṭā - be   lhāi   miᵓ - zal - tā.

Neben melodischen Differenzen fällt hier wieder dieselbe Diskrepanz in der Harmonik auf.

Im Gegensatz zum Assyrischen haben die *Madrašе* und *Sugiātā* im Maronitischen denselben einfachen Stil der Melodik wie die *Qāle.*

Die maronitische Harmonik hat wie die assyrische ihr ursprüngliches System verloren und verwendet heute die Namen der arabischen Maqamen zur Bezeichnung der im Kirchengesang gebräuchlichen Tonarten.

P. Maroun Mourad gab mir die Tonalitäten der meisten Stücke des maronitischen Breviers an. Danach sind die Haupttonarten des maronitischen Kirchengesangs Rast — Johargah (= Rast auf f) — ʿAjam (= Rast auf b), Nawa — Nahawand und Segah; selten ist Sabā; nur einmal nennt er Hijaz. Wieder hat man die Wahl, das originale System als c- oder d-System anzusetzen. Da die maronitische Liturgie aber eine so enge Beziehung zur syrisch-orthodoxen besitzt, erscheint es mir am sinnvollsten, auch ihr Tonsystem nach dem dieser Liturgie zu ordnen und diese besitzt ein System, das die d-Leiter als 1. Kirchenton betrachtet, die plagale d-Leiter als 2. Ton usf. Das ursprüngliche maronitische Kirchentonsystem verfügt dann über folgende Kirchentöne:

1. Ton d-Leitern   Nawa, Nahawand
2. Ton e $-\frac{1}{4}$-Leiter   Segah
      e-Leitern   Segah (diatonisch), Hijaz
3. Ton f-Leiter   Johargah
4. Ton c-Leiter   Rast
      nach b transponiert: ʿAjam.

Um die Existenz des ³/₄-Ton-Segah sicherzustellen, teile ich die Werte der von P. Mourad in den beiden Beispielen gesungenen Intervalle mit. In Beispiel 9 bzw. 11 betrugen die Frequenzen und Intervallgrößen:

	g	a$-\frac{1}{4}$	b	c	des		c	d	e$-\frac{1}{4}$	b	g
Hertz:	145	158	172	195	207		115	131	142	154	172
Cents:		149	147	217	103			225	140	140	202
		Musikbeispiel 9						Musikbeispiel 11			

Diese Zahlen zeigen, mit welch erstaunlicher Reinheit P. Mourad sowohl Halb- und Ganztöne wie auch die ³/₄-Töne intoniert. Das Musikbeispiel 9 zeigt wieder einen Segah der Form 3 4 2, Msgre. Bédés Araibuni.

Monastische syrisch-orthodoxe Liturgie

DieHandschrift add. 17241 des Britischen Museums in London (Katalog von W. Wright Nr. CCCXCIII, S. 312) aus dem 13. Jh. enthält „services for the canonical hours of the ferial days". Sie gehört zur „Nitrian collection" der Manuskripte, die das Britische Museum von Der-es-Surjan, dem syrischen Skete-Kloster in der Nitrischen Wüste Nordägyptens erwarb.

Aber dieses Wochenbrevier (syrisch: Šhīmtā) unterscheidet sich in mehreren Punkten erheblich von den übrigen entsprechenden Handschriften der syrisch-orthodoxen Liturgie: einmal ist schon ganz allgemein der Aufbau der Gebetsstunden, vor allem des Nachtgottesdienstes, verschieden von dem der anderen Manuskripte der syrischen Liturgie, und insbesondere kennt diese Handschrift eine fortlaufende Lesung des ganzen Psalters, die in der normalen Liturgie fehlt, und gibt den Hymnen, Maʿniātā (sg. Maʿnītā; Etymologie s. gleich),des Severus eine liturgische Verwendung, die uns den Charakter dieses Werkes überhaupt erst richtig verstehen läßt. Die Psalterien, die diese Lesung enthalten (ihre Verteilung der Psalmen auf die Stunden siehe oben), sind bald gefunden: der add. 17221 aus dem

14. oder 15. Jh. überliefert eine eigentümliche, von allen anderen Psalterlesungen abweichende Psalmverteilung, die ausdrücklich als nach der Ordnung des Skete-Klosters bezeichnet ist, ebenso der Cod. syr. 178 der Pariser Bibl. Nat., 1490 im Skete-Kloster geschrieben, und der add. 14723 des Brit. Mus. aus dem 13. Jh. enthält gar beide Charakteristika dieser Klosterliturgie zusammen: im 1. Teil Maʿniātā des Severus, im 2. Teil die Psalterlesung. Auch Kodizes, die die Ordnung der Sonntage und Feste des ganzen Jahres bringen und die sich durch die Verwendung der Severianischen Hymnen als zu dieser Liturgie gehörig erweisen, sind erhalten, so die riesigen Bände add. 12146–12150, im Jahr 1008 geschrieben. So ordnet etwa der add. 12147 in jedem der vier Teile der Palmweihe am Palmsonntag zwei Hymnen des Severus an. Maʿniātā, Qāle und Baʿoātā für die Feste bietet der add. 17245 aus dem 13. Jh. Der Beit Gazā ist das nach Gattungen geordnete Buch — *Maʿniātā* enthält der add. 17232 von 1210 und die Handschrift Berlin, Sachau 155 (Katalog Nr. 154), 1637 im Kloster des hl. Behnām geschrieben, der letzte eindrucksvolle Zeuge des monastischen Ritus. So läßt sich ein vollständiges Bild dieser eigenartigen Liturgie gewinnen.

Der Aufbau der kanonischen Stunden zeigt charakteristische Züge, die diese Liturgie von der säkularen syrisch-orthodoxen Liturgie unterscheiden.

Der *Ramšā* beginnt mit Ps. 86, in der säkularen Liturgie nur noch im *Ramšā* des 1. Fastenmontags gebräuchlich. Daran schließt sich die Psalterlesung, der die Ps.-140-Gruppe folgt. Der im Säkularen diese Gruppe beschließende ʿEqbā fehlt. Die Räucherungsgruppe ist normal — der 1. *Qālā* wird als *Qubālā* (= „Empfang", siehe oben) bezeichnet, das Räuchergebet als *Ṣlutā dpīrmā* („Gebet des Weihrauchs"). Die *Bāʿutā* bildet wie üblich den Schluß. Der im Säkularen eingeschobene Gedächtnisteil (den lateinischen Commemorationen vergleichbar) ist nicht erwähnt, dürfte aber wohl vorhanden gewesen sein. Die Handschriften add. 12146 ff. zeigen uns, daß der Ramšā sonntags wie im Säkularen mit dem Ps. 51 begann — der ihn begleitende Tropus heißt aber nicht ʿEniānā (wie ʿOnītā und ʿUnāiā von ʿnā = „antworten") wie im Säkularen, sondern Qanonā. Von der Komplet erwähnt die Handschrift add. 17241 nur den Ps. 91 — von den kleinen Stunden berichtet sie überhaupt nichts, doch teilen die Handschriften add. 12146 ff. für diese Qālā und Bāʿutā mit. Der Nachtgottesdienst *Liliā* besteht nur aus zwei Nokturnen, die hier ganz allgemein *Tešmeštā* (= „Dienst") heißen. Voran geht der *Mʿīrānā*. Die 1. *Tešmeštā* beginnt nach der Psalmenlesung mit Ps. 51, es folgen *Prumiiāon, Sedrā, Qubālā*, darauf aber der tropierte Ps. 140 (dienstags, donnerstags; Montag ist in der Handschrift verloren) bzw. 132 (mittwochs, freitags, samstags), dann das Räuchergebet und nun vier *Maʿniātā gaoānāiātā* (= „allgemeine", da sie sich nicht auf ein spezielles Fest, sondern auf „allgemeine" Themen, wie Buße u. ä. beziehen) des Severus und vier *Takšpātā* (sg. *Takšeptā* = „Bitte"), Bittgesänge des Bischofs Rabbulā von Edessa († 435), die auch heute noch in den Büchern der säkularen Liturgie stehen. In den *Maʿniātā*-Handschriften werden den *Maʿniātā* die *Takšpātā* gern angeschlossen, da sie ihnen ja auch in der Liturgie folgen. Den *Maʿniātā* ist die Nummer des Kirchentons (von 1 bis 8 gezählt) beigegeben — für beide Nokturnen dieselbe. Darauf beschließt eine Bāʿutā diesen 1. Teil der 1. Nokturn. Der 2. Teil besteht aus der Gruppe der Lobpsalmen 148/149/150/116 und Schlußgebeten. Die 2. Nokturn stellt hinter die Psalterlesung das tropierte Magnificat. Auf *Prumiiāon, Sedrā* und *Qubālā* folgt dienstags und donnerstags der tropierte Ps. 132, mittwochs, freitags, samstags der *Qālā ʿam ʿeṭra dbesme*, der sich sonst und wohl auch hier an den Ps. 116 anschließt. Dem Räucherungsgebet folgen wieder vier *Maʿniātā gaoānāiātā*, sodann ein 2. *Qālā* und endlich das erweiterte Gloria in excelsis (*Šubḥā lʾ alāhā bamraome*). Diese „Große Doxologie" steht auch im add. 17134, dem berühmten Maʿniātā-Kodex noch aus dem 7. Jh. (siehe unten). Dort geht ihr eine Erklärung voran, daß sie in den Kirchen der Städte und Vorstädte am Ende des Morgengottesdienstes *Ṣaprā*, in Qenešre dagegen am Ende des *Liliā* gesungen wird. Qenešre ist das 531 von Johannes Bar-Aphthonius gegründete berühmte syrisch-orthodoxe Kloster gegenüber Europos am Euphrat. Die im add. 17241 enthaltene Liturgie folgt also zumindest in diesem Punkt dem Gebrauch des Klosters Qenešre — man darf vermuten, daß sie also überhaupt die frühe Liturgie des syrischen Mönchtums darstellt. Der Ṣaprā setzt hinter die Psalterlesung wieder den Ps. 51, dann folgen die Morgenpsalmen 100 und 113, danach die normale Räucherungsgruppe mit 2. Qālā und die abschließende Bāʿutā. Mit Ausnahme des Ps. 86 des Ramšā sind alle Psalmen und das Magnificat tropiert.

Das charakteristische musikalische Element dieser monastischen Liturgie sind die *Maʿniātā* des Severus von Antiochien.

Er war Patriarch von Antiochien 521–518 und starb 538 in Ägypten. Nach der Auseinandersetzung im add. 17134 (wiedergegeben in Wrights Catalogue, S. 336/37) wurden die Stücke von einem Bischof Paul von Edessa in dessen Exil in Zypern vom Griechischen ins Syrische übersetzt. Man sieht diesen Bischof zugleich in einem „Abt" Paul, der in Zypern 624 eine Übersetzung der Reden Gregors von Nazianz ins Syrische anfertigte. Die Übersetzung Pauls von Edessa wurde 675 von einem Jaʿqub Raḥem ʿAmlā (= Philoponos, „der Fleißige") mit dem Original verglichen. Die auf ein griechisches Wort zurückgehenden syrischen Worte schrieb er schwarz, die von Bischof Paul, um die ursprüngliche Silbenzahl zu erreichen, hinzugefügten Worte rot, die von ihm geänderten Worte korrigierte er in klein über den betreffenden Worten. Dies ist die Handschrift add. 17134 des Brit. Mus. In diesem Jaʿqub Raḥem ʿAmlā erblickte schon W. Wright den berühmten Bischof Jaʿqub von Edessa († 708) und glaubte, im add. 17134 ein Autograph dieses Bischofs vor sich zu haben. Der moderne Herausgeber des Werkes in der Patrologia Orientalis, E. W. Brooks, möchte lieber eine noch zeitgenössische Abschrift vom Original annehmen. Diese syrische Fassung des Severianischen Hymnenbuches enthält aber nicht nur die Hymnen des Severus selbst, 295 an der Zahl, sondern auch solche von Johannes Bar-Aphthonius von Qenešre, einem anderen Abt Johannes von Qenešre und einige anonyme, alles in allem genau 365. Da auch Jaʿqub von Edessa — „eine Glanzleistung seiner philologischen Akribie" nennt Baumstark seine Revision — in Qenešre studiert hatte, zeigt sich die enge Verbundenheit dieser syrischen Erweiterung des Hymnenbuches mit Qenešre.

Der Titel der syrischen Übersetzung des Severianischen Hymnenbuches lautet stets „*Maʿniātā* des hl. Severus, Patriarchs von Antiochien" o. ä. Als originale griechische Entsprechung hierzu hat man vermutet, daß die Stücke „antiphona" hießen. Aber der von der Wurzel ʿnā, „antworten" (vgl. schon ʿ*Onītā*, ʿ*Unaiā*, ʿ*Eniānā*) abgeleitete Aphel aʿni bedeutet „vorsingen", z. B. Exodus 15,21 von Mirjam, die das Siegeslied „anstimmte" — es scheint, daß sie den Refrain vorsang wie beim *Madrāšā* (siehe oben) und gewiß auch die Strophen, worauf „alle Frauen" hinter ihr her tanzend den Refrain jeweils wiederholten.

Das im Studium des Griechischen besonders ausgezeichnete Kloster Qenešre benutzte antiphona, vielleicht erst später, in der Originalform; schon die genannte Handschrift 17134 überliefert *antīpāone*, von denen sie vorsichtig schreibt, daß man glaubt, daß sie von Johannes Bar-Aphthonius stammen. Wenn das richtig ist, wäre es sehr unwahrscheinlich, daß man um 620 „antiphōna" in „*maʿniātā*" übersetzte, wenn man um 550 schon das originale „antipāona" benutzte. Später muß antīpāona wohl selten gewesen sein, denn im add. 18819 vom Jahr 884 ist es im Titel solcher Stücke als *aokeit petgāme*, „oder Verse", erklärt. In späteren Handschriften, etwa dem add. 17273, dem add. 14524, beide aus dem 11. Jh., dem add. 17247 aus dem 12. Jh., lautet der Titel dann *Penqītā dmaʿniātā* des Herrn Severus ... — „Penqītā" wieder ein griechisches Wort, = *pinakidion*, „Buch", ein Ausdruck, der vor allem für die großen Kodizes gebraucht wurde, die die Liturgie des ganzen Jahres in sich vereinten.

Die ursprüngliche Hymnensammlung war nach dem Kirchenjahr geordnet und enthielt am Ende wohl nur einen sehr kleinen Commune-Teil, wenn überhaupt. Dieser wurde dann immer mehr erweitert. So enthält der add. 14714 aus dem Jahr 1075 schon 394 Maʿniātā und der add. 17273 aus dem Ende des 11. Jhs. gar 465. Dieser Commune-Teil enthielt nicht nur Commune-Stücke im lateinischen Sinn für Maria, Märtyrer, Bekenner, sondern auch Hymnen für die Toten, der Buße, zum Abendmahl u. a.

Wann das Hymnenbuch des Severus den es so berühmt machenden Titel „Oktoëchos" erhalten hat, läßt sich schwer sagen. Jedenfalls bezeichnen St. E. und J. S. Assemanus im Katalog der vatikanischen syrischen Handschriften von 1758 den Kodex Vat. syr. 94 als „Octoëchus, sive Cantus tonis octo expressi" — die Handschrift selbst nennt sich (vgl. oben) „*Penqītā dmaʿniātā*". Jedenfalls hat das Hymnenbuch des Severus in keiner seiner Gestalten einen Zusammenhang mit dem „Oktoëchos" genannten liturgischen Buch der byzantinischen Kirche, das Gesänge für die Sonntage und Wochentage enthält — das Buch des Severus bringt dagegen solche für die Feste. Doch hat die byzantinische Oktoëchos mit ihrem Prinzip der Reihenfolge von 8 Sonntagen in der Reihenfolge der 8 Kirchentöne auf das Buch des Severus im Laufe der Jahrhunderte Einfluß gewonnen. In den syrischen Riten dient der Ostergottesdienst zugleich als Sonntagsgottesdienst — die Sonntage aber wechseln nach den Kirchentönen. Man braucht für die Ostertexte also acht verschiedene Melodien oder sogar wie im Byzantinischen auch acht verschiedene Texte. Dementsprechend haben die späteren Handschriften des Hymnenbuches die Ostermaʿniātā nach Tönen geordnet, in der Reihenfolge 1., 5., 2., 6., 3., 7., 4., 8. Ton; so im add. 14273 aus dem 11. Jh. und im Vat. syr. 94 vom Jahre 1010. Für eine allwöchentliche Marienkommemoration (siehe unten) haben der add. 17140 aus dem 11. Jh. und wieder der Vat. syr. 94 ihre *Maʿniātā* nach den 8 Tönen geordnet. Dringend mochte die Ordnung nach Tönen ebenso bei den allgemeinen *Maʿniātā* des Commune-Teils erscheinen. So hat z. B. der add. 14713 aus dem 12. oder 13. Jh. seine *Maʿniātā gaoānāiātā* nach den acht Tönen geordnet — es sind die Nr. 122—337, also immerhin 216 Stücke. Die *Takšpātā* sind immer nach den acht Kirchentönen geordnet. Nach der Beschreibung des add. 14723 aus dem 13. Jh. von W. Wright, „The hymns of Severus etc., 300 in number, arranged according to the eight tones", hat man geglaubt (z. B. DACL 12, Sp. 1893), daß hier das ganze Hymnenbuch nach den acht Tönen geordnet sei — es handelt sich aber nur um ein Fragment von 63 Blättern aus den *Maʿniātā gaoānāiātā*, die (siehe oben) auch im add. 14713 nach den acht Tönen geordnet sind; von einer „victoire du principe de l'Octoëchos" kann man also nicht sprechen. Man braucht für dieses Ordnungsprinzip bei einzelnen Gattungen nicht einmal auf die griechische Oktoëchos zurückzugehen; denn einzelne Gattungen werden auch sonst im Syrisch-Orthodoxen nach den Tonarten geordnet und offenbar gleich so gedichtet bzw. komponiert: die Maorbe und Takšpātā, beide Rabbulā von Edessa zugeschrieben, die *Parde* (Tropen), *Quqaliia* und die *Baʿoātā*.

In den ältesten Handschriften ist nur in einigen Fällen der Kirchenton einer *Maʿnītā* am Rand angegeben, wobei es sich möglicherweise um spätere Eintragungen handelt. Doch schon die Handschrift add. 14514 aus dem 9. Jh. notiert zu jeder *Maʿnītā* ihre Tonart.

Die *Maʿniātā* des Severus besitzen nur eine einzige, meist längere Strophe. Der eigentlichen Strophe, nach deren Anfang in anderen Handschriften, etwa dem add. 17241, zitiert wird (ebenso wie bei den assyrischen ʿ*Oniātā*), geht stets ein Psalmvers als *Petgāmā* voraus.

Säkulare syrisch-orthodoxe und syrisch-antiochenische Liturgie

Wenn man die monastische syrisch-orthodoxe Liturgie von der säkularen trennt, so versteht es sich doch von selbst, daß die grundlegenden Aufbauelemente beider Liturgien dieselben sind — ähnlich wie es im Lateinischen bei römischer und benediktinischer Liturgie der Fall ist. Daraus ergibt sich, daß da, wo solche Gemeinsamkeiten vorhanden sind, auch die liturgischen Bücher dieselben sind. Das bedeutet wieder, daß dann monastische Bücher auch von säkularen Kirchen benutzt werden können und umgekehrt. Aber auch dann zeigen oft sekundäre Einzelzüge, ob eine Handschrift der einen oder der anderen Gruppe zugehört. Psalmenhandschriften lassen ohne weiteres nicht einmal erkennen, zu welchem Ritus sie gehören. Ist der Psalter unterteilt, so wird wenigstens dies klar, da die Einteilung der Psalter in den verschiedenen Riten verschieden ist: assyrisch 20 *Hullāle*, melkitisch 20 *Kathismatā* (in anderer Einteilung als im Assyrischen), syrisch-orthodox und maronitisch 15 *Marmiātā*. Zugleich zeigt sich, daß es sich um eine liturgische Handschrift handelt, die im Gottesdienst benutzt wurde. Das ist auch sofort klar, wenn den Psalmen die Cantica angefügt wird, wobei wieder charakteristische Unterschiede der Riten zutage treten: das Maronitische rechnet den Lichthymnus *Nuhrā* zu den Cantica, das Assyrische hat zwei *Nuhrā*-Gesänge. Auch die Zuteilung ist verschieden: das Maronitische schreibt den *Nuhrā*-Hymnus dem hl. Ephrem zu, das Assyrische seine Hymnen dem hl. Narses (den des Maronitischen) bzw. Theodor von Mopsueste. Im Syrisch-Orthodoxen besteht zudem ein grundlegender Unterschied in der Verwendung des Psalters: im Säkularen dient er nur der privaten Andacht, im Monastischen wird er im Offizium gelesen.

Dementsprechend zeigen monastische Psalterien Hinweise für diese Lesung: im Syrisch-Orthodoxen bezeichnen die Buchstaben a und b vor den Psalmversen die beiden Chorhälften, der Buchstabe h (= Halleluia) die Versmitte, in der beim antiphonalen Vortrag ein ein- oder zweifaches „Halleluia" eingeschoben wird. Sehr oft wird ein „Andachtspsalter" als „Lesepsalter" benutzt — dann sind diese Vortragsanweisungen von späterer Hand zwischen den Zeilen oder am Rand eingetragen, wie es gerade bei den älteren Psalterien, etwa dem im 6. Jh. geschriebenen Psalter London add. 17110, der Fall ist.

Lektionare zeigen in ihrer Auswahl nicht nur den Ritus an, sondern auch die Funktion: das Evangelienbuch für die Lesung des Priesters ist immer ein kostbar ausgestattetes Werk, das in allen Riten processionaliter vom Altar zum Lesepult getragen wird. Das normale Lektionar enthält daher zumeist nur Lesungen aus dem Alten Testament, der Apostelgeschichte und den Paulusbriefen. Die säkulare Liturgie liest (heute) nur Acta und Epistel, während die monastische auch Lesungen aus den historischen Büchern des Alten Testaments (vor allem der Genesis), den poetischen Büchern (vor allem Weisheit Salomos) und den Propheten (vor allem Jesaias) kannte.

Schon aus dem Jahr 824 sind gleich drei solche Lektionare erhalten, die Londoner Kodizes add. 14 485, 14 486 und 14 487, aus dem Jahre 1000 der add. 12 139. Auch bei den Evangelien hat man ursprünglich normale „Evangeliare" benutzt, in denen die Evangelien fortlaufend geschrieben waren, und in die erst spätere Hände die Lektionseinteilung eintrugen, so bei den vatikanischen Handschriften syr. 12 (von 548) und syr. 13 (von 736). Das älteste datierte syrische „Evangelistar" mit Anordnung der Lektionen nach dem Lauf des Kirchenjahres stammt erst aus dem Jahr 1089, der Londoner add. 14490.

Die Gebete und die Formeln des Priesters bei seinen verschiedenen Handlungen sind in Priesterbüchern erhalten. Sie heißen *Ktābā dkāhnā* („Buch des Priesters") oder *Penqītā dkāhnā* (von griech. *pinakidion*, siehe oben) oder *Ktābā daṣlaoātā dkāhnā* („Buch der Gebete des Priesters").

In erster Linie enthalten sie die Gebete der Messen, die „Anaphoren". Fragmente solcher Texte sind schon aus dem 6. Jh. erhalten (add. 14 669, f. 20/21). Meist treten zu den Meßtexten die Formeln für den Taufritus hinzu. Das älteste syrische Fragment des Taufritus stammt aus dem 8. Jh. (add. 17 218, f. 53/54), und einen Teil der Formeln für die Weihe eines Bischofs aus einem „Pontificale" gibt es sogar datiert: f. 29/30 des add. 17 160 aus dem Jahre 789. Neben den eucharistischen Gebeten des Priesters sind besonders wichtig seine Gebete bei den Räucherungen, der *Sedrā* mit dem vorangehenden *Prumiiāon* und der *'Eṭra* oder *Qubāl 'eṭrā*, und seine Erteilung des Segens bei der Entlassung, der *Ḥutāmā*. Diese verschiedenartigen Gebete stehen auch in separaten Büchern.

Wie im Lateinischen gibt es besonders häufig das Rituale. Eine Untergruppe des Rituals sind die vielen Büchlein, die den Text des Beerdigungsritus enthalten. Eigene Räucher- und Entlassungsbücher sind schon aus dem 12./13. Jh. erhalten. Das merkwürdigste Priesterbuch, zugleich ein weiteres Zeichen für die stets engen Beziehungen zwischen der syrischen und koptischen bzw. äthiopischen Kirche, ist ein Missale Romanum (Harl. 5512 des Brit. Mus.), der lateinische Text in syrischer Schrift für das äthiopische Priesterseminar in Rom 1549 geschrieben. Auch der Diakon hat ein eigenes Büchlein, das das enthält, was er in der Messe als Gegenpart des Priesters vorträgt, das Diakonale. Dieser Buchtyp ist anscheinend jünger — wir kennen ihn erst vom 16. Jh. an. Für die Musik am wichtigsten sind endlich die Bücher, die die Lieder des Chores enthalten, die Parallelen der lateinischen Antiphonare und Hymnare. Das einfachste dieser „Chorbücher" ist der *Šḥīmtā*, der das Wochengebet enthält und dem Communeteil des lateinischen Breviers entspricht.

Die ältesten vollständigen Exemplare haben sich erst aus dem 13. Jh. erhalten, Fragmente aus dem 11. Jh. Der *Šḥīmtā* enthält häufig Anhänge von Liederzyklen, nach den Kirchentonarten geordnet, die offensichtlich durch ihre Stellung als Anhang ihre spätere Entstehung bzw. Aufnahme in die Liturgie zu erkennen geben, vor allem die *Takšpātā* (s. vorigen Abschnitt) und die *Maorbe* (Tropen zum Magnificat), die beide Rabbulā von Edessa (gest. 435) zugeschrieben werden. In der monastischen Liturgie stehen ähnliche Anhänge hinter den *Maʿniātā* des Severus (siehe oben) und da die *Takšpātā* dort auch im Gottesdienst unmittelbar auf die *Maʿniātā* folgen, dürfte dort auch der Ursprung dieser Anhänge zu suchen sein. Die Handschriften des durch Anhänge erweiterten Šḥīmtā bezeichnen sich seit dem 15./16. Jh. als Beit Gazā („Schatzhaus").

Die wechselnden Gesänge des Chores enthält die *Penqītā*, genauer: *Penqītā dḥudrā dkuleh šantā*, „Buch des Kreises des ganzen Jahres".

Die älteste erhaltene *Penqītā*, wie zumeist in zwei Bänden für Winter und Sommer, stammt aus dem Jahr 893: die beiden Londoner Handschriften add. 14515 und add. 17190. Als selbständiger Teil der *Penqītā* erscheint ein Buchtyp, der nur die — sehr ausgedehnte — Liturgie der Karwoche enthält.

Einen Auszug aus der *Penqītā* stellt das Tropologion dar. Es enthält die Tropen, nach dem Lauf des Kirchenjahres geordnet, und zwar in der echten Form die original-syrischen ʿEniāne und die aus dem Griechischen übersetzten Qanune, — *ʿeniāne suriāie oqanune iaonāie*, wie die Titel angeben.

Das älteste erhaltene Exemplar ist der add. 14504 aus dem 9. Jh. Schon vom 10. Jh. an besitzen wir auch reine Sammlungen griechischer Kanons. Sie entsprechen damit dem byzantinischen Hirmologion, und auch wenn sie im Syrisch-Orthodoxen benutzt werden, darf man doch das Melkitische als verbindendes Zwischenglied annehmen. Auch im Syrisch-Orthodoxen nehmen wie in den anderen syrischen Riten die *Madrāše* und *Sugiātā* Ephrems den höchsten Rang ein. So ist es verständlich, daß sie ähnlich den *Maʿniātā* des Severus eigene Bücher bilden, zu denen ebenso wie bei jenen auch wieder Anhänge mit Texten weniger imposanter Gattungen treten können. Aber im Gegensatz zu den *Maʿniātā* des Severus sind die *Madrāše* Ephrems nicht nach dem Kirchenjahr geordnet, sondern ihre Zyklen behandeln jeweils ein Thema: 52 *Madrāše* über die Kirche, 87 *Madrāše* über den Glauben, 56 *Madrāše* gegen die Häresien, 15 Hymnen über das Paradies usw. Auf Feste des Kirchenjahres sind lediglich 15 *Madrāše* auf Weihnachten und 13 auf Epiphanias gedichtet. Wie bei Bibel, Psalter, Evangelien sind auch hier die literarischen Handschriften die ältesten: der Vat. syr. 111 von 522, die Vat. syr. 112 und 113 von 551. In der ältesten Handschrift, die die Madrāše liturgisch nach dem Kirchenjahr ordnet, dem Londoner add. 14520 aus dem 8. oder 9. Jh., folgen innerhalb jedes Festes den *Madrāše* bereits *Qāle* und *Bāʿotā*. De facto handelt es sich also um eine *Penqītā*, und tatsächlich bezeichnet sich die Handschrift auch selbst so. Den *Madrāše* kamen die *Qāle* bald an Bedeutung gleich. So ist es verständlich, daß eine *Penqītā* wie der add. 14511 aus dem 10. Jh. innerhalb der Feste die Reihenfolge zum Teil in die Folge *Qāle, Bāʿotā, Madrāše* umändert. Das dürfte auch mit auf die Ordnung der Stundengottesdienste zurückzuführen sein, wo die *Madrāše* erst gegen Schluß erscheinen. Mit der Gliederung der Feste in ihre Gottesdienste tut die Handschrift einen weiteren Schritt zur Endstufe der *Penqītā*, die alle Stücke genau in der liturgischen Reihenfolge auch innerhalb jedes Gottesdienstes ordnet. Die *Madrāše* treten auch in die Anhänge des *Beit Gazā* ein. Doch ist zu bedenken, daß der *Beit Gazā* sich in seinen Anhängen immer mehr auf die typischen Melodien konzentriert und die Nachdichtungen der Penqītā überläßt. Die Texte der Mustermelodien der *Madrāše* nennen sich *Sebeltā* (pl. *Seblātā*; = Leiter). Im Lauf dieser Entwicklung des *Beit Gazā* tritt auch eine Umordnung seines *Šḥīmtā*-Teils ein, der die *Qāle* und *Bāʿotā* trennt und damit auch hier die gattungsmäßige Ordnung durchführt. Gattungsmäßige Handschriften dieser Art sind seit dem 13. Jh. bekannt, etwa der add. 14721 mit *Qāle* und *Takšpātā*. In diesem Prozeß gliedern sich auch die *Qāle* wieder unter in *Qāle* für Sonntage und Feste, insbesondere deren Nachtgottesdienst, daher *Qāle šahrāie* genannt, in *Qāle* für Vesper und Laudes der Wochentage, die „einfachen (= ferialen) *Qāle*", *Qāle šḥīme*, und in die *Qāle gnīze*, die „verborgenen" oder „mystischen" *Qāle*. Die *Qāle šḥīme* besitzen außer den acht Kirchentonmelodien für Sonntage und Feste eine weitere für ihre feriale Verwendung, die *gušmā* heißt, da die *Qāle šḥīme* im Beit Gazā im *gušmā* (= Corpus, Körper) der Ferialtöne stehen. Die *Qāle* lassen sich in den Handschriften bis ins 8./9. Jh. zurück- verfolgen. In den Handschriften add. 14 520 (8./9. Jh.), add. 17 172 (zwischen 819 und 830), add. 14 511 (10. Jh.) und add. 14 503 (10./11. Jh.) sind sie als *Ma'niātā* bezeichnet, und nur ihre Mustermelodie heißt *Qālā*, im Vat. syr. 92 (vom Jahr 823), im Vat. syr. 93 (wohl von demselben Schreiber wie 92) und im add. 17 207 (8./9. Jh.) stehen *Qāle d'anīde* „Qāle der Toten", und überdies im add. 17 207 mit *Qālā* benannten Strophen, die im add. 14 520 als *ma'niātā* bezeichnet werden. Über die Verfasser war man sich damals schon nicht mehr einig: der add. 14 520 bezeichnet Šem'un Quqāiā (Simon der Töpfer, – um 500) als Verfasser; in ihm enthaltene Strophen stehen aber im add. 17 207 unter dem Namen Severus von Antiochien; und Ja'qub von Edessa (gest. 708) berichtet in einem seiner Briefe (im add. 12 172 in Abschrift des 9. Jh.), daß man die Lieder einem Ja'qub zuschrieb, aber unsicher war, ob es sich um Ja'qub Burde- 'ānā (gest. 578), den Reorganisator der später oft nach ihm als „jakobitisch" bezeichneten syrisch-orthodoxen Kirche, handelte. Tatsächlich sind die meisten *ma'niātā* des add. 17 172, die erste im Ton *Quqāiā* (hier noch die ältere Plural- form quqāie, „die Töpfer"), als von Mari Ja'qub herrührend bezeichnet, worunter man Ja'qub von Serug (gest. 521) zu sehen hat.

Im Vat. syr. 92 sind die *Qāle* nicht bezeichnet, – die Überschrift und die beiden ersten Qāle sind verloren. Die von Assemani im Katalog der Vatikanischen Handschriften angegebenen Titel der Qāle und der Madrāše, die beide Gattungen an Ephrem weisen, stehen von späterer Hand auf dem Vorsatzblatt und sind damit nicht verbindlich. Die Überschrift der Madrāše f. 30 ist nicht mehr lesbar (den 'Unāiā hat Assemani nicht mitgeteilt!), – gegen ihre Zuweisung an Ephrem wäre nichts einzuwenden, da auch im add. 17 172 „Alphabete" (d. h. Madrāše mit alpha- betischem Akrostichon) für den Begräbnisritus Ephrem zugeschrieben werden.

Der Aufbau der syrisch-orthodoxen Stunden zeigt wieder die fundamentale Gruppe *Prumiiāon- Sedrā-Qālā*. Mit einem einleitenden Gebet und einer abschließenden *Bā'utā* ist das bereits der Aufbau der kleinen Tagesstunden. Die Komplet läßt auf die *Bā'utā* einen besonderen Abschlußteil folgen, ganz ähnlich dem Lateinischen. Er besteht aus Ps. 91 und 120, Gebeten, darunter dem Vaterunser, dem Glaubensbekenntnis und den Entlassungsgebeten. Vor die Entlassungsgebete werden Kommem- morationsteile eingeschoben, die Maria, Heiligen (des Tages oder dem Kirchenpatron) und den Toten gewidmet sind.

Die Kommemorationen bestehen stets aus dem *Quqaliiāon* (von griech. *kyklion*), einer Gruppe von 4 Psalmversen mit eingeschobenem Halleluia, *Eqbā* (= „Ferse"), einer Strophe zum Gloria patri, also dem folgerichtigen Abschluß des *Quqaliiāon*-Psalms, und wieder der typischen Gruppe *Prumiiāon-Sedrā-Qālā*. Vesper und Laudes sind wie im Lateinischen gleich gebaut. Die Vesper bringt nach dem Einleitungsgebet die Psalmen 140/141/118 N/116, die Laudes Ps. 51, 63, 113, 148/149/150/116. Die Psalmgruppen werden mit dem *Eqbā* beschlossen, worauf *Prumiiāon, Sedrā, Qālā, 'Eṭrā* und 2. *Qālā* folgen. Die Kommemoration ist der Buße gewidmet, und die *Bā'utā* und Gebete bilden den Schluß. Der Nachtgottesdienst besteht aus drei Nokturnen (*Qaomā* = Stehen, Station), denen wie im Lateinischen ein unsymmetrischer Einleitungsteil (*M'irānā* = Wachen, Vigil), Ps. 133/118/116, vorausgeht. Die Nokturnen bestehen aus Gebet, *'Eqbā, Prumiiāon, Sedrā, Qālā, Bā'utā*. Nur sonntags stehen Psalmen am Anfang der 1. und 2. Nokturn, worauf der *'Eqbā* dann logisch folgt. An Sonn- und Festtagen werden vor der abschließenden *Bā'utā* der 1. und 2. Nokturn ein oder mehrere Madrāše oder Sugiātā eingeschoben. Die 3. Nokturn besitzt einen besonderen Schlußteil, der oft als 4. Nokturn bezeichnet wird. Er besteht aus *Prumiiāon, Sedrā*, Magnificat, Ps. 132, 148/149/150/116, der Kommemoration (Heiliger oder Maria), der *Bā'utā* und dem Gloria in excelsis. Auch die Messe hat die typische Räuche- rungsgruppe einbezogen, da sie ja auch Räucherungsakte kennt. Der 1. „Dienst" (*Tešmešta*) dient der Vorbereitung des Altars und begleitet die einzelnen Handlungen mit *Prumiiāon, Sedrā, Qālā, 'Eṭrā, 'Eqbā* und *Ḥutāmā* (Entlassung). Die 2. *Tešmešta* aus *Prumiiāon, Eṭrā, Sedrā, Qālā, 'Eṭrā, 'Eqbā, Ḥutāmā* entspricht dem Anlegen der priesterlichen Kleidung und dem Vorbereiten der hl. Gaben. Die 3. *Tešmešta* ist die Katechumenenmesse, die 4. die Messe der Gläu- bigen. Am Schluß steht eine Kommemoration der Toten aus *Prumiiāon, Sedrā, Qālā, 'Eqbā*.

Das Charakteristische der Stundengebete des säkularen Syrisch-Orthodoxen ist der Wegfall der fortlaufenden Psalterlesung. Infolgedessen treten nur typische Psalmengruppen auf, deren Psalmen noch dazu häufig tropiert sind und damit melodische Gestalt annehmen. Die Tropen (*'Eniāne*) können strophenweise mit den Psalmversen alternieren oder aber geschlossen dem Psalm folgen. Dann kann der Psalm wieder in einfaches Rezitieren zurückfallen und nur der *'Eniānā* wird gesungen.

Der typische Vertreter der antiphonalen Psalmodie ist aber das nur in der säkularen Liturgie gebräuchliche *Quqaliiāon*.

Das folgende Notenbeispiel gibt die Psalmtöne der *Quqaliia*, gesungen von Archidiakon Asmar der syrisch-ortho- doxen Kathedrale Beirut. Da die Psalmverse verschiedene Silbenzahl aufweisen, ist es nötig, die Mustermelodien durch entsprechend kürzeres oder längeres Rezitieren auf dem Rezitationston der geforderten Silbenzahl anzupassen.

7. Ton

Die Psalmtöne des Quqaliiāons, gesungen von Archidiakon Asmar, Beirut.

Bāʿoātā und *ʿEniāne* haben sehr einfache Melodien. An Feiertagen haben die *Bāʿoātā* aber kompliziertere Melodien, die wieder als *Šuḥlāpā* bezeichnet werden. Je nach der Silbenzahl im Vers werden die fünfsilbigen Balai, die siebensilbigen Ephrem, die zwölfsilbigen Jaʿqub (von Serug) zugeschrieben. Das folgende Notenbeispiel bringt die Melodie der *Bāʿoātā* dMāri Jaʿqub des 7. Tons mit ihrem *Šuḥlāpā*. Man erkennt, daß weder melodisch noch harmonisch Beziehungen zwischen der einfachen Ferialmelodie und dem festlichen *Šuḥlāpā* bestehen.

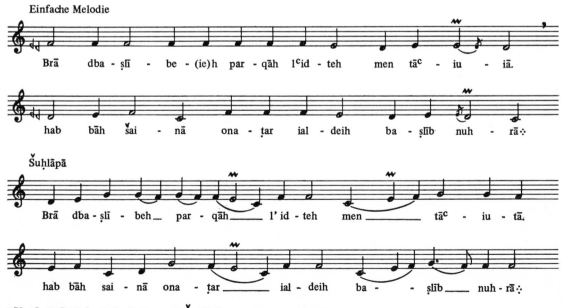

Bāʿutā dMāri Jaʿqub des 7. Tons mit Šuḥlāpā, gesungen von Archidiakon Asmar, Beirut.

Die *Qāle* sind die musikalisch bei weitem interessantesten Stücke der syrisch-orthodoxen Liturgie. Ihre rund 50 Melodien (mit je 8 bzw. 9 Tonarten) sind zu einem großen Teil Kontrafakturen weniger Mustermelodien, die nur mehr oder weniger eingreifend den verschiedenen Strophenschemata angepaßt sind. Eine der am meisten für Kontrafakturen benutzten Melodien, die des *Qālā LMariam iāldat alāhā*, wieder gesungen von Archidiakon Asmar, gibt das folgende Notenbeispiel wieder.

4. Ton

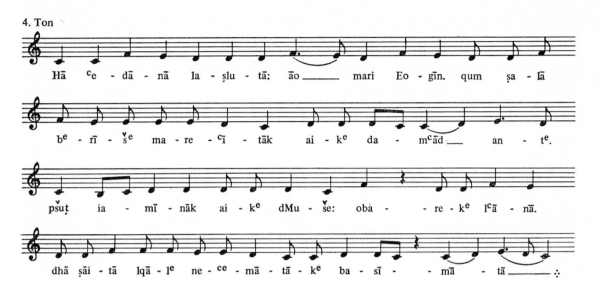

5. Ton

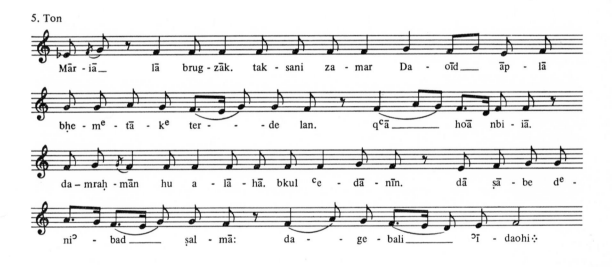

6. Ton

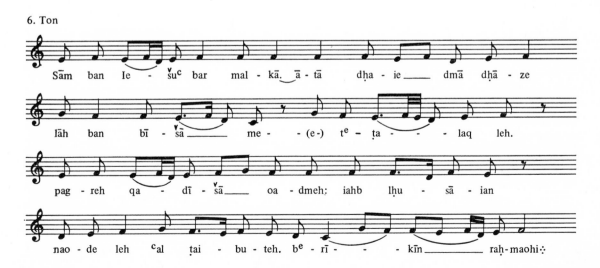

Der Qālā LMariam iāldat alāhā in seinen 8 Tönen, gesungen von Archidiakon Asmar, Beirut

Ebenso wie im Assyrischen gibt es auch im Syrisch-Orthodoxen einen hochmelismatischen Melodietyp. Er wird vor allem für die *Takšpātā*, aber auch für einige *Qāle* gebraucht. Der 8. Kirchenton der *Qāle gnīze*, wieder von Archidiakon Asmar gesungen, mag diesen Stil veranschaulichen.

8. Kirchenton der Qāle gnīze, gesungen von Archidiakon Asmar, Beirut.

Das Syrisch-Orthodoxe bewahrt als einziger syrischer Ritus sein Kirchentonartensystem.

Der 1. Kirchenton hat d als 1. Hauptton (oder Finalis), a als 2. Hauptton (der lateinischen Reperkussion entsprechend). Der 2. Ton hat wieder d als 1. Hauptton, aber g als 2. Hauptton, auf dem er auch enden kann. In etwa entsprechen beide Töne also dem authentischen und plagalen Dorischen des Lateinischen. Der 3. Ton basiert auf e und entspricht damit dem Phrygischen. Der 4. Ton ist eine c-Skala, die auch unter c hinuntergeht und damit plagalen Charakter hat. Die Terz kann um einen Viertelton vertieft werden und spielt als Abschnittsfinalis die Rolle des 2. Haupttons. Damit tritt der 4. Ton in Verwandtschaft zum 3. Ton, als dessen plagaler „Seiten"-Ton er damit angesehen werden kann. Der 5. Ton steht auf f — statt des Schlusses auf f kann auch e erscheinen, und oft hat dieselbe Melodie in verschiedenen Kontrafakturen einmal den einen, einmal den anderen Schluß. Der 6. Ton ist eine c-Leiter, die auf e schließt, also wieder eine plagale Skala. Eine Quarte tiefer als der 5. Ton kann man ihn mit einigem Recht als dessen Plagalton ansehen. Der 7. Ton schließt auf f, öfters auch auf e, als Finalis im Innern der Melodie spielt aber c die Hauptrolle, auf die die Melodie, auf f beginnend, immer wieder absinkt. Der Ton benutzt häufig ³/₄-Tonschritte und baut die fundamentale Quarte dann als 3 4 3 auf — man vergleiche dazu die entsprechende Leiter im Assyrischen. Natürlich könnte man den Ton auch auf d—g notieren, um die Parallele zum lateinischen Mixolydischen zu gewinnen, doch weicht die innere Struktur des Tons entscheidend von der des Mixolydischen ab, so daß es richtiger erscheint, ihn der Bedeutung des Tones c wegen mit dem byzantinischen 7. Ton in Parallele zu setzen. Der 8. Ton ist etwa die Reihe a h c d es mit c als Hauptton; die Terz ist manchmal um einen Viertelton erhöht, oft überhaupt die Durterz e. Das obige Beispiel des 8. Tons des Qāle gnīze mit seiner Zigeunertonleiter fällt ganz aus dem Rahmen des normalen Bildes dieses Tones. Mit der Terz e auf der Basis c tritt der Ton in Parallele zum byzantinischen plagalen 4. (= 8.) Ton. Im großen und ganzen stimmt das syrisch-orthodoxe Kirchentonartensystem also weitgehend mit dem lateinischen und dem neubyzantinischen überein. Man erkennt so den großen Zusammenhang, der im Musikalischen zwischen diesen drei Liturgien besteht. Aber andererseits zeigt der Wechsel zwischen 1. und 5. Ton, 2. und 6. Ton usf. innerhalb der Woche (s. oben), daß auch Beziehungen zur anderen Tonordnung, die die plagalen Töne den authentischen folgen läßt, vorhanden sind; denn dieser Wechsel läßt sich am einfachsten als Wechsel zwischen authentischer und plagaler Tonart bzw. umgekehrt auffassen.

Heinrich Husmann

Die Gesänge der armenischen Liturgie

Wie andere Liturgien hat auch die armenische schon früh die Texte der Gottesdienste schriftlich fixiert; diente doch die Erfindung der armenischen Schrift durch Mesrop im 5. Jh. vor allem dazu, Bibel und liturgische Gesänge in der einheimischen Sprache zu fixieren und dem Volk näherzubringen, das die bis dahin syrische Kirchensprache nicht verstand. Später wird dann ebenfalls eine Neumenschrift entwickelt, die ebenso wie die byzantinische im 19. Jh. (von Hambarcum Limongian, 1768—1839) reformiert und den modernen Anforderungen angepaßt wurde. Das Gesamtmaterial der liturgischen Texte wird dabei wie in den anderen Liturgien auf verschiedene Bände verteilt.

In sehr eigentümlicher Weise wird der Meßtext den Stundengebeten des Breviers angereiht, es entsteht so das Stundenbuch oder Horologion. Die Hymnen des Breviers bilden ein eigenes Buch, den *Šaraknotsh* oder *Šarakan*. Die Reihe der Hymnen eines Tages oder Festes heißt *Kanon*. Die Kirchenlieder heißen *Erg*, *Gandz* (persisch = Schatz, im Syrischen als *Gazā*) oder *Tat*, wobei der *Erg* dem Strophenhymnus entspricht, *Gandz* und *Tat* den volkstümlichen Liedern. Die entsprechenden Bücher sind dann *Ergaran*, *Gandzaran* und *Tataran*. Zum Unterschied von diesen Hymnen bilden die *Šarakankh* genannten Stücke eine eigene Gattung, die — siehe unten — den byzantinischen Troparien entspricht — man sollte daher *Šarakan* mit Troparion bzw. Tropologion wiedergeben, nicht wie üblich mit *Hymnarium*, das dem *Ergaran* vorbehalten bleiben sollte. Endlich werden die kleineren, einstrophigen Gesänge in dem *Manrusmunkh* genannten Buch zusammengefaßt. In den heutigen Druckausgaben sind alle Teile des Breviers zu einem einzigen Buch vereinigt. Zu diesen Gesangbüchern treten wie üblich Rituale, Pontificale, Priesterbücher, Diakonale, Lektionare, Martyrologien u. a.

Wie sonst sind auch im Armenischen die ältesten Handschriften überhaupt nicht die liturgischen Bücher, sondern die Bibeln und Evangeliare. Ein Evangeliar schon aus dem Jahre 633 besitzt das Britische Museum in London (Nr. 2 des Katalogs von Fr. C. Conybeare), ein Meßlektionar von 909 die Bibliothek des Patriarchats in Edžmiatsin (Nr. 876 des Katalogs von J. Kareneantsh), ein Lektionar aus dem 10. bis 11. Jh. die Bibliothek der Mechitaristen in Wien (Nr. 3 des Katalogs von J. Dashian), ein Evangeliar aus dem 9. bis 10. Jh. die Bibliothek der Mechitaristen in S. Lazzaro/Venedig (Nr. 86 des Katalogs von Sarghissian), ein Evangeliar von 986 das Sanassarian-Institut in Erzerum (Nr. 1 des Katalogs von H. Adjarian), ein liturgisches Psalterium aus dem 10. bis 11. Jh. S. Lazzaro. Der älteste *Šarakan* stammt bereits aus dem Jahr 1019, die Nr. 1535 des Katalogs von J. Kareneantsh der Bibliothek in Edžmiatsin. Die Exemplare der europäischen Bibliotheken sind alle erheblich jünger: Wiener Mechitaristen Nr. 145 von 1269, Nr. 212 von 1305, Nr. 202 von 1312, Nr. 180 von 1329, Nr. 161 von 1335, Nr. 173 von 1343, Univ. Bibl. Tübingen Nr. 22 von 1316, London Brit. Mus. add. 18 603 von 1312, Paris Nationalbibl. Nr. 66 von 1319, Bzommar (Libanon) Nr. 58 von 1289, Nr. 64 von 1323 usw. Die anderen Hymnen- und Liedgattungen sind erst im 13. Jh. entstanden und so können die entsprechenden Handschriften auch nicht älter sein: Ergaran Berlin or. oct. 279 von 1337, Manrusmunkh London Brit. Mus. Or. 2335 von 1274, Wiener Mechitaristen Katalog Nr. 183 von 1340, Gandzaran Brit. Mus. Or. 2608 von 1411, Wiener Mechitaristen Katalog Nr. 133[II] von 1455, Gandzaran-Tataran Paris Nationalbibl. Nr. 79 von 1361, Nr. 80 von 1381. Ein Rituale schon von 617 besitzt Edžmiatsin (Nr. 1018 bei J. Kareneantsh), eines aus dem 11. bis 12. Jh. die Bibliothek der Wiener Mechitaristen (Nr. 240), eines aus dem 9. oder 10. Jh. die Mechitaristen von S. Lazzaro (Nr. 320). Da nach neueren armenischen Forschungen im 1. Jahreszyklus, der 1084 endet, noch keine exakten Daten in den Kolophonen üblich waren, gehören die oben bisher in den 1. Zyklus gesetzten Handschriften sehr wahrscheinlich in den 2. Zyklus, — statt 633 ist 1166 anzusetzen u. ä.

Die Teile der armenischen Stunden und der Messe sind dieselben wie die der übrigen christlichen Riten. Beim *Psalmengesang* kennt das Armenische sowohl für die einzelnen Stunden charakteristische Psalmen und Psalmgruppen wie auch die *fortlaufende Psalterlesung*. Die letztere vollzieht sich im Armenischen in besonders sinnvoller Weise dadurch, daß der ganze Psalter den acht Kirchentönen entsprechend in acht Abschnitte, Kanon genannt, eingeteilt ist. Die dem Psalter sonst folgenden Cantica sind auf die acht Abschnitte verteilt. Im einzelnen sieht diese Psalterteilung (in der Zählung der Vulgata) so aus:

1. Kanon Ps.	1— 17,	Canticum Exodus 15,1—19
2. Kanon Ps.	18— 35,	Canticum Deut. 32,1—21
3. Kanon Ps.	36— 54,	Canticum Deut. 32,22—43
4. Kanon Ps.	55— 71,	Canticum 1. Könige 2,1—10
5. Kanon Ps.	72— 88,	Canticum Jes. 26,9—20
6. Kanon Ps.	89—105,	Canticum Jes. 38,10—20

7. Kanon Ps. 106—118, Canticum Jes. 42, 10—13, 45, 8, Canticum Jona 2, 3—10
8. Kanon Ps. 119—147, Canticum Hab. 3, 1—19, Dan. 3, 26—88, Luc. 1, 46—55, Luc. 1, 68—79, Luc. 2, 29—32, Ps. 148—150, Gebet des Manasse.

Da das Armenische die Kirchentonarten täglich wechselt, die Tonordnung mit dem Sonntag Quadragesimae beginnt, Ostern aber im 1. Ton stehen soll, muß folglich Quadragesimae den 8. Ton erhalten, gleichgültig welcher Ton sich im Laufe des Jahres für den Samstag vorher ergeben hat. Der Montag nach Quadragesimae hat dann den 1. Ton, der Dienstag den 2. Ton usf. Da man mit der Psalmlesung ebenfalls Quadragesimae beginnt, hat mithin der 1. Kanon den 8. Kirchenton (4. plagalen), der 2. Kanon den 1. Kirchenton, der 3. Kanon den 2. Kirchenton (1. plagalen) usf. Die fortlaufende Psalterlesung vollzieht sich im Armenischen wie in den übrigen Liturgien im Nachtgottesdienst. Doch singt man heute meist nicht mehr alle Psalmen eines Kanons, sondern nur die zwei oder drei letzten oder den letzten, wenn er besonders lang ist. Dabei beschränkt man sich überdies auf die ersten Verse des ersten und die letzten Verse des letzten dieser Psalmen. So resultieren die folgenden Psalmversgruppen anstelle der einzelnen Kanons: Ps 17, 1—7 / Ps. 17, 40—51; Ps. 34, 1—7 / Ps. 35, 6—13; Ps. 52, 1—5 / Ps. 54, 20—24; Ps. 70, 1—6 / Ps. 71, 11—19; Ps. 88, 1—7 / Ps. 88, 44—53; Ps. 105, 1—6 / Ps. 105, 41—48; Ps. 118, 121—126 / Ps. 118, 169—176; Ps. 145, 1—7 / Ps. 147, 12—20. Diese Abschnitte heißen *Kanonaglux* (glux = „Kopf", „Abschnitt", ebenso wie caput und capitulum), „Kanonabschnitte". In antiphonaler Vortragsart wird in der ersten Hälfte Alleluia in Versmitte und Versende ein- bzw. angefügt, in der zweiten Hälfte erhält der 1. Vers und das abschließende *Gloria patri* doppeltes *Alleluia* am Ende. Die zweite Hälfte wird dabei mit anderer Melodie gesungen als die erste, was mit *Phox* (= „Wechsel", vgl. den syrischen *Šuhlāpā*) bezeichnet wird.

Die charakteristischen *Psalmen* und Psalmgruppen werden ebenfalls zum Teil nur gelesen — und dann von zwei Knaben oder Diakonen *alternatim*. Im Nachtgottesdienst steht außerdem das *Canticum Exodus* 15, im Morgengottesdienst die *Cantica*-Gruppe *Magnificat, Canticum Zachariae, Canticum Simeonis*. Die drei kleinen Stunden des Armenischen — Terz, Sext und Non — werden durch Ps. 50 eingeleitet. Auf diesen Ps. 50, auf die Einleitungsgruppe der Nacht und auf die Psalmen der *Hora pacifica* (Friedensstunde in der Fastenzeit, zwischen Vesper und Komplet) folgt ein Strophenhymnus, *Erg*, in der Nacht auf diesen eine Litanei und ein zweiter *Erg*. An die Cantica und die anderen Psalmgruppen tritt in Nocturn, Matutin und Vesper nicht ein *Erg*, sondern ein *Šarakan*.

Der *Šarakan* ist stets dreiteilig. Dem 1. Teil geht der 1. Vers des vorangehenden Canticums oder Psalms voraus, dem 2. Teil das *Gloria patri*, dem 3. Teil das *Sicut erat*. Mit diesem Aufbau entspricht der *Šarakan* dem byzantinischen *Troparion* (dem aber der Einleitungsvers fehlt).

Der *Šarakan* der Nacht ist zwei- oder dreiteilig (mit jeweils verschiedener Melodie), und auf diese seine eigenen Strophen folgen weitere Strophen, die anderen Kanones entnommen sind. Dies entspricht dem byzantinischen Gebrauch, mehrere Kanones zu kombinieren, für den Tag, den Tagesheiligen, Christi Kreuz usw. Der erste *Šarakan* des Morgens ist zweiteilig und führt den 1. Teil mit dem Anfangsvers des Daniel-Canticums ein, den 2. Teil mit dem Anfangsvers von dessen 2. Teil. Ihre Namen empfangen die *Šarakankh* nach dem Anfangswort oder einem besonders charakteristischen Wort des Introduktionsverses. Es sind in der Nacht *Orhnuthiwn* („Lob", „Segen", Exodus 15, V. 1) — doch wird das *Canticum Exodus* 15 selbst heute nicht mehr ausgeführt —, in der Matutin: *Hartsh* („der Väter", Daniel 3) mit 2. Teil *Gorts* („Werke", ebenda). *Metsatshustshe* („es erhebe", Magnificat), *Ołormea* („Erbarme dich", Ps. 50), *Ter yerknits* („den Herrn im Himmel", Ps. 148), *Mankunkh* („ihr Kinder", Ps. 112), in der Messe *Tšašu* („am Tage", zu verschiedenen Einleitungsversen je nach dem Tage oder Fest), in der Vesper *Hambardzi* („ich erhebe", Ps. 120). Die Reihe der *Šarakankh* eines Festes heißt *Kanon* (siehe oben); einige Male dagegen, z. B. in der Fastenzeit, stehen die *Orhnuthiwnkh* für sich, den acht Tönen nach geordnet, als *Kanon orhnuthiwnkh*. Die Kanones selber beginnen daher dann gleich mit dem *Hartsh*; eine solche Reihe heißt deshalb *Hartshkh*.

Der Name *Erg* umfaßt sehr verschiedenartige Gebilde. Der normale Erg entspricht etwa dem ambrosianischen *Hymnus*. Er hat gern alphabetisches *Akrostichon* und dementsprechend dann 36 oder 18 Strophen. Der *Erg* kann aber auch aus verschiedenen Teilen mit jeweils verschiedener Strophenform und Melodie bestehen. Dann gleicht er dem syrischen *Qālā* sowohl im Aufbau (freilich ohne dessen Introduktionsverse) wie im Namen (*erg* — „Melodie", „Weise"). Endlich tragen auch kleine einstrophige Gebilde den Namen *Erg*. Solche kleinen Stücke heißen auch *Mesedi* (= „Melodie"). Eine besondere Gruppe heißt *Ułłitsh*, weil alle Stücke mit dem Wort „*ułił*" (= „wahr") anfangen. Ebenso beginnen die *Gandz* genannten Lieder (siehe oben) alle mit „*gandz*". Der *Erg* hat oft einen zusätzlichen Schlußteil, der *Ktshord* (= „Anhang") heißt.

Auf *Šarakan* und *Erg* folgen stets *Gebete*. *Kharoz* (vom syrischen „Karozutā") bezeichnet wie im Syrischen die Litanei. Dabei kann diese ähnlich der byzantinischen kleinen Ektenie auf eine einzige Bitte zusammenschrumpfen, wenn nur das Charakteristikum, die Antwort „Herr, erbarme dich" o. ä., erhalten bleibt. Die großen *Karozkh* werden nicht von einem Diakon gesprochen, sondern von drei Knaben oder Diakonen rezitiert und beginnen mit einem langen Einleitungsteil, auf den erst die einzelnen Bitten folgen. Die Gebete des Priesters heißen *Małthankh* oder *Ałothkh* (beides = „Bitte"). Normalerweise folgt auf *Šarakan* und *Erg* erst ein kleiner *Kharoz* und dann ein *Ałothkh*. Es entsteht so eine architektonische Einheit, die in allen armenischen Gottesdiensten grundlegend ist und wiederum *Kanon* heißt. Eine spezielle Gebetsart der Laudes heißt *Yordorak* (= „Ermahnung").

Den einfachsten Aufbau der Gottesdienste haben naturgemäß die kleinen Stunden. Sie bestehen aus zwei der eben geschilderten Aufbaugruppen. Die erste Gruppe umfaßt Ps. 50, einen *Erg*, *Kharoz* und *Ałothkh*, die zweite Gruppe die charakteristischen Psalmen, *Kharoz* und *Ałothkh*. Die Psalmen des 2. Teils sind in der Terz Ps. 33 und 142, in der Sext Ps. 40 und 90, in der Non Ps. 114/115/116. Die *Hora pacifica* besteht ebenfalls aus zwei Gruppen, denen in der *Quadrigesima* eine dritte mit Ps. 118 folgt. Die Nocturn ist folgendermaßen aufgebaut:

Einleitungsgebete
Ps. 3, 87, 102, 140, Erg, Großer Kharoz, 2. Erg, Ałothkh
Fortlaufende Psalmlesung mit Kanonaglux
[Canticum Exodus 15,] Orhnuthiwn, Małthankh, Großer Kharoz, Ałothkh
an Sonntagen und Festen: Alleluiahymnus

Die Matutin zeigt folgende Zusammensetzung:

Einleitungsgebete
Canticum Daniel 3, Małthankh, Harthsh, Kharoz, Małthankh
Magnificat, Cant. Zachariae, Cant. Simeonis, Metsatshustshē, Kharoz, Ałothkh
sonntags: Erg, Evangelium, Erg, Kharoz, Ałothkh
Ps. 50, Ołormea, Kharoz, Małthankh
Ps. 148/149/150, Tēr yerknitsh, Gloria in excelsis, Małthankh
Trisagion, Erg, Małthank, Kharoz
sonntags: Erg, Kharoz, Ałothkh
Ps. 112, Mankunkh, Kharoz, Ałothkh
sonntags: Evangelium

Die Laudes werden in folgender Weise gebildet:

Einleitungsgebete
Erg, Yordorak, Kharoz, Ałothkh
Ps. 99, Erg, Yordorak, Kharoz, Ałothkh
Verse aus: Ps. 62, 63, Erg, Yordorak, Kharoz, Ałothkh
Verse aus: Ps. 22, 142, 145, 69, 85, Erg, Yordorak, Kharoz, Ałothkh

Die Vesper besteht aus folgenden Gruppen:

Einleitungsgebete
Ps. 85, Małthankh
Ps. 139, 140, 141, Małthankh, Kharoz, Małthankh
Mesedi, Ułłitsh
Trisagion, Erg, Małthankh, Kharoz
Ps. 120, Hambardzi, Kharoz, Ałothkh

Die Komplet endlich zeigt folgenden Aufbau:

Einleitungsgebete
Verse aus: Ps. 118, Ps. 35, Habakuk 3, Ps. 90, 122, 53, Dan. 3;
  Ps. 150, Canticum Simeonis;
Verse aus: Ps. 137, 141, Magnificat
Verse aus: Ps. 85, Małthankh, Großer Kharoz, Ałothkh
  Ps. 4, Joh. 12, 24—26, Kharoz, Ałothkh, Małthankh
  Spezielle Małthank, Ałothkh, Ałothkh gegen die Gefahren der Nacht
  Małthank, Kharoz, Ałothkh, Małthank

Die Messe ist im Prinzip wie die lateinische u. a. aufgebaut, aber das *Gloria* fehlt, und den Lesungen geht der *Šarakan Tšašu* und das *Trisagion* voraus.

Die Psalmen werden heute fast nur noch gesprochen. Lediglich bei besonderen Gelegenheiten wird ein Psalm gesungen, so Ps. 50 bei traurigen Anlässen, Ps. 112 der Matutin an Sonntagen, weil dann das Evangelium auf ihn folgt, die Kanonagluxkh zweimal im Jahr. P. Raphael Kossian, Wien, sang Ps. 112 in der folgenden Rezitationsmelodie.

1. Ōrh - ne - tshekh ____ man - kunkh əz - Tēr. ew ōrh - ne - tshēkh za - nun əh - Tearrn.

2. E - fi - tshi ____ a - nun Tearrn ōrh - neal. yay - sam - he - tē min - tšhew ya - wi - tean.

3. Ya - re - we - litsh men - tšew i mu - təs a - re - wu ōrh - neal ē a - nun Tearrn.

Psalm 112, V. 1 - 3, gesungen von P. Raph. Kossian, Wien

Diese Weise bleibt das ganze Jahr hindurch beständig dieselbe, wechselt also nicht mit den Kirchentönen.

Den Vortrag des *Kharoz* zeigt das folgende Notenbeispiel. Die Fassung ist die der Wiener Mechitaristen, aufgezeichnet von P. Moses Srabian.

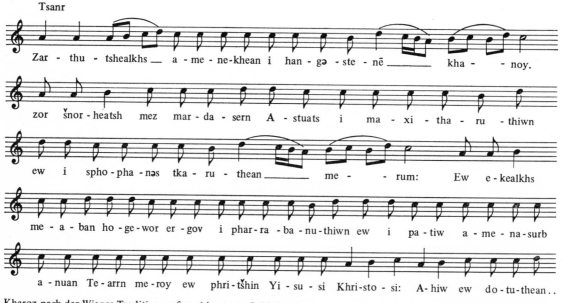

Tsanr

Zar - thu - tshealkhs ____ a - me - ne - khean i han - gə - ste - nē ____ kha - noy.

zor šnor - heatsh mez mar - da - sern A - stuats i ma - xi - tha - ru - thiwn

ew i spho - pha - nəs tka - ru - thean ____ me - rum: Ew e - kealkhs

me - a - ban ho - ge - wor er - gov i phar - ra - ba - nu - thiwn ew i pa - tiw a - me - na - surb

a - nuan Te - arrn me - roy ew phri - tšhin Yi - su - si Khri - sto - si: A - hiw ew do - tu - thean..

Kharoz nach der Wiener Tradition, aufgezeichnet von P. M. Srabian

Diese Weise ist die „schwere". Das Armenische kennt drei musikalische Stilarten, die gerne mit denen der byzantinischen Musik verglichen werden. Im Armenischen heißen sie *tsanr* (= „schwer", bei der Sprache: „langsam"), *tšhaphawor* (= „gemessen") und *midžak* (= „mittel"). Die meistgebrauchten sind *tsanr* und *tšhaphawor*, und auch der *Kharoz* kennt nur diese beiden Vortragsarten. *Tšhaphawor* unterscheidet sich beim *Kharoz* nur dadurch, daß er nur die zweite, einfachere Zwischenkadenz benutzt, während *tsanr* beständig zwischen den zwei Kadenzformeln wechselt.

Das *Evangelium* wird in ähnlicher Weise vorgetragen; doch sind dem Vortragenden weitgehende persönliche Freiheiten gelassen. Doch sind zwei traditionelle Vortragsarten festgelegt, eine für die normale Evangelienlesung, eine andere für traurige Anlässe, Requiem u. a. (man vergleiche dazu oben das Maronitische).

Als Beispiel eines einfachen *Erg* folgt der 2. Erg der Nokturn, gedichtet vom berühmten Katholikos Nerses Šnorhali (12. Jh.). Der Hymnus hat zwei Weisen, tsanr und yordor (= presto), die letztere eine Art schnelle Urlinie der schweren Form und dem Ašhaphawor-Stil entsprechend, nur noch einfacher.

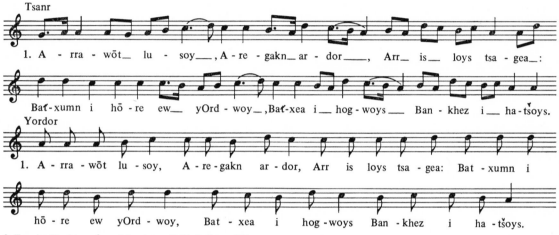

2. Erg der Nacht, aufgezeichnet von P. M. Srabian, Wien

Bei kleinen *Ergkh* und ähnlichen Stücken wird der melodische Stil schon erheblich melismatischer. Als Beispiel sei der Anfang eines *Ktshord* mitgeteilt.

Ktshord des 1. Erg der Nacht, aufgezeichnet von P. M. Srabian, Wien

Die Krone der armenischen liturgischen Musik ist der *Šarakan*. Als Beispiel gebe ich den *Orhnuthiwn* von Pfingsten im 2. plagalen Ton, wieder in der Fassung der Wiener Mechitaristen, transkribiert von P. Moses Srabian.

Šarakan Orhnuthiwn von Pfingsten, aufgezeichnet von P. M. Srabian, Wien

Dieser *Šarakan* ist nicht der *Orhnuthiwn* selbst, sondern dem hohen Festgrad entsprechend dessen besonderer Einleitungsšarakan. Der Vers *Exodus* 15, 1 wird daher nicht am Anfang, wo ich ihn hier (in Klammern) hingesetzt habe, gesungen, sondern auch erst am Beginn des eigentlichen *Orhnuthiwns*. Dieser Einleitungsšarakan besitzt deshalb keinen Einleitungsvers und hat damit die Struktur, die das byzantinische Troparion normalerweise besitzt.

Man erkennt deutlich die Struktur des Stückes, insbesondere die charakteristische Identität des 2. und 3. Teils. Der Refrain ist nur in der Wiener (und in der Edžmiatsiner) Fassung in allen drei Fällen gleich, sonst weist er bei der letzten Wiederholung einen abweichenden Schluß auf.

In der armenischen Kirchenmusik ist es wie in jeder nur mündlich überlieferten Musik eine fundamentale Frage, wie weit die Melodien ihre *originale Form* behalten haben. Das läßt sich nur dadurch beurteilen, daß man vergleicht, wie weit sie heute noch in den verschiedenen Traditionen übereinstimmen und wie stark und worin sie differieren.

Um diese Frage für das Armenische zu diskutieren, teile ich den 1. Teil des im vorigen Beispiel nach der Wiener Fassung veröffentlichten Šarakans in den vier maßgebenden Traditionen mit, 1. noch einmal in der Wiener Fassung nach dem Manuskript P. Moses Srabians, 2. in der Fassung von San Lazzaro/Venedig, nach der Ausgabe von P. Leontius Dayan, Band VI, S. 13, wo das Stück aber nicht als *Orhnuthiwn*, sondern als *Hambardzi* fungiert, 3. in der Fassung des Patriarchats Edžmiatsin, nach der aus der Originalausgabe von 1875 nunmehr in moderne europäische Notenschrift transkribierten Ausgabe von P. Kiureł Zohrabian, San Lazzaro, Bd. V, 1960, S. 81, von mir von g nach f transponiert und die Notenwerte halbiert, 4. nach der Istanbuler Fassung in der Ausgabe von 1934, von Lewon Dedesian aus dem Nachlaß von Elia Dedesian (1834–1881) herausgegeben, S. 416, von mir von c nach f transportiert.

Der 1. Teil des vorigen Stückes in den Überlieferungen von Wien, Venedig, Edžmiatsin und Istambul.

Vergleicht man die vier Traditionen miteinander, so treten deutlich die beiden europäischen Traditionen zusammen gegen die beiden orientalischen. Von den beiden europäischen Überlieferungen ist die von Venedig wieder sehr viel ausgeschmückter als die von Wien. Das führt man in Wien darauf zurück, daß San Lazzaro hauptsächlich Zugang von Mönchen aus der Türkei hatte, Wien vor allem von solchen aus Armenien selbst, und das armenische Volkslied sehr einfach sei. Das wird alles seine Richtigkeit haben; vergleicht man aber die Fassung von Edžmiatsin mit der von Istanbul, so sieht man sofort, daß die armenische Fassung kaum weniger verziert ist als die türkische, aber ungleich verzierter als die Wiener und auch als die Venediger Fassung. Die große Ähnlichkeit der Fassungen von Edžmiatsin und Instanbul zeigt, daß man den verzierten Stil nicht als eine Eigenart des türkischen Musikstils ansehen darf, sondern daß er offenbar gemein-orientalisch ist. Denn es ist nicht sehr wahrscheinlich, daß auch die Fassung von Edžmiatsin so hohen türkischen Einfluß zeigt, daß sie dieser so ähnlich geworden ist — wie es überhaupt wenig wahrscheinlich ist, daß die orientalisch-christliche Kirchenmusik unter den besonderen Bedingungen, unter denen sie ihre Existenz zu behaupten hatte, große Einflüsse der sie umgebenden weltlichen Musik erfuhr. Aber der Orient besitzt ja nicht nur die kolorierten Melodien, sondern auch die einfachen (siehe oben), und man kann die Fassungen von Edžmiatsin und Instanbul als *tsanr*, die von San Lazzaro als *midžak*, die von Wien als *tšhaphawor* ansehen — tatsächlich stehen im Edžmiatsiner Šarakan auch Šarakankh mit zwei Stilen, die Melodien über dem einen Text übereinander geschrieben.

Eine fundamentale Bedeutung für die Erkenntnis der Entstehung und Entwicklung des christlichen Achttonartensystems besitzt die *Harmonik* des armenischen Kirchengesanges, da sie ein Achttonartensystem bewahrt hat, das von den übrigen bekannten Systemen, dem gregorianischen, neubyzantinischen und syrisch-orthodoxen, im Prinzip verschieden ist. Die Harmonik einer Musikkultur kann man in doppelter Weise entwickeln: einmal durch harmonische Analyse von Melodien, andererseits durch Beobachtung der melodischen Formeln, die in den orientalischen Musikkulturen für die einzelnen Tonarten charakteristisch sind. Der zweite Weg gibt auf einfachste Weise das Wesentliche, den ersten muß man mit hinnehmen, um weitere Details zu erhalten. Die Formeln des armenischen Kirchengesangs sind in einer besonders sinnvollen Weise gestaltet: sie sind typische

Melodien für die Einleitungsgebete der *Šarakankh* oder für ihre *Gloria patri* und *Sicut erat*. Vielleicht erhält man von hier aus auch ein neues Verständnis für die byzantinischen Formeln, die sinnlose Silben, *noeane* usf., verwenden.

Außer den Einleitungsformeln besitzen die *Šarakankh* auch typische Schlüsse, in die ihre Melodien jeweils in der betreffenden Tonart einmünden. Für den 1. Wochenton teile ich im folgenden Notenbeispiel mit: 1. die Einleitungsmelodie des Orhnuthiwn (Exodus 15, V. 1) in der Wiener Fassung, die bei diesem Ton zwei verschiedene Schlüsse kennt, den zweiten als *dardzuats* (= „Wechsel") bezeichnet; 2. das *Gloria patri* in der Wiener Fassung, das für den *dardzuats* eine ganze eigene Melodie benutzt; 3. die Schlußkadenz der *Šarakankh* in der Wiener Fassung; 4. die Einleitungsformel des *Orhnuthiwn* nach der Ausgabe Edžmiatsin 1875.

Die charakteristischen Melodieformeln des 1. armenischen Kirchentons.

Das Studium der *Šarakankh* selbst bestätigt, daß es sich um einen Durton handelt, der die inneren Melodieabschnitte auf der Tonika oder der Terz bzw. im *Dardzuats* auf der Sekunde schließt, das ganze Stück immer auf der Tonika beendet. Die Einleitungsformeln schließen also gerade nicht auf der *Finalis*, sondern auf einer *Confinalis*, damit sie so besser in den mit der Tonika beginnenden 1. Teil des *Šarakan* überleiten. Eine Eigenart der Fassung von

Edžmiatsin ist die Benutzung der chromatischen Obersekunde als Leitton zur Terz. Es ist bezeichnend, daß diese Chromatik in der westlichen Fassung beseitigt worden ist.

Der armenische Choral kennt wie der gregorianische und byzantinische den Unterschied zwischen authentischen und plagalen Tonarten. Die authentischen Töne heißen *dzayn* (= „Ton") und werden als 1. bis 4. (*arradžin, erkrord, errord* und *tšhorrord*) gezählt. Die plagalen Töne heißen *kołm* (= „Seite", also wie im Byzantinischen), aber nur der erste wird als *arradžin kołm* gezählt, der 2. plagale heißt *awag kołm* (= „großer seitlicher"), der 3. plagale *varr* (= „hell" bzw. gr. *barys*), der 4. plagale *verdž* (= „Ende, Schluß"). Man erkennt die Verbindung zum Byzantinischen, das auch seinen 3. Plagalton nicht zählt, sondern mit *barys* (= „schwer", offensichtlich dem armenischen tsanr entsprechend) bezeichnet. Da das Armenische die Buchstaben als Zahlzeichen verwendet, werden die Töne als A Dz, A K, B Dz, B K, G Dz, G K, D Dz und D K angezeigt. Diese Symbole heißen *banali* (= „Schlüssel"). Die Musiker benutzen zur Bezeichnung der Tonarten nicht die obigen schwerfälligen Namen, sondern die Bezeichnungen der Schlüsselbuchstaben, durch u (= „und") verbunden, also *aybudza* (ayb = a, dza = dz), *aybukēn* (kēn = k), *bēnudza, bēnukēn, gimudza, gimukēn, daudza* und *daukēn*.

Der 1. Plagalton ist wieder ein Durton, der in der Wiener Fassung auf der Unterterz schließt. In Edžmiatsin besitzt der Ton einen Dardzuats, der die große Terz (e und h) und die erhöhte große Terz (eis und his) verwendet. Über die Größe der Erhöhung dürften die Meinungen der armenischen Theoretiker auseinandergehen (Zohrabian hat eis und his sogar als f und c übertragen, was zumindest philologisch nicht genau ist), jedenfalls handelt es sich um einen Ton zwischen h und c. Daß die westliche Fassung dieses orientalische Intervall beseitigt hat, versteht sich. Der 2. Ton ist ein Ton mit kleiner Terz, sein Plagalton dasselbe mit Schluß auf der Quarte, — man betrachte daraufhin die Notenbeispiele 5 und 6, besonders Beispiel 6, wo die Fassungen Edžmiatsin und Instanbul in der Mitte auf d kadenzieren. Damit entspricht dieser Ton genau dem syrischen 1. plagalen Ton, der 2. authentische Ton ohnehin dem syrischen 1. authentischen Ton. Betrachtet man die Finalis als Hauptcharakteristikum eines Tones, so kann man sagen, daß hier der Plagalton eine Quinte unter dem authentischen Ton liegt, so wie es die byzantinischen Papadiken für alle Töne darstellen. Der 3. Ton benutzt die Chromatik a b cis d, der 3. plagale Ton ist ein g-moll-Ton, der besonders zum Schluß nach g as h c moduliert. Beide 3. Töne entsprechen damit den neubyzantinischen 2. Tönen. Der 4. authentische Ton ist ein Ton mit großer Terz, der gern auf Terz und Quint kadenziert, in der Wiener Fassung auf der Sekunde schließt. Der 4. plagale Ton benutzt die große Terz, vertieft sie aber chromatisch sehr gern zur kleinen Terz. Der 2. und der 4. plagale Ton besitzen auch Abarten, die stełi (= „Zweig, Abzweigung") heißen. Die vorhandenen Melodien zeigen jedoch keine prinzipiellen Abweichungen gegenüber den regulären Tönen B K und D K.

Überblickt man die eben geschilderten Verhältnisse, so sieht man sofort, daß die armenischen Kirchentöne eine Folge c d e f ergeben (daß die chromatische Skala am besten auf e darzustellen ist, wurde oben im Abschnitt über die Musik der syrischen Liturgien auseinandergesetzt), während die Folge der Töne im Gregorianischen, Neubyzantinischen und Syrisch-Orthodoxen d e f g bzw. d e f c ist. Diese Differenz der Kirchentonsysteme ist eines der fundamentalen Probleme der Musikgeschichte überhaupt. Im Einleitungsabschnitt in die orientalischen Liturgien wurde schon angedeutet, daß auch die persische und indische Musiktheorie eine Durskala zugrundelegen. Man bedenke, daß auch die altgriechischen Transpositionsskalen von Hypodorisch bis Mixolydisch (man vgl. etwa meine *Grundlagen der antiken und orientalischen Musikkultur*, S. 61 ff.) eine Durskala der Folge g a h c d e f ergeben — auch die mittelalterliche lateinische Tonskala begann ja mit g, dem *Gamma graecum*. Das armenische Kirchentonsystem wäre dann nichts anderes als dies gemein-antike System. Es hätte also der Osten (armenisch und wohl auch assyrisch, siehe oben), und dies dann wohl unter dem Einfluß des Perserreiches, dieses alte Musiksystem beibehalten, der Westen mit dem Zentrum Antiochien das System geändert, dies dann vermutlich unter griechischem Einfluß.

Heinrich Husmann

Die Gesänge der ägyptischen Liturgien

Der Terminus „koptisch" ist heute gleichbedeutend mit „ägyptisch-christlich".

Das war nicht immer so. Das Wort „koptisch" ist eine Nachbildung des griechischen *aiguptos*, das von den Arabern als *al-guptos* übertragen wird und ganz einfach die Einwohner des Niltals meint, denen der Beiname *Ka-Ptah* gegeben wurde, der an den Kult des Gottes Ptah erinnert.

„Koptisch" ist also zunächst ein „ethnischer" Terminus. Seit der Eroberung des Niltals durch die Araber bezeichnet das Wort jedoch nicht mehr die Ägypter allgemein, sondern nur die Ägypter christlichen Glaubens. Während der arabischen Besetzung ging nämlich ein Teil der ägyptischen Einwohner zum muselmanischen Glauben über und folgte damit dem Glauben der neuen Herren Ägyptens. Wenn heute von koptischer Literatur, koptischer Geschichte, koptischer Kunst und Musik gesprochen wird, so bezeichnen diese Termini also nur die Literatur, Geschichte, Kunst und Musik der christlichen Ägypter in Abgrenzung zur muselmanisch-ägyptischen Literatur, Geschichte, Kunst und Musik.

Was die Erforschung der Musik betrifft, so sind in der ägyptisch christlichen Liturgie die Elemente der musikalisch-technischen und ausdrucksmäßigen Besonderheiten zu erfassen. Es sind in der koptischen Musik auch zahlreiche Spuren einer außerhalb der Kirchen und kultischen Zeremonien gepflegten Volksmusik zu beobachten, deren Wurzeln in die pharaonische Vergangenheit des Niltals zurückreichen. Gewisse ursprüngliche koptische Instrumente haben jedoch in den christlichen gottesdienstlichen Zeremonien keine Verwendung gefunden.

In der ägyptischen Volksmusik aber sind noch heute Verwandtschaften zu den liturgischen Gesängen deutlich. Während aber die gegenwärtige koptische Musik sich ausschließlich auf die christliche Liturgie erstreckt, wird die weltliche Volksmusik im Unterschied zur arabischen Kunstmusik der Städte als „ägyptische Musik" bezeichnet. Die vorliegende Darstellung der koptischen Kirchenmusik erstreckt sich allein auf die koptischen liturgischen Gesänge Ägyptens, nicht jedoch auf die äthiopisch-koptische Liturgie.

Ursprung — Quellen — Entwicklung

Die Bedeutung der koptischen Musik wird oft unterschätzt. Indessen kennzeichnet gerade sie den Anfang der christlichen Kultmusik der verschiedenen Riten im Mittelmeerkreis.

Das beachtliche Alter des Wortes „koptisch" erscheint als charakteristisches Symbol für alles, was dieses Volk betrifft. Schon Herodot berichtet, daß es *„das religiöseste der ganzen Erde"* sei; zweifellos blieb es eines der traditionsbewußtesten. Selbst in unseren Tagen kann man bei Fellachen den noch immer lebendigen Glauben an den *Gott Phtah* finden, an jenen *Ka* des Pharao, der ehemals das Wesen des ägyptischen religiösen Lebens bildete und den Bewohnern des Niltals den Namen *Anbeter des Ka-Phtah* einbrachte. Von daher gesehen wäre also die Behauptung, daß sich alles, was die koptische Musik betrifft, vor der arabischen Besetzung Ägyptens entwickelte, berechtigt. Und das bestätigt sich für die ganze koptische Kunst, insbesondere für die Malerei und für die sog. „höheren" Künste. Für die Musik ist das Problem komplizierter, da schriftliche Dokumente, auf die man sich stützen könnte, fehlen.

In den heutigen Gesten der koptischen Sänger wurde eine unbestreitbare Reminiszenz an die altägyptische Cheironomie festgestellt; zweifellos haben die Interpretationsverfahren der koptischen Melodien eine gewisse Verwandtschaft mit dem, was man von der Musik der Pharaonen weiß, wie Hans Hickmann nachgewiesen hat. Andererseits zeigt ein systematischer Vergleich der arabischen Texte mit den ihnen angepaßten koptischen Melodien tiefe Gegensätze. Die Vokalisen auf einfachen Aussprackeakzenten der arabischen Sprache sind ohne Sinn. Das scheint die Priorität der koptischen Melodie (in ihren wesentlichen Linien) gegenüber der Einführung der arabischen Sprache in die Liturgie zu beweisen.

Schließlich bedeutet die Tatsache, daß der koptische Sänger gern improvisiert, keineswegs, daß er neue Melodien „schafft".

Die Improvisation besteht im koptischen Gesang im wesentlichen darin, daß einige Töne als einigendes Band zwischen melodischen Formeln auftreten. Der koptische Sänger benutzt also — in gewisser Weise „instinktiv" — das sog. Verfahren der „Centonisation" (R. Ménard, *Note sur la memorisation et l'improvisation dans le chant copte*, in: *Etudes Grégoriennes* III/1959, S. 141). Darauf scheint sich im allgemeinen die Improvisation zu beschränken. So verfuhren vermutlich schon die alten Ägypter.

Aber der Einfluß Altägyptens — so bedeutend er auch sein mag — ist nicht der einzige, der sich im koptischen Gesang aufzeigen läßt. Auch die byzantinisch-alexandrinische Spur ist deutlich.

Die ersten kultischen Äußerungen des Christentums in Ägypten vollzogen sich in griechischer Sprache. Die heutige koptische Liturgie hat diese Sprache nicht völlig aufgegeben.

Es ist sogar Brauch, daß bei gewissen besonders feierlichen Anlässen und unter besonderen Umständen die koptische Messe ausnahmsweise noch in griechischer Sprache zelebriert wird. Zahlreich sind übrigens die Responsorien, die Ermahnungen (*admonitiones*) des Diakons, die Invokationen des Zelebranten wie der Gemeinde etc., die noch heute in griechischer Sprache ausgeführt werden. Ein charakteristisches Beispiel ist der Gesang des *Sanctus* durch den Zelebranten. Nach einem dreimaligen, melodisch außerordentlich entwickelten *„Agios"* (griechisch) singt der Zelebrant dasselbe Wort, ebenfalls dreimal, aber koptisch (*„échoab"*). Wenn er das Gebet in arabischer Sprache fortsetzt, singt er — ebenfalls dreimal — die Übersetzung des Wortes *„Sanctus"* in arabisch (*„quddûs"*). Das *Kyrie eleison* sowie das *Trisagion* sind ebenfalls Beispiele für die Fortdauer der griechischen Sprache in der koptischen Liturgie.

Trisagion im „Ton der Traurigkeit" (lahn al ḥozn)

Transkription: H. Hickmann und R. Ménard

Zu dem letzteren, sehr volkstümlichen Gesang ist zu bemerken, daß er in den koptischen Liturgiebüchern, die sich gewöhnlich mit einer einfachen Transkription des griechischen Textes in arabische Schriftzeichen (Transliteration) begnügen, nur sehr selten übersetzt ist.

Die koptische Kirche fühlte sich der griechischen Kirche auf vielen Gebieten der Liturgie immer verpflichtet, und die wenigen koptischen Autoren, die versuchten, den liturgischen Gesang theoretisch zu erfassen, benutzten weitgehend die byzantinische Terminologie, besonders hinsichtlich der Theorie der Modi. (Vgl. Abul Barakat: *La Lampe des Ténèbres et l'Exposition lumineuse du Service (liturgique)*, Bibliothèque Nationale de Paris, de mss. Fonds arabe, cod. 203). Die koptischen Manuskripte sowie die gedruckten Liturgiebücher verwenden in ihren Rubriken zahlreiche aus dem Byzantinischen entlehnte musikalische *termini technici* (z. B. „*échos"*). In einigen Manuskripten bemerkt man den Gebrauch modaler Bezeichnungen der griechischen Ordnung (wie 1., 3., 4. „plagale" Modi).

Schließlich nehmen einige heutige Autoren sogar an, daß — besonders in der sog. Liturgie des hl. Basilius — Melodien existieren, die dem byzantinischen Repertoire entstammen. Der byzantinische Einfluß auf die koptische Liturgie wurde durch die blühende Stadt Alexandria vermittelt. Zweifellos machte man zahlreiche Anleihen. Auch einige Anaphora sind byzantinisch. Es ist jedoch beim augenblicklichen Stand der Forschung nicht möglich, diese Anleihen präzise zu begrenzen. Andererseits weiß man, daß es nach der Spaltung zwischen der koptischen und den anderen christlichen Kirchen (451 auf dem Konzil von Chalcedon) eine echte Rückkehr zu den Quellen im christlichen Ägypten gegeben hat. Ägypten — von nun an getrennt von der übrigen christlichen Welt — zog sich selbst zurück und knüpfte an eine Vergangenheit an, die es niemals vollständig aufgegeben hatte.

Außer den byzantinischen Elementen findet man in der koptischen Musik syrische Einflüsse, deren genauere Bedeutung indessen in ihrer Wirkung abzuschätzen bleibt, vor allem die Rolle, die die Kirche Antiochiens für die Entwicklung des koptischen Ritus spielte. Beziehungen zwischen der syrischen Welt und der ägyptischen Einflußzone sind unbestreitbar. Spuren sind erhalten: in der koptischen Kunst im allgemeinen wie in der Liturgie und im ägyptischen Kirchenleben im besonderen. Auch im Bereich der Kirchenmusik findet man noch Spuren eines „syrischen Tons", besonders im Karfreitag-Gottesdienst zum Tode des Heilands. (B. N. Paris: *Fonds copte, Codex 32, fol. 119 recto*). Einige Hymnen sind syrischen Ursprungs — wenn nicht in der Melodie, so zumindest in ihrem literarischen Inhalt. Außerdem benutzen die Kopten jene musikalisch-literarische Form, die man *maïmar* nennt und die syrischer Herkunft ist.

Ein Instrument der heutigen liturgischen Musik, der *nâqûs*, soll ebenfalls aus Syrien stammen. Es ist interessant, hier zu beobachten, daß dieses Instrument in Ägypten vielleicht zum ersten Mal in den Wüstenklöstern des Westens, im *Wadi'n Natrûn* benutzt wurde, wo sich das *Deir as Surian* befindet, ehemals sehr berühmt wegen seines Einflusses in der koptischen Kirche. Wie sein Name ankündigt, ist es das *Kloster der Syrer*. Man sollte aber die Abhängigkeit der koptischen Musik von der Kultmusik oder der Liturgie des syrischen Ritus nicht für allzugroß halten, jedenfalls nicht für größer als die Abhängigkeit der koptischen Liturgie im allgemeinen. Es scheint richtiger, von gemeinsamen Quellen der beiden großen Kirchen zu sprechen. Man denke nur an die unleugbar semitischen Schriftzeichen vieler koptischer wie syrischer Riten.

Im Synagogenkult ist eine der sichersten Quellen für gewisse Formen des koptischen Gesangs und vielleicht für einige Melodien oder musikalische Vortragsarten zu suchen. Es ist allgemein bekannt, daß die christliche Kultmusik des Mittelmeerraums zu einem wesentlichen Teil der jüdischen Kultmusik verpflichtet ist. Die ersten christlichen Gottesdienste, außer der *Anaphora* der Messe, ahmen den Synagogenkult nach: Lesungen aus dem Testament, Gesang von Psalmen und von Gesängen aus der Offenbarung und aus den Propheten etc. Die ersten christlichen Gemeinschaften jüdischer Herkunft zögerten nicht, an den Gottesdiensten der alten mosaischen Religion teilzunehmen. Überall, wo sich die jungen christlichen Gruppen bildeten, hat es eine allgemeine Teilnahme jüdischer Konvertiten gegeben.

Unter diesen Voraussetzungen ist die Annahme berechtigt, daß die ersten Melodien, die an den Orten des christlichen Kults erklangen, die der jüdischen Synagogen waren. Die heutzutage von den koptischen Sängern benutzten modalen und melodischen Formeln scheinen mit dem hebräischen *taamîm* verwandt zu sein.

Ohne kritische Untersuchungen ist es aber auch hier schwierig, die Grenzen dieser Quellen aufzuspüren. Dagegen läßt sich feststellen, daß ein relativ bedeutender Teil des hebräischen Kults, so wie er in der Bibel überliefert ist, aus dem Lande der Pharaonen kommt. Spricht man von dem jüdischen Einfluß auf die koptische Musik, so könnte man ebensogut von dem ägyptischen Einfluß auf die hebräische Musik sprechen und in den koptischen Anleihen beim Synagogenkult sowohl eine echte Rückkehr zu den Quellen, als auch eine Rückkehr zu den alten ägyptischen Traditionen sehen.

Beim Anhören des koptischen Gesangs scheint das westlich geschulte Ohr unmittelbar eine sehr starke „Arabisation" dieser Musik herauszuhören. Wie steht es nun genau mit dem arabischen Einfluß auf den koptischen Gesang? Es scheint, daß man seine Bedeutung oft überschätzt. Vielleicht wird es sogar nützlich sein, zwischen den verschiedenen ägyptischen Sängerschulen zu unterscheiden und in einigen eine stärkere koptische Tradition zu sehen, in anderen eine Neigung zur Verwendung gewisser arabischer Besonderheiten der Musikpraxis.

Man hat sogar von einer Ähnlichkeit zwischen der islamischen Musik des Yemen und der koptischen Musik gesprochen. Diese Erwägungen erscheinen indes reichlich oberflächlich. Zweifellos gibt es bei einer ganzen Anzahl koptischer Sänger einen mehr oder minder vom arabischen „Stil" geprägten Einfluß. Das Gegenteil wäre undenkbar. Wenn sich auch einige sekundäre Aspekte der arabischen Musik (besonders Ornamentationsverfahren wie z. B. der Triller) in der koptischen Musik, zumindest in einigen Sängerschulen, wiederfinden, so scheint der Einfluß der arabischen Musik dennoch relativ gering zu sein.

Die Geschichte hat gezeigt, welche bedeutende Rolle die koptische Kunst auf ihrem Höhepunkt für die islamische spielte. Man weiß auch, daß die wesentlichen Linien der koptischen Musik vor der arabischen Besetzung festlagen. Es ist also nicht unbegründet, zu behaupten, daß gewisse Ähnlichkeiten zwischen der koptischen und der arabischen Musik sich aus der Abhängigkeit der letzteren von der koptischen Musik erklären und nicht umgekehrt, wie es gewöhnlich behauptet wird (R. Ménard, *Note sur les musiques arabe et copte* in *Les Cahiers coptes* II/1952. Le Caire).

Zusammenfassend ist zu sagen, daß die koptische Kunst wesentlich durch den Bruch mit der griechischen Kunst (besonders durch das Schisma von 451) und durch eine Rückkehr zur spezifisch ägyptischen Kunst charakterisiert ist. In ihrer vollendetsten Form bleibt die koptische Musik eine volkstümliche Kunst. Sie schöpft ihre konstitutiven Elemente aus der ältesten authentischen ägyptischen Folklore.

Darin unterscheidet sie sich von der ägyptisch-alexandrinischen Musik, einer Kunst der „Elite", einer „raffinierteren" Kunst, einer Kunst „kultivierter Menschen", die sich vom Volk entfernt.

Die Liturgie, die in ihren konkreten Gestaltungen Darstellungskünste und Bewegungskünste wieder zusammenfügt, geht aus dieser volkstümlichen Tradition hervor. Die koptische Musik hat denselben Weg beschritten, ohne jedoch zu einem völligen Ausschluß des byzantinischen Einflusses zu gelangen. Syrische, hebräische und arabische Elemente sind gleichermaßen vollkommen assimiliert worden. Daraus entstand das, was wir heute als „koptische Musik" kennen und was sich nicht auf irgendeine andere bekannte Form des liturgischen Gesangs zurückführen läßt.

Der „konservative" Geist der Kopten hat dazu geführt, daß die liturgische Musik während vieler Jahrhunderte etwas im wesentlichen Unveränderliches, weil in höchstem Grade Heiliges blieb. Ihr archaischer Charakter erklärt sich aus dieser Tatsache sowie auch aus den historischen Bedingungen, unter denen die Kopten seit dem 7. Jahrhundert lebten.

Heute indessen läßt sich erkennen, daß vom Westen her sehr oft in ästhetischer Hinsicht zweifelhafte Melodien eingedrungen sind, besonders Volksgesänge aus den Dekadenzperioden. Aber selbst diese Gesänge, deren Melodien oft von bemerkenswerter Dürftigkeit sind, wurden schnell assimiliert und „orientalisiert", so daß die koptischen Sänger selbst sie oft als authentisch ägyptisch ansahen. (R. Ménard, *Une étape dans l'art musical égyptien: la Musique copte* in Revue de Musicologie. Paris, juillet 1954.)

Beim gegenwärtigen Entwicklungsstand der koptischen liturgischen Musik liegt die große Gefahr für den koptischen Gesang in der Tendenz, allgemein die arabische Sprache zu verwenden — unter dem Vorwand eines besseren „Verständnisses" der Riten für die Gemeinde. Diese Tendenz ist ausländischer Herkunft. Sie stammt in direkter Linie aus westlichen, nach Ägypten verpflanzten Kreisen, die den orientalischen Riten gegenüber häufig verständnislos und feindlich eingestellt sind. Wenn diese Tendenz andauert und sich verstärkt, erleben wir vielleicht die letzten Jahre des koptischen Gesangs, so wie er uns aus den ersten Jahrhunderten unserer Zeitrechnung überliefert ist.

Liturgische Grundlagen

Wie die anderen christlichen Riten umfaßt auch der koptische Ritus in liturgischer Hinsicht eine gewisse Anzahl von Zeremonien, die man nach drei Hauptkategorien klassifizieren kann: das tägliche Offizium, das Ritual der Sakramente und Sakramentalen und schließlich die Liturgie oder „Messe".

Das Offizium enthält dieselben liturgischen „Horen" wie die anderen östlichen und westlichen christlichen Riten. Es setzt sich im wesentlichen zusammen aus der Psalmlesung (12 Psalmen für jede Tageshore), einer neutestamentlichen Lesung, *Troparia*, *Psali*, *Trisagion* und einigen anderen gesungenen liturgischen Stücken; es schließt mit der Rezitation von 41 *Kyrie eleison* — eine symbolische Zahl.

Die heutige Praxis einiger koptischer Priester, vor allem katholischer Konfession, das *Officium divinum* „privat" (still) zu rezitieren, entspricht nicht der koptischen Tradition. Das *Offizium* wird, wie die ganze koptische Liturgie, immer gesungen. In den Klöstern wird es täglich ausgeführt, in Pfarreien nur an den Tagen, an denen das Volk eingeladen ist, an dem offiziellen Gebet teilzunehmen, also besonders an Sonn- und Festtagen, weiterhin täglich während der Fastenzeit vor Ostern und schließlich jedesmal, wenn der Pfarrgottesdienst es erfordert.

Das Sakramentsritual ist bei den Kopten besonders entwickelt. Außer dem eigentlichen Sakramentsritual, dessen Gerüst im allgemeinen demjenigen der Messe entspricht (Gottesdienst mit biblischen Lesungen, eine Art *Anaphora* oder Danksagungsgottesdienst, der den eigentlichen Sakramentsritus umschließt), gibt es ein bedeutendes Ritual der „Sakramentalien". Die Einsegnungsgottesdienste des Palmsonntags (mit Lesung der vier Passionen), die Segnung des Wassers für die Taufe, die Segnung des Öls für die Kranken am letzten Freitag der Fastenzeit, die sehr viel weiter entwickelten Gottesdienste der Segnung und Weihe der letzten Ölung, der Einsegnung oder Weihe der Mönche etc. bilden, musikalisch gesehen, ein sehr weites Repertoire, sehr wahrscheinlich das umfangreichste, das man aus allen christlichen Riten kennt.

Aber alle diese Gottesdienste sind Gelegenheitsgottesdienste und wiederholen sich nur unter gewissen, relativ seltenen Bedingungen während des liturgischen Jahres. Anders steht es mit dem Weihrauch-Offizium oder demjenigen der *Theotokien*. Das letztere wird während des ganzen Jahres zelebriert, aber ganz besonders in der Zeit der Vorbereitung zum Weihnachtsfest (entsprechend dem Advent des lateinischen Ritus). Das Weihrauch-Offizium wird jedesmal zelebriert, wenn eine Liturgie (oder Messe) vorgesehen ist. Man unterscheidet zwischen dem Abend-Offizium (*Elévation de l'encens du soir* oder *'Ashiâh*) und dem Morgen-Offizium (*Elévation de l'encens du matin* oder *Bâker*). Dieses Offizium mit Bußcharakter, das durch seine Herkunft jüdischen Bußoffizien sehr nahesteht, ist im koptischen Ritus weiter entwickelt als in den anderen östlichen Riten, die es noch beibehalten haben. Die zahlreichen Gesänge, drei neutestamentliche Lesungen — diejenigen der Propheten während der Fastenzeit — und vor allem die äußerst feierliche Zeremonie des Evangeliums sowie das majestätische Zeremoniell des Weihrauchstreuens bringen es mit sich, daß ein solches Offizium nicht weniger als eine Stunde dauert. Das Schema dieses Offiziums ist, wie der größte Teil des koptischen Rituals, durch die Lehraufgabe und Verkündigung der Messe bestimmt.

Die „Liturgie" — oder „Messe" nach der westlichen Terminologie — steht, wie in allen anderen christlichen Riten, im Zentrum des koptischen Kultes. Eine Liturgie kann im Orient nur gesungen werden, und zwar unter aktiver Teilnahme einer Gemeinde von Gläubigen.

Der erste Teil der Liturgie, der die Vorbereitungszeremonie zur Opferung (*Offertorium*) enthält, und das Offizium der Lesung sind in musikalischer Hinsicht bemerkenswert reich. Allein die feierliche Zeremonie des Evangeliums umfaßt eine beachtliche Zahl gesungener Stücke: das Gebet des Evangeliums, aufgebaut auf dem Schema der koptischen Gebete, den *Psalmos* oder „Psalm des Evangeliums", der gleichzeitig eine Schriftlektion (des biblischen Psalters) ist, und darauf einen Meditationsgesang, dessen Melodie je nach der Jahreszeit und liturgischen Festen variiert. Darauf folgt die *Tour* des Evangeliums, ein Gesang des Volkes, bei dem der Zelebrant und die Meßdiener das Evangeliarium in einer Prozession um den Altar herumtragen (daher der Name des Gesangs), bevor sie zum *Ambo* hinabsteigen. Darauf folgt das Evangelium selbst, dem die Ermahnungen des Diakons und eine Aufforderung des Priesters zum Beten vorangehen. Es wird feierlich in koptischer Sprache gesungen.

Heutzutage jedoch werden in den Pfarreien nur noch einige Sätze vom Diakon gesungen, während der Zelebrant zuhört und dabei das Weihrauchfaß schwenkt und die Gläubigen das Haupt neigen. Darauf wird normalerweise das Evangelium von einem Übersetzer in arabischer Sprache gelesen. Er wendet sich dabei zur Gemeinde. Aber man kann auch beobachten, daß der Zelebrant selbst das Evangelium in arabischer Sprache singt. Dieser Brauch scheint jetzt die Regel zu werden. Auf einer jüngst im Heiligen Land gemachten Aufnahme singt der Metropolit selbst das Evangelium in arabischer Sprache. Der Lesung des Evangeliums folgt das, was man das *Secretum Evangelii* nennt. Es wird, wie der Name ankündigt, vom Zelebranten still gelesen (entweder während der arabischen Lesung, wenn er sie nicht selbst ausführt, oder während des anschließenden Gesangs des Volkes). In Wirklichkeit liegt hier eine alte Litanei vor, deren literarische Form zeigt, daß sie ehemals gesungen wurde.

Nach oder während des *Secretum Evangelii* singt das Volk den *Tarḥ* (Plur. Turnhât) des Evangeliums — eine bei den Kopten sehr häufig benutzte musikalisch-literarische Form, die man auch in den kleinen Horen des Offiziums wie in der Messe oder in den gewissen Tagen zugehörigen Zeremonien wiederfindet. Dem *Tarḥ* — oder als Ersatz dafür — folgt häufig ein unter der Bezeichnung *Wôhem-Paralexis* bekanntes liturgisches Stück, das man auch im byzantinischen Ritus antrifft. Diese sehr ausgedehnte Zeremonie des Evangeliums endet mit einem Schlußgesang, dem Responsorium des Evangeliums, das gewöhnlich aus einer ersten *Alleluia*-Strophe und einem kurzen, dem Fest oder der liturgischen Zeit angepaßten *Responsorium* besteht. Dieses Evangeliums-Responsorium wird zur Communio wieder aufgenommen als Präambel zu Psalm 150; die variable Strophe dient dann als *Responsorium* dieses Psalmes.

Wie man aus dieser knappen Beschreibung entnehmen kann, besitzt die koptische Liturgie eine erstaunliche Variationsbreite und einen Reichtum, der in anderen Riten kaum seinesgleichen hat.

Die Träger des Gottesdienstes

An erster Stelle steht der Zelebrant, dem die Aufgabe zufällt, sich im Namen der christlichen Gemeinde direkt an Gott zu wenden.

Einem sehr alten, ehemals in der Kirche üblichen Brauch folgend, wendet er sich gen Osten. Mit Vorliebe betet er in koptischer Sprache (oder griechisch, lehnt aber das Arabische nicht völlig ab). In seinen Bereich fallen die Gebete, die Segensformeln für die Opfergabe, die Absolution sowie die Fürsprachegebete an die Heiligen etc. Die vom Zelebranten benutzten Melodien, die im Laufe der liturgischen Zeiten nicht in eine gegebene Anaphora umgetauscht werden können, werden im allgemeinen über einem freien, der Rezitation nahen Rhythmus mit stark ornamentierten Introduktionsformeln und Kadenzen gesungen. Wenn der Zelebrant über eine gute Stimme verfügt, kann er nach Gutdünken, gemäß den traditionellen melodisch-modalen Formeln, „improvisieren".

Die Verbindung zwischen dem Zelebranten und der Gemeinde stellt der Diakon her. Er wendet sich vom Zelebranten ab und der Gemeinde der Gläubigen zu; folglich steht er auf der anderen Seite des Altars. Im allgemeinen beschränkt er sich auf reichlich kurze Zwischenrufe (Interventionen) und fordert die Gemeinde zur Antwort auf. Diese Ermahnungen des Diakons sind Bestandteil jedes koptischen Gottesdienstes und spielen eine bedeutende Rolle in der koptischen Liturgie.

Eine Zelebration kann ohne Anwesenheit des Diakons nicht durchgeführt werden. Außer den eigentlichen Ermahnungen obliegt ihm eine gewisse Anzahl von Dialoggesängen mit der Gemeinde, z. B. die Litaneien (oder *Héténies*), oder die Bittgesänge (oder *Tobhât*) etc. Im Laufe besonderer Zeremonien, z. B. in der Karwoche, führt der Diakon auch kunstvollere Gesänge aus. Das Volk antwortet im allgemeinen dem Diakon, gelegentlich auch dem Zelebranten selbst mit kurzen Anrufungen oder Akklamationen. Diese Antworten bestehen aus kurzen Formeln. Das Volk hat aber auch Anteil an längeren Gesängen, z. B. an dem sehr populären *Trisagion* nach den Lesungen oder an gewissen Formen des *Aspasmos*, langen strophischen Gesängen, unter denen das *Al-Scherûbim* einer der bekanntesten ist. Zahlreich sind die Zwischenrufe der Gemeinde. Allein in der *Anaphora* interveniert das Volk mehr als fünfzig Mal.

Bei keinem Gottesdienst sind die koptischen Gläubigen stumme Zuschauer und Fremde. Normalerweise müßte das Volk auch eine gewisse Anzahl von — in textlicher Hinsicht — weiter entwickelten Gesängen mit reichlich schwierigen Melodien übernehmen. Im allgemeinen kann es das jedoch nicht. Daraus erklärt es sich, daß solche Gesänge bestimmten Sängern oder *Psaltes* (Kantoren) übertragen wurden, wenn diese auch in keiner Aufzählung jemals erwähnt wurden, sondern immer vom Volk, *al-Sha'b*, die Rede ist.

Einen wichtigen Platz in der Praxis nimmt der *Psaltes* (Kantor) ein. Ihm sind die meisten der den Festen oder den liturgischen Zeiten eigenen Gesänge vorbehalten.

Um die Bedeutung des Psaltes erfassen zu können, muß man bedenken, daß Gottesdienste unter Umständen — etwa in der Epiphaniasnacht oder in der Osternacht — nicht weniger als sieben bis acht Stunden dauern, und daß z. B. der Karfreitag fast vollständig der Liturgie gewidmet ist. Texte und Melodien dieser Gottesdienste sind zu lang oder zu schwierig, als daß sie vom Volk ausgeführt werden könnten.

Aus Gründen einer traditionellen, bis in die Zeit der Pharaonen zurückreichenden Ordnung (H. Hickmann, *Le Chanteur aveugle* in *Le métier de musicien au temps des Pharaons*, éd. „Les cahiers d'Histoire égyptienne". Le Caire 1954) wie auch aus humanitären oder sozialen Gründen wird der koptische Kantor gewöhnlich unter den Blinden ausgewählt. Blindheit ist in Ägypten sehr verbreitet. Folglich gibt es Sängerschulen, in denen zukünftige Kantoren Texte und Melodien, die ihnen in der Liturgie zugeteilt werden, auswendig lernen. Da man von einem *Psaltes* nicht verlangen kann, daß er alle liturgischen oder biblischen Gesangstexte vollständig auswendig kennt, führen die Rubriken eine Art Vorsänger. Dieser hat die Aufgabe, dem *Psaltes* Satz für Satz die besonderen Texte gewisser Feste oder liturgischer Zeiten zu „soufflieren", z. B. die *Psalmoi* des Evangeliums oder auch gewisse *Psali* oder *Turuhât*. Über diesem so vermittelten Text „vokalisiert" oder „jubiliert" der Kantor entsprechend den traditionellen melodischen in der Sängerschule erlernten Formeln, die dem Interpreten einen gewissen Spielraum lassen, die liturgischen oder biblischen Strophen prunkvoll zu ornamentieren. Die musikalische Funktion des *Psaltes* ist nicht die gleiche wie die der Gemeinde. Aber auch sie hat an der koptischen Liturgie wesentlichen Anteil.

Als letzter „Ausführender" der Liturgie ist der *Instrumentalist* zu nennen. Er entspricht dem Organisten in der lateinischen Liturgie.

In Dorfkirchen nimmt häufig der *Psaltes* gleichzeitig die Funktion des Instrumentalisten wahr. Normalerweise sollen neben den *Psaltes* mindestens zwei Instrumentalisten treten: der Beckenschläger und der Triangel-Spieler. In Städten und in bedeutenderen Kirchen sind sogar mehrere Beckenschläger und mehrere Triangel-Spieler vorhanden. Ihre Aufgabe ist in den liturgischen Vorschriften nur umrißhaft festgelegt. Die Tradition spielt eine nicht geringe Rolle bei der Auswahl der gesungenen Stücke, die von Becken und Triangel begleitet werden. Die Manuskripte der Gottesdienste für die Karwoche sehen ein reichliches Instrumentenspiel vor. Diese Tatsache scheint zu beweisen, daß der Gebrauch von Musikinstrumenten in der koptischen Liturgie nicht ausgesprochen festliches Gepräge hat. Die begleiteten Gesänge sind Gesänge der Gemeinde. Sie haben — natürlicherweise — einen weniger „freien" Rhythmus als diejenigen des Zelebranten; die Schlaginstrumente unterstreichen noch stärker den rhythmischen Charakter dieser Gesänge des Volkes. Dieses Zusammenwirken von Zelebrant und Diakon einerseits, Gemeinde und *Psaltes* andererseits, bildet den Rahmen, innerhalb dessen sich die lebendige und volksgebundene Liturgie entfaltet. Unter allen anderen christlichen Riten — östlichen wie westlichen — kann in dieser Hinsicht einzig der koptisch-äthiopische Ritus mit dem koptisch-ägyptischen rivalisieren.

Die Tatsache, daß eine gewisse Anzahl der Gesänge in einer vom Volk sehr wenig verstandenen Sprache (wie dem Koptischen) oder gar in einer völlig fremden (wie dem Griechischen) ausgeführt wird, scheint der Teilnahme der Gläubigen an der liturgischen Handlung nicht den geringsten Schaden zu tun. Die Meinung, daß eine liturgische Sprache dem Volk unmittelbar verständlich sein müsse, liegt der orientalischen Mentalität — speziell der koptischen — fern. Im Prinzip soll der Gebrauch der heutigen ägyptischen Umgangssprache nicht zurückgewiesen werden (schon seit Jahrhunderten ist sie in der koptischen Liturgie vorhanden, besonders für die biblischen Lesungen). Der Grund dafür, daß die koptischen Zelebranten, Diakone und *Psaltes* mit Vorliebe in koptischer oder griechischer Sprache singen, scheint aber vor allem darin zu liegen, daß die Melodien, die für diese beiden Sprachen entstanden sind, sich der arabischen Sprache nur sehr schwer fügen. Vielleicht ist das eine Erklärung dafür, daß die Zelebranten in den Dörfern häufig die „großen Gebete" in koptischer Sprache beginnen (mit einer stark ornamentierten Melodie), sie in arabischer Sprache fortsetzen (in einem quasi-syllabischen Rezitativ) und sie in koptischer Sprache mit weit ausgedehnter Kadenz beenden. Diese Praxis ist keine vereinfachte Lösung oder kein sentimentaler Hang zur Tradition, sondern trägt der tiefen Unvereinbarkeit von koptischer Musik und arabischer Sprache Rechnung.

Das koptische liturgische Ritual wird immer gesungen. Es hat monodischen Charakter und entstammt ganz der mündlichen Tradition. Die Tatsache, daß die Zeremonien gewöhnlich sehr lang sind — eine gewöhnliche Sonntags-Liturgie (Messe) dauert mindestens drei oder vier Stunden —, setzt ein bedeutendes musikalisches Repertoire voraus. Der Umfang dieses Repertoires wird noch deutlicher, wenn man die Länge gewisser besonderer Gottesdienste bedenkt — ganz zu schweigen von jenem besonders langen Gottesdienst zur Weihe der heiligen Öle, den ein Patriarch nur einmal während seiner Regierungszeit hält, umgeben von allen koptischen Bischöfen. Dieser Gottesdienst dauert zwölf Tage und zwölf Nächte, ohne Unterbrechung. Die großen christlichen koptischen Feierlichkeiten zeichnen sich durch lange liturgische Nachtgottesdienste aus: Spuren der antiken „Vigilien". Man wacht und betet den größten Teil der Nacht. Alles das setzt ein besonders reiches musikalisches Repertoire voraus. Die Veröffentlichung aller dieser Melodien würde umfangreiche Arbeiten erfordern. (Zum Wechsel und zur Abfolge der liturgischen Formen sowie zu sprachlichen Eigenheiten im koptischen Ritus vgl. auch Hieronymus Engberding, Die koptische Liturgie, in: Koptische Kunst. Christentum am Nil [Ausstellungskatalog]. Essen 1963, S. 95 ff.)

Organologie

Die gegenwärtige Art des koptischen Gesangs — zumindest in den den Solisten (Zelebrant, Psaltes) vorbehaltenen Teilen — besteht zum großen Teil aus frei rhythmischen Melodien, die gern die „Improvisation" aufgreifen. Das ist nur unter Ausschluß jeglicher vokaler oder instrumentaler Begleitung möglich. Es ist darum nicht verwunderlich, daß in der koptischen Musik die Instrumente nur eine untergeordnete Rolle spielen. Nur einige isorhythmische Gesänge des Volkes sowie einige vom Kantor ausgeführte Gesänge werden instrumental untermalt. Die ältesten Rubriken, ebenso diejenigen der heute gedruckten Liturgiebücher verzeichnen nur ein einziges Musikinstrument: den *naqûs*, eine von außen zu perkutierende Handgriffglocke.

Ursprünglich ist der *naqûs* ein Holzbrettchen, auf den man mit einem Stab (ebenfalls aus Holz) schlägt. In der Antike hatte er ausschließlich Signalcharakter: der *naqûs* rief die Gläubigen zu den liturgischen Gottesdiensten. Er ersetzt die Glocke, die bei den Kopten relativ spät eingeführt wurde; der früheste Beleg einer aus Frankreich eingeführten Glocke in einem koptischen Kloster stammt aus dem 17. Jahrhundert.

Vansleb scheint in seiner Geschichte der alexandrinischen Kirche vom 17. Jahrhundert (*Historie de l'Eglise d'Alexandrie.* Paris 1677) den *naqûs* als Begleitinstrument für Gesänge nicht zu kennen. Diese Tatsache erscheint um so merkwürdiger, als koptische Manuskripte aus der Zeit vor dem 17. Jahrhundert bekannt sind, die in ihren Verzeichnissen vom *naqûs* als Begleitinstrument sprechen. Die Erklärung liegt vielleicht in der Tatsache, daß Vansleb in diesem Teil seines Werkes wohl eher einen Autor des 14. Jahrhunderts zu zitieren, als an der Praxis gewonnene Erkenntnisse mitzuteilen scheint. Das Holz, aus dem ehemals der *naqûs* angefertigt wurde, ersetzte man später durch Metall, scheinbar zunächst etwas zurückhaltend, da man in dem Holz des *naqûs* ein Symbol für jenes andere Holz, das Holz des Kreuzes gesehen hatte, und beide — der *naqûs* und das Kreuz — mit der Erlösung in Verbindung gebracht wurden.

Obwohl sich der *naqûs* in den liturgischen Rubriken erhielt, ist er in der heutigen koptischen Liturgie nicht mehr im Gebrauch. Heutzutage ist er durch die Triangel der westlichen Symphonieorchester ersetzt worden. Auch dies ist ein in Dreiecksform gebogener Stab, den man mit einem kleinen, geraden Stäbchen anschlägt. Das ebenfalls nicht mehr gebräuchliche *Semanterion*, eine Klapper, ist auch im Westen bekannt. Der lateinische Ritus benutzt es vor allem während der Karwoche als Zeichen anstelle der Glocken. Es ist interessant, festzustellen, daß unter den regionalen Benennungen, die die Klappern in Frankreich erhalten haben, der Terminus *naquettes* auftaucht, der vielleicht seine Etymologie in dem semitischen Terminus *naqûs* hat.

Außer der Triangel, Nachfolger des *naqûs*, hat man heute ein altes ägyptisches Instrument wieder eingeführt: die Kleinbecken. Nach den liturgischen Vorschriften darf das eine oder andere Instrument aus edlem Material bestehen: aus Silber. Nur diese beiden Instrumente sind heute zur Gesangsbegleitung bekannt. Das Spiel ist außerordentlich variabel, und gute Instrumentisten zeichnen sich in der Kunstfertigkeit aus, beim Anschlagen der Triangel ein Becken vibrieren zu lassen. Ferner kann man den nicht in den Rubriken kodifizierten Gebrauch von Glöckchen oder Schellen beobachten. Sie sind an dem großen Tuch, das die Oblaten (prosphora) bedeckt, sowie am Weihrauchfaß befestigt. Die Glöckchen werden beim Heben des Tuches zu Beginn der *Anaphora* und jedesmal, wenn das Weihrauchfaß geschwungen wird, in Bewegung gesetzt.

Der Gebrauch dieser Glöckchen hat zweifellos — heutzutage wie in den ältesten Zeiten — abweisenden Charakter im Sinne der Geistervertreibung: Koptische Priester haben erklärt, daß die Glöckchen dem Zweck dienten, die kleinen Dämonen (oder *Afarît*) zu verjagen, die den Altar während der heiligen Handlung umgaben. Zu diesem abweisenden Charakter kommt noch der feierliche Zweck des liturgischen Glockengebrauchs hinzu.

Nur selten hat man vor einigen Jahrzehnten in Oberägypten ein Aerophon als Begleitinstrument verwendet. Wahrscheinlich handelt es sich um die arabische Flöte. Hans Hickmann hat vor einigen Jahren einen erschöpfenden Katalog koptischer Musikinstrumente sowie altägyptischer Instrumente, die ehemals von den Kopten in kultischen Zeremonien oder bei weltlichen Anlässen benutzt wurden, aufgestellt. Es ist offensichtlich, daß das *Sistrum*, ein altes Symbol des Hathor-Kultes, ehemals Bürgerrecht in den koptischen liturgischen Zeremonien hatte. Die Tatsache, daß das *Sistrum* der koptischen Periode von allen heidnischen Ziersymbolen, die mit den neuen religiösen Vorstellungen unvereinbar waren, keines mehr aufwies, scheint diese Hypothese zu stützen, ebenso einige Anspielungen kirchlicher Autoren, wie z. B. des Clemens v. Alexandrien.

Dieses ausgesprochen ägyptische Instrument mußte auch aus den christlichen Zeremonien wegen seiner zu sehr an eine typisch feminine Mysterienreligion gebundenen Vergangenheit entfernt werden. Der christliche Kult, dessen Ursprung auf patriarchalischen Traditionen beruht, hat sich immer bemüht, die Teilnahme von Frauen an Gottesdiensten und an liturgischen Ämtern systematisch zu unterbinden. Wenn sich das *Sistrum* bis heute im äthiopisch-koptischen Ritus gehalten hat, so vielleicht darum, weil sich in diesem Lande nicht dasselbe Problem stellte. Ebenso geht es heutzutage den afrikanischen Rasseln, den folkloristischen Verwandten des ägyptischen Sistrum. Als Initiationsemblem der jungen Mädchen ist es allgemein aus dem christlichen liturgischen Gebrauch entfernt. Vielleicht hatte ein anderes Instrument dasselbe Schicksal: das *Tambourin*, das im koptisch-äthiopischen Ritus stets verwendet wurde und heute aus dem ägyptischen Ritus verschwunden ist.

Rasseln finden sich heute nicht mehr im koptischen Kult, ebensowenig Gabelbecken (= *Crotales*), *Cymbalettes* (kleine Becken), verschiedene Typen von Klappern (z. B. die Handgriffklappern), Kastagnetten oder Lauten mit eckig eingeschnürten Flanken (ein typisches Instrument der koptischen Epoche). Alle diese Instrumente haben zweifellos für eine begrenzte Zeit eine gewisse Rolle gespielt, wahrscheinlich aber hauptsächlich außerhalb des Bereiches der religiösen Zeremonien, im profanen Alltag der koptischen Gesellschaft. Man erinnere sich, mit welchem Mißtrauen die christliche Kirche der ersten Jahrhunderte die Musikinstrumente im allgemeinen ansah. Sie erblickte in ihnen vor allem ein Überbleibsel der heidnischen Kulte und nicht so sehr ein Mittel, zum Glanz eigener kultischer Zeremonien beizutragen.

Das rhythmische Handklatschen, noch von den Äthiopiern praktiziert, tritt in der koptischen Liturgie nicht mehr auf, obgleich es zweifellos im Kult der ersten Jahrhunderte ausgeübt wurde. Früher begleitete es die alten pharaonischen Litaneien. Heute ist das Handklatschen in den Sängerschulen eines der für den Rhythmusunterricht am häufigsten gebrauchten technischen Mittel. (H. Hickmann, *Quelques observations sur la Musique liturgique copte*, in *Actes du Congres International de Musique sacrée*, Rome 1950; Tournai 1953.)

Notation und musikalische Transkription

Die Kopten scheinen nur sehr selten jene besonderen Akzente benutzt zu haben, die man die „ekphonetische Notation" nennt. Sie ist alexandrinischen Ursprungs. Insgesamt sind nur wenige Spuren einer musikalischen Notation in den koptischen Manuskripten erhalten geblieben.

Am Anfang des Jahrhunderts veröffentlichte W. E. Crum eine Anzahl von Manuskripten aus der Sammlung John Rylands, in denen man einen schwachen Versuch von ekphonetischer Notation sehen kann. Viele Seiten der liturgischen Manuskripte aus dieser Sammlung zeigen in der Tat ein Akzentuationssystem, das mit einer sprachlichen Akzentuierung sowohl der koptischen als auch der griechischen Sprache unvereinbar ist. Die Sammlung Isinger — liturgische und biblische koptisch-griechische Manuskripte — besitzt eine Anzahl Blätter mit wahrscheinlich ekphonetischen Akzenten. Diese Notation stammt jedoch von einer anderen, späteren Hand.

Notwendig wäre eine systematische Untersuchung von Lektionaren und Homiliaren öffentlicher und privater Bibliotheken. In diesen Liturgiebüchern hätten Forscher die größte Chance, Spuren einer musikalischen Notation — wenn auch in einem Frühstadium — zu entdecken.

Aus verschiedenen Gründen, besonders aber wegen der wichtigen Tatsache, daß die meisten Sänger blind waren, zudem aus Gründen einer „ethischen" und „esoterischen" Ordnung, ist es unwahrscheinlich, daß die Bücher der Anaphora, Antiphonarien, Hymnarien etc. eine musikalische Notation besitzen — und sei sie auch noch so rudimentär.

Die Liturgiebücher der Nationalbibliothek Paris weisen keinerlei Spuren einer solchen Notation auf. Dagegen enthalten einige Homiliarien (z. B. Vat. Copte 58 oder Vat. Copte 62) eine Anzahl von Akzenten, die man vielleicht als eine Art „musikalischer Stenographie" betrachten darf. Der Erforscher von *Vat. Copte 62* hat sich nicht geirrt, als er gewisse Akzentuierungszeichen als Zeichen für eine musikalische Frageformel interpretierte (J. Simon in *Orientalia*, III/1934, p. 221; A. Hebbelynck, in *Le Muséon* XXXV/1922, pp. 305—306). Es scheint sicher, daß diese Andeutungen einer rudimentären musikalischen Notation sich nicht nur auf diese beiden Manuskripte beschränkt haben. Ein genaues Inventar der Lektionarien und der Homiliarien wäre hinfort Voraussetzung für das Studium dieser Notation. Wahrscheinlich wird sich alles, was sich tatsächlich von einer koptischen Notation wiederentdecken läßt, auf diesen Bereich beschränken.

In seiner mündlichen Überlieferung ist der koptische Gesang bis zur Gegenwart nur wenig transkribiert worden. Den ersten bekannten Transkriptionsversuch unternahm Villoteau, der in seiner monumentalen *Description de l'Egypte* der altägyptischen Musik zwar mehr als tausend Seiten widmet, sich für die koptische Musik jedoch mit sechs, sehr fragwürdigen Seiten begnügt.

Daneben bestehen — für den Gebrauch der katholischen Kopten — einige Transkriptionen der koptischen Messe, der Anaphora des hl. Basilius von J. Blin, S. J. und L. Badet, 1888 bzw. 1899. Näher liegen uns die sehr fragmentarischen Transkriptionen von Kamel I. Ghobrial und die umfangreicheren von Pr. Newlandsmith. Alle diese Transkriptionen, mit Ausnahme der letzten, wurden aufgrund direkten Hörens unternommen, d. h., man kann sie nur mit Vorbehalt akzeptieren, denn der orientalische Gesang kennt nicht jene für die westliche Musik so überaus charakteristische Exaktheit in Überlieferung, Ausführung oder Interpretation der Melodien. Hans Hickmann und der Autor dieses Beitrages haben ihrerseits Transkriptionen vorgenommen — auch diese sehr fragmentarisch —, die von Tonbandaufzeichnungen ausgehen. Dieses Vorgehen ist bei weitem das präziseste, weil es eine ständige Kontrolle der Transkriptionsgenauigkeit erlaubt. Wir geben hier einige Proben dieser Transkriptionen. In einer Arbeit wie dieser kann es nicht darum gehen, den authentischen Gesang der Kopten wiederzugeben, wie er in den liturgischen Zeremonien benutzt wird, sondern — viel bescheidener — eine Art Schnitt durch die verschiedenen, bei den Kopten gebräuchlichen musikalischen Formen zu legen. Später müßte eine klingende Kartei der unterschiedlichen Töne (*Modi*) angelegt werden, die in den Manuskripten wie in den gegenwärtig gebräuchlichen Liturgiebüchern benutzt werden.

Die Töne und die Modi

Die koptische Musik hat keine vollständige Theorie über die Töne und die Modi entwickelt. Einer der ältesten bekannten Texte über diesen Gegenstand ist das Werk des koptischen Theologen und Theoretikers Abul Barakat (14. Jahrhundert) über die Liturgie.

In seiner „*La lampe des ténèbres et l'exposition (lumineuse) du Service liturgique*" betitelten Studie stellt der Autor eine Art Theorie der Modalität in der koptischen Musik auf. Diese Theorie verbindet aus Byzanz entliehene technische Elemente mit traditionellen Vorstellungen der koptischen Symbolik. Diese Kapitel über die Musik hat ein Autor des 17. Jahrhunderts, Vansleb, fast wörtlich in seine *Histoire de l'Eglise d'Alexandrie* (1677) übernommen. Wir zitieren einige Zeilen über die koptisch-griechische Modalitätstheorie:

„*Dieser Kirchengesang besteht aus acht verschiedenen Tönen, die die Kopten, je nach den unterschiedlichen Festen und Zeiten des Jahres, wechselnd verwenden. Die Natur dieser Töne und ihr Gebrauch sind folgendermaßen zu sehen:*

— *Was den 1. und den 5. Ton betrifft, die fröhlich sind, bedienen sie sich ihrer bei feierlichen Festen (. . .). Ihre Natur ist, nach ihrer Art der Sprechweise, warm und feucht.*

— *Was den 2. und den 6. Ton anlangt, die traurig und melancholisch sind, bedienen sie sich ihrer zu Zeiten der Demütigung und in der Karwoche. Ihre Natur ist kalt und feucht.*

— *Was den 3. und den 7. Ton betrifft, die auch melancholisch sind, bedienen sie sich ihrer gewöhnlich bei Leichenbegängnissen (. .). Ihre Natur ist warm und trocken.*

— *Des 4. und des 8. Tons, den Albulbaracat den Stachel der Faulen nennt, bedienen sie sich bei den Märtyrerfesten (. .).*

Sie nennen sie in Arabisch: den 1. Ton Adâm; den 2. Ton Watos; den 3. Ton Sanghari; den 4. Ton Kihak oder des Monats Dezember; den 5. Ton Idrîbi; den 6. Ton Ton der großen Fastenzeit; den 7. Ton den Ton für die Toten; den 8. Ton Eistasimon (. .).

Sie bedienen sich gewöhnlich des Tons Adâm an den drei ersten Tagen der Woche und des Tons Watos an den übrigen Tagen."

Hier ist nicht der Ort einer kritischen Untersuchung dieser Theorie. Weder Abul Barakat noch sein Übersetzer Vansleb scheinen den Versuch unternommen zu haben, ihre Beobachtungen mit den liturgischen Manuskripten zu konfrontieren. Man beachte nur, daß ein „Ton" wie der 5. von diesen Autoren als Ton *Idrîbi* und als „fröhlicher Ton", der bei feierlichen Festen benutzt wurde, klassifiziert wird. Er ist im Gegenteil das eindeutige Beispiel für den „traurigen Ton" oder — in der Sprache der koptischen Liturgisten — den „Ton der Traurigkeit" (*lahn al-hozn*). Die Herkunft der Bezeichnung *Adrîbi* erklärt sich daraus, daß dieser „Ton" ursprünglich sehr wahrscheinlich ein besonderer Lokalton des Dorfes Adrîba war, wo der berühmte Mönch Shenûti einen alten heidnischen Tempel in eine der Jungfrau Maria geweihte Kirche verwandelt hatte. Dieser „Ton" wird bis heute für die Bußgottesdienste der Karwoche verwendet. Die Kopten haben, um diesen besonderen Gebrauch zu rechtfertigen, den Terminus *Adrîbi* als Ableitung von dem koptischen Wort *eterhabi*, das bedeutet „Hymne der Traurigkeit" interpretiert. In den Quellen entdeckt man übrigens außer den acht von Abul Barakat genannten Tönen noch weitere.

An dieser Stelle muß auf die Ungenauigkeit der koptischen Musikterminologie hingewiesen werden. So reichen beispielsweise die Bedeutungen des arabischen Terminus *lahn*, den wir hier mit „Ton" übersetzen, von der Kennzeichnung einer „melodisch-modalen Formel", deren koptisch-griechischer Terminus *êchos* vielleicht eine genauere Vorstellung vermittelt, bis hin zur Bestimmung einer musikalisch-literarischen Form (*Vôhem-Paralexis*). Nebenbei hat *lahn* noch verschiedene Zwischenbedeutungen wie *Tonus* im eigentlichen Sinne, oder man hört diesen Terminus in Ausdrücken wie „einfacher Ton", „festlicher Ton" etc., oder Gesang, Melodie, Air, musikalisches Timbre etc. Sowohl die Manuskripte wie die gedruckten Liturgiebücher geben eine beachtliche Zahl von Melodienamen (*Incipits*) etc., die unter der Bezeichnung *lahn* oder *êchos*, oder — seltener — *Vôhem* (koptischer Terminus für *lahn*) zusammengefaßt sind. Nach einer ins einzelne gehenden Übersicht über die gesamte koptische Musikterminologie wird man vielleicht eines Tages klarer sehen und ein etwas vollständigeres Bild von der Tonalität in der koptischen Musik und aller damit zusammenhängender Begriffe entwerfen können. Schon jetzt kann man jedoch behaupten, daß in der koptischen Musik niemals von Modalität oder modalen Tonleitern in dem Sinne, wie wir sie im Westen kennen, die Rede war. Man kann höchstens von „modalen Formeln", von Kadenzen oder *Incipits* (Formeln, die die Kopten mit *lahn* und nicht — wie in der arabischen Musik — mit *maqâm* bezeichnen) sprechen. Zur Vervollständigung der Tonalitätsfrage in der koptischen Musik muß hinzugefügt werden, daß verschiedene Autoren Listen der koptischen Töne aufgestellt haben. Hinsichtlich der Zahl der koptischen Töne gleicht keine Liste der anderen. Das hat seinen Grund offensichtlich in der oben dargelegten Ungenauigkeit des Terminus *lahn*. Auch sind einige hier oder da als „Töne" bezeichneten Beispiele einfache *Incipits* (z. B. der *lahn Shiôwôinî*, eine der zahlreichen Freudenmelodien im „festlichen Ton" (oder *lahn al-farah*); der Terminus *Shiôwôinî* ist nur das erste Wort eines Gesangs mit dieser Melodie, dem man in der Folge andere liturgische Texte angepaßt hat.

Das Verzeichnis des hervorragenden Koptologen Qommos Ya' qûb Muyser enthält ebenfalls acht koptische Töne, die echte Toni zu sein scheinen und keine Airs, Melodien, modale Intonationsformeln oder Kadenzen. Der Autor verzeichnet: *lahn as-sanawy* (oder *tonus per annum*) — *lahn al-farah* (oder „festlicher Ton") — *lahn at-tagnîz* (oder „Ton der Verstorbenen") — *lahn al-hozn* (oder „Ton der Traurigkeit und der Buße") — *lahn ash-sha' anîn* (oder „Ton des Psalmsonntags") — *lahn al-Kyhiak* (oder „Ton des Advent") — *lahn as-çûm* (oder „Ton der großen Fastenzeit", auch benannt *tarîqat as-çûm*) — und schließlich *lahn al-Adrîbi* (vor allem benutzt in der Karwoche).

Dieses Verzeichnis sieht der Autor selbst nicht als erschöpfend an. Es vermittelt aber eine Vorstellung von der Komplexität der Frage und von dem Reichtum der „Töne" in der koptischen Musik, besonders wenn man bedenkt, daß jeder dieser „Töne" eine Anzahl von Melodien und variierten modalen Formeln besitzt.

Die musikalischen Formen

Eine besondere Schwierigkeit bietet die Bestimmung der musikalischen Formen im koptischen Kirchengesang. Verschiedene Autoren, die sich mit diesem Problem beschäftigten, gaben sich im allgemeinen damit zufrieden, einige Termini oder Ausdrucksweisen, die in den liturgischen Rubriken im Gebrauch sind, zu übernehmen, ohne zu untersuchen, ob sich darunter rein musikalische oder mehr oder minder an die Musik gebundene literarische Formen verbergen. Es scheint, daß man noch zu wenig versucht hat, die koptischen Gesänge mit traditionellen musikalischen Formen in anderen christlichen Liturgien zu vergleichen.

Maria Cramer hat eine Aufstellung einiger musikalischer Formen gegeben (*Studien zu Koptischen Paschabüchern* in „Les Cahiers coptes", VI/1954, p. 14.), unter denen die wichtigsten sind: die *Psalis* (oder *Absâliyât*), die Doxologien, die *Hôs* (Lobgesänge), die *Paralex*, die Canons, die *Mada'ih* und endlich die Litaneien (oder *Talabât*).

Burmester, der eine noch knappere Liste aufstellte, macht einige zusätzliche Angaben über einzelne dieser Formen und gestattet damit eine genauere Klassifikation. Er stellt drei Hauptformen heraus: das Troparium, die Doxologie und die Theotokotie (in O.C.P. 1936, pp. 84 sqq.).

Der koptische Autor Abul Barakat nennt nicht weniger als 21 verschiedene Gesangsformen, unter ihnen eine Anzahl einfacher liturgischer Stücke, deren musikalische Gestalt sich auf die eine oder andere der sogenannten klassischen Formen bezieht.

Es sind des weiteren die drei kurzen Aufstellungen des Y.'Abd al Massih zu erwähnen, der folgende Hauptformen des koptischen Gesangs erwähnt: die *Psalis*, die Doxologien, die *Turuhât*, die Theotokien und die Oden. Er berichtet, daß die *Psalis* auf der Melodie *Adâm* oder nach der Melodie *Batos* oder *Watos* gesungen werden müssen. Wenn wir versuchen, die wichtigsten Formen des koptischen Gesanges nach einigen Gruppen traditioneller Formen des christlichen Kultes zu ordnen, so zeigt sich, daß im koptischen Gesang fast alle allgemeinen liturgischen Formeln wie Litaneien, Responsorien, Antiphonen, Hymnen etc. zu finden sind.

Die Litaneiform findet sich in der koptischen Musik in den *Héténies* und *Tôbhât*. Unter *Héténies* versteht die koptische musikalische Terminologie eine Litanei mit Einschüben, von denen jeder Vers mit dem koptischen Wort *Hiten* beginnt. Dieses Wort ist in der arabischen Sprache mit *Hitiniât* übersetzt; die Kenner des koptischen Kultgesangs übersetzen es mit *Héténies*. In ihrer Gestalt, hauptsächlich aber in ihrem Text entspricht diese Litanei (Fürbitten) dem, was in der lateinischen Kirche unter der Bezeichnung *Oratio fidelium* bekannt ist.

In der Tradition eröffnen diese Fürbitten die lateinische eucharistische Liturgie vor der Vorbereitung des Opfers.

Wie der genannte Terminus, so ist auch die Bezeichnung *Tôbhât* eine arabische Übersetzung des Wortes *Tôbh* (= bittet). Hierbei handelt es sich ebenfalls um eine Litanei, die hauptsächlich beim *Incens* gesungen wird. Sie bringt zunächst eine dreifache Anrufung, vom Diakon gesungen, dann ein kurzes Responsorium des Volkes. Darauf folgt eine *Admonitio* des Diakons und wiederum ein *Responsorium* des Volkes. In dieser Gestalt wird der *Tôbhât* in der Fastenzeit vor Ostern ausgeführt. Die Litanei wird auch nach der Propheten-Lesung gesungen. Der Diakon singt: *„Betet für die Lebenden, betet für die Kranken, betet für die Wanderer"*, das Volk antwortet jeweils darauf durch ein *„Kyrie eleison"*. Dann folgt die Aufforderung des Diakons: *„Beugt die Knie, erhebt euch"*. Das Volk wirft sich zu Boden mit dem Ruf *„Erbarme dich unser, o Gott, unser allmächtiger Vater"* und erhebt sich. Seit urdenklichen Zeiten wird der *Tôbhât* der großen Fastenzeit in dieser Weise dargestellt. Die Melodie entstammt dem *„Ton der Trauer"*.

In der Art der Litanei erfolgen auch die sehr langen Fürbitten des Karfreitags nach der Verkündigung des Todes des Erlösers. Die koptische Liturgie bringt zum Zeichen der Trauer einen Litaneigesang mit vierhundert Wiederholungen des *Kyrie eleison* (das Volk wirft sich bei jeder Anrufung zu Boden). Hier wird deutlich, daß das *Kyrie eleison* der Typus der Antwort der Gemeinde zu sein scheint, der immer dem Aufruf des Diakons wie den verschiedenen Priestergebeten der koptischen Liturgie folgt.

In der Responsoriumsform, die eine Entwicklung der vorausgehenden Form darstellt, werden zahlreiche Responsorien oder *Mardât*, die in das *Officium* eingestreut sind, in ihren Strophen hauptsächlich von den *Psaltes* allein gesungen (ohne Responsorium des Volkes). Der responsoriale Psalm der *Communio* oder der Psalm 150 sind die charakteristischsten dieser Formen in der koptischen Musik.

Wie alle Psalmen ist der Psalm 150 aus Versen zusammengesetzt, die in der koptischen Terminologie als *Robʿ* oder *„Vierzeiler"* (da jeder Vers aus vier *Stykhons* besteht) bezeichnet werden. Der Vierzeiler per annum enthält ein *Alleluia*, das dem Volk ein *Responsorium* zuteilt und das vierte Stykhon des Verses in folgender Weise bildet:

Esmow Phnowti	*Lobt Gott*
Khen ny ethoab	*in seinen Heiligen*
tyrow entaf	*alle die Seinen*
Alleluia!	*Alleluia!*

Diese Vierzeiler (die keinen Einfluß auf die rhythmische Gestaltung der koptischen Dichtung haben) gehören zum Typ *Adâm*, d. h. unter anderem, daß die gewählte Melodie für diesen Gesang *per annum* eine der melodischen Formeln des Tons *Adâm* ist.

Die auf den responsorialen Psalm der *Communio* bezogenen Rubriken bestimmen, daß diese Vierzeiler je nach dem *Responsorium*, das ihnen angefügt ist, und das nach den Festzeiten und liturgischen Festen sich wandelt, verändert werden. So fügt man in der österlichen Zeit (*Khamîsîn*) den Psalmversen nach dem *Alleluia* zwei Stykhons an. Der neue Vers ist so zu einem vierzeiligen *Batos* geformt. In der prosodischen Gestalt wird also das *Responsorium* der österlichen Zeit nicht zusätzlich dem Psalmvers angefügt, es bildet vielmehr die beiden letzten *Stykhons* des neuen Vierzeilers:

Esmow Phnowti	Lobt Gott
Khen ny ethoab tyrow entaf alleluia	*in seinen Heiligen, alle die Seinen, Alleluia*
Yisous PiChristos epowro ente epôow	*Jesus der Messias, der König der Herrlichkeit*
aftônf evolkhen nyethmôowt.	*ist auferstanden von den Toten.*

Von den anderen liturgischen Stücken, die man unter die responsorialen Formen einordnen kann, müssen die zahlreichen Hymnen, das *Troparion* und die *Theotokie* genannt werden. Diese beiden dichterischen Formen besitzen in der Tat häufig ein doxologisches Responsorium, das abwechselnd durch die beiden Abschnitte der kleinen Doxologie: *Gloria Patri . . .* und *Sicut erat . . .* gebildet wird. Gewisse *Wôhem-Paralexen* sind ebenfalls responsoriale Formen (z. B. am Feste Himmelfahrt).

Die antiphonale Form ist bezeichnet durch das *Trishagion*, gesungen vom ganzen Volk, hauptsächlich als *Psalis*. Die koptischen *Psalis* sind poetische Werke (zum großen Teil in der großen Fastenzeit und an den Festen zu Ehren der Jungfrau Maria gesungen), die in Versen gestaltet sind. Der erste Vers wird zunächst von einem Lektor oder Vorsänger vorgetragen, dann vom *Psaltes* nach einem bestimmten Ton und verändert nach der liturgischen Zeit und den Wochentagen aufgenommen. Die folgenden Strophen des *Psali* werden abwechselnd von zwei Chören, die sich gegenüberstehen, gesungen. In den Rubriken heißen sie „Chor des Nordens" und „Chor des Südens" entsprechend ihrer Aufstellung in den geosteten koptischen Kirchen. Es gibt eine große Zahl dieser *Psalis* (mehrere hundert), die sich in den Handschriften wie in den besonderen liturgischen Büchern (*Psalis* und *Turuhât*) finden.

Einige dieser *Psalis* sind gelegentlich antiphonal und responsorial. Es besteht ferner eine große Anzahl von akrostischen und besonders alphabetischen *Psalis*, die mit dem ersten oder dem letzten Buchstaben des koptischen (34 Buchstaben) oder des griechischen Alphabets (24 Buchstaben) beginnen. Durch diese kurze Bezeichnung machen die Kopten eine ganz besondere Vorliebe für diese musikalisch-dichterische Form deutlich, in der die dichterische Kraft dieses Volkes sich ganz nach seinem Sinne entfalten konnte.

Sehr nahe den *Psalis*, vor allem in ihrer Gesangsweise, steht die Paralexis für die hohen Zeiten der Liturgie. Sie umfaßt zwei verschiedene Abschnitte, deren erster, der *Wôhem* (oder *lahn* = Gesang) von einem Solisten ausgeführt wird, deren zweiter, die eigentliche *Paralexis*, auf einem einfachen Ton in der Art des Rezitativs von zwei alternierenden Chören, die sich gegenüberstehen, gesungen wird. Die *Paralexis* wird als Ergänzung des *Wôhem* betrachtet. Diese musikalisch-textliche Form ist dem koptischen und byzantinischen Ritus gemeinsam und beweist damit großes Alter. Die *Wôhem-Paralexis* ist wesentlich ein Gesang zum Ende des *Officium*. Man findet ihn noch heute am Ende der Meß-Liturgie als Kommunion-Gesang im Anschluß an Psalm 150.

Die Form des *Hymnus* ist in der koptischen Musik nicht vernachlässigt. Zu nennen sind die zahlreichen responsorialen Hymnen: die Canons, die *Hôs* (oder Oden), gewisse Troparien, die Doxologien, die *Turuhât*, die *Lôbsh*, die Theotokien etc., Dichtungen verschiedener Gestaltung, die nach „Tönen" und variablen Melodietypen gesungen werden.

Der größte Teil dieser Gesänge findet sich in besonderen liturgischen Büchern vereinigt, vor allem im Hymnologion. Insgesamt scheinen diese Gesänge jedoch keine rhythmisch übereinstimmenden Strophen zu besitzen. Sie sind von unterschiedlicher Länge, selbst in demselben Hymnus. Dies bietet jedoch keine Schwierigkeit für den gesanglichen Vortrag, denn die Melodie umfaßt im allgemeinen rezitativische Passagen, die eine sehr verschiedene Zahl von Silben tragen können (im Gegensatz zu der Gestaltung der lateinischen Hymnen).

Durch die Angleichung an die „ekphonetische" Notation, die hauptsächlich bei der *Lectio solemnis* (Bibellesungen, Homilien etc.) verwendet wird, kann man vielleicht von einer gewissen ekphonetischen Form sprechen, ein Terminus, der weniger zweideutig wäre als das Wort Rezitativ, da dieser Gesang oder dieses Rezitativ sehr häufig das Bestreben zu mehr oder minder großer Ausschmückung (Ornament) hat. Abgesehen von dem, was sich in diesem Sinne auf die *Lectio solemnis* bezieht, bestimmt diese „ekphonetische Form" hauptsächlich die koptischen Orationen, die, wie es scheint, schwer in eine andere klar bestimmte Gruppe eingeordnet werden können. Die koptische Oration (*Awshîat*) ist eine längere Komposition, die einer bestimmten Form untergeordnet ist.

Nach einer kurzen *Invitatio* des Priesters zum Gebet (*Schlîl* = Bete!), einer Einladung, der der Diakon in einer kurzen Formel antwortet, grüßt der Zelebrant die Gemeinde der Gläubigen (*Irîni pâsi* = „*der Friede sei mit euch*"); diese antwortet: „*Und mit deinem Geiste*". Der Zelebrant beginnt dann die Oration, die im allgemeinen mit einem längeren *Jubilus* über der ersten akzentuierten Textsilbe beginnt.

Jeder Zelebrant, der eine gute Stimme hat, betrachtet es unter bestimmten Umständen als Ehre, den Gesangsvortrag etwas feierlicher zu gestalten und über dieser ersten Silbe größere Vokalisen als Improvisation — entsprechend den traditionellen melodisch-modalen Formeln — zu bringen, oft sogar sehr ausgedehnt. Ich habe persönlich einen Zelebranten gekannt, der durch seine schöne Stimme berühmt war, und der in der Osternacht während mehr als drei Minuten über der ersten Silbe beim Vortrag einer der Haupt-Orationen der Meßliturgie improvisierte.

Auf die *Oration* folgt ein leicht verziertes Rezitativ. Oft setzen sich die Orationen aus mehreren langen Phrasen oder Strophen zusammen. Jede Oration ist im wesentlichen eine musikalische Form; meist wird aber nur die erste Akzentsilbe der ersten Strophe musikalisch besonders ausgeschmückt. Die Kadenzen der Strophen bringen ebenso eine gewisse melodische Verzierung.

In der Mitte der Oration faßt der Diakon die im Priestergebet ausgedrückten Gedanken zusammen. Dieser *Admonitio* des Diakons antwortet das Volk mit dem Ruf: *Kyrie eleison*. Der Zelebrant beendet die Oration und das Volk antwortet ihm mit einem etwas längeren Bittgebet, z. B.: „*Hab Mitleid mit uns, o Gott, allmächtiger Vater . . .*"

Die melodischen Formeln der koptischen Orationen bleiben das ganze liturgische Jahr hindurch unverändert und liegen für eine Anaphora fest; jede *Anaphora* aber besitzt ihre Eigenmelodie.

Die wesentliche musikalische Form der großen liturgischen Funktionen, die koptische Oration, verbindet also das Rezitativ und den verzierten Gesang, wie es nur die Orientalen zu gestalten verstehen (z. B. die Rezitation des Koran besonders im mittleren und nahen Orient. Sie erinnert an ähnliche Erscheinungen der beiden *Lectiones solemnes*).

Die Rhythmik im koptischen Gesang

Die Frage des Rhythmus in der koptischen Musik ist noch nicht grundsätzlich geklärt. Für eine erschöpfende Behandlung dieses Problems fehlen vor allem wichtige Quellen: eine Transkription der Musik des — wenn auch nicht vollständigen, aber wenigstens wichtigsten — koptischen Repertoires. Wir besitzen davon nur wenige Beispiele. Eine mit Hilfe des Rhythmogramms unternommene Untersuchung kann sich darum nur auf eine recht schmale Materialbasis stützen.

Vor einigen Jahren entwickelte J. Jeanneteau ein Gerät, das auf Grund von Schallaufnahmen vokale und instrumentale Intensitätsveränderungen (Akzente) nach der Dauer graphisch festhalten kann: „*c'est la courbe-image des variations de l'intensité du son, tel qu'il est rendu par l'enregistrement sonore, mais dépouillé de sa hauteur et de son timbre. On peut sur cette courbe, suivre les moindres fluctuations de l'intensité et de l'expression*". Damit ließe sich in gleicher Weise sehr genau das Tempo des Werkes, so wie es ausgeführt wurde, bestimmen: „*Le rythmogramme est un commentaire précis, impersonnel et durable*" (J. Jeanneteau, *Style verbal et modalité. Etude des disques par rythmogrammes* in Revue Grégorienne, 36° année, N° IV, 1957, pp. 137 sqq. également: Revue Grégorienne, N° 1—2, 1957, pages 76—77: *Vers une étude scientifique de l'interprétation du chant grégorien*).

Dank der Freundlichkeit des Entdeckers dieses Verfahrens konnten wir so im Rhythmogramm eine Reihe von Schallaufnahmen, vor allem vollständig den *Communio*-Psalm (Ps. 150), den Hans Hickmann und ich vor einigen Jahren transkribierten, untersuchen.

Im koptischen Kirchengesang kann man leicht ein doppeltes Rhythmus-System unterscheiden: den freien Rhythmus, vor allem beim solistischen Vortrag (*Psaltes*, Diakon, Zelebrant), und einen bedingt „mensurierten" beim Gemeindegesang der Gläubigen oder bei einfacher Begleitung durch Schlaginstrumente.

Der Psalm der *Communio* ist gewöhnlich ein „mensurierter" Gesang, wenn er auch in seinen Versen von einem Solisten (*Psaltes*) vorgetragen wird; er wird aber von Schlaginstrumenten begleitet und seine Antwort (*Responsorium*) wird von der ganzen Gemeinde gesungen.

Kommunionspsalm zur Osterzeit im „festlichen Ton" (laḥn al faraḥ) Psalm 150

1) Die Silbe „al" erscheint hier zweimal (aus Versehen?). Normalerweise gehört sie in den folgenden Alleluja-Passus.

In unserer Schallaufnahme, aus der hier einige Abschnitte mit dem Rhythmogramm vorgelegt werden, wird eine gewisse rhythmische „Elastizität" deutlich. Sie kommt daher, daß dieser Gesang im ganzen durch einen einzigen

Rhythmogramm des 150. Psalms (Fassung B, Vers 1, 2, 11, 12)

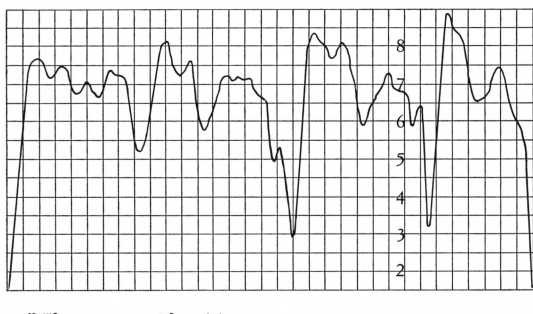

Sänger ausgeführt wurde (P. Yassa), dem als Zelebrant des koptischen *Officium* sowohl die Vortragsarten der solistischen Gesangsweise wie die des Chores vertraut waren. Wenn hier auch das melodische Schema das gleiche ist wie das des *Officium*, so sind im Gegensatz dazu die melodischen Elemente der Verzierungen in der Schallaufnahme des Gesangs verschleifend ausgeführt: man kann sie in der Ausführung des Volksgesangs nur schwer wiederfinden. Diese Besonderheiten sind für das Verständnis einiger verwirrender Erscheinungen im Rhythmogramm wichtig. Der gleiche Psalm im feierlichen Ton von Ostern, der ebenfalls teilweise in Übertragung gegeben wird, vermittelt den Eindruck einer aufgezwungenen Behandlung des gleichen melodischen Schemas, differenziert nach solistischem (Psalmvers) oder chorischem (Responsorium) Vortrag.

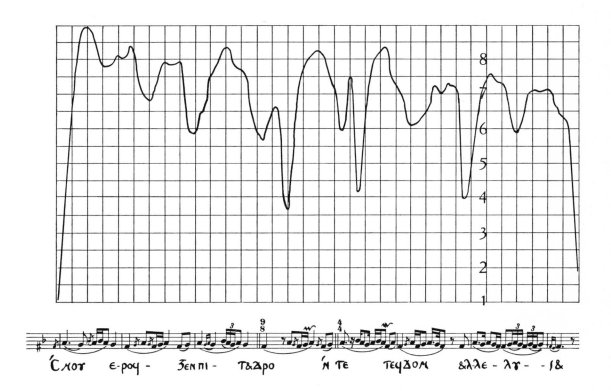

Dieser *Communio-Psalm* wird nach dem *laḥn as-sanawy* ... und in der Melodieformel (oder Modusformel) des *laḥn Adâm* gesungen. Man darf also schließen, daß der Ausdruck *laḥn as-sanawy* (*tonus per annum*) sich weniger auf melodische oder modale Formeln bezieht als auf eine bestimmte Art des Gesangs selbst, der sehr verschiedene Modi und Melodien umfassen kann, sei es im *tonus festivus, ferialis* oder *per annum* ... Der *laḥn Adâm* bezieht sich, wie wir bereits gesehen haben, ebenso wie der *laḥn Batos* meistens auf die melodisch-modalen Formeln, ohne gewisse prosodische oder literarische Strukturen auszuschließen. (Der Terminus Adâm ist das erste Wort der Theotokie vom Montag und der *laḥn Adâm* wird deshalb an den ersten drei Tagen der Woche gebraucht. Der *laḥn Batos* ist aus den gleichen Gründen für die anderen Tage bestimmt. Diese Bezeichnung ist der Theotokie des Donnerstag entnommen.)

Der Psalm 150 umfaßt 11 biblische Verse sowie eine liturgische Doxologie in zwei Versen. Dem koptischen *Communio-Psalm* wird gewöhnlich eine Art *Conclusio* angefügt, ebenfalls doxologisch mit einem Abschnitt: „Ehre unserem Gott, Alleluia, Alleluia".

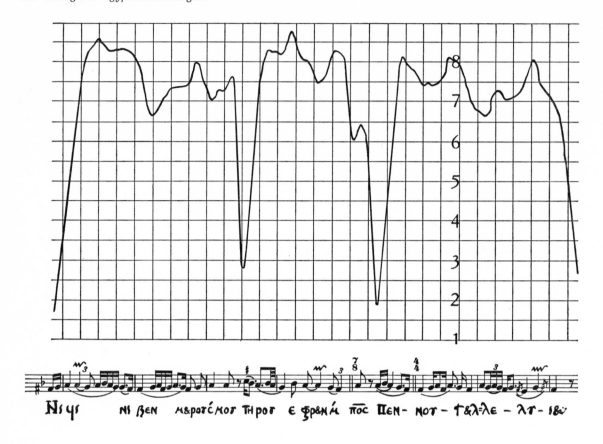

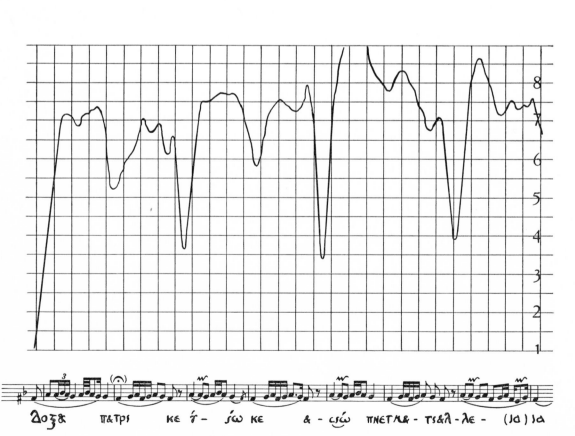

In dem Psalm, der nach *laḥn as-sanawy* gesungen wird, ist der 4. Einschub eines jeden Verses (oder *Stykhon*) aus einem *Alleluia*, das jedem biblischen Vers angefügt wird, gebildet. Dieser Gesang beruht nicht auf einer rhythmisierten Dichtung, wenigstens nicht in der koptischen Sprache. Die Silbenzahl der Verse variiert von 16 bis 21, eingeschlossen das *Responsorium Alleluia* am Ende eines jeden Verses. Wir geben im Interesse größerer Klarheit eine schematische Darstellung der Intensitätskurve eines jeden der 13 Verse, ebenso ein Schema des Tempos der ersten 7 Verse.

Temposchema (Zeitdauer) der ersten sieben Verse (150. Psalm)

Sekunden	0	5	10	5	20	5	30	5	
V / 2 Teilabschnitte				(9/8)					= +33"1/2
Silbenzahl (16)		4		4		4		4	
V / 5 (16)			(⌢)						= 31"
		4		4		4		4	
V / 7									= +29"1/2
(16)		4		5		3		4	
V / 1				(⌢)					= +32"1/2
(18)		5		5		4		4	
V / 3									= +32"
(17)		4		5		4		4	
V / 4									= +32"1/2
(19)		4		5		6		4	
V / 6									= +30"
(19)		4		6		5		4	

Selbst eine zusätzliche Untersuchung der Intensitätsakzente der 13 Verse des Psalms — entsprechend dem gesanglichen Vortrag — zeigt uns, daß in dieser Beziehung eine große Freiheit herrscht. Der Hauptakzent der musikalischen Phrase ist nicht nur von der Betonung des einen oder anderen Wortes abhängig, sondern hauptsächlich vom Belieben des Sängers. In unserem Beispiel mag das auch durch eine Verkrampfung der Stimme bedingt sein, die durch Mangel an Mikrophonerfahrung zu erklären ist. Es gibt in den Schulen der koptischen Sänger keine besondere Lehre in bezug auf die musikalische Phrase und ihre Interpretation. Es herrscht auf diesem Gebiet vollkommene Freiheit. Unser Psalm bietet hierfür den Beweis, wenn auch sein Material im einzelnen nicht erfaßt werden kann.

Den gleichen Eindruck der Freizügigkeit vermittelt die Beobachtung des rhythmischen Aufbaus. Die Vierertakte, die wir hörend erfassen und die uns wesentlich erscheinen, haben keine metronomisch meßbare Regelmäßigkeit, wie das leicht am Tempo-Schema der ersten 7 Verse abzulesen ist. Das hat seinen Grund darin, daß alle 7 Verse in der Gliederung und in der entsprechenden Anzahl der Takte übereinstimmen (außer einer leichten Verlängerung des Schlusses des 3. Verses und einer kleinen rhythmischen Antizipation am Anfang des 4. Verses). Ein „Takt" in 4 Schlägen kann eine Dauer von 1½ Sekunden (erster Takt des 1. Verses) bis zu 3 Sekunden (6. Takt desselben Verses) haben. Es ist ferner festzuhalten, daß auch bei Versen gleicher Silbenzahl die Dauer des Vortrags zwischen ± 15 Sekunden (7. Vers) und ± 17 Sekunden (2. Vers) variieren kann. Die gleiche

Intensitätsschema (tonliche Dichte) des 150. Psalms

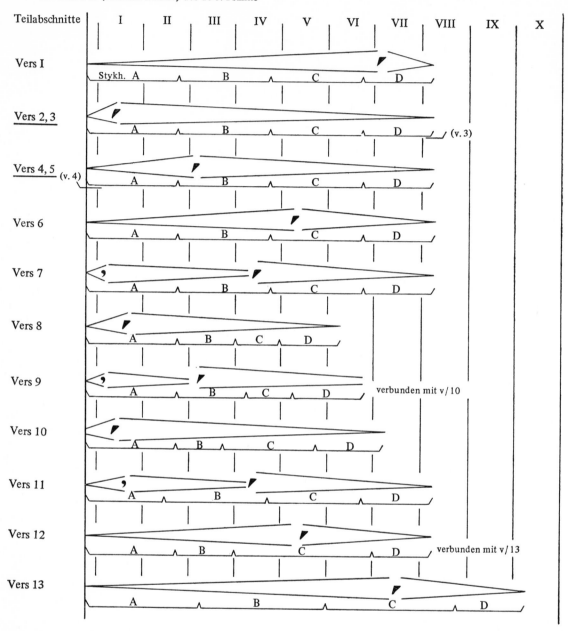

Unregelmäßigkeit herrscht im übrigen zwischen den ersten Abschnitten der Verse gleicher Silbenzahl (Vers 2 bis 7) und zwischen den letzten Abschnitten aller Verse mit dem Textwort *Alleluja:* beim ersten Einsatz 3½ bis 5½ Sekunden, beim letzten Abschnitt (Alleluja) 3 bis 4 Sekunden. Der mittlere Wert des Metronoms ergibt in jedem Vers für die Viertelnote eine variable Geschwindigkeit von ♩ = 109 (Vers 8) bis ♩ = 126 (Vers 13). Diese beiden Verse haben freilich auch ihre Besonderheiten: der eine (Vers 8) ist der kürzeste von allen (15 Silben), der andere (Vers 13) der längste (21 Silben). Abgesehen von diesen beiden Versen liegt der mittlere metronomische Wert zwischen ♩ = 112 (Vers 1) und ♩ = 124 (Vers 10).

Diese Unregelmäßigkeiten lassen sich zum Teil dadurch erklären, daß dieser isorhythmische Gesang in der Regel von einer Gruppe gesungen und instrumental begleitet wird und darum einer straffen Rhythmisierung unterliegt. Andererseits kann die Ausführung aber auch einem spezialisierten Solisten anvertraut werden, der es gewohnt ist, die melodische Linie durch Verzierungen, die den regelmäßigen rhythmischen Ablauf stören, auszugestalten. Ungeachtet solcher Unstimmigkeiten lassen sich aus dem Rhythmogramm doch einige konstruktive Elemente gewinnen. Zunächst, daß ein koptischer Sänger, der es gewohnt ist zu improvisieren, nicht imstande ist, bei den isorhythmischen Gesängen die Freiheiten zu vermeiden, die eine Gruppe sich nicht gestatten könnte ohne in eine Kakophonie zu verfallen. Ein Gegenbeispiel ist unsere Transkription des 1. Verses des Kommunion-Psalms zur Osterzeit: der Vers wird von einem Solisten gesungen, das *Responsorium* (auch das melodische Schema) von einer Gruppe (vgl. S. 122).

Ferner bestätigt das Rhythmogramm in gewisser Hinsicht unsere eigene rhythmische Interpretation des Psalms: wir haben die Melodie in den starren abendländischen Vierertakt gefaßt und die Modifikationen des Tempos durch rhythmische Zeichen wie die Verlängerungs-Episeme, einige Orgelpunkte, Taktveränderungen (7/8- bis 9/8-Takt) etc. gekennzeichnet. Diese zusätzlichen Schriftzeichen sollen bestimmte Zweifel an unserer Transkription andeuten: das Rhythmogramm bestätigt sie, kann uns aber auch in andere Richtung weisen. Wir denken an das Phänomen der „Einer-Takte", das einige Musikforscher in der antiken und in der Volksmusik entdeckt zu haben glauben. In einem klassischen Vierertakt hat jede Taktzeit entsprechend dem Hebungs-Senkungs-Prinzip einen bestimmten Wert. Es scheint schwierig, unseren Psalm in ein solches starres Schema zu pressen. Die Intensitätskurven gestatten es nicht, die erste von vier Viertelnoten als betonten ersten Schlag des Taktes zu interpretieren.

Wollte man indes einen wirklichen Eindruck von der Rhythmik im koptischen Gesang gewinnen, so wären weitere Rhythmogramme notwendig. Sie müßten verschiedene Stücke unterschiedlicher Stile, ausgeführt sowohl von Sängergruppen als auch von Solisten, möglicherweise instrumental begleitet, erfassen. Die vorliegende Studie kann darum nur als Versuch gelten, die in diesem Zusammenhang auftauchenden Fragen anzusprechen.

Zahlreiche Probleme des koptischen Kirchengesangs bleiben für die Musikforschung noch offen. Die Geheimnisse einer archaischen Kunst, die in dieser Musik liegen und die trotz der zahlreichen fremden und späteren Einflüsse erkennbar sind, können von großer Wichtigkeit für alle Studien zur alten Musik des Mittelmeerkreises sein.

René Ménard

Die Gesänge der byzantinisch-griechischen Liturgie

Im zweiten Band seiner Geschichte der Musik (1864) entwirft August Wilhelm Ambros ein groteskes Zerrbild von Byzanz und seiner Kultur. Die Musik, die diese Kultur hervorgebracht hat, tut er kurzerhand als unserer Beachtung unwürdig ab.

„Ein solches Reich, wo die Kunst zur Sklavin der Prunksucht, zum Ausdrucke geistiger Knechtschaft und in ihren Formen zur dürren Mumie, wo das Ideale in gedankenlosem Prunk und sinnloser Verschwendung gesucht wird, wo das Erhabene durch ein umständliches Ceremoniell erreicht werden will, wo im Staate Knechtssinn, in der Kirche Aberglaube die bewegenden Mächte sind, kann den idealen Künsten der Poesie und Musik keinen günstigen Boden des Gedeihens gewähren."

Und damit noch nicht zufrieden, greift Ambros seinen Gegenstand 1868 erneut auf und fügt ergänzend hinzu:

„Lange Zeit hatte Venedig seinen Schwerpunkt im Osten (wo es sogar Cypern, Morea u.s.w. seiner Herrschaft unterwarf) und holte sich von dort seine ersten Kunstanregungen. Mit Byzanz stand es in lebhaftem Verkehre, wie sich denn in der älteren monumentalen Kunst Venedigs vielfach byzantinische Elemente zeigen, Byzanz insbesondere seine Mosaicisten sendete, welche die Goldwände der Marcuskirche mit einer farbigen Bilderwelt bedeckten; aber Musiker und Sänger höherer Ausbildung konnte es nicht senden, denn Byzanz war der unmusikalischste Ort von der Welt."

Diesem Urteil würde sich heute schwerlich noch jemand anschließen. Etliche Zeit vor Ambros hatte bereits der Fürstabt Martin Gerbert das Thema in seinem *De cantu et musica sacra* (1774) nicht nur ausführlicher, sondern auch mit größerer Sympathie behandelt. Und selbst zur Zeit als Ambros schrieb, unternahm F. J. Fétis, der sich großenteils auf Villoteau und Chrysanthos sowie auf griechische Gewährsmänner in Paris stützte, einen Versuch, den Gesängen der östlichen Riten mehr Gerechtigkeit widerfahren zu lassen.

Die entsprechenden Kapitel wurden posthum im vierten Band seiner *Histoire de la musique* (1874) veröffentlicht. Ungefähr um die Mitte des 19. Jh. hatten westliche Gelehrte der verschiedensten Fachrichtungen — Hymnologen, Liturgiewissenschaftler, Historiker, Kunst- und Literaturgelehrte — mit einer kritischen Neubewertung der byzantinischen Kultur begonnen. Und gegen Ende des Jahrhunderts fegten Männer wie Kardinal J.-B. Pitra und Wilhelm Christ, Swainson und Brightman, Kondakow, Bury und Krumbacher die meisten der überkommenen Vorurteile beiseite, von denen sich Ambros seinerzeit nicht hatte lösen können.

Wir dürfen den Beginn einer intensiven Erforschung der byzantinischen Musik um die Zeit kurz vor 1900 ansetzen. Die wenig später erschienenen Arbeiten von J.-B. Thibaut (Priester der Congrégation des Assomptionistes), *Origine byzantine de la notation neumatique de l'Eglise latine* (1907) und *Monuments de la notation ekphonétique et hagiopolite de l'Eglise grecque* (1913), hinterließen einen bleibenden Eindruck. Andere kaum weniger bedeutsame frühe Marksteine sind Oskar Fleischers Spätgriechische Notenschrift (Neumenstudien, III, 1904) und Amadée Gastoués *Introduction à la paléographie musicale byzantine* (1907). So waren um 1915 die ersten Fundamente gelegt, und eine neue Generation von Wissenschaftlern, voran der britische Philologe H. J. W. Tillyard (1881—1968), der Wiener Musikgelehrte Egon Wellesz (*1885) und P. Lorenzo Tardo (Grottaferrata; 1883—1967), konnte nun ernsthaft an die Arbeit gehen.

Tardo beschränkte seine Tätigkeit zunächst auf die praktische Wiederbelebung des byzantinischen Gesangs; erst 1938 konnte er mit seinem wichtigsten Beitrag *L'Antica melurgia bizantina* hervortreten. Inzwischen hatten Tillyard und Wellesz anfangs in selbständigem, später in eng gemeinschaftlichem Wirken die grundlegenden technischen Fragen nach und nach vorgenommen und geklärt, so daß um 1930 eine verfeinerte und im großen und ganzen befriedigende Transkriptionsmethode zur Verfügung stand und man sich endlich dem Studium der Musik selbst widmen konnte. Ohne hinlängliche Bekanntschaft mit den Primärquellen wäre das nahezu unmöglich gewesen, und vielleicht ist es Tillyards Hauptverdienst, als erster Gelehrter der Neuzeit die großen Bibliotheken auf dem Berg Athos und dem Berg Sinai sowie die auf Patmos, in Athen und in Jerusalem in der Absicht aufgesucht zu haben, die dort erhaltenen byzantinischen Musikhandschriften zu prüfen und zu beschreiben. Wellesz' Feder verdanken wir eine Reihe vorzüglicher Beiträge, die von 1919 bis 1934 vor allem in der Zeitschrift für Musikwissenschaft erschienen.

Was nur allzu offensichtlich fehlte, war ein praktischer Plan für die Koordinierung und Zentralisierung der Forschung — eine angemessene Plattform für die Veröffentlichung des Materials und der Arbeitsergebnisse. Diesem Mangel wurde durch das dankenswerte Eingreifen von Carsten Høeg (1896—1961) rasch und wirksam abgeholfen.

Høeg, Professor für klassische Philologie an der Kopenhagener Universität, hatte sich bereits 1922 in einem Aufsatz für die *Revue des études grecques* mit Fragen der byzantinischen Musiktheorie befaßt. Respektiert und bewundert von seinen Kollegen in der Byzantinistik, versicherte sich der mit unendlicher Geduld, außergewöhnlichem Takt und einem enormen administrativen Talent begabte Høeg der Mitarbeit Tillyards und Wellesz', wußte die *Union Académique Internationale* zur Übernahme der Schirmherrschaft zu bewegen und begründete 1933 die *Monumenta musicae byzantinae*, von denen zu seinen Lebzeiten über 20 Bände erschienen — Faksimiles, Transkriptionen, Monographien und die Anfänge einer exemplarischen kritischen Ausgabe des *Porphetologion* mit den Lesungen aus dem Alten Testament und ihrer ekphonetischen Notation. Nicht wenige von diesen Bänden — so die *Notation ekphonétique*, eine inzwischen klassisch gewordene Untersuchung — waren Høegs eigenes Werk. In der Einführung zur Neuausgabe des Bandes über das Byzantinische Reich in *The Cambridge Medieval History* (1966) stellt Prof. J. M. Hussey fest: „Vielleicht die markantesten Fortschritte dieses Jahrhunderts in der byzantinischen Forschung wurden auf dem Gebiet der Musik und dem der Verwaltungs- und Wirtschaftsgeschichte erzielt." Wenn wir ihr beipflichten, müssen wir auch den *Monumenta* einen großen Anteil an diesen Fortschritten zubilligen. Mit der Begründung der *Monumenta* war die wissenschaftliche Erforschung der byzantinischen Musik mündig geworden.

Der Begriff „Byzantinische Musik" ist vom Begriff „Byzantinischer Ritus" abhängig. Da aber letzterer Begriff im Sinne kirchlicher Autorität, oder hinsichtlich eines bestimmten Glaubens oder einer bestimmten Sprache undefinierbar bleibt, ist davon auszugehen, daß die byzantinische Musik die Musik jeder Kirche umschließt, die weiterhin dem im späten ersten Jahrtausend in Byzanz und seinem Einflußbereich entwickelten Ritus folgt — und zwar ohne Rücksicht auf den Grad ihrer Autonomie und ohne Rücksicht auf ihre Lehre und Glaubenssätze, sowie unabhängig davon, ob ihre liturgischen Texte im originalen Griechisch oder in kirchenslawischer Übertragung oder in Arabisch oder sonst einer anderen Sprache gesungen und rezitiert werden. Im engeren Sinne allerdings, und eingedenk der Tatsache, daß die Ablösung der Originaltexte durch Übersetzungen mit der Zeit zur Ablösung alter Melodien durch neue führt, könnten wir uns byzantinische Musik als auf diejenigen Kirchen begrenzt denken, die sich weiterhin des Griechischen bedienen. Es könnte vielleicht auch eine chronologische Abgrenzung vorgenommen und die Darstellung auf die Periode beschränkt werden, während derer der byzantinische Ritus und seine Musik auf den Westen einen lebendigen Einfluß ausübten. Das heißt, daß wir die Grenze der Einfachheit halber beim Jahre 1453 und dem Fall Konstantinopels ziehen, nicht bei 1054 und dem endgültigen Bruch zwischen Ost und West, oder bei 1204 und der lateinischen Besetzung eines Teils des byzantinischen Imperiums.

Byzantinische Musik ist rein vokal und war in der Periode, die wir hier betrachten, mit an Sicherheit grenzender Wahrscheinlichkeit eine rein einstimmige Chor- oder Solomusik — denn erst aus der Zeit nach der türkischen Eroberung liegen uns eindeutige Zeugnisse über die Praxis des Ison-Singens vor, also über die improvisatorische Hinzufügung einer bordun-artigen zweiten Stimme. Ebenfalls war sie in der hier betrachteten Periode eine rein diatonische Musik, auch wenn uns frühere Dokumente darüber keine Klarheit verschaffen, und auch wenn die spätere Tradition mit beträchtlichem Gewicht in die entgegengesetzte Richtung weist.

Dies ist allein schon aus dem Verhalten der Musik selbst zu ersehen, aus der tetrachordalen Struktur des zugrundeliegenden tonalen Systems, aus ihrer Vorliebe für eine genaue Transposition in Quarte, Quinte und Oktave, und aus dem bewußten Vermeiden bestimmter Quarten- und Quintensprünge.

Wenn wir nun statt allgemeiner Züge Beispiele direkter Entlehnungen des Westens vom Osten ins Auge fassen, tritt der diatonische Charakter der byzantinischen Musik mit höchst überzeugender Deutlichkeit hervor.

Daß das byzantinische System der Oktoechos oder der acht Modi den Westen kurz vor 800 erreicht hatte, wird durch den Tonarius von Saint-Riquier deutlich belegt; daß es byzantinischen Ursprungs war, wird von den lateinischen Theoretikern, die es als erste beschreiben, freimütig eingeräumt und geht in jedem Falle aus der von ihnen verwendeten Terminologie hervor. Daß die Modalsysteme des Ostens wie des Westens in praktischer Hinsicht tatsächlich identisch waren, folgt unmißverständlich aus den byzantinischen Intonationsformeln, die in eindeutigen Buchstabennotationen durch den Autor der Musica Enchiriadis und durch Hucbald in seinem Traktat *De harmonica institutione* mitgeteilt worden sind, sowie aus jenen byzantinischen, in diastematischen lateinischen Neumen überlieferten Melodien, auf die Wellesz und Handschin die Aufmerksamkeit lenkten — die Antiphonen *„O quando in cruce"* und *„Veterem hominem"*. Zur besseren Übersicht folgt eine Vergleichstabelle der beiden Modalsysteme und ihrer Nomenklatur.

Byzantinisch	Lateinisch	
	Früheste Bezeichnung	Spätere Bezeichnung
Protos	Authentus protus	Tonus primus
Deuteros	Authentus deuterus	Tonus tertius
Tritos	Authentus tritus	Tonus quintus
Tetartos	Authentus tetrardus	Tonus septimus
Plagios protou	Plaga proti	Tonus secundus
Plagios deuterou	Plaga deuteri	Tonus quartus
Barys, oder		
Plagios tritou	Plaga triti	Tonus sextus
Plagios tetartou	Plaga tetrardi	Tonus octavus

Inwieweit die Ursprünge unserer modernen Notenschrift im Osten zu suchen sind, ist eine Frage, die man noch nicht hinlänglich beantwortet hat.

Die frühesten byzantinischen Manuskripte mit musikalischer Notation datieren aus der Mitte des 10. Jhs. und liegen damit als solche merklich später als ihre frühesten lateinischen Gegenstücke; zugleich aber hat es den Anschein, als stehe die in ihnen verwendete Notation den entfernten Anfängen der musikalischen Schrift noch näher. Beide Notationen wurzeln in grammatischen Akzenten; beide haben in gewissem Umfang Buchstaben als Hilfszeichen benutzt; beide machten eine beträchtliche Entwicklung durch, bis sie völlig diastematisch wurden. Den lateinischen Neumen *in campo aperto* entsprechen die sogenannten paläobyzantinischen Neumen; den lateinischen diastematischen Neumen mit oder ohne (Linien-)System entsprechen die Neumen der mittleren byzantinischen Notation. Ohne wesentliche Änderungen zu erfahren, wurde dieses letzte System überall, wo Griechisch die Sprache der Liturgie war, bis 1821 verwendet. Dann trat die drastisch vereinfachte Notation von Chrysanthos an seine Stelle.

In Byzanz wurden die meisten Grund- oder Ur-Neumen der melodischen Notation aus der für liturgische Lesungen gebräuchlichen älteren ekphonetischen Notation übernommen, deren Zeichen wiederum aus dem Akzentsystem der alexandrinischen Grammatiker stammen. Daraus darf man jedoch nicht schließen, daß es sich hierbei um einen stetigen Entwicklungs- und Verfeinerungsprozeß gehandelt habe — es ist wohl eher so, daß Zeichen, die für einen bestimmten Zweck gedacht waren, später für einen anderen benutzt wurden, und daß man auch diesen nach einiger Zeit abermals veränderte.

Der größte Teil der Musik für die hauptsächlichen Stundengottesdienste — die täglichen Vespern und *Orthros* oder Matutin — ist in zwei Chorbüchern, dem *Sticherarion* und dem *Heirmologion*, enthalten. Das abwechslungsreichere und bedeutendere ist das *Sticherarion*, eine Sammlung, die in der Standard-Kurzform, wie sie ungefähr um 1050 in Umlauf gesetzt wurde, über 1400 gesonderte *Troparia* umfaßt.

Der Name des Buches rührt her von dem Wort *sticheron* für ein *Troparion*, das in Verbindung mit einem Vers, oder *stichos*, gesungen werden soll; denn die einzelnen Hymnen, die es enthält, sind zumeist mit den Schlußversen der gleichbleibenden Ordinariumpsalmen der Vespern (Ps. 140, 141, 129 und 116) und *Orthros* (Ps. 148, 149 und 150) oder mit den dem Fest entsprechenden Proprienversen oder mit den Doxologien, die diesen Ordnungen von Ordinarium- oder Propriumversen folgen, verknüpft. Der erste Teil des Buches ist den *stichera* der unbeweglichen Feste oder dem *Proprium Sanctorum* gewidmet, und zwar beginnend mit dem 1. September und endend mit dem 31. August; der zweite Teil enthält die beweglichen Feste des *Proprium de Tempore*, beginnend mit dem Sonntag von Zöllner und Pharisäer (Sonntag vor Septuagesima) und endend mit dem Sonntag Allerheiligen (Trinitatis). Es folgt der *Oktoechos*, ein Zyklus von acht Sonntagsoffizien, die jeweils in einem der acht Modi stehen — ein byzantinisches Gegenstück des ambrosianischen *Commune Dominicale* oder des mozarabischen *Officium de Quotidiano*. Im Gegensatz zur westlichen Übung sind die Sonntage im Advent (der Vorväter und Väter) und der Sonntag nach Weihnachten, da von einem unbeweglichen Fest abhängig, in das *Proprium Sanctorum* eingeschlossen. Die ältesten uns erhaltenen Kopien des Buches oder des einen oder anderen seiner zwei Teile datieren vom Ende des 10. und vom Anfang des 11. Jhs.; einer vorsichtigen Schätzung zufolge sind noch rund 650 *Sticheraria* vorhanden, die vor 1500 kopiert wurden.

Wenn man zunächst nur von der Zahl ausgeht, könnte man zu dem Schluß kommen, daß die über 1400 gesonderten Troparien der Standard-Kurzfassung des *Sticherarion* ungefähr den 1235 Antiphonen entsprechen, die der *Tonarius* von Regino dem *Antiphonale Romanum* zuschreibt, oder den in der Lucca-Kopie gefundenen 1564 Antiphonen. Aber ein solcher Vergleich wäre nahezu bedeutungslos — nicht nur, weil die *Stichera* in der Regel gehaltvollere Kompositionen sind als die Antiphonen der Nokturnen oder jene *„Ad Laudes et per horas"* und *„In Vesperis"*, die sich eher mit den längeren *Cantica* und Prozessionsantiphonen vergleichen lassen, sondern auch, weil das Standard-Kurz-*Sticherarion* nur einen Teil des Repertoires bringt. Da es ein universell verwendbares Buch sein soll, verzichtet es verständlicherweise auf die sogenannten *stichera apocrypha* (Stücke, die zur Zeit der Zusammenstellung allgemein außer Gebrauch gekommen waren) und aus gleichen Gründen auch auf die *Stichera* der Wochentage innerhalb des achtwöchigen Zyklus des *Oktoechos* (Stücke, die anscheinend selbst in verhältnismäßig früher Zeit niemals gesungen, sondern einfach gelesen oder rezitiert worden waren). Endlich — und das ist eigentlich wichtiger — zeigt es die Tendenz, alle Stücke auszuklammern, die als so wohlbekannt galten, daß schriftliche Fixierung unnötig schien. So ist gemeinhin der Ostergottesdienst gänzlich ausgelassen. Nicht vorhanden in Kopien aus der Zeit vor 1300 sind die *stichera anastasima*, Herzstück des *Oktoechos* und ältester der verschiedenen Zyklen von Stücken zur Auferstehungsfeier. Prinzipiell enthält das Buch nur solche Texte, die eigene Melodien haben (die *stichera idiomela*). Mit wenigen Ausnahmen werden die hunderte von Kontrafakten (*stichera prosomoia*) rücksichtslos übergangen, und mit ihnen die 10 bis 20 Modellmelodien (*stichera automela*), zu denen sie gesungen werden. Man kann ohne Übertreibung sagen, daß das Buch mehr ausläßt, als es enthält.

Nahezu 600 *Stichera* sind in Übertragungen von H. J. W. Tillyard und Egon Wellesz in der *Transcripta*-Reihe (1936–1960) der *Monumenta Musicae Byzantinae* bereits veröffentlicht worden; Wellesz brachte Transkriptionen vieler anderer in seinem *Trésor de musique byzantine* (1934) und in den beiden Ausgaben seiner *History of Byzantine Music and Hymnography* (1949 und 1961). Weitere Übertragungen, die allerdings in beiden Fällen auf einigermaßen unterschiedlichen editorischen Gesichtspunkten beruhen, sind in Pater Lorenzo Tardos *L'Ottoeco nei mss. melurgici* (1955) oder P. J. D. Petrescus *Les Idiomèles et le canon de l'office de Noël* (1932) und *Etudes de paléographie musicale byzantine* (1955) zu finden. Doch ist es sicher zu begrüßen, wenn wir auch in dieser Stelle eine Transkription einschalten, und zwar eine noch nicht veröffentlichte. Es ist ein Werk Kosmas' von Maiuma, der um 743 wirkte (vgl. S. 132).

In seinem Text ist in folgendem Beispiel unschwer das griechische Original einer berühmten Prozessionsantiphon des *Graduale Romanum* zu erkennen; sie wurde der Prozession, die der Messe *In Festo Purificationis B. M. V.* vorangeht, einige Zeit nach ihrer Einführung in den römischen Ritus unter dem Pontifikat Sergius I. (687–701) hinzugefügt. Ohne Neumen aufgefunden im *Codex Blandiniensis* (Brüssel, ms. lat. 10127–10144), einem Dokument aus dem 8. oder 9. Jh., präsentieren sich die Antiphon und ihre Begleitstücke *„Ave gratia plena"* nach Hesbert *„sous la forme d'un texte bilingue alterné: chaque incise du texte latin suivant immédiatement l'incise correspondant du texte grec"*. Die Zeilen des lateinischen Textes unterteilen sich in der Anlehnung an das Griechische wie folgt; die Zeilen des Musikbeispiels sind dementsprechend numeriert:

```
     Adorna thalamum tuum, Sion,
     et suscipe regem Christum:
     amplectere Mariam
     quae est caelestis porta:
 5   ipsa enim portat regem gloriae
     novo lumine: subsistit Virgo
     adducens in manibus Filium ante luciferum:
     quem accipiens Simeon in ulnas suas
     praedicavit populis
10   Dominum eum esse
     vitae et mortis
     et Salvatorem mundi
```

Obwohl das griechische Modell in der Transkription bis heute nicht veröffentlicht wurde, sind seine Beziehungen zu seiner lateinischen Kopie häufig untersucht worden — so letztens erst von Michel Huglo in seinen *Rélations musicales entre Byzance et l'Occident* (1967).

Im Modus stimmen beide Versionen überein (einerseits der ἦχος βαρύς oder „tiefe Modus", andererseits der *Sextus tonus*), ebenso im parallelen Bau der Zeilen 1 und 2. Doch gibt es dort nicht nur, wie Huglo sagt, *„similitudes notables"*, sondern auch aufschlußreiche Unterschiede: in Zeile 6 bei *novo lumine* unterschlägt die Antiphon die ornamentale Behandlung von νεφέλη φωτός (eine wörtliche Übersetzung wäre *nubes luminis*) im Sticheron, und in Zeile 10 erreicht die griechische Melodie bei dem Wort αὐτόν ihren tiefsten, die lateinische bei dem entsprechenden *eum* ihren höchsten Punkt. Sichtlich ist die lateinische Kopie eine außerordentlich freie Adaption ihres Modells — wenn es sich überhaupt um eine Adaption handelt.

Unser Beispiel ist typisch für die dichterischen und melodischen Idiome des Sticherarion.

Typisch ist das zugrundeliegende dreiteilige Schema des Gedichtes, die Zeilen 1–4, 5–9 und 10–12; typisch sind auch die metrischen, textlichen und melodischen Parallelismen der Zeilen 1 und 2 sowie 5a und 5b (Zeile 5a fällt in der lateinischen Kopie fort — vielleicht, um die Monotonie zu vermeiden, die aus einer alternierend zweisprachigen Aufführung des Stückes resultieren würde). Ebenfalls typisch sind die metrischen und melodischen Entsprechungen der Hauptkadenzen (Zeile 4, 5a, 5b und 12). Was ein einziges Beispiel nicht zu zeigen vermag, ist die charakteristische centonisierende Konstruktion der Melodie. Welche wichtige Rolle diese spielt, wird nur anhand anderer Beispiele im gleichen Modus zu erkennen sein. Übersichtlich zusammengestellt sind sie in Tillyards Übertragungen ihrer *Heirmoi* oder in den von Tillyard und Tardo publizierten Ausgaben des *Oktoechos* zu finden.

Des weiteren wäre zu bedenken, daß das gewählte Beispiel nur einen Aspekt der außerordentlichen Vielfalt des *Sticherarion* repräsentieren kann. Es ist sozusagen ein klassisches Beispiel. Um — wenigstens durch einen kurzen Hinweis — die außerordentliche Freiheit und Virtuosität des pathosgeladenen Stils des späten 9. und frühen 10. Jhs. zu belegen, folgt hier die Übertragung eines kunstvollen Melismas auf die Worte Οἴμοι, τέχνον ἐμόν (Wehe mir, mein Kind) aus einem *Sticheron* für die Zeremonie der *Adoratio Crucis* (Mittwoch von Mittfasten), ein Stück, das das Thema des *Stabat Mater* entwickelt und in einigen Quellen Kaiser Leo VI. (886–912) zugeschrieben wird.

ἦχος πλ δ΄   Vatopedi 1499, f. 254

Als Buch zum universellen Gebrauch enthält die Standard-Kurzfassung des *Sticherarion* keine Rubriken und überläßt es der einzelnen Gemeinde, zu entscheiden, wieviele der für ein bestimmtes Fest gegebenen *Stichera* sie tatsächlich singen und an welchen Punkten sie sie in die Ordnung des Gottesdienstes einfügen will.

Auf die Überschrift mit Datum und Benennung des Festes folgen die einzelnen Teile in der neutralen Anordnung nach den acht Modi. In jetzigen Ausgaben der *Menaia* wird unser *Sticheron* für das Fest Mariä Reinigung (*Hypapante*) der zweiten Hälfte der Vesper zugewiesen und mit Proprienversen aus dem *Canticum Simeonis* verknüpft, doch hätte es ohne weiteres auch der ersten Hälfte zugeteilt und mit einem oder mehreren der Schlußverse der gewöhnlichen Psalmen verbunden werden können (was in einigen frühen Exemplaren des *Typikon*, eines Buches, das die Regel einer einzelnen Gemeinde enthält, auch so praktiziert worden ist).

Jedenfalls müssen die zuzuordnenden Verse einem Manuskript oder einem gedruckten Text oder dem Gedächtnis entnommen und von den Sängern in den angebrachten Psalmton eingepaßt werden. Kurz nach 1300 beginnt man damit, die Psalmtöne für die acht Modi zu illustrieren und bestimmten Modellversen anzugleichen, und zwar in Kopien der sogenannten Gottesdienstordnungen (᾿Ακολουθίαι). Dieses Handbuch für den Psaltisten enthält die gewöhnlichen Gesänge für Offizium und Messe manchmal in anonymen älteren Fassungen, manchmal in neuen Vertonungen durch zeitgenössische Komponisten. Die von diesen Büchern gebotenen einfachen Psalmtöne bewahren eine Tradition, die allerspätestens auf das Jahr 800 zurückgeht.

Bezüglich dieser Darlegung wird auf den Essay „*The Antiphons of the Byzantine Oktoechos*" (im JAMS 1960, S. 50 ff.) verwiesen, dessen zahlreichen Beispielen (hauptsächlich der einfachen Psalmodie des *Protos*) jetzt eines hinzugefügt werden kann, das die Anpassung dieses gleichen Psalmtons an den ersten der Schlußverse der gewöhnlichen Vesperpsalmen (Ps. 141, 8) illustriert (vgl. S. 134).

Educ de custodia animam meam
ad confitendum nomini tuo.

Dieses eine Beispiel läßt die wesentlichen Charakteristika der byzantinischen Psalmodie sogleich erkennen: der Rezitationston ist mäßig flektiert, um die Hauptakzente herauszuarbeiten; es gibt keine Mittelkadenz; die Schlußkadenz ist eine *cadenza corsiva* (Ferretti) — wie im *Tonus irregularis* des *Antiphonale Monasticum* wird die Formel ohne Rücksicht auf den tonischen Akzent den letzten vier Silben des Textes mechanisch angepaßt. Wo man den Beginn des folgenden *Sticheron* besonders vorbereiten zu müssen glaubt, wird der Kadenzschluß entsprechend abgewandelt — im großen und ganzen nicht anders, als in der lateinischen antiphonalen Psalmodie die Kadenzschlüsse abgewandelt werden können, um die Wiederkehr der Antiphon vorzubereiten.

So sieht man die beiden Rezitationssysteme Griechisch und Latein von einem einzigen Stilgesetz beherrscht — Peter Wagners Gesetz von der melodischen Angleichung —, das verlangt, daß im Falle der direkten Aufeinanderfolge zweier Melodien die erste der zweiten durch entsprechende Behandlung ihres Schlusses angeglichen werden muß.

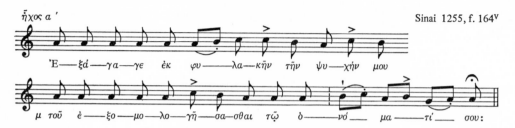

Während die Ordnung des byzantinischen *Orthros* oder Matutin das Singen einer Reihe von *Stichera* verlangt, liegt der Hauptakzent doch auf den *Cantica* des Alten und Neuen Testaments; die zentrale Gestalt in ihrer Struktur setzt die Rezitation von neun *Cantica* in drei Dreiergruppen voraus. Die erste Dreiergruppe umfaßt die beiden *Cantica* des Moses aus *Exodus* und *Deuteronomium*, gefolgt vom *Canticum* der Hannah; die zweite fügt die *Cantica* von Habakkuk, Jesaia und Jonas hinzu, und die dritte macht den Beschluß mit dem *Benedictus es*, dem *Benedicite* und dem *Magnificat*, mit dem das *Canticum Zachariä* gekoppelt ist. Diese einfache Tatsache liegt der Schaffung des Kanons als poetische Form und auch der Entwicklung des *Heirmologion* zugrunde, des Buches, welches die *Heirmoi* (oder Modellstrophen) mit den Melodien enthält, zu denen die Strophen der Kanones selbst gesungen werden.

Wenn wir irgendeine derzeitige Ausgabe des Menaion für den Monat Februar aufschlagen und das Fest aufsuchen, mit dem wir uns gerade beschäftigen, werden wir den Text des Tageskanons finden. Abermals ist es ein Werk Kosmas' von Maiuma, und sein *Modus* der *Tritos*, der authentische Modus, der dem plagalen entspricht, in dem unser *Sticheron* komponiert war. Wie in anderen Kanones von Kosmas ist die Auslassung des Canticums aus dem Deuteronomium selbstverständlich, so daß es mit vier Strophen, die auf den Inhalt oder die Sprache jedes der übrigen *Cantica* Bezug nehmen, insgesamt 32 Strophen sind. Da sich Metrum und Melodie bei jedem Wechsel der textlichen Grundlage ändern, wird die lange Komposition nicht einförmig; zugleich wird sie zusammengehalten durch ihre modale Ordnung, ihren — jeweils dem Fest entsprechenden — Inhalt und durch ihr 32 Buchstaben umfassendes *Akrostichon*; ein 12silbiger Vers wird aus den Anfangsbuchstaben der aufeinanderfolgenden Strophen gebildet. In diesem besonderen Falle ist die erste Strophe jeder Gruppe von vier Strophen zugleich der *Heirmos*, und da das *Akrostichon* die Anfangsbuchstaben dieser ersten Strophen zusammen mit denen der folgenden Strophen enthält, läßt sich der Schluß wagen, daß die Texte und Melodien dieser acht *Heirmoi* von Kosmas selbst stammen. Um dies weiterhin zu begründen, sei hinzugefügt, daß die *Heirmoi* dieser Gruppe von anderen Kanondichtern nur selten benutzt werden, und wenn, dann nur von später Tätigen wie Metrophanes und Joseph, dem „Hymnographen".

In Tillyards lateinischer Übersetzung hat der *Heirmos*, der sich auf das *Canticum Jesaiä* bezieht, diese Gestalt:

Ut vidit Isaias per visionem throno elevato Deum   Me miserum, exclamavit, quod praevidi incarnatum Deum,
ab angelis gloriae custoditum: aeternae lucis atque pacis Dominum.

Das hat nun wahrlich wenig mit Jesaia 26, 9—20, oder mit dem Thema des Festes zu tun, doch identifiziert Kosmas in der Kehrverszeile den Propheten Jesaia *implicite* als den Prototyp des gerechten Mannes Simeon, indem er die ihren *Cantica* entnommenen Worte „Friede" und „Licht"

nebeneinanderstellt. Diese Identifizierung wird dann in den folgenden drei Strophen entwickelt und ausgeführt.

Der Kanon für das Fest Mariä Reinigung (Lichtmeß) ist in keiner Hinsicht außergewöhnlich. Und doch lassen die für diese Art Dichtung bindenden Regeln genügend Raum für ein reiches Maß an Abwechslung. Nicht jeder Kanon hat ein *Akrostichon*, so daß in vielen Fällen das Gedicht als Ganzes unschwer abgeändert, gekürzt, durch Hinzufügungen erweitert oder auf andere Weise „bearbeitet" werden kann. Nicht jeder Kanon setzt die Auslassung des *Canticums* aus dem *Deuteronomium* voraus, wie denn Vorhandensein oder Fehlen dieses spezifischen Elementes großenteils von örtlichen Gepflogenheiten bestimmt worden zu sein scheint. Nicht jeder Kanon hat 32 Strophen — der wirklich ungewöhnlich Große Kanon von Andreas von Kreta hat 250 —, und es ist auch nicht wesentlich, ob die mit den einzelnen Cantica korrespondierenden Strophen zahlengleich sind oder nicht. Kosmas liefert eigene *Heirmoi*, was aber ganz und gar nicht landläufige Praxis war; vielmehr neigten frühere wie spätere Kanonschreiber dazu, Heirmoi aus den Kanones anderer zu übernehmen. Joseph, „der Hymnograph", und Theophanes Graptos, einflußreiche Poeten des 9. Jhs., bauen lückenlos auf bestehenden Heirmoi auf, und um die Mitte des 11. Jhs., als die liturgischen Bücher kodifiziert wurden, hatten ihre Kanones einen derartig breiten Anklang gefunden, daß sie eine Anzahl älterer verdrängten und die Heirmoi, auf die sich jene stützten, als überholt erscheinen ließen.

Nicht nur, weil das *Heirmologion* sich auf die Modellstrophen mit ihren Melodien beschränkt, sondern auch, weil die Kanontexte, denen diese Melodien angepaßt werden müssen, sich so und so oft auf geborgten *Heirmoi* aufbauen (möglicherweise auf solchen, die aus den verschiedensten Zusammenhängen herausgerissen worden und daher nicht in unmittelbarer Aufeinanderfolge im Buch selbst zu finden sind), ist es seinem ganzen Wesen nach ein Buch für Studium und Unterweisung, nicht für den praktischen Gebrauch. Die Sänger, die seine Melodien vortrugen, mußten sie auswendig lernen. Der Drang zur Kodifizierung, zur Vereinheitlichung liturgischer Bräuche hatte um das Jahr 1050 zur Zusammenstellung des Standard-Kurz-*Sticherarion* geführt; er führte dann auch um die gleiche Zeit zur Kompilation einer vergleichbaren Ausgabe des *Heirmologion* mit 1800 und mehr *Heirmoi*. Doch erlebten beide Neubearbeitungen sehr unterschiedliche Schicksale.

Das um die Mitte des 11. Jhs. erschienene *Heirmologion* ist uns nur in einer relativ kleinen Zahl von Kopien erhalten geblieben; es war auch recht kurzlebig. Schriftliche und mündliche Überlieferung arbeiteten einander unabsichtlich entgegen. Schon 1257 war eine neue Überlieferung, unterschiedlich wenn auch urverwandt, schriftlich fixiert worden, und kurz nach 1300 gewann noch eine andere Beliebtheit. Wohl dank ihrer Verbindung mit dem gefeierten Meister und Neuerer Joannes Kukuzeles nahm diese jüngste Tradition bald eine beherrschende Stellung ein, die sie mindestens bis 1500 behielt. Diese Tradition ist vor allem einfacher und großenteils frei von Melismen, deren authentische Melodien dazu neigen, sich hartnäckig an die oberen und mittleren Register zu klammern. Unterdessen schrumpfte der Umfang dieses Buches ständig. Praktische Erwägungen bewirkten Veränderungen der inhaltlichen Disposition. Anfänglich ein Buch, das die *Heirmoi* der einzelnen *Modi* in Gruppen oder Sequenzen entsprechend ihrer Verwendung in einzelne Kanones anordnete, wurde es zu einer Sammlung, deren Arrangement ohne Rücksicht auf den Zusammenhang den einzelnen *Cantica* folgt.

Unser Beispiel wurde aus einer Kopie der „klassischen" Ausgabe aus dem 12. Jh. übertragen. Es ist zu erkennen, daß zwischen den beiden Melodien Kosmas' kein wesentlicher Unterschied besteht, wenn auch aus einleuchtenden Gründen der *Heirmos* kürzer, kompakter und weniger entwickelt ist als das *Sticheron* — die wohlbekannte Differenzierung zwischen sticherarischem und heirmologischem Stil gehört einer späteren Zeit an. Sollte der Leser die „klassische" Version der Melodie mit der „kukuzelischen" vergleichen wollen, so möge er zu Tillyards *Twenty Canons from the Trinity Hirmologion* (1952) greifen; das allmähliche Auseinanderfallen und die Umformung der „klassischen" Tradition kann er anhand der vergleichenden Darstellungen im Anhangsband zu Velimirovićs *Byzantine Elements in Early Slavic Chant* (1960) verfolgen. Hier auch wird er den ersten *Heirmos* unseres Kanons in der Notation einer Reihe früherer wie späterer Quellen finden.

Wenn wir die Materialbestände von Sticherarion und Heirmologion addieren, ergibt sich eine eindrucksvolle Repertoiresammlung, die den größten Teil des für die feierliche Zelebrierung des Offiziums Erforderlichen enthält. Aber sie enthält nicht alles — die früheste uns überlieferte Melodie für die ehrwürdige Abendhymne der Danksagung, Φῶς ἱλαρόν (Heiteres Licht), stammt aus dem

135

17. Jh., und unsere älteren Quellen sagen uns so gut wie nichts über die hochwichtigen Proprien-Troparia, die bei der Vesper vor der Entlassung gesungen und kurz vor dem Beginn der *Orthros* mit dem Θεὸς χύριος (*Deus Dominus*) wiederholt werden. Was vorliegt, ist einiges aus dem melismatischen Repertoire, übermittelt in zwei einander ergänzenden Sammlungen — dem *Psaltikon* und dem *Asmatikon*. Ersteres ist ein Buch für den Solisten, vergleichbar in mancher Hinsicht dem lateinischen *Cantatorium*, obgleich es sich anders als dieses mit Offizium wie Messe befaßt. Das zweite ist ein Chorbuch und enthält jene melismatischen Gesänge für Offizium und Messe, die chorisch gesungen werden. Bestimmte Arten von Gesängen, z. B. die *Hypakoai* oder Responsorien, finden sich in beiden Büchern, und zwar in zwei deutlich getrennten Versionen: die eine für den Solisten, die andere für den Chor. Andere Gesänge, wie z. B. die großen *Troparia* der Weihnachts- und Epiphanias-Vigilien, sind unter die beiden Bücher aufgeteilt, wobei das *Asmatikon* die *Troparia* selbst enthält und das *Psaltikon* die Psalmverse des Solisten. Wieder andere stehen nur in einem Buch — etwa im *Psaltikon* und nicht im *Asmatikon* und umgekehrt. Hinsichtlich des Offiziums allein informieren die beiden Bücher nicht nur über die *Hypakoai*, sondern auch über die *Prokeimena* oder *Graduale* der Vespern und des *Orthros*, während fast die Hälfte des *Psaltikon* dem *Kontakion* gewidmet ist, einem Responsorialgesang aus dem *Orthros*, der als Interludium die zweite von der dritten größeren Abteilung des Kanons trennt. In der Regel findet man Melodien für 53 von ihnen, davon ungefähr fünfundzwanzig Prozent *Prosomoia*.

Hymnologen sind sich einig, daß das *Kontakion* die reifste Leistung der byzantinischen ekklesiastischen Dichtung und, obwohl es alt-syrischen Prototypen zweifellos manches verdankt, ihre originellste Schöpfung ist. Es handelt sich dabei um ein strophisches Gedicht, das mitunter bis zu 30, ja sogar 40 längere Strophen aufweist. Zusammengehalten werden sie durch ein *Akrostichon*, das oft den Namen des Dichters einbezieht. Außerhalb des Akrostichon steht eine einleitende Strophe (oder *Prooimion*) in einem anderen Metrum, deren Schlußrefrain auch zum Abschluß der nachfolgenden Einzelstrophen dient.

Der Inhalt des *Kontakion* kann aus dem Alten oder dem Neuen Testament stammen; wo dies der Fall ist, nimmt das Gedicht als Ganzes oft den Charakter einer poetischen Predigt an. Wenn es, was auch vorkommt, auf dem Leben eines Heiligen fußt, stellt es eine Art poetisches *Martyrologium* dar. Für uns ist das *Kontakion* untrennbar mit dem Namen des Dichters Romanos verbunden, dem Autor des häufig imitierten *Kontakion* für den Weihnachtstag und vieler anderer. Romanos war ein Konvertit aus Syrien; er erlebte seine Blütezeit in der ersten Hälfte des 6. Jhs. im Konstantinopel der Kaiser Anastasius, Justin und Justinian. Indes sollen ein paar Kontakien angeblich schon vor seiner Zeit entstanden sein, und noch um die Zeit, da der Bilderstreit seinem Ende entgegenging, konnte der Patriarch Tarasius (784–806) ein Kontakion zur Verteidigung der Ikonen mit einem eigenen metrischen Schema schreiben. Welche liturgische Funktion das *Kontakion* ursprünglich erfüllte, ist nicht bekannt, doch nahm es um die Mitte des 9. Jhs. bereits den Platz ein, den es auch heute noch innehat, wenn auch auf *Prooimion* und eine einzige Strophe reduziert. Hinzu kommt, daß um diese Zeit der größte Teil des älteren Repertoires bereits in Ungnade gefallen war.

Um die Mitte des 9. Jhs. war es dann üblich geworden, das Singen oder Lesen des *Kontakion* beim *Orthros* auf das *Prooimion* und eine einzige Strophe zu beschränken, den ersten *Oikos*. Aber es gab Ausnahmen. Am Sonntag, der dem römischen Quinquagesima entspricht, dem letzten Sonntag vor dem Beginn der orthodoxen Fasten, dessen Offizium das Thema von der Vertreibung Adams aus dem Paradies entwickelt, ist der erste *Oikos* des *Kontakion* so kurz, daß selbst heute die liturgischen Bücher das Singen oder Lesen nicht eines, sondern dreier *Oikoi* vorschreiben.

Das erste ist ein ausgezeichnetes Beispiel, zumal es zufällig zu einem jener seltenen Kontakien gehört, deren Entstehungszeit allgemein vor dem Frühwerk Romanos' angesetzt wird. Die folgende Übersetzung zitieren wir nach P. Kilian Kirchhoffs *Die Ostkirche betet* (2. Aufl. 1962):

Adam saß einst vor der Wonne des Paradieses und weinte, mit den Händen das Antlitz verwundet, und rief: Erbarmer, erbarme dich meiner, des Verirrten.

Die Melodie ist eine Übertragung aus dem Ms. Ashburnham 64, einem herrlichen Exemplar des *Psaltikon*, das 1289 in Grottaferrata geschrieben wurde und heute in Florenz in der Biblioteca Laurenziana aufbewahrt wird. Manche seiner ungewöhnlichen Merkmale, z. B. die dreifache Behandlung des ersten Wortes oder die wahlweise zweite Version der Zeile 5 (ἄλλο — „anders") finden sich auch in anderen Kopien. In Zeile 1 wird die Einschaltsilbe νε als Anzeiger der Tonhöhe benutzt — es ist die Abkürzung des Wortes „*Neanes*", der Intonationsformel des *Deuteros*, der authentischen Form des *Modus* des *Kontakion* selbst. Da das *Psaltikon* ein Solistenbuch ist, bringt es keine Musik für den Chorrefrain (Zeilen 8 und 9).

Die Transkription reproduziert hier den Refrain des Solisten, wie er am Ende des Prooimions auftritt.

Es kann sich bei dieser Melodie nicht um diejenige handeln, die unser Anonymus aus dem 5. Jh. im Sinn hatte — falls er überhaupt an irgendeine Melodie gedacht hat. Sie läuft dem Geist und der Intention seines Gedichtes zuwider, indem sie den Text fast unverständlich macht, so daß der Hörer dem Argument kaum zu folgen vermag; 20 längere Strophen — von 30 oder 40 ganz zu schweigen — in diesem Stil singen, hieße die Aufmerksamkeit des Hörers überfordern und die Aufführung über Stunden hinziehen.

Es liegt auf der Hand, daß sie erst hat komponiert werden können, nachdem das Gedicht zurechtgestutzt worden war. Ein früherer Zeitpunkt als das 10. Jh. scheint nicht in Frage zu kommen. Überdies mußte die Melodie aus einem Buche gesungen werden, was eine verhältnismäßig entwickelte musikalische Notation voraussetzt; und schließlich kann keine vorhandene Kopie des Buches als Ganzes vor 1180 datiert werden. In paläobyzantinischer Notation besitzen wir nur ein fragmentarisches marginales *Incipit*, ein einziges *Kontakion* mit *Oikos* und den Niederschlag eines mißlungenen Versuches, Neumen einem Text hinzuzufügen, der sie ursprünglich gar nicht hatte tragen sollen.

Abermals ist die Centonisierung das Grundprinzip des melodischen Baus — aber eine andere Art der Centonisierung, als wir sie aus Beispielen des syllabischen Stiles kennen. Die Worte der Dichtung werden weniger deklamiert als vielmehr einem Flickwerk relativ feststehender Melismen angepaßt, die sämtlich in anderen Kontakien des *Plagios deuteros* und seinem authentischen Gegenstück wiederkehren.

In Welleszscher Transkription liegen zwei solche Kontakien zu Vergleichszwecken vor — eines von Romanos für den Donnerstag des Großen Kanon in *Die Musik der byzantinischen Kirche* (1959), das andere über St. Simeon Stylitos, Romanos (wahrscheinlich zu Unrecht) zugeschrieben, in *A History of Byzantine Music and Hymnography* (2. Aufl. 1961).

Das uns vorliegende Beispiel gestattet einen weiteren und eigentlich noch aufschlußreicheren Vergleich. Zwei *Stichera*, die zum Offizium dieses gleichen Sonntags gehören, enthalten wörtliche Zitate aus dem Gedicht unseres Anonymus aus dem 5. Jh. Vom ersten bringt das folgende Beispiel die erste und letzte Zeile, vom zweiten Ἥλιος ἀκτῖνας ἔκρυψεν (Die Sonne verhüllte die Strahlen) die letzten beiden Zeilen. Nur auf diese Weise war es möglich, die wesenhafte Antithese der beiden Stilarten — des syllabischen und des melismatischen Stils — so scharf herauszuarbeiten. Ist es reiner Zufall, daß der *Modus* des *Kontakion* zugleich der *Modus* der beiden *Stichera* ist? Dürfen wir nicht doch vermuten, daß diese Zitate uns einige Spuren der Manier aufbewahrt haben, in der unser Gedicht ursprünglich gesungen wurde?

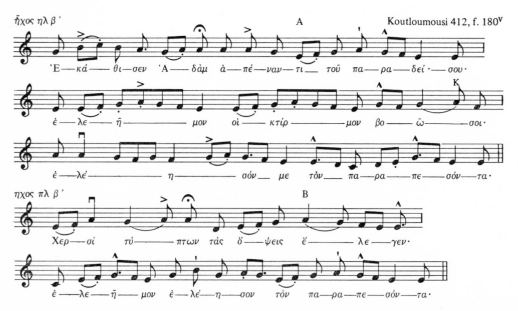

Ungeachtet all dessen, was über die Disparität der didaktischen Dichtung des Kontakion und der kunstvollen melismatischen Musik, die das *Psaltikon* dafür bereithält, gesagt worden ist, finden wir in einigen Kopien des Buches tatsächlich den vollständigen Text eines einzelnen *Kontakion* mit durchgehender musikalischer Notierung nicht nur für das *Prooimion* und den ersten *Oikos*, sondern auch für jeden der 23 folgenden *Oikoi*.

Diesem wahrhaft ungewöhnlichen Gedicht — es ist die berühmte Akathistos-Hymne — gilt in der östlichen Orthodoxie besondere Verehrung. Selbst heute noch werden ihr 24 *Oikoi* zum *Orthros* eines bestimmten Tages der Fastenzeit, entweder am 5. Samstag oder an einem anderen, durch örtliche Gepflogenheiten oder Instanzen festgelegten Tage laut gelesen. In früheren Zeiten war es da und dort offensichtlich üblich, sie zu singen, und zwar in dem melismatischen Stil, der gerade veranschaulicht wurde. Im Ashburnham-Ms. nimmt das Ganze über 48 große Folioblätter ein, und zweifellos hat man es nicht kopiert, ohne dabei einen praktischen Zweck zu verfolgen. Das *Prooimion*, späteren Datums als die Strophen, die es einleitet, weist eigentümlich konstantinopolitanische Züge auf. Die Legende will wissen, daß es der Patriarch Germanus im Jahr 718 nach der Vernichtung der arabischen Flotte, die die Stadt bedrohte, als Dankopfer für die Jungfrau und ihr wundersames Eingreifen komponiert habe. Die Übersetzung liest sich wie folgt:
Der für uns kämpfenden Herzogin als Siegespreis, aus Wehe erlöst, weihe das Dankeslied ich, deine Stadt, dir, Gottesgebärerin. Dein ist die Kraft, die nichts bekämpft. So befreie mich aus jeder Gefahr, auf daß ich dir rufe: Gegrüßt du, jungfräuliche Braut. (P. Kilian Kirchhoff).
Wellesz hat eine vollständige, 88 Seiten lange Übertragung in der Transcripta-Serie der Monumenta Musicae Byzantinae herausgegeben (1957), und im *Muséon* für 1951 findet man den vollständigen Text einer lateinischen Übersetzung aus dem 8. oder 9. Jh. mit einem wertvollen Kommentar von Michel Huglo.

Obgleich die Akathistos-Hymne überall dort, wo der byzantinische Ritus beachtet wird, als außerordentlich bevorrechtigter Gesang eine Sonderstellung innerhalb der Kontakien einnimmt, war sie lokalen Ursprungs. Benutzt wurde sie zunächst nur in der Kirche der Blachernae in der Hauptstadt. Aufgrund dessen können wir vermuten, daß das *Psaltikon* ein Produkt Konstantinopels ist. Diese Vermutung würde sich verstärken, wenn wir uns dem *Kontakion* für St. Stephan zuwenden, das wir nicht unter dem 27. Dezember (an dem der byzantinische Kalender seiner gedenkt), sondern unter dem 2. August finden, also dem Tage, an dem seine Reliquien in die Kaiserstadt gebracht worden sind. Wenn wir nun die Musik für die Messe oder Heilige Liturgie betrachten, wie sie in den beiden Büchern enthalten ist, stoßen wir auf schlüssige Beweise für ihre Herkunft aus Konstantinopel.

Im *Asmatikon* ist das *Koinonikon* (Communio) für die Weihe einer Kirche dem *Koinonikon* für den Weihnachtstag unmittelbar vorangestellt, was auf eine Verbindung mit dem 23. Dezember — dem Tag, an dem die Hagia Sophia geweiht wurde — verweist, während das *Psaltikon Alleluia*-Proprienverse für den 11. Mai enthält — an diesem Tage wird der Gründung der Kaiserstadt gedacht. In der älteren der beiden Sinai-Kopien wird tatsächlich durch eine Rubrik vorgeschrieben, daß sie gesungen werden sollen, wenn der Patriarch in das Forum hinaufschreitet.

Kopien des *Psaltikon* und des *Asmatikon* scheinen zu keiner Zeit sehr weit verbreitet gewesen zu sein. Wenn wir monastische Adaptionen ausklammern, die einen Teil des Standardinhalts nicht berücksichtigen, ist das *Psaltikon* nur noch in acht Kopien überliefert und das *Asmatikon* in sechs.

Keines dieser Exemplare kann vor dem späten 12. Jh. entstanden sein; sie alle sind von erstaunlich schlechter Qualität, und schon der erste Blick belehrt darüber, wie enttäuschend wenig Musik sie für die Feier der Heiligen Liturgie enthalten. Um diesen letzten Punkt zu illustrieren, stellen wir in der folgenden Tabelle den gesamten Inhalt beider Bücher an wechselnden Meßgesängen den Zahlen gegenüber, die Bischof Frere für den mittelalterlichen Inhalt des Graduale Romanum angibt.

Byzantinisch		Römisch	
Introitus	1	Introitus	150
Prokeimena	**30**	Graduale	110
Alleluias	**59**	Alleluias	110
		Tractus	33
Offertorien	2	Offertorien	102
Koinonika	26	Communio	150

Und doch ist es nicht so, daß die beiden Bücher unvollständig wären — es spiegelt sich in ihnen nur strengste Sparsamkeit. In ihrer Einstellung zu diesem Kernstück ihres formalen Gottesdienstes bleiben die Kirchen des byzantinischen Ritus außerordentlich konservativ. Selten geben sie der Verlockung nach, die liturgischen Ordnungen, wie sie im 8. und 9. Jh. kodifiziert worden sind, zu erweitern oder zu beschneiden. Genau wie der Ritus keine Proprienpräfationen kennt, bietet er keine solchen des Introitus und der Offertorien — für diese beiden Teile des *Proprium Missae*, wie sie in einem abendländischen Buch bezeichnet werden würden, hat er nur stehende Gesänge, die bei seltenen Gelegenheiten einmal ersetzt werden können. Die Sammlung von *Prokeimena* wirkt nachgerade winzig: Palmsonntag und seine Vigil, der Sonnabend des Lazarus, müssen ihre *Prokeimena* mit Epiphanie und seiner Vigil teilen; das Weihnachts-*Prokeimenon* dient auch für den Karsamstag. Von den zwölf großen Festen haben nur Mariä Verkündigung, Auferstehungsfeier und Himmelfahrt eigene *Prokeimena*. Ähnlich steht es mit den Alleluias und den *Koinonika*, was dazu führt, daß sie für die Märtyrer und Hierarchen unendlichen Wiederholungen unterliegen. Wenn die melodische Überlieferung der beiden Bücher oft unzuverlässig ist, so ist die liturgische Tradition, für die sie Zeugnis ablegen, archaisch und ungewöhnlich aufschlußreich.

Für die Feier der Heiligen Liturgie hat der byzantinische Ritus drei gesonderte Ordnungen. Die regelmäßig benutzte ist die Liturgie des heiligen Johannes Chrysostomos. Eine feierliche Ordnung ist die Liturgie des heiligen Basilius, die alljährlich zu den Vigilien von Weihnachten und Epiphanie, an fünf Sonntagen der Fastenzeit, am Donnerstag und Sonnabend der Karwoche und am 1. Januar, dem Fest des heiligen Basilius, verwendet wird. Die Liturgie der *Praesanctificata* ist eine Ordnung der Fasten-Wochentage, die in der Intention der römischen *Missa Praesanctificatorum* entspricht, aber auch am Mittwoch und Freitag in der Woche vor der Fastenzeit und an den ersten drei Tagen der Karwoche benutzt wird. In früherer Zeit erstreckte sich ihr Gebrauch sogar auf den Karfreitag selbst. Es ist ein Glück für uns, daß die Musik von der Vielfalt dieser Vorschriften nur wenig betroffen wird. Die Ersetzung der Liturgie des hl. Johannes Chrysostomos durch die des hl. Basilius bedeutet lediglich, daß man das *Sanctus* in kunstvollerem Stile ausführt, während die Verwendung der Liturgie der Praesanctificata, die auf eine verkürzte Feier der Tagesvesper folgt, nur bedeutet, daß ein spezielles *Offertorium* an die Stelle des üblichen rückt. Da an Wochentagen der Fastenzeit normalerweise nicht aus dem Neuen Testament gelesen wird, gibt es normalerweise auch keine Responsorien, und da die Konsekration fehlt, entfällt das *Sanctus*. Im übrigen — und wenn man nur die wirklich wesentlichen Punkte berücksichtigt — stimmt die Gruppierung der Ordinariums- und Propriengesänge fast genau mit der römischen Ordnung überein.

Byzantinisch	Römisch
Litanei und Antiphonen	Introitus und Kyrie
Trisagion	Gloria
Prokeimenon und Epistel	Epistel und Graduale (od. Alleluia)
Alleluia	Alleluia (oder Tractus)
Evangelium	Evangelium
Offertorium und Credo	Credo und Offertorium
Präfatio und Sanctus	Präfatio und Sanctus
– – –	Agnus dei
Koinonikon	Communio

Die Eröffnungs-Litanei, auf deren verschiedene Anrufungen die Chöre mit dem gleichbleibenden Ruf *Kyrie eleison* antworten, ist auf uns in lateinischen Paraphrasen in Litaneien wie der gallikanischen „*Dicamus omnes*" (ein Faksimile nach Paris lat. 903 in D. J. Grouts *History of Western Music*) und in den verschiedenen *Preces* des mozarabischen und ambrosianischen Ritus überkommen, während uns die Übereinstimmung der folgenden drei Antiphonen (auf Texte aus den Psalmen 91, 92 und 94) mit dem römischen *Introitus* vom „Offizium" der sogenannten *Missa Greca* bestätigt wird, die ihren Text Psalm 94 entnimmt — im Regelbuch von Saint-Denis ungeschickt mit „*Zeveta a gallia*" (Δεῦτε ἀγαλλιασώμεθα) wiedergegeben. Im byzantinischen Ritus ist der letzte Vers der Antiphon aus Psalm 94 eigentlich „*Introitus*" (εἰσοδικόν) genannt, denn er wird während des feierlichen Einzugs (εἴσοδος) des Klerus mit dem Evangeliar gesungen. Man erinnert sich des Berichtes von Amalar, der 813—14 Konstantinopel und die Hagia Sophia besuchte: er selbst hat gehört, daß man diesen Psalm dort „*in principio Missae*" sang (*De ordine Antiphonarii*, xxi). Gegenwärtige Ausgaben der byzantinischen liturgischen Bücher enthalten auch eine Reihe von Proprien-Antiphonen; jedoch mit möglicher Ausnahme jener für die Kreuzeserhöhung, für Weihnachten und für Ostern, keine von ihnen kann echt sein. Die früheren Quellen bringen Musik nur für die dritte Ordinariumsantiphon und den *Introitus* — einen melismierten Psalmton mit dem Kehrvers Σῶσον ἡμᾶς, υἱὲ θεοῦ, ὁ ἀναστάς ἐκ νεκρῶν, ψάλλοντάς σοι · ἀλληλούϊα (Sohn Gottes, auferstanden von den Toten, errette uns, die wir dir singen: *Alleluia*). Eine nähere Erörterung ist wohl kaum erforderlich.

Nach den vorausgehenden Antiphonen und vor den Schriftlesungen (denn im byzantinischen Ritus nimmt das *Gloria in excelsis* noch seinen hochrespektierten Platz am Ende der Matutin ein) begegnen wir dem ehrwürdigen *Trisagion*, das sich in allen östlichen Riten findet. Dieser Gesang war schon 451, um die Zeit des Konzils zu Chalkedon, weit verbreitet. Daß er bald nach Westen drang, zuerst in das mozarabische Spanien und dann in das gallikanische Frankreich, und von da Eingang in die *Adoratio crucis* des römischen Ritus fand, ist eine wohlbekannte Geschichte, die wir hier nicht zu wiederholen brauchen. Für einen solchen Gesang gibt es natürlich keine „Originalmelodie". Die hier veranschaulichte ist diejenige, welche unsere ältesten Kopien des *Asmatikon* überliefern; es ist allerdings möglich, daß ein oder zwei ältere Fassungen erhalten geblieben sind — und zwar eingebettet in die *Idiomela* des *Sticherarion*, die den offiziellen Text zitieren oder paraphrasieren, mit oder ohne trinitarische „Tropen".

Weitere Beispiele dafür finden sich in Tillyards *Hymns of the Sticherarium for November* (Nr. 27) und *Hymns of the Pentecostarium* (Nr. 95). Das Schema AAB, das der in unserem Beispiel gegebenen Fassung zugrundeliegt, ist auch charakteristisch für alle anderen bekannten Versionen des *Trisagion*, darunter die vom *Sticherarion* übermittelten wie diejenigen, die die Meßbücher der lateinischen Riten bringen. Der Gesang soll nach Anweisung des *Asmatikon* dreimal gesungen werden; dann, nach einer Doxologie, wird die Schlußklausel noch einmal gesungen. An Tagen wie vornehmlich Epiphanie und Karsamstag, die in früherer Zeit mit dem Taufritus verbunden waren, wird das *Trisagion* durch Ὅσοι εἰς Χριστὸν ἐβαπτίσθητε (*Quicumque enim in Christo baptizati estis; Ad Galatas 3, 27*) ersetzt. Ein anderes Ersatzstück, das indes auf Kreuzfeste wie vor allem den 14. September und den Mittwoch von Mittfasten beschränkt bleibt, ist Τὸν σταυρὸν σου προσκυνοῦμεν (*Crucem tuam adoramus*). Auch für diese Stücke enthalten unsere ältesten Kopien des *Asmatikon* Versionen in ziemlich dem gleichen melismatischen Stil, der für das *Trisagion* selbst benutzt wird. Von ihnen hat das Τὸν σταυρὸν σου προσκυνοῦμεν seinen Weg in die lateinischen Riten von Benevent, Mailand und Rom gefunden. Wellesz untersuchte die beneventanische Version in seinen *Eastern Elements*, während sich Huglo in seinem Beitrag zu den Protokollen des XIII. Kongresses für Byzantinische Studien um den Nachweis bemühte, daß die ambrosianische Melodie Spuren eines einfacheren byzantinischen Satzes überliefere.

Hier stoßen wir zum ersten Mal auf die sogenannten „asmatischen Buchstaben" — die eingeschobenen Konsonanten γγ (oder γχ), ν und χ sowie das herkömmliche Zeichen σ. Wir werden sie später abermals und in größerer Fülle antreffen. Diese anscheinend willkürlichen Einschübe stellen ein außerordentlich konstantes Merkmal der schriftlichen Tradition für das *Asmatikon* dar und sind charakteristisch auch für die paläoslawischen Kopien des Buches.

Denn während die für die Wiederholungen der einzelnen Vokale gegebenen Zahlen von Buch zu Buch schwanken können, scheint hinsichtlich der Position der „asmatischen Buchstaben" von Anfang an Übereinstimmung geherrscht zu haben. Um zu zeigen, daß ihre Verteilung auf keinen Fall irrational und zufällig, vielmehr das Phänomen selbst auf das engste und logischste mit der Wiederkehr melodischer Formeln verknüpft ist, müßten wir mehr Anschauungsmaterial bringen, als hier angebracht wäre. Andere Einschübe im gleichen Beispiel sind die Intonationsformeln des *Deuteros* und *Plagios tetartou* — „Neanes" und „Nehagie" — und die Ermahnung λέγετε (Dicite), die vielleicht wie die Intonationen von einem Vorsänger vorgetragen wurden.

Was die Responsorien der Heiligen Liturgie, die *Prokeimena* und die *Alleluiaria*, anbetrifft, so müssen wir zum *Psaltikon* greifen. Ausnahmslos entstammen ihre Texte dem liturgischen Psalter; ebenso ausnahmslos haben sie alle mindestens zwei, manchmal gar drei Verse. So aufschlußreich sie im Hinblick auf die vergleichende Liturgik auch sind — aus der heutigen Praxis sind diese Gesänge fast alle verschwunden.

Heute wird das *Prokeimenon* vom Lektor der Epistel unmittelbar vor seiner Ankündigung, daß aus dem und dem Buch des Neuen Testamentes gelesen werde, einfach in *tono lectionis* vorgetragen, während die Alleluiaverse oft ganz und gar ausgelassen und bestenfalls vom Vorsänger auf einem gleichmäßigen Rezitationston gesungen werden. Auch ist bemerkenswert, daß sich das *Psaltikon* in der Präsentation der *Prokeimena* der Liturgie selbst auf jene Klauseln der Verse und ihren Refrain beschränkt, die der Solist singt; mithin ist das uns vorliegende Material fragmentarisch und wenig schlüssig, so daß uns Beispiele hier auch nicht weiterbringen würden.

Im *Psaltikon* sind die Responsorien der Liturgie nicht nach dem Kalender, sondern nach *Modi* geordnet, und in einigen Kopien wird jede modale Reihe innerhalb des den Alleluiaria gewidmeten Abschnittes durch eine Version des *Alleluia*-Refrains eingeleitet. Seine Kürze und das Fehlen eines *Jubilus* braucht nicht zu überraschen, da auf der Hand liegt, daß er sich auf die Eröffnung des Refrains beschränkt, wie der Solist ihn vorträgt; auch die Verse brechen dort ab, wo die Chöre einsetzen.

Abermals ist das uns Vorliegende bruchstückhaft und ohne Beweiskraft, indes aber doch so umfangreich, daß eine Darlegung sich lohnt. Für die meisten Feste des Täufers und für bestimmte Märtyrerfeste schreibt der byzantinische Ritus als den ersten seiner zwei Alleluiaverse den Psalm 91,13 vor. Hier kann das Solo-*Initium* des Refrains gewinnbringend mit seinen Gegenstücken in klassischen römischen Alleluias wie *De profundis* (oder *Confitebuntur caeli*) und *Exsultate Deo* (oder *Jubilate Deo*) verglichen werden. Nicht minder instruktiv ist eine Gegenüberstellung des Verses und des römischen Alleluiaverses *Justus ut palma* — man wird dann nämlich entdecken, daß genau wie das Psaltikon das Singen des Schlußwortes πληθυνθήσεται durch die Chöre fordert, das *Graduale Romanum* den Vortrag des entsprechenden Wortes „multiplicabitur" durch den Chor verlangt.

So kurz das vorliegende Beispiel auch ist, es vermittelt doch einen recht deutlichen Eindruck von der Beschaffenheit des byzantinischen Alleluiaverses, und zwar nicht nur in allgemeinen Umrissen, sondern auch hinsichtlich des Maßes an kunstvoller Ausarbeitung und der Textdeklamation. Die melismatische Entwicklung beschränkt sich auf den Beginn des Verses und die Mittelkadenz. Anders als zuweilen im westlichen Gesang werden hier einzelne bezeichnende Worte innerhalb eines Gliedes nicht hervorgehoben. Außer am Schluß des Verses gibt es keine melismatische Ausweitung unbetonter Finalsilben. Textakzent und musikalischer Akzent stehen in der engstmöglichen Beziehung zueinander. Innerhalb eines gegebenen *Modus* kennt der byzantinische Alleluiavers nur eine einzige Form der Schlußkadenz, was bedeutet, daß er insgesamt überhaupt nur sechs solche Formen kennt, weil es — wie im ambrosianischen Gesang — keine F-Modus-Alleluias gibt.

Die Verse nun sind centonisierend zusammengestellt, und wenn man alle Centonisierungen, die aus dem gleichen Material gebaut wurden, als Varianten ihrer selbst betrachtet, dann kann man die 124 Verse des byzantinischen *Alleluia*-Zyklus auf sechs Grundtypen reduzieren. Wie es nur sechs Formen von Schlußkadenzen und nur sechs Versgrundtypen gibt, so bestehen lediglich sechs Kehrverse, die der Vorsänger überdies auswendig beherrschen muß, da die meisten Kopien des *Psaltikon* sie völlig übergehen und keine Kopie den einen oder anderen Kehrvers mehr als einmal bringt.

Weitere Beispiele für den byzantinischen Alleluiavers hat Wellesz in *Die Musik der byzantinischen Kirche* und in der 2. Aufl. seiner *History of Byzantine Music und Hymnography* übertragen. Auch berührte Wellesz in seinen *Eastern Elements* das Problem der Alleluias mit griechischem Text, die früher an der Lateranbasilika in Rom während der Pontifikalvespern der Osterwoche und bei gewissen Messen in der Oktav, darunter die für *Domenica in Albis*, gesungen wurden, ein Problem, das als erster Hugo Gaisser (in *Rassegna gregoriana* 1902) zur Sprache gebracht hat. In jüngerer Zeit hat es Christian Thodberg in *Der byzantinische Alleluiarionzyklus* (1966) erneut aufgegriffen, eine tiefschürfende Analyse der Alleluias des *Psaltikon*, der eine erschöpfende Untersuchung der im Lateran gesungenen griechischen Alleluias auf der Grundlage verschiedener Manuskripte der sogenannten „altrömischen" Tradition beigegeben ist. Zugegeben, daß vier der Vesper-Alleluias nur Angleichungen des griechischen Psaltertextes an eine lateinische Modellmelodie sind, kommt er zu dem Schluß, daß die restlichen drei nicht so einfach beiseitegeschoben werden können. Sie werden auch oder ausschließlich bei der Messe gesungen und haben seiner Ansicht nach mit den entsprechenden byzantinischen Melodien, wie sie das *Psaltikon* überliefert, so zahlreiche und so wichtige Berührungspunkte, daß mit Sicherheit auf einen gemeinsamen Ursprung geschlossen werden kann.

„Bei einer unmittelbaren Betrachtung scheint die Verbindung zwischen den byzantinischen und abendländischen Melodien nicht als eine Reihe von Zufällen zu erklären zu sein. Es handelt sich um eine Übereinstimmung auf breiter Grundlage, sowohl (in groben Zügen) in bezug auf die Melodienlinie, als auch auf zahlreiche Einzelheiten. Auf dieser Grundlage können wir schließlich vorsichtig die Hypothese über die abendländische Übernahme gewisser byzantinischer *Alleluia*-Vers-Melodien aufstellen."

Gewiß eine verführerische Hypothese — aber zugleich eine, die echte Schwierigkeiten bereitet. Wenn man die Lücke von fünf bis sechs Jahrhunderten bedenkt, die zwischen dem wahrscheinlichen Datum der angenommenen Übernahme der Melodien im Lateran und den Anfängen der schriftlichen Überlieferung in Ost und West klafft, und wenn man zudem die schlechte Qualität der Quellen beider Seiten ins Auge faßt — Schwierigkeiten übrigens, auf die Thodberg selbst hinweist —, dann scheint eine vorsichtige Reserve im Urteil doch sehr angebracht.

Mit dem Singen des *Alleluia*, der feierlichen Lesung des Evangeliums und dem Singen einer Litanei für die Katechumenen ist der erste Teil der Meß-Liturgie beendet. Nach dem Singen einer Litanei für die Gläubigen setzt sich der Gottesdienst mit dem *Offertorium* (oder *Hymnus cherubikos*) fort. Deshalb wenden wir uns dem *Asmatikon* zu, in welchem wir zwei einzelne Fassungen für zwei solcher Hymnen finden — die gewöhnliche (Οἱ τὰ χερουβίμ) mit ihren pseudo-dionysischen Obertönen und ihr Gegenstück, das am Karsamstag, in früherer Zeit aber auch anläßlich der Gottesdienste für die Weihe einer Kirche oder für den Jahrestag einer solchen Weihe (Σιγησάτω πᾶσα σάρξ) an ihrer Statt verwendet wurde.

Die erste der beiden Hymnen ist im *Asmatikon* nur durch ihre erste Zeile und ihr Schluß-*Alleluia* vertreten.

Entweder galt diese Fassung damals als so bekannt, daß eine Abschrift nicht erforderlich schien, oder die Zwischenzeilen wurden vom Solisten gesungen, dessen Melodie das *Psaltikon* nicht überliefert. Wie beim *Trisagion* gibt es auch für diesen Text natürlich keine „Originalmelodie" — das Singen eines *Hymnos cherubikos* zur Begleitung des feierlichen Einzugs des Klerus mit den Elementen des eucharistischen Opfers war schon 574 unter Kaiser Justin II. die Regel geworden. Nach allgemeiner Ansicht hat der Kaiser mit dieser Verfügung indes nur sanktioniert, was schon längst fester Brauch war. Mit dem 14. Jahrhundert und dem Erscheinen der kukuzelischen „Gottesdienstordnungen" tauchen auch neue Vertonungen der Texte auf, denen in späteren Quellen nicht selten ganze Abschnitte gewidmet werden, wobei die Fassungen nach dem Moduszyklus geordnet sind. Im Westen, wo es in übertragenem Griechisch oder in lateinischer Übersetzung zum üblichen *Offertorium* der *Missa graeca* wurde, hatte das Gedicht bereits um das 10. Jh. eine gewisse Verbreitung gefunden. Im Ms. Paris, Bibl. Mazarine 384, ist es wie folgt übersetzt:

Qui cherubim mystice imitamur
et vivificae trinitatis ter sanctum hymnum offerimus
omnem nunc mundam deponamus solicitudinem
sicuti regem omnium suscepturi
cui ab angelicis invisibiliter ministratur ordinibus:
Alleluia.

Als Beispiel schien uns jedoch die zweite dieser beiden Hymnen geeigneter zu sein, und zwar nicht nur, weil die im *Asmatikon* vorgefundene Fassung vollständig ist, sondern auch, weil sie als Vertonung eines nur selten verlangten Textes u. U. einen gewissen Grad von Authentizität beanspruchen könnte. Ihrer großen Länge wegen versagt sich eine Reproduktion an dieser Stelle, doch vermag man sich auch aus der Transkription der ersten zwei Zeilen und ihres Schluß-Alleluias bereits ein Bild zu machen. In unserem Beispiel folgt die Unterteilung der einzelnen Zeilen in Glieder der charakteristischen Interpunktion der Quellen. Wir zitieren den Anfang des Gedichtes in P. Kirchhoffs Übersetzung:

Schweigen soll alles sterbliche Fleisch
und in Furcht und Zittern dastehen.

Der größte Teil der Melodie unserer Hymne bleibt innerhalb des engen Quintenbereichs G—d. In ihrem weiteren Verlauf erhebt sie sich kaum je zum hohen f, und wenn, dann nur bei besonders wichtigen Worten. Das tiefe D, mit dem sie beginnt, wird nur einmal berührt. Die kleine Figur aus vier Noten, die Glied 1 beschließt, dient auch für viele der folgenden Glieder als Schlußformel und tritt insgesamt zehnmal auf. In unserem Beispiel erblicken wir sie wieder über den Schlußsilben der

Worte βροτεία und τρόμου; noch häufiger kehrt das Melisma wieder, das wir zuerst über dem Wort πᾶσα (Glied 2) antrafen, und das wir noch zweimal in Glied 5, einmal im Schluß-Alleluia und im melodischen Gesamtverlauf in der einen oder anderen Form noch zwanzigmal wiederfinden. Unweigerlich wird sie zwei Silben angepaßt, und zwar immer auf die gleiche Art und Weise, wobei die Position der zweiten Silbe genau fixiert ist. So bleibt das wesentliche Baumaterial der Melodie von Zeile zu Zeile mehr oder weniger gleich, und die verschiedenen Elemente kehren stets in ungefähr derselben Reihenfolge wieder. Das Ganze ließe sich vielleicht am besten als eine kunstvolle, freie psalmodische Behandlung der aufeinanderfolgenden Zeilen des Gedichtes beschreiben. Die Konstruktion erinnert stark an die des römischen *Tractus*.

Außer den beiden im *Asmatikon* überlieferten Hymnen gibt es noch eine weitere — Νῦν αἱ δυνάμεις (Nun die himmlischen Mächte), das gewöhnliche *Offertorium* der Liturgie der *Praesanctificata*, nachgewiesen bereits im Jahre 615. Dafür überliefern die kukuzelischen „Gottesdienstordnungen" eine Melodie, die dort als „altertümlich" beschrieben wird. Ihre Anfangszeilen hat Kenneth Levy in einem Beitrag für JAMS (1963) übertragen. Ebendort findet man auch die Teiltranskription einer anderen, in den „Gottesdienstordnungen" überlieferten Fassung von Σιγησάτω πᾶσα σάρξ sowie eine erschöpfende Diskussion des *Troparion* Τοῦ δείπνου σου (Prototyp der ambrosianischen Ingressa oder des nach dem Evangelium folgenden *Coenae tuae mirabili*), ein Gesang, der am Gründonnerstag sowohl als *Koinonikon* wie als Ersatz für das *Offertorium* gesungen wird.

In früherer Zeit wurden in den großen öffentlichen Kirchen des Kaiserreiches an Tagen, die dem Andenken der verschiedenen Kirchenkonzile gewidmet waren, in der Heiligen Liturgie feierlich die *Acta* der Konzile verlesen. Bei den Feiern zum Gedächtnis der Konzile von Chalkedon (451), Konstantinopel (680) und Nicäa (787) umschlossen sie auch den offiziellen Wortlaut des *Credo*. Zuweilen gab man ihrem Text ekphonetische Zeichen bei, und so besitzen wir für das Credo eine Art musikalischer Notation, mag sie auch noch so rudimentär sein.

Darüber gibt es von Gudrun Engberg eine Veröffentlichung in den *Classica et Mediaevalia* (1962) nach dem aus dem 11. Jh. stammenden Ms. Oxford, Bodleian Library, Holkam 6. Aber in dieser Form wurde das *Credo* nur dreimal im Jahr gesungen, und zwar nicht von den Chören und der Gemeinde, sondern von einem bestellten Lektor, und auch nicht nach dem *Offertorium*, sondern zwischen dem *Trisagion* und dem *Prokeimenon*. Wir haben kaum Anlaß zu der Vermutung, daß es in seiner Stellung nach dem *Offertorium* je gesungen worden wäre; heute wird es einfach von den Chören und der Gemeinde rezitiert, wie es wahrscheinlich stets die Regel gewesen ist. Eigenartigerweise müssen wir uns an westliche Manuskripte halten, wenn wir die frühesten Erscheinungsformen des griechischen *Credo*-Textes mit echter musikalischer Notation suchen.

Gleiches gilt auch für den griechischen Text des *Sanctus*. Im Westen liegen Melodien in lateinischen Neumen mit einem in lateinischen Buchstaben umgeschriebenen Text schon in den Manuskripten des 10. und 11. Jhs. aus Aquitanien, Norditalien, Deutschland und der Schweiz vor, während im Osten die frühesten Quellen mit musikalischer Notation für das *Sanctus* die Kopien der kukuzelischen „Gottesdienstordnungen" aus dem 14. Jh. (beginnend mit dem Jahr 1336) sind. Die aquitanischen und norditalienischen Melodien sind praktisch in jeder Hinsicht identisch, und die zahllosen Kopien der „Gottesdienstordnungen" beschränken sich auf eine einzige Formel.

Kenneth Levy hat, ausgehend von einem früheren, 1950 erschienenen Aufsatz Michel Huglos, das Gesamtproblem der Musik für das *Sanctus* in Ost und West im 5. Band (1958–1963) der *Annales musicologiques* gründlich durchleuchtet. Er gelangte zu dem vorsichtig formulierten Schluß, daß die Identität der östlichen und westlichen Melodien im Grundsätzlichen „reasonably certain" zu sein scheine. Levys definitive Untersuchung ist reich belegt und enthält in Faksimilewiedergabe wie in der Transkription die verschiedenen, miteinander verglichenen Melodien.

Während das *Asmatikon* bei der Darstellung der Chormusik des Gottesdienstes *Credo* und *Sanctus* völlig ignoriert, sind seine Vorschriften für das *Koinonikon (antiphona ad communionem)* reichhaltiger und vielfältiger als alle anderen, die es bringt. Unsere Kopien des Buches ordnen ihre Melodien dafür in zwei Zyklen an: einen in der Reihenfolge der acht Modi mit acht Vertonungen für jeden der drei am häufigsten benutzten Texte — den für Samstage (Ps. 32,1), Sonntage (Ps. 148,1) und die Liturgie der *Praesanctificata* (Ps. 33,9) —, und den anderen in der kalendarischen Anordnung mit den *Koinonika* für hervorragende Feste, wobei verschiedene derselben — so vor allem die für die

Marienfeste (Ps. 115,4) und für Gedächtnisfeiern für Hierarchen (Ps. 111,6) — in mehr als einer Vertonung auftauchen.

Während sich die Koinonika auf 26 Texte beschränken, wie unsere frühere Tabelle ausweist, gibt es erheblich mehr als 26 gesonderte Melodien, deren Zahl allerdings von Kopie zu Kopie schwankt. Nicht nur in dieser Hinsicht unterscheiden sich die *Koinonika* von den *Prokeimena* und *Alleluiaria*, sondern auch darin, daß sie Material sowohl aus dem liturgischen Psalter als auch aus anderen Büchern des Alten wie des Neuen Testamentes übernehmen. Es gibt sogar zwei nicht aus der Schrift stammende Texte, einen für Gründonnerstag und einen für Ostersonntag, denen der Alleluiarefrain fehlt, mit dem alle Koinonika auf Schrifttexte schließen. Das *Koinonikon* für Gründonnerstag hat Levy in dem bereits erwähnten Aufsatz im Zusammenhang mit dem *Hymnos cherubikos* veröffentlicht; Levy bringt außerdem eine Fülle von Vergleichsmaterial, darunter Zitate aus einer Reihe anderer *Koinonika* (einige aus dem *Asmatikon*, einige aus den „Gottesdienstordnungen"), sowie einen scharfsinnigen Kommentar und eine Analyse der Beziehung zwischen der byzantinischen Melodie und ihrem paläoslawischen Gegenstück, die alle späteren Forschungen auf diesem Gebiet stark beeinflußt hat. Hier dürfen wir uns mit einem kürzeren Beispiel bescheiden. Wir wählten das *Koinonikon* für den Ostersonntag weniger, um den modalen Zyklus abzurunden, als vielmehr weil es eine ausgezeichnete Zusammenfassung der charakteristischen Verfahrensweisen dieses Stils *„en miniature"* darstellt. Sein Text blieb nicht ohne Auswirkung auf das ambrosianische Transitorium *„Corpus Christi accepimus"*, obgleich die beiden Melodien nichts miteinander zu tun haben. Eine wörtliche Übertragung würde so lauten:

Corpus Christi accipite
fontem immortalem gustate.

Abermals folgt die Unterteilung der einzelnen Zeilen in Glieder der charakteristischen Interpunktion unserer Quelle. Offensichtlich besteht der Zweck dieser anscheinend exzentrischen und oft inkonsequenten Interpunktion darin, die Melodie in ihre Bestandteile aufzuspalten. In dieser Zerlegung wird deutlich, daß sie aus kürzeren und längeren Formeln besteht, von denen zwei im Verlaufe unseres Beispiels wiederkehren. Die meisten von ihnen finden sich überreichlich im ganzen asmatischen Repertoire wieder, manchmal auf der gleichen Stufe, manchmal in der Quinte darüber.

Und sie sind weniger mit einzelnen *Modi* als mit spezifischen Anordnungen von Ganz- und Halb-tonschritten verbunden. Wenn man Glied 3 mit dem Schluß von Glied 6, oder Glied 5 mit Glied 15 vergleicht, wird man entdecken, daß eine melodische Formel bei jedem Auftreten mit den gleichen „asmatischen Buchstaben" versehen ist, die immer gleich verteilt sind. Gewisse ornamentale Gruppen und längere Melismen teilt das *Asmatikon* mit dem *Sticherarion* und dem *Heirmologion*; aber sein Idiom, das von der syllabischen Deklamation wenig Gebrauch macht und einen viel größeren Reich-tum an fest ausgeprägten Formeln aufweist, stellt letzten Endes ein Idiom *sui generis* dar.

Auch im 11. Jh. wurde die asmatische Sammlung von *Koinonika* noch weiter ergänzt, und frühe Kopien des *Typikon* der Hagia Sophia setzen uns in den Stand, die Endphasen dieser Entwicklung zu verfolgen. Bestimmte *Koinonika,* darunter alle, die in mehr als einer Version existieren, müssen zu einer alten Schicht gehören; denn sowohl in der Patmos-Kopie aus dem 9. bis 10. Jh. wie in der Jerusalemer Kopie, die vielleicht ein Jahrhundert jünger ist, wird ein gegebenes *Koinonikon,* das zu dieser Gruppe rechnet, zuweilen als ἀρχαῖον (archaisch) beschrieben, um es von einem als νέον (neu) bezeichneten Alternativum zu unterscheiden. Doch keine Kopie verlangt alle *Koinonika* der Samm-lung, wenngleich die Jerusalemer Kopie in dieser Hinsicht vollständiger ist als die von Patmos. Sehr wahrscheinlich sind mehrere *Koinonika* für hervorragende Feste verhältnismäßig späte Komposition-nen. Die kukuzelischen „Gottesdienstordnungen" bringen neue Vertonungen der eingebürgerten Texte, und mit der Zeit geraten die traditionellen Melodien in Vergessenheit. Doch selbst heute noch wird das *Koinonikon* in einem melismatischen Stil gesungen, der an den des *Asmatikon* gemahnt. Neben dem *Hymnos cherubikos* bleibt es das bedeutendste und charakteristischste Merkmal der Musik für die Heilige Liturgie.

Oliver Strunk

Die Gesänge der byzantinisch-slawischen Liturgie

Der byzantinisch-slawische liturgische Gesang in allen seinen unterschiedlichen nationalen Fassungen ist für sich eine Form des Gottesdienstes, untrennbar mit der Liturgie verbunden, sei es in der Psalmodie auf einem Ton, sei es in Gestalt des prunkvollen mehrstimmigen Gesanges eines oder auch mehrerer Chöre.

In allen Formen und Steigerungen des musikalischen Elements ist es das gesungene Wort, entweder an Gott gerichtet als ein gesungenes Gebet, oder an die Zuhörer mit Verkündigung, Erzählung, Belehrung gewendet. Und weil man nicht wortlos beten oder verkündigen kann, wird die wortlose, also die instrumentale Musik für den Gottesdienst der byzantinisch-slawischen Kirche nicht zugelassen. Dieser Umstand führte schon frühzeitig zu einer reichen Entwicklung des melodischen Gutes und später — bei den Russen und Ukrainern ab Mitte des 17. Jhs. — des mehrstimmigen Chorgesangs a capella. Als eine Form der Liturgie, welche das musikalische Element benützt, ist der liturgische Gesang ein autonomes Gebiet, mit eigenen ästhetischen Gesetzen und eigenen musikalischen Formen.

Die byzantinisch-slawische Liturgie ist dieselbe wie die byzantinisch-griechische (abgesehen von einigen unwesentlichen nationalen und regionalen Varianten, die übrigens auch innerhalb der byzantinisch-griechischen Liturgie vorhanden sind). Die Texte sind die gleichen — nur ins Kirchenslawische aus dem Griechischen übersetzt; die Bezeichnung der Typen der Gesänge sind dabei (mit sehr wenigen Ausnahmen) die griechischen geblieben: Tropar, Hirmos, Antiphon, Stichera usw. Während indessen der Ritus und die Texte übereinstimmen, weist das musikalische System bei den slawischen Angehörigen der byzantinischen Kirche (Bulgaren, Russen, Serben, Ukrainer) starke Unterschiede auf. Es ist dies das Ergebnis der Wirkung verschiedener historischer und kultureller Faktoren auf die Entwicklung des liturgischen Gesanges bei den verschiedenen slawischen Völkern. Während bei den Bulgaren und Serben das musikalische System des liturgischen Gesanges dem byzantinisch-griechischen am nächsten steht, nähert sich der liturgische Gesang der russischen und ukrainischen Kirche den westlichen musikalischen Formen.

Das System

Dem liturgischen Gesang der ganzen orthodoxen Kirche liegt das Prinzip der acht Kirchentöne (*Osmoglasie* — ἤχοι) zugrunde.

Der musikalische und tonale Aufbau dieser Kirchentöne ist bei den verschiedenen slawischen Völkern sehr unterschiedlich. Bei den Bulgaren ist es eine Abart des spät-byzantinischen musikalischen Systems, das einige chromatische Tonarten mit sogen. „irrationellen" Intervallen enthält; das System der Serben ist auf dem gleichen Prinzip aufgebaut. Bei den Russen und Ukrainern dagegen ist das System der 8 Kirchentöne streng diatonisch, wodurch sich der Charakter der Melodien von den bulgarischen, griechischen und serbischen Kirchenmelodien stark unterscheidet. Außerdem haben die Russen und die Ukrainer seit dem 17. Jh. den mehrstimmigen Chorgesang nach westlichen musikalischen Prinzipien in der Liturgie eingeführt (was bei den Bulgaren und den Serben erst Anfang des 20. Jhs. der Fall war). Daneben blieben jedoch die alten melodischen Weisen bestehen, sei es, daß sie im Unisono oder in mehrstimmiger Form ausgeführt wurden. Am stärksten ist in dieser Hinsicht der liturgische Gesang der Russen differenziert.

Im System des liturgischen Gesanges der Russen sind der kanonische und der frei komponierte Gesang zu unterscheiden:

Der kanonische Gesang *(Ustavnoe pénie)*

Unter diesem Gesang versteht man jene melodische Weisen, die a) in den liturgischen Gesangbüchern mit linienloser Neumen-Notation („Krjuki-Notation") enthalten sind; b) in den liturgischen Gesangbüchern mit sogen. linierter Quadratnotation gesammelt sind, die seit 1772 von dem Synod der russischen Kirche mehrmals ediert wurden und dadurch als cantus receptus gelten. In diesen letzten Büchern wurden viele Melodien aus den Neumen-Hss. in die linierte Notation übertragen, dazu einige Weisen, die in der Mitte des 17. Jhs. und im 18. Jh. aus den Hss. und gedruckten (auch einstimmigen) liturgischen Gesangbüchern ukrainischer Provenienz eingeschaltet wurden, mit allen regionalen Varianten.

Der nicht-kanonische Gesang

Das ist der frei komponierte Chorgesang, dessen Melodien nicht aus den Büchern mit kanonischen Weisen entnommen wurden und der nach den Prinzipien der westlichen Kompositionslehre verfaßt ist. In allen Fällen aber, bei A) und B) handelt es sich ausschließlich um die liturgischen, bei dem Gottesdienst nach festen Regeln und Vorschriften gebrauchten Texte, aus welchen der Gottesdienst besteht: die Texte sind immer und ausschließlich kanonische, die musikalische Gestalt dagegen kann kanonisch oder nicht kanonisch sein.

A) Im kanonischen Gesang sind wiederum einige Gesangsarten (*Rospévy*) zu unterscheiden. Ein *Rospév* ist ein System von Melodien bestimmter Provenienz, mit eigenen Regeln für den tonalen und melodischen Aufbau und eigenen musikalischen Formen für die Vertonung der liturgischen Texte. Diese Gesangsarten sind:

1. *Známennyi* (anders: *Stolpovój*) Rospév- (d. h. „Neumen-" bzw. „Kolonnen-")Gesangsart, die älteste Gesangsart, deren schriftliche Denkmäler aus dem 11. Jh. stammen. Die heutige Fassung ist aus der Mitte des 17. Jhs. überliefert. Das Wort *Známja* bedeutet „Zeichen", „Neume", „Notation"; das Wort *Stolp* — „Säule", „Kolonne", auch den achtwöchentlichen Turnus der 8 Kirchentöne; also in diesem Sinn: *Stolpovój Rospév* = „Gesang im Turnus der 8 Kirchentöne". — 2. *Kíevskij Rospév* — „Kiewer Gesangsart" — jene kanonischen Weisen, die sich aus der ursprünglichen Stolp-Art auf ukrainischem Boden in der Zeit vom 13.–17. Jh. entwickelten, und in der Mitte des 17. Jhs. nach Zentralrußland von ukrainischen — „Kiewer" — Sängern importiert wurden, im 5-Linien-Notensystem mit quadratischen Notenköpfen notiert. — 3. Der *Gréceskij Rospév* („Griechische Gesangsart") wurde in der zweiten Hälfte des 17. Jhs. in Moskau von russischen Singmeistern nach der Stimme der dort weilenden griechischen Sänger und Geistlichen teilweise in russischen linienlosen Neumen, teilweise in linierter Notation aufgezeichnet. Dabei wurden die griechischen Melodien oft bis zur Unkenntlichkeit russifiziert. So hat die griechische Gesangsart der russischen Kirche mit dem Gesang der Griechen nur den Namen gemeinsam. — 4. *Bolgárskij Rospév* („Bulgarische Gesangsart") — der ebenfalls in der Mitte des 17. Jhs. von den „Kiewer" Sängern nach Zentralrußland eingeführt, in linierter Notation aufgezeichnet und in die synodalen Gesangbücher mit linierter Quadratnotation aufgenommen wurde. — Außer diesen Gesangsarten, die auf dem System der 8 Kirchentöne basieren, sind noch zwei Arten zu nennen, die allerdings nicht in allen synodalen Ausgaben angeführt sind: *Putevój Rospév* (von Put' — „Weg", wahrscheinlich im Sinne von *cantus firmus*) und die demestische Art — *deméstvennoe pénie* oder *Demestvó*, welche ebenfalls in das System des kanonischen Gesanges gehören. Die erste Art ist aus den Denkmälern der Jahrhundertwende vom 15. und 16. Jh. bekannt; die zweite gelangte als selbständiges Melodiensystem außerhalb der 8 Kirchentöne und als vierte Stimme im mehrstimmigen polyphonen Kirchengesang im 16. und 17. Jh. zur Blüte, wurde aber im Laufe des 18. Jhs. fast ganz vergessen.

Innerhalb eines *Rospév* sind einzelne Melodie-Gruppen für gewisse Typen der Gesänge vorhanden: sogen. *Napévy* („Melodien", „Weisen"): a) für die Gruppe der Stichiren (Strophen, die zwischen die Verse eines Psalmes eingeschoben werden); b) für die Troparia; c) für die Hirmen (Kopfstrophen des Kanons) und d) für die kleinen Responsorien und einzelne Psalmen-Verse. Außerdem können auch innerhalb eines Rospév und sogar innerhalb einer Gruppe der „Napévy" lokale, regionale und individuelle Varianten erscheinen (wie z. B. innerhalb der Stolp-Gesangsart — die Moskauer Weise, Weise des Kirillov-Klosters, von Ivan Lukoškov usw.).

Von den hier angeführten Gesangsarten der russischen Kirche sind nur die Stolp-Art (*Známennyj Rospév*) und die Kiewer Gesangsart vollständig, d. h. sie haben Melodien für alle Typen der Gesänge des Tages-, Wochen- und Jahreszyklus; die griechische und die bulgarische Art hat in den notierten Gesangbüchern Melodie-Modelle nur für bestimmte Typen der Gesänge. Für den Gebrauch einer bestimmten Gesangsart gibt es in der russischen Kirche keine festen Vorschriften. Hier sind die regionalen Gebräuche maßgebend. So z. B. lehnen die Altgläubigen, die seit Mitte des 17. Jhs. von der Staatskirche getrennt sind, den mehrstimmigen Gesang ab und pflegen weiter den einstimmigen Stolp-Gesang mit einigen Resten des demestischen und des Put'-Gesanges, während in der Staatskirche der mehrstimmige Chorgesang, auch für die kanonischen Weisen, üblich ist.

Die verschiedenen Gesangsarten unterscheiden sich hauptsächlich durch den melodischen Aufbau der Gesänge und durch die Struktur der Melodien in bezug auf den Text. So basiert der *Známennyi Rospév* auf dem Cento-Prinzip. Die Melodie eines Gesanges besteht aus einer Reihe fester, für einen Kirchenton (oder eine Gruppe von Kirchentönen) charakteristischer melodischer Phrasen (*Popévki*, etwa: „Tropen"), die sich gelegentlich im Laufe eines Gesanges periodisch oder nicht periodisch wiederholen oder auch unwesentlich variieren können. Diese melodischen Phrasen sind vorwiegend neumatischer Struktur (zwei bis drei Töne auf einer Silbe), stellenweise aber kommen Teile von melismatischer Struktur (vier und mehr Töne auf einer Silbe) und verhältnismäßig seltene syllabisch aufgebaute (ein Ton auf einer Silbe) Stellen vor. Den Melodien in allen Kirchentönen liegt der diatonische Dodekachord: G—A—H c—d—e f—g—a b—c'—d' zugrunde, wobei die Töne nur konventionell mit den Noten koordiniert sind: diese sind nur ein Anhaltspunkt für die Intervallverhältnisse der Melodie; es erklärt sich dadurch, daß der Gesang unabhängig ist von Musikinstrumenten und die wirkliche Tonhöhe sich ausschließlich nach der Stimme des Sängers richtet. Diese Tonleiter wird zerlegt in eine Reihe von Trichorden von gleichem tonalem Aufbau (je ein Ganzton zwischen den Stufen eines Trichordes und ein Halbton zwischen den Trichorden, wodurch sich das H im tiefsten Trichord gegenüber dem b im vorletzten Trichord erklärt. Jedes Paar der benachbarten Trichorde bildet einen Hexachord (z. B.: c—d—e—f—g—a), innerhalb dessen sich Melodien verschiedensten Charakters entwickeln können; sie überschreiten selten die Grenzen eines Hexachordes.

Die Gesänge der Kiewer (und der griechischen) Art sind auf dem Prinzip der Periodizität der Zeilen mit Rezitativ-Charakter aufgebaut; in dieser Hinsicht gleichen sie in etwa der Struktur der Gregorianischen Psalmodie. Die Melodie eines Gesanges besteht aus einer festen Anzahl (2—6) musikalischer Phrasen, die sich nach Bedarf in der gleichen Reihenfolge wiederholen und dadurch regelmäßige Perioden bilden, die entweder mit einer besonderen Schlußphrase oder mit der letzten Phrase einer Periode den Gesang abschließen. Eine Zeilen-Phrase besteht aus einer Einleitungs-Wendung (*Arsis*), dann aus einem Rezitativ auf einem Ton (in jeder nachfolgenden Phrase auf einer anderen Tonhöhe) und aus einer kurzen Schluß-Wendung (*Thesis*). In manchen Fällen kann die Arsis mit dem Rezitativ verschmelzen. Diese melodischen Phrasen sind syllabischer Struktur, nur in der Arsis und besonders in der Thesis können 2 oder 3 (in der Thesis auch bis 5) Töne auf einer Textsilbe vorkommen, wobei die Gruppierung der Töne in einer solchen Wendung von den Wortakzenten abhängig ist. Es gibt sehr wenige Melodien der Kiewer und der griechischen Art, die melismatischer Struktur und daher melodisch entwickelt sind; sie werden nur auf die Texte einiger feierlicher Ordinarien, für die kein fester Kirchenton vogeschrieben ist, angewendet.

Die wenigen bekannten Melodien der bulgarischen Art (fast nur auf Texten der Troparia-Gruppe) sind vorwiegend melismatischer Struktur; die Melodie eines Gesanges ist nach dem Prinzip der Zeilen-Perioden aufgebaut, wobei die Periode aus einer kleinen Anzahl (2—3) melodischer Phrasen besteht, die nach Bedarf regelmäßig wiederkehren.

In allen diesen Gesangsarten liegt der Unterschied zwischen den Kirchentönen in melodischen und strukturellen Formen; der tonale Unterschied (wie es der Fall im byzantinisch-griechischen, byzantinisch-bulgarischen und serbischen Kirchengesang ist, wo die Kirchentöne sich durch ihre Tonleiter unterscheiden) ist unklar und nicht stabil. Es lassen sich für einen Kirchenton feste Merkmale wie Initium, Dominante und tonus finalis nicht einwandfrei feststellen. Auch der Unterschied zwischen den authentischen und plagalen Kirchentönen ist nicht mehr auszumachen. (Als authentische Kirchentöne gelten die ersten vier, als plagale die letzten vier, wie es im byzantinisch-griechischen System der Fall ist, die Numerierung der Kirchentöne bei den Slawen erfolgt nach der Ordnungszahl.)

Das System der 8 Kirchentöne ist obligatorisch für die Ausführung der Proprien, die besonders zahlreich in der Vesper und in der Matutin erscheinen, wenig in der hl. Liturgie (hl. Messe), wo die Proprien fast nur im ersten Teil — in der Liturgie der Katechumenen — angeordnet sind. Für die Ordinarien, die das unveränderliche, konstante Gerüst des Offiziums bilden, sind gewöhnlich keine bestimmten Kirchentöne vorgeschrieben. Diese Gesänge können daher entweder in einem beliebigen Kirchenton oder auf einer Melodie, die außerhalb des Systems der 8 Kirchentöne steht, ausgeführt werden. Im Chorgesang sind es hauptsächlich frei komponierte, nicht kanonische Weisen in verschiedenen Stilrichtungen oder kunstvolle Bearbeitungen der kanonischen Melodien für den Chor.

In der Regel sind für den Gottesdienst zwei Chöre vorgesehen, die rechts und links vor der Ikonostase stehen und abwechselnd singen. In gewissen Momenten des Gottesdienstes versammeln sich beide Chöre in der Mitte der Kirche und singen als ein Chor (*Katavásija, Schod* — lies: „s-chod"), dann trennen sie sich wieder und singen erneut abwechselnd. Sehr charakteristisch ist der Gesang mit einem Kanonarchen. Der Kanonarch hat im Grunde die Aufgabe eines Souffleurs: er steht vor dem Chor, diesem zugewendet, und skandiert auf einem Ton den Text Phrase für Phrase, die Sänger wiederholen die souffierte Phrase melodisch. So können die Sänger, wenn sie die Melodie auswendig kennen, ohne Noten und ohne Textbuch singen. Diese Gesangsmethode findet man hauptsächlich in den Klöstern, da die Sänger dort durch tägliches Singen mit den kanonischen Weisen am besten vertraut sind.

Zu den charakteristischen Eigenschaften der kanonischen Weisen gehört ihr unsymmetrischer Rhythmus, der besonders in Gesängen mit zahlreichen Rezitativ-Stellen in Erscheinung tritt. Dieser Rhythmus, ohne regelmäßige systematische Wiederkehr der akzentuierten und nicht akzentuierten (oder schwach akzentuierten) Melodie- und Textstellen ist durch unsymmetrische, freie Rhythmik der Texte in Prosa bedingt. Daher lassen sich die Gesänge in kanonischen Weisen nur in Ausnahmefällen taktieren. Sie werden auch in mehrstimmigen Bearbeitungen untaktiert geschrieben. Die mehrstimmige Bearbeitung bzw. Harmonisation der kanonischen Weisen nach 8 Kirchentönen setzt dabei den kanonischen Wert der Gesangsweisen nicht herab: maßgebend ist die Melodie und ihre Zugehörigkeit zum System der acht Kirchentöne und zu einer der Gesangsarten (*Rospévy*), die in den neumierten oder notierten liturgischen Gesangbüchern für eine Stimme vom hl. Synod der russischen Kirche ediert, enthalten sind.

B) Den nicht kanonischen liturgischen Gesang der russischen Kirche bilden die zahlreichen freien Kompositionen für Kirchenchöre. In der Regel waren es gemischte Chöre; die Männerchöre waren fast nur in Männer-Lehranstalten üblich; die Chöre in Klöstern sangen eigentlich nie freie komponierte Weisen und hatten ihre eigene kanonische Tradition. Die Kompositionen wurden entweder von der Zensur der Kaiserlichen Hofkapelle, von der geistlichen Zensur oder von der Moskauer Synodalen Schule für Kirchengesang für den Gebrauch beim Gottesdienst approbiert und zugelassen.

Die Kompositionen betreffen hauptsächlich die Ordinarien der Officia — also jene Gesänge, für die kein bestimmter Kirchenton vorgeschrieben ist. Hierzu kann man auch jene Kompositionen rechnen, die eine völlig freie Variation einer kanonischen Melodie darstellen. In nicht kanonischen Weisen sind die Grenzen zwischen kirchlichem (liturgischem) und weltlichem Charakter oft verschwommen. Die meisten derartigen Kompositionen werden in symmetrischem Rhythmus, genau taktiert, verfaßt. Deshalb werden in solchen Kompositionen Wort- oder sogar Phrasen-Wiederholungen nötig, die dem logischen und zuweilen dem grammatischen Sinn des Textes widersprechen. Während in den kanonischen Weisen der Text das musikalische Element regiert, wird in den vielen freien Kompositionen der Text dem musikalischen Element unterworfen. Was die Form derartiger Kompositionen betrifft, kann man auf sie die Bezeichnungen der entsprechenden westlichen Formen der geistlichen und profanen Musik anwenden: Motette, Lied, Kuplett, Konzert usw., obwohl man sie nach den ersten Worten des Textes nennt. Eine Ausnahme bilden jene Kompositionen, die im Geist und Stil der kanonischen Melodien komponiert sind.

Geschichte

Das heutige System des liturgischen Gesanges der Russen ist das Ergebnis einer Entwicklung seit dem 11. Jh., die unter gegenseitiger Einwirkung verschiedener kultureller, historischer und kirchenmusikalischer Faktoren stand. Die Teilung der orthodoxen Kirche bei den Slawen in autokephal, administrativ und jurisdiktionell voneinander unabhängige, nationale Kirchen, die in ihrer Gesamtheit zusammen mit den nichtslawischen orthodoxen Kirchen die orthodoxe Kirche bilden, verwehrt es, von einem *einheitlichen* Gesang im byzantinisch-slawischen Ritus zu sprechen. Während die bulgarische und die serbische Kirche bis zum 19. Jh. in engster Verbindung mit der griechischen Kirche und ihrer liturgisch-musikalischen Kultur standen, genoß die Kirche bei den Ostslawen seit ihrer Entstehung am Ende des 10. Jhs. eine gewisse liturgisch-musikalische Selbständigkeit. Der liturgische Gesang konnte vor beinahe 1000 Jahren eigene musikalische Wege verfolgen.

Zwei Epochen sind im liturgischen Gesang der orthodoxen (und teilweise unierten) Ostslawen zu unterscheiden: I. Die Epoche der Monodie, des einstimmigen Gesanges (Unisono) — von der Christianisierung bis zur Mitte des 17. Jhs., und II. Die Epoche des mehrstimmigen liturgischen Chorgesanges nach dem Muster der westlichen Musik — von der Mitte des 17. Jhs. (bei den Ukrainern vom Anfang des 17. Jhs.) bis heute.

Es ist noch nicht einwandfrei festgestellt, ob die Ostslawen, als die orthodoxe Kirche im Rurikiden-Reich dem Patriarchat von Konstantinopel bei ihrer Gründung unterstellt war, den Kirchengesang in *vollem* Umfang von den Byzantinern übernommen haben: anders gesagt, ob die Gesangsweisen einfach verpflanzt und nur für die ins Slawische übersetzten Texte adaptiert wurden. Die liturgischen Bücher wurden schon in der übersetzten Form von den Bulgaren, die etwa 100 Jahre vorher christianisiert worden waren, übernommen. Allerdings enthalten die ältesten russischen liturgischen Gesangshss. (aus dem Ausgang des 11. Jhs.) mit der linienlosen Neumen-Notation (die graphisch der sogen. palaeobyzantinischen Notation gleich ist, orthographisch aber einige Eigentümlichkeiten aufweist) ein ordentlich ausgearbeitetes Neumen-System. Diese Notation, die sogen. „Stolp-Notation" (auch *Krjukí-*, — „Haken"-Notation, *Stolpovóe známja*), kann man weiter in ihrer Entwicklung Schritt um Schritt bis zum 17. Jh. verfolgen. Durch diese Notation wurde die Urform und ihre allmählich weiter entwickelten Formen des Grundgesanges der russischen Kirche — *Známennyj Rospév* (Stolp-Gesang, Neumen-Gesang) notiert.

Parallel zu dieser Gesangsart und Notation war im 11. bis 13. Jh. eine andere Gesangsart, zweifellos byzantinischer Herkunft, mit eigener linienlosen Notation bekannt: die sogen. *Kondakarien-Art (Kondakarnoe pénie)*. Während die Stolp-Art einen schlichten, vorwiegend syllabischen Charakter hatte, zeichnete sich die Kondakarien-Art durch einen äußerst melismatischen Aufbau der Melodien aus. Diese Art wurde bei den besonders feierlichen Gesängen (Kondakia, Hypakoe, Kommunionsgesänge) angewendet. Die sehr komplizierte *Kondakarien-Notation* ist bis heute noch nicht endgültig entziffert (wie auch die älteste Form der Stolp-Notation bis zum 16. Jh.). Die Gründe, warum die Kondakarien-Art beinahe plötzlich, ohne eine erkennbare Spur zu lassen, mit dem 13. Jh. verschwand, sind unklar. Ob möglicherweise einige Kondakarien-Weisen in mündlicher Überlieferung oder transkribiert in der Stolp-Notation weiterlebten, ist noch nicht zu beweisen. Allerdings gehören die Denkmäler aus dem 14., 15. und 16. Jh. nur der Stolp-Notation an. Im 15. Jh. ist eine Reform der Stolp-Notation zu spüren, die, wie man aus den Neumen schließen kann, eine weitere melodische Bereicherung und Entwicklung darstellt. Erst mit dem 17. Jh. ist die Stolp-Notation einwandfrei zu entziffern.

Im 16. Jh. erscheinen die ersten schriftlichen Denkmäler der liturgischen Mehrstimmigkeit, notiert mit einem linienlosen Neumensystem, der sogen. *Put'*-Gesang (*Putevój Rospév, Pútnoe pénie*), und in der Mitte des 16. Jhs. der sogen. „Dreizeilige Gesang" (*Troestróčnoe pénie*) und besonders der demestische Gesang *(Deméstvennoe pénie, Demestvó)*, mit eigenen Notationen, die nichts anderes als Abarten der Stolp-Notation sind. Diese Mehrstimmigkeit ist polyphoner Natur, unterscheidet sich aber wesentlich von der westlichen Polyphonie des 16. Jhs.

Während der *Put'*-Gesang auf dem System der 8 Kirchentöne basiert und sich von der Stolp-Art durch eine besonders melismatische Struktur und synkopischen Charakter seiner Melodien unterscheidet, steht der demestische Gesang außerhalb des Systems der 8 Kirchentöne. Wahrscheinlich stellte der demestische Gesang eine Art freier Kompositionen dar, die sozusagen durch den häufigen Gebrauch kanonisiert wurden. Der demestische Gesang (die Bezeichnung wird von dem Wort „Deméstnik", russifizierte Form von „δομέστιχος" als Präfekt und Leiter der Kantorei, abgeleitet) wurde bei besonders feierlichen Angelegenheiten verwendet. (Die Chroniken erwähnen den demestischen Gesang schon in der Mitte des 15. Jhs., die schriftlichen Denkmäler dieser Art erscheinen aber erst in der zweiten Hälfte des 16. Jhs.). Was den *Put'*-Gesang betrifft, ist seine Bezeichnung noch nicht einwandfrei geklärt. Das Wort *Put'* bedeutet „Weg"; daher wurde die Put'-Gesangsart als Gesang gedeutet, der nur auf Wallfahrten, Feldzügen und außerhalb der Kirche ausgeführt wurde. Dieser Deutung widerspricht jedoch die Art der Gesänge, die in *Put'*-Notation aufgezeichnet sind. Es handelt sich z. B. um Gesänge des Pontifikalamtes und der Kirchenweihe, die ausschließlich innerhalb der Kirche gesungen werden können. Es scheint, daß die Deutung dieses Wortes im Sinne von „cantus firmus" die glaubwürdigste ist. Die Mehrstimmigkeit dieser Gesangsarten ist kaum von der Forschung erfaßt.

Der *Put'*-Gesang kam schon im Laufe des 17. Jhs. außer Gebrauch, der demestische dagegen wurde noch im 18. Jh. in der Staatskirche praktiziert, bei den Altgläubigen sogar noch bis heute. Nur wenige Melodien der *Put'*-Art und des demestischen Gesanges fanden Platz in den späteren (seit 1772) gedruckten Ausgaben des hl. Synod der russischen Kirche. Sie wurden für eine Stimme im linierten Noten-System umgeschrieben.

Hauptträger der kirchenmusikalischen Kultur waren in der ersten Epoche die Klöster, der Klerus, die Singmeister (*Masteropévcy*) und die Kantorei des Großfürsten (gegründet urkundlich zu Anfang des 16. Jhs., wahrscheinlich aber schon in der zweiten Hälfte des 15. Jhs.), *Gosudárevy pévčie d'jakí*. Nach 1589 wurde parallel zu dieser Kantorei, genau nach deren Muster, die Kantorei des Patriarchen gegründet (*Patriáršije pévčie d'jakí*). Im 16. Jh. besonders berühmt waren die Singmeister: Vasilij Rógov (später als Metropolit von Rostow, Varlaám, bekannt), sein Bruder Sávva, der Moskauer Priester Feodor Christiánin, Ivan Lukóškov, Stefan Golýš, der Abt Markell Bezboródyj, Ivan Šajdúrov und sogar der Zar Johann IV. („der Schreckliche", 1533—1584).

Zentrum der kirchenmusikalischen Kultur in den ersten drei Jahrhunderten der russischen Kirchengeschichte waren Kiew (das als Kathedra griechischer Metropoliten unter starkem Einfluß der damaligen byzantinischen kirchenmusikalischen Kultur stand), und Nowgorod (dessen Erzbischöfe durchweg Slawen waren) — wahrscheinlich mehr nationaler Richtung. Nach dem Einfall der Mongolen (1237), der Zerstörung Kiews und Übersiedlung des Metropoliten nach Wladimir und später (1325) nach Moskau, blieb die von den Mongolen nicht berührte reiche Hanse-Stadt Nowgorod Zentrum. Erst mit dem Anfang des 16. Jhs. erlangt Moskau Bedeutung als kirchenmusikalisches Zentrum und Nowgorod verliert nach und nach seine führende Rolle, um in der Mitte des 17. Jhs. von der kirchenmusikalischen Bühne zu verschwinden.

Die weitere Entwicklung der altrussischen Polyphonie in der Form des *Put'*- und demestischen Gesanges wurde unterbrochen durch die Einführung des mehrstimmigen Chorgesanges in der Mitte des 17. Jhs. auch für die kanonischen Weisen, der auf der westlichen Kompositionslehre basiert. Mit dieser — man kann sagen — Revolution auf dem Gebiet des liturgischen Gesanges endet die erste Epoche in der Geschichte des liturgischen Gesanges der Russen, und es beginnt die zweite Epoche: die Epoche des mehrstimmigen liturgischen Chorgesanges nach westlichem Muster. Diese Epoche wird dadurch charakterisiert, daß das Hauptgewicht sich vom liturgischen Element auf das rein musikalische verschiebt; die Grenzen zwischen Liturgischem und Profan-Musikalischem werden immer undeutlicher, so daß man im 19. Jh. den liturgischen Gesang nicht mehr als eine Form des Gottesdienstes empfindet, sondern als vokale Musik, die nur eben dem Gottesdienst zu dessen Ausschmückung und zur Begleitung der sakralen Handlungen dient. Träger der kirchenmusikalischen Kultur sind in dieser Epoche nicht mehr die Singmeister, Klöster und die Kantoreien, die dem Klerus unterstehen, sondern nach und nach Chöre, die Laien unterstehen, und private Berufschöre.

Nach der politischen Union der Ost-Ukraine mit dem Moskowitischen Reich (1654) kamen zahlreiche Kirchensänger und gelehrte Theologen aus der Ost-Ukraine (*Kiewer Rußland*) nach Moskau und Nowgorod. Sie brachten ihre eigenen Gesangsweisen mit (*Kievskij Rospév*) und den mehrstimmigen liturgischen und religiösen, nicht beim Gottesdienst zugelassenen Chorgesang. So ist die Geschichte des russischen liturgischen Chorgesanges der zweiten Epoche aufs engste mit der Geschichte des Kirchengesanges der Ukrainer verknüpft.

Leider aber ist die Geschichte bis zum 17. Jh. noch nicht erforscht. Die Entwicklung der liturgischen musikalischen Kunst der Ukrainer, die seit dem 14. Jh. unter polnischer und litauischer Herrschaft standen, wurde in hohem Maße vom Kampf der Orthodoxen gegen die katholische Propaganda und damals mit ihr verbundenen Polonisierung beeinflußt. Um der Propaganda und Polonisierung Widerstand zu leisten, haben die Orthodoxen Bruderschaften gegründet, Schulen unterhalten und besonders den Kirchengesang gepflegt. Um ein eindrucksvolles und wirksames Mittel gegen die anziehende Kraft der prunkvollen katholischen Kirchenmusik und des protestantischen Chorals zu schaffen, haben die Bruderschaften den mehrstimmigen Chorgesang in die Liturgie der orthodoxen Kirche eingeführt, wobei mehrstimmige Weisen nach dem Vorbild der katholischen instrumentalen Kirchenmusik einerseits, andererseits nach dem Vorbild des protestantischen Chorals verfaßt wurden. Sogar die kanonischen Weisen wurden dort nicht mehr einstimmig gesungen: sie wurden jetzt drei- und vierstimmig in Terzparallelen mit einer Baß-Stimme ausgeführt. Außerdem entstanden auch zahlreiche freie Kompositionen im polyphonen Stil, wiederum von der polnischen Musik von damals beeinflußt. Weil dieser mehrstimmige liturgische Gesang nach Stimm-Partien (*Partés*) gesungen wurde, bezeichnete man ihn als *Partés* (Akzent auf der letzten Silbe), oder *Partésnoe pénie* im Gegensatz zu dem monodischen Gesang.

Diesen Gesang brachten die „Kiewer Sänger" mit in das Moskauer Reich. Der Zar Alexej Michajlowitsch (1645—1676) und der Patriarch Nikon (1652—1658) unterstützten energisch den neuen Partés-Gesang, der sich ziemlich rasch auch in den Klöstern, in denen Mönche aus dem Kiewer Gebiet wohnten, verbreitete. Die gelehrten Kiewer Mönche fanden auch Zutritt zum Episkopat. Die ukrainischen Sänger wurden gerne in die Kantoreien des Zaren und des Patriarchen aufgenommen. Der neue Gesangsstil verbreitete sich indessen nicht ohne Widerstand seitens eines Teiles des Klerus und der Gläubigen. Besonders bedenklich war für die konservativen Kreise die Ähnlichkeit des „Kiewer" und Partés-Gesanges mit dem Gesang der Lateiner, den die Moskowiter zur Zeit der Polnischen Invasion unter dem Pseudo-Demetrius (1605—1606) und in den Wirren danach (bis 1613) kennengelernt hatten. Erst nach der Approbation dieses Gesanges durch die in Moskau weilenden Patriarchen Paisios von Alexandrien und Makarios von

Antiochien (1668) wurde das Gewissen der orthodoxen Russen, was den mehrstimmigen liturgischen Chorgesang „im polnischen Stil" betrifft, einigermaßen beruhigt.

In dem von den ukrainischen Sängern eingeführten Gesang sind drei Arten zu unterscheiden: 1. Der mehrstimmige Gesang der kanonischen Weisen in Terzparallelen mit Baß, eventuell auch mit einer vierten Mittelstimme; 2. Der frei komponierte polyphone Partés-Gesang mit reich figurierter („excellentierender") Baß-Stimme; 3. Der sogen. „Kantus-Stil" (*Kánty* von „cantus"), streng homophon, auf harmonischer Basis, dreistimmig, auch für nicht liturgische religiöse Lieder. Alle diese Arten sind noch bis heute in der Praxis der russischen Kirche lebendig, wobei der Partés-Gesang seine Bedeutung fast verloren hat.

Dieser Stil herrschte neben den alten, monodisch ausgeführten kanonischen Weisen des Stolp-Gesanges und dem immer mehr in den Hintergrund gedrängten demestischen Gesang bis in die zweiten Hälfte des 18. Jhs. vor. Man kann diese Zeit Periode des Partés-Gesanges und der Mehrstimmigkeit im polnisch-ukrainischen Stil nennen.

Eine große Rolle spielte dabei die Verlegung der Kantorei des Zaren aus Moskau nach dem eben gegründeten (1703) St. Petersburg. Als Privat-Chor des Herrschers mußte sich diese Korporation nach dem Geschmack des Herrschers richten. So traten die Hofsänger — wie unter Peter dem Großen (1682—1725) die Kantorei des Zaren genannt wurde — auch in weltlichen Veranstaltungen auf und wurden sogar unter Kaiserin Anna (1730—1740) dem italienischen Kapellmeister Francesco Araja zur Schulung anvertraut.

Mit dem dritten Viertel des 18. Jhs. setzt der Einfluß der italienischen Musik auf den Kirchengesang ein. Besonders stark war er zur Zeit der Kaiserin Katharina II. (1762—1796), als zum Direktor der Hofsänger (jetzt „Kaiserliche Hofkapelle" — *Imperátorskaja Pridvórnaja Pévčeskaja Kapélla* genannt) der Italiener Baldasare Galuppi (Direktor 1765—1768) ernannt wurde, dem im Amt sein Schüler Dimitrij Bortnjánskij um 1796 nachfolgte. Galuppi und sein Zeitgenosse Guiseppe Sarti (ebenfalls in Petersburg tätig) haben für die russische Kirche liturgische Texte vertont, außerdem komponierten sie sogenannte „Konzerte" — gewöhnlich auf den Text einiger Verse aus verschiedenen Psalmen —, die als freier Kommunionsgesang während der Kommunion des Klerus ausgeführt wurden, und zwar zuerst durch die Hofkapelle, bei feierlichen Gottesdiensten in Anwesenheit der kaiserlichen Familie, später auch durch alle anderen Chöre.

Gewöhnlich hat ein solches „Konzert" drei Teile: a) im langsamen Tempo, b) im schnellen Tempo und c) eine Fuge oder Fugato. Es ist verständlich, daß diese Komponisten, die ja ganz unter dem Eindruck der lateinischen Kirchenmusik standen, keine ihnen wesensmäßig völlig fremde Musik schaffen konnten. Auch Bortnjánskij komponierte im Stil dieser Komponisten, aber er versuchte, ihn in einigen Gesängen mit dem Kantus-Stil zu verschmelzen.

Die bedeutendsten Komponisten in diesem russisch-italienischen Stil („russisches Barock" im Kirchengesang) sind alle Schüler von Italienern: M. Berezóvskij (1745—1777) studierte in Bologna bei Martini (sen.), S. Davýdov (1777—1825), A. Védel (1767—1806), S. Degtjarév (1766—1813) waren alle Schüler von Sarti.

Auf dem Gebiet des monodischen kanonischen Gesanges wurden Maßnahmen getroffen, die kanonischen Weisen, die in den neumierten und linierten Gesangbüchern gesammelt wurden, zu systematisieren und zu kodifizieren und sie zu drucken, um sie vor weiteren Änderungen und willkürlichen Variationen zu bewahren. Die älteste gedruckte Ausgabe ist das Hirmologion der Lemberger Bruderschaft in Quadratnotation im Altschlüssel für eine Stimme aus dem Jahre 1700. Sie enthält die Gesänge des Jahres-, Monats- und Wochenzyklus, in der Fassung, die in Galizien und auf ukrainischem Boden gebräuchlich war. Diese Ausgabe wurde als Muster den Ausgaben des hl. Synod der russischen Kirche zugrunde gelegt. Im Jahre 1772 edierte der hl. Synod eine Serie liturgischer Gesangbücher in der Notation der Lemberger Ausgabe. Es sind: 1. *Obichód* (etwa: „Tagesbedarf", *Liber usualis*) mit den Gesängen der feierlichen Vesper und Matutin (Ordinarien und einige Sonntags-Proprien) und der hl. Liturgie; 2. *Irmológij* — Sammlung der Hirmen in allen Kirchentönen; 3. *Októich* — Proprien für Sonntage, nach 8 Kirchentönen geordnet; 4. *Prázdniki* (Feste) — Proprien der 12 größten Herren- und Marienfeste und 5. (viel später erschienen) *Triód'* — Proprien für den Großen-Fasten-Zyklus und für die Zeit von Ostern bis zum ersten Sonntag nach Pfingsten. Im Obichód sind Gesänge aller kanonischen Weisen, die in der russischen Kirche im Gebrauch waren, zusammengefaßt, in Irmológij, Októich, Prázdniki und Triód' — fast ausschließlich in Stolp-Art („Známennyj Rospév"), aus den besten Neumen-Hss. in die linierte Notation, übertragen. Die synodalen Ausgaben wurden zum Grundgesang, *cantus receptus*, erklärt, und alle Kirchen wurden mit diesen Büchern versehen. Die Ausgaben wurden mit einigen Änderungen im Umfang und in der Redaktion der Melodien mehrmals ediert. Dank dieser wurde das System des kanonischen Gesanges der russischen Kirche endgültig fixiert. Dabei blieben die lokalen Varianten und Weisen der alten Klöster und großen Kathedralen in Kraft.

Die Begeisterung für den Partés-Stil und den Stil der Italiener und eine gewisse Ablehnung der altrussischen monodischen und mehrstimmigen Weisen (Put'- und demestischer Gesang) wurden im 18. Jh. gewissermaßen durch die Abkehr von den altrussischen Sitten und durch die Begeisterung für alles Westliche bedingt. Besonders gilt das für den italienischen Stil: seine Verbreitung fällt zusammen mit den Säkularisations-Bestrebungen der Regierung unter Katharina II. und der Hegemonie der Hierarchie ukrainischer Herkunft. Es hat seine Parallele in der Ikonenmalerei: anstelle der alten traditionellen Ikonen werden Kopien der italienischen Meister und stark barockisierte Ikonen in die Kirche eingeführt, in der Architektur entsteht das „Petersburger Barock".

Die Hofkapelle diente als Muster für alle Kirchenchöre Rußlands. Kirchenchöre entstanden überall, besonders bei Bischöfen, hohen Zivil-Würdenträgern oder bei reichen Gutsbesitzern, wo sie sich aus deren Leibeigenen rekrutierten. Es waren gemischte Chöre mit Knabenstimmen. Solche Chöre sind schon aus der Mitte des 18. Jhs. nachweisbar, aber Nachrichten über Knabenstimmen sind aus dem 17. Jh. vorhanden. Das Entstehen zahlloser neuer Kirchenchöre, die von Schülern der Italiener oder sogar, in vielen Fällen, besonders in der Provinz, von musikalisch unausgebildeten ehemaligen Choristen geleitet wurden, und die Verweltlichung des Stils der neuen Kompositionen für Kirchenchöre, verlangte nach einer Kontrolle des liturgischen Chorgesanges. So erhielt Bortnjánskij 1816 durch einen kaiserlichen Erlaß das Zensurrecht für alle Kompositionen, die für den Gebrauch im Gottesdienst vorgesehen waren. Typisch für jene Zeit ist, daß die Aufsicht über den Kirchenchorgesang nicht von der obersten Kirchenbehörde ausgeübt wurde, sondern durch einen Laien, der in einem der orthodoxen Kirche fremden Stil erzogen war.

Mit Bortnjánskij (1752—1825) endet die Periode der italienischen Einflüsse im russischen Kirchengesang. Bortnjánskij kann als „letzter Italiener" der russischen Kirchenmusik betrachtet werden. Sein Stil wurde nicht weiterentwickelt, seine zahlreichen Epigonen schufen nichts Bedeutendes. Mit dem zweiten Nachfolger Bortnjánskijs in der Hofkapelle, dem General A. Lvov (Direktor 1837—1861) beginnt die dritte Periode der zweiten Epoche: die Periode der Einflüsse der deutschen Musik und der Vereinheitlichung des Kirchenchorgesanges in ganz Rußland.

Lvov war Schüler deutscher Lehrer und ein hervorragender Geiger. Auf Befehl des Kaisers Nikolaus I. (1825 bis 1855) setzte er mit seinen Mitarbeitern für vierstimmigen gemischten Chor den gesamten Monats-, Wochen- und Jahreszyklus des liturgischen Gesanges in der Weise, wie die Gesänge (besonders die Proprien nach 8 Kirchentönen) in der Hofkapelle ausgeführt (sogen. „Höfische Weise", *Pridvórnyj Napév*) und 1848 von der Hofkapelle unter dem Titel *Obichód cerkóvnago pénija pri vysočájšem dvoré upotrebljáemyi* (Tagesbedarf des Kirchengesanges am Kaiserlichen Hof) herausgegeben wurden. Die Melodien der Höfischen Weise haben sich im Laufe des 18. und der ersten Hälfte des 19. Jhs. in der Hofkapelle gebildet; sie wurde den äußerst gekürzten Gottesdiensten der Hofkirchen angepaßt. Da die Sänger in der Hofkapelle sich hauptsächlich aus den ukrainischen Gebieten rekrutierten, liegt der Höfischen Weise die Kiewer Gesangsart zugrunde. Die Höfische Weise ist vom melodischen Standpunkt die unsystematische Mischung äußerst gekürzter Melodien vorwiegend der Kiewer, griechischen und Neumen-(Stolp-)Art und sehr weniger Melodien bulgarischer Art. Sie ist im strengen Stil gesetzt, in Dur-Moll-Harmonien, bei reichlichem Gebrauch des Dominantseptakkordes. Einige schöne, alte Melodien für kürzere Responsorien wurden nachträglich durch ein Chorrezitativ auf *einem Akkord* mit der stereotypen Kadenz I—IV—V₇—I ersetzt. Auch die Höfische Weise ist auf einem System von 8 Kirchentönen (wenigstens nominell) aufgebaut. Die melodische Mannigfaltigkeit der alten Weisen wurde durch den Akkordklang abgelöst, weswegen bei dem einstimmigen Gesang eines Psalmisten am Werktag die alten kanonischen Weisen ihre Geltung weiter beibehielten. Gemäß einem kaiserlichen Erlaß vom 22. April 1849 waren alle Kirchenchöre Rußlands verpflichtet, die Proprien und einige Ordinarien *nur* aus der Ausgabe der Hofkapelle zu singen. Nur die Klöster und alten Kathedralen, die eigene Gesangs-Tradition besaßen (wie z. B. das Höhlen-Kloster zu Kiew, die Moskauer Mariae-Himmelfahrts-Kathedrale) durften ihre Gesangsweisen auch weiterhin pflegen.

In seinen eigenen Kompositionen legte Lvov den Schwerpunkt hauptsächlich auf die Harmonie; er verwendete besonders gerne die chromatische Modulation (und zwar sogar in seinen Harmonisationen der alten kanonischen Melodien), die dem Charakter der kanonischen Weisen und dem Volksgesang der Russen ganz fremd ist. Seine Kompositionen haben einen stark dramatischen Charakter, die reichliche Anwendung des Dominantseptakkordes verleiht ihnen oft pietistisch-sentimentalen Charakter. Das Verdienst Lvovs ist die Anerkennung der Bedeutung des freien, unsymmetrischen Rhythmus, auch in freien Kompositionen, für den liturgischen Gebrauch. Seine Gedanken darüber hat er in dem Artikel: *Über den freien Rhythmus des altrussischen Kirchengesanges* (Russisch: St.-Petersburg 1858, deutsch — ebenda 1859) dargelegt.

Eine der wichtigsten Maßnahmen Lvovs war die Gründung der Chorleiter-Klasse bei der Hof-kapelle. Dank dieser Schule verbreitete sich der an sich fremde Stil der Hofkapelle rasch bis in die entlegensten Orte Rußlands und wird bis heute als typisch für den russischen Kirchengesang emp-funden. An sich aber hat er (besonders in freien Kompositionen) fast nichts Russisches: eher ist er als eine Übertragung europäischer Chormusik auf liturgische kirchenslawische Texte anzusehen. Die bedeutendsten Komponisten dieser Petersburger Schule sind: G. Lomákin (1812—1885), M. Vino-grádov (1810—1888), G. Lvóvskij (1830—1894), A. Archángelskij (1846—1924 in Prag). Abseits steht der Erzpriester P. Turčanínov (1779—1856), der sich hauptsächlich der Harmonisation kano-nischer Weisen widmete, die er in Terzparallelen (mit reichlichem Gebrauch des Dominantsept-akkordes) bearbeitete.

Die Gründung eines Lehrstuhls für die Geschichte des Kirchengesanges im Moskauer Konserva-torium (= Musikhochschule) um 1866 und die Forschungsarbeit des Erzpriesters Prof. D. Razu-móvskij (1818—1889) auf diesem Gebiet haben eine neue Strömung in der russischen Kirchenmusik hervorgerufen: eine Rückkehr zu den nationalen Quellen des Kirchengesanges. Aber zur Geltung gelangte diese Richtung erst um die Jahrhundertwende. Man kann diese Zeit als die vierte Periode der zweiten Epoche bezeichnen. Zu dieser Zeit erreichte der Moskauer Synodale Chor (die ehemalige, mehrmals reformierte und umbenannte Kantorei des Patriarchen, gegründet um 1589) und die mit ihm verbundene Synodale Schule für Kirchengesang ein hohes künstlerisches Niveau, ebenbürtig dem der Kaiserlichen Hofkapelle. Hier pflegte man eigene Varianten des kanonischen Gesanges, die in der Mariae-Himmelfahrts-Kathedrale (Krönungs-Kirche und Kathedral-Kirche ganz Ruß-lands) obligatorisch waren. Man suchte nach neuen Methoden der Bearbeitung kanonischer Weisen, wobei man die Manier des mehrstimmigen russischen Volksgesanges mit der allgemeinen Musik unter Bewahrung des eigentümlichen Charakters der alten Stolp-Weisen zu vereinen suchte. Im Gegensatz zur Petersburger Schule werden die Stimmfarben reichlich ausgenützt, der cantus firmus erscheint nicht unbedingt nur in der Oberstimme, sondern er kann im Laufe des Gesanges, je nach dem Charakter der Melodie und dem Sinn des Textes, in verschiedenen Stimmen erscheinen. Die strenge Vierstimmigkeit der Petersburger Schule wird gelockert: der Chor reduziert sich stellen-weise zu einer verdoppelten Zweistimmigkeit oder zum Unisono, um danach wieder in eine Vier- und sogar Mehrstimmigkeit überzugehen.

Die bedeutendsten Komponisten der Moskauer Schule sind: A. Kastálskij (der als Begründer der „Moskauer Schule" gilt [1856—1926], Direktor der Synodalen Schule und des Synodalen Chores von 1910 bis zur Auflösung des Chores nach 1917), A. Grečanínov (1864—1956 in New York), P. Česnokóv (1877—1944), N. Tolstjakóv, A. Nikólskij, Vikt. Kalínnikov (genaue Daten sind nicht bekannt). Die höchste Stufe erreichte der Stil der Moskauer Schule im op. 37 von S. Rachmáninov, einem eigentlich weltlichen Komponisten: „Vsénoščnoe Bdénie" (Komplex Vesper-Matutin), verfaßt im Frühjahr 1915. Dieses Werk stellt zugleich eine sozusagen liturgische Symphonie und eine Komposition für einen feierlichen Gottesdienst dar. Zugrunde liegen die kanonischen Weisen, die der Komponist den einstimmigen synodalen Ausgaben entnommen hat; diese Melodien, fast immer in unveränderter Form oder ganz unwesentlich variiert, sind kunstvoll, polyphon für einen großen gemischten Chor bearbeitet.
Leider waren der Verbreitung von Prinzipien und Stil der Moskauer Schule nur etwa 17 Jahre gegönnt (1900—1917), während die Petersburger Schule mehr als 100 Jahre wirkte. Daher ist ihr Stil fest und tief in der Praxis der rus-sischen Kirchenmusik verwurzelt.

Alle diese Stilrichtungen (ausgenommen vielleicht der Partés-Gesang) stehen in der Praxis lebendig nebeneinander. Neben Chorgesängen im italienischen Stil hört man im Gottesdienst die Werke der Petersburger und der Moskauer Schule, den Kantus-Stil des 17.—18. Jhs. und die kano-nischen Weisen.

An sich vertritt der Chor einerseits die Gemeinde, die dem Priester antwortet und singend betet, andererseits die kanonischen Sänger, die jene Gesänge, die wegen ihres ständigen Wechsels (Pro-prien) für die Gemeinde zu schwer zu singen oder zu wenig bekannt sind, ausführen. Hier kann der Gesang mit einem Kanonarchen helfen. Es gibt kein Verbot für Frauen, im Gottesdienst zu singen, weil man sonst Frauen ja auch vom Gesang der Gemeinde ausschließen müßte. Allerdings hat die Verbreitung des mehrstimmigen Chorgesanges den Gesang der Gemeinde immer mehr verdrängt.

Trotzdem werden noch heute einige Gesänge (wie z. B. das *Credo*, *Pater noster*) oft von allen Anwesenden gesungen. Die Beteiligung der Frauen an Kirchenchören war aus sozialen Gründen unüblich: ein öffentliches Auftreten der Frau neben den Männern galt auch in profanen Veranstaltungen als unanständig. Erst mit der Änderung der Anschauungen in der Mitte des 19. Jhs. war es möglich, daß Frauen zusammen mit Männern öffentlich auch in Kirchenchören sangen. Die Initiative dazu ergriff der Kirchenkomponist und Chormeister A. Archángelskij, der um 1880 in seinem Chor (der auch weltliche Musik ausführte) Frauenstimmen einführte. Trotzdem behielten die besten und größten Kirchenchöre (z. B. die Hofkapelle und der Moskauer Synodale Chor, auch einige private Kirchenchöre) Knabenstimmen bis 1917 bei, und zwar mehr aus klanglichen Gründen.

1. Známennyj Rospěv (Stolp-Art)
Stichire zur Samstags-Vesper des 3. Kirchentones (Cento-Prinzip).
(Oktoich notnago pěnija. Moskva, Synodal'naja typografija. 1889, fol. 32 r.).

2. Die gleiche Stichire in der Kiewer-Art
(Zeilenperiodische Form mit vorherrschendem Rezitativ).
(Obichod notnago pěnija. Moskva, Synodal'naja typografija. 1909, fol. 22 v.).

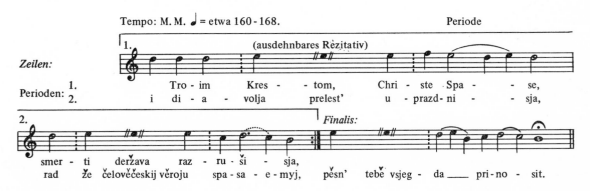

Die Gesänge der byzantinisch-slawischen Liturgie

3. „Dreizeiliger" Gesang aus dem 17. Jh.
Stichire zu Ehren des Hl. Kreuzes. Demestische Notation.
(V. Beljaev: Drevne-russkaja muzykal'naja pis'mennost'. Moskva 1962, S. 77). Übertragung von V. Beljaev.

4. Freie Komposition im Stil der Petersburger Schule
Cheruwikon am Gründonnerstag (Fragment).

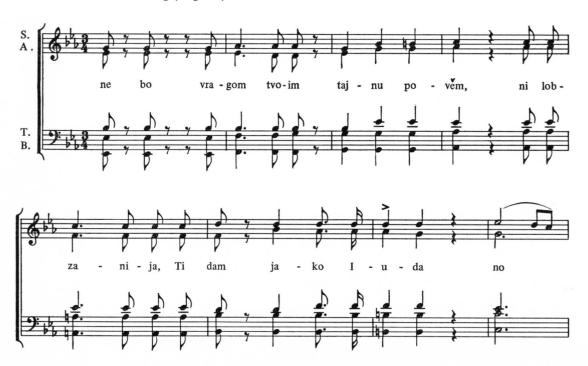

5. Bearbeitung der kanonischen Melodie für gemischten Chor im Stil der Moskauer Schule
Cheruwikon, sogen. „Strěléckaja"-Melodie.

(Notnyj sbornik pravoslavnogo russkogo cerkovnogo penija. Tom I. London 1962. S. 91, Nr. 84).
NB. Die kirchenslawischen Texte wurden transliteriert in der Transliterationsart deutscher Bibliotheken.

Johann von Gardner

Die Gesänge der melkitischen Liturgie

Die melkitische Liturgie ist die liturgische Form des syrisch-sprachigen Kirchenteils, der sich dem Urteil des Konzils von Ephesus anschloß und mit dem griechisch-sprachigen Teil bis heute verbunden blieb. In den ersten Jahrhunderten nach dem Konzil von Ephesus war die Kirche noch doppelsprachig, in den Städten griechisch, auf dem Lande syrisch. Allmählich verlor sich die Kenntnis des Griechischen immer mehr und mindestens vom 10. Jh. an bis zum 17. Jh. ist Syrisch die einzige Kirchensprache. Seit dem 14. Jh. dringt das Arabische in den Gottesdienst ein, zunächst nur für Überschriften und Rubriken oder für Heiligenleben usw., und vom 17. Jh. an ist es im Melkitischen auch die Sprache der Liturgie.

Das älteste bekannte syrische Stück der melkitischen Liturgie ist ein Pfingstkanon in einer Handschrift eines Hiersemannschen Kataloges (siehe Baumstark, Syrische Literaturgeschichte, S. 337, Anm. 4), im Jahr 880 geschrieben. Datierte frühe Lektionare sind der add. 14488 (von 1023) und der add. 14489 (von 1046) des Britischen Museums und der Vat. syr. 19, ein Evangelistar, im Jahr 1030 in Antiochia geschrieben. Episteln u. a. enthält der 1042 geschriebene Vat. syr. 21. Eine Oktoëchos besitzt man schon aus dem 11. Jh., den add. 17133, und die Oktoëchos add. 14508 kommt auch aus dem 11. oder 12. Jh. Auch für die Meßliturgie haben sich ebenso alte syrisch-melkitische Handschriften erhalten, die älteste der Vat. syr. 53, wohl in der Mitte des 11. Jh. geschrieben, später der add. 14497 aus dem 11. oder 12. Jh., der außerdem auch noch Taufriten u. ä. enthält und so das Gebrauchsbuch des Priesters darstellt, ein „Sacerdotale". Aus dem 13. Jh. ist dann schon eine ganze Reihe datierter Handschriften von allen liturgischen Buchtypen des melkitischen Ritus erhalten. Das Evangelistar Vat. syr. 20 *aik teksā d-Iunāie, „nach der Ordnung der Griechen (Ionier)"*, stammt aus dem Jahr 1215, die Oktoëchoi add. 21031 und add. 14710 aus den Jahren 1213 bzw. 1259, das Triodion Vat. syr. 74 von 1215, Menäen (meist, wie noch heute üblich, einzelne Monate) gibt es von 1256 (Paris syr. 134), 1284 (eine Auswahl, „Eklogadion", der add. 17236), 1207 (Vat. syr. 78), 1214 (Vat. syr. 82), 1236 (Vat. syr. 80) und 1252 (Vat. syr. 81). Die zahlreichen weiteren syrisch-melkitischen Handschriften führen bis ins 17. Jh., besonders reich die Sammlung syro-melkitischer Handschriften, die Ed. Sachau 1882 in Dēr-ʿAṭṭije (nördl. Damaskus) für die Preuß. Staatsbibliothek kaufte, die Bestände im Brit. Mus. London und in der Bodleiana Oxford.

Die melkitische Liturgie hat für die Liturgiewissenschaft eine besondere Bedeutung dadurch, daß ihre syrischen Übersetzungen oft schon sehr früh entstanden und von den späteren byzantinischen Änderungen häufig unberührt blieben. Einzelzüge der melkitischen Texte vermögen dann kontroverse Fragen der byzantinischen Liturgie zu klären. Ebenso können sich im Melkitischen Texte erhalten haben, die im Byzantinischen verlorengegangen sind. So hat Jos. Molitor (in OC, Jg. 25–30, 1928–1933) aus der Handschrift Sachau 128 (Katalog Sachau Nr. 296) Theotokien, Troparien und Kontakien herausgegeben, die sich in den heutigen griechischen liturgischen Büchern nicht wiederfinden, insgesamt die stattliche Zahl von 101 Stücken. Es wird eine Aufgabe der Zukunft sein, für das melkitische liturgische Repertoire die palästinensisch-griechischen Handschriften zugrundezulegen, die ja wohl in noch engerer Beziehung zu den syrischen melkitischen Handschriften stehen dürften als die festländischen griechischen Handschriften.

In neuerer Zeit hat die melkitische Kirche auch die Notenschrift eingeführt, und zwar die neubyzantinische des Chrysantos. Vorzügliche Druckausgaben mit den Melodien werden heute in Beirut (orthodox) wie z. T. in Jerusalem (uniert; hier neuerdings auch in europäischer Notenschrift) hergestellt. Auf orthodoxer Seite wurden nicht nur die arabischen Übersetzungen den byzantinischen Melodien angepaßt, sondern werden auch gerade heute neue Melodien geschaffen. Der führende Musiker der melkitisch-orthodoxen Kirche ist M. Murr in Beirut, einstmals Protopsaltes des antiochenischen melkitischen Patriarchats. Die unierte melkitische Kirche besitzt ihr geistiges Zentrum im Kloster St. Anna der „Weißen Väter" zu Jerusalem. Zu dessen in der Musikwissenschaft wohlbekannten Patres gehören J. B. Rebours, A. Couturier, P.-A. Laily. *Heinrich Husmann*

Ausgewählte Literatur

'Abd al Maasiḥ, Yassa, Doxologies in the Coptic Church, Caire 1938.

ders., Bohaïric Doxologies, in: BSAC VI, Cairo 1940, 19—76.

ders., Unedited Boh. Dox. I, in: BSAC VIII, 1942, 31—61.

ders., Unedited Boh. Dox. II, in: BSAC XI, 1945, 95—158.

Abul Barakat A., Ibn Kabr, La lampe des ténèbres et l'exposition lumineuse du Service liturgique; ± 1320 — Manuscrit de la B.N. Paris, fonds Arabe 203 (296 fol.), Ms. Vansleb — weitere Mss. in Uppsala und im Musée Copte zu Kairo. Teilübersetzungen von Vansleb, später von Villecourt.

Aidyn-Boehm, Ausgaben der armenischen Meßgesänge (mit Orchester), Wien 1950.

Apcar, Amy, Ausgaben der armenischen Meßgesänge, Kalkutta 1897.

Ašqar, P., Mélodies liturgiques syro-maronites, Jounieh 1939.

Atajan, R. A., Armanskaja chasowaja notopis, Erewan 1959.

Aubry, P., Le rythme tonique, Paris 1913.

Badet, L., Chants liturgiques des Coptes, notés et mis en ordre, Le Caire 1899, 2 vol.

Barmoussi, Domadios, Livres des saintes Hymnes, Le Caire 1922.

Basralian, D., Ausgaben der armenischen Meßgesänge, Miami 1958.

Baumstark, A., Nocturna laus, Münster 1932.

ders., Festbrevier der syrischen Jacobiter, Münster 1910.

ders., Psalmenvortrag und Kirchendichtung des Orients, in: Gottesminne VII, 1912/13.

ders., Liturgie comparée, Chevetogne ³/1953.

Beljáev, V., Drevnerusskaja muzykal 'naja pis mennost' (Das altrussische musikalische Schrifttum), Moskau 1962.

Bianchini, P., Ausgaben der armenischen Meßgesänge, Venedig 1877.

Bibliothèque Nationale de Paris: Fonds des manuscrits liturgiques Coptes: Codices Nr. 7, 8, 9, 22, 24, 25, 26, 28, 30, 32, 36, 38, 69, 72, 74, 82, 88, 89, 107, 108, 122, 128, 146.

Biezen, J. van, The Middle-Byzantine Kanon-Notation of Manuscript H, Bilthoven 1968.

Blin, J., Chants liturgiques coptes, Le Caire 1888.

Bouvin, L., On Syrian Liturgical Chant, in: MQ IV, 1918.

Breviarium Chaldaicum iuxta Syrorum orientalium id est Chaldaeorum, Rom 1938.

Brou, L., Les chants en langue grecque dans les liturgies latines, in: SE 1, 1948, 4, 1952.

Burmester, O. H.-E., The Turuḥât of the Saints, in: BSAC IV/1938.

Chabot, J. B., Synodicon Orientale, Paris 1902.

Christ, W. und Paranikas, M., Anthologia graeca carminum Christianorum, Leipzig 1871.

Contacarium palaeoslavicum mosquense (1207), Copenhague 1960.

Conybeare, F. C., Rituale Armenorum, Oxford 1905.

Coptica, Livre des Chants et Psaumes de Watos et Adâm, Le Caire 1913.

Couturier, A., Cours de liturgie grecque-melkite (3 Teile), Jerusalem 1912, 1914 und 1930.

ders., Akoloutia tou mikros parakletikou kanonos, Jerusalem 1925.

Cramer, M., Studien zu Koptischen Paschabüchern, in: Les Cahiers Coptes, VI, VIII, XI (1954, 1955, 1956).

Crum, W. E., Catalogue of the Coptic manuscripts in the British Museum, London 1905.

ders., Catalogue of the coptic Manuscripts in the collection of the John Rylands Library, Manchester 1909.

Dalmais, I. H., Les Liturgies d'Orient (Collection « Je sais, je crois », A. Fayard), Paris 1959.

Dayan, L., Ausgaben des Sarakan in armenischer Notation, Venedig 1952 ff.

ders., Einzelausgabe des Yegaik havadatsialk, Venedig 1933.

ders., Artikel in: Enc. Ital. IV, 1929; Enc. Catt. I, 1949; LThK I, 1957 und im Kongreß-Bericht Wien 1956.

Dedeyan, K., Einführung in die armenische Kirchenmusik (arm.), Venedig 1957.

Dib, P., Histoire de l'église maronite, Beirut 1962.

Engberg, G., Les Credos su Synodicon, in: Classica et Mediaevalia 23, 1962.

Ekmalian, M., Ausgaben der armenischen Meßgesänge (nach Edžmiatsin), Leipzig 1896.

Ethérie, Journal de voyage ed. Helène Pétré, Paris 1948.

Fleischer, O., Die spätgriechische Notenschrift (Neumenstudien III), Berlin 1904.

Floros, C., Das Kontakion, in: DVfLG 34, 1960.

ders., Die Entzifferung der Kontakarien-Notation, in: MO.

Follieri, E., Initia hymnorum ecclesiae graecae (Studi e testi 211—215 bis), Città del Vaticano, 1960—66.

Fragmenta Ciliandarica palaeoslavica: A. Sticherarium, B. Hirmologium (13. Jh.), Copenhagen 1957.

Gabra, S., Caractères de l'art copte, ses rapports avec l'art égyptien et l'art hellénistique, in: Bulletin de l'Association des Amis des Eglises et de l'Art copte. Le Caire 1936.

Gaisser, H., Brani greci nella liturgia latina, in: RaM 1, 1902.

Gardner, J. von und Koschmieder, E., Ein handschriftliches Lehrbuch der altrussischen Neumenschrift, München. I. Text, 1963; II. Kommentar zum Zeichensystem, 1966; III. Kommentar zum Tropensystem (im Druck).

Gardner, J. von, Zum Problem des Tonleiter-Aufbaus im altrussischen Neumengesang, in: MO 2, 1963.

ders., Das Problem des altrussischen demestischen Kirchengesanges und seiner linienlosen Notation, München 1967.

Gastoué, A., Introduction à la paléographie musicale byzantine, Paris 1907.

Gemayel, P. E., La structure des vêpres maronites, in: L'Orient syrien 9, 1964.

ders., Avant-messe maronite (= OCA 174), Rom 1964.

Ghobrail, H. Q., Livre du Diacre et du Psalte, Le Caire 1644 (1927).

Ghobrial, K. I., Répons de l'Eglise de saint Marc, Le Caire 1916.

Gulezyan, H. A., An early christian musical Manuscript of six leaves, originating in Egypt abouth the Vth. to the VIIth. Century, of coptic Origin, New York 1952.

Hagopian, E., Ausgabe von Kirchenliedern (Tałer ew Mełediner), Kairo 1963.

Handschin, J., Das Zeremonienwerk Kaiser Konstantins und die sangbare Dichtung, Basel 1942.

ders., Sur quelques tropaires grecs traduits en latin, in: AnnMl 2, 1954.

Hebbelynck, Un fragment de psalmodie du mss. Vat. Copt. 23 en dialecte behaïrique, in: « Le Muséon », 1931, T. XLIV, 153–168.

Heffening, W., Zwei altertümliche Litaneien aus dem Paschabuch der koptischen Kirche, aus dem Arabischen übersetzt und erläutert, in: OC XXXVI/1941, 74–100.

Heiming, O., Die 'Eniänehirmen der Berliner Handschrift Sachau 349, in: OC, 3. Serie, V, 1930.

ders., Syrische 'Eniäne und griechische Kanones (= LQF 26), München 1932.

Hemsi, A., La musique orientale en Egypte, Alexandrie 1930.

Hickmann, H., Sur les survivances de la chironomie égyptienne dans le chant liturgique copte, Le Caire 1949.

ders., Le chantre aveugle, in: « Le métier de musicien au temps des Pharaons » (Cahiers d'Histoire égyptienne), Le Caire 1954, 299–314.

ders., Musicologie Pharaonique, études sur l'évolution de l'art musical dans l'Egypte ancienne (Collection d'Etudes musicologiques, Sammlung Musikwissenschaftlicher Abhandlungen, 34° volume), Kehl 1956.

ders., Zur Geschichte der altägypt. Glocken, 1951.

ders., Un luth inconnu de l'époque copte, in: BSAC XII/ 1949, Le Caire.

ders., Quelques observations sur la musique liturgique copte, in: ACMS, Rome 1950, Tournai 1953.

ders., Le problème de la notation dans l'Egypte ancienne, in: Bulletin de l'Institut d'Egypte, XXXVI/1954, Le Caire.

Hissarlean, A., Geschichte der armenischen Notation (armen.), Konstantinopel 1914.

Høeg, C., La théorie de la musique byzantine, in: Revue des études grecques 35, 1922.

ders., La notation ekphonétique, Kopenhagen 1935 = MMB, Subsidia 1, = Fasc. 2.

ders., The Hymns of the Hirmologium, Part 1, Kopenhagen 1952 = MMB, Transcripta 6.

ders., Les rapports de la musique chrétienne et de la musique de l'antiquité classique, in: Byzantion 25/27, 1955/57.

Høeg, C. und Zuntz, G., Prophetologium, Kopenhagen, 1939–69 = MMB, Lectionaria 1.

Hovhannissian, D. H., Armenian Music, Ann Arbor 1956.

Huglo, M., La tradition occidentale des mélodies byzantines du Sanctus, in: Der kultische Gesang der abendländischen Kirche, Köln 1050.

ders., L'ancienne version latine de l'hymne acathiste, in: Muséon 64, 1951.

ders., Les chants de la Missa greca de Saint-Denis, in: Essays presented to Egon Wellesz, Oxford, 1966.

ders., Rélations musicales entre Byzance et l'occident, in: Proceedings of the XIIIth International Congress of Byzantine Studies, London 1967.

Husmann, H., Die Melodien des chaldäischen Brevier – Commune (OCA 178), Rom 1967.

ders., Akzentschriften (Die syrische Akzentschrift), in: MGG I, 1949–1951.

ders., Syrische, assyrische Musik, MGG XIII, 1966.

ders., The Practice of Organum Singing in the Christian Syrian Churches of the Near and Middle Orient, in: Aspects of Medieval and Renaissance Music, New York 1964.

ders., Arabische Maqamen in ostsyrischer Kirchenmusik, in: Fs. W. Graf, Wien 1968.

ders., Die Tonarten der chaldäischen Breviergesänge, in: OCP 34, 1968.

ders., Die tonale Struktur des maronitischen Kirchengesanges, in: OCP in Vorb.

ders., Die Melodien der jakobitischen Kirche, I. Die Melodien des Wochenbreviers (Šḥīmtā), in: Sitz. B. ÖAdW, Wien 1968; II. Die Qāle gaoānāia des Beit Gazā, ebda.

Jammers, E., Musik in Byzanz, im päpstlichen Rom und im Frankenreich, Heidelberg 1962 = Abhandlungen der Heidelberger Akademie der Wissenschaften, Phil.-hist. Klasse, Jg. 1962, 1.

Idelsohn, A. Z., Der Kirchengesang der Jakobiten, in: AMw 4, 1922.

Jeannin, J., Mélodies liturgiques syriennes et chaldéennes, 1. Tl., Mélodies syriennes, I Paris 1925, II Beirut 1928.

ders., Le chant liturgique syrien, in: Ja 10, 20, 1912 und 11, 1, 1913.

ders., L'octoëchos syrien, in: N.F. 3, 1913.

ders., Octoëchos syrien, in: DACL 12, 2, 1935.

Juncker, H., Alte koptische Poesie, Le Caire 1936.

Kelaita, J., The Liturgy of the Church of the East, Mossoul 1928.

Kengen, L. C., Le Cérémonial de la Messe de saint Basile selon le rite copte, 3 Bde., Le Caire.

Kirchhoff, K., Die Ostkirche betet, Münster ²/1960–63.

Koschmieder, E., Die ältesten Novgoroder Hirmologien-Fragmente, München I. 1952, II. 1955, III. 1958.

Labib, Kl., Psalmodie du mois de Kiyahk (arabische), Le Caire 1627.

ders., Livre des Psaumes et cantiques, Le Caire 1897.

ders., Les Théotokies, Le Caire 1911 (2 vol.).

Laily, P.-A., Analyse du Codex de musique grecque, No 19 Bibliothèque Vaticane (Fonds Borgia), Harissa 1949.

Levy, K., The Byzantine Sanctus and its Modal Tradition in East and West, in: AnnMl 6, 1958/63.

Loret, V., Quelques documents relatifs à la littérature et à la musique populaire de Haute Egypte, in: Mémoires publiés par les membres de la Mission archéologique française au Caire; T. I, Paris 1884.

Maclean, A. J., East Syrian Dauly Offices, London 1894.

Maclean, A. J. und Browne, W. H., The Catholicos of the East and his people, London 1892.

Macler, F., La musique en Arménie, Paris 1917.

Mallon, A., Les Théotokies ou Office de la sainte Vierge dans le rite copte, in: Revue de l'Orient chrétien, 1904, 17–34.

Marzi, G., Melodia e nomo nella musica bizantina (Studi pubblicati dall' Istituto di filologia classica 8) Bologna 1960.

Mateos, J., Lelya — Sapra, Essai d'interprétation des matines chaldéennes (OCA 156), Rom 1959.

Ménard, R., La musique copte, problème insoluble?, in: Les Cahiers coptes, I/1950, Le Caire.

ders., Note sur les musiques arabe et copte, ebda. II/1952, Le Caire.

ders., Notation et transcription de la musique copte, ebda. III/1953, Le Caire.

ders., Une étape dans l'art musical égyptien: la musique copte, in: RMl, Paris 1954.

ders., Note sur la mémorisation et l'improvisation dans le chant copte, in: EGr III/1959, 141.

ders., Koptische Musik, in: DMGG.

ders., Koptische Messe, ebda.

ders., Vue d'ensemble de la Messe copte, in: Musique et vie musicale sous les Pharaons, par H. Hickmann.

Metallov, V., Osmoglasie znamennago rospěva (Die 8 Kirchentöne der Neumen-Gesangsart), Moskva 1889.

ders., Očerk istorii pravoslavnago cerkovnagp pěnija v Rossii (Abriß des orthodoxen Kirchengesanges in Rußland), Moskva 1900 (spätere Ausgaben bis 1915).

ders., Bogoslužebnoe pěnie russkoj cerkvi v period domongolskij (Liturgischer Gesang der russischen Kirche in der vormongolischen Periode), Moskva 1912.

ders., Azbuka krjukovago pěnija (Alphabet des Neumen-Gesanges), Moskva 1899 (auch spätere Auflagen).

ders., Russkaja simiografija (Russische Semeiographie), Moskva 1912.

Monumenta Musicae Byzantinae, Série principale, Kopenhagen 1935—68.

1. Sticherarium, ed. Carsten Høeg, H. J. W. Tillyard & Egon Wellesz (Wien, Theol. gr. 181).
2. Hirmologium Athoum, ed. Carsten Høeg (Iviron 470).
3. Hirmologium Cryptense, ed. Lorenzo Tardo (Grottaferrata E. y. ii).
4. Contacarium Ashburnhamense, ed. Carsten Høeg (Florenz, Bibl. Laurenziana, Ashb. 64).
5. Fragmenta Chiliandarica Palaeoslavica, ed. Roman Jacobson (Chilandari 307 & 308).
6. Contacarium Palaeoslavicum Mosquense, ed. Arne Bugge (Moskau, Musée hist., 9).
7. Specimina notationum antiquiorum, ed. Oliver Strunk.
8. Hirmologium Sabbaiticum, ed. Jørgen Raasted (Saba 83).

Muftah, R., La musique copte, in: Bull. de l'Institut des études coptes, I/1958, Le Caire. S. 46—63 (arabisch; S. 42—53 Résumé englisch).

Murr, M., Arabische liturgische Ausgaben, z. T. in neubyzantinischer Notation.

Muyser, J., Liturgie égyptienne, in: Echo des Missions Africaines, 55° année; N° 2; Lyon.

ders., Le Psali copte pour la première heure du Samedi de la Joie, in: Le Muséon, LXV/1952, Louvain.

ders., Un Psali acrostiche copte „coram Patriarcha et Episcopis", in: Le Muséon LXVI/1953, Louvain.

ders., Maria's Heerlykleid en Egypt (Théotokies), in: Een studie der Koptische Maria-literatuur, Louvain 1935.

ders., Admonitions liturgiques coptes inédites, in: Sadîq al kâhen, Le Caire 1951, 1952.

Newlandsmith, E., The ancient Music of the coptic Church, Oxford 1931.

Notnyi sbornik pravoslavnago russkago cerkovnago pěnija (Noten-Sammlung des orthodoxen russischen Kirchengesanges), London 1962.

Obichód nótnago pěnija (Tagesbedarf des notierten Gesanges — Nachdruck der Ausgabe 1909 der Moskauer Synodalen Druckerei, einstimmig, in Quadratnotation). Herausgegeben vom Benediktiner-Kloster Chevetogne in Belgien 1966.

O'Leary de Lacy, The Difnar (Antiphonarium).

Parisot, J., Les huit modes du chant Syrien, in: TSG VII, 1901.

Palikarova-Verdeil, R., La musique byzantine chez les bulgares et les russes, Copenhague 1953.

dies., La musique byzantine chez les bulgares et les russes, Kopenhagen 1953 (MMB, Subsidia 3).

Petermann, H., Über die Musik der Armenier, in: ZDMG V, 1851.

Petrescu, J.-D., Les idiomèles et le canon de l'office de Noël, Paris 1932.

ders., Études de paléographie musicale byzantine, Bukarest 1965.

Pitra, J.-B., L'hymnographie de l'église grecque, Rom 1867.

Preobrazénskij, A., Kul'tovaja muzyka v Rossii (Kultische Musik in Rußland), Leningrad 1924.

Pujade, J., L'octoechos syrien, in: OC III 1913.

Raes, A., Introductio in liturgiam orientalem, Rom ²/1962.

Raasted, J., Intonation Formulas and Modal Signatures in Byzantine Musical Manuscripts, Kopenhagen 1966 (MMB, Subsidia 7).

Razumóvskij, D., Cerkovnoe penie v Rossii (Kirchengesang in Rußland), I. Moskva 1867, II. 1868, III. 1869.

ders., Teorija i praktika cerkovnago pěnija (Theorie und Praxis des Kirchengesanges). Moskva 1886.

Rebours, J. B., Traité de Psaltique, Jerusalem 1906.

XXX Recueil des travaux du Congrès de musique arabe (1932), Le Caire 1934.

Remiro, Z., Une Messe copte solennelle modèle, in: Le Rayon d'Egypte, Le Caire 1954.

Richter, L., Antike Überlieferungen in der byzantinischen Musiktheorie, in: DJbMw VI, Berlin 1962.

Riesemann, O. von, Die Notationen des altrussischen Kirchengesanges, Leipzig 1909.

Rücker, A., Die wechselnden Gesangstücke der ostsyrischen Messe, in: JLw I, 1921.

Sauget, J. M., Bibliographie des liturgies orientales (1900 bis 1960), Rom 1962.

Schirò, G., Problemi heirmologici, in: Proceedings of the XIIIth International Congress of Byzantine Studies, London 1967.

Schlötterer, R., Jammers, E., Schmid, H., Waeltner, E., Byzantinisches in der karolingischen Musik, in: Berichte zum XI. Internationalen Byzantiner-Kongreß, München 1958.

Smith, R., Le Chant copte, in: Magallât madâris al aḥâd, Le Caire 1953, 27—28.

Smolénskij, S., Azbuka znamennago pěnija starca Aleksanda Mezenca (Das Alphabet des Neumen-Gesanges des Aleksander Mezenec), Kazan' 1888.

ders., O drevne-russikich pěvčeskich notacijach (Über die altrussischen Gesang-Notationen), St. Petersburg 1901.

Spútnik Psalómščika(Kompendium des Psalmensängers). Nach der synodalen Ausgabe 1916, Auswahl aus allen liturgischen Gesangbüchern in Quadratnotation, einstimmig. — Herausgegeben von Holy Trinity Orthodox Monastery, Jordanville (USA) 1959.

Srabian, M., Ausgaben des Sarakan in armenischer Notation, Wien 1942.

Strunk, O., The Tonal System of Byzantine Music, in: MQ 28, 1942.

ders., Intonations and Signatures of the Byzantine Modes, in: MQ 31, 1945.

ders., The Notation of the Chartres Fragment, in: AMl 3, 1955.

ders., The Byzantine Office at Hagia Sophia, in: Dumbarton Oaks Papers 9/10, 1956.

ders., Influsso del canto liturgico orientale su quello della chiesa occidentale, in: L'enciclica „Musicae sacrae disciplinae", Rom 1957.

ders., The Antiphons of the Oktoechos, in: JAMS 13, 1960.

ders., The Latin Antiphons for the Octage of the Epiphany, in: Mélanges Georges Ostrogorsky 2, Belgrad 1964.

ders., Byzantine Music in the Light of Recent Research and Publication, in: Proceedings of the XIIIth International Congress of Byzantine Studies, London 1967.

Tardo, L., L'antica melurgia bizantina, Grottaferrata 1938.

ders., L'ottoeco nei mss. melurgici, Grottaferrata 1955.

Thibaut, J.-B., Origine byzantine de la notation neumatique de l'église latine, Paris 1907 (Bibliothèque musicologique 3).

ders., Monuments de la notation ekphonétique et hagiopolite de l'église grecque, Petersburg 1913.

Thodberg, Chr., Der byzantinische Alleluiarionzyklus, Kopenhagen 1966 (MMB, Subsidia 8).

Tillyard, H. J. W., The Problem of Byzantine Neumes, in: Journal of Hellenic Studies 41, 1921.

ders., Handbook of the Middle Byzantine Notation, Kopenhagen 1935 (MMB, Subsidia, Fasc. 1).

ders., The Hymns of the Sticherarium for November, Kopenhagen 1938 (MMB, Transcripta 2).

ders., The Hymns of the Octoechus, Kopenhagen 1940 und 1949 (MBB, Transcripta 3 & 5).

ders., Twenty Canons from the Trinity Hirmologium, Boston 1952 (MMB, Transcripta 4).

ders., Byzantine Music about A. D. 1100, in: MQ 33, 1947.

ders., The Hymns of the Hirmologium, Part 32, Kopenhagen 1956 (MMB, Transcripta 8).

ders., The Hymns of the Pentecostarium, Kopenhagen 1960 (MMB, Transcripta 7).

Tntesean, E., Ausgaben des Sarakan in armenischer Notation, hrsg. von L. Tntesean, Instanbul 1934.

Tuki, R., Les tons dans le rite de l'Eglise d'Alexandrie, in: Sadîq al kâhen, VIII/1957, 296–298.

ders., Psautier, Cantiques et prières de l'Ancien Testament, Rome 1744, Londres, Société Biblique 1826.

Uspénskij, N., Drevne-russkoe pěčeskoe iskusstvo (Die altrussische Gesangskunst), Moskva 1965.

Vadakel, M. und Aurelius, P., Liturgical Melodies of the Chaldaic Syrian Rite, Alwaye (Malabar) 1954.

Vansleb, Histoire de l'Eglise d'Alexandrie, Paris 1677.

Velimirović, M., Byzantine Elements in Early Slavic Chant, Kopenhagen 1960 (MMB, Subsidia 4).

Vetter, P., Die nationalen Gesänge der alten Armenier, in: ThZ 1894.

ders., Armenische Kirchenlieder, in: ThZ 1894.

Villecourt, L., Les observances liturgiques et la discipline du jeûne dans l'Eglise copte, in: Le Muséon (Louvain) XXXVI/1923, 249–292; XXXVII/1924, 201–280.

Voznesénskij, I. I., O cerkovnom pěnii pravoslavnoj grekorossijskoj cerkvi. Bol'šoj i malyj znamennyj rospěv (Über den Kirchengesang der orthodoxen griechisch-russischen Kirche. Die große und kleine Neumen-Gesangsart), I. Kiew 1887, ² Riga 1889; II. Riga 1890.

ders., Osmoglasnye rospěvy trech poslědnich věkóv pravoslavnoj russkoj cerkvi (Die Gesangsarten in 8 Kirchentönen der drei letzten Jahrhunderte der orthodoxen russischen Kirche). I. Kievskij rospěv (Kiewer Gesangsart), Kiew 1888.

ders., Bolgarskij rospěv (Bulgarische Gesangsart), Kiew 1891.

ders., Grečeskij rospěv v Rossii (Griechische Gesangsart in Rußland), Kiew 1893.

ders., Obrazcy osmoglasija rospěvov kievskago, bolgarskago i grečeskago (Beispiele der 8 Kirchentöne der Kiewer, Bulgarischen und Griechischen Gesangsart), Riga 1893.

ders., Cerkovnoe pěnie jugozapadnoj Rusi po irmologam XVII i XVIII věkov (Der Kirchengesang Südwestrußlands nach den Hirmologien des 17. und 18. Jhs.), Kiew 1890, ² Moskva 1898.

Wellesz, E., Aufgaben und Probleme der byzantinischen und orientalischen Kirchenmusik (LQF 18), Münster 1923.

ders., Die armenische Messe und ihre Musik, in: Jb. Peters XXVII, 1920.

ders., Coptic Church, in: Eastern Church Music, Eric Blom ed. London 1954, Tome II, 867–868.

ders., Die Struktur des serbischen Oktoëchos, in: ZfMw 2, 1919/20.

ders., Die Rhythmik der byzantinischen Neumen, in: ZfMw 2, 1919/20.

ders., Beiträge zur byzantinischen Kirchenmusik, in: ZfMw 3, 1920/21.

ders., Die byzantinischen Lektionszeichen, in: ZfMw 11, 1928/29.

ders., Studien zur Palaeographie der byzantinischen Musik, in: ZfMw 12, 1929/30.

ders., Studien zur byzantinischen Musik, in: ZfMw 16, 1933/34.

ders., Trésor de musique byzantine, Paris 1934.

ders., Die Hymnen des Sticherarium für September, Kopenhagen 1936 (MMB, Transcripta 1).

ders., Words and Music in Byzantine Liturgy, in: MQ 33, 1947.

ders., Eastern Elements in Western Chant, Boston 1947, Kopenhagen ²/1967.

ders., A History of Byzantine Music and Hymnography, Oxford 1949, ²/1961.

ders., Early Byzantine Neumes, in: MQ 38, 1952.

ders., Das Prooemium des Akathistos, in: Mf 6, 1953.

ders., The „Akathistos": A Study in Byzantine Hymnography, in: Dumbarton Oaks Papers 9/10, 1956.

ders., The Akathistos Hymn, Kopenhagen 1957 (MMB, Transcripta 9).

ders., Die Musik der byzantinischen Kirche, Köln 1959 (Das Musikwerk 15).

ders., Die Hymnen der Ostkirche, Basel 1962 (Basilienses de Musica Orationes 1).

ders., Byzantine Music and Liturgy, in: Cambridge Medieval History, 4, Part 2, Cambridge ²/1967.

Youssef, P., Cantus missae SS. Apostolorum iuxta ritum ecclesiae chaldaeorum, Rom 1961.

Abendländische Kirche

Die abendländischen Liturgien und die Kirchenmusik
bis zum Tridentinum

Mit dem Zentrum in Rom fand die Kirche im Abendland ihre Entwicklung, die eigene liturgische Formen und Gesänge ausbilden konnte. Das Konzil von Trient bedeutet den ersten großen Einschnitt in der kirchlichen und kirchenmusikalischen Geschichte des Abendlands, das seit der Mitte des 1. Jahrtausends sich immer mehr von den östlichen Kulturen entfernte.

Wechselvoll ist das Werden der Kultur im christlichen Abendland. Die Kirche bleibt der wesentliche Träger der Kultur, trotz der großen politischen Konflikte zwischen kirchlicher und weltlicher Macht, bis ein neues Denken seit dem 13. Jahrhundert auch der kirchenmusikalischen Entwicklung eine neue Grundlage gegeben hat. In der Auseinandersetzung mit den außerhalb der Kirche gewordenen Strömungen wurden Entwicklungen im kirchlichen Leben bedingt, die im 16. Jahrhundert zu neuen Besinnungen führten.

Die gesellschaftlichen und politischen Wandlungen in Kirche und Welt sowie das geänderte Verhältnis von Glaube, Kirche und Mensch erforderten eine neue Ordnung. Im Konzil von Trient sind diese zuletzt in den reformatorischen Strömungen aufgebrochenen Gegensätze zur Entscheidung gekommen. Das Konzil gab der Kirche eine neue Grundlage. Sie wurde auch für die Liturgie und die Kirchenmusik bestimmend. Es prägte kirchliche Vorstellungen und organisatorische Ordnungen, die in ihrem Wesen bis zum 2. Vatikanischen Konzil beherrschend blieben. Theologie und Frömmigkeit erblühten nach dem Konzil, Kunst und Kultur erhielten in einem theozentrischen Idealismus einen neuen Sinn, der im Zeitalter des Barock zur vollen Entfaltung kam. Die erste große Entwicklungsperiode der abendländischen Kirche, ihrer Liturgie und Kirchenmusik wurde durch das Tridentinum zum Abschluß gebracht und für eine neue der Grund gelegt.

Die Lösung des abendländischen Christentums von den ursprünglichen ostkirchlichen Entwicklungen bahnte sich bereits seit der ersten Verbreitung des christlichen Glaubens im westeuropäischen Bereich an.

War in der hellenisch-römischen Kultur, ausgehend von Palästina, die Kirche zunächst im Osten verbreitet, so gewann sie bald im *Imperium Romanum* über den Mittelmeerraum Verbreitung nach Westen, bis im 4. Jahrhundert Konstantin der Große sie zur Reichskirche werden ließ. Damit fand die Kirche ihre räumliche Ordnung und Metropolitanverfassung, die in der räumlich gegliederten autoritativen Ordnung auch für die Liturgie und den liturgischen Gesang bedeutsam wurde. Die an die Reichseinteilung angelehnten kirchlichen Verwaltungsbezirke und ihre räumlich begrenzten Synoden und Konzilien schufen die Grundlage für die verschiedenartigen Auseinandersetzungen mit ortsgegebenen Musikauffassungen, die dem aus Kleinasien einströmenden christlichen Musiziergut seine räumlich unterschiedliche Umbildung und Ergänzung aus dem ortsgegebenen Musizieren gaben.

Während im Osten unter Justinian I. die Kirche ihre besonderen Liturgiegestaltungen und Gesangsweisen auf Grund örtlicher Traditionen ausbildete und die östlich der Reichsgrenzen entstandenen Nationalkirchen Armeniens, Georgiens und Ostsyriens sich verselbständigt hatten, fand im Westen das Christentum in der römischen politischen Ordnung und ihrer Auseinandersetzung mit den einströmenden Germanen seine Grundlage.

Unter Gregor dem Großen gewannen die Kirche und ihre Liturgie eine Ausprägung, die in der politischen Kirchenordnung wie in der Liturgie und im Kirchengesang die Ausrichtung auf Rom verstärkten, während im 7. Jahrhundert durch die Araber die nordafrikanischen christlichen Zentren verlorengingen und die Trennung der Ostkirchen von der Kirche des römisch-germanischen Abendlands erfolgte.

Damit setzt seit dem 7. Jahrhundert die selbständige Entwicklung der Kirche im byzantinischen Reich in der Tradition altchristlicher Vorstellungen und andererseits der Westkirche ein, die in ihrer frühen missionarischen Sendung zur Ausweitung in die angelsächsischen, gallischen und germanischen Gebiete kam. Sie konnte nicht ohne Einfluß auf die allgemein kirchlichen und kirchenmusikalischen Entwicklungen bleiben. Die politische Verbindung des Papsttums mit dem fränkischen Reich im 8. Jahrhundert hat zwar die Scheidung von der Ostkirche gefördert, aber auch eine geschlossene romanisch-germanisch-slawische Völkerverbindung, die von griechisch-römischer Bildung und ihrer feudal-theokratischen Gesellschaftsordnung durchdrungen wurde, geschaffen.

In diesem neuen, von einem einheitlichen christlichen Denken erfüllten Reich traten die weltliche und geistliche Gewalt in den im Investiturstreit aufgebrochenen politischen Gegensatz. Doch war die geistige Einheit des Abendlands gefestigt. In ihr entfalteten sich Gegensätze in der gesellschaftlichen Entwicklung wie im Denken und Fühlen. Die subjektive Frömmigkeit trat um die Wende des 1./2. Jahrtausends stärker hervor und gewann auf die objektiv-liturgische Ordnung Einfluß. In neuen Gesängen, vor allem aber in der neuen Klangauffassung gleichzeitiger Melodieverbindungen in der Mehrstimmigkeit, wurde die bedeutendste Auswirkung abendländischer Subjektivität in der Musik deutlich.

Keine der Musikkulturen außerhalb des Abendlandes hatte diesen Schritt getan. Sie haben im melodisch-rhythmischen Prinzip und seiner Ausdrucksdifferenzierung ihre Aussage beibehalten, während die abendländische Entwicklung im 2. Jahrtausend diese zugunsten des harmonischen und klanglichen Ausdrucks zurückdrängte. Die Musik hat damit im Abendland aus ihrer in *ethos* und *ordo* verwurzelten und theologisch bestimmten Grundhaltung eine Entwicklung vom Objektiven zum Subjektiven genommen und ist mit der allgemeinen, auch im profanen Raum entwickelten Musik in engste Verbindung getreten.

War die Kirchenmusik des 1. Jahrtausends von der Kirche in sich selbst bestimmt, so ist sie im 2. Jahrtausend im Abendland in die allgemeine Musikentwicklung getreten. Sie fand ihre Entwicklung wohl unter bestimmten, in der theologischen und liturgischenAuffassung sowie im allgemeinen Frömmigkeitserleben gegebenen Voraussetzungen, doch vorwiegend als musikalisch-ästhetisches und musikalisch-technisches Problem. Struktur und Klang im subjektiven Ausdruck beherrschen die Kirchenmusik in zeitlichen Perioden ebenso wie die weltlichen musikalischen Gattungen. Die abendländische Musik hat dadurch ihre Sonderentwicklung gegenüber der Musik der anderen Kulturen gewonnen. Die Kirchenmusik fand in der Mehrstimmigkeit und in ihrer subjektiven Ausdrucksentwicklung einen wesentlichen Einschnitt ihrer eigenen Entwicklung. Sie ist, von ihrer alleinigen Bestimmung in der liturgischen Aufgabe ausgehend, als ein Teil der abendländischen Musikentwicklung entfaltet worden. Während die Kirchenmusik bis zum Tridentinum neben den verschiedenen weltlichen Musizierformen noch eine führende Bedeutung besaß, ist sie in den folgenden Jahrhunderten gegenüber den weltlichen Musikentwicklungen zurückgetreten.

Bereits im ausgehenden ersten Jahrtausend wird ebenso an den einstimmigen liturgischen Gesängen wie in der Mehrstimmigkeit der Wandel der Auffassungen sichtbar.

Der *cantus romanus* hat nach dem ersten Abschluß seiner Entwicklung unter Gregor d. Gr. und der Verbreitung dieser römischen Fassung seit dem 8. Jahrhundert eine Entwicklung begonnen, die ihn durch neue Formen ergänzte. Hier wird die Lösung von der objektiven liturgischen Ordnung zu Formen, die einem subjektiven Ausdruck entsprechen und damit dem volksgebundenen Frömmigkeitsausdruck entgegenkommen können, deutlich. Die neuen Formen wirken auch auf die Überlieferung der alten ein und bedingen Abweichungen von der ursprünglichen Gestalt, die sich vor allem im Zurückdrängen der Melismatik, einer tonalen, rhythmischen und metrischen Schwerpunktsveränderung, einer neuen Deklamation und Formgebung wie Ambituserweiterung zeigen.

Die großen Entwicklungsperioden der liturgischen Gesänge liegen nach ihrer ersten Festlegung durch Gregor den Großen bis zum 11. und bis zum 16. Jahrhundert. Eine klare Überlieferung ist jedoch erst seit der Wende des 1./2. Jahrtausends gegeben, da die diastematische Neumenschrift allgemeine Verbreitung gefunden hat. In der Geschichte der Neumenaufzeichnung spiegeln sich Gestalt und Vortragsweise der liturgischen Melodien. Die verhältnismäßig späte Überlieferung bedingt aber spekulative oder auf literarischen Quellen beruhende Rekonstruktionen der älteren Choralpflege, für die die Theorie der gregorianischen Gesänge ebenso bedeutsam ist wie für die spätere Entwicklung der liturgischen Gesänge.

Die von Kleinasien aus nördlich und südlich des Mittelmeers nach dem Westen verbreiteten liturgischen Gesänge konnten auf der italischen Halbinsel verschiedene Schwerpunkte finden. Benevent und Mailand schufen neben Rom eigene Traditionen. Die Verbreitung des Christentums über Oberitalien nach Südfrankreich und Spanien und die Nachwirkung von frühen Einwirkungen des nordafrikanischen Christentums und seiner liturgischen Gesänge begründeten die altgallikanischen und mozarabischen Traditionen. Die seit der Mitte des ersten Jahrtausends wirkungsvolle Missionierung im angelsächsisch-irischen und im römisch-fränkischen Bereich mußte auch dort Mittelpunkte der liturgischen Gesangspflege und Traditionen schaffen. Überschichtungen durch neue Missionierungswellen aus verschiedenen Zentren konnten auf die Melodiegestalt ebenso nicht ohne Einfluß bleiben wie ortsgebundene Musiktraditionen.

So bildeten sich in den verschiedenen kirchlichen Zentren Eigentraditionen der Gesänge, die auch bei der zeitlichen Weiterentwicklung differenziert wurden. Der von Rom ausgehende *cantus gregorianus* findet in den Missionsgebieten zunehmende Bedeutung, wird aber örtlich umgestaltet und durch neue Formen ergänzt. Neue Feste wie das Bedürfnis, auch bei den Ordinariumstexten verschiedene musikalische Gestaltungen zur Verfügung zu haben, ließen neue Kompositionen auf Grund einer mehr oder minder ausgeprägten Tradition gregorianischer Kompositionsregeln entstehen. Zu den gefestigten liturgischen Gesangsformen traten die Tropen, Sequenzen, Cantiones, Reimoffizien, liturgischen Dramen. Vereinheitlichungsbestrebungen im diözesanen Bereich wie in den einzelnen Ordensgemeinschaften führten in der liturgischen Ordnung wie in ihren Gesängen zu den Orts- und Ordenstraditionen, die ihre eigene zeitlich bestimmte Entwicklung fanden. So wurden Gestalt und Überlieferung der liturgischen Gesänge differenziert. Eine auf der antiken Musiklehre aufgebaute musiktheoretische Auseinandersetzung mit den liturgischen Melodien begründete die Lehre vom *cantus planus*, auf der eine allgemeine Musik- und Kompositionslehre aufbauen konnte.

Als Kultmusik war die Gregorianik im Mittelalter abgeschlossen. Sie wurde bis zum heutigen Tag in der abendländischen Kirchenmusik als Teil der Liturgie weitergepflegt und hat eine wechselvolle mit dem Wandel der zeitlichen Musikauffassung zusammenhängende Geschichte in den spätmittelalterlichen Fassungen, in der vom Humanismus bestimmten nachtridentinischen Entwicklung, im sog. „Reformchoral" des 17./18. Jahrhunderts bis zu seiner historischen Wiedererarbeitung im 19. Jahrhundert und der Editio Vaticana.

Als Besonderheit der abendländischen Kirchenmusik bestand um die Jahrtausendwende die Mehrstimmigkeit und in ihr die zunehmende Subjektivierung des kirchenmusikalischen Ausdrucks im Anschluß an die allgemeine Musikentwicklung. Zunächst gebunden an den liturgischen *cantus prius factus* entfernte sich die mehrstimmige Gestalt seit der *ars nova* zunehmend von einer Umspielung der Kernmelodie. Sie verlor diese ganz oder ließ sie in verschiedener Gestaltung in den kontrapunktischen Satz übergehen. Die in der *ars nova* in Verbindung mit der allgemeinen Musikentwicklung gegebene Subjektivierung des Ausdrucks in der Eigenart der Melodie- und Harmonie-, der Satz- und Klangentwicklung wird durch eine Objektivierung der kontrapunktischen Satzgestaltung in der Kunst der Niederländer im 15. Jahrhundert abgelöst, während in einfachen homophonen Sätzen gleichzeitig eine zu harmonischer Entwicklung führende Ausdrucksgestaltung weitergeführt wurde.

Mit der Mehrstimmigkeit ergaben sich neue kompositionstechnische und musiktheoretische Probleme. Die Mensuraltheorie wurde ebenso wie die Zusammenklangsfrage eine wesentliche Voraussetzung der mehrstimmigen Kunst.

Neue Formen einer ersten Gestaltung der Mehrstimmigkeit sind in der *ars antiqua* in einer *cantus-firmus*-Bindung wie in freier Gestaltungsform (*Conductus*) geschaffen und in den rhythmisch und klanglich erweiterten Gestaltungen der *ars nova* verfeinert worden. Die Musikinstrumente gewannen eine zunehmende Bedeutung. Eine neue Grundauffassung dieser Kunst in der Liturgie mußte zur Auseinandersetzung mit der kirchlichen Autorität führen. Die schon in der Vieltextigkeit der Motette gegebene Heranziehung landessprachlicher Texte hat neben den *Cantiones* in der liturgischen Sprache das geistliche Lied in der Landessprache als eine in der Seelsorgeentwicklung und Entfaltung der Volksfrömmigkeit immer bedeutsamer werdende Form begründet.

Diese kirchenmusikalischen Formen neben der Tradition des gregorianischen Gesangs gaben dem Gottesdienst eine neue Gestalt und entwickelten im Zusammenhang mit der Volksfrömmigkeit ein kirchenmusikalisches Brauchtum. Der Berufsmusiker mußte mit den zunehmenden künstlerischen Anforderungen in der Kirche eine immer bedeutsamere Stellung erringen. Nicht nur soziologische, sondern auch liturgische Probleme sind damit aufgeworfen worden. Letztere beziehen sich nicht nur auf die Träger der Kirchenmusik und ihre Stellung, sondern vor allem auf die Bedeutung der Musik im Gottesdienst und ihre Ordnung in der liturgischen Handlung. Mit der Subjektivierung des musikalischen Ausdrucks ist auch die Frage des gottesdienstlichen Ausdrucks, der Wirkung der gottesdienstlichen Musik in der Gemeinde und ihrer Rezeption von den Gläubigen eine wesentliche Frage geworden. Dies um so mehr, als sich im 14./15. Jahrhundert die technischen Probleme des musikalischen Satzes komplizierten und die Künste der Niederländer ein objektivierendes technisches Problem in den Vordergrund rückten, als dessen Reaktion die *musica reservata* den Wortausdruck betonte. Deklamation und musikalischer Ausdruck wurden damit zu Mitteln einer subjektiven Deutung. Auch eine wortlose Instrumentalmusik konnte damit einen in der Liturgie verwendbaren Ausdruck finden.

Die Kirchenmusik suchte ihre liturgische Aufgabe mit der allgemeinen Musikentwicklung zu verbinden. Wenn auch Papst Johannes XXII. die Gefahren einer von der liturgischen Melodie gelösten Kirchenmusik aufgewiesen hat, so hat die Entwicklung innerhalb der allgemeinen Musikgeschichte besondere kirchliche Formen und kirchlichen Ausdruck auch ohne Bindung an den *cantus gregorianus* geschaffen. Satzkonstruktion und Melodieentwicklung im 15. Jahrhundert, mit ihnen verbunden der Fauxbourdon und die harmonische Bündelung der Stimmen, vereinen sich mit einem neuen, stark vom Humanismus geprägten Deklamationsideal. Damit fand die altklassische Polyphonie zu einer Satzgestaltung, die zwischen vertikaler und horizontaler Komponente vermittelt. Wortakzentuierung, syntaktische Gliederung und deklamatorischer Ausdruck sind an die Stelle einer musikalisch-technischen Satzkonstruktion getreten oder haben diese sich dienstbar gemacht und die satztechnischen Schwerpunkte entsprechend verlagert. Die musikalische Gestaltung selbst suchte nach dem textlichen Ausdruck (musikalische Rhetorik) einen allgemeinen liturgischen Ausdruck auch ohne die Textbindung zu gewinnen. Das Struktur- und Klangproblem erhielt damit eine neue Ausdrucksbedeutung. Die selbständige kirchliche Instrumentalmusik, im besonderen die liturgische Orgelmusik konnte so ihre Entwicklung finden. In den Beratungen des Konzils von Trient traten die Wortdarstellung und der kirchliche Ausdruck der Musik in den Vordergrund. Sie faßten die im Laufe des 16. Jahrhunderts hervorgetretenen Gedanken einer die neue Kunstentwicklung aufnehmenden Kirchenmusik, die neben den mittelalterlichen liturgischen Gesängen bestehen konnte, zusammen.

Nach der Glaubensspaltung wurde das Konzil von Trient 1545—1565 für die gesamte Kirche, ihre Reform und die Festlegung ihrer Dogmen richtungweisend. Liturgie und Kirchenmusik wurden in das Reformwerk eingebaut und in den durch das Konzil wiederbelebten Provinzialsynoden, wie Cambrai u. a., eingehend behandelt. Die Vertiefung des kirchenmusikalischen Ausdrucks in Verbindung mit einer klaren Wortdeklamation in der künstlerischen Entfaltung der Zeit wurde der Betonung des einfachen deklamierenden Kantionalsatzes und Gemeindegesangs der Kirchen der Reformation entgegengestellt. Der gregorianische Gesang erhielt in den deklamatorischen und tonalen Bestrebungen der Zeit neue Gestalt und Pflege. Vor allem aber fand die altklassische Polyphonie ihre Entwicklung und wurde als die große Kunst der Zeit des Konzils die Grundlage eines besonderen Kirchenstils. Dem Kontrapunkt- und Harmonie-Ausgleich im Klang der Polyphonie Palestrinas als Ausdruck des Gebets trat die dramatische Wortkunst Lassos in ihrer Predigtwirkung gegenüber, daneben steht die Klangerweiterung der Polychorie und die harmonisch gespannte Homophonie mit madrigalesken Deklamationsbildungen.

Die seit der politischen, wirtschaftlichen und verkehrsmäßigen Trennung der Ost- und Westkirche durch den Arabereinbruch und den Verlust der nordafrikanischen Kirche im 7. Jahrhundert gegebene Bildung eines römisch-germanischen Abendlands fand in der Abschirmung gegen die islamische Welt ihre kulturelle und kirchliche Eigenentwicklung. Im feudalistischen und theokratischen Denken ergaben sich politische Konflikte, doch wurde auf der Grundlage der griechisch-römischen Bildung die kulturelle Einheit des christlichen Abendlands begründet. In ihr drängte eine mehr und mehr subjektivierte Frömmigkeit eine objektiv-liturgische Ordnung zurück und eröffnete einer freien kirchlichen Musikentwicklung die Möglichkeit ihrer Entfaltung. Sie steht damit im inneren Zusammenhang mit der allgemeinen zeitgebundenen Musikentwicklung und dem sich wandelnden Denken und Empfinden. In dem Jahrtausend der kulturellen und politischen Ausprägung des Abendlandes vom 6. bis 16. Jahrhundert haben verschiedene gesellschaftliche, politische, philosophische und theologische Strömungen Leben und Denken bestimmt. Sie wurden auch für die Entwicklung von Liturgie und Kirchenmusik in diesem Zeitraum von wesentlicher Bedeutung.

Die Musik hat im 16. Jahrhundert unabhängig vom Wort ihren eigenen Ausdruck gefunden. Dies wird in der Entwicklung der selbständigen Instrumentalmusik und ihrer Formen in der zweiten Hälfte des 16. Jahrhunderts deutlich. Neben der in bestimmten Formen und Gattungen gegebenen, von Einzeldarstellungen in der Tonmalerei unabhängigen Ausdrucksgebung, hat die Musik auch ihren besonderen kirchlichen Ausdruck im 16. Jahrhundert gewonnen, der im liturgischen und außerliturgischen Gottesdienst seine musikalischen Gestalten fand. Damit konnten neue künstlerische Gestaltungen für den Gottesdienst enwickelt werden.

Karl Gustav Fellerer

Der liturgische Gesang der römischen Kirche im Mittelalter

Vos autem genus electum, regale sacerdotium, gens sancta, populus adquisitionis, ut virtutes adnuntietis eius, qui de tenebris vos vocavit in admirabile lumen suum (1. Pt. 2,9) schrieb der Apostel Petrus; als heiliges Volk Gottes sollen sich die Christen auf dieser Erde zusammenfinden, Gott loben und ihm dienen. Dabei wird das heilige Priestertum als Dienst an dem in der Epiphanie als König erschienenen Christus verstanden; durch die Hingabe an ihn führt des Christen Weg aus der Finsternis der Einsamkeit auf Erden ins göttliche Licht: *Et ipsi tanquam lapides vivi superaedificamini, domus spiritualis, sacerdotium sanctum, offerre spirituales hostias, acceptabiles Deo per Iesum Christum* (1. Pt. 2,5): Hier spricht der Apostel vom Bau, in dem Opfer und Verkündigung gefeiert werden; dieser ist auf dem tragkräftigen Grund der göttlichen Ordnung erstellt, wie Notker es verstand:

Et christianum orbem	Und den christlichen Erdkreis
firmat semper	festigt stets er,
et marinos fluctus	und meerhaft Gewoge
compescit sic,	bändigt er so,
Ut stabile fundamen	Daß tragkräftig der Grundbau
ecclesiae suae	für seine Kirche
potenter componat	zusammengefügt sei,
Et domus eius splendescat	Und daß sein Haus ihm voll Glanz sei
in finem usque dierum.	bis an das Ende der Tage.
(Sequenz feria II post pascha)	(trad. von den Steinen)

Gebet, christliches Opfer und Verkündigung werden vollzogen durch den Dienst an Christus in der Liturgie.

Erhöhte Bedeutung bekommt ihre Form durch die verbindende Gemeinsamkeit der Gläubigen; hier erhält sie den ihr eigenen Wesenszug zum Allgemeingültigen, Objektiven und grenzt sich vom Gebet des Einzelnen ab.

In diesem liturgischen Raum ist die Musik das Gefäß zur Darbietung des göttlichen Wortes, sie ist die dem heiligen Text allein gemäße Art des Lobens und Betens. Solcher Gesang ist kultisch und trennt sich durch Aufgabe und Stellung von geistlicher und religiöser Musik. Die melodische Ausgestaltung, das Verhältnis von Musik und Text sind bedingt durch die liturgische Stellung und Aufgabe. Deshalb kennt der Gesang der römischen Kirche im Mittelalter verschiedene Ausdrucksweisen, die einem bestimmten Platz innerhalb der Feier zugeordnet sind. Syllabische und Gruppenmelodik findet sich vornehmlich im Chorgesang, wobei selbst auf die Art des ausführenden Chores Rücksicht zu nehmen ist: durch die Aufgabe wie durch die Ausführenden unterscheiden sich beispielsweise die Chorpartien der Gradualgesänge der Messe von den Antiphonen, welche die ganze Klostergemeinde singt. Der melismatische Jubilus als eigentlich primärmusikalische Art des Singens ist von dieser Ordnung nicht ausgenommen: er steht dort, wo die Aussagekraft des Wortes versagt: *Verbum est breve, sed longo protrahitur pneumate. Nec mirum, si vox humana deficiet ad loquendum, ubi mens non sufficit ad cogitandum.* (Stephanus Edunensis, De sacr. alt., c. 12, Patr. lat. 172, 1284)

Der ursprüngliche Geltungsbereich der römischen Liturgie war auf die Stadt Rom und deren nächste Umgebung beschränkt. Roms Bestrebungen liefen vorerst mehr auf kirchenrechtliche Vereinheitlichung als auf Uniformierung der Liturgie oder gar des liturgischen Gesanges hin. Daraus ergab sich in den verschiedenen Gegenden und Orden eine liturgische wie auch gesangliche Selbständigkeit gegenüber Rom. Der Geltungsbereich des römischen Chorals wurde erst von der unter Papst Gregor dem Großen betriebenen Englandmission 597 beträchtlich erweitert, allerdings traf der mediterran-römische Gesang dort auf ein Gebiet, das keine fest eingebürgerten liturgischen Gesangsweisen besaß, die verdrängt werden mußten.

Vom vierten Jahrhundert an vermehrten sich die Gesänge zusehends; Rom entwickelte schon früh verbindliche Ordnungen für die Feiern eines Jahres. Der römische Archicantor Johannes (spätes 7. Jahrhundert) berichtet von fünf Päpsten, die den Jahreszyklus des Gesangs (annalem cantum) geregelt hätten; Leo der Große (440—461): *annalem cantum omnem instituit*... (De convivio, 215), Gelasius (492—496): *similiter annalem cantum ... honeste atque diligentissime facto in sede beati Petri apostole convento sacerdotum plurimorum conscripsit*, Symacchus (498—514): *similiter et ipse annalem cantum edidit*, Johannes (523—526): *similiter et ipse anni circoli cantum omni ordine conscripsit* und schließlich Bonifacius (530—532): *cantilenam anni circoli ordinavit.*

Diese Jahresordnungen waren allerdings liturgisch-textlicher Natur und erstreckten sich nicht direkt auf das labilere musikalische Element. Wesentlich ist für alle diese liturgischen Ordnungen, daß dabei die alten und älteren Gesänge im Repertoire verblieben, so daß die römischen Bücher aus verschiedenen zeitlichen Schichten sich zusammensetzen (Cento). Dabei entstand nun aber nicht, wie der gebräuchliche Ausdruck des Cento vermuten läßt, ein heterogenes Ganzes, das die verschiedenen Schichten deutlich nebeneinander erkennen läßt; durch die dem alten Choral eigene Melodiebildung aus Formeln und Melodiemodellen ergab sich ein durchaus geschlossenes Ganzes; erst aufgrund der textlichen und genauen melodischen Analyse kann es gelingen, die Schichten als solche sichtbar werden zu lassen.

Neben der römischen Liturgie entstanden weitere Liturgiekreise: in Gallien (gallikanischer Choral), in Spanien (altspanischer oder „mozarabischer" Choral) und die italienischen in Mailand (ambrosianischer Choral) und Süditalien (Beneventer Choral). Diese verschiedenen liturgischen Regionen und damit verschiedenen Gesänge zeigen zwar eine gemeinsame Grundlage, auf der sie aber weitgehend differieren. Dabei schließen sich die alten italienischen Repertoires (altrömisch, die 19 Messen des Beneventaner Ritus und das Ambrosianische) gegenüber den nichtitalienischen zu einer relativen Einheit zusammen, heben sich aber deutlich vom neurömischen Choral, der heute gesungen wird, ab.

TABELLE I

	Rom	Mailand	Gallien	Spanien
Vormesse	Introitus Kyrie Gloria	Ingressa (ohne Ps.-℣) Gloria [Laus Missae] (mit Kyrie-Schluß)	Ant. ad praelegendum Aius [Trishagion] Kyrie (3 Knaben) Benedictus	Prae- oder Prolegendum Agios [Trishagion] Benedictus
Lese- od. Gebetsmesse		*Lectio prophetica* Psalmellus	*Lectio prophetica* Hymn. trium puerorum Benedictio oder Sanctus deus archangelorum	*Lectio prophetica* Psalmellus Clamor ℣ oder Trinos [Lamentaciones] Preces
	Epistel Graduale Alleluia (Sequenz) oder Tractus *Evangelium* Credo	*Epistel* Alleluia Cantus (Ant. ante Evang.) *Evangelium* Ant. post Evang. (Symbolum)	*Epistel* Responsorium Ant. ante Evang. *Evangelium* Laudes (Wiederhlg. des Aius, lat?) Preces	*Epistel* Laudes mit All.-Melisma *Evangelium*
Opfermesse	Offertorium Sanctus Agnus Dei Communio *Ite missa est*	Offertorium [Offerenda] Sanctus Confractorium Transistorium *Benedicat et exaudiat*	Sonus Alleluia Laudes Sanctus Ant. ad confract. Trecanum *Benedicamus*	Sacrificium Ant. ad pacem Ant. ad confractionem Ant. ad accedentes

173

Ein Blick auf die Tabelle, die die wichtigsten Gesänge vergleichsweise nebeneinanderstellt, vermag die Zusammenhänge deutlich zu machen. Alle vier Riten zeigen innerhalb der Messe die gleiche Aufteilung in Vor-, Lese- oder Gebets- und Opfermesse. Innerhalb der Lese- oder Gebetsmesse sind die Unterschiede am deutlichsten, weil dort jene Gesänge ihren Platz haben, die, auf Lesungen folgend, zum Zuhören bestimmt waren und während denen die liturgische Handlung stillstand. Allein schon dieses Grundschema vermag deutlich zu machen, daß der römische Ritus knapp und übersichtlich aufgebaut ist, die gallikanische und altspanische Liturgie demgegenüber zu prunkvoller Ausgestaltung neigen und Weitschweifigkeit nicht zu meiden brauchen, was sich auch durch einen Melodienvergleich der erhaltenen Gesänge bestätigt. Diese Unterschiede sind dem Mittelalter nicht verborgen geblieben und Walahfrid Strabo vermochte um 826, bei aller Bevorzugung der *„Cantilenae perfectior scientia"* Roms, doch die Eigenwerte der gallikanischen Liturgie zu erkennen: *„et quia Gallicana Ecclesia, viris non minus peritissimus instructa, sacrorum officiorum instrumenta habeat non minima, ex eis aliqua Romanorum officiis immixta dicuntur, quae plerique et verbis et sono se a caeteris cantibus discernere posse fateantur. Sed privilegio Romane sedis observato, et congruentia rationabili dispositionum apud eam factarum persuadente factum est, ut in omnibus pene Latinorum ecclesiis consuetudo et magisterium ejusdem sedis praevaleret"* (De rebus eccl., c. 25).

Der neurömische Choral, der uns als Ergebnis von Umarbeitungen und Ergänzungen aus den verschiedenen regionalen Entwicklungen vom zehnten Jahrhundert an in den Handschriften faßbar wird, hat Eigenheiten, die den anderen Gesängen weitgehend fehlen: Die Melodik ist in ihrem Verlauf durch deutliche Kadenzierung und ausgeprägte Ein- und Abschnittbildung klar abgezirkelt und überschaubar. Die Melismatik wird zurückgebunden und bekommt ihren Platz im Verhältnis zu Partien mit syllabischer und Gruppenmelodik. Die Melodien gliedern sich nach bestimmten Modalitäten, deren Eigenheiten sie durch Intervallanordnung und Tonumfang verdeutlicht. Weitschweifigkeit und Improvisationszüge fallen zugunsten einer mediterranen Zucht und Zurückhaltung.

Der römische Choral (*cantus romanus*) breitet sich nach 600 über das ganze Abendland aus; dabei wird er im eigentlichen Sinne Gegenstand einer Choralgeschichte, indem er auf die Gesänge der oben erwähnten Liturgiekreise stößt.

Nach der Missionierung Englands von Augustinus von Thanet 597 unter Gregor stößt im späten 8. und vor allem 9. Jahrhundert der neue Choral von England und Italien zugleich nach Mitteleuropa vor. 754 vollzieht Pipin den entscheidenden Schritt, indem er die Ersetzung des gallikanischen Chorals durch die *cantilena romana* anordnet. Von hier an wird, in Verbindung mit der karolingischen Universalmonarchie, von Rom aus die liturgische, und damit natürlich auch die gesangliche Vereinheitlichung des Abendlandes betrieben.

Von den Karolingern aus waren diese Bestrebungen nicht aus liturgisch-musikalischen Gründen gefördert worden. Ein Erlaß Karls des Großen aus dem Jahre 789 fordert mit Nachdruck, die Kleriker sollten den römischen Gesang lernen, wie es Pipin beschlossen hatte, als er den gallikanischen Gesang verließ, um sich, zugunsten der Harmonie mit dem Heiligen Stuhl und der Einheit der heiligen Kirche, dem römischen Choral zuzuwenden.

Nicht nur die einzelnen Könige ordneten sich persönlich dem Papst unter, indem sie ihm für die Kirche das entscheidende Wort zugestanden, sondern der Stuhl Petri wurde zur Norm für alle hingestellt, was, wie von den Steinen es ausdrückte *„mehr als eine Neuordnung des Klerus, ein Umdenken des Staates in sich trug"*. Besonders Karl war bestrebt, innerhalb des heterogenen, wenn auch räumlich beschränkten Gebietes, das Gemeinsame auszuprägen; die *eine* Kirche, die *eine* Staatsidee, die auf dem Selbstverständnis des karolingischen Königshauses ruhte, ließ nur den römischen Gesang zu. Einzig der ambrosianische Choral blieb, wenn er auch in Wechselbeziehungen zu Rom stand, bis heute erhalten.

Die fränkischen Sänger, die besten Willens waren, sich die ihnen fremde Sprache des römischen Gesanges völlig zu eigen zu machen, mußten scheitern: keine Gesangbücher konnten die Melodien in ihrem genauen Verlauf und schon gar nicht in den Feinheiten der Vortragsweise erfassen. Ein Sänger, der bei fehlender oder adiastematischer Notation allein von seiner Erinnerung abhängig war, mußte entsprechend auch von der ihm ursprünglich eigenen Musikalität, die sich z. B. im gallikanischen Gesang entfaltet hatte, berührt bleiben. So kann es nicht verwundern, wenn über die rauhen Kehlen der Nordländer berichtet wird. Erschwerend trat hinzu, daß auch der Gesang in Rom nicht unveränderlich blieb, sondern, wie B. Stäblein erschloß, eine grundlegende Änderung vom altrömischen zum neurömischen vorgenommen wurde, so daß für die sich in Rom selbst orientierenden Cantoren auch kein fester Halt mehr zu finden war.

Am Ende des achten Jahrhunderts zeigt sich der Niederschlag all dieser Bemühungen und Schwierigkeiten: ein einziger, Papst Gregor der Große, wurde in der Legendentradition zum Schöpfer des gesamten „gregorianischen" Choralrepertoires. Da dieses geschlossen im Frankenreich eingesetzt worden war, konnte es einem Schöpfer zugeschrieben werden, dessen Autorität nicht angezweifelt wurde. Sowohl die frühesten Berichte über Gregor als Schöpfer der *cantilena romana* als auch die bildhafte Vorstellung von der Taube, die, auf den Schultern des Papstes sitzend, die Gesänge vorsingt, scheinen im St. Galler Umkreis erstmals aufzutauchen.

Im Norden blieb es aber nicht bei der Bemühung um den alten Choral; die zurückgebundene eigene Musikalität verband sich mit dem Bestreben, das Fremde sich anzueignen.

Im Tropus, wie B. Stäblein zeigte, ist innerhalb der Introitustropen als Ziel besonders deutlich greifbar, *„den überlieferten gregorianischen Choral in die gegenwärtige Sphäre, in unmittelbare Lebensnähe der Zeit zu bringen"*. Der Vorsänger, der mit der neukomponierten Einleitung zum Introitus anhebt, nennt den Psalmisten, aus dessen Schriften der *Introitus*text gezogen ist, oder ruft den Chor an, z. B.: *„Eia, canenda sonos supplici modulamine dulces* [Intr.:] *Gaudeamus"* (Anal. hymn. 49, 36). Melodisch will der Komponist eine Angleichung an den Choral herbeiführen, indem er die Syllabik auf den Introitus abstimmt und dessen Modalität ebenso deutlich auszuprägen bemüht ist.

Diese neuen Gesänge stehen in einem anderen Verhältnis zur Liturgie: nicht wie der alte Choral sind sie mit ihr zusammen entstanden und gewachsen, sondern sie entspringen dem Bedürfnis, sich in ein Gegebenes einzuleben, *„es sich traulich zu machen"* (von den Steinen). Die neuen Gesänge sind Ergänzungen, Anhänge und Erläuterungen, die, gerade im Fall der Introitustropen, zeigen, daß der alte Choral bereits als geschichtliches Phänomen betrachtet wird und darum einer schrittweisen Annäherung bedarf. So sind Neuschöpfungen in den liturgischen Randgebieten zu suchen; dort entfaltet sich auch zuerst die Mehrstimmigkeit. Erst der *„Magnus Liber Organi"* Leonins bringt einen entscheidenden Einbruch: hier liegt ein Zyklus von mehrstimmigen Propriumsgesängen auf Choralgrundlage vor. — Wie sehr sich dadurch der Aufbau der gesungenen Teile der Messe an großen Festtagen liturgisch änderte, vermag E. Jammers' Gegenüberstellung der von der Schola etwa zur Zeit Gregors und einem Klosterkonvent des 11. Jahrhunderts gesungenen Teile zu verdeutlichen:

Gregorianische Schola:	Messe des 10./11. Jahrhunderts:
Introitus (dieser Gesang gehörte strenggenommen vielleicht gar nicht zur Messe): Introitusantiphon und Psalmvers (oder -verse)	Introitus, Vers, Introitus, aber durchsetzt mit einem Tropus; vielleicht sogar durch einen Tropus eröffnet.
	Kyrie, tropiert
	Gloria (vielfach tropiert)
Graduale	Graduale
Alleluia	Alleluia
	Sequenz
	Credo
Offertorium, mit mehreren Versen, die den Gipfel der Solistenkunst darstellte — je nach Bedarf	Offertorium (manchmal noch mit Versen, deren Schlußmelismen gern tropiert wurden)
	Sanctus, tropiert
	Agnus, tropiert
Communio mit Psalmvers (oder -versen)	Communio (ohne Vers), öfters tropiert

Die von Rom aus eingesetzten Gesänge genügten aber den fränkischen Bedürfnissen nicht völlig: neu entstandene Feste — vor allem für die vielen, oft nur regional oder lokal gefeierten Heiligen — riefen nach neuen Formularen, die einerseits zur Adoptierung neuer Texte, oft aus Viten und Legenden der Heiligen, zu gegebenen Melodien führten (Antiphonen), andererseits zu ganzen Neukompositionen Anlaß gaben (Reimoffizien).

Unabhängig von der musikalischen Einkleidung konnten die Texte auch nur gelesen und gebetet werden; von solchen stillen Feiern aus gesehen war die Funktion der Musik innerhalb der Liturgie nicht mehr einheitlich und verbindlich.

Musikalisch-liturgische Ganzheiten wurden nicht mehr als solche erlebt: die Einheit von Lesung und Responsorium hatte ihren Sinn im Ausschwingen des Gehalts der Lesung im responsorialen Gesang, ebenso bilden Psalm und die mit ihm verbundenen Antiphonen einen notwendigen Zusammenhang. Diese Auflösungen, die auf ein anderes Liturgieerlebnis zurückzuführen und nicht als Zerfallsmomente zu betrachten sind, hatten eine musikalische Hierarchie zur Folge, die auf der Rangordnung der verschiedenen Feste beruhte, deren Konkurrenz durch die Rubriken ausgeglichen werden mußte.

Ein Komponist in unserem Sinne ist der Zeit der Entstehung der römischen Proprien fremd; die Gesänge bauen sich aus Modellen und Formeln auf, die in bestimmter Weise zusammengestellt (centonisiert) und zu einem Ganzen verbunden werden. Im Zeitalter fehlender Musiknotierung, in dem der Sänger einzig den liturgischen Text vor sich hat (J. Smits van Waesberghe vermutet allerdings eine *„gut entwickelte Notenschrift"* schon in der ersten Hälfte des 8. Jahrhunderts), ist liturgisches Singen einer besonderen Art „Wiederschaffung" ähnlich, die ihrerseits die ständig gesuchte Verbindung mit der römischen Autorität verständlich macht. Der Komponist der Karolingerzeit tritt Schritt für Schritt aus dieser nachvollziehenden Rolle heraus, ohne dabei allerdings wieder zum Improvisator zu werden. Innerhalb der Grenzen liturgischer Musik wird der Komponist zum Neuschöpfer, der nicht mehr mit jenen Sängern zu vergleichen ist, die an die 200 Antiphonen auf dasselbe Melodiemodell adaptierten.

Der Neuschöpfer kann aus einer großen Materialfülle, die beispielsweise aus volksmusikalischen Quellen herrühren mag, auswählen, abwägen und umformen oder neubilden. In einer kleinen Gruppe außerliturgischer Gesänge, die für bestimmte Anlässe komponiert wurden, zeigt sich die neue Tendenz am deutlichsten: sie sind weder centonisiert noch in den Modalitäten des Chorals gehalten. Dagegen will man in den neuen Offizien offenbar in der Art des Chorals komponieren; neu entstandene Offizien werden dann parodiert und nachgeahmt. Der liturgische Rahmen bildet eine Begrenzung insofern, als das Neue nach Möglichkeit aus Altem abgeleitet oder nachgebildet wird, was in den Zeiten selbständiger weltlicher Kunstmusik der Kultmusik gerne einen konventionellen Zug anhaften läßt; der mittelalterliche Mensch mußte sich, innerhalb der Kirche, in den Spuren des Bewährten und Ehrwürdigen der Vorfahren fühlen.

In engem Zusammenhang mit der veränderten Stellung der liturgischen Musik und dem liturgischen Selbstverständnis des Mittelalters stehen die einzelnen Heiligen, deren Feste sich mehren, im besonderen jene Marias, und die innerhalb des Kalenders die Ferialliturgie beinahe verdeckten. Ähnlich wie das Heldenlied konnten auch die Heiligensequenzen die Heiligen und ihre Taten besingen und ihnen dadurch größeres Gewicht verleihen.

Neben den Denkmälern praktischer Musik müssen die Theoretiker befragt werden, bei deren systematischer Darstellung der Tonsysteme ähnliche Grundzüge sichtbar werden, wie sie sich in der Musik selbst ausprägen.

Die Tonartenlehre entstand aus dem Bedürfnis, die kirchlichen Gesänge, nach byzantinischem Vorbild, zu ordnen und die Tonstufen in einem geschlossenen Skalensystem rational zu erfassen. Dabei zeigt sich, im Vergleich mit der kultischen Musik der Synagoge und des frühen Christentums, daß die einzelnen Töne innerhalb eines Systems berechnet und dargestellt werden; diese Haltung war dem ersten halben Jahrtausend christlicher Kultmusik insofern fremd, als sich der Gesang nicht aus Einzeltönen, sondern aus Formeln und Melodiemodellen aufbaute, die sowohl für die gelehrte Antike als auch für die karolingische Musiktheorie nur schwer faßbar waren.

Zwischen Aurelian in der Mitte des 9. Jahrhunderts und Hermann wird ein neues, dem Abendland eigenes System aus verschiedenen Quellen folgerichtig und notwendig entwickelt. Primär byzantinisch ist die Achtzahl der Modi, die aus den 7, 13 oder 15 Tonoi und den 7 Harmonoi der Antike nicht ableitbar sind und auf außermusikalischen, kalendarischen Ursprüngen, wie E. Werner zeigte, beruhen; dieser Ordnung paßte die karolingische Theorie die Zahl der Modi an. — Die authentisch-plagale Teilung in vier Haupt- und vier Nebentöne war der antiken Theorie unbekannt; dennoch muß diese Zweiteilung mit der antiken Tetrachordordnung in Verbindung gebracht werden. Das lateinische Mittelalter übernahm sie von den byzantinischen Echoi.

Umstritten war die Größe des antiken Bestandteils am abendländischen System, der sich unter anderem in einigen griechischen Termini äußerte. Beim Frühchristentum mußten diese antiken Bestandteile sowohl in musikalischer als auch in geistiger Hinsicht auf Schwierigkeiten des Verständnisses stoßen, da die christliche liturgische Kultmusik, wie Quasten gezeigt hat, sich von allem Heidnischen scharf abgrenzte. Die Forschungen M. Markovits, die erstmals die Entwicklung des abendländischen Tonsystems im Zusammenhang darstellten, konnten auch hier klärend wirken. Nach seinen Forschungen können antike Wurzeln nur in solchen Tonleitern aufgewiesen werden, die antike Leitern in abendländische Oktavgattungen umgestalten. Die Theorie paßte die sieben antiken Tonoi den Modi an, wobei man sie, entgegen dem antiken Sinn, entchromatisierte. Dadurch erschienen die Leitern nicht mehr als Transpositionen, sondern als zyklische Permutationen.

Eigentlich abendländisch ist das Finaltonsystem. Die Kirchengesänge wurden gemäß ihren Schlußtönen den Authentischen oder Plagalen zugeteilt; die Schlußtöne d e f und g bildeten dabei ein Tetrachord mit dem Halbton in der Mitte. Sie erhielten die griechischen Namen Protos, Deuteros, Tritos und Tetrardos, die dadurch im Abendland zweifache Bedeutung bekamen: sie dienten als Bezeichnung für die Tetrachordstufen und für die Modi. In Byzanz bestimmten sie nur die Echoi, nicht die Finaltöne, die dem frühen Octoechos fremd sind. Spezifisch ist die paarweise Zuordnung gleicher Haupttöne.

Innerhalb des neurömischen Chorals, der im gesamten westlichen Abendland gesungen wurde, bestanden Unterschiede in der Melodie, ganz zu schweigen von Vortragsweise und Rhythmisierung.

Die von den Solesmer Patres unter Verwendung von 200 Handschriften vorgenommenen Melodievergleiche des *Graduale* lassen deutlich eine westliche und eine östliche Gruppe sichtbar werden. Innerhalb der östlichen Melodiengruppe kristallisieren sich die weitgehend identischen Melodien der Schweizer Benediktiner-Klöster (St. Gallen, Einsiedeln, Pfäfers) als Zentrum heraus. Eine weitere, weniger enge Gruppe bilden die in einigen norditalienischen und österreichischen Handschriften überlieferten Melodien. Von diesem süd- und mitteleuropäischen Repertoire hebt sich das norddeutsche und holländische ab.

Im Westen findet sich eine Anzahl in sich geschlossener Repertoire-Gruppen, die sich von den Beneventer in Süditalien und den aquitanischen in Nordspanien unterscheidet. Zu diesen kleineren geschlossenen Gruppen sind Paris, St. Denis zusammen mit Worcester, die Loiregegend bis nach Cambrai, Cluny, Sens, der Sarum-Use u. a. zu zählen. Deutlich sichtbar wird ein Korridor, der einzelne Handschriften der französischen Schweiz (Diözesen Sitten und Lausanne) und Italien nördlich des Po umfaßt, und sich damit zwischen die westliche und die östliche Gruppe einschiebt.

Vom zwölften Jahrhundert an treten neugegründete Orden mit z. T. uniformierten Fassungen auf. 1134 setzen die Zisterzienser ihren eigenen Choral ein, der für den ganzen Orden verbindlich ist.

Sie tilgen einerseits die Tropen und Sequenzen fast völlig, greifen andererseits aber auch in die Choralmelodik selbst ein, indem sie den Ambitus auf die Dezime beschränken, um dadurch modale Unklarheiten zu beseitigen. Besonders deutlich wird die zisterziensische *„Mischung von Purismus und Fortschrittlichkeit"* (B. Stäblein) im Hymnenrepertoire: die ältesten, auf Ambrosius zurückgehenden Hymnen stehen gleichwertig neben den innerhalb des Ordens entstandenen Neuschöpfungen. Eigenartigerweise findet sich gerade in Zisterzienser-Hss. öfters einfache Mehrstimmigkeit, in solchen aus der französischen Schweiz bereits im 13. Jahrhundert.

Die Melodiefassungen der Zisterzienser wirkten im Normalbuch der Dominikaner 1255/66 nach. Die Franziskaner greifen die Melodievarianten ihres Ursprungsgebietes, Mittelitalien, auf. Ebenso entstammen die Kartäusermelodien dem Gründungsgebiet des Ordens, der Provence östlich der Rhone, das sich bis nach Savoyen hinaufzieht. Dagegen haben die Augustiner und Prämonstratenser ihren Choral nicht vereinheitlicht.

Alle diese Ordensfassungen und lokalen Unterschiede sind allein an Varianten derselben Melodien ablesbar; weit vielfältiger zeigen sich die Unterschiede in der Melodik der neuentstandenen Gesänge, die naturgemäß die melodischen Eigenheiten eines Raumes stärker ausprägen und, da es sich um Ergänzungen zur Liturgie handelt, volkstümlichen Praktiken und Melodieeigenheiten eher offenstehen. Besonders deutlich ist die am Ende des 11. Jahrhunderts einsetzende Melodik in den Liedern der heiligen Hildegard sichtbar.

Die 42 Antiphonen, 18 Responsorien, 7 Hymnen, die 7 Sequenzen, das Alleluia und das Kyrie sind an sich liturgische Formen; die Melodien sprengen aber innerhalb der römischen Liturgie Rahmen und Aufgabe der Musik. Sie durchlaufen auf kurzen Strecken einen übergroßen Tonumfang, wobei Tonika und Dominante herausgearbeitet sind; dabei werden kleine Melodiezellen immer wieder gebraucht, verändert, transponiert und sequenziert. Die Melodik weist einerseits große Dynamik auf, andererseits wirkt sie starr durch das gleiche Motivmaterial.

Die Gesänge der heiligen Hildegard lassen sich andererseits auch nicht verallgemeinern, entstehen doch in derselben Zeit so eindrucksvolle Werke wie die marianischen Antiphonen. Sie sind am Anfang mit ihren Psalmen verbunden, lösen sich aber davon und werden selbständige Gesänge, die einen eigenen liturgischen Platz in der Complet erhalten. Die Möglichkeit, sie losgelöst vom Psalm in die Liturgie einzuordnen (Votivantiphonen), macht deutlich, daß sie im Gegensatz zu den römischen Antiphonen nicht als Teil innerhalb eines Ganzen konzipiert waren. Im Zusammenhang mit dem Salve Regina entstehen sogar eigene Volksandachten, bei denen die marianische Antiphon ihrerseits wieder von Antiphonen für die Gottesmutter, meist auf Texte aus dem hohen Lied, eingerahmt wird.

Jürg Stenzl

Die gottesdienstlichen Gesänge in Rom und ihre Ordnung unter Benedikt und Gregor

Wenn die ersten Jahrhunderte des Christentums erklärlicherweise eine Zeit der Suche und des Aufbaus unter meist schwierigsten Verhältnissen waren, so mußte doch eine Stabilisierung aufgrund der Praxis und der Erfahrungen vorgenommen werden, sobald bessere Bedingungen es erlaubten. Sie wurde in Rom in verschiedenen Etappen und mit großen Umwandlungen vollzogen, bis sie eine festgeordnete, definitive Form im 6. Jahrhundert annahm. Träger dieser Organisation waren für das Offizium Sankt Benedikt und für die Messe Papst Gregor der Große. Wenn in der Folgezeit das Offizium noch manchen Änderungen, zwar unwesentlichen, ausgesetzt war, so muß dagegen hervorgehoben werden, daß die einmal festgelegte Messe in höchstem Maße als unantastbar angesehen wurde.

Das Offizium, als Volksgottesdienst von der Synagoge her, wurde im Christentum nach und nach zu Gunsten der Eucharistiefeier mehr in den Hintergrund gedrängt und vorwiegend in die Klostergemeinschaften verlegt. Obschon seine Gesänge nicht minder interessant sind, ziehen sie die allgemeine Aufmerksamkeit nicht so sehr auf sich wie die der täglich von den Gläubigen gefeierten Messe.

Sankt Benedikt (480—543) fand zu Anfang des 6. Jahrhunderts bereits alle Elemente des Stundengebetes vor. Er richtete sich in seiner Regel größtenteils nach dem Brauch der römischen Basiliken. Der *Cursus ecclesiasticus* war schon vor ihm organisiert.

Cassiodor erwähnt 7 Synaxen: Die Vigilien mit 3 Nokturnen, die *Laudes matutinae*, die 3 Tageszeiten Terz, Sext und Non, das *Lucernarium*, d. i. die Vesper, und das *Completorium*. Päpste wie Damasus und Gelasius hatten sich vorher sehr um den liturgischen Gesang bemüht, und besonders Damasus hatte sich bereits für die Organisation des Nachtoffiziums dadurch verdient gemacht, daß er die 3 Nokturnen des sonntäglichen Offiziums mit 9 Psalmen, Lesungen und Responsorien von der einen Nokturn der Wochentage mit je 3 Psalmen, Lesungen und Responsorien im Sommer und 4 im Winter unterschiedlich gestaltete. Zu jedem dieser Psalmen gehörte eine Antiphon. Die Ordensregel des hl. Benedikt zeichnet wie die Augustinerregel die Offizien für die Tageszeiten nach einer dem heutigen Zustand ähnlichen Ordnung auf; er fügte die Prim nach den *Matutinae Laudes* hinzu. Die hohen Feste des Herrn und der Heiligen werden mit besonderen Offizien bedacht. Sankt Benedikt gebrauchte den Namen *Missa* noch für das Offizium, obschon diese Bezeichnung sonst bereits speziell für das Opfer angewandt wurde. Zu seiner Zeit begann man das *Te Deum* nach der Nokturn anstelle des letzten Responsoriums einzuführen. Bis dahin war das *Gloria* in den Metten und nicht in der Messe gesungen worden. Seiner Liturgie nach wird abends in den Festvigilien das *Te decet laus* nach der Lesung des Evangeliums vorgetragen. Das *Kyrie*, wie es am Ende der Metten und der Vesper vorkommt, nennt er *Supplicatio Litaniae*, Bittruf der Litanei. Die kleine Doxologie besteht seit dem Ende des 4. Jahrhunderts überall, und die Hymnen mit auswechselbaren Texten auf feststehenden Melodien sind ebenfalls zu der Zeit allgemein üblich.

So gewinnt man folgende Zusammenstellung der Gesänge des Morgengottesdienstes (d. i. *Laudes*) in Rom gegen Mitte des 6. Jahrhunderts, sowohl in der benediktinischen wie in der römischen Liturgie: Nach einer vorbereitenden Anrufung *Deus in adjutorium* wird die Doxologie *Gloria Patri* oder *Laus tibi* vorgetragen. Darauf folgen ein einleitender (*Miserere*) und weitere Psalmen mit je einer Antiphon vorher und nachher. Die Psalmen werden wie die *Cantica* auf die verschiedenen Wochentage aufgeteilt. Die sogenannten *Laudes-* oder *Alleluja-Psalmen* nach dem *Canticum* werden wie die Psalmen der dritten Nokturn an den Festen von dem Jubelruf *Alleluja* eingerahmt. Danach kommt die Lesung, gefolgt vom Responsorialgesang, von einem *Hymnus*, von *Kyrie, Pater noster, Oration, Benedicamus Domino*.

In den Vigilien und Nokturnen bestanden im 5. Jahrhundert die Gesänge aus Antiphonen, Psalmen, feierlichen Rezitativen und Responsorien, Versikeln, *Pater noster* und Lesungen. Während für den Sommer — Ostern bis November — Sankt Benedikt die Einschränkung auf nur eine Lesung mit *Responsorium breve* einführte, waren im übrigen Jahr die Gesänge und Responsorien lang und mit reichen Melismen geschmückt. Die Prim und die kleinen Horen, die vom benediktinischen Offizium her erst später, wahrscheinlich von Papst Gregor I., ins römische Offizium aufgenommen wurden, wiesen 3 Psalmen mit Antiphon, Lesung und Oration auf, enthielten jedoch keine selbständigen Gesänge; deren Antiphonen wurden von Benedikt aus den Nokturnen und der Vesper entlehnt. Die Vesper nahm Sankt Benedikt aus der römischen Praxis, ersetzte jedoch deren Kyrie und Pater nach der Gruppe Lesung = Responsorium und Vers mit Antwort durch das Magnificat. In der Folgezeit entstanden hierzu Antiphonen in Menge. Der Complet gab Sankt Benedikt erstmalig die feste Form mit Lesung, 3 Psalmen ohne Antiphon, Hymnus, Lesung, Versette, Kyrie, Oration und Segnung. Das gallikanische *Salva nos* erscheint im Laufe des 6. Jahrhunderts auch in Rom, dagegen wurde das im Orient seit jeher gesungene *Nunc dimittis* erst 300 Jahre später hier aufgenommen.

Die Meßgesänge leiten ihr größeres Interesse vor allem von der Stellung der Messe selber her. Ist doch die römische Messe der Höhepunkt und das Zentrum aller gottesdienstlichen Verrichtungen. Sie mußte ihrem Ursprung gemäß als christliches Opfer neu aufgebaut werden. Vier Jahrhunderte formten nach und nach ihre Gestaltung, die sich durch den Einfluß mehrerer Päpste wie Zephyrinus, Callixtus, Damasus, Coelestinus, Leo I. und Gelasius immer mehr bis zur definitiven Fassung im 5. Jahrhundert verdichtete. Im 6. Jahrhundert hatten sowohl die Messe als auch die einzelnen darin vorkommenden Gesänge ihre feste Form angenommen, so daß Sankt Gregor I. (590–604) Ende dieses Jahrhunderts das vorliegende Material sichten, straffer organisieren und zu jener Meßordnung gestalten konnte, die von da an bis vor kurzem als unantastbar galt.

So kommt es, daß die meisten Gesänge, die noch jetzt zur Messe gehören, bereits im 6. Jahrhundert bestanden; ausgenommen sind lediglich einige wenige, die von anderswoher erst nachträglich in die Messe aufgenommen wurden, wie z. B. das *Gloria* aus den Metten, dessen besonderer Teil, das *Agnus Dei*, viel später selbständig vorgetragen wurde; oder wie das *Credo* das vom Orient über Spanien und dann Gallien mehrere Jahrhunderte danach in den römischen Gottesdienst kam. Selbstverständlich gehören zu diesen Ausnahmen ebenfalls die Gesänge der nachher entstandenen Formen, besonders die Sequenzen.

Der *Introitus*, wie das gregorianische Sakramentar den Einzugsgesang der Messe nennt, hatte verschiedene Namen: In den *Ordines Romani* wird er *Antiphona ad introitum* genannt, im ambrosianischen Ritus *Ingressa*, im mozarabischen *Officium*, im gallikanischen *Antiphona ad praelegendum*, im byzantinischen *Monogès*. Ob Papst Coelestin I. bloß den Psalm zur Antiphon hinzugefügt oder beide eingeführt hat, ist ungewiß. Jedenfalls bezeugt der erste *Ordo Romanus* fürs 6. Jahrhundert, daß die *Antiphona ad introitum* vom *Prior Scholae* intoniert und vom Chor weitergeführt wird, worauf ein abwechselnd gesungener Psalm (antiphoniert) folgt. Wie einerseits die Metten, die *Laudes* und die Meditation und andererseits die Waschung und die Kleideranlegung zur entfernteren, so gehört der *Introitus* mit dem *Kyrie*, den Gebeten, Lesungen und Zwischengesängen zur näheren Vorbereitung für das eucharistische Opfer. Er ist ein Prozessionsgesang, der den Einzug in die Kirche begleitet und wurde nie vom Volk, sondern nur von der damals allenthalben bereits entwickelten Schola gesungen.

Das unter Papst Gelasius in die römische Liturgie eingeführte *Kyrie* stammt ursprünglich als Antwort auf die Anrufungen aus den Litaneien. Papst Gregor der Große wehrte sich gegen den Vorwurf, er mache alles den Griechen nach, mit der Erklärung, daß in Rom das *Kyrie* im Gegensatz zu den Griechen nur vom Klerus und nicht wie dort vom Volk gesungen werde. Er schaffte die Invokationen ab und es blieb das Kyrie allein, das, vom 7. Jahrhundert an mit 3 eingeschobenen *Christe* neunmalig gesungen, der Schola vorbehalten war.

Vom *Gloria* weiß man, daß es aus den Metten in die Messe herübergenommen, seit Papst Simacus in bloß einigen Messen eingeführt, und zur Zeit Gregors als ein Vorrecht der Bischöfe angesehen wurde. Lediglich an Ostern durften die Priester den *Gloria*-Gesang intonieren, der dann von den Gläubigen weitergeführt wurde.

Die *Schola Lectorum* für den Vortrag der Epistel entwickelte sich seit dem 5. Jahrhundert zur *Schola Cantorum*, die im 6. Jahrhundert in voller Blüte stand. Aus ihr gingen die Solisten hervor, die das Graduale auf den Ambonen vortrugen. Seit alters her wurde nach den Lesungen ein meditativer Gesang eingeschaltet, dem eine musikalische Bedeutung an sich zukam. Seit Papst Coelestin hatte er sich bis zum 6. Jahrhundert so entwickelt, daß der Psalm, auf einige Verse reduziert, bereits reich geschmückte Melodien aufwies, von Solisten vorgetragen und von der Schola beantwortet wurde. Da Papst Gregor I. den Diakonen das Solistenwesen untersagte, sangen oft Knaben den Solopart.

Mehr als die anderen Gesänge war das *Alleluja* dem Wechsel in seiner Art und Anwendung ausgesetzt. Papst Gregor fand dessen Gebrauch in den Messen von Ostern bis Pfingsten vor und dehnte ihn auf alle Sonntage mit Ausnahme der Bußzeiten aus. Inwieweit er die langen Melismen beschnitten hat, die Augustinus als jubilierende Betrachtung da, wo die Worte nicht ausreichen, interpretiert, steht nicht fest. In Rom wurde stets wenigstens ein Psalmvers von Solisten hinzugefügt. Weil nun der Gebrauch des Alleluja für die verschiedenen Festzeiten vorher nicht so stabilisiert war, findet man in späteren Manuskripten einen Anhang mit einer *Alleluja*-Sammlung, aus der je nach Bedarf geschöpft werden konnte.

Der *Tractus* ist ein spezifischer Sologesang, der *tractim, in directo*, d. h. in einem Stück, ohne Unterbrechung durch Volkszurufe oder Scholaantworten vorgetragen wurde. Während man ihn zu Sankt Gregors Zeit an allen Sonntagen außer der Osterzeit in den Messen vorfindet, bestimmt der I. *Ordo Romanus*, daß er nur zu singen sei, wenn –

nach Gregors Verfügung – das *Alleluja* ausfällt. Von altersher übernommen, ist er nur in 2 Tonarten komponiert: Der II. Ton war erst ein Graduale mit mehreren Versen, während der VIII. Ton eine Psalmodie ist, die vom 5. Jahrhundert an einen melismatischen Reichtum bei Kürzung des Textes erhielt.

In allen Liturgien wird der *Offertorium*-Gesang vorgefunden, der den Opfergang begleitet. Zunächst antiphonisch, entwickelte er sich vom 5. bis 6. Jahrhundert zu einem anspruchsvollen Responsorialgesang, bei dem die schwierigen Melodien der Verse von Solisten und das reich melismatische Responsum von der Schola gesungen wurde. Er gehört zur Kategorie der prozessionalen Gesänge.

Präfationen bestanden damals in größerer Anzahl. Als Dank- und Lobgebet in der lateinischen Sprache nach dem Gesetz des *Cursus* gedichtet, sind sie dazu bestimmt, wie die anderen Gesänge original gregorianisch gesungen zu werden. Nach dem Prinzip der (im Hinblick auf die Vortragenden) drei verschiedenen Stile im gregorianischen Gesang – dem syllabischen für weniger ausgebildete Sänger, dem neumatischen für die *Schola* und dem melismatischen für Solisten – sind sie des Zelebranten wegen in der Melodie ziemlich einfach nach dem Akzentprinzip gehalten, dafür aber nicht weniger feierlich und ausdrucksvoll.

Daran schließt sich in vielen Liturgien der *Sanctus*-Gesang an, obschon er im *Ordo Missae* des gregorianischen Sakramentars nicht erwähnt wird. Ebenso ist der Gesang des *Benedictus* für Rom nicht nachgewiesen, wogegen er für Gallien im 6. Jahrhundert bezeugt wird. Die reichere Melodie des *Pater noster* bestand jedoch seit langer Zeit in Rom, wo dieselbe nach den Worten Papst Gregors I. nur vom Priester gesungen wurde. Der Embolismus wurde bloß rezitiert.

Älter noch als *Introitus* und *Offertorium* ist die *Communio*; wie sonst überall, ist sie im 6. Jahrhundert auch in Rom eingeführt. Die Texte dieses Gesanges sind stets psalmodisch und die Melodien sehr originell. Sobald der Zelebrant, heißt es im I. *Ordo Romanus*, die Kommunion auszuteilen beginnt, wird die Antiphon von der Schola angestimmt. Nach Papst Gregor findet man auch *Communio*-Gesänge mit Texten aus den Evangelien; diese Melodien sind eher syllabisch gehalten.

Die Musiktechnik des 6. Jahrhunderts bewegte sich auf einem künstlerisch hohen Niveau. Hierzu trug nicht nur die Pflege der traditionellen heidnischen Musik im Privatleben und in öffentlichen Schauspielen bei, sondern auch die Einwanderung syrischer Sänger nach Italien, was dem Virtuosentum starken Auftrieb gab. Daneben erblühten allenthalben die Sängerschulen, lange bevor Gregor I. der seinigen eine feste Konstitution gab. Theoretiker verfaßten zahlreiche Bücher über die verschiedenen Aspekte der Musiktheorie.

Papst Gregor I. fand eine fortgeschrittene Kunst mit bestimmten Formen und bewußten Prinzipien vor. Die verschiedenen Arten der verzierten Gesänge bauten ihre Melodien auf der ursprünglichen Fassung des römischen Antiphonars aus. Ob man nun Gregor die definitive Sichtung des musikalischen Materials zuschreibt oder nicht, ändert nichts an der Tatsache, daß seine Regierungszeit den Höhepunkt der nach ihm benannten gregorianischen Komposition darstellt. Von da an beruft man sich auf das Muster des römischen Gesangs, wie er in der Ordensregel des hl. Benedikt festgelegt und nach dem Vorbild des Papstes Gregor geübt werden soll. Von da an verbreitet sich der römische Gesang in alle Richtungen hin. Alle bekannten Quellen lassen mit Sicherheit auf Rom und die Zeit um 600 als Ursprung der Gesänge schließen. Abweichungen der Melodien im sogenannten altrömischen Gesang, dessen Ursprung noch der letzten Klärung harrt, ändern diese Sachlage nicht wesentlich.

Die Beschaffenheit der Gesänge schritt vom anfänglich „Primitiven" der ersten Jahrhunderte bis zum hochkünstlerischen Reichtum im 6. Jahrhundert weiter. Diese Entwicklung setzte voraus, daß die *Schola* als ausgebildeter Sängerchor die Stelle des Volkes eingenommen hatte, wobei man nicht weiß, ob die Teilnahmslosigkeit des Volkes oder die Bereicherung der Schola als Ursache für diese Verlagerung anzusehen sind. Das ursprüngliche, einfache Responsorialsystem, bei dem das Volk entweder hypophonisch einige Worte des Vorsängers wiederholte oder epiphonisch einen selbständigen Ausruf hinzufügte, hatte sich nun in die große Responsorialform umgeändert, wobei ein Chor die längeren und reicheren Melodieantworten übernahm. Dieselbe Erscheinung trat im antiphonischen Gesang hervor, indem der wechselseitig gesungene Psalm nunmehr von einem nach Muster des Instrumentenvorspiels gestalteten Melodiestück psalmischen oder biblischen Textes, der Antiphon, eingeleitet und beschlossen wurde. Der Gesang des Volkes hatte sich schon immer auf die einfachen Zwischen- und Zurufe beschränkt, wie *Kyrie, Amen, Alleluja*, oder kurze Refrains und die kleine Doxologie. Nun ist die Schola bei den reicheren Formen der Antiphon und besonders der

Responsorien an dessen Stelle getreten. Kunstgesang und längere Texte verlangen ohnehin ausgebildete Sänger. Volkstümlicher war der Hymnus, bei dem die Allgemeinheit zum mindesten die Doxologie-Strophe mitsingen konnte.

Obschon Instrumente als Begleiter des Gesanges bekannt waren, wurden sie wegen der strengen Ablehnung aller heidnischen Anklänge durch die Kirchenväter nicht im Gottesdienst gebraucht; es war reiner Vokalgesang. Die Melodien waren kirchlich stilisiert nach den 3 Gattungen des syllabischen, des neumatischen und des melismatischen Gesanges, je nach der Zweckbestimmung sowohl im Hinblick auf die Ausführenden als auch auf den Grad der liturgischen Handlung oder des Festes. Eine Mehrstimmigkeit gab es noch nicht; somit ist der Ausdruck Paraphonistae lokal, nicht aber musikalisch zu verstehen. Die Tonarten dieser Monodie wurden von der Kitharodik hergeleitet, konnten ihre Tonika auf jeder Note der Skala haben und waren diatonisch. Die in ihnen komponierten Melodien hatten ein gleichmäßiges Zeitmaß bei frei wechselndem binären oder ternären Rhythmus mit Variationen, der sich nach den Akzentgesetzen und dem Genius der lateinischen Sprache richtete. Außer dem Rezitativ und dem Strophenhymnus gab es die antiphonische Form von zwei Wechselchören mit der kunstreichen Antiphon und die responsoriale als Sologesang mit entweder einfacher Antwort eines kollektiven Zurufes oder mit reich melodischem Refrain für die Schola. Zu jener gehören z. B. der *Introitus* und die *Communio*, zu dieser das *Alleluja*, das *Graduale* und das *Offertorium*. Der *Tractus* war reiner Sologesang. Mit den Hymnen und den zu jener Zeit entstandenen Antiphonen begann man abzuweichen von der allgemeinen Regel, daß die Texte den Psalmen entnommen sein müßten. Mit welcher Notenschrift die Melodien festgehalten wurden, ist schwer zu bestimmen, denn es liegen keine diesbezüglichen Dokumente aus jener Zeit vor. Wahrscheinlich wurde die Notierung durch grammatikalische Akzentzeichen oder alphabetische Buchstaben, die der Melodie entsprechend gruppiert wurden, gebildet. Daß jene zum mindesten nach und nach überwog, beweist die spätere Entwicklung bis zu unserer Notenschrift. Im Gegensatz zum Sakramentar, in welchem die vom Priester vorgetragenen Gebete und Segnungen gesammelt waren, erhielt das Buch mit den Gesängen den Namen Antiphonar oder auch *Cantus anni circuli*. Das *Responsoriale* enthielt die Responsorien und Antiphonen des Offiziums, während das *Cantatorium* oder *Graduale* die Sammlung der Sologesänge der Messe darstellte.

Im allgemeinen kann man sagen, daß die gottesdienstlichen Gesänge für das Offizium unter Sankt Benedikt gegen Mitte und für die Messe unter Sankt Gregor I. gegen Ende des 6. Jahrhunderts in Rom so weit entwickelt waren, daß sie trotz der wechselreichen geschichtlichen Erscheinungen der nachfolgenden Zeiten im wesentlichen, auch der Melodie nach, die gleichen sind, wie wir sie in unserm Jahrhundert nach der Restauration als gregorianische Gesänge kennengelernt haben.

Joseph Schmit

Die römische Schola cantorum und die Verbreitung des liturgischen Gesangs

Bereits in der ersten Entwicklung des liturgischen Gesangs und nicht erst im Laufe des Spätmittelalters stehen — auf einer gemeinsamen Grundlage — verschiedene Melodiefassungen nebeneinander. Quellenbelege aus dieser frühen Zeit sind uns freilich nicht erhalten, sie setzen erst um die Wende des 1./2. Jahrtausends ein. Doch lassen sich aus den späteren Melodieüberlieferungen wie aus den theoretischen Schriften und historischen Fakten Rückschlüsse auf die Frühentwicklung ziehen.

Wenn auch die im Mittelalter allgemein verbreitete Annahme, die Ordnung der Liturgie und des Kirchengesanges sowie die Gründung der *Schola cantorum* gehe auf Gregor I. (590—604) zurück, von P. Gussanville (1675), G. v. Eckhart (1792) und durch neuere Forschungen in Zweifel gezogen wurden, so bleibt doch als Tatsache bestehen, daß es in der 2. Hälfte des 1. Jahrtausends zu einer Liturgie- und Kirchengesangsordnung kam, und daß durch das Wirken der *Schola cantorum* in Rom die Gesänge verbreitet wurden.

Im 6. Jahrhundert sind liturgisch-kirchenmusikalische Betätigungen der Päpste Leo (440—461), Gelasius (492—496), Symmachus (498—514), Hormisdas (514—523), Johannes (523—526), Bonifatius (530—532) überliefert, nachdem Papst Damasus (366—384) die Einführung der Liturgie von Jerusalem in die römische Kirche zugeschrieben wurde.

Johannes Diaconus hat um 870 Gregor I. den Kompilator des *Cento-Antiphonarius* und Gründer der *Schola cantorum*, der er zwei Häuser und die notwendigen Landgüter zu ihrem Unterhalt gab, genannt. Seine 300 Jahre nach Gregors Tod erfolgte Nachricht wird aber bereits von Beda (672—735), Egbert von York (732—766), Walafried Strabo (807—849), Papst Leo IV. (847—855) gestützt.

Im Zusammenhang mit den Forschungen zum altrömischen Gesang ist die Frage der Stellung der *Schola cantorum* in Rom in Verbindung mit den Papstkirchen oder den seit etwa 400 gegründeten Basilikaklöstern aufgeworfen worden. Der Papstgottesdienst und in diesem Zusammenhang die musikalische Gottesdienstgestaltung in den Stationskirchen war die Aufgabe der *Schola cantorum*, in ähnlicher Weise wie die *Cappella Sistina* als *Cappella papale* im Gegensatz zur *Cappella Giulia* später getrennte Aufgaben hatte. Wenn Smits van Waesberghe aufgrund des *Ordo cantorum* des 7. Jahrhunderts die Gründung der *Schola cantorum* in das 8. Jahrhundert legen möchte, so scheinen dem sowohl Nachrichten über die Päpste Adeodatus (672—676), Benedictus II. (684—685) oder Sergius I. (687—701), als auch die Verbreitung des liturgischen Gesangs durch römische Kantoren im 7. Jahrhundert nach England entgegenzustehen.

Gesangschulen bestanden zur Erfüllung der gottesdienstlichen Aufgaben schon seit der Entwicklung des öffentlichen christlichen Gottesdienstes. Daß die römische *Schola cantorum* eine besondere Bedeutung erlangen mußte, liegt in der kirchen- und liturgiegeschichtlichen Bedeutung Roms, die auch in den Besuchen auswärtiger Liturgiker und Sänger deutlich wird. Wenn die Frage des Gründungsjahres bzw. des Gründers der römischen *Schola cantorum* nicht eindeutig zu klären ist, so gilt das gleiche für die Frage nach der dort gepflegten und entwickelten Melodiefassung. Die in der 2. Hälfte des 1. Jahrtausends gegebene Parallelentwicklung der altrömischen und gregorianischen Fassung der liturgischen Melodien wirft die Frage auf, welche der Fassungen in der *Schola cantorum* gepflegt und durch sie verbreitet wurde. Die römische *Schola cantorum* hat jedenfalls in der 2. Hälfte des ersten Jahrtausends nicht nur für die Stadt Rom, sondern für die gesamte abendländische Kirche, auch in ihrer Organisationsform, eine führende Bedeutung erlangt. Mehrere Päpste sind aus ihr hervorgegangen.

Sowohl die Fassung der liturgischen Gesänge wie ihre Vortragsart konnten durch die römische *Schola cantorum* für die gesamte abendländische Kirche mustergültig werden. Erst im Exil in Avignon erhielt die Schola mit der Übernahme der musikalischen Neuerungen eine neue Bedeutung. Im 1. Jahrtausend war allein der in der Tradition gewordene liturgische Gesang, seine Pflege, Entwicklung und Vortragsart ihre Aufgabe.

Wenn auch noch unter Leo IV. vorgregorianische Melodien selbst im Bereich von Rom üblich waren, so verstärkte sich die Wirkung der in der *Schola cantorum* geübten Gesangsweisen. Der Versuch, die Mailänder Tradition zu brechen, stieß freilich auf heftigen Widerstand; trotz der zahlreichen Vorstöße, wie 1059 oder 1440, mußte Papst Alexander VI. 1497 die Mailänder Liturgie-Privilegien bestätigen.

Im 7. und 8. Jahrhundert aber zogen Lehrer der *Schola cantorum* sowohl nach Süditalien wie nach Norden und verbreiteten die römischen Gesänge. An Klöstern und Kathedralen bildeten sich überall ähnliche Gesangsschulen, die sich wieder an der römischen orientierten und damit eine Vereinheitlichung der liturgischen Gesänge im gesamten abendländischen Bereich förderten. Die Stellung des *Primicerius* wurde nach römischem Vorbild überall hervorgehoben.

Noch zur Zeit Gregors I. ist mit der Verbreitung des Christentums in England auch die römische Gesangsweise dorthin gedrungen und wurde in Verbindung mit der römischen *Schola* dort entwickelt. In Kent und Northumberland wurden nach römischem Muster Zentren des Kirchengesangs schon im 7. Jahrhundert begründet. Durch Beda sind mehrere Namen der führenden Musiker überliefert. Benedict Biscop hat den liturgischen Gesang in Rom studiert. Auf seine Veranlassung wurde der römische Archikantor Johannes durch Papst Agatho (678—682) nach England entsandt. In den zwei Jahren seiner Tätigkeit fand er viele englische Schüler. Das Konzil von Glasgow 747 forderte die Kirchengesangspflege nach römischem Vorbild. 885 ließ König Alfred den fränkischen Sänger Johannes kommen und berief ihn für den Kirchengesang an die neue Hohe Schule in Oxford.

Die Mitglieder der römischen *Schola cantorum* betrachteten es als ihre besondere Aufgabe, im ganzen Abendland ihre Kunst des liturgischen Gesangs zu verbreiten. Neben England war es vor allem das Frankenland, wo sie, gefördert durch die Karolinger, Zentren des Kirchengesangs gewannen, die ihrerseits wieder die römische Kunst ausstrahlten. Bischof Chrodegang, der in Rom die liturgischen Gesänge kennenlernte, gründete auf Veranlassung von Pippin die berühmte Metzer Sängerschule und erließ 762 seine *Regula*, die sich in Kapitel 50 und 51 insbesondere mit dem Kirchengesang befaßt.

Unter Pippin (751—768) wurde die römische Liturgie in das Frankenreich eingeführt. Er schickte 753 Bischof Chrodegang nach Rom. Papst Stephan II. kam zur Krönung Pippins und seiner Söhne nach St. Denys. Der Gegensatz der von den römischen und den fränkischen Sängern geübten Praxis der liturgischen Melodien trat dort in Erscheinung und veranlaßte den König, die Vereinheitlichung des Kirchengesangs nach dem Muster der römischen *Schola cantorum* zu fördern (Walafried Strabo, *De rebus ecclesiasticis* 25). Der Leiter der Metzer Schule hat seine Ausbildung an der römischen *Schola cantorum* gefunden. Nach Stephans II. Tod wandte sich Pippin erneut an dessen Nachfolger Paul I. (758—763) mit der Bitte, ihm römische Sänger als Lehrer zu senden. Durch Paul I. kamen die ersten römischen Gesangbücher ins Frankenreich. Der römische Gesanglehrer Simeon kam nach Rouen, wo durch den Bruder Pippins, den Bischof Remigius, ein *Schola cantorum* nach römischem Muster eingerichtet wurde. Als Simeon infolge des Todes des Leiters der römischen *Schola cantorum* dessen Stelle in Rom einnehmen mußte, wurden mehrere seiner Schüler in Rouen zur Beendigung ihrer Gesangsstudien nach Rom entsandt. Sie verbreiteten nach ihrer Rückkehr die römische Tradition in ihrer Heimat.

Metz hatte einen besonderen Ruf im Kirchengesang erworben. Englische Sänger, wie Sigulf, beendeten dort ihre in Rom begonnenen Studien.

Das Vereinheitlichungswerk der liturgischen Gesänge führte Karl der Große weiter. In Dekreten und Synodalbeschlüssen wird die Einführung der römischen Gesangtradition gefördert. Die Kapitularien von 789 und 802 fordern, wie die Aachener Synode 803, die Melodien und Vortragsweise der römischen Tradition („*sicut psallit ecclesia romana*") und die Einrichtung von Gesangs-schulen. Alcuin hat für die Aachener Pfalzschule die Grundlagen der Musiktheorie zusammengestellt, die er in York aus der römischen Tradition kennengelernt hat. Durch Sulpicius in Aachen, Aurelian Reomensis oder den Bischof Haiton (814—827) von Basel wurden die Zusammenhänge der fränkischen Gesangsschulen mit der römischen *Schola cantorum* betont und Kaiser Karl ließ nicht nur mehrfach Sänger und Gesangbücher aus Rom kommen, sondern forderte auch die stete Kontrolle der Melodien und Vortragsweisen an der Tradition der römischen *Schola cantorum*. Johannes Diaconus berichtet von den Gegensätzen zwischen der fränkischen und der römischen Gesangspflege, trotz aller Bindungen an die römische Tradition.

Die alte fränkische Tradition konnte nicht ganz verdrängt werden. Sie hielt sich an wenigen Orten als gallikanische Überlieferung und vermischte sich vielerorts mit der römischen. So bildete sich vom 8. zum 10. Jahrhundert eine römisch-fränkische Gesangstradition, die im wesentlichen bis zum 15. Jahrhundert sich nördlich der Alpen erhielt. Der Schüler Alcuins, Amalar, nahm um 830 unter Papst Gregor IV. erneut Studien in Rom auf und erbat ein römisches Antiphonar für Metz. Jedoch konnte er es nicht erhalten, da der Papst das letzte verfügbare Exemplar dem Abt Wala von Corbie übergeben hatte. Ein Vergleich der Metzer Fassung und der in der Handschrift Walas niedergelegten neueren römischen Tradition machte Amalar deutlich, daß hier Unterschiede vorlagen, da Metz die römische Fassung der Zeit Chrodegangs streng bewahrte, während in Rom unter Papst Hadrian (772—795) eine Revision und Ergänzung der liturgischen Melodien durchgeführt wurde. Die römische *Schola cantorum* sorgte damit für eine Weiterentwicklung der liturgischen Gesänge, während sich an verschiedenen Orten aufgrund früherer Übernahmen eigene Traditionen herausgebildet hatten.

Amalars Versuch eines Ausgleichs der alten und neuen römischen Tradition, verbunden mit örtlichen Überlieferungen, wurde durch Leitrad († 816), Agobard und Florus von Lyon heftig bekämpft. Leitrad hatte selbst eine Sängerschule nach römischem Vorbild begründet.

Die Sängerschule von Metz aber führte die Tradition der römischen *Schola cantorum* im Franken-lande am sichersten weiter und behielt bis in das 12. Jahrhundert hinein ihre führende Stellung. Im 10. Jahrhundert begründeten Rotland und Bernacer, im 11. Jahrhundert Theoger ihren Ruf.

Die Metzer Schule wurde mit der römischen *Schola cantorum* das Vorbild der zahlreichen im Frankenreich gebildeten Sängerschulen, wie in Argenteuil, wo im 9. Jahrhundert Addalaldus wirkte, in Toul, Dijon, Chartres, Nevers, Cambrai u. a. Chartres gewann durch Fulbert und Arnoult seinen Ruf, Nevers durch Hucbald († 930). In Paris lehrte Remigius von Auxerre (9. Jahrhundert), ein Schüler von Hericus und Haymon von Halberstadt, die ihre Kunst von Mitgliedern der römischen *Schola cantorum* erwarben.

Die zentrale Stellung der römischen *Schola cantorum* bestimmte die Vereinheitlichung des litur-gischen Gesangs im gesamten Abendland. Durch die Reisen der Bischöfe, Priester und Sänger nach Rom konnten die dortigen Gesangsweisen kennengelernt und in die verschiedenen Länder getragen werden. Das Problem der Eigenentwicklung der Gesänge in Rom wird hier deutlich und führt zu den verschiedenen Mischformen, die sich im liturgischen Gesang des Abendlands trotz der direkten Ver-bindungen zu Rom zeigen. Der zeitliche Wandel der Entwicklung der Gesänge und des Gesangsstils sowie der Zeitpunkt, wann die örtliche Auseinandersetzung mit der römischen Überlieferung erfolgte, bestimmen die Grundlagen der verschiedenen Ortstraditionen, die im Abendland ihre Entwicklung gefunden haben. Durch Gesangsstudien in Rom, Abschriften römischer Bücher wie durch Entsendung römischer Sänger an verschiedene Gesangsschulen nördlich der Alpen wurde die zentrale Bedeutung der römischen *Schola cantorum* für den liturgischen Gesang bis zum Exil von Avignon erhalten.

Karl Gustav Fellerer

Die liturgischen Gesänge im Abendland

Der liturgische Gesang der römischen Kirche hat im Abendland eine reiche Differenzierung gefunden, die zu verschiedenen Zeiten und in verschiedenen Gegenden ausgeprägt wurde und Traditionen in einzelnen Liturgiebezirken begründete. Freilich sind oft selbständige Entwicklungen abgestorben, bevor eine sichere Überlieferung einsetzte oder sie wurden mit anderen Überlieferungen vermengt; oft sind sie in neueren Fassungen überliefert, die nicht mehr mit Sicherheit die ursprüngliche Gestalt erkennen lassen.

Die musikalische Eigenentwicklung der Gesänge blieb stets in enger Bindung zur Liturgie. Im Abendland bildeten sich seit den ersten Anfängen feste Formen der Liturgie heraus, die um 220 in Hippolyts Kirchenordnung überliefert sind. In der Folgezeit wurden sie durch die Umstellung der griechischen Liturgiesprache auf die lateinische im ausgehenden 3. Jahrhundert bestimmt. Die objektivierenden Formeln der römischen liturgischen Texte haben in der Ordnung der liturgischen Melodie und ihrer Variation ein Gegenstück gefunden, deren Typen-Grundlagen in Verbindung mit den rhetorischen Figuren noch weiterer Untersuchung bedürfen.

In Rom war eine in mittelmeerischer Improvisationskunst und Modell-Tradition gewordene liturgische Kunst üblich, bevor im 7. Jahrhundert die „gregorianische" Melodiefassung eine weiterreichende Tradition begründete. Dem variablen Melodietypus sind Worte beigefügt, ohne daß — wie in der Gregorianik — die Schallform des Wortes mit der Melodiegestalt verbunden erscheint. Das Grundprinzip mittelmeerischer Folklore in ihrer Verbindung zu orientalischen Gesangstraditionen steht hier gegenüber einer wohl mit antik-griechischer Tradition verbundenen Stilisierung der Melodien. Die unter Leo I. (440—461) und Gelasius I. (492—496) gewordenen Liturgiegestalten fanden unter Gregor d. Gr. (590—604) eine gewisse Festlegung; ihre Gesänge wurden im Antiphonarium für die eucharistische Feier gesammelt.

Noch unter Papst Vitalian (657—672) wird von zwei Gottesdienstformen in Rom gesprochen, deren „altrömische" Gesänge in den Stadtkirchen ihre Tradition hatten, während die Papstkirche (Lateran) eine Neufassung der Gesänge übernahm und sie in der zunehmenden politischen Bedeutung der Kurie zum Vorbild für die ganze abendländische Liturgie- und Kirchengesangspflege werden ließ.

In dieser Form erfolgte die Verbreitung der römischen Liturgie und ihrer Gesänge nach England und in das fränkische Reich, wo die Auseinandersetzung mit einer auf Gelasius zurückgehenden altgallikanischen Liturgie erfolgte. Ein Ausgleich zwischen der gelasianischen, gregorianischen und altgallikanischen Liturgie wirkte um die Jahrtausendwende nach Rom zurück, nachdem sie in Rom seit dem Ende des 9. Jahrhunderts in Verfall geraten war. So wurde unter den staufischen Ottonen die römische Liturgie durch fränkische Entwicklungen befruchtet, die auch auf die Gesangsweisen insbesondere in den Intervalldistanzen nicht ohne Einfluß blieben. Die Anschaulichkeit fränkischer Volksfrömmigkeit verband sich vor allem in der Karwochen- und Osterliturgie mit der einfachen römischen Tradition und gewann aus dieser Haltung ihre Formen und Gesänge. Die für Rom ursprünglich fremden Hymnen fanden langsam durch Benedikt von Nursia Eingang in den Gottesdienst und bereiteten die große Entfaltung hymnischer Gesänge wie der Officiums-Hymnen oder des Gloria (*Hymnus angelicus*) in der römischen Liturgie vor.

Der seit dem Mailänder Edikt (313) erfolgte gesellschaftliche Wandel des Christentums hat einem auf der antiken Bildung und Tradition beruhenden Ordnungsprinzip der liturgischen Melodien ebenso entsprochen wie das Streben — von einem Machtzentrum aus —, eine Missionierung und damit auch im Abendland allgemein anzunehmende und zu verbreitende liturgische Gottesdienstformen und Gesänge zu schaffen.

Die angelsächsische Mission konnte um 600 unter Gregor I. die engste Verbindung mit Rom gewinnen. Doch trat die politische Bedeutung der römischen Liturgie-Gesänge als gregorianische Melodien vor allem durch die Verbindung der fränkischen Kirchengesangspflege mit Rom durch die Karolinger in Erscheinung. Unter Pippin (751—768) schuf Chrodegang von Metz eine römische Tradition im Frankenreich, stieß aber auf Schwierigkeiten mit den eigenen fränkischen Gesangsweisen, die zu einem Ausgleich mit den römischen Melodien führten und die römisch-fränkische Gesangstradition gründeten. Ihre Besonderheiten konnten als „germanische Fassung" noch durch die Jahrhunderte weiterwirken.

Mit der Verbreitung des Christentums im Abendland — ausgehend von der ostkirchlichen Entwicklung — hat auf dem Weg über Byzanz Mailand eine zentrale Bedeutung erlangt. Die „ambrosianische" Liturgie mit ihren melodisch (nach orientalischem Vorbild) reichen Gesängen hat im Mittelalter durch die kirchenpolitischen Beziehungen über die Alpen in die süddeutschen Bistümer gewirkt.

Die in engen Intervallen nach Art orientalischen Singens verschmelzenden Melismen mit variablen Melodiemodellen fanden in Benevent ein Gegenstück. Während hier die römische Melodiefassung und Liturgiegestalt schon früh neben die beneventanische Eigentradition getreten ist und sie bald zurückdrängte, blieb die mailändische Tradition, wenn auch in ihrem Wirkungsbereich durch das Vordringen der römischen Liturgie räumlich immer mehr eingeschränkt, bis heute erhalten. Die zahlreichen Versuche, im Zuge der uniformistischen Machtentfaltung Roms, die Mailänder Eigentradition aufzuheben, konnten sich nicht allgemein durchsetzen. 1497 mußte Papst Alexander VI. das Privileg einer eigenen Mailänder Liturgie und ihrer Gesänge bestätigen. In Augsburg, das ursprünglich kirchenrechtlich mit Mailand verbunden war, blieben bis 1584 römische und mailändische Liturgie vermischt.

Die im Sinne orientalischer Traditionen gestalteten liturgischen Melodien gewannen neben Mailand in Gallien und Spanien Schwerpunkte. Mit ortsgegebenen Musikauffassungen verbunden haben sie ihre Eigengestaltung gefunden.

Die altgallikanische Liturgie, seit dem 8. Jahrhundert durch die römische immer mehr verdrängt, zeigt in ihren Resten die größere melodische Entfaltung ebenso wie die altspanische (auch westgotische oder mozarabische) Gesangsweise. Mit der Rückeroberung der maurischen Gebiete Spaniens wurde die spanische Kirche enger an Rom gebunden und damit seit dem 11. Jahrhundert die liturgische Eigenentwicklung mit wenigen Ausnahmen von den römischen Liturgie- und Gesangsformen abgelöst.

Unter Gregor VII. (1073—1085) wurde nicht nur eine vereinfachende Ordnung der römisch-fränkischen Liturgie erstrebt, sondern auch eine im ganzen Abendland auf die römische Liturgie gerichtete Uniformierung der Gottesdienstgestaltung und ihrer Gesänge. Spanien und Mailand als Mittelpunkte eigener Liturgie und Kirchengesangsentwicklungen konnten nur noch beschränkt ihre Selbständigkeit bewahren.

Die Wanderseelsorge der in ihrer Liturgie auf Rom eingestellten Franziskaner erweiterte seit dem 13. Jahrhundert die Wirksamkeit der römischen Tradition gegenüber Sonderentwicklungen, die in Ordensgemeinschaften wie in örtlichen Rückzugsgebieten sich erhielten.

Eine individuelle Frömmigkeit drang nicht nur in die Gottesdienstgestaltung, sondern fand vor allem in der subjektiven Ausdrucksgestaltung der Musik und in außerliturgischen Andachtsformen (Bruderschaften) ihre Auswirkung.

Die Einheit des Gottesdienstes mußte in dieser Haltung verlorengehen und damit Priester und Volk eine neue Stellung geben. In individueller künstlerischer Begründung wurde in der Mehrstimmigkeit nicht mehr dem Volk selbst, sondern in seiner Stellvertretung dem *chorus musicus* eine musikalische Aufgabe übertragen. Die Kirchenmusik ist damit in eine innere Verbindung zur allgemeinen Musikentwicklung getreten, wenn sie auch zunächst durch den *cantus firmus* mit der als liturgisches Erbe weiter gepflegten Gregorianik eine strukturelle Einheit gewann.

Im Rahmen der allgemeinen abendländischen Musikentwicklung ist die Kirchenmusik ein wesentlicher Bestandteil geworden, in der Gottesdienstgestaltung aber ist sie aus der Einheit von Priester und Volk herausgetreten und hat der subjektiven Frömmigkeit im liturgischen Gottesdienst Raum gegeben. Äußerlich sichtbar ist die Umstellung auf den Priestergottesdienst darin, daß der Kanon nicht mehr laut gesprochen wird. Seit dem 8. Jahrhundert ergaben sich in Gallien durch die Berührung mit orientalischen Kultauffassungen und um die Jahrtausendwende in Rom durch das Eindringen fränkischer Liturgieformen neue Gottesdienstgestaltungen. In der *missa privata* wird der von der Gemeinde unabhängige Priestergottesdienst zur letzten Konsequenz gebracht und im Mitlesen der gesungenen Texte durch den Priester auch auf die *missa cantata* übertragen..

Die musikalische Entfaltung konnte damit unabhängig vom gottesdienstlichen Geschehen immer größeren Raum gewinnen. Der Wegfall des Opfergangs und der Gemeindekommunion führte im 11. Jahrhundert zum Verzicht bzw. zur Beschränkung des Psalms. Der Weg der liturgischen Entwicklung, die die Beteiligung des Volkes zurückdrängte und die liturgischen Melodien durch neue zeitgebundene künstlerische Formen ersetzte, wird vom 11. Jahrhundert an immer deutlicher, bis durch das Konzil von Trient die abendländische liturgische Gestalt und kirchenmusikalische Ordnung ihre für die folgenden Jahrhunderte (bis zum 2. Vatikanischen Konzil) bestimmende Festlegung erhielt. Luther und Zwingli haben eine Gottesdienstgestalt, die sich von der inneren Beziehung zur Gemeinde gelöst hatte, ebenso bekämpft wie die Reformbestrebungen auf katholischer Seite. In einer römischen Einheitsfassung für die gesamte abendländische Kirche wurden durch das Tridentinum die römische Liturgie und ihre Gesänge auf der Grundlage der — von Tommaso Campegio herangezogenen — Vulgata festgelegt.

Durch die christliche Missionierung, vor allem durch die irischen Mönche, ergaben sich im 1. Jahrtausend zahlreiche Verbindungen und Überschneidungen von Liturgie- und Gesangstraditionen, die sich in der spätmittelalterlichen Entwicklung des abendländischen liturgischen Gesangs auswirken. Zeitliche und örtliche Wandlungen bestimmen die Melodiefassung und Vortragsweise des *cantus romanus*, neue Feste — zwischen 800 und 1200 entstanden 90, zwischen 1200 und 1560 200 neue Feste — bedingten neue Gesänge, die in mehr oder minder starker Anlehnung an die Tradition ihre Gestalt fanden oder neue Kompositionsgesetze entwickelten.

Die Verbindung der von Rom übernommenen Gesangsweisen mit dem ortsgegebenen Musizieren bei der Ausbreitung des liturgischen Gottesdienstes und der Missionierung hat zur Ausbildung von Ortstraditionen geführt, die nicht nur das Repertorium, sondern auch Melodiefassung und Vortragsweise betreffen. Die unterschiedlichen Gesangsweisen im Mittelalter mußten die Orden zwingen, Vereinheitlichungen durchzuführen, um bei ihren Generalkapiteln, die Sänger aus allen Ländern zusammenführten, gemeinsam die Gottesdienste feiern zu können. So entstanden, meist auf der Grundlage einer bestimmten Ortstradition, die Ordensfassungen, die für die einzelnen Orden international verpflichtend blieben und trotz gewisser zeitbedingter Wandlungen sich bis heute erhalten haben.

Seit der Entwicklung des für die Universalkirche bestimmten *cantus romanus* haben sich im zeitlichen Wandel Neugestaltungen bestehender Grundformen, wie in den Ordinarium- und Propriumgesängen, in Antiphonen und Responsorien der *Missa* und des *Officium*, der Hymnen, Lektions- und Orationsgesänge, sowie neue Formen wie Tropen und Sequenzen, Reimoffizien und *Cantiones* ergeben. Liturgische Dramen wurden auf der Grundlage der Liturgie verselbständigt. Aus der adiastematischen Aufzeichnung ist eine die einzelnen Tonhöhen festlegende Melodiefixierung geworden, die damit eine Überlieferung durch die Schrift ermöglichte. Sie wurde für die Pflege der liturgischen Melodien in den folgenden Jahrhunderten ebenso von Bedeutung wie die Theorie der liturgischen Gesänge in verschiedenen Zeiten und an verschiedenen Orten.

So sehr von Rom aus eine Uniformierungstendenz der liturgischen Gesänge gegeben ist, so erhielten sich die Besonderheiten der in den verschiedenen Liturgiekreisen entwickelten Gesänge. Die Ergebnisse der Frühentwicklungen der ambrosianischen und altbeneventanischen Gesänge wurden zwar im Laufe der Jahrhunderte zurückgedrängt, doch weisen sie manche Zusammenhänge mit der verbreiteten römischen Fassung auf. Die Gesänge der altgallikanischen und altspanischen, der keltischen und römisch-fränkischen Liturgie konnten ihre im Laufe der Jahrhunderte räumlich immer mehr eingeschränkten Wirkungsbereiche bewahren und ähnlich wie die römische Tradition eigene zeitliche Entwicklungen finden. Die Überschichtung der verschiedenen Liturgie- und Ortstraditionen durch die römische Fassung der liturgischen Melodien brachte im Laufe der Jahrhunderte Veränderungen in diese Überlieferungen.

Der liturgische Gesang hat einerseits eine räumliche Entwicklung in den verschiedenen Liturgiekreisen, andererseits eine zeitliche Wandlung in sich selbst und durch Überschichtung von Entwicklungen gefunden. Die gregorianische Tradition Roms ist im Zusammenhang mit den kirchenpolitischen Zentralisierungstendenzen innerhalb der verschiedenen örtlichen Liturgieentwicklungen in den Vordergrund getreten, wurde aber von dem zeitbedingten Wandel des *cantus romanus* in den einzelnen Gegenden und seiner Erweiterung durch neue Formen im Laufe der Jahrhunderte bestimmt.

Karl Gustav Fellerer

Altrömische Liturgie

Die Frage des altrömischen Chorals ist zu einem Zentralproblem der neueren Gregorianik-Forschung geworden. Klar ist, daß keine einheitliche Fassung der liturgischen Melodien in Rom vorlag und daß unter den verschiedenen Varianten zwei Fassungen deutlich hervortreten. M. Huglo hat die altrömische Überlieferung in den Handschriften London Phill. 16 069 (1071), Rom Vat. lat. 5319 (Ende 11. Jh.), Rom Vat. Basilic. F. 22 (13. Jh.), Rom Vallicell. C. 52 (12. Jh.), Rom Vat. Basilic. F. 11 (12. Jh.), Florenz Riccardi 299 (11. Jh.), Florenz Riccardi 300 (11. Jh.), Rom Vat. Basilic. F. 18 (12./13. Jh.), London Brit. Mus. add. 29 988 (12. Jh.), Rom Vat. Basilic. B. 79 (12. Jh.), Rom Vat. Basilic. F. 11 festgestellt.

Die hier überlieferte Melodiefassung unterscheidet sich in verschiedenen melodischen Wendungen von der geläufigen römischen Tradition und steht in Rom wie an verschiedenen Orten des christlichen Abendlands neben dieser. Wenn auch eine gemeinsame Wurzel der beiden Fassungen erkennbar ist, so ergibt sich die Frage nach einer in den Quellen oder in der Zeit oder in ihren schöpferischen Trägern unterschiedlichen Entwicklung, wobei die Text- und Melodiefrage in gleicher Weise von Bedeutung ist. Die in der Forschung in den Mittelpunkt getretene Zeitfrage ist verknüpft mit der Frage der römischen Ordines und letzten Endes mit der durch Handschin, Stäblein u. a. erneut aufgeworfenen Frage der Stellung Gregors in der Liturgieschöpfung des 7. Jahrhunderts.

Die Feststellung, daß die Überlieferung der als „altrömisch" bezeichneten Handschriften auf Rom zurückgeht, während die der zweiten Fassung auf das gallisch-fränkische Gebiet zurückweist, hat zu der vor allem von Hucke u. a. vertretenen Annahme geführt, daß die altrömische Fassung im Frankenreich, besonders in Metz umgebildet und in einer fränkischen Fassung neugestaltet und verbreitet wurde. W. Lipphardt nimmt an, daß im Frankenreich die dort erarbeitete Fassung sich streng erhalten hat, während die altrömische Tradition Veränderungen aufnahm. Für Smits van Waesberghe entwickelten sich beide Fassungen im Kreis der römischen Basilika-Klöster und der Säkularkleriker, wobei die römisch-fränkische Fassung der Basilika-Klöster zur allgemeinen Verbreitung kam, während die kurial-säkulare Fassung an ihren Ort gebunden blieb. Beide Fassungen sind für Smits van Waesberghe gleichzeitige Umbildungen derselben Quelle. Handschin und Apel vermuten die Entstehung der traditionellen Gregorianik zur Karolingerzeit im Frankenreich, vor allem in Metz, während die altgregorianische stadtrömische Tradition von dieser langsam verdrängt wurde. Auf der Grundlage zweier verschiedener Fassungen des gleichen melodischen Urbestands werden altrömische und neurömisch-fränkische Tradition unterschieden. In der zeitlichen Unterscheidung alt und neu bestehen allerdings unterschiedliche Wertungen neben der Annahme der Gleichzeitigkeit. Die quellenmäßige Überlieferung für beide Entwicklungen setzt allerdings erst Jahrhunderte später ein.

Neben Übernahmen der gleichen Quelle oder der älteren Quellen, neben Umbildungen und Varianten ganzer Phrasen oder Teilabschnitte, Kontaminationen, Zersingungen, freien und strengen Nachbildungen, Kolorierungen und Dekolorierungen, Festlegungen von Improvisationsgliedern u. ä. sind im zeitlichen Ablauf bis zum 13. Jahrhundert in beiden Fassungen Neukompositionen erkennbar, die im einzelnen noch genauerer Feststellungen bedürfen. Der Tractus *Eripe me* ist durch das Zeugnis von Pseudo-Alkuin *nuperrime compilatum* (PL 101, 1209) als Neukomposition im fränkischen Kreis ausgewiesen. J. Schmidt hat in seiner Untersuchung der Traktuskompositionen des 2. Modus in beiden Fassungen die Vermutung einer Umkehrung des Alters der beiden Überlieferungen ausgesprochen. In der Prioritätenfrage ist nach den bisherigen Untersuchungen ebensowenig eine endgültige Klärung möglich geworden wie in der Frage der Bindung der beiden melodischen Fassungen an die päpstliche und die stadtrömische Liturgie. P. van Dijk nimmt im Gegensatz zu Smits van Waesberghe die Verbindung des stadtrömischen Ritus mit der altrömischen, des päpstlichen mit der neurömisch-fränkischen Fassung an. Die Frage der Verbreitung der beiden Fassungen wirft besondere — auch zeitliche — Probleme auf. Stäblein hat auf die Verbindung der altrömischen Fassung mit den Tropen hingewiesen und damit auf einer neuen Grundlage die Frage zeitlicher Verbreitung der Fassungen berührt.

Wenn auch die Frage der Priorität und Verbreitung von altrömischen und neurömisch-fränkischen Melodien im Mittelalter noch nicht endgültig geklärt werden konnte, so ist die Tatsache mehrerer Fassungen der liturgischen Melodien, die sich in ihrer Gestalt unterscheiden und doch auf eine gemeinsame Wurzel hinweisen, unbestritten.

Die Eigenart der Melodieführung der altrömischen Fassung der Hs. Vat. lat. 5319 kann folgendes Beispiel des Gradual-Responsoriums *Tollite portas* deutlich machen. Diese Melodie ist für einen größeren Teil der dem 2. Ton zugeteilten Gradualien die Grundlage, ihr werden verschiedene Texte unterlegt, wobei Einschübe bzw. Kürzungen entsprechend der Silbenzahl vorgenommen werden. Die Zusammenhänge und Abweichungen der Editio Vaticana, die der römisch-fränkischen Fassung folgt, wird aus der Untereinanderstellung der Melodien klar. Die gemeinsame Wurzel beider Fassungen ist sichtbar.

Der Aufbau des Gradual-Responsoriums in Typengliedern ist den alt- und neurömischen Fassungen gemeinsam. Die Ordnung der Glieder bestimmt die Form und läßt Typenmelismen durch Sondermelismen gelegentlich ersetzen. In der Grundstruktur folgt die römisch-fränkische Überlieferung der altrömischen. Wenn auch die römisch-fränkischen Fassungen die tonale Ordnung deutlicher als die altrömische hervortreten lassen und die Schlußbewegung in der altrömischen ausgeprägter ist, so sind die melodischen Zusammenhänge bei Textgleichheit doch bestimmend. Die Überlieferung beider Fassungen zu unterschiedlichen Texten zeigt im altrömischen größere improvisatorische Freiheiten, während die fränkische Überlieferung sich strenger an ihre Typenglieder hält.

Ähnliche Verhältnisse sind auch bei den *Tractus* zu beobachten.

J. Schmidt hat in seiner Untersuchung der Traktus-Kompositionen im 2. Modus der Hs. Vat. Lat. 5319 und der gregorianischen Überlieferung diejenigen Formelglieder festgestellt, die über die psalmodische Mediante- und Cäsurgliederung hinausgreifen und die der strengen sich wiederholenden Melismenformel der Großeinschnitte auch freiere Bildungen gegenüberstellen. Die Gliederungen der 1. Vershälfte treten in der gregorianischen Tradition der Großgliederung gegenüber zurück, doch haben die Formeln ihre feste, nicht vertauschbare Stellung im Ablauf der Verse. Während sich in der neurömischen Fassung durch die Flexaformel eine Fünfteiligkeit ergibt, verbindet die altrömische dieses Melisma mit der Initialformel und gewinnt damit eine Vierteiligkeit. Die Finalformel der altrömischen Fassung ist auf wenige Typen beschränkt, während die gregorianische

Tradition melismatisch reicher und vielgestaltiger ist. Die gregorianische Überlieferung weist jedoch eine straffere Ordnung auf und entwickelt die Melismen in bestimmten Gesetzmäßigkeiten und typischen Wendungen.

Die Selbständigkeit der Überlieferungen zeigt folgende Gegenüberstellung des *Tractus VIII: Jubilate*

Die altrömische Fassung erweist sich als improvisatorisch freier im Gegensatz zu der klaren Ordnung der Typenformeln der gregorianischen Überlieferung.

Unter den 54 Meß-*Alleluja* der altrömischen Fassung haben sieben zwei Verse; acht Alleluja haben eigene Melodien, die nur einmal gebraucht werden, die anderen zerfallen in sieben Formelgruppen.

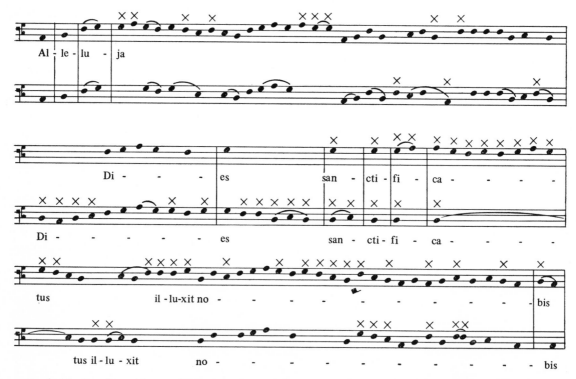

Auch hier ist die reicher melismierte altrömische Fassung gegenüber der straffer geformten neurömischen (gregorianisch-fränkischen) Fassung, ebenso der Formelzusammenhang beider Fassungen deutlich.

Diese melodisch erweiterte Gestalt in freier improvisatorischer Entwicklung der Formeln ist für die altrömische Fassung typisch. Sie kennzeichnet auch die *Introitus-* oder *Communio-*Antiphonen. Die Umspielung des Einzeltons durch *Torculus*bildungen u. ä. fällt besonders bei den der psalmodischen Struktur folgenden Offertorienabschnitten auf. Offertorium *Confitebuntur coeli*:

Diese Umspielungsformel findet noch viermal in dem Stück Verwendung und kennzeichnet die Umspielung des Rezitationstons.

Die Formelwiederholung ist in der improvisatorischen Melismatik verbreitet und schafft das lange Finalornament wie im Vers des Offertoriums *Deus enim firmavit*

Die Melodieformeln sind sowohl in der altrömischen wie neurömischen Tradition bestimmend, besonders dort, wo zahlreiche Gesänge der gleichen Melodie folgen wie bei den Responsorien des 2. Tons, unter denen 80 im altrömischen Gesang einander entsprechen. In beiden Überlieferungen ist die Grundstruktur der Psalmodie mit Initium, Rezitationston und Finalis deutlich. Je nach der Silbenzahl ordnen sich die Formeln. In der altrömischen Tradition ist die Zahl der Formeln beschränkt; in der gregorianischen reicher und freier. Jedoch sind die Melismen der altrömischen Fassung tonreicher und kommen in den Kadenzen mit Ausnahme der Finalis zu anderen Finaltönen. Während die gregorianischen Melodien tonal straffer geordnet erscheinen, ist die altrömische Tradition in ihren Formeln strenger, behandelt sie nicht in der Variabilität der gregorianischen Überlieferung, läßt aber die improvisationsmäßige Grundlage erkennen.

Textverschiedenheiten bedingen auch Melodieveränderungen; doch bestehen Bedenken, aus der Verwendung fränkischer Texttraditionen auf die Entstehung der gregorianischen Fassung im Frankenreich und nicht in Rom zu schließen, so sehr fränkischer Einfluß bei der der altrömischen Fassung entgegenstehenden gregorianischen Tradition wirksam gewesen sein wird.

Deutlich sind die melodischen Unterschiede zwischen der altrömischen und gregorianischen Fassung, aber auch die Zusammenhänge ihrer Melodiemodelle, die auf eine gemeinsame Wurzel verweisen. Da die Überlieferung beider Fassungen erst Jahrhunderte nach Gregor (6. Jh.) einsetzt, macht die Datierung besondere Schwierigkeiten. Doch läßt einerseits die improvisatorische Melodik, andererseits die straffe Formelordnung — gegenüber der tonal geordneten und melodisch an variable Typen gebundenen Gestaltung der neurömischen gregorianischen Überlieferung — in der altrömischen Fassung eine zeitlich frühere Festlegung vermuten. Im Vergleich mit der Mailänder und beneventanischen Tradition findet diese Annahme eine Stütze.

Zur Zeit der Überlieferung der altrömischen und gregorianischen Fassung seit dem 11. Jahrhundert stehen beide Fassungen nebeneinander. Aus der Melodiestruktur der altrömischen Fassung wie ihrer Verbreitung kann jedoch hier eine ältere Tradition begründet werden.

Die gregorianische Überlieferung ist in der Folgezeit in den Vordergrund getreten.

Karl Gustav Fellerer

Ambrosianische Liturgie

Bei der Erforschung der abendländischen liturgischen Gesänge hat man lange Zeit die nichtrömischen Gesänge zugunsten des römischen bzw. gregorianischen Chorals vernachlässigt. So blieb auch der Gesang der mailändischen Kirche wenig beachtet. Mit Ausnahme der großen Untersuchung von F. Cagin wurde das Thema von den früheren Forschern meist nur in Zeitschriftenartikeln oder nebensächlich in größeren Arbeiten über den gregorianischen Choral behandelt (G. Morin, A. Mocquereau, K. Ott, A. Gajard, P. Wagner, G. M. Suñol). Die eigentliche kritische Untersuchung, begonnen mit Suñol, wurde 1956 mit dem Erscheinen des 7. Bandes des Archivio Ambrosiano wesentlich gefördert. In dieser Veröffentlichung legten M. Huglo und E. Moneta Caglio unter Mitarbeit von A. Fossati ein mit reichen Anmerkungen versehenes Verzeichnis aller damals bekannten mailändischen Choralhandschriften vor. Daneben sind andere Arbeiten erschienen, die oft das erwähnte Werk leider nicht berücksichtigt haben. Wichtig sind vor allem die Studien von Hucke (*Graduale*), Husmann (*Alleluia*), Claire (Modalität), Jammers und mehrere vergleichende Aufsätze von B. Stäblein. Eine Gesamtdarstellung der mailändischen Meßgesänge verdanken wir R. Jesson; E. Moneta Caglio hat die Responsorien *cum infantibus* untersucht, während G. Baroffio die ambrosianischen Offertorien in Vorbereitung auf die kritische Ausgabe studiert hat.

Als einzige Ausnahme im ganzen Abendland konnte die mailändische Kirche durch die Jahrhunderte hindurch im großen und ganzen ihre Liturgie bis heute bewahren. Gleich nach der Errichtung der Diözese (3. Jh.) erlangte Mailand großes Ansehen und Autorität besonders über die Lokalkirchen Norditaliens und Süddeutschlands. Zu ihnen blieb Mailand auch weiter in Beziehung, selbst nach dem Aufstieg von Ravenna und Aquileja. Ihren kirchlichen Vorrang verdankte die *Roma secunda* nicht nur ihrer weltlich-politischen Stellung als Kaiserresidenz, sondern vor allem auch den kirchlichen Persönlichkeiten, die sie leiteten. Man denke an Dionysius, den Arianer Auxentius und besonders an dessen Nachfolger, den hl. Ambrosius († 397). Über das Werk dieses großen Kirchenlehrers und dessen unmittelbare Wirkung berichtet u. a. der hl. Augustinus. Im 9. Buch seiner *Confessiones* stellt er den Gesang, den er in Mailand gehört hat, dem alexandrinischen gegenüber. Dieser *„tam modico flexu vocis faciebat sonare lectorem psalmi, ut pronuncianti vicinior esset quam canenti"*. Der ambrosianische dagegen schien ihm *„melos omne cantilenarum suavium quibus davidicum psalterium frequentatur"*.

Der Anteil des hl. Ambrosius am Aufbau der Liturgie seiner Diözese war maßgebend. Wie alle abendländischen Liturgien verdankt auch sie ihm zwar nicht die Entstehung, wohl aber die offizielle Einführung oder Bestätigung einiger musikalischer Gattungen: der Hymnen, einer Art antiphonischen Gesanges und der Psalmodie, die im Orient schon geläufig waren. *„Hoc in tempore primum antiphonae, hymni ac vigiliae in ecclesia mediolanensi celebrari coeperunt. Cuius celebritatis devotio usque in hodiernum diem, non solum in eadem ecclesia, verum per omnes pene occidentis provincias manet".* So schrieb Paulinus von Mailand in seiner *Vita* des hl. Ambrosius.

Von Bedeutung für die Liturgiegeschichte war damals die Regierungszeit des Bischofs Eusebius (2. Hälfte 5. Jh.), der nach den Angaben des *Liber Notitiae Sanctorum Mediolan „composuit multos cantus ecclesiae"*. In der fränkischen Zeit entwickelte sich Mailand zu einem der bedeutendsten kulturellen und kirchlichen Zentren Italiens. Später, mit der Errichtung weiterer Metropolen und der Schmälerung des eigenen Gebietes, verlor die ambrosianische Kirche an Macht und auch ihr Einfluß im liturgischen Bereich wurde immer geringer.

Heute ist der ambrosianische Ritus nur auf die Diözese Mailand und vereinzelte Nachbarpfarreien beschränkt. Doch zeigen Spuren dieser Liturgie ihren damaligen Einfluß noch in entfernten Gebieten: so in Spanien, in Augsburg, Sankt Gallen, Graz, in Städten Norditaliens, in Lucca, Rom, Montecassino und Benevent im Süden. Für die letzten Orte ist die Frage eines realen und starken mailändischen Einflusses bzw. der Adaptierung mailändischer Liturgie (und Gesänge) noch nicht klar beantwortet. Quellen jener Gegend gebrauchen gelegentlich die Bezeichnung *„ambrosianum"*; damit ist höchstwahrscheinlich einfach „nichtrömisch" gemeint, im Gegensatz zum gregorianischen Choral.

Oft hat man sich gefragt, ob die Liturgie bzw. der Gesang Mailands mehr orientalisch sei als abendländisch. Für Jahrzehnte waren die Meinungen geteilt, vor allem weil das Problem jeweils nur unter einzelnen Gesichtspunkten betrachtet wurde. Den orientalischen Ursprung verteidigten besonders Duchesne und seine Anhänger. Probst, Magistretti, Cagin, Cabrol u. a. hingegen bezeichnen die Mailänder Liturgie als abendländisch. Wenn man einzelne Punkte ausschließt, die besondere Aufmerksamkeit verdienen und wohl als Ausnahme aufzufassen sind, kann man Liturgie und Gesang der mailändischen Kirche als einen selbständigen lokalen Dialekt ansehen, dessen Urform eine allgemein italische Schicht mit afrikanischen und orientalischen Einschlägen war (2.–3./4. Jh.). Außer durch andere abendländische, vor allem römische Stücke hat Mailand sein Repertoire auch durch Annahme von Gesängen und Riten orientalischen Ursprungs bereichert (5.–7. Jh.). Während Rom allgemein in seiner weiteren Entwicklung und Reform viel vom alten Gut verlor, zeigten sich die „peripheren" Zentren wie Benevent, Mailand, Spanien konservativer. Mailand war aber keineswegs nur passiv. Als Hochzentrum hat es auch Eigenes geschaffen, sowohl im Geiste des älteren Gutes als auch manches Neue. Man denke nur an die Hymnen, die von Mailand aus in die ganze abendländische Kirche eingingen und die im Mittelalter gelegentlich schlechthin *ambrosianum* genannt wurden. Schon Benedikt (540) sagt: *„ . . . Psalmum 94 cum antiphona . . . decantandum. Inde sequatur ambrosianum (hymnum).* (Regel 9, 3.4.)

Was die Annahme fremder Gesänge betrifft, kann man feststellen, daß Mailand im Laufe des 5./7. Jh. viele byzantinische Gesänge und auch Stücke palästinisch-syrischen Ursprungs eingeführt hat, wobei noch offensteht, ob die einzelnen Gesänge über Byzanz oder unmittelbar vielleicht über Aquileja und Ravenna, gelegentlich auch Rom, nach Mailand gekommen sind.

Es sei an die Antiphon *post Evangelium „Coenae Tuae mirabilis"* erinnert, die man im 6. Jh. in Byzanz anstatt des Cherubischen Hymnus am Gründonnerstag zu singen begann. Ursprünglich wohl ein jerusalemitischer Makarismos, kommt die Antiphon heute noch in Byzanz vor, allerdings im asmatischen Repertoire, so daß erstaunlicherweise die mailändische Fassung den originalen syllabischen Stil des Tropus der Stichera am besten widerspiegelt. Es sind auch andere Spuren palästinischen Einflusses auf die ambrosianische Kirche erkennbar. So stimmen die ersten drei Lektionen vom Karsamstag nur in Mailand und im *Lectionarium armenum* überein. Wie bekannt, gibt diese letztere Quelle die jerusalemitische Liturgie des 5. Jh. wieder.

Auch hinsichtlich der Übernahme römischer Gesänge sind die Forscher verschiedener Meinung. Entgegen der alten, auf G. Morin und K. Ott zurückgehenden Auffassung, die Mailänder Gesänge seien die älteren, sieht man heute gern jene Gesänge (mehr als 350) als römischen Import an, die in Mailand und Rom denselben Text haben.

Dabei hat man zu leicht vergessen, daß viele Stücke ursprünglich nicht lokalrömisch waren, sondern Gemeingut der abendländischen Kirche. Andererseits muß man immer wieder betonen, daß die Stücke einzeln zu untersuchen sind und daß möglichst ihr Weg vom Entstehungsort bis zur Endstation verfolgt werden muß. Die Untersuchung wird dadurch erschwert, daß die meisten fremden und angenommenen Gesänge sowohl melodisch als textlich nach dem Gefühl der neuen Heimat in den lokalen Dialekt „übersetzt" wurden, und dies nicht nur in Mailand, sondern auch in Rom und wahrscheinlich überall, wo es sich um gleiche Vorgänge handelt. Bei Mangel und Versagen der Quellen ist nicht auszuschließen, daß Stücke, die heute nur in Mailand vorkommen, nicht-mailändischen Ursprungs sind. Sie können durchaus einem Gebiet entstammen, aus dem sie später verschwanden. (Vgl. z. B. die „byzantinischen" Gesänge der *Adoratio Crucis,* die in Mailand, Ravenna, Benevent überliefert sind, aber nicht mehr in Byzanz, oder die *Beatitudines,* von deren Gesang Ambrosius spricht, die sich heute nur in spanischen Handschriften finden.) Man muß sich auch die Tatsache vor Augen halten, daß die römische Herkunft eines Stückes nicht gleich höheres Alter seiner heute in der römischen Überlieferung erhaltenen Melodie besagt.

In Mailand selbst hat es eine fortlaufende Entwicklung auf rein liturgischem wie musikalischem Gebiet gegeben. Was die Gesänge angeht, so werden öfter, und besonders nach dem 13. Jh., Stücke aus dem Offizium in die Messe verlegt. Im 15. Jh. fangen die Schreiber an, längere Melismen beim Kopieren der älteren Melodien auszulassen. In den großen *Corali* des 15./16. Jhs. treffen wir neben den alten Texten fremder Herkunft ganz neue, während die Melodien des alten Repertoires vereinfacht, wenn nicht ganz geändert sind. Bei der Vereinfachung der Gesänge ging man so vor, daß die langen Melismen (*Melodiae* und *Tractus*) völlig ausgelassen wurden, während man kleinere Koloraturen beibehielt. In den Abkürzungen wurde dann allgemein Anfang und Schluß der Melismen bewahrt. Als Beispiel dieses Kürzungsverfahrens kann das Offertorium *„Ubi sunt"* dienen (Bsp. 1). A ist die Lesart einer Handschrift aus dem 14. Jh. (Vat. lat. 13 156), die das Stück noch in seiner alten Überlieferungsform wiedergibt; B dagegen zeigt eine vereinfachte Version aus der ersten Hälfte des 16. Jhs. (Milano, Bibl. d'Arte, ms. 2365) vgl. Notenbeispiel S. 202.

Seitens der zentralen, sowohl kirchlichen als auch politischen Macht wurde ab und zu versucht, die ambrosianische Liturgie abzuschaffen. Dieses Streben entsprang natürlich dem Wunsch nach tieferer Einheit. Oft hat Mailand selbst gezeigt, daß seiner Selbständigkeit auf liturgischem Gebiet eine Eigenwilligkeit in disziplinellen Fragen parallel lief, ja zeitweise vertrat es sogar abweichende theologische Anschauungen.

Aus der älteren Zeit seiner Geschichte sei nur der Drei-Kapitel-Streit erwähnt, der Mailand von Rom getrennt sah. Daß die lombardische Stadt ihre Liturgie behielt, verdankt sie dem starken Willen ihrer Führer und dem großen Ansehen, das sie genoß. Schon im 9. Jh. rühmte Walafried Strabo den hl. Ambrosius als Ordner des mailändischen Ritus: *„Ambrosius Mediolanensis Episcopus tam Missae quam ceterorum officiorum sanctae Ecclesiae et aliis liguribus ordinavit, quae et usque hodie in mediolanensi tenentur ecclesia"* (De Rebus eccl., XXII).

Den stärksten Angriff muß Mailand in der Karolingerzeit erlitten haben; er ist u. a. durch ein Epigramm bekannt, das fälschlich Paulus Diaconus zugeschrieben wurde. Die mailändische Liturgie konnte sich zwar irgendwie behaupten, mußte aber ihren Einfluß zugunsten Roms stark reduzieren, wie u. a. Bernardus Noricus berichtet: *„assumptus est cantus gregorianus, ambrosiano in mediolanensi dioecesi reservato . . . Huius tempore cantus gregorianus fuit autenticatus pro cantu ambrosiano in concilio generali Adriani papae I DCCXCIII tempore Karoli imperatoris"* (Hist. Cremifa-

nensis). Es ist interessant zu bemerken, daß jedenfalls in der Karolingerzeit die ambrosianische Liturgie den stärksten Einfluß erfuhr.

Viele Heiligenfeste und Riten wurden aus dem fränkischen Gebiet eingeführt; das mailändische Sakramentar wurde durch die *Gelasiana saeculi VIII* und den *Liber Sacramentorum* Alkuins bereichert; das Hymnar, das lange unangetastet geblieben war, wurde um ein Dutzend fremde Hymnen vermehrt (dies kann vielleicht schon am Anfang des 8. Jhs. geschehen sein); auch der Text des Psalters wurde, mit besonderer Beteiligung der Mönche, geändert. Nach dem karolingischen Versuch wurde Mailand nicht mehr direkt angegriffen. Das schließt nicht aus, daß sich immer wieder fremde Elemente mit den vorhandenen vermischten und dann sogar als alte einheimische angesehen wurden.

Mehrere liturgische Reformen und Neuordnungen wurden in der ambrosianischen Kirche durchgeführt.

In der Karolingerzeit sind sie den Bischöfen Odalpertus und Angilbertus II. zu verdanken. Später fallen die Namen und die Tätigkeit von Beroldus (12. Jh.), Franz von Parma (1304) und Franz Piccolpasso (1440) auf. Wichtig sind die ersten Drucke mailändischer liturgischer Bücher, die von Gelehrten zusammengestellt wurden. Auf Wunsch des hl. Karl Borromäus studierte und sammelte C. Perego mehrere Melodien, Rezitations-Lektionstöne, leider ohne Rücksicht auf ihren Wert.

In der neueren Zeit hat G. M. Suñol im Auftrag von Kardinal Schuster die Gesänge der ambrosianischen Kirche herausgegeben. Er konnte sich auf die Forschungen von Mocquereau, Amelli, Bas, Garbagnati stützen. Aus Zeitmangel zog er nur wenige Handschriften heran und interpretierte sie manchmal willkürlich. Suñols Werk behält seinen Wert nur für den praktischen Gebrauch, solange nicht eine sehr wünschenswerte kritische Ausgabe erscheint.

Die handschriftliche Überlieferung

Neben den Handschriften, die rein liturgisches Interesse haben, wie z. B. die Sakramentare, sind mehrere mailändische Quellen erhalten, die für die Erforschung der Gesänge wichtig sind. Zur Verfügung stehen uns heute Psalter-Hymnare, Prozessionarien und Missalien; daneben gibt es noch eine Reihe Bücher mit verschiedenen Offizien, neumierten Lektionen oder auch einzelnen Stücken. Die meisten Gesänge sind jedoch in den Antiphonarien überliefert.

Die ältesten Aufzeichnungen mailändischer Gesänge, die sich in mehreren Fragmenten (St. Gallen, Stiftsbibl. 908; Zürich, Zentralbibl. C 796) aus dem 7.–8. Jh. finden, sind leider nicht neumiert. Erst aus dem 11.–12. Jh. stammen die ältesten neumierten Antiphonarien. Diese Handschriften vereinen die Gesänge des Offiziums und die der Messe. Der älteste erhaltene Typus besteht aus zwei Teilen. Der erste bringt alle Gesänge vom ersten Adventssonntag (bzw. vom Martinsfest) bis Karsamstag, einschließlich der Heiligenfeste. Diese sind zwischen den Sonntagen eingeschoben, so daß das *Proprium de Tempore* und das *Proprium de Sanctis* eine wohlgeordnete Einheit bilden. Dieser Typus war nicht nur für Mailand grundlegend; man findet ihn auch in den mozarabischen Quellen und in einzelnen römischen Handschriften (z. B. Lucca, Bibl. Capitolare 490 aus dem 8./9. Jh.). Der zweite Band enthält die übrigen Gesänge für das liturgische Jahr, denen noch die verschiedenen *Communia (dominicale, feriale, de Sanctis)*, die Litaneien und die *Agenda Mortuorum* angefügt sind. Die Zweiteiligkeit der Antiphonarien läßt sich bis ins 15. Jh. verfolgen (vgl. u. a. das Winterantiphonar, 1486 von P. Casola gefertigt, heute Milano, S. Ambrogio M 38).

Seit dem Ende des 14. Jhs. werden die Gesänge des gesamten *Antiphonarium Officii et Missae* auch anders verteilt, auf drei oder auf vier Bücher. Dieser letzte Typus zeigt folgende Anlage: a) Weihnachtszyklus; b) Fastenzeit und Werktage, Litaneien, *Agenda Mortuorum*; c) Sommer und Sonntage; d) *Proprium* und *Commune de Sanctis*. Daneben beginnt man seit dem 14. Jh. auch, die Gesänge des Offiziums und der Messe in jeweils eigenen Büchern zu sammeln. Häufig wird neben der Messe, in den sogenannten *Ingressari*, die Vesper aufgezeichnet. So sehen mit wenigen Ausnahmen die letzten Handschriften aus dem 16. Jh. aus.

Das Fehlen älterer Quellen erschwert die genaue Bewertung der erhaltenen Neumenschrift. In den ältesten Antiphonarien (Roma, Vat. lat. 12932; London, Br. Mus. add. 34209) aus dem ausgehenden 11. Jh. sind die Neumen sehr einfach. Sie bestehen aus Punkten, die gelegentlich durch Striche miteinander verbunden sind. Die Neumenfigur bleibt durch die Jahrhunderte hindurch gleich; nur vergrößern sich mit der Zeit die kleinen Punkte, bis daraus die charakteristischen Rombi werden.

Einzelne neumierte Stellen gibt es auch in einigen älteren *Manualia* (liturgischen Büchern, die gewöhnlich Kalender, Psaltertext, Offizium, wechselnde Teile der Messe und manchmal auch die Perikopen enthalten) aus dem 10.–11. Jahrhundert. Daran läßt sich feststellen, daß die mailändische Neumenschrift ursprünglich viel reicher an Neumennuancierungen gewesen sein muß, was dann u. a. durch die vergleichende Analyse römischer Stücke in ihrer ambrosianischen Überlieferung bestätigt wird. Hier sieht man deutlich, daß alle ursprünglichen Spezialneumen in den verhältnismäßig späten mailändischen Handschriften vereinfacht wurden. Daher muß man bei einer kritischen Wiedergabe der mailändischen Gesänge häufig die ursprünglichen Neumen einsetzen anstatt der simplen Neumenschrift der vorhandenen Quellen. Für die Aufführung gelten die gleichen Regeln wie für den gregorianischen Choral. Aufmerksamkeit verdient u. a. die „Neumentrennung", die in den mailändischen Handschriften konsequent beachtet wird. Gründlich zu untersuchen bleibt noch die Frage der Verwendung des *b*. Soweit sich heute die Handschriften übersehen lassen, scheint es, als habe Mailand grundsätzlich das *h* bevorzugt; *b* kam nur gelegentlich vor. Wenn man von den späten Handschriften absieht, die neues melodisches Material bringen, kann man sagen, daß die mailändischen Gesänge allgemein ohne große Varianten überliefert sind; gelegentlich kommen Einschübe, Verkürzung der Melodien, besonders der Melismen, in späteren Quellen vor. Kleinere Varianten, sowohl liturgische als auch musikalische, sind hingegen recht häufig; u. a. verschiedene Anordnung der Stücke innerhalb der Gruppen derselben liturgischen Gattung; Textvarianten, die einzelne Silben oder auch ganze Wörter betreffen; verschiedene Neumenfiguren für eine und dieselbe melodische Formel; Ausdehnung des Notenwertes durch Verdoppelung der Punkte (dies kommt besonders im 14.–15. Jh. vor, vgl. vor allem das Sommerantiphonar aus Mariano Comense, heute in Cesena, Abtei S. Maria del Monte).

Eine erste Zusammenfassung verschiedener Varianten erlaubte eine vorläufige Gruppierung der mailändischen Handschriften. Ein endgültiger Stammbaum der Quellen kann jedoch, sofern er überhaupt möglich ist, nur nach langer und systematischer Untersuchung aufgestellt werden. In engerer Beziehung stehen z. B.: London, Br. Mus., add. 34 209 (11./12. Jh.), und Vimercate, S. Stefano A (13. Jh.); Milano, Bibl. Ambrosiana M 99 sup. (13. Jh.), zu Milano, Bibl. Grassi (13./16. Jh.); Milano, Bibl. Capit. F 2–2 (ausgehendes 12. Jh.), und Novara, Curia Vescoville (1360), und, unter anderen Gesichtspunkten, Castiglione Olona, SS. Stefano e Lorenzo, A (Anfang 15. Jh.).

Die Liturgie

Der Advent, der das liturgische Jahr einleitet, dauert heute in Mailand, wie in der baetischen Tradition des spanischen Ritus, sechs Wochen. Der erste Adventsonntag wird gleich nach dem Fest des hl. Martin gefeiert. Am 6. Adventsonntag hat Mailand ein altes Marienfest, das wohl auf das 6. Jh. zurückgeht und früher vielleicht den Platz von Weihnachten einnahm. Das mailändische Weihnachtsfest wurde erst unter Ambrosius eingeführt, der dafür den Hymnus *Intende qui regis Israhel* schrieb. Die Fastenzeit beginnt nicht am Aschermittwoch, sondern wie in Spanien am Sonntag darauf. Der Sonntag zuvor wird deshalb als *Dominica in capite Quadragesimae* bezeichnet und ist durch den „Abschied" vom Alleluia charakterisiert. Eigene liturgische Formulare haben in den alten Handschriften nur die Samstage und Sonntage der Fastenzeit. Letztere haben heute noch die alte, im Abendland und auch im Orient bekannte Bezeichnung nach dem jeweiligen Evangelium: *De Samaritana, De Abraham* usw. Die Freitage derselben Zeit sind in Mailand aliturgisch und früher war aus den Fastenwochen jedes Heiligenfest ausgeschlossen. Die lange Periode nach Pfingsten ist in verschiedene Abschnitte geteilt: *Dominicae post Pentecosten, post Decollationem, I Octobris, ante Dedicationem Ecclesiae* (Mailand feiert das Kirchweihfest am 3. Sonntag im Oktober), *post Dedicationem Ecclesiae*. Im Gegensatz zu Rom, wo in späterer Zeit jeder Sonntag mit eigenem Formular versehen wurde, hat Mailand (wie übrigens auch Spanien) nur eine beschränkte Zahl von Gesängen, so z. B. 9 Offertorien und 12 (die höchste Zahl) Transitorien. Die Gesänge werden heute immer noch der Reihe nach wiederholt (v. g. *Psallendae in baptisterio* 1 2 3 1 2 3 1 2 3 usw.). Eine Reform hat die althergebrachte Ordnung am Sonntag vor dem Kirchweihfest durchbrochen.

Im ganzen gesehen finden wir das mailändische Brevier im heutigen Aufbau, der vom monastischen Ritus beeinflußt ist, schon in der Karolingerzeit. Immer wieder stoßen wir auf altertümliche Elemente, die Mailand nicht nur mit Rom, sondern vor allem mit dem morgenländischen und dem hispanischen Ritus verbinden. Am frühen Morgen beginnt das mailändische Stundengebet mit dem *nocturnale officium*. Als Gegenstück zu dem römischen Invitatorium hat Mailand außer an Weihnachten den Lobgesang der drei Jünglinge *„Benedictus es"* mit einem *Responsorium post Hymnum*. Der folgende psalmodische Teil ist am Samstag und Sonntag von dem der Werktage verschieden. Samstag besteht er aus dem *Canticum Moises „Cantemus"* und aus zwei Teilen des langen Psalms 118; sonntags und an Festtagen wird er aus drei Cantica gebildet, wie es heute noch in der 3. Nokturn des monastischen Offiziums der Fall ist. Jedes *Canticum* hat seine eigene Antiphon und wie am Schluß der Hauptteile der Messe folgt danach eine Akklamation. An den Werktagen dagegen ist die Matutin länger, da sie aus drei Psalmengruppen besteht. Die hierfür verfügbaren Psalmen (Ps. 1–108) waren in zehn je von einer Antiphon umrahmte Gruppen aufgeteilt. Später wurden diese als *Decuriae* bezeichnet, die dazu führten, daß man die Psalmen 1–108 in zwei Wochen vortrug und nicht in einer, wie in Rom. Dagegen werden wie in Rom die Vesperpsalmen (Ps. 109–147) in einer einzigen Woche gesungen. An besonderen Festtagen (an Weihnachten und in der darauffolgenden Woche, an Epiphanie und in der Karwoche) hat die Matutin einen besonderen Aufbau, und die Lektionen werden nicht wie sonst nach dem psalmodischen Teil vorgetragen, sondern nach jedem psalmodischen Abschnitt. Der Lobgesang des Zacharias, das *„Benedictus"*, schließt die Matutin ab. Früher folgte noch die Antiphon *ad Crucem*, manchmal auch die Antiphon *ante Crucem*, mit der suggestiven Kreuzprozession.

Die Laudes (*matutinale officium*) bestehen aus mehreren Abschnitten. Der erste enthält Lobgesänge (*„Cantemus"*, *„Benedicite"*) oder Psalmen – 51 (50) an den Werktagen, sonntags 118 (117). Danach trägt man die *„Laudate"*-Psalmen

(Ps. 148–150) vor, die den Keim der Laudes in allen Liturgiebereichen bilden. Im dritten Hauptabschnitt folgt die *Doxologia major*, der man einen psalmodischen Anhang beigab. Dem Gesang eines Hymnus schließen sich eine Reihe (12) *Kyrie eleison* an und eine oder zwei *Psallendae* (*in baptisterio*), zwei Prozessionsgesänge, manchmal auch ein *Responsorium* (*in baptisterio*). Während die kleinen Horen keine Besonderheit bieten, fällt die Struktur der mailändischen Vesper auf. In Mailand kannte man schon z. Z. des hl. Ambrosius eine Vesperfeier. Wie die hispanische Vesper besteht sie heute noch aus drei Teilen. 1. Nach einer kurzen Einleitung wird das *Lucernarium* (in Spanien meistens *Vespertinum* genannt) angestimmt, dem manchmal eine *Antiphona in choro* folgt. Der erste Teil der Vesper schließt mit einem Hymnus und einem Responsorium, zuweilen dem *Responsorium cum infantibus*, von dem später die Rede sein wird. 2. Der mittlere psalmodische Teil wird auf vier verschiedene Arten gestaltet. Am Montag, Dienstag, Mittwoch der Karwoche besteht er nur aus einem einzigen Psalm und einer Oration, während er an den gewöhnlichen Sonn- und Wochentagen in Anlehnung an den römischen Brauch fünf eigene Psalmen, eine Oration und das „*Magnificat*" enthält. Das heute noch an besonderen Feiertagen, z. B. Ostern, verwendete Schema dieses Teils ist höchstwahrscheinlich die ursprüngliche Form des Mittelteils. Es besteht aus einer einzigen Antiphon, die den jeweiligen Festpsalm und Ps. 133 und 116 umrahmt; darauf folgt eine Oration und das Magnificat. An anderen hohen Festen, z. B. Himmelfahrt, werden zwischen Oration und Magnificat ein weiterer Psalm und eine Oration eingeschoben, Mailand besitzt eine ganze Reihe Vesperpsalmen, die dem Inhalt nach mit den *Lucernaria* in Verbindung stehen (Lichtmotiv). Mehrere dieser Gebete kommen erweitert und neugestaltet als Vesper-*completuriae* in Spanien vor. Vom dritten Teil der Vesper, der in den mailändischen Laudes eine Parallele hat und deren Ursprung in den von Aetheria erwähnten Prozessionen *ante crucem* und *post crucem* in Jerusalem zu suchen ist, sind die *Psallendae* musikalisch beachtenswert. Sie entsprechen den römischen *Antiphonae per viam* und wurden wie diese früher während der Prozession gesungen; heute dagegen werden sie im Stehen vorgetragen. Sie sind reicher als die übrigen Psalmenantiphonen; im Stil nähern sie sich den gregorianischen Magnificatantiphonen. Von den sonstigen Antiphonen heben sie sich dadurch ab, daß ihnen allgemein keine Psalmodie folgt, nur das Gloria Patri. Die letzte Hore des Offiziums, die Komplet, bildet ihren Hauptteil durch die Psalmen 4, 31 (30), 91 (90), 133 (132), 134 (133) und 117 (116).

Mehrere Elemente zeigen, daß die mailändische Messe trotz späterer Hinzufügungen ursprünglich zum afrikanisch-hispanischen Typus gehörte. Der erste Gesang, der in der Mailänder Messe erklingt, ist die *Ingressa*.

Von den 68 alten Ingressen, die Suñol herausgegeben hat, kommen 41 auch in Rom als *Introitus* vor. In Mailand wurden sie jedoch nicht während der Eingangsprozession gesungen, sondern erst nach dem Confiteor und der Beräucherung des Altars. So kann man sie liturgisch eher neben die mozarabischen und gallikanischen Antiphonen *ad praelegendum* stellen. Außerdem unterscheidet sich die mailändische *Ingressa* vom römischen *Introitus* dadurch, daß sie ohne Psalmvers gesungen wird. Dies kommt übrigens auch in Benevent vor, wo bemerkenswerterweise der erste Gesang als *Ingressa* bezeichnet wird. Prozessionsgesänge am Beginn der Messe (liturgisch dem römischen *Introitus* entsprechend) gibt es auch in Mailand. Es sind einfache Antiphonen, vor allem die zweite *Psallenda* der *Laudes* mit *Gloria* (*post Kyrie, cum Gloria*). Erst später, unter dem starken römischen Einfluß, wird durch die Übernahme mehrerer Gesänge auch der liturgische Ort etwas verschoben, so daß heute *Ingressa* und *Introitus* sich musikalisch wie rein liturgisch entsprechen. Die darauffolgende *Doxologia major*, das *Gloria*, trat erst spät an diese Stelle, während sie früher am Schluß der *Laudes* gesungen wurde.

Den Kern des ersten Teils der Messe bilden drei Lesungen: die prophetische, die apostolische und schließlich die evangelische. Anstatt der ersten sang der Diakon nach altem Brauch an besonderen Heiligenfesten einen Abschnitt aus der *Passio* des betreffenden Heiligen. Zwischen den Lektionen singt man Psalmellen und *Cantus*, die den römischen *Gradualia* und *Tractus* entsprechen, und das *Alleluia*. Weihnachten, Epiphanie, Ostern und gelegentliche Festtage, die für die Heimat einzelner Handschriften besondere Bedeutung haben, werden durch ein weiteres Stück charakterisiert, das dem Alleluia folgt: die Antiphon *ante Evangelium*. Die Funktion des Gesanges nach der Lesung des Evangeliums, Antiphona *post Evangelium* genannt, ist noch sehr umstritten.

Sicher ist es kein Prozessionsgesang, den man während der Darbringung der Gaben gesungen hätte. Man hat ihn in Beziehung gesetzt zu der *Dimissio catechumenorum*, deren Mailänder Form mit der beneventanischen eng verwandt ist, mit dem feierlichen Zug des Evangeliums vom Ambo zurück und mit der Vorbereitung des Altars. Es fällt auf, daß einige Texte dieser Antiphon eher den Charakter einer Oration haben als den eines Gesanges. So lautet er am 5. Fastensonntag (*De Lazaro*): „*Infirmorum propitiator, abiectorum protector, desperandorum salvator, Deus patris mei et Deus hereditatis Israhel, dominator caelorum et terrae, creator aquarum, rex totius creaturae tuae, exaudi preces nostras*". Es ist durchaus möglich, daß die Antiphon *post Evangelium* der mozarabischen Antiphon *ad pacem* entspricht. Dafür zeugen auch andere Texte, wie: „*Domine, Deus noster, pacem da nobis...*" (dieser Text kommt auch im Orient vor) und vor allem die Tatsache, daß gerade an diesem Punkt, wie in allen Liturgien außer der römischen, wo später eine Verschiebung eingetreten ist, der „Friedenskuß" gegeben wird.

196

Auf die *Oratio fidelium* und die *Oratio super sindonem* folgt der Offertoriumsritus. Der zugehörige Gesang, wie in Benevent und in manchen gregorianischen Handschriften *Offerenda* genannt, weist in Mailand dieselben Schwierigkeiten auf wie überall: eigenartige Melodik, vor allem in den Versen, Wiederholungen von Textteilen usw.

Im Vergleich zu Rom haben heute viele *Offerendae* keine Verse, und wenn überhaupt, dann fast immer nur einen. Bemerkenswert ist, daß die *Offerenda* der Laurentiusmesse *„Exaudita est oratio"* zwei Verse hat: *„Probavit me"* und *„Liberavi pauperem"*, während die römischen Quellen beim entsprechenden Offertorium *„Oratio mea"*, das an der Vigil gesungen wird, nur einen Vers kennen. Die Armut an Versen ist dadurch zu erklären, daß Mailand nur verhältnismäßig wenige *Offerendae* hatte. Deshalb hat man wahrscheinlich wiederholt mehrere Gesänge geteilt, so daß Antiphon und Vers jeweils neue selbständige Gesänge bildeten. Aus der Tatsache, daß die Stücke in Mailand nicht von vornherein geteilt gesungen wurden, läßt sich nicht ersehen, ob Mailand diese *Offerendae* aus Rom bzw. Spanien eingeführt hat, oder ob die Gesänge insgesamt oder zum Teil anfänglich Gemeingut der verschiedenen Kirchen waren. In einzelnen Fällen kann man den römischen Ursprung nachweisen; es zeigt sich jedoch, daß die mailändische Fassung der liturgischen Zeit und der Melodik nach der römischen Ursprungsform näher ist als die heutige römische Lesart. So verhält es sich mit der *Offerenda* des *Commune Dominicale*, dem bekannten Offertorium *„Precatus est Moyses"*, das heute auf drei Fastensonntage (II bis IV) verteilt ist.

Im Gegensatz zur römischen Praxis wird das *Credo* in Mailand — wie auch in Byzanz — nicht vor, sondern nach dem Offertorium gesungen, vor der *Oratio super oblata*. Es sei bemerkt, daß das *Symbolum dominicale*, wie es in den Handschriften heißt, nicht erst im 11. Jh. eingeführt worden ist, sondern früher, vielleicht schon in der Zeit von Bischof Petrus, einem Freund von Alkuin und Paulinus von Aquileja. Eine andere mailändische Besonderheit bilden die Präfationen, die für jedes Fest eigen sind und denen man erst später das *Sanctus* anschloß. Nach dem Kanon, aber noch vor dem Vaterunser, findet die *Fractio panis* statt. Auch dieser Ritus wird von einem eigenen Gesang, dem *Confractorium*, begleitet. Ursprünglich war er mit den alten Fraktionsgesängen verwandt, die man gelegentlich auch in gregorianischen Handschriften findet, nicht aber mit der römischen *Communio*.

Irreführend ist diesbezüglich der Stand des heutigen Missales, dessen Einfluß auch in der Ausgabe von Suñol bemerkbar ist. Suñol hat 100 Confraktorien herausgegeben, von denen aber nur 64 in den alten Handschriften als solche bezeichnet werden. Davon kommen die meisten auch in Rom vor und fast durchweg als *Communio*. Die Übernahme dieser starken Gruppe fremder Gesänge, die an sich mit dem Fraktionsritus nichts zu tun hatten, muß erst spät erfolgt sein, und viel spricht dafür, daß die Confraktorien zeitlich die letzten Gesänge sind, die in Mailand die heutige Anordnung erhalten haben.

Der letzte Gesang der ambrosianischen Messe ist das *Transitorium*, der eigentliche Kommuniongesang. Die Transitorien bilden wohl deshalb eine eigene Gruppe, weil unter ihnen verschiedene musikalische Gattungen zu finden sind, und auch weil viele Texte, die vermutlich schon im 7. Jh. nach Mailand kamen, orientalischen Ursprung haben.

Der Psalmentext des Stundengebetes und der Gesänge gehört einem eigenen Zweig der alten lateinischen Tradition, der *Vetus latina*, zu. Stark ist in der mailändischen Fassung die Abhängigkeit vom griechischen Text der *Septuaginta*. Die Lesungen des Offiziums folgen heute der *Vulgata clementina*. Dagegen stammen Lektionen, Epistel und Evangelien der Messe aus einer Gruppe der vorklementinischen *Vulgata*. Einzelne Texte weisen mehr oder weniger Einfluß der *Vetus latina* auf. Viele der eigentlichen Gesänge wurden, wie in Spanien, aber im Gegensatz zu Rom, nicht dem Psalter entnommen. Sie wurden vor allem nach nichtpsalmodischen Bibeltexten geschaffen, wie auch nach kirchlichen Werken, vornehmlich *Passiones* und *Vitae*. Einige Gesänge stammen aus dem apokryphen Gebet von Manasse. In der liturgisch älteren Schicht (*Proprium de Tempore*) stimmen die nichtpsalmodischen Gesangstexte öfter mit der hispanischen Überlieferung — gegen eine eigene römische Fassung — überein. Gerade solche Texte zeigen außerdem Spuren afrikanischen Einflusses.

Die Kompositionstechnik und der Stil der mailändischen Gesänge

Das heutige Repertoire der mailändischen Gesänge bildet bei weitem keine Einheit. Es kommen nicht nur Stücke ganz verschiedenen musikalischen Stils vor, sondern auch innerhalb einer Gattung weichen die Stücke in ihrer Struktur oft wesentlich voneinander ab. Gegenüber der gregorianischen Überlieferung scheint die mailändische das musikalische Material in einer jeweils aufs Extreme tendierenden Weise wiederzugeben: sehr oft sind die syllabischen Stücke einfacher als dort; hingegen erfahren die melismatischen solche Erweiterungen und Entfaltungen, wie man sie im Abendland nur im spanischen Bereich wiederfindet. Was die Kompositionsmethode betrifft, sei hier kurz ein Wort über die Hauptformen gesagt. Die einfachste melodische Form, die man besonders in den Antiphonen beobachtet, wird von einem einzigen *Melodiekeim* gebildet.

Dieser kann verschiedene Gestalten haben; häufig ist es eine *Bogen*-Melodie; daneben kommen Melodien vor, die von oben (meist von der Dominante) her zur Tonika fallen und solche, die in einem kleinen Umfang eine oder zwei Noten dauernd umspielen (siehe Notenbeispiel 5). Erweiterte Melodien werden aus mehreren solchen Melodiekeimen gebildet. Dabei können die einzelnen Perioden dieselbe Struktur haben, wobei zu bemerken ist, daß selten längere Melodien nur aus fallenden Melodieteilen bestehen. Für einzelne Gattungen wird mehrmals ein Melodie*schema* verwendet, d. h. es werden auf eine einzige, manchmal ein wenig erweiterte oder reduzierte Melodie mehrere Texte gesungen. Das ist nicht nur der Fall bei verschiedenen einfachen Melodieschemata der Antiphonen. Gelegentlich wird diese Technik auf mehrere Melodien angewandt, wie z. B. auf einige Antiphonen *post Evangelium* der Osterwoche. Öfter wird sie für melismatische Gesänge verwendet, für Responsorien des Offiziums wie der Messe (*Psalmelli*), besonders die vom Typ „*A summo caelo*". Bei diesen Melodieschemen ist zu beachten, daß die Urmelodie nicht immer durchkomponiert ist, sondern aus einzelnen melodischen Perioden besteht, die auch in anderen Gesängen derselben Gattung, oder wenigstens desselben Stils vorkommen. Es handelt sich dann um Stücke, die nach dem alten Prinzip der centonistischen Kompositionsmethode geschrieben sind. Die für diese Art Melodien charakteristische Gattung sind die erwähnten Responsorien. Dieselbe Technik findet sich auch in vielen Gesängen, die aus wiederholten Melodieperioden bestehen, und zwar nicht nur in den Offiziumsantiphonen, sondern auch in Meßgesängen, vor allem in den Transitorien.

Bei verschiedenen Stücken sind die Wiederholungen so weit geändert, daß nicht mehr von einem Wiederholungsprinzip die Rede sein kann, sondern von *Gestaltvariation*. Dieses grundlegende Verfahren der mediterranen Melodiekonstruktion ist die am häufigsten vertretene Kompositionstechnik des mailändischen Repertoires und zeigt am deutlichsten seinen Ursprung im Mittelmeergebiet.

In die Stücke, die nach dem Prinzip der Gestaltvariation aufgebaut sind, spielen natürlich auch Elemente anderer Techniken hinein; eine scharfe Trennung zwischen solchen Melodiegattungen wäre gekünstelt und entspräche nicht dem eigentlichen Bestand. Einzelheiten, wie z. B. melodische Reime, das Verhältnis zwischen einzelnen Wörtern und Melodien, die öfter parallel aufgebaut sind, seien hier übergangen. Es sei nur noch erwähnt, daß Sequenzmotive im ambrosianischen Choral eine besondere Rolle spielen. Die meisten bestehen aus kleineren Neumenfiguren und kommen in unzähligen kurzen Melismen in solcher Dringlichkeit vor, daß man sie als mailändisches Charakteristikum bezeichnen kann.

Man darf die Gesänge jedoch nicht nur vom Kompositorischen her betrachten, sondern man muß auch ihren Stil untersuchen. Am ehesten schien eine Einteilung angebracht, die zwischen einfachen, kolorierten und melismatischen Gesängen zu unterscheiden versucht.

Die *Psalmodie* ist die einfachste syllabische Form musikalischen Ausdrucks. Bis zum 15./16. Jh., als man römische Elemente hinzufügte, hat Mailand immer seine altehrwürdige Psalmodie bewahrt.

Die auffälligste Besonderheit, das Fehlen jeder *mediatio*, wurde schon von Radulph de Rivo († 1403) beobachtet: „*Cantantur autem psalmi Ambrosiano et Romano more in fine versum per tonos. In medio vero Ambrosianus psalmos in omni toto psallit plane. Romanum autem officium habet diversas mediationes. . .*" (*De can. obs.*, 67—68).

Wie aus Notenbeispiel 2 ersichtlich ist, besteht die *inchoatio* in Mailand aus drei Noten, denen ohne Rücksicht auf die Wortakzente die ersten drei Silben des Textes unterlegt werden.

Im Gegensatz zu Rom wird der *Tenor* nicht starr nach dem Prinzip eines Psalmtenors gewählt; er wird der realen Dominante der Antiphon angepaßt, die den Vortrag des Psalms, bzw. der Psalmen umrahmt. Als *tubae* gelten alle sieben Noten. Sowohl in der einfachen Psalmodie als auch in den rezitierten Passagen einfacher und melismatischer Gesänge hat man übereinstimmend fast immer *e* und *h* als Rezitationstöne beibehalten, ohne sie auf den oberen Halbton zu rücken. (Siehe Beispiel „*Angelus Domini*" im Abschnitt „Benevent"). Die Schlußkadenz der Psalmodie wird in den Handschriften durch die *Verba judiciaria Euouae* gekennzeichnet. Ab und zu sind für eine und dieselbe Antiphon verschiedene Kadenzen vorgeschrieben; sie müssen aber (nach der handschriftlichen Überlieferung) immer dem Anfang der Antiphon angepaßt sein. Der mailändischen Psalmodie ist die Kadenz mit zwei Akzenten unbekannt. Man kann die Kadenzen in drei große Gruppen einteilen: a) solche, die den Tonikaakzent berücksichtigen, b) solche, die einer begrenzten Zahl (öfter 4) von Silben angepaßt sind und c) solche, die aus einer *flexa* auf der letzten Silbe hervorgehen.

Unter die syllabischen Gesänge wird man auch die mailändischen Ordinariumstücke der Messe, die Lektions- und Orationstöne rechnen. Von den ersten seien *Symbolum* und *Gloria* genannt. In den meisten überlieferten Formen sind sie durch ihre Einfachheit bemerkenswert, die dadurch unterstrichen wird, daß der ganze Text auf einer Dominantnote vorgetragen wird, so daß eher von Rezitation die Rede sein könnte als von Gesang. Unter den Gloriakompositionen haben wir aber auch eine Fassung, die kürzere und längere, immer wiederkehrende Melismen vorsieht. Wie gesagt, das Vorhandensein von Stücken derselben Gattung in (ganz) verschiedener musikalischer Auffassung ist ein Mailänder Charakteristikum. Von den römischen Rezitationstönen unterscheiden sich die mailändischen dadurch, daß sie mit Vorliebe einen Quartsprung abwärts verwenden. Solche Quartsprünge kommen sehr oft auch in kurzen Akklamationen, wie *Dominus vobiscum . . . Amen*, vor. Quartintervalle sind überhaupt in Mailand sehr gebräuchlich. Trotz mancher Gegenbeispiele kann man in vielen Fällen beobachten, daß Stücke desselben Textes, die in mailändischer und römischer Überlieferung vorliegen, in Mailand eine Quart anstelle der gregorianischen Terz oder Quint aufweisen.

Das spricht nicht so sehr für einen Einfluß der byzantinischen Melodik auf den mailändischen Gesang. Eher ist es u. a. ein Merkmal seiner (selbständigen) Altertümlichkeit. Es sei an dieser Stelle erwähnt, daß im ambrosianischen Choral zwei zweistimmige Sätze (*Tenor* und *Succentus*) überliefert sind: die Intonation vom Responsorium *„De profundis"* und der Beginn der *Litaniae mortuorum* [*discordantes*], wie sie F. Gaffurio in seiner *Practica Musicae* nennt. Die zwei Gesänge weisen nämlich durchweg Sekunden- und Quartenparallelismus auf. Sie sind so der *„Beleg frühester Mehrstimmigkeit nicht nur auf oberitalienischem, sondern überhaupt auf europäischem Boden"* (B. Stäblein).

Als Repräsentant der Orationstöne kann der Präfationston gelten (Notenbeispiel 3, S. 203).

Deutlich erkennbar sind *inchoatio* (α), *Tenor* (β) und *Kadenz* (γ). Die mittlere Figur (δ) kann dem Text nach durch Synkope, Diäresis, Epenthesis, Hinzufügen und Wegnahme verschieden modifiziert werden (*g–b–a; g–ab–a; g–a–b–ag–a; ab–ag–a*). Ein solcher Ton muß sehr alt sein, sicher vorkarolingisch, da die einfache Melodie dem klassischen Cursus des Textes immer sehr gut angepaßt ist. Diesem Ton folgen dann das *Paternoster* und die Taufwasserweihformel vom Karsamstag, bei denen jedoch Teil δ wegfällt. Im gewöhnlichen Orationston fehlt außerdem im allgemeinen die *inchoatio* (α).

Rein syllabisch sind auch die meisten einfachen Offiziumsantiphonen, deren Melodie immer den Wortakzent berücksichtigt, während bei den melismatischen Gesängen in vielen Fällen durch die Melismen nichtakzentuierte Silben hervorgehoben werden, öfter die letzte Silbe eines Wortes.

Syllabische, fast hymnenartige Führung haben auch manche Transitorien, deren Melodie durch Teilwiederholung gekennzeichnet ist. Hier sei als Notenbeispiel (4, S. 203) das Transitorium *„Maria virgo"* wiedergegeben, dessen charakteristische Struktur αα öfter vorkommt (vgl. u. a. die Transitorien *„Si manseritis"*, *„Accedite"*, *„Corpus tuum frangitur"*).

Eine ganze Reihe von Gesängen hat Melodien fiorierten Stils. Darunter zählt man die *Psallendae* und kleinere Offiziumsresponsorien sowie die Meßgesänge *Ingressa*, Antiphon *ante* und *post Evangelium*, *Confractorium* und die meisten Transitorien.

Bei allen diesen Gesängen fallen manche Eigenarten auf und zwar besonders deutlich, wenn man die gregorianischen Parallelen zum Vergleich heranzieht. Die mailändischen Stücke haben trotz ihrer wiederkehrenden Melodiekeime nicht die plastische Gliederung der gregorianischen. Oft bewegt sich der Gesang innerhalb einer kurzen Spanne, und das auffallende Umspielen beim Halbton *e–f* oder noch häufiger *h–c* mutet orientalisch an. Tatsächlich kann man den orientalischen Ursprung u. a. für die Antiphon *ante Evangelium* von Weihnachten, *„Gloria in excelsis"*, nachweisen. Eine griechische Fassung, die wohl schon eine Bearbeitung des Originals darstellt, wird in Benevent überliefert (siehe Notenbeispiel 5). Gern zeigen die Melodien eine tetrachordale Struktur. Vieles jedoch, was in Rom durchaus fixiert ist, bleibt in Mailand in der Schwebe. Die große Freiheit, die erlaubt, beliebige Töne hintereinander zu singen, verschiedene Dominantnoten in einzelnen Melodien zu wählen, das einfache Überspielen von Noten, die in den erhaltenen römischen Parallelüberlieferungen ganz wichtige Strukturnoten sind (es sei z. B. erwähnt, daß die gregorianische Intonation im D-Modus *dcfga*, wo der Grundton *d* gleich hervorgehoben wird, in Mailand einfacher, vielleicht älter, aussieht: *cfga*), all dies sind einige Merkmale des ambrosianischen Gesanges. Vom Melodieduktus her gesehen, gehören die mailändischen Melodien dem italischen Stil zu; am nächsten stehen sie den altrömischen und den altbeneventanischen.

Eine geschlossene Gruppe bilden mehrere *Ingressae* im D-Modus, von denen die meisten eine Parallelüberlieferung in Rom haben. Dabei ist vor allem zu bemerken, daß die für den gregorianischen Choral so charakteristische *Intonatio cd–dah–a–a* weder in Mailand noch im altrömischen Choral jemals vorkommt.

In manchen Fällen (z. B. im Offertorium „*Jubilate Domino Deo*") bringt Mailand noch den großen Sprung *d–a*, nicht aber den Anfangston *c* und das dem Sprung *d–a* gleich folgende *h*. In allen erwähnten *Ingressae* ist diese *Intonatio* regelmäßig durch den *Scandicus f–g–a* ersetzt, der auf der ersten Tonikasilbe steht. Das erlaubt nur ein *e* und nicht zwei vorbereitende Noten, was auch Textvarianten zwischen Mailand und Rom erklärt. So beginnt der ambrosianische Introitus zum Agatha-Fest nicht mit *Gau–de–a–mus*, sondern mit *Lae–te–mur*.

Als Beispiel eines *Confractoriums* und gleichzeitig eines fiorierten mailändischen Gesanges sei hier das „*Magnum et salutare mysterium*" wiedergegeben, das keine römische Parallele besitzt (Notenbeispiel 6, S. 203).

Das Stück ist um so interessanter, als der Text ein gutes Zeugnis für sein Alter gibt. Mehrere Anklänge findet man nämlich im *Sacramentarium Gelasianum* und in einem *Sermo* des hl. Augustinus. Außerdem weist der marianische Charakter des Textes in die älteste Schicht des mailändischen Weihnachtsfestes, das durchaus marianische Prägung hatte.

Eine ganze Reihe mailändischer Gesänge zeichnet sich durch Unausgewogenheit der Teile aus. Ihre Melodie hat grundsätzlich fiorierten oder sogar syllabischen Duktus (wie z. B. im *Gloria in excelsis*, im Transitorium *Te laudamus*). Das Gleichgewicht wird durch ein Melisma gestört, das in gleicher oder erweiterter Form regelmäßig am Schluß der melodischen Perioden wiederholt wird (siehe Notenbeispiel 1, S. 202).

In manchen Stücken entfalten die ambrosianischen Sänger das Beste ihrer künstlerischen Begabung: in solchen, die nicht nur außerordentlich lange Melismen enthalten, sondern auch allgemein eine Führung haben, die (wie manche *Lucernaria*) mehr melismatisch ist als einfach. Die langen Melismen findet man sowohl in den Responsorien des Offiziums, als auch in einigen Meßgesängen, die manchmal in Rom parallel überliefert sind.

Kennzeichnend für die „typisch" mailändischen Melismen ist der Aufbau, der mit dem der Sequenzen gelegentlich in Zusammenhang gebracht wurde. Sie bestehen aus Gliedern, die einzeln oder zusammengefaßt wiederholt werden. In der handschriftlichen Überlieferung sind diese Wiederholungen konsequent durchgeführt. Die einzelnen wiederholten Teile sind durch den betreffenden Vokal oder durch Ziffern kenntlich gemacht.

Der am besten als typisch für Mailand anzusehende Gesang ist das *Responsorium cum infantibus*. Es trägt diese Bezeichnung, weil es hauptsächlich von Knaben, bzw. von jungen Klerikern vorgetragen wurde, die man übrigens auch zum Gesang des *Psalmellus* und des *Alleluia* heranzog. Wie allen mailändischen Responsorien (mit Ausnahme der kurzen Responsorien der kleinen Horen und des Responsoriums „*Venite filii*", dem eine Doxologie byzantinischen Ursprungs angeschlossen ist) fehlt auch dem Responsorium *cum infantibus* das *Gloria*.

In mancher Hinsicht ist dieser Gesang seiner entsprechenden gallikanischen Form ähnlich, in anderer der römischen. Bis zum 14. Jh. bestand er aus *Responsorium*, Wiederholung des Responsoriums, *Versus*, *Repetenda*, nochmals Wiederholung des Responsoriums und schließlich nochmals *Repetenda* mit den langen *Melodiae secundae*. Charakteristisch ist am Anfang der Versus ein Melisma, das wohl wegen seiner langsameren Ausführung als *Tractus* bezeichnet wurde. Was auffällt, sind die zwei Melismen (*melodiae*), die bei der Wiederholung des Responsorienteils (*Repetenda*) gesungen werden. Progressiv entfaltet sich hier die Melodie, die in den *Melodiae secundae* am breitesten ausgearbeitet wird, sowohl der Länge als auch dem Umfang nach. Unter den Meßgesängen sind es die Alleluia, die zwei *Melodiae* haben können. Infolgedessen hat man auch Alleluia-*Melodiae* bei den Responsorien verwendet (*Melodiae de „Praeveniamus*", de „*Domine Deus*").

Die ambrosianische Kirche hatte nur wenige eigene Melodien für den Alleluiavers; so wurden diese für mehrere Texte verwendet. Normalerweise ist der mailändische Alleluiagesang dreiteilig: Alleluiaphrase mit *Jubilus*, Vers, erweiterte Wiederholung (*Melodiae*) des ersten Gliedes. Ein Alleluia kann aber auch aus mehreren solchen Teilen bestehen, wobei die einzelnen in der handschriftlichen Überlieferung weder zahlenmäßig noch in der Anordnung übereinstimmen. Auch die musikalische Beziehung bzw. Entsprechung der Teile (eines einzigen oder sogar mehrerer Alleluia) ist ganz verschieden. Bei den *Melodiae de „Praeveniamus*" (Notenbeispiel 7, S. 203 f.), die als Beispiel mailändischer *Melodiae* angeführt werden, sind die *Melodiae primae* dem Schlußteil des Verses „*Praeveniamus*" gleich.

Erwähnenswert ist die Aufführungspraxis des Alleluia, das von verschiedenen Plätzen aus gesungen wurde (*notarius* und *lectores* sangen vom Altar oder vom Ambo, die Knaben vom Chor her). Nachdem der *notarius* (der an Hochfesten durch einen Diakon, am Karnevalssonntag durch die Knaben ersetzt wird), das Alleluia angestimmt hat, singen die

Knaben den *Jubilus* weiter. Darauf intoniert der *notarius* wieder das Alleluia, dessen Jubilus nun von den Lektoren weitergesungen wird. Diese führen auch den *Versus* und die Wiederholung der ersten Alleluiaphrase aus, die wiederum vom *notarius* angestimmt wurde. Danach singen die Knaben unter Führung des Magisters die zwei bzw. drei *Melodiae*.

Man hat lange über das Alter und den Ursprung der *Melodiae* gestritten. Ihr ältestes Zeugnis sind die Alleluia der Osterzeit. Hier werden nämlich nur drei Alleluia gesungen, deren orientalische Herkunft textlich wie auch musikalisch feststeht (*„Dominus regnavit"*: „Ὁ Κύριος ἐβασίλευνεν"; *„Venite exultemus"*; „Δεῦτε 'αγαλλιασώμεθα"; *„Praeveniamus"*: „Προφθάσωμεν"). Danach kann man die ambrosianische Fassung dieser Gesänge für das 7. Jh. ansetzen. In den folgenden Jahrhunderten müssen dann die *Melodiae* komponiert worden sein. Für die acht erhaltenen *Melodiae secundae* kann man die erste Hälfte des 9. Jh. als Entstehungszeit annehmen, wobei das Verhältnis zu den fränkischen *Sequelae* näher zu untersuchen bleibt. Wenn man die *Cantus* ausschließt, zeigen die übrigen melismatischen Gesänge keine einheitliche Durchstilisierung.

Nur ein einziges Mal kommen in den Offertorien zwei *Melodiae* vor. Das Offertorium *„Dixit Dominus"* vom 4. Fastensonntag bringt hintereinander zwei Melismen auf dem letzten Wort des Hauptstückes: *et peccata.* Sie werden als *major* und *minor* bezeichnet. Es scheint, als seien diese zwei Melismen im Gegensatz zu den *Melodiae primae* und *secundae* nicht bei derselben Aufführung vorgetragen worden. Nach Rubriken einzelner Handschriften handelt es sich um Melismen, die je nach dem Rang des Tages (sonntags bzw. werktags) gesungen wurden.

Wenige Melismen des Mailänder Offertoriale erreichen die große Entfaltung der *Melodiae secundae.* Ursprünglich waren alle langen Melismen nur für die Verse bestimmt, und zwar meist für die zweite Hälfte des Verses. Gelegentlich steht jedoch auch eine *Melodia* gleich am Anfang des Verses, z. B. *Dominus regnavit, Haec dicit Dominus.* Das letzte Stück erscheint heute nur als Hauptstück, auf Grund der musikalischen Struktur und seiner Stellung in der mozarabischen Überlieferung muß man es jedoch als Vers betrachten. Einige Melodieteile der Melismen kommen in mehreren Offertorien sowie in Offertorien und Responsorien vor. Einzelne Offertorienmelismen fallen, wie in den schon erwähnten Gesängen, wegen der streng paarweisen Wiederholung besonders auf.

Die formale Ähnlichkeit oder auch Übereinstimmung darf aber nicht täuschen. Musikalisch kann ganz verschiedenes Material in durchaus verschiedener Weise gebracht werden. Dies sei an Hand zweier Offertorien (*In te speravi* ℣ / *Portio* und *Super flumina* ℣ / *Si oblitus*) gezeigt. In *Portio* wird auf *meo* der musikalische Höhepunkt des Stückes erreicht. Die Melodie bewegt sich im Melisma in einem kleineren Umfang. Ihr Zweck ist es offensichtlich, den Höhepunkt zu unterstreichen. Ganz anders sieht es bei *Si oblitus..meminero* aus. Das lange Melisma (Notenbeispiel 8) bringt hier nichts Neues, sondern wiederholt schon vorhandene Figuren und entfaltet sie ein wenig in einem in sich geschlossenen Bild. Mehrere Offertorien sind durchaus fiorierte Gesänge, aber sie bringen nur kleine Melismen. In einzelnen Fällen, wo noch Verse vorhanden sind, fällt auf, daß diese einfacher sind als die Antiphon, manchmal sogar nur aus einer bescheidenen psalmodischen Formel bestehen (z. B. *Beati Martini* ℣ / *Vere memor*). Diese Tatsache und andere Beobachtungen legen die Vermutung nahe, daß es sich bei den übergroßen Offertoriumsversen um spätere Kompositionen handelt.

Eine ähnliche Einfachheit des Verses im Gegensatz zum Hauptstück findet man auch in den *Psalmelli.* Manchmal sind Responsorium und Vers fast in gleichem Grade fioriert.

Bei den meisten Stücken ist die psalmodische Grundstruktur noch deutlich erkennbar. In den Psalmellikompositionen wurde der G-Modus bevorzugt, während der für Rom wichtige F-Modus seltener vorkommt. Häufig treffen wir in den Gesängen gleiche wiederholte Teile, die man gelegentlich auch in der altrömischen Fassung an der entsprechenden Stelle beobachten kann. Wie auch in den Offiziumsresponsorien bringt die Schlußkadenz des Verses nur ganz selten etwas Neues. Sie stimmt in vielen Fällen mit der Hauptkadenz des Responsoriums oder wenigstens mit einem Melodieteil aus demselben Vers überein. Vgl. z. B. Formen wie: ℟...α...α℣...β...β...α; ℟...α...℣...α...β ...β...γγ oder beim *„Haec dies"* von Ostern: ℟...α...β...β℣...αββ.

Aus all diesen reichen Gesängen gewinnt man den Eindruck, daß sich die Melodien in einem übergroßen Raum bewegen. Es gibt sicher einige Stücke im Offizium wie auch in der Messe, die den Umfang einer Oktave plus einer Quinte haben. Das kommt allerdings auch im gregorianischen Repertoire vor. Was aber die mailändischen Stücke von diesem unterscheidet, ist ihre Bewegung in einem höheren Bereich. Außerdem bevorzugt der melodische Duktus Sekundschritte: *cantus spissior* nennt Aribo den langobardischen, also den mailändischen, beneventanischen und altrömischen Choral.

Das heutige Mailänder Repertoire läßt sein Alter und seine Ehrwürdigkeit an vielen Zügen erkennen. Manches spricht dafür, daß es eine ältere Fassung darstellt als das gregorianische; sicher ist, daß es keine einheitliche Form aufweist. In Mailand hat man viel aus vielen Bereichen übernommen und bewahrt; in der ganzen Liturgie macht sich ein eigentümlicher Konservatismus geltend. Ihm haben wir zu verdanken, daß uns altes, wertvolles Gut bis heute erhalten blieb. Manches scheint uns vielleicht unschön oder fremd, weil es aus anderen Zeiten und Räumen stammt und sich der Geschmacksentwicklung nicht anpaßte. Das gleiche wurde schon im Mittelalter empfunden, als man schrieb, der *„romanus cantus est praeferendus pro brevitate et fastidio plebis"*. Das schließt jedoch nicht aus, daß der mailändische Gesang eine Schatzkammer ist, deren Kostbarkeiten noch zu wenig in ihrem wahren Wert erkannt worden sind.

Bonifazio Baroffio

Notenbeispiel 1

Notenbeispiel 2

Notenbeispiel 3

Tonus Praefationis

Notenbeispiel 4

Ma-ri-a vir-go sem-per lae-ta-re quae tan-tam gra-ti-am___ me-ru-i-sti

entweder → Cae-li et ter-rae cre-a-to-rem de tu-o u-te-ro___ ge-ne-ra-re

oder → Cae-li et ter-rae cre-a-to-rem de tu-o u-te-ro___ ge-ne-ra-re

Notenbeispiel 5

Benev.

Δό - ξα _____ εν υ -ψιβ -τοις θε - ω___ και επι γης ειρη -

Glo - ri - a in ex-cel-sis de -o et in ter-ra

Mail.

νη αλ - - -λη -λου-ία αλ -λη -λου -ία___ αλ - - λη -λου -ία

pax al - - -le -lu -ia, al - le -lu -ia, . al - - le -lu -ia

Notenbeispiel 6

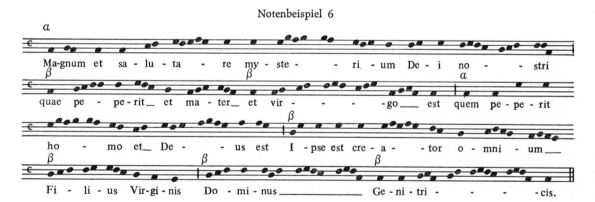

Ma-gnum et sa -lu -ta - re my -ste - - ri -um De -i no - -stri

quae pe - pe -rit__ et ma-ter__ et vir - - - go___ est quem pe -pe -rit

ho - mo et__ De - -us est I -pse est cre -a - -tor o -mni -um___

Fi - li -us Vir-gi -nis Do -mi -nus_____ Ge -ni -tri - - -cis.

Notenbeispiel 7

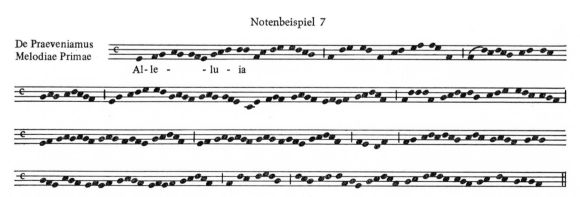

De Praeveniamus
Melodiae Primae

Al-le - -lu -ia

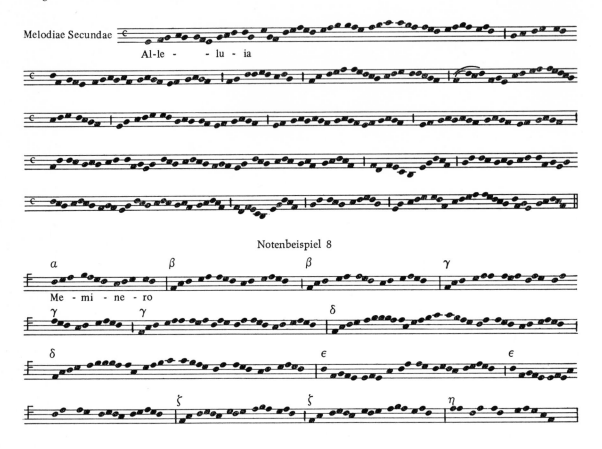

Notenbeispiel 8

Liturgie im beneventanischen Raum

Neben Rom und Mailand haben auch andere Städte Italiens noch vor der Karolingerzeit eine eigene Liturgie geschaffen, die mehr oder weniger von der römischen bzw. mailändischen oder auch der morgenländischen (Jerusalem, Antiochien, Byzanz) abhängig war. Einige dieser Zentren sind uns unbekannt, wie z. B. die oberitalienische Heimat des Schlettstädter Lektionars (7./8. Jh.), das orientalische Einflüsse zeigt.

In Norditalien sind vor allem Ravenna und Aquileja zu erwähnen. Für beide Liturgiebereiche besitzen wir leider nur wenige Dokumente, und diese sind meistens rein liturgisch (*Rotulus* von Ravenna, *Codex Rehdigeranus* und *Forojuliensis*, usw.). Von den Gesängen ist so gut wie nichts auf uns gekommen. Wir haben mehrere Missalia und Gradualien aus dem Gebiet von Aquileja. Sie sind aber späte Überlieferungen und ganz römisch. Was in ihnen auffällt, ist weniger das alte aquilejische Gut als ein starker Einfluß des nordischen Benediktiner=Mönchtums. Aquilejisch könnten die Kadenzen sein, die der typisch mailändischen Kadenzformel gleich sind (z. B. auf D: DEFD D). Noch geringer ist die Zahl der aus Ravenna erhaltenen Gesänge. Dies ist um so mehr zu bedauern, als aus einzelnen Stücken, wie z. B. im Falle des Tropariums ῞Οτε τῷ σταυρῷ (*O quando in cruce*) palästinensischer Herkunft, die ravennatische Überlieferung (Hs. Modena O.I.7.) diejenige zu sein scheint, die dem Original am nächsten steht.

Auch in Süditalien entwickelten sich Bischofsitze zu liturgischen Hochzentren. Man denke beispielsweise an Capua, dessen liturgische Ordnung in den angelsächsischen Handschriften überliefert ist (vgl. z. B. den Fuldaer *Codex Bonifatianus 1*, das Evangeliar von Lindisfarne, das auch als *Book of Durham* bekannt ist).

Was den Gesang betrifft, ist Benevent in einer glücklicheren Lage als alle übrigen Zentren, da mehrere Handschriften (vor allem Benevent, Bibl. Capit. VI, 35., VI, 38. und VI, 40.) vereinzelt Bruchstücke der dortigen Liturgie und des einheimischen Gesangs wiedergeben.

Dank seiner Lage an der Kreuzung wichtiger Verkehrswege wurde Benevent unter den Langobarden Hauptstadt eines mächtigen Herzogtums und stand dauernd in Verbindung mit Byzanz und Rom. Seine kulturelle und kirchliche Bedeutung wurde durch die Abtei Montecassino gefördert, die sich in seinem Bereich befand. Der direkte Einfluß der beneventanischen Kultur ist durch die Verbreitung der beneventanischen Handschriften klar bezeugt und umrissen (vor allem Kampanien, Apulien und die dalmatische Adriaküste).

Charakteristisch für die beneventanischen Codices ist die Schrift. Sie geht, wie die ihr ähnliche hispanische Schrift, unmittelbar aus der Kursivminuskel hervor. Es haben sich zwei Haupttypen (Montecassino und Bari) herausgebildet, die nicht von der karolingischen Schreibweise beeinflußt wurden.

Auch die Neumenschrift ist auffallend. Neben einer ersten leichteren Schrift (z. B. Benevent, Bibl. Capit. VI, 33) ist eine zweite überliefert, die der breiten Striche und der vielen Winkel wegen eher der späteren deutschen Hufnagelnotation ähnelt als den alten Neumenschriften (z. B. Metz, St. Gallen).

Die beneventanische Liturgie, die dem italienischen Typus zugehört, wurde wohl im 5.—7. Jh. geformt. Man kann annehmen, daß die Grundelemente ihres eigenen Gesanges auf das 6. Jh. zurückzuführen sind. Obwohl manches altertümlich und fremd klingt, läßt es sich doch als eine Überlieferung alter liturgischer Melodik auf einer schon fortgeschrittenen Stufe erkennen. Die eigene melodische Produktion dauerte bis ins 8. Jh., wo Dekadenzanzeichen bemerkbar sind. In der Mitte dieses Jahrhunderts hat man für das Fest der Zwölf Märtyrerbrüder, deren Reliquien im Jahre 760 nach Benevent gebracht wurden, die *Ingressa* von Ostern adaptiert und das *Alleluia* durch eine melodische Gradualphrase interpoliert. Zu Anfang des 9. Jh. wurde nicht mehr im beneventanischen Stil komponiert, sonst wäre sicher auch eine eigene Messe für den hl. Bartholomäus entstanden, dessen Reliquien im Jahre 808 in Benevent ankamen. Im 11. Jh. sang man aber noch lokale Gesänge, wie die Handschriften und ein Verbot von Papst Stephan IX. bezeugen. Dieser, der zuvor Abt von Montecassino gewesen war, *„ambrosianum cantum in ecclesia ista cantari penitus interdixit"* im Jahre 1058, nach den Angaben des *Chronicon Monasterii Casinensis.*

In diesem Text ist *ambrosianum* zweifellos nicht als mailändisch, sondern als nicht-römisch gemeint; immerhin bestehen in mehrfacher Hinsicht Beziehungen zwischen Mailand und dem beneventanischen Bereich. Einige gemeinsame Elemente lassen sich dadurch erklären, daß beide Liturgien der alten italischen näher stehen als die heutige römische. Das Fragment des Plenarmissales in Zürich—Peterlingen—Luzern (ausgehendes 10. Jh.) bezeugt z. B. noch das Drei-Lesungs-System in der Messe; am Karfreitag bestand die Vesper nur aus drei Psalmen, usw. Überdies kommen mehrere Gesänge nur in Mailand und Benevent vor. In solchen Fällen ist aus historischen und musikalischen Gründen wohl anzunehmen, daß diese Stücke, falls nicht eine gemeinsame Quelle vorliegt, von Mailand her importiert wurden, und nicht umgekehrt.

Es ist keine rein beneventanische Handschrift erhalten. Alle sind durch die römische Liturgie geprägt. Neben den römischen Stücken findet man — merkwürdigerweise nicht in den ältesten Quellen, sondern erst vom 11. Jh. an — textlich oder melodisch sonst unbekannte Gesänge. Man kann diese Stücke in einigen Gruppen zusammenfassen:

a) In etwa 20 Fällen (an Hochfesten) folgen gleich nach der üblichen gregorianischen Messe einige beneventanische Formulare, die eine geschlossene Einheit altbeneventanischer Gesänge bilden.

b) In der Karwoche finden sich verstreut unter römischen Gesängen auch solche anderer Herkunft. Darunter sind besonders die byzantinischen Melodien zu erwähnen, die in zwei Fassungen, lateinisch und griechisch, vorkommen. Wie im Falle des *Gloria* — Δόξα können die zwei Melodien übereinstimmen; die lateinische Fassung kann jedoch auch eine Erweiterung der byzantinischen Vorlage sein.

c) In Handschriften aus Benevent und aus dem Nachbargebiet kommen Gesänge für Lokalheilige vor (Benedikt, Barbatus usw.). Diese Stücke sind höchstwahrscheinlich in Süditalien entstanden; in ihrer Melodik sind sie aber oft nicht mehr typisch beneventanisch wie die Gesänge der ersten Gruppe und deshalb immer einzeln zu untersuchen.

Manche Stücke, die man gelegentlich in beneventanischen und süditalienischen Handschriften findet, sind nicht beneventanisch, sondern römisch, obwohl die meisten römischen Quellen sie nicht enthalten. Nach der Annahme des gregorianischen Gesangs (wohl im Laufe des 8. Jh.) hat Benevent als Randgebiet sie sehr konservativ beibehalten, während Rom sie später durch andere ersetzte. Diese Tatsache wird durch das Zeugnis fränkischer Handschriften bestätigt. Mehrere Gesänge kommen in beneventanischen (süditalienischen) und aquitanischen Quellen vor, so z. B. das Offertorium *„Veniens vir".* Auch das Beibehalten des *h* bzw. *e* in der Rezitation bestätigt die Bedeutung dieser römisch-beneventanischen Tradition für die Wiedergabe der gregorianischen Melodien.

Die begrenzte Zahl der altbeneventanischen Gesänge erleichtert es, sich ein Bild von ihnen zu machen. Auffällig ist, daß die meisten Stücke centonistische Kompositionen sind. In fast allen werden eine oder mehrere musikalische Phrasen wiederholt. Einzelne Melodiekeime sind außerdem mehreren Gesängen einer oder sogar verschiedener Gattung eigen. Der beneventanische Stil läßt sich leicht auch an solchen Stücken erkennen, die sicher importiert wurden. Im ersten Beispiel (Notenbeispiel 1, S. 207) geben wir den Anfang des Offertoriums „Angelus Domini" wieder.

Es wird in Benevent und Mailand am Ostersonntag, in Rom am Ostermontag gesungen. Schon in der Textbehandlung zeigt sich Benevent selbständig. Die Variante (*quem quaeritis*) *non est hic*, die vom Evangelientext her berechtigt, hier aber nicht notwendig ist, spricht für eine spätere Eintragung. Andererseits wird man nicht leugnen können, daß besonders in dem gezeigten Abschnitt die musikalische Fassung in Benevent altertümlicher zu sein scheint als in den anderen Überlieferungen, wobei zu bemerken ist, daß gerade in diesem Stück die Beziehungen zwischen den einzelnen Traditionen dauernd wechseln. Als beneventanisch kann man schon die am Beginn des Stücks immer auf der gleichen Höhe verweilende Podatusreihe bemerken. Solche Podatusketten, die man auch im altrömischen Gesang zusammen mit Torculusreihen findet, kommen in Benevent öfter vor. Man hat den Eindruck, als wolle Benevent den simplen Rezitationston vermeiden; jedenfalls ist er nur sehr selten. Dabei ist noch die Frage offen, welche der beiden Rezitationsformen älter ist, die einfache oder die umspielte.

Im Tractus vom Karsamstag wird die uniforme Podatuskette durch einen Podatus auf einer höheren Stufe unterbrochen, der den Wortakzent besonders hervorheben soll. Vgl. als Beispiel einen Abschnitt aus dem Tractus „Domine audivi" (Notenbeispiel 2, S. 207).

Typisch beneventanisch ist die Kadenz auf *caelo*. Das ganze Repertoire kennt grundsätzlich nur drei Kadenzen. Die schon erwähnte kann durch einige Vorbereitungsnoten verlängert werden. Am Schluß kann man sie, wenn es der Text verlangt, auch etwas erweitern. Öfter wird zwischen der charakteristischen Gruppe *chahg* und dem Finalton *g* die kleine Gruppe *gfag* eingesetzt; das Ganze kann ja nach Bedarf transponiert werden. Die zweite Kadenz ist etwas schlichter und wie die anderen zwei kann sie als Sekundär- wie auch als Hauptkadenz dienen. Mit dem Finalton *c* lautet sie *efdefd–ded–dc* (vgl. Notenbeispiel 3 *coenam* und Parallelstellen). Die dritte Hauptform der beneventanischen Kadenz scheint besonders beim Finalton *e* (bzw. *h*) verwendet zu werden. Die letzten Notengruppen (im Fall der Finale *e*) lauten *d–e–gfge–e*. Dabei ist zu bemerken, daß immer einige Vorbereitungsnoten voranstehen.

Wenn man von Akklamationen, Orationstönen (in diesem Zusammenhang denkt man gern an das „Exultet" und an die süditalienischen Exultetrollen) und kleineren Antiphonen absieht, kann man ohne weiteres die beneventanische Melodik als fioriert bezeichnen. Mit wenigen Ausnahmen sind alle Stücke aller Gattungen etwas koloriert. In engem Zusammenhang mit dem kolorierten Stil steht die Spissim-Melodik, ein Charakteristikum italischer, besonders beneventanischer, mailändischer und altrömischer Monodie. Es werden nämlich vorwiegend Sekundschritte verwendet; Ketten von drei oder auch vier abwärts fallenden Noten sind in Benevent sehr beliebt.

Dies wird an Hand des folgenden Beispiels deutlich. Das Stück erscheint in Benevent als *Ingressa*. Textlich und melodisch ist es mit Mailand enger verbunden als mit Rom, wo das Stück zweigeteilt als *Mandatum*-Antiphonen verwendet ist. In Mailand dagegen wurde der Text geändert (vgl. *Alleluia*), als man das Stück als *Transitorium* in der Osterwoche zu singen begann. In den drei verschiedenen liturgischen Bereichen diente jedoch für den Text wie für die Melodie eine einzige Grundlage.

Im beneventanischen Repertoire kommen nur sehr wenige syllabische Stücke vor, und die Melismen, die sich z. B. in den *Tractus*, im *Graduale „Dum congregarentur"* finden, sind nicht sehr lang. Das längste beneventanische Melisma gehört einer *Communio* („Zacharias pater" am Fest des hl. Johannes des Täufers) an.

Wie öfter auch in Mailand fehlen in den erhaltenen beneventanischen Solostücken besondere Merkmale (z. B. längere Melismen).

Das kann man an den Versen der *Gradualia* und des *Alleluia* sowie an dem einzigen auf uns gekommenen Offertoriumsvers nachprüfen. Die wenigen Gradual- und Responsoriumsverse sind nicht reicher als die Responsorien selbst. Was das Alleluia betrifft, so ist für alle Formulare dieselbe Melodie vorgesehen. Im Vers kann sie, je nach der Länge des Textes und nach dem Wortakzent, ein wenig modifiziert werden. Der gleich am Beginn des Verses stehende Podatus wird so immer auf die erste akzentuierte Silbe gesetzt. Ist die erste Silbe des Verses akzentlos, wird eine Vorbereitungsnote vorangestellt. Die vier Tractus vom Karsamstag bestehen lediglich aus einer stereotypen längeren Phrase, die mehrmals wiederholt wird. Nur in *Domine audivi* und *Cantabo* ist der erste Textabschnitt mit einer eigenen Melodie versehen. Im Offertoriumsvers *In craticula* (Offertorium *Adhesit anima mea* vom Laurentiusfest) stehen auf vielen Silben nur podatus und clivis, und es fehlen sogar die üblichen Koloraturen.

Was die übrigen Gesänge betrifft, kann man daran erinnern, daß nach den Quellen *Ingressa* und *Communio* in Benevent ohne Psalmodie gesungen werden. Dagegen haben einzelne römische Introiten in beneventanischen Handschriften neben Psalm und Gloria auch einen nichtbiblischen Vers, dessen genaue Stellung nicht bestimmt ist.

Bonifazio Baroffio

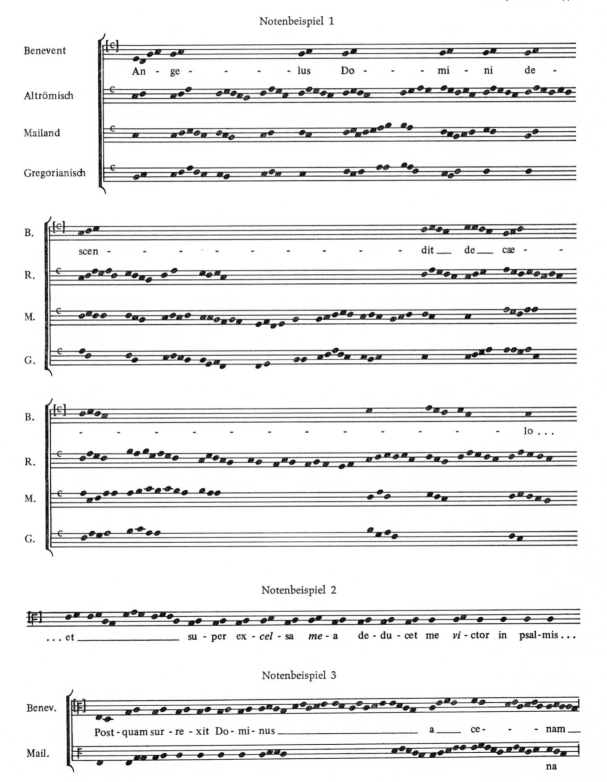

Notenbeispiel 1

Notenbeispiel 2

Notenbeispiel 3

B. mi - sit _____ a - - quam _____ in __ pel - vim ce - pit la - va - re _____

M. vem

B. _____ pe - des _____ di - sci - pu - lo - rum __ di - - - - - - cens

M. su - o - rum Al - le - - - luia

B. si e - go Do - mi - nus _____ et Ma - gi - ster _____ ve - ster _____

M.

B. la - - - - vi pe - - des ve - - stros

M. Al - le - - luia

B. quan - to ma-gis vos de - - - be - tis _____ al - ter al - te - ri - - us _____ pe -

M.

B. des la - - va - - - re di - - cit _____

M. Al - le - - - lu - ia _, al -

B. _____ Do - mi - - - nus

M. - le - - - - - - lu - ia.

Spanisch-mozarabische Liturgie

Die spanisch-mozarabische Liturgie mit ihren Gesängen stellt einen unermeßlichen Schatz liturgischer Formen und sakraler Melodien dar, dessen Studium heute mit zunehmender Erforschung der westgotisch-mozarabischen Kultur des 6. bis 11. Jh. notwendig wird. Diese Liturgie weist eine typische, volkstümliche Prägung auf, die der Gemeinde eine aktive Beteiligung an der Messe ermöglichte; es spiegelt sich in ihr aber auch der dramatische Charakter Spaniens, der zu allen Zeiten in Liturgie, Literatur, Malerei und Musik dieses Landes seinen Ausdruck fand. Es ist sehr bedauerlich, daß die überlieferte mozarabische Notation nicht in unsere Notenschrift übertragen werden kann, da uns die Codices aus der Übergangszeit fehlen, in denen die liturgischen Gesänge diastematisch und mit Notenlinien festgehalten worden waren.

Dom Germain Morin (gest. 1946) sprach 1936/37 in München häufig zu mir über das Werk und die Schriften des hl. Cäsarius von Arles und über die darin enthaltenen Ausführungen zur frühen spanischen Liturgie. Dann pflegte er zu sagen: „*Die alte spanische Liturgie gehört für mich zu den interessantesten unter den europäischen Liturgien vergangener Zeiten: Wenn man in Spanien diese Liturgie in ihrer Originalform erneut praktizieren würde, so wäre dies eine lebendige Apologie des Glaubens und der Lehre von der Dreieinigkeit, der Geistlichkeit und der Kultur der spanischen Mönche, die diese Liturgie schufen und ordneten; die Praxis dieser Liturgie wäre eine geistliche Attraktion für die Christen aus aller Welt und eine ständige Missionierung, eine Quelle sakraler Kultur in unseren Tagen.*"

Eine kurze Zusammenfassung über den derzeitigen Stand der Forschung auf dem Gebiet der mozarabischen Gesänge kann nur wenigen Fragen nachgehen. Es ist zu hoffen, daß mit der Veröffentlichung weiterer Faksimiles von mozarabischen Musik-Codices ein intensiveres Studium der einzelnen Neumen möglich wird, und daß man durch Vergleiche der Texte mit ähnlichen oder gleichen in der römischen und mailändischen Liturgie nach und nach zu einer annähernden melodischen Interpretation dieser Gesänge gelangt.

Entstehung und geschichtliche Einordnung der mozarabischen Liturgie und ihrer Gesänge.

Zum besseren Verständnis dessen, was der mozarabische Gesang eigentlich war, muß der historische Hintergrund einbezogen werden. Dank den neuesten Forschungen hebt sich langsam der Schleier, der über den Anfängen des spanischen Gesangs und der spanischen Liturgie lag. Die musikalisch-liturgische Leistung der Narbonensischen und der Tarraconensischen Provinz und die umfangreiche Gesetzgebung der Synoden und Konzile beider Provinzen lassen die Bedeutung dieser Liturgie deutlich werden. Bei einer Untersuchung des gegenseitigen liturgisch-musikalischen Einflusses Südgalliens und der Tarraconensischen Provinz ist zu berücksichtigen, daß nach neuesten Funden liturgischer Dokumente die blühende Liturgie der Provence ihren Weg nach Spanien vermutlich über Arles, Narbonne und Tarragona genommen hat.

Auf der anderen Seite ist zu bedenken, daß die lateinische Kirchenkultur, die sich dank des Werkes des hl. Augustinus, Bischof von Hippo, in der afrikanischen Kirche zu großer Blüte entfaltete, nach dem Tode des Bischofs (gest. 430) und durch die Invasion der Vandalen in Afrika, von den Schülern des hl. Augustinus in den Süden Europas, insbesondere nach Italien, getragen und dort verbreitet wurde. Diese Kirchenkultur, die in Südfrankreich von der Mitte des 5. Jh. bis zur Mitte des 6. Jh. unter dem hl. Prosper von Aquitanien (gest. 463?) und dem hl. Cäsarius von Arles (gest. 542) und seiner Schule eine Blüte erlebte, entfaltet sich anschließend in Spanien von der Mitte des 6. bis zur Mitte des 7. Jh. Die bedeutendste liturgisch-musikalische Epoche der westgotischen Kirche liegt zwischen den Jahren 550 und 660.

Es ist die Zeit, in der die lateinische Kirchenkultur ihren Schwerpunkt in Spanien hat und die eine ganze Anzahl großer Bischöfe hervorbrachte. Unter ihnen haben sich besonders um die Niederschrift von Texten und ihrer Musik verdient gemacht: in Sevilla Leandro (600/601) und Isidoro (gest. 636); in Toledo Eugenio II. (gest. 657), Ildefonso (gest. 667) und Julian (gest. 690); in Palencia Conantius (gest. 639); in Lérida Petro (5./6. Jh.); in Barcelona Quiricus (655/666); in Zaragoza Juan (gest. 631), Braulio (gest. 651) und Tajón (gest. 683). Sie alle waren Liturgiker, einige auch Melodiker und Musiker. Es scheint so, als habe man in Toledo die Sakramentarien des Gelasius I. (492—496) und das Gregorianische Sakramentar des 7. Jh. als Quellen benutzt. Vorbildlich für die liturgischen Bücher des westgotischen Spaniens wurde das Werk des hl. Julian von Toledo. Die liturgischen Manuskripte halten sich von etwa 700 bis zum 11. Jh. getreu an dessen Formeln.

Von typisch spanischer Liturgie und ihren Gesängen ist erstmals beim IV. Konzil von Toledo (633) die Rede, das unter dem Vorsitz des hl. Isidor gehalten wurde und auf dem sich alle Bischöfe der Tarraconensischen Provinz und verschiedene Bischöfe Portugals einfanden.

In Can. II steht zu lesen: *Unus igitur ordo orandi atque psallendi a nobis per omnen Hispaniam atque Galliam (Narbonensem) conservetur, unus modus in missarum solemnitatibus, unus in verspertinis, matutinisque officiis* ...
Schon vor der westgotischen Zeit hatte die Synode von Vannes in der Bretagne im Jahre 425 angeordnet (Can. 15): *Intra provinciam nostram sacrorum ordo et psallendi una sit consuetudo* (Mansi VII, 955). Das gleiche hatte die Synode von Agde (506) unter dem Vorsitz des Cäsarius von Arles im Can. 30 gefordert: *Hymni matutini vel vespertini* (d. h. die alleluiatischen Psalmen 148—150) *diebus omnibus decantentur* ... *Convenit ordine Ecclesiae ab*

omnibus aequaliter custodire (Mansi VIII, 329 f.). Auch von der Synode von Gerona im Jahre 517 wurde beschlossen:
... in omni Tarraconense provincia tam ipsius missae quam psallendi vel ministrandi consuetudo servetur.

In der mozarabischen Zeit (711—1085) durften diejenigen spanischen Städte, die der arabischen Invasion keinen Widerstand geleistet hatten, ihren christlichen Kult und ihre christlichen Gewohnheiten beibehalten.

Die maurischen Könige machten Córdoba (Andalusien) zur Hauptstadt ihres neuen Reiches, wodurch der Glanz Toledos erlosch, wenngleich die toledanischen Kirchen Liturgie und Gesänge beibehalten durften. Die erhaltenen liturgisch-musikalischen Codices zeigen, daß es in der mozarabischen Epoche keinerlei Reformen des alten Ritus gegeben hat und daß man damals wohl auch nicht in der Lage war, die althergebrachte Musiknotation weiterzuentwickeln, sondern daß man sich darauf beschränkte, die existierenden Codices zu kopieren und zu übertragen.

Bis auf wenige, leicht zu erkennende Ergänzungen behielt also damals alles die Form, die es in der vergangenen Blütezeit Toledos erhalten hatte.

Die erhaltenen Musikquellen

Die erhaltenen *Codices* überliefern fast vollständig das musikalische Repertoire der westgotisch-mozarabischen Liturgie, wenn man die hymnischen Melodien und die Gesänge des *Ordinarium Missae* der klassischen mozarabischen Zeiten einmal ausnimmt. Die bekannten Texte scheinen sich in der Regel auf die Wiedergabe des Repertoires der Kirche von Toledo zu beschränken.

Im Zuge der Untersuchungen und Forschungen auf dem Gebiet der mozarabischen Musik tauchten nach und nach Blätter und Fragmente von bisher unbekannten Codices auf, die zusammen mit den über 20 mehr oder weniger vollständigen bekannten Codices beweisen, welche Blütezeit die spanische Liturgie und ihre Musik erlebte. Mit ihnen wird es außerdem möglich, alle Stücke zu rekonstruieren, die in der spanischen Liturgie mit Gesang ausgeführt wurden.

Nach den Untersuchungen des J. M. Pinell, Benediktinermönch in Montserrat (cf. *Estudios sobre la liturgia mozárabe*, Toledo 1965), sind die folgenden alten mozarabischen Liturgie-Bücher mit Musikaufzeichnungen versehen:

1. *Psalterium, Liber Canticorum, Liber hymnorum*, drei Bücher, die gelegentlich aus praktischen Gründen zu einem einzigen Codex zusammengefaßt wurden; Pinell weist etwa vier Exemplare aus dem 9., 10. und 11. Jh. nach, die Noten enthalten.
2. *Libellus Antiphonarum:* Aus dem 9., 10. und 11. Jh. sind etwa vier Exemplare mit Noten bekannt.
3. *Antiphonarium:* Dies ist das klassische Musikbuch, das die Gesänge für die Messe und das Offizium enthält. Pinell weist etwa elf Codices und Fragmente mit Musikschrift aus dem 9., 10. und 11. Jh. nach.
4. *Liber Mysticus* (d. h. *Officia et Missae):* Es sind Modelle von 18 Codices mit Noten aus dem 9., 10. und 11. Jh. bekannt.
5. *Liber Horarum:* Es sind Modelle von sechs Codices mit Noten aus dem 9., 10. und 11. Jh. bekannt.
6. *Liber precum:* Pinell weist etwa 13 Exemplare von Codices mit Musiknotation aus dem 9., 10. und 11. Jh. nach.
7. *Liber Ordinum:* Pinell weist Modelle von sechs Codices aus dem 9. bis 12. Jh. nach.
8. Ferner beschreibt Pinell andere *Codices* und Fragmente (etwa zehn) mit mozarabischer Notation vom 9. bis zum 11. Jh., die sehr interessante, auch nicht-liturgische Gesänge enthalten.

Der wegen seines Inhalts, seiner kalligraphischen Schönheit und vor allem wegen seiner Vollständigkeit bemerkenswerteste Musik-Codex ist zweifellos das *Antiphonar von León.*

In seiner Art einzigartig, ist dieses Buch das wertvollste der erhaltenen Antiphonarien mit Musiknotation. Die Bedeutung dieses Antiphonars liegt gerade in seinem musikalischen Repertoire aus dem 6. bis 7. Jh. und in der Tatsache, daß es vollständig ist: Es enthält sämtliche Gesänge für die Stundengebete des Offiziums und für die Messen des gesamten liturgischen Jahres, einschließlich des Teiles *de tempore* und *de Sanctis;* darüber hinaus überliefert es eine gewisse Anzahl von Offizien und Messen für besondere Anlässe.

Ein weiterer interessanter Aspekt des Antiphonars von León liegt in seinem liturgischen und musikalischen Inhalt, der es uns ermöglicht, das zeitgenössische Repertoire anderer Liturgien der lateinischen Kirche zu erkennen. Der liturgische Ablauf der stets mit Neumen versehenen Texte kann uns bei der Lösung vieler Probleme helfen, die sich beim Studium der Musikformen in der alten spanischen Liturgie ergeben. Von der gallikanischen Liturgie sind keinerlei Musik-Codices erhalten geblieben; wenn es erst möglich wird, die Melodien aus dem Antiphonar von León mit Genauigkeit zu interpretieren, dann werden wir auch wissen, wie die Melodien der gallikanischen Kirche gesungen wurden. Das Antiphonar von León wurde in der Mitte des 10. Jhs. geschrieben, zur Zeit des Abtes Ikila (917—970), der in verschiedenen Dokumenten jener Zeit genannt wird. Kopist des eigentlichen Kernstückes des

Antiphonars war Todmundus oder Teomundus, den wir auf der Miniatur des fol. 1ᵛ dargestellt finden, wie er dem Abt Ikila das Werk darreicht; Ikila war der erste Besitzer des Buches, wie aus dem Deckblatt des fol. 6 zu entnehmen ist. Dort steht: *Librum Ikilani.*

Das *Orationale* von Verona vermittelt uns eine exaktere Vorstellung vom Wert des leónensischen Codex. Es handelt sich hierbei um ein westgotisches Orationale, das in Tarragona vor der sarazenischen Invasion des Jahres 711 kopiert und vermutlich von einem Geistlichen auf der Flucht vor den Arabern mitgenommen wurde. An den Rändern dieses Orationale vermerkte der Kopist die *initia* von etwa 800 Antiphonen und Responsorien, Gesangstücke, die uns in die Zeit vor dem Ende des 7. Jhs. führen. Diese in Verona vermerkten Gesänge erscheinen mit Noten im Antiphonar von León, das zweieinhalb Jahrhunderte nach dem Orationale kopiert wurde, und sind hier für dieselben Tage und Horen bestimmt wie im Orationale. Dies bestätigt die Überlieferung, nach der das Antiphonar von León in Toledo von einem Exemplar kopiert wurde, das aus den Zeiten des Königs Wamba stammte. Dieser König regierte von 672 bis 680 und starb im Jahre 683 in einem Kloster in der Nähe von Burgos. Wenn aber die Texte zu den Gesängen aus der Zeit vor dem 8. Jh. stammen, so ist anzunehmen, daß die Musikschrift die Melodien aus der Zeit vor der arabischen Invasion (711) festhält, da es während der muselmanischen Herrschaft keinerlei allgemeine Reform des Gesanges oder der Liturgie gegeben hat. Das gleiche Repertoire erscheint auch im Antiphonar von San Millán de la Cogolla und in anderen alten spanischen Manuskripten, was ebenfalls dafür spricht, daß die Musik vor der arabischen Invasion im Jahre 711 bereits fixiert war.

Bei einem Textvergleich zwischen den *initia* der Stücke aus dem Orationale von Verona und den Texten zu den Gesängen der römischen Liturgie im *Antiphonale Missarum* und im *Antiphonarium vel Responsorale* des *Officium* wird man die interessante Feststellung machen, daß diese sehr oft gleich oder fast gleich lauten; die Texte zeigen eine Ähnlichkeit im Ausdruck, die auf eine gewisse Verwandtschaft schließen läßt. So liefert uns das *Orationale* von Verona einen eindeutigen, durch das Antiphonar von León bestätigten Beweis für die Ähnlichkeit zwischen den Texten der Gesänge aus dem römischen Bereich des beginnenden 8. Jhs. und dem spanischen Repertoire; dennoch muß darauf hingewiesen werden, daß die Musik in Spanien sicherlich ganz anders war, da in seiner Liturgie die Gesänge viel zahlreicher waren als in Rom.

Die mozarabische Notation

Die mozarabische Notation läßt im wesentlichen zwei Schulen unterscheiden: Die eine schreibt die Neumen horizontal, die andere vertikal.

Die Schule von Toledo kopierte die Neumen in horizontaler Lage. Die Notenschrift der toledanischen Codices ist nicht so reich an verschiedenartigen Neumen wie die andere Schule, ihre Kopien sind auch etwas primitiver und ein wenig plump; ihre Neumen wurden kursiv und fast waagerecht geschrieben, ohne jede Diastematik. Die zweite Schule verwendet vertikale Neumen in sehr feiner Schrift. Zu dieser Gruppe gehören einige Manuskripte aus Silos, aus San Millán de la Cogolla und vor allem das Antiphonar von León. Es gibt noch eine dritte Schule bzw. eine dritte Phase der mozarabischen Notation: Sie erscheint in den zwei Manuskripten Nr. 30 848 und 30 850 des Brit. Museum, die aus Silos stammen. Hier sind noch in westgotisch-mozarabischer Schrift und Notation Texte und Melodien Roms übertragen worden.

Die bekannten Musik-Codices der lateinischen Liturgie stammen aus dem 9. Jh. und gehören alle mehr oder weniger zum römischen Liturgiebereich. Ältere, sehr seltene Beispiele werden dem 8. Jh. zugeschrieben. Der berühmte Kenner der Gregorianik, Peter Wagner, hatte darauf aufmerksam gemacht, daß in dem erwähnten *Orationale* von Verona gewisse Zeichen an den Rändern erkennbar seien, die wie Neumen aussähen. Nach Ansicht von G. M. Suñol, der diesen *Codex* untersuchte, handelt es sich bei diesen Zeichen tatsächlich manchmal um echte Neumen aus der Zeit der Entstehung des Manuskripts. Sollte dies eines Tages bestätigt werden, so hätte es in Spanien eine sehr alte Musikschrift gegeben.

Die Fachleute sind sich darüber einig, daß die toledanische Notation als die älteste Neumennotation des Abendlandes anzusehen ist; jedoch ist es sehr schwierig, ihr exaktes Alter zu bestimmen. Es ist eine Tatsache, daß spanische Liturgie und Notation orientalische Elemente aufweisen; diese Elemente sind nicht während der mozarabischen Zeit in die spanische Liturgie eingedrungen. Es muß also folgerichtig angenommen werden, daß sie bereits vor der arabischen Invasion vorhanden waren, gewissermaßen als eine Reminiszenz des Orient-Aufenthaltes so vieler berühmter Männer wie Hidatius, des hl. Martin Dumiense, des hl. Leander, des Abtes Donatus, Juan de Biclara usw.

Aus der Tatsache, daß keine älteren Musik-Codices bekannt sind, läßt sich nicht folgern, sie hätten nicht existiert. Wenn z. B. aus Rom nicht noch mehr alte Musik-Codices erhalten sind, so bedeutet dies nicht, daß in der päpstlichen

Liturgie Roms nicht gesungen wurde. Es sollte auch nicht vergessen werden, daß manche Bücher mit Polyphonie aus dem 16. Jh. nur noch in Exemplaren für eine Stimme erhalten sind; von anderen Büchern, über deren Druck in jener Zeit wir aus sicherer Quelle wissen, existiert kein einziges Exemplar mehr.

Die Worte des hl. Isidor: *Soni pereunt, quia scribere non possunt,* die von einigen Musikwissenschaftlern so interpretiert wurden, als habe man im Europa des 7. Jhs. keinerlei Musiknotation verwendet, können auch einfach so verstanden werden, daß die Notenschrift zu Zeiten des hl. Isidor nicht in der Lage war, die genaue Höhe der Töne und der Intervalle anzugeben. Ich würde nicht wagen zu behaupten, der hl. Isidor habe mit seinen Worten sich auf eine nur mündliche Überlieferung der Gesänge bezogen, wie dies im Orient der Fall ist. Andererseits kann ich mir nur sehr schwer vorstellen, daß die spanische Notation während der mozarabischen Zeit erfunden und weiterentwickelt worden sein soll, in einer Zeit also, in der sich die spanischen Musiker offensichtlich darauf beschränkten, die liturgisch-musikalischen Codices, die wir heute kennen, zu kopieren. Es dürfte überdies sehr schwierig, wenn nicht gar unmöglich gewesen sein, die *melodiae longissimae* des mozarabischen Gesangs durch mündliche Überlieferung vom 7. bis zum 10./11. Jh. mit solcher Exaktheit zu erhalten, wie sie in den Manuskripten überliefert sind. Wenn die Äbtissin Emma von San Juan de Ripoll (Katalonien) im Jahre 922 einer Kirche unter anderen Büchern auch ein Exemplar *Verba Antiphonarii* zum Geschenk machte, so beweist dies, daß in Spanien bereits Antiphonare mit Musik existierten, während andere lediglich die Texte enthielten.

Gesänge der Messe

1. *Praelegendum* (oder *Prolegendum*): Es entspricht dem römischen Introitus. Seine Antiphon singt häufig ein „Alleluja", das „alleluiaticum" genannt wird.
2. *Gloria in excelsis Deo*: Es wurde nur an großen Feiertagen nach dem *Praelegendum* gesungen; in den Manuskripten erscheinen nur drei oder vier Melodien.
3. *Trishagion: Agios o Theos* (*Sanctus Deus*): Es wurde an hohen Feiertagen vor den Lektiones gesungen. Das paraphrasierte Trishagion enthält, wenn es vorkommt, verschiedene „Alleluja".
4. *Benedictiones*: (= *Benedictus es, Domine Deus*)
5. *Psallendum*: Entspricht dem *Graduale* Roms, mit einer reichverzierten Melodie. Das *Psallendum* der Messe hat, wenn es vorkommt, niemals ein *Alleluja* wie das *Graduale* Roms.
6. *Clamor*: Es wurde nur an hohen Festtagen gesungen.
7. *Trenos*: Wurde anstelle des *Psallendum* an gewissen Tagen der Fastenzeit gesungen.
8. *Laudes*: Entsprechen dem *Alleluja* der römischen Messe, obgleich sie in der mozarabischen Messe nach dem Evangelium gesungen wurden. Der Name *Lauda*, der heute in Toledo gebräuchlich ist, erscheint nicht in den Manuskripten.
9. *Preces*: Sie bestehen aus einer Reihe von Anrufungen in kurzen Strophen. Sie wurden an Bußtagen nach dem Psallendum gesungen und nahmen einen ähnlichen Platz ein wie die lateinischen Sequenzen.
10. *Canticum*: Einem römischen „Tractus" ähnliche Melodie, die an den letzten Tagen der Karwoche gesungen wurde.
11. *Sacrificium*: Entspricht dem alten römischen „Offertorium"; besteht aus einer mit mehreren Versen durchsetzten Antiphon und enthält immer ein oder mehrere „Alleluja".
12. *Agios, Agios, Dominus Deos*: Entspricht dem „Sanctus" Roms.
13. *Ad pacem, ad confractionem, ad accedentes*: Drei Antiphonen, die im allgemeinen mit Versen ausgestattet sind; sie werden jeweils vor und während der Kommunion des Priesters gesungen; sie werden mit dem „Alleluja" gesungen und erinnern an die „Communio" Roms.
14. *Credo*: Der Gesang des Credo in der alten mozarabischen Messe ist nicht überliefert; heutzutage wird es an Sonntagen und an manchen Feiertagen vor der „confractio" der hl. Hostie gesungen, wenn keine besondere Antiphon „ad confractionem panis" vorgesehen ist.

Offiziums-Gesänge

Es muß berücksichtigt werden, daß die mozarabische Liturgie zwischen dem *ordo cathedralis* des Offiziums und dem *ordo monasticus* unterschied. Der *ordo cathedralis* umfaßte ursprünglich nur Metten (*Laudes*) und Vespern, der *ordo monasticus* hingegen kannte die *Horae canonicae ad nocturnus sive vigiliae, ad tertiam, ad sextam, ad nonam et ad completam.* Beide Abläufe zeichneten sich aus durch eine relativ geringe Anzahl Psalmen und Lesungen und großen Reichtum an Antiphonen, Allelujas, Responsorien, Orationes und abschließende Gebete. In Spanien wurden — wie auch in Mailand — Hymnen gesungen. Die Gesänge *Ad Vesperas* für den Sonntag (außerhalb der Fastenzeit) oder für ein Heiligenfest waren die folgenden:

1. *Vespertinum*: Antiphon mit einem oder mehreren Versen.
2. „*Sono*": Antiphon mit einem oder mehreren Versen, in der Regel mit *Alleluja*.
3. *Antiphona*: Enthält i. allg. einen einzigen Vers. Es ist das einzige Stück, das man als echte „Antiphona" bezeichnen kann.
4. *Alleluiaticum*: Es handelt sich um eine besondere Antiphon mit viel Alleluja.
5. *Hymnus*: Hiervon sind in den mozarabischen Manuskripten wenige Melodien erhalten.
6. *Psallendum*: (= *Psallendo*): An hohen Feiertagen wird es in der Regel mit „Alleluja" gesungen. Es ist nicht zu verwechseln mit dem gleichen Stück, das in der Messe gesungen wird.

Ad Matutinum: In seinem ersten Teil besteht es im wesentlichen aus einer oder mehreren Serien von vier Gesangsstücken; jede Serie wurde als *Missa* bezeichnet. Die beiden ersten Stücke einer *Missa* sind einfache Antiphonen, das dritte ist immer ein *Alleluiaticum*; das vierte ist ein *Responsorium*. Das Vorhandensein eines *Alleluja* im Text einer Antiphon bedeutet notwendigerweise, daß es sich hier um ein *alleluiaticum* handelt, sei es *Ad Vesperas* oder *Ad Matutinum*. Beim Matutinum werden außerdem *Benedictiones*, *Sono* und das *Psallendum* normalerweise mit *Alleluja* gesungen.

Die musikalisch bedeutsamen Stücke

Studiert man das Antiphonar von León, so wird man feststellen, daß folgende Stücke musikalisch am interessantesten sind:

1. Von den Meß-Gesängen: *Laudes* oder *Alleluja*, *Sacrificium* und gelegentlich *Clamor*.
2. Von den Offiziums-Gesängen: das *Vespertinum*, das *Sono* und die *Laudes* (oder *Laude*) der Vespern. Auch das *Sono* des *Ad Matutinum* genannten Offiziums und einige Responsorien daraus gehören hierher.

Von den Stücken mit einigen Versen, die über dieselbe Melodie gesungen werden, sind folgende besonders interessant:

1. Die *Benedictiones* der Messe, sowohl diejenigen mit Formeln für hohe Festtage als auch die für sonntags *De Quotidiano*.
2. Die *Psallendum*.
3. Die *Canticum*: Cantemus Domino, Audite caeli quae loquor etc. des Karsamstags.
4. Die *Trenos* der Festmessen der Fastenzeit.
5. Die *Trishagion* der Hochämter.
6. Gewisse *Vespertinum* der hohen Feiertage.
7. Gewisse Antiphonen, wie z.B. die *De Concordes* genannten.

Nur auf die Hauptformen des mozarabischen Gesangs sei hingewiesen.

a) Der *Alleluja-Gesang*: Die mozarabischen allelujatischen Gesänge heißen sowohl für die Messe als auch für das Offizium *Laudes*; so schreibt der hl. Isidor: *Laudes, hoc est, alleluia canere, canticum est Haebreorum* (De ecclesiast. Officiis, cap. XIII). In der mozarabischen Liturgie war der Gesang des Alleluja Teil sowohl der Messe als auch des Offiziums, wie dies im übrigen im Orient und in der byzantinischen Liturgie der Fall war. In der mozarabischen Liturgie besteht ein Unterschied zwischen dem allelujatischen Vers des Offiziums und dem der Messe: beim Offizium folgt das Wort *Alleluja* stets auf den psalmodischen Vers; in der Messe hingegen geht es ihm voran. Der musikalische Vortrag erfolgt beim Vers zunächst fast syllabisch, geht aber gegen *Schluß*, beim *Alleluja* in ausgedehnte Melismatik über. Beim Offizium wird das Melisma auf dem e gesungen (Alleluja), bei der Messe auf dem a (Alleluja), beim Offertorium der Messe ebenfalls auf dem e.

Es ist zu berücksichtigen, daß das *Alleluja* — zumindest nach dem Konzil von Toledo von 633 — in der Messe nach dem Evangelium gesungen wurde oder, genauer, nach der Homilie, die in der Katechumenenmesse auf das Evangelium folgte. Dies ist ein einzigartiger Fall im lateinischen Liturgiebereich. Beim Offizium erscheint das *Alleluja* in der wichtigsten Hora, im *Matutinum* als Schlußgesang vor der Entlassung. Wie auch in Rom wurde es während der Messe folgendermaßen gesungen: *Alleluja*, Vers, *Alleluja*. Einige Laudes stimmen im Text mit gewissen *Alleluja* Roms überein, nicht aber in der Melodie. Das Wort *Alleluja* wird in der Messe in der Regel auf wenigen Noten gesungen, und Jubilus oder Melisma sind im allgemeinen kürzer als in Rom. Der Versus besteht wie in Rom normalerweise aus einem einzigen Psalmenvers, obgleich in Rom gelegentlich ein langes Melisma auf einem bestimmten Wort gesungen wird, was in Spanien nicht der Fall ist.

In diesem Zusammenhang sei darauf hingewiesen, daß Dom Louis Brou zehn verschiedene Typen des Alleluja-Gesangs unterschieden hat. Es ist außerdem zu bemerken, daß bei den „Laudes" der psalmodische Text des Verses auch in der Fastenzeit gesungen wird, und zwar mit reicherer Musik als während des übrigen Kirchenjahres, aber unter Wegfall des Wortes *Alleluja*.

Alleluja prolixa sind Gesänge, die zwischen 50 und 200 Noten, ja 250 und 300 Noten umfassen. Es handelt sich um ein Melisma ohne Text, das hauptsächlich im Offiziums-*Sono* und im Meß-*Sacrificium* erscheint; letzteres ist musikalisch eine Art *Sono*. Das Antiphonar von León enthält eine große Anzahl Neumen am Rande und über einer Silbe der feierlichsten Stücke, wie z. B. das *Sono* der Vesper und das *Sono* der Mette. Unter *Laudes* versteht man also einen *Alleluja*-Gesang, aber ohne psalmodischen Vers.

b) das *Psallendum*: Der Text ist in der Regel psalmodisch und der Gesang entspricht dem Graduale der römischen Messe. An hohen Feiertagen wird das *Psallendum* nach den *Benedictiones* (Gesang der drei Knaben) gesungen; in einfachen Messen ohne *Benedictiones* folgt das *Psallendum* auf die erste Lesung. Es wurde von einem Solisten gesungen, dem der Chor antwortete.

Wie beim hl. Isidor zu lesen steht, waren in Spanien zwei „Ambonen" gebräuchlich: Der eine für die Lesungen und den Gesang der *Benedictiones* und des *Psallendum*, der andere für die Verlesung des Evangeliums und der Homilie. Das Meß-*Psallendum* war im allgemeinen kurz und bestand aus den folgenden Teilen:

a) einem Psalmenvers, der den Kern des Stückes bildet;
b) einem weiteren Vers aus dem gleichen Psalm, der den *Versus* bildet;
c) einer *ripresa*, die etwas aus dem Kernstück des Psallendum wiederholt.

Manchmal ist das *Psallendum* auch länger. Es besteht aus drei oder sechs Versen; am Gründonnerstag aus zwölf, am Karfreitag aus fünfzehn Versen. Dies erinnert uns daran, daß dieser Psalm sowohl in Rom als auch in der afrikanischen Kirche oder in Spanien vollständig gesungen wurde, dies jedoch zu einer Zeit, als der Gesang noch nicht zu den vollkommenen Künsten zählte.

Einige Texte des *Psallendum* sind identisch mit solchen des Graduale der römischen Messe; wir wissen nicht, ob dasselbe auch für die Musik gilt, wie dies in manchen Fällen des mailändischen *Psallendum* der Fall ist.

c) *Trenos:* Es wurde anstelle des *Psallendum* an bestimmten Tagen der Fastenzeit gesungen. Es besteht aus einer Einleitung und aus einigen Versen mit Texten nach Jeremias oder Hiob. Der Gesang der ersten Strophe, die als Einleitung dient, wird nach den übrigen Versen wiederholt.

d) *Clamor:* Dieses Stück wurde an einigen hohen Festtagen nach dem *Psallendum* gesungen. Der Text ist immer psalmodisch und der Gesang endet mit einer Akklamation: *Deo gratias* etc. Es unterscheidet sich vom Psallendum durch die *acclamatio* der Gemeinde, daher auch die Bezeichnung *Clamor* oder *Clamores*. Das *Clamor* ist ein typisch spanischer Gesang; weder in Rom noch in Frankreich noch in Mailand kennt man ihn.

e) *Preces:* Die *Preces* waren seit dem 7. Jh. Brauch. Es handelt sich um eine poetische, archaische und wenig ausgefeilte Form, die, wie jemand einmal sagte, in gewisser Weise als Vorform der Sequenz angesehen werden kann. Sie wurden an manchen Bußtagen nach dem *Psallendum* in der Messe gesungen.

Darin nahmen sie eine den lateinischen Sequenzen analoge Stellung ein. Der Romanist W. Meyer, der die spanischen Bibliotheken durchforschte und sich mit den *Preces* befaßte, weigerte sich, sie für so alt zu halten. Trotzdem liefert uns das Antiphonar von León — das er nicht konsultieren konnte — den unwiderlegbaren Beweis für das Alter dieser Gesänge: Es enthält in fol. 169 eine Kopie mit Musiknotation der *Preces: Ad te precamur, Domine, Indulgentiam. Benigne largam porrige. Indulgentiam . . . .* In fol. 116ᵛ finden wir *Domine misericordiarum, obliviscere peccata nostra*, das dem hl. Julian zugeschrieben wird. Bei der typischen Form der *Preces* sprach der Diakon einen Vers, in dem der Hauptgedanke des Gebets zusammengefaßt wurde, und die Gemeinde antwortete mit einem Refrain. Die Musik der *Preces* ist im übrigen noch größtenteils unveröffentlicht; die wenigen bis heute veröffentlichten Beispiele sind vielleicht nicht die besten. Der *Preces*-Gesang lebte in Südfrankreich weiter, wie die erhaltenen Codices mit aquitanischer Notation beweisen. Michel Huglo konnte feststellen, daß die spanischen *Preces* den aquitanischen *Preces* Südfrankreichs als Vorbild gedient haben.

Alles weist darauf hin, daß die Praxis dieser Gesänge schon sehr alt ist und auf die Zeiten zurückgeht, als noch ein reger Austausch zwischen der spanischen und der gallikanischen Liturgie Südfrankreichs stattfand.

f) *Trishagion:* Unter diesem Namen ist hier nicht das *Sanctus* zu verstehen, das auf die *Praefatio* in der Messe folgt, sondern ausschließlich ein besonderer Gesang, der immer mit *Agios o Theos (Sanctus Deus)* beginnt, und der in den orientalischen Messen vor den Lectiones oder auch in bestimmten Teilen des Offiziums gesungen wurde. Das *Trishagion* erschien im Orient in der Mitte des 5. Jhs. und wurde in der Mitte des 7. Jhs. nach Spanien eingeführt, da es weder vom Konzil von Toledo im Jahre 633 noch vom hlg. Isidor erwähnt wird.

Von Spanien aus wurde es in die anderen Länder des Abendlandes übernommen; in Rom ist es noch heute in der Karfreitagsmesse für die Kreuzverehrung erhalten. In der mozarabischen Messe wird es mit griechischem und lateinischem Text vor den *Lectiones* gesungen; es erklang — mindestens seit dem 10. Jh. — zwischen dem *Gloria in excelsis* und der *Oratio post Gloria in excelsis*, sicherlich vor den Lesungen, und zwar an den Hauptfeiertagen.

Die Sequenzen in der mozarabischen Liturgie

Die Praxis der Tropen und der Sequenzen war in Spanien schon in sehr frühen Zeiten bekannt. Einige Texte der spanischen Liturgie des 7. Jhs. zeigen gewisse Besonderheiten, als handle es sich um Paraphrasen oder kommentierte Texte. *Preces* und *Miserationes* aus jener Zeit lassen in gewisser Weise schon die Sequenzen ahnen.

Wie schon oben erwähnt, hat sich W. Meyer ja gerade deshalb geweigert, die *Preces* für älter als aus dem 10. Jh. zu halten, weil er sie für eine sehr routinierte und unvollkommene Imitation der Prosen und Sequenzen hielt. Derselbe W. Meyer schrieb ein anderes Mal: *„Die Spanier und Westgoten liebten gereimte und rhythmische Prosa außerordentlich"* (*Gesammelte Abhandlungen zur mittellateinischen Rhythmik*, Berlin 1905, I, 28 und II, 278 ff.).

Da in der Tarraconensischen Provinz die *Lex Romana* schon Ende des 8. und Anfang des 9. Jhs. eingeführt wurde, kam es hier mit der fortschreitenden Rückeroberung der einzelnen Diözesen sehr bald zu der Praxis sowohl der französischen und deutschen Sequenzen als auch einheimischer Formen; der kulturelle Austausch zwischen den Klöstern dieser Diözesen und St. Pierre de Moissac, St. Martial de Limoges etc. förderte diese Entwicklung ebenfalls.

Bis zum Ende des 19. Jhs. hatte man geglaubt, die mozarabische Liturgie kenne keinerlei Sequenzen. G. Dreves hatte schon vor W. Meyer im Jahre 1890 die spanischen Bibliotheken flüchtig durchforscht und schrieb bei der Herausgabe der beiden Bände *Hymnodia Iberica*, in AH, Vol. 16 und 17: *„Der mozarabische Ritus allerdings kannte von Sequenzen nichts"* (AH 16, S. 23). Dagegen bemerkte Clemens Blume bei der Veröffentlichung der Prosa *Alma solleminitas Domini gloriosa* und *Trinum Deum laudemus omnes*, die der Codex aus Silos enthält, der sich heute im Brit. Museum, Add. 30.850, befindet: *„Diese und die folgende, bisher unbekannte Sequenz sind von großer Bedeutung als äußerst seltene Beispiele vom Gebrauch der Sequenzen in der mozarabischen Liturgie"* (AH 53, S. 37). Es ist richtig, daß dieses Buch aus dem 11. Jh. mit Ergänzungen aus dem 12. Jh. eher ein benediktinisches *Missale-breviarium* als ein mozarabischer Codex ist; trotzdem ist die Tatsache, daß dort diese Sequenzen stehen, vielleicht eine Erinnerung an eine ältere Praxis.

Der Benediktiner L. Brou hat sich als erster mit Tropen und Sequenzen im mozarabischen Repertoire befaßt. Er konnte vier Sequenzen entdecken, die über die Melodie der *alleluia prolixa* mit ihren langen Melismen geschrieben sind, wie z. B. im Offiziums-*Sono* und im Meß-*Sacrificium*. Die Melodie eines *alleluia prolixa* diente z. B. als Grundlage für die Sequenzen *Sublimibus diebus* und *Alme Virginis festum*, wobei für den Gesang der Sequenz das Melisma des Alleluja in verschiedene Teile oder Fragmente zerlegt wurde. Dies ist wiederum eines der vielen Probleme, die bei der Untersuchung der Musikformen in der mozarabischen Liturgie auftauchen. Wenn man bedenkt, daß manche dieser *alleluia prolixa*, die einigen Sequenzen als Grundlage dienen, nicht in der Messe, sondern im *Vesperas*-Offizium gesungen wurden, so zeigt sich, wie wichtig ihr Studium für die Frage nach der Entwicklung der Sequenzen ist. Man sollte auch nicht vergessen, daß in Spanien bis zum 15. Jh. die Sequenzen in der Messe und gelegentlich auch im Offizium gesungen wurden. Hier ist an ein *Breviarium* aus La Seo de Urgel aus dem Jahre 1487 zu erinnern, worin steht, die Prosa *Laetabundus* müsse bei der ersten und zweiten Weihnachsvesper gesungen werden, und es wird hinzugefügt: *Dum dicitur Prosa, non dicatur versus neque hymnus.*

215

Die Abschaffung des mozarabischen Gesangs und ihre Folgen für die Musik

Wie bereits erwähnt, wurde in der Tarraconensischen Provinz die *Lex Romana* gegen Ende des 8. Jhs. und Anfang des 9. Jhs. mit der fortschreitenden Reconquista eingeführt, wenn auch die spanische Liturgie noch einige Zeit lang neben der römischen praktiziert wurde. Die Mönche von Ripoll benutzten zwar die aquitanische Notation, erfanden aber eine andere, eigene Schrift, die — auch aus Neuem bestehend — dennoch diastematisch war und mehr oder weniger aus der mozarabischen Notation hervorgegangen war. Sie haben sich jedoch nicht darum bemüht, die Melodien der alten spanischen Liturgie in der neuen Schrift festzuhalten. In den übrigen spanischen Provinzen wurde weiterhin ausschließlich die mozarabische Liturgie mit ihrem Gesang praktiziert, bis Alexander II. (1064—73) und Gregor VII. (1073—85), in dem Bemühen, die römische Liturgie zu vereinheitlichen, die mozarabische Liturgie durch die *Lex Romana* ersetzen wollten. Als die spanischen Bischöfe im Jahre 1065 dem Papst Alexander II. die spanischen Liturgie-Bücher vorlegten — wie im *Codex Aemilianus Conciliorum*, Escorial, d. I. l. fol. 395ᵛ belegt ist —, war der dem Papst vorgelegte *Liber Ordinum* derjenige des Klosters San Martin de Albelda; der *Liber Orationum* war einer aus dem Kloster von Iraze (Hierache) in Navarra, das *Antiphonar* ebenfalls von dort. Die Bischöfe wurden begleitet von einigen spanischen Sängern, die Papst Alexander II. die im Antiphonar von León enthaltenen *Laudes: Alleluia. Salvum fac Domine populum tuum* und *Elevabit sacerdos munera* vorführten.

Obgleich Papst Alexander II. die ihm von den spanischen Bischöfen vorgelegten mozarabischen Bücher genehmigte, zum Zeichen dafür, daß sie frei von Häresien waren, so kämpfte Gregor VII. doch, bis er die Abschaffung des alten spanischen Ritus durchsetzte. Die *Lex Romana* wurde so in Aragón im Jahre 1071 und in Kastilien und León im Jahre 1076 eingeführt.

Guido von Arezzo (ca. 990—1050) war einige Jahre vor der Abschaffung des alten spanischen Ritus, die in die Zeit von 1060 bis 1080 fiel, gestorben. Durch die kulturellen Beziehungen, die stets zwischen Spanien und den französischen und italienischen Klöstern bestanden haben, wurde in Spanien sehr bald das neue Notensystem bekannt, das Guido „erfunden" hatte. Merkwürdig ist allerdings die Tatsache, daß trotz des Kampfes, den Spanien um die Erhaltung seiner liturgisch-musikalischen Tradition geführt hatte, es bei der Abschaffung der alten Liturgie keinen Musiker gab, der sich bemüht hätte, die alten mozarabischen Melodien auf reale oder imaginäre Notenlinien zu übertragen, und daß man somit in Spanien eine ebenso reiche wie ehrwürdige Musiktradition verlorengehen ließ. Der Ausdruck Guido von Arezzos: *Neuma sine lineis/puteus sine fune* trifft am genauesten die Schwierigkeiten, denen wir heute bei der Übertragung der mozarabischen Musik in die moderne Notenschrift gegenüberstehen. Es sind aus der Übergangszeit keine Bücher mit mozarabischen Gesängen erhalten, weder in einer eigentlich diastematischen Notation noch in einer Notation mit Linien. Dies ist der Grund dafür, weshalb die mozarabischen Neumen vorläufig unübertragbar sind.

Es ist verständlich, wenn der Kardinal Francisco Ximénes de Cisneros (1436—1517) gegen Ende des 15. Jhs. bei seinen Versuchen einer Restauration der mozarabischen Liturgie und ihrer Gesänge feststellen mußte, daß den spanischen Musikern das Geheimnis der alten mozarabischen Notation nicht bekannt war und daß sie es aus diesem Grunde nicht vermochten, eine einzige authentische Melodie zu übertragen. Es ist eine Folge dieses Unvermögens, daß der Reform des Cisneros auf musikalischem Gebiet nur geringe wissenschaftliche Bedeutung beizumessen ist, wenn man einmal von der Melodie einiger Sprechgesänge der *Cantus Missae* absieht und von einigen anderen typischen Stücken, wie z. B. dem mozarabischen *Pater noster* und anderen, sehr wenigen Stücken, deren Musik durch mündliche Überlieferung erhalten geblieben war.

Mit dem Faksimile des Antiphonars von León und mit dem Erscheinen weiterer, ähnlicher Faksimiles ist wohl die Stunde gekommen, in der Fachleute zu einem gründlichen Vergleich des mozarabischen Repertoires mit ähnlichen Musikrepertoires aus anderen europäischen Ländern schreiten können, sofern die Texte sich mehr oder weniger gleichen.

Wenn es auch heute noch nicht möglich ist, die alten mozarabischen Gesänge zu übertragen, so besitzen wir doch immerhin die Musik-Codices. Von den alten mozarabischen Gesängen konnte man nur 16 Antiphonen, 3 Responsorien und einige Preces übertragen. Die Musik der *pro-defunctis*-Antiphonen und -Responsorien wurde von den Mönchen des Klosters San Millán (Madrid, Academia de la Historia, Cod. 56) erhalten, und zwar dank der einmaligen Tatsache, daß die alte mozarabische Notation des 11. Jhs. gegen Ende eben jenes Jhs. oder Anfang des folgenden Jhs. vom Pergament heruntergekratzt und durch die aquitanische Notation ersetzt wurde. Wie schon oben erwähnt, übertrug Miguel Huglo außerdem die *Preces* aus einem Manuskript des 12. Jhs., das aus Albi stammt und sich gegenwärtig in Paris, B.N. Ms. 776, befindet.

Wer weiß, was noch bei der Erforschung der mozarabischen Notation alles entdeckt werden wird! A. Gastoué konnte z. B. feststellen, daß in der mozarabischen Notation zwei übereinander geschriebene Neumen immer einen *pressus* bedeuten, und daß aus demselben Grunde die erste Note der zweiten Neume mit der unmittelbar vorangehenden identisch ist. G. M. Suñol verkündete im Jahre 1925, er habe in den mozarabischen Manuskripten einen Fall von Diastematie gefunden und konnte die Existenz eines mozarabischen *pes* nachweisen, den er *Halbton-Pes* nannte, da dieses Zeichen fast immer in mozarabischen *Codices* auftaucht, wenn der Halbton angezeigt werden sollte. Die meisten Funde auf diesem Gebiet sind dem frühverstorbenen Dom L. Brou gelungen, wie aus seinen zahlreichen Arbeiten über die mozarabischen Neumen und die verschiedenen besonderen Zeichen hervorgeht, die er darin gefunden hat. Auch G. Prado konnte einige erklärende Zeichen in den mozarabischen Neumen aufdecken. Es war C. Rojo, der gemeinsam mit P. Prado seinerzeit eine große Zahl spanischer Chorbücher auf der Suche nach mozarabischen Stücken vergeblich durchforschte. In Erinnerung an die Reform des Cisneros wird noch heute in der *Capilla Mozárabe* an der Kathedrale von Toledo die mozarabische Liturgie praktiziert, wo vier Chorbücher (*Cantorales*) aus der Zeit des Cisneros mit den mozarabischen Gesängen erhalten sind, die vom Kardinal wieder eingeführt worden waren. Auch das *Missale Mixtum* (*Mozarabicum*) des Cisneros (bearbeitet von Kardinal A. Lorenzana) in Migne, PL, vol. 85, enthält mozarabische Melodien, die sich durch mündliche Überlieferung bis zur Reform des Kardinals Cisneros gehalten hatten.

Higinio Anglès

Notenbeispiel 1

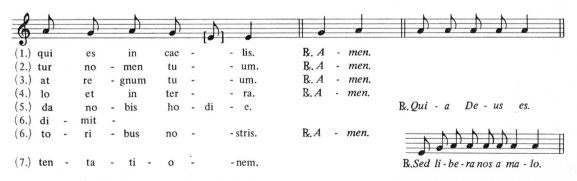

Missale mixtum (Mozarabicum) aus Cisneros revidiert durch Card. A. Lorenzana (Migne, PL 85, col. 559)

Notenbeispiel 2

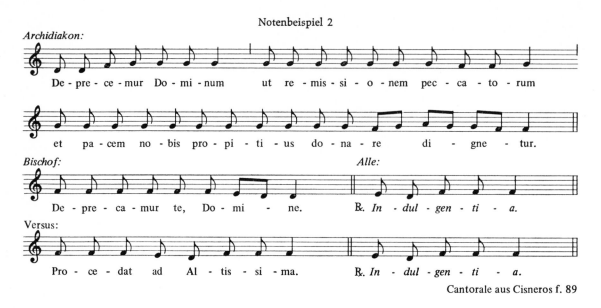

Cantorale aus Cisneros f. 89

Notenbeispiel 3

Antiphonarium León f. 179

Notenbeispiel 4

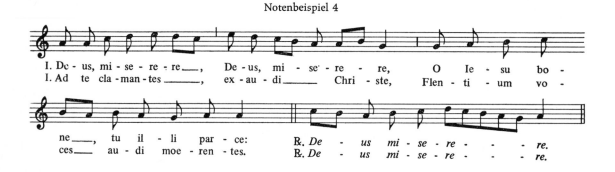

Notenbeispiel 5

C. Rojo - G. Prado, El canto Mozárabe p. 74

Notenbeispiel 6

Cantorale von Cisneros B, f. 9ᵛ

218

Notenbeispiel 7

Cantorale A, f. 189ᵛ und Cantorale von Cisneros B, f. 7

M. Huglo, Les „Preces" des Graduals aquitains emruntées à la liturgie hispanique (Hispania sacra VIII, 1959, p. 361 - 383)

Altgallikanische Liturgie

Vor langen Zeiten schon hatte man den Unterschied zwischen römischem und nichtrömischem Ritus umrissen: im März 416 erwähnte Papst Innozenz I. in einem Brief an Bischof Decentius von Gubbio Merkmale, die schon damals die Liturgie der römischen Kirche von den Gebräuchen in anderen Kirchen Italiens, Galliens oder Spaniens unterschieden (MPL 56, 513). Vergleicht man die alten römischen Sakramentarien mit liturgischen Büchern, die vor dem letzten Viertel des 8. Jh. in Gallien, Germanien und in Norditalien aufgezeichnet wurden, so wird man mühelos zwei deutliche Unterschiede feststellen: voneinander abweichenden Gebrauch und vor allem einen eigenen euchologischen Stil.

Eine Besichtigung alter Sanktuarien, in denen sich ehemals die Liturgie vollzog, macht diese Unterschiede schon deutlich: in Rom wie in der Mehrzahl der alten Kirchen sind die Basiliken genau nach Osten ausgerichtet. In den Kirchen Galliens dagegen zeigt nicht die Apsis gen Osten, sondern das Schiff, so daß der vor der versammelten Menge stehende Pontifex in Richtung der aufgehenden Sonne blickt, wenn er das *Gloria in excelsis* intoniert (siehe *Dict. d'archéol. chrét. et de Lit.*, Art. „Gallicane", Sp. 565; J. Dölger, *Sol salutis*, Münster in W. 1925). In Gallien, wo man das *Gloria in excelsis* nicht zur Messe, sondern zu den Laudes sang, wendet sich der Klerus während des *Kyrie eleison* gen Osten (M. Andrieu, *Ordines Romani III*, S. 62 und 98).

Man hat beobachtet, daß einige Kirchen in Gallien wie die östlichen Kirchen eine Proskomodie zur Vorbereitung der Oblaten vorsahen, z. B. die Basilika in Arles. An der Stelle des Offertoriums, an der die feierliche Prozession die Oblaten herbeitrug, schritten die Geistlichen aus der Proskomodie in Richtung des Hochaltars, während der Chor den Cherubim-Hymnus oder ein anderes Stück östlicher Herkunft sang (E. Male, *La fin du paganisme en Gaule et les plus anciennes basiliques chrétiennes*, Paris 1950).

Dieses Sich-Öffnen der Kirchen nach Osten sowie die Übernahme von Gebräuchen oder von Gesängen des östlichen Mittelmeergebietes, z. B. Diakon-Litanei, Monitio *Sancta sanctis*, Trisagion, Cherubikon etc. (J. Quasten, *Oriental influence in the Gallican Liturgy* in Traditio I, 1943, 55–73) sind zwei besondere Züge der gallikanischen Liturgien. Schon im 6. Jh., zur Zeit des hl. Cäsarius († 543), sang man in Arles zweisprachige Stücke. Noch mehr als diese Beziehung zum Osten verleihen Vokabular und Stil der Euchologie den gallikanischen Liturgien ihr urtümliches Gepräge. In Rom ist der Stil der Kollekten und der Präfationen von unerbittlich strenger Präzision in der theologischen Formulierung und von strikter Kürze in der Wahl des Vokabulars. Die Gebete wenden sich immer über die Vermittlung des Sohnes an den Vater und formulieren die Bitte in wenigen, gedrängten Worten. Die gallikanischen Gebete sind sehr viel umfangreicher: ein und dasselbe Thema wird unter allen Aspekten unter Anhäufung von rhetorischen Figuren — Wiederholungen, Wortschwall, Metaphern, Antithesen — entwickelt. Die Wortwahl ist reich, variiert, koloriert; sie konstrastiert lebhaft mit dem sehr nüchternen römischen Vokabular (G. Manz, *Ausdrucksformen der lat. Liturgiesprache*, Beuron 1941). Ein weiteres Charakteristikum: den Gebeten geht eine Monitio (oder *praefatio*) voraus, die deren Thema exponiert (in Rom kommt diese Ermahnung nur in den feierlichen Gebeten des Karfreitags vor). Schließlich wenden sich die gallikanischen Gebete häufig an den Sohn oder an den Heiligen Geist.

Entstehung der gallikanischen Liturgie und des gallikanischen Gesangs

Oft ist die römische Liturgie mit der gallikanischen Liturgie so verglichen worden, als ob die letztere ganz homogen wäre, analog der altspanischen oder der Mailänder Liturgie. Tatsächlich jedoch ist es genauer, von den gallikanischen Liturgien im Plural zu sprechen. Ihnen gemeinsam sind die besonderen Gebräuche — nicht nur für die Messe, sondern auch für das divinum officium und für die anderen Teile des Rituals — und ein eigener euchologischer Stil.

Eine gründliche Textanalyse enthüllt genau so viele Gebräuche, wie es Kirchenprovinzen, ja sogar Diözesen gibt. Der Gebrauch von Auxerre (Messes de Mone) unterscheidet sich von dem in Autun (Missale Gothicum) in der Wahl der Formulare, aber Beschaffenheit und Anordnung der Stücke sind fast identisch.

Heutzutage, da die römische Liturgie fast alle lokalen Besonderheiten nivelliert und unterdrückt hat, mögen solche Unterschiede merkwürdig erscheinen. Betrachtet man jedoch die Gründungen und die Entwicklung der Kirchen in Gallien, Spanien oder Germanien aus historischer Sicht, so erweisen sich diese Unterschiede als völlig legitim. In den Gründungszeiten richteten die neuen Kirchen ihre Liturgien ein, erweiterten und bereicherten sie unter Bezug auf die älteren Kirchen, deren Ausstrahlungskraft und Lebenskraft stärker waren. So erklären sich z. B. in jener Kirche Septimaniens oder der Provence, die das „Missel von Bobbio" abfaßte, die spanischen Einflüsse, besonders in den *Preces* der Karsamstag-Litanei. Ebenso hat auch die ferne römische Kirche ihren Einfluß auf die gallikanische Liturgie ausgeübt, besonders auf dem Gebiet der Euchologie (C. Vogel, *Les échanges liturgiques entre Rome et les pays francs*, 1960). Arles (zur Zeit des hl. Cäsarius) und Marseille haben stärkere östliche Einflüsse empfangen als die Kirche von Autun. Mailand hat mit Lyon und den Kirchen Südostgalliens Gesänge ausgetauscht. Diese allgemeinen Bemerkungen über die gallikanischen Liturgien verdeutlichen, daß es nicht einen gallikanischen Gesang gibt, sondern vielmehr ein unregelmäßiges Ganzes von Stücken, das sich, vor allem in Opposition zur *romana cantilena*, an die Familie der gallikanischen Liturgien anschließt. In diesem gallikanisch benannten Ganzen wird man mehrere Schichten finden können, die im Laufe der Zeit durch unaufhörlichen Austausch und Zusammentragen entstanden und den „fonds primitiv" verdeckten.

Liturgie und gallikanischer Gesang

Gesänge der Messe: Die beste Auskunft über die Gesänge der gallikanischen Messe gibt der erste der beiden St. Germain de Paris zugeschriebenen Briefe (Ed. Gamber, 1965; MPL 72, 89–94). Es folgt eine Liste der Gesangsstücke in ihrem liturgischen Rahmen, mit den Ermahnungen und Rezitativen des Diakons oder des Lektors:

1. *Antiphona ad praelegendum:* Gesang, der den Lesungen vorangeht, wie in der spanischen Liturgie, in der das Stück denselben Namen trägt. Sie korrespondiert mit der römischen *antiphona ad introitum* und gestattet wie diese eine Psalmodie, während die ambrosianische Ingressa ohne Psalm gesungen wird. Es ist wahrscheinlich, daß der

versus ad repetendum, den man in einigen alten gregorianischen Gradualien Nordfrankreichs findet, aus dem gallikanischen Ritus herrührt.

2. *Ermahnung des Diakons:* sie soll die Menge zum Schweigen bringen, „*ut tacens populus, melius audiat verbum Dei*" (Gamber, S. 17). Hier folgt das Rezitativ, das in einem Ms. an St. Peter in Köln (Arch. der Stadt, W. 105, f. 7 v) erhalten ist:

Sta - te cum di - sci - pli - na et si - len - ti - o au - di - en - tes in - ten - te

Darauf folgt die Kollekte, der die Salutatio *Dominus sit semper vobiscum* vorangeht.

3. *Aius oder Trisagion:* Der Terminus *Aius* ist eine Verstümmelung von *Agios* (das g wurde fallengelassen, wie in den Tonformeln *Noeais* für *Noeagis*). Dieser Gesang wird von dem Pontifex intoniert und von den Sängern in Griechisch oder in Latein fortgesetzt (*dicens latinum cum greco*). Drei Knaben lassen das *Kyrie eleison* folgen. Dieses Kyrie wurde wahrscheinlich nicht gesungen, sondern im Unisono rezitiert (*uno ore*, präzisiert der Pseudo-Germain), genau wie in Mailand.

4. *Canticum Benedictus oder Prophetia:* Das Canticum des Zacharias (Luk. 1, 68—79) mußte vom Priester intoniert werden (Gregor von Tours, *Hist. Francor.* VIII 7, MGH. *SS. rer. merov.* I, S. 330). In der Fastenzeit wurde das Canticum durch die Antiphon *Sanctus Deus archangelorum* ersetzt (MPL. 72, 95).

– Oration, genannt *collectio post prophetiam.*

– *Lectio prophetica*, aus dem Alten Testament.

5. *Hymnus trium Puerorum:* Canticum *Benedicite* (Daniel III, 52 ff.). Der Ort dieses Canticums in der Vormesse wird von dem Pseudo-Germain nicht deutlich bestimmt (siehe Gamber, S. 18, Nr. 2). Dieser Gesang sollte wahrscheinlich die beiden Lesungen voneinander trennen.

— *Lectio ex Apostolo:* nach den gallikanischen Lektionaren nahm man sie entweder aus den Apostelbriefen, aus der Apostelgeschichte oder der Apokalypse oder sogar aus den *Gesta Martyrum*, entsprechend dem Fest.

6. *Responsorium:* von Knaben gesungen (*responsorium quod a parvulis canitur*). Dieses Responsorium, das an das „responsorium cum infantibus" der Mailänder Messe erinnert, war wahrscheinlich ein mit Ornamenten reich verziertes Stück. Es trat an die Stelle des alten *psalmus responsorius*, der ehemals von einem Solisten, dem Diaconus, ausgeführt wurde (siehe Gregor von Tours, *Hist. Francor.* VIII, 3; MGH. *SS. rer. mer.* I 328; siehe S. 694) und auf den das Volk nach jedem Vers mit einer kurzen „responsa" „antwortete".

7. *Antiphona ante evangelium:* diese Antiphon wurde gesungen, während der Diakon zum Gesang des Evangeliums in Richtung des Ambos schritt. Eine ähnliche Antiphon gibt es im ambrosianischen Ritus, aber nur zu Weihnachten, Epiphanias und zu Ostern. Dagegen gibt es im ambrosianischen Ritus eine vollständige Sammlung von Antiphonen *post evangelium.*

— Cantillation des Evangeliums durch den Diakon.

8. *Sanctus post evangelium:* gesungen von dem Geistlichen, aber dieses Mal in Latein, während der Rückkehr der Evangeliumsprozession. Man könnte fragen, ob das dreifache Sanctus nicht auch griechisch gesungen wurde: „Aius, aius, aius per trinum numerum imposuit" (Leben des hl. Gery, Bischof von Cambrai im 7. Jh.: *Analecta Bollandiana* VII, 393). Dieser Text bezieht sich aber vielleicht auf das Trisagion am Anfang (siehe oben, Nr. 3) oder auf das *Sanctus*, das auf die Präfation (Nr. 12) folgt.

— Lesung einer Kirchenväter-Predigt.

9. *Preces:* Bittgesang für die geistlichen und weltlichen Bedürfnisse des Volkes. Auf jeden Vers, der die Intention der Bitte der Litanei ausdrückt, antwortet das Volk mit einer sehr kurzen *responsa: Domine miserere* oder *Kyrie eleison* oder *Dona nobis veniam* etc. Eine große Zahl von gallikanischen Preces ist überliefert in den aquitanischen Manuskripten.

10. *Verabschiedung der Katechumenen durch den Diakon:* Eine Melodie für die Verabschiedung der Katechumenen ist überliefert in dem Ms. von St. Peter in Köln:

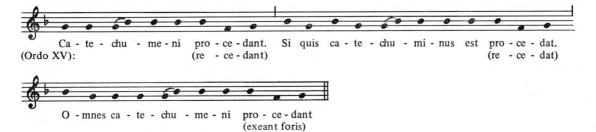

Ca - te - chu - me - ni pro - ce - dant. Si quis ca - te - chu - mi - nus est pro - ce - dat.
(Ordo XV): (re - ce - dant) (re - ce - dat)

O - mnes ca - te - chu - me - ni pro - ce - dant
(exeant foris)

11. *Sonus:* stark artistisch ornamentiertes Stück (*dulci melodia*), das während der feierlichen Prozession der Oblaten aus der Proskomidie zum Hochaltar ausgeführt wurde. Dieses Stück, dessen Symbolgehalt der Pseudo-Germain ausführlich beschreibt (Ed. Gamber, S. 19–20), ist verglichen worden mit dem römischen Gesang der Offerenda in dem *Capitulare ecclesiastici ordinis:* „clerus canit offerenda quod Franci dicunt Sonum" (M. Andrieu, *Ordines Romani*, III, 1951, S. 123). Der Sonus schloß, außer in der Fastenzeit, mit dem Alleluia.

12. *Sanctus:* eingeleitet von der *Immolatio Missae* oder *Contestatio* (= römische Präfatio), gesungen von dem Priester.

13. *Fraktions-Antiphon:* Während der Fraktion, die sich in Gallien *vor* dem Vaterunser vollzog, sangen die Geistlichen eine Antiphon (siehe Gamber, S. 21). In Mailand und in Spanien nennt man dieses Stück *confractorium*. Im ambrosianischen Antiphonar steht das confractorium häufig parallel zur römischen Kommunion, während das transitorium (oder der Gesang der Kommunion) manchmal aus fremden — orientalischen oder gallikanischen — Stücken stammte, die man sang, während die Hostie gebrochen wurde.

14. *Bischöflicher Segen:* Nach dem Vaterunser, das in Gallien, in Afrika und in Spanien die ganze Menge sang, sprach der Pontifex eine feierliche Segensformel. Diese Formel war kürzer, wenn ein einfacher Priester zelebrierte (siehe Gamber, S. 21). Jedenfalls war es den Gläubigen seit dem Konzil von Agde (506) verboten, die Kirche vor diesem Segen zu verlassen. Vor der Segensformel forderte der Diakon die Gläubigen auf, sich zu verneigen, während er folgende Monitio sang:

Hu - mi - li - a - te vos   ad be - ne - di - cti - o - nem R. De - o gra - ti - as___.

(Diese Melodie wurde wiederhergestellt von R. J. Hesbert, *Le chant de la bénéd. épisc.* S. 217; eine andere Melodie gibt Stäblein in MGG IV, 1318, an). Der Bischof sang darauf die Verse des Segens, auf die das Volk mit *Amen* antwortete (Melodie in dem Art. von Hesbert, S. 216–217). Der gallikanische Gebrauch hat sich in vielen Kirchen bis ins hohe Mittelalter hinein erhalten.

15. *Trecanum:* Dieses Gesangsstück mit einem reichlich mysteriösen Namen wurde wahrscheinlich im Laufe der Kommunion der Gläubigen ausgeführt. Es entsprach weniger dem ambrosianischen Transitorium, das keine Psalmodie zuließ, als vielmehr der römischen Kommunionsantiphon. Nach den reichlich verworrenen Erklärungen des Pseudo-Germain (Ed. Gamber, S. 21) nimmt Jungmann an, daß dieses Stück auf folgende Art mit Versen alternieren sollte:

Die Verbindung der Antiphon mit der Doxologie, so wie sie z. B. in den ambrosianischen Psallenda besteht, rührt in der Tat her von der Definition, die der Pseudo-Germain am Anfang seines zweiten Briefes (MPL. 72, 94) gegeben hat.

Gesänge des Offiziums: Über das officium divinum in den gallikanischen Liturgien weiß man verhältnismäßig wenig, da Dokumente fehlen, die mit genügender Deutlichkeit den Kontext der verschiedenen Verläufe zeigen. Wie für die Messe werden die Unterschiede von einer Kirche zur anderen groß gewesen sein, sowohl hinsichtlich der Anordnung der Psalmen wie hinsichtlich der Zahl und der Auswahl der Antiphonen und Responsorien. Außerdem sang man in gewissen Klöstern, wie z. B. Agaune, das Offizium ohne Unterbrechung (*laus perennis*) und hatte ein entsprechend gewichtiges Repertoire (C. Gindele, *Die gallikanische Laus perennis* ... 1959).

In den Kathedralen Galliens und Germaniens waren die Stunden für das Offizium dieselben wie in den anderen Kirchenprovinzen:

— Officium nocturnum, mit Psalmodie und Lesungen, eingeteilt in mehrere Nokturnen (nach Amalarius sang man das Vaterunser am Ende jeder Nokturn).

Die Psalmen und seit dem 6. Jahrhundert auch die Abschnitte der langen Psalmen schlossen mit der Doxologie *Gloria Patri* (Konzil von Narbonne 589, Can. 2). Die Clausula *Sicut erat* wurde von dem 2. Konzil in Vaison-la-Romaine (529) vorgeschrieben. In den spanischen Nachbarkirchen hatte man die Doxologie aus der spanischen Liturgie angenommen (Gloria et honor Patri et Filio et Spiritui Sancto in secula seculorum; siehe A. Ward, *Gloria Patri*, JTS. 1935, S. 73–74). Die Lesungen des Offiziums sind manchmal in dem Lektionar von Luxeuil (Ed. Salmon II, S. 57) angezeigt.

An Sonntagen und an Festen sang man das *Te Deum*, einen Hymnus gallikanischen Ursprungs (E. Kähler, *Studium zum Te Deum in der alten Kirche*, 1958).

— Morgen-Offizium: mit Psalmodie und biblischen Cantica.

Sonntags rezitierte man seit dem 6. Jahrhundert das *Benedicite* und das *Alleluiaticum*, d. h., die Psalmen 148—150 (siehe Gregor von Tours, *Devitis Patrum* VII; MGH. *SS. rer. mer.* I, S. 685). Das *Gloria in excelsis* sang man zu den Laudes (und nicht zur Messe, wie in Rom), genau so wie in Mailand und in Spanien.

— Tageshoren: Prim. Terz, Sext und None.

— Lucernarium:

es enthielt im wesentlichen ein langes Responsorium, wie in Mailand und in Spanien, und eine metrische Hymne (wenigstens dort, wo die Hymnodie zugelassen war). In den Kathedralen schloß das Lucernarium mit dem Segen des Bischofs.

— Vesper und Komplet (oder *Duodecima*).

Im ganzen ließ das gallikanische Offizium dieselben Formen zu wie die anderen Liturgien: antiphonierende Psalmodie, Versantiphon, Lesungen, umfangreiches Responsorium, in einigen Kirchen Hymnodie.

In den einzelnen Regionen rezitierte man den Psalter in verschiedenen Versionen: die alten gallischen Psalter wie das Psalterium Corbeiense, das Psalterium Sangermanense, die Reichenauer Psalter (siehe B. Capelle, *Deux psautiers gaulois . . .*, 1925, S. 215—223) oder das Psalterium Lugdunense haben Texte, die von der italischen Version abweichen, und sie enthalten Verzeichnisse von Cantica zu den Laudes, die sich vom römischen Gebrauch unterscheiden (H. Schneider, *Griech. Oden neben gallikanischen Canticatexten*, Biblica, 1949, S. 483—484).

Daraus kann man schließen, daß, wenn die Ordnung entsprechend den Orten variierte, das Antiphonar nicht für alle Kirchen dasselbe sein mußte. Das Antiphonar von Tours war nicht identisch mit dem von Marseille (siehe *Dict. archéol. chrét. et de Liturgie*, Art. „gallicane", Sp. 558), dasjenige von Toulouse unterschied sich von demjenigen in Autun oder in Paris.

Das, was überdies die gallikanischen Gebräuche differenzierte, ist ihre Stellung im Hinblick auf die metrischen Hymnen, die in Italien und in Gallien seit Ende des 4. Jahrhunderts entstanden. Einige gallikanische Kirchen hatten die metrischen Hymnen angenommen, während andere, wie Lyon oder Vienne, sich noch am Anfang des 9. Jahrhunderts der Hymnodie widersetzten: *in quibusdam ecclesiis hymni metrici non cantantur* (W. Strabon, *de rebus eccl.* XXV; MPL 114, 954).

Die Kirchen Südostfrankreichs sind in der Ausbildung ihres Hymnariums von dem berühmten Mailänder Hymnarium beeinflußt worden. Bischof Faustus von Riez berichtet, daß der Hymnus *Veni Redemptor gentium* fast in ganz Gallien gesungen wurde (*Epist. ad Graecum diac.* CSEL XXI, 203). Der hl. Cäsarius von Arles († 543) schrieb den Hymnus *Christe qui lux es et dies* für die Komplets in seinen *Regula ad Virgines* (Ed. Morin, *Florilegium Patrist.* XXXIV, 23) vor. Das irische Hymnarium hat ebenso seinen Einfluß auf die Ausbildung des Offiziums in Gallien ausgeübt, aber offensichtlich ist dieser Einfluß vor allem in den Kirchen nördlich der Loire und in denjenigen Germaniens (siehe An. hymn. 52, Einl.) wirksam geworden, während die Kirchen des Südwestens vor allem dem Einfluß des spanischen Hymnariums unterlagen (P. Wagner, *Der mozar. KG und seine Überlieferung*, in *Spanische Forsch. der Görresgesellsch.* 1928, 102—141).

Verschiedene Funktionen: Für eine gewisse Anzahl von Funktionen besaßen die Kirchen Galliens ein reicheres und entwickelteres liturgisches Zeremoniell als Rom.

Bei Kirchweihen veranstaltete man einen feierlichen Umzug der Reliquien, der von Gesang begleitet wurde. Bei der Austeilung der Taufe vollzog man eine Fußwaschung der Täuflinge, ein Gebrauch, den Rom niemals zuließ (Th. Schäfer, *Die Fußwaschung in der lat. Liturgie*, Beuron 1956). Diese Zeremonie fand statt unter denselben Gesängen wie am Gründonnerstag. Wie in Spanien sang der Geistliche Antiphonen, wenn er sich zur letzten Ölung zu einem Kranken begab, der die letzten Sakramente empfing. Man darf auch nicht die langen Bittprozessionen vergessen, die der hl. Mamert, Bischof von Vienne († ca. 475), für die drei Tage vor Himmelfahrt eingeführt hatte. Sie wurden in Mailand und in Spanien angenommen, nicht aber in Rom, wo eine einzige Prozessionslitanei am 25. April gehalten wurde. Man schließt daraus, daß die Kirchen Galliens mehr Antiphonen und Litaneien zur Begleitung dieser Prozessionen gehabt haben müssen als Rom. Ein Teil dieser Gesänge hat sich bis in das hohe Mittelalter hinein erhalten.

Die historischen Nachrichten, die zu den Gesängen der Messe, des Offiziums und der verschiedenen Funktionen gesammelt wurden, können zur Identifizierung der Stücke selbst in mittelalterlichen Gesangsmanuskripten dienen.

Die Quelle des gallikanischen Gesangs

1889 kündigte der Untertitel der Pal. Mus. von Solesmes die Veröffentlichung der „principaux manuscrits de chant gregorien, ambrosien, mozarabe, gallican, publiés en facsimilés phototypiques" an. Tatsächlich gibt es jedoch kein einziges Manuskript des gallikanischen Gesangs.

Die in irischer Schrift überlieferten Antiphonarfragmente des Ms. Paris BN nouv. acq. lat. 1628, ff. 1–4, die Dom Morin 1905 entdeckte (*Revue bénédictine* XXII, 327 ff.), bilden in der Tat ein „document tellement à part qu'on hésite à le dater et à le mettre parmi les livres gallicans" (P. Salmon, *Lectionaire de Luxeuil* I, S. LXXXVII). Schrift und Ausschmückung ordnen es eher unter die keltischen Bücher ein. Nichtsdestoweniger darf sein Zeugniswert nicht unterschätzt werden.

Die schönsten Stücke des gallikanischen Gesangs haben die gregorianischen Manuskripte gesammelt und vor dem Vergessen bewahrt. Wenn in den ältesten Gradualien ohne Notation die als gallikanisch gesicherten Stücke selten sind — das *Blandiniensis* enthält einige —, ebenso in den Gradualien mit Neumennotation (Chartres 47, Laon 239, St. Gallen 359 etc.), so deswegen, weil diese Manuskripte ihr Modell ohne Modifikation oder bedeutende Addition wiedergaben.

Das Modell selbst war hervorgegangen aus dem Archetyp des gregorianischen Graduals, das Pippin der Kleine und Karl der Große in Gallien eingeführt hatten, um den Gesang zu vereinheitlichen. Diese Stücke finden sich in größerer Zahl in den Manuskripten des 11. Jahrhunderts, besonders in denjenigen von St. Denis und in denjenigen Südwestfrankreichs, die weiter entfernt lagen von dem Gesetzgeber, der die Ablösung des alten Repertoires durch den gregorianischen Gesang angeordnet hatte. Diese Stücke haben sich unter die amtlich auferlegten Gesänge zerstreut. Man findet sie auch in den weniger offiziellen Teilen der liturgischen Bücher, insbesondere in jenen den Prozessionsgesängen gewidmeten Abschnitten, die sich im 11. Jahrhundert vom Graduale lösten und das Prozessionale bildeten. Die gallikanischen Stücke sind auch in den Troparien enthalten. Schließlich sind sie auch manchmal in liturgischen Dramen wiederverwertet worden (W. Elders, AMl 36, 1965, S. 177).

Es ist verständlich, daß zu jener Zeit, in der die mündliche Überlieferung eine primäre und wesentliche Rolle spielte, eine Vorschrift der öffentlichen Machtträger absolut unfähig war, aus den Gedächtnissen ein völlig auswendig gelerntes Repertoire auszulöschen und aus den Herzen so viele Gesangsstücke von unleugbar ästhetischem Wert zu verbannen. Wie man in der Diözese von Benevento in Süditalien nach der Einführung der Gregorianik beneventanische Stücke von minderer Qualität beibehalten hat, so hat man auch in Gallien versucht, die traditionellen Stücke, die den gregorianischen vorangegangen waren, zu retten. In Süditalien haben sich die Stücke des beneventanischen Gesanges mit den Stücken des offiziellen Repertoires vermischt, aber ihr dem Ambrosianischen nahestehender literarischer Stil und ihre stark archaische, dem Alt-Römischen benachbarte musikalische Form erlauben es, sie zu erkennen.

So ist es auch beim gallikanischen Gesang: der Stil des Textes und die Form der musikalischen Komposition erlauben die Identifizierung der Gesänge des alten Repertoires, wie Walafried Strabon es übrigens schon um 825—830 erkannt hatte: *quia Gallicana Ecclesia viris non minus peritissimis instructa, sacrorum officiorum instrumenta habebat non minima, ex eis aliqua romanorum officiis immixta dicuntur quae plerisque et verbis et sono se a ceteris cantibus discernere posse fateantur* (*de eccles. rer. exordiis*, MPL 114, 956 C).

In der Tat kann man die gallikanischen Stücke nicht mehr an ihrem alten Titel (*Sonus, Confractorium, Trecanum* etc.) erkennen, sondern einzig an ihrem Stil (Vokabular, Redewendungen, Schriftversion etc.) und an ihrem vom gregorianischen unterschiedlichen musikalischen Aufbau.

Durch einen kritischen Vergleich der ältesten gregorianischen Manuskripte von Messen und Offizien gelingt es, den alten gregorianischen Fonds — hervorgegangen aus dem amtlich angeordneten Archetyp — von dem „Rückstand" zu trennen, d. h. von den Stücken des alten gallikanischen Gesangs und den römisch-fränkischen Stücken, die im Laufe der Dekaden nach der amtlichen Einführung der Gregorianik im gregorianischen Stil komponiert wurden.

Zur Identifizierung der gallikanischen Stücke muß man mehrere Kriterien heranziehen, die als Ganzes oder einzeln betrachtet werden können: liturgische Kriterien, philologische Kriterien und musikalische Kriterien.

1. Liturgische Kriterien: A. Die gallikanischen Bücher (Sakramentarien und Lektionare) und die keltischen Bücher erwähnen einige Gesangsstücke, die sich in den notierten gregorianischen Gra-

dualien und Antiphonaren wiederfinden. Oft handelt es sich um einfache Koinzidenzen: Wenn ein Text aus gallikanischen Büchern dem eines notierten gregorianischen Stückes entspricht, so muß dies nicht bedeuten, daß die Melodie dieses Stückes gallikanisch ist.

So ist auch die Anspielung des *Missale Gothicum* (Ed. Bannister, S. 112, Nr. 398) auf das Responsorium *Probasti* oder die Erwähnung des Responsoriums *Exaltent eum* unter den Gesängen des Lektionars von Wolfenbüttel (Ed. Dold, TA 43, S. 14) in keiner Weise ein Beweis dafür, daß die Gradualien *Probasti* und *Exaltent* gallikanische Überbleibsel in dem gregorianischen Antiphonale sind! Was das „Responsorium Domine audivi" angeht, das das *Missale Gallicanum vetus* (Ed. Mohlberg, S. 27) am Karfreitag erwähnt, so muß man bedenken, daß es sich um die Angabe des gregorianischen Traktus (Hesbert, AMS Nr. 78) handelt, das in das Gallikanische eingeführt worden war, oder um ein gallikanisches Stück, das dem erörterten *Domine audivi* oder dem ambrosianischen Psalmellus *Domine audivi* (*Antiph. Missar. Mediol.* S. 290) ähnlich war.

In dem 2. Brief des Pseudo-Germain ist die Antiphon *Sanctus Deus archangelorum* (MPL 72, 95ᶜ) erwähnt, die während der Fastenzeit das Canticum Zachariae ersetzen sollte. Dieses Stück hat Gastoué als die Antiphon *Sanctus Deus qui sedes super Cherubim* identifiziert (Rev. du ch.grég. 1938, S. 5; MGG IV, 1306); aber diese Identifizierung erscheint fragwürdig, weil nicht allein die Incipits nicht identisch sind, sondern dieses Stück auch fast ausschließlich nur in italienischen Manuskripten erhalten ist.

Dagegen erlaubt das Missel von Bobbio, eine gallikanische Melodie zu identifizieren: für den Karsamstag enthält es Preces, deren Wiederholung (presa) in den aquitanischen Manuskripten (siehe unten) notiert ist.

Am Karsamstag haben sich zwei Stücke, die normalerweise mit der Einführung des römischen Ritus in Gallien hätten untergehen müssen, ihres ästhetischen Wertes wegen erhalten. Die römische Ostervigilie erschien damals so dürftig, daß man eines dieser Stücke oder manchmal alle beide beibehalten hat: das *Exultet* und den Hymnus *Inventor rutili*.

Das Exultet, von einem überschwenglichen Lyrismus, ist gewiß gallikanischen Ursprungs, wie es die literarische Textanalyse ergeben hat (M. Huglo, *L'auteur de l'Exultet pascal*, in *Vigiliae Christianae* 1953, 79—88). Aber kann man das gallikanische Rezitativ unter allen von der Tradition überlieferten Rezitativen identifizieren (siehe MGG, III, 1673, Art. „Ex(s)ultet"; G. Benoit-Castelli in *Ephemerides liturg.* 67, 1953, S. 309—33)?

Der Gesang des Exultet schließt mit einem Gebet, das sich in den gallikanischen Sakramentarien findet; es folgt eine zweite Kollekte mit dem Titel: „post hymnum cerei". Man sang also einen Hymnus zwischen diesen beiden Gebeten. Aber welchen? Den Hymnus *Inventor rutili* von Prudentius, der wahrscheinlich zu dem täglichen Lucernariums-Offizium gehörte und das uns für das feierliche Lucernarium der Ostervigilie in einer großen Zahl von gallischen und germanischen Manuskripten überliefert ist (An. hymn. 50, S. 30; Melodie in *Mon.Monod. Med.Aevi* I, Nr. 1001; *Rev. grégorienne* 31, 1952, S. 128).

Von den gallikanischen Liturgiebüchern aus muß man jene *Ordines Romani* betrachten, die in die gallikanischen Gebräuche eingeschoben wurden, wie z. B. der Ordo XV nach der Klassifikation von Andrieu. Dieser Ordo aus dem 8. Jahrhundert nennt für die Totenmesse den Introitus *Donet nobis requiem* (M. Andrieu, *Ordines Romani* III, S. 127), der tatsächlich in mehreren aquitanischen Manuskripten erhalten ist. u. a. den von Albi (BN lat. 776). Es ist sehr wahrscheinlich, daß dies auch ein gallikanisches Stück ist (Melodie in *Etudes grégoriennes* II, 1957, S. 91 und 128).

Die keltische Liturgie stand in lebhaftem Austausch mit den Liturgien des Kontinents. Sie schöpfte ihre Formeln ebenso aus römischen wie aus gallikanischen Büchern. Im 7. und 8. Jahrhundert brachten die Inselmissionare liturgische Bücher mit, die sie manchmal in Gallien (so das von Dom Morin entdeckte Antiphonar BN. nouv. acq. lat. 1628), in Germanien (Fragmente von St. Gallen, Ms. 1395, oder von Echternach, Paris BN. lat. 9488) oder in Norditalien (Bobbio) ließen. So ist es mit Hilfe keltischer Bücher manchmal möglich, einige gallikanische Gesangsstücke wiederaufzufinden.

Das um 825(?) nach Bobbio gelangte Antiphonar von Bangor aus dem 7. Jahrhundert enthält die Kommunions-Antiphon *Corpus Domini accepimus*, ein Stück orientalischen Ursprungs (A. Baumstark, *Liturgie comparée*, franz. Ausg. 1953, S. 105). Dieses Stück findet sich wieder als Transitorium in dem *Antiphonale Missarum Mediolan.* (S. 320) und als Confractorium in einigen norditalienischen Gradualien (M. Huglo, *Antifone antiche per la Fractio panis* in *Ambrosius* 31, 1955, S. 88—89). Aber diese letzteren Quellen fügen einen Einschub hinzu (*adjutor sit et defensor ...*), der vermuten läßt, daß das Stück nicht aus dem ambrosianischen Ritus kommt. Die vollständige Fassung ist wahrscheinlich gallikanischen Ursprungs.

Dasselbe keltische Buch aus Bobbio enthält mehrere Hymnen. Die Melodie des Hymnus *Mediae noctis tempus est* hat B. Stäblein (*Mon. Monod. Med. Aevi* I, S. 448, Mel. 761; MGG IV, 1323) isoliert und identifiziert.

Die Melodien der anderen keltischen Confractorien (Missel von Stowe) und der anderen Hymnen sind wahrscheinlich verloren. Dagegen findet man die Antiphon für die Fußwaschung des Messb. von Stowe, *Si ego lavi. Exemplum* mit demselben Vers wieder in einigen aquitanischen Manuskripten. Aber wie es oft in ähnlichen Fällen geschah: der Vers der Antiphon, im Gregorianischen ungebräuchlich, wurde in der mittelalterlichen Handschriften-Tradition unterschlagen.

B. Eine zweite Vergleichsserie ruht auf den zahlreichen Stücken gregorianischer Manuskripte, die nicht aus dem alten Stamm kommen und für die man einen parallelen Text entweder in spanischen oder in ambrosianischen Manuskripten findet.

So sind auch drei Preces aus den aquitanischen Gradualien, deren Text sich in spanischen Büchern findet, als gallikanisch identifiziert worden: *Miserere Pater Juste, Miserere Domine supplicantibus, Rogamus te Rex seculorum* (M. Huglo, *Hispania Sacra*, 8, 1955, S. 361—383). Die Identifizierungsmethode ist die gleiche für die Antiphon *Introeunte te*, eine lateinische Übersetzung eines hagiopoliten Tropars, erhalten in spanischen Manuskripten und in aquitanischen Prozessionalien (M. Huglo, *Hispania Sacra* 5, 1952, S. 367—374). In einem Gradual aus Pistoia steht diese Antiphon unter der Rubrik „antiphonas gallicanas".

Das Offertorium des hl. Stephanus, *Elegerunt apostoli*, hat auch eine Parallele in dem mozarabischen Antiphonar von Leon (S. 40). Nun hat dieses Offertorium, das großen ästhetischen Wert besitzt, in den gregorianischen Manuskripten allmählich das ursprüngliche Offertorium *In virtute* (siehe Hesbert, *Antiph. Missar. Sext.* Nr. 12) ersetzt. Es erschien zuerst in einem Ms. von St. Denis (ebda. Nr. 148 bis, Ms. S), und es ist bis auf unsere Tage im Römischen Graduale enthalten. Auch andere Argumente sprechen zugunsten seines gallikanischen Ursprungs.

Dieselben Parallelen gibt es für das Canticum *Benedicite* (Brou, *Hispania Sacra* 1, 1948, S. 21—33), für das Trisagion (siehe MGG IV, 1303 ff.) und für die Antiphon *Viri sancti* der aquitanischen Manuskripte. Dieses Stück aus 4 Esra (VIII 52—55) findet sich in spanischen Manuskripten (*Antiph. Legion.* S. 186) wieder. Eine Gegenüberstellung der aquitanischen Fassung mit der biblischen Quelle und dem spanischen Text zeigt, daß der aquitanische Text vom spanischen abhängt.

Mit Mailand sind Vergleiche zu ziehen zwischen den nichtgregorianischen Stücken der mittelalterlichen Antiphonarien und den ambrosianischen Gesängen, z. B. für die Preces *Dicamus omnes* (siehe MGG IV, 1313), ebenso für die Antiphon *Venite populi*, die manchmal die Bezeichnung „In fractione" trägt. Dieses Stück ist durch ein Palimpsest des 7. bis 8. Jahrhunderts bezeugt, und es findet sich wieder als Transitorium in Mailand. Dort ist es in etwa 30 gregorianischen Manuskripten enthalten, und es ist sicher gallikanischen Ursprungs (siehe M. Huglo, *Fonti e paleografia del canto ambrosiano* 1956, S. 124).

Dank des Mailänder Repertoires kann man auch andere Parallelen in den gregorianischen Manuskripten aufdecken. Gallikanischen Ursprungs sind auch folgende Stücke: die Antiphon *Maria et Martha* (Hesbert, *Antiph.Missar.Sex.* Nr. 214), identisch mit einem ambrosianischen Transitorium (*Ant.Miss. Mediol.* S. 226), und die Antiphon *Insignes praeconiis* (MGG IV, 1311, siehe 1309), die für den hl. Mauritius komponiert und später in St. Denis verwendet wurde.

In der Antiphon *Cum audisset* der Palmsonntags-Prozession findet man einen Einschnitt, der zwei anderen Stücken, einem ambrosianischen und einem spanischen, gemeinsam ist:

Antiph.Legion. (S. 151)	Prozessions-Antiphon	Ambrosianisch (*Ant.Miss. Mediol.* S. 246)
Curbati sunt ...		Curvati sunt coeli ...
....		....
numerus angelorum		numerus angelorum
	Cum audisset populus ...	
clamantium	et clamabant pueri	(laudantium)
et dicentium:	dicentes:	et dicentium:
Quantus est iste	Quantus est iste	Quantus sit iste
cui Throni et	cui Throni et	cui Throni et
Dominationes	Dominationes	Dominationes
occurrunt?	occurrunt?	occurrent?
alleluia, alleluia		Halleluiah
	Noli timere, filia	
	Jerusalem (siehe Mt. 21,4)	
	....	

An diesen aus verstreuten Quellen entlehnten Textbrocken erkennt man das in den gallikanischen euchologischen Kompositionen so geläufige Verfahren der Centonisation. Auch die Antiphonen *Post passionem Domini* und *O Crux benedicta, quae sola* haben ihre Parallelen in dem ambrosianischen Antiphonar (*Ant. Miss. Mediol.*, S. 218 und 274. Siehe *Vesperale Mediol.*, S. 356). Um diese Aufzählung zu vervollständigen, bedarf es einer vergleichenden Untersuchung des ambrosianischen und des gallikanischen Alleluia.

In Mailand folgt dem Alleluia ein Vers; nach dem Vers nimmt man nicht immer den Beginn des gleichen Alleluias wieder auf — wie im Gregorianischen — sondern eine anderes Alleluia, das nur im Anfang mit dem ersten Alleluia übereinstimmt und das sich breiter entwickelt als das erste. Dieses zweite Alleluia nannte man melodiae primae. Ehemals folgten diesen melodiae primae noch längere melodiae secundae (in den modernen Ausgaben des ambrosianischen Gesangs sind sie nicht wiedergegeben). Im ganzen haben die drei immer längeren Vokalisen des Alleluia ein einziges identisches Motiv, die Intonation, aber sie entwickeln sich doch in derselben Tonalität (siehe MGG IV, 1316; siehe I, 337). Schon um 830 wurden in Nordfrankreich und in St. Gallen melodiae longissimae, analog den ambrosianischen melodiae, gesungen (Ed. A. Hughes, *Anglo-french Sequele*, London 1934). Einige sind unter der Bezeichnung Sequentia sogar für das Ende des 8. Jahrhunderts bezeugt (Hesbert, *Antiph. Missar. Sext.*, Nr. 199ª, Ms. B)

Nach dem Pseudo-Germain wurde das gallikanische Alleluia gesungen wie in Mailand: „habet ipsa Alleluia primam et secundam et tertiam . . ." (Gamber, S. 20). Schließlich ist zu bedenken, daß noch im 11. Jahrhundert die lange Alleluia-Vokalise mit dem Namen *gallicana neuma* bezeichnet wurde (Udalric, MPL 149, 666 A). Mailand hat auch ein Alleluia francigena (MGG I, 339) aufbewahrt. Man darf also fragen, ob diese von A. Hughes herausgegebenen melodiae nicht ein Erbe des alten gallikanischen Gesangs seien, freilich mit späteren Abänderungen im gregorianischen Sinne.

Neben die *melodiae* des *Alleluia* kann man das Weihnachtsresponsorium *Descendit de coelis* stellen, das ein langes *neuma* über *fabricae mundi* enthält, eine Vokalise, die von Amalarius erwähnt wurde (*de ordine Antiph.*, Ed. Hanssens, *St. e Testi* 140, S. 55—56). Der Vers enthält ein Melisma auf *Tamquam*, das identisch ist mit der „neuma triplex" des ebenfalls von Amalarius erwähnten Responsoriums *In medio* (ebda. S. 54). Die Struktur dieser Neumen weist eine gewisse Analogie zu den *melodiae* der ambrosianischen Responsorien auf.

2. Philologische Kriterien: Die gallikanischen Stücke, zumindest diejenigen, die nicht aus der Heiligen Schrift stammen, die aber „Kirchenkompositionen" sind, erkennt man an ihrem kolorierten Vokabular, an ihrem weitschweifigen Stil, manchmal selbst an gewissen ungewöhnlichen Ausdrücken.

Gewisse Stilwendungen sind der gallikanischen Liturgie eigen. So beginnt die Evangelienlesung gewohnheitsmäßig in den gallikanischen Lektionarien mit dem Protokoll (*In*) *diebus illis*, das dem römischen *In illo tempore* entspricht. Man kann also daraus folgern, daß die Antiphon *In diebus illis, mulier*, in einigen Antiphonaren später für den 22. Juli (Hesbert, CAO II, Nr. 102; 146, 4) und öfter für Gründonnerstag bestimmt (CAO I, Nr. 72ᶜ, 147, und in den aquitanischen Mss.), sehr wahrscheinlich gallikanischen Ursprungs ist. Dieses Stück mit einer auffallenden Melodie wurde im gallikanischen Ritus wahrscheinlich während der Karwoche gesungen.

Ebenso lassen die gallikanischen und Mailänder Lektionarien dem Namen Jesu immer seinen Titel *Dominus* vorausgehen: *Dominus Jesus* (siehe P. Salmon, *Lect. de Luxeuil*, S. LXXXVIII). Deshalb verdienen die Stücke, die diesen Zusatz tragen, besondere Beachtung. Ihr Verzeichnis bildet einen Ausgangspunkt für die Erforschung gallikanischer Stücke. Als Beispiel diene die Antiphon *Coena facta est, sciens Dominus Jesus* aus den aquitanischen Manuskripten.

Die Wahl gewisser Wendungen deutet manchmal auf ein gallikanisches Stück hin. So beginnt die Antiphon *Pax eterna* für die Kirchweihe mit einer Wendung im gallikanischen Stil (Manz, Nr. 700).

Neben den philologischen Kriterien sind die aus den Schriftvarianten gezogenen Indizien von Bedeutung. So hebt sich das Alleluia *Multifarie*, das nicht zum gregorianischen Archetyp gehört, von der Vulgata (Multifariam) ab durch eine Variante, die man in dem Lektionar von Luxeuil wiederfindet (Ed. Salmon, S. 9). Ebenso bieten einige Stücke des Mandatum Varianten, die aus der alten, in Gallien in Gebrauch gewesenen lateinischen Fassung kommen (gallik. Fragm. der Ambrosiana, ed. v. Dold, *Texte und Arbeiten*, Beuron 1952, Bd. 43, S. 25). In der genannten Antiphon *Coena facta* kann man beobachten, daß der Kopist des 11. Jahrhunderts, der das Stück in das Manuskript von Albi (BN lat. 776, fol. 6 x 62) übertrug, unter dem Einfluß der Vulgata geschrieben hat „Venit ergo . . .". Aber ein zeitgenössischer Korrektor hat die alte Fassung *autem* wiederhergestellt.

Das ganze nichtgregorianische Repertoire der aquitanischen Manuskripte und vor allem dasjenige des Manuskripts aus Albi müßte durch das Sieb der Textkritik gehen. Dann würde man noch weitere gallikanische Stücke wiederauffinden.

3. Musikalische Kriterien: Nach W. Strabon kann man die gallikanischen Stücke *verbis et sono* identifizieren. Tatsächlich verzeichnet man in den wenigen, dank ihres Textes bereits identifizierten Stücken Intonationsformeln, melismatische Formeln, Kadenzen und die Anwendung gewisser Neumen. Sie liefern genügend Indizien, um andere ähnliche musikalische Stücke zu erkennen. Aber die Handhabung dieser musikalischen Kriterien ist äußerst delikat, weil die musikalische Komposition in Gallien von der amtlichen Einführung des gregorianischen Gesangs nicht jäh unterbrochen wurde.

Man hat unter Pippin und unter Karl d. Gr. weiterhin wie ehedem im traditionellen Stil komponiert, so gut, daß es nicht immer möglich ist, zu unterscheiden, ob gewisse Stücke zu dem alten gallikanischen Stamm gehören oder ob sie aus der ersten Zeit der Karolingischen Reform (siehe unten: *Die Gesänge im römisch-fränkischen Liturgiebereich*) datieren. Diese musikalischen Kriterien schließen die anderen nicht aus. Im Gegenteil: erst in Verbindung mit den anderen lassen sie gewissermaßen die Schlußfolgerung zu.

In den gallikanischen Stücken kann man nach einem Halbschluß die folgenden Reintonationen beobachten:

Die Abwärtsbewegungen vollziehen sich in aufeinanderfolgenden Sequenzen:

Schließlich sind in den großen Antiphonen die üppigen melismatischen Entwicklungen — wie im Ambrosianischen und im Mozarabischen — nicht selten.

Sie bilden einen Kontrast zu dem nüchternen Maß des Gregorianischen. Gewöhnlich enden die ornamentierten Stücke mit einem mehr oder weniger entwickelten Melisma, das auf der vorletzten oder auf der der vorletzten vorausgehenden Silbe ruht. Wenn das letzte Wort ein Alleluia ist, stützt sich das große Melisma auf das e des *Alleluia*, wie im mozarabischen Gesang (siehe L. Brou, *L'alleluia mozarabe*, AnM VI, 1951), und nicht auf eines der beiden a des Wortes. Hier folgen schließlich die als gallikanisch wiedererkannten Stücke: *Elegerunt, Venite populi, O Crux benedicta quae, Cum Rex gloriae* (hier umfaßt das Melisma mehr als 80 Noten!), *Factus est repente* (über diesen Sonus vgl. weiter unten).

Diese Stücke sind unter einem anderen Gesichtspunkt interessant, weil sie ein Neuma verwenden, das sich niemals in den gregorianischen Stücken wiederfindet, sondern einzig in den Stücken „westlichen" Ursprungs, d. h. in gallikanischen oder römisch-fränkischen: den pes stratus.

Dom E. Cardine, Autor dieser wichtigen Entdeckung, hat festgestellt, daß der pes stratus (= pes, dessen zweite Note einen Oriscus en apposition zuläßt) sich gewöhnlich im Verlauf einer melismatischen Entwicklung oder in einer Demi-Kadenz findet (z. B. in den *Sequelae* des *Alleluia*). Er äußert sich als ein Intervall der großen Sekunde oder der kleinen Terz. Der pes stratus kommt vor in einer Anzahl römisch-fränkischer Stücke (siehe unten S. 238), aber auch in einigen als gallikanisch rekognoszierten Stücken: *O Crux benedicta* (auf *alle-luia*), *Cum audisset* (auf *se-dens* und *sal-ve*), *Ave Rex noster* (auf *et*), *Collegerunt* (auf *Ab*), *Elegerunt* (auf *-gerunt* und *plenum*) und *Factus est repente* (auf *replevit*, zweimal). Dieses vom Blandiniensis für das Ende des 8. Jahrhunderts bezeugte Offertorium ist in neun italienischen Manuskripten erhalten (Ed. Hesbert in *Organicae voces* 1963, S. 62–63).

Der Vergleich dieser Stücke gibt Beispiele für die Centonisation im gallikanischen Gesang.

Die Stellen der Antiphonen *Cum audisset* und *Ave Rex noster*, die den pes stratus enthalten, sind in der Tat melodisch gleich. Dieser in den alten Repertoiren geläufige Vorgang der Centonisation von Formeln liefert ein zusätzliches Identifizierungsmittel und erlaubt so eine Bereicherung des Verzeichnisses der gallikanischen Gesänge. So findet man auch eine melodische Stelle, die gemeinsam enthalten ist in einer Antiphon des Mandatum (*Vos vocatis me. V. Surgit*) und in einer Antiphon des alten Offiziums von St. Remi, wohl vor Hinkmar:

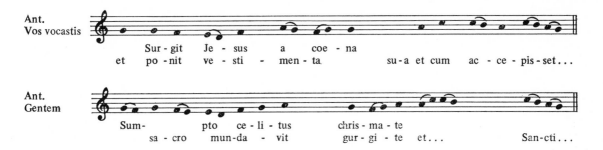

Erwähnenswert sind auch die textlich und melodisch gleichen Einschübe in den Antiphonen *Salvator omnium* und *Hodie illuxit nobis* (MGG IV, 1311). Schließlich ist in dem Offertorium *Factus est repente* die Intonation die gleiche wie in *Elegerunt*, während der Anfang des Schlußalleluias ähnlich ist dem *Alleluia* der Antiphon *Venite populi*.

Mit Hilfe der liturgischen, philologischen und musikalischen Kriterien ist es möglich, eine Anzahl gallikanischer Stücke zu identifizieren und so ein liturgisch-musikalisches Inventar der gallikanischen Gesänge aufzunehmen.

Liturgisch-musikalisches Inventarium der gallikanischen Gesänge

Es ist kaum nötig, darauf aufmerksam zu machen, daß das hier zusammengestellte Inventar der gallikanischen Gesänge weit davon entfernt ist, vollständig und definitiv zu sein. Es wird an dem Tage erweitert werden können, an dem die Musikwissenschaft über eine kritische Ausgabe des gregorianischen Graduale und Antiphonars verfügt, oder sogar über einen Katalog der Prozessionalien.

Vorläufig werden die bereits identifizierten und oben bezeichneten gallikanischen Stücke hier zusammengestellt. Andere, die noch nicht wiedergefunden worden sind, werden gleichermaßen zitiert. Sie kommen hauptsächlich aus den „Konservatorien" des gallikanischen Gesangs: aus den aquitanischen Manuskripten und besonders aus dem Graduale von Albi und aus den Manuskripten der Gruppe von St. Denis. Alle diese Stücke werden eingeordnet nach ihrer liturgisch-musikalischen Gattung.

A. Psalmodie: Die älteste Form der Psalmodie in Gallien wie im ganzen Abendland war die responsoriale Psalmodie. In Gallien wurde der Psalm nicht von einem Lektor, sondern von einem Psalmisten gesungen (nach den *Statuta Ecclesiae antiqua* von Arles gehörte der Psalmist zu den niederen Ordines des Klerus). Dieser Gesang war nach Augustin von äußerster Einfachheit: *tam modico flexu faciebat sonare lectorem psalmi, ut pronuncianti vicinior esset quam canenti* (Confessiones X, 50). Nach jedem Vers oder nach jedem zweiten Vers sang das Volk einen sehr kurzen Refrain — die *responsa* — melodisch sehr einfach, entnommen dem von dem Solisten gesungenen Psalm. Diese *responsa* war manchmal das *Alleluia* oder eine sehr kurze, z. B. aus dem *Psalterium Sangermanense* (BN. lat. 11 947) entliehene Passage aus der gallikanischen Liturgie.

Im *Psalterium Sangermanense* sind die *responsae* angedeutet durch ein R in Gold, aufgezeichnet von erster Hand: *Adferentur regi virgines postea* (Ps. 44); *Asperges me hysopo et mundabor* (Ps. 50); *Paratum cor meum Deus* (Ps. 56); *Juravit Dominus nec penitebit eum* (Ps. 109). Das *Alleluia* (in Gold) ist als responsa zu betrachten.

Die archaische responsoriale Psalmodie wurde ersetzt durch die antiphonierende Psalmodie. Wenn man für den gregorianischen und für den ambrosianischen Gesang über Dokumente verfügt, die die Psalmodie beschreiben oder notieren, so besitzt man für den gallikanischen nur sehr schwache Spuren. Die alte gallikanische Psalmodie wurde von dem gregorianischen Oktoechos hinweggefegt, und es überlebten nur einige von den amtlichen abweichende Psalmodien.

Kannte die gallikanische Psalmodie eine melodische Variation auf der Mediante, in der Mitte jedes Verses, oder beschränkte sich die Mediante, wie in den ambrosianischen und mozarabischen Psalmodien, auf eine einfache Pause über dem Tenor des ersten Gliedes? Wir wissen es nicht, weil die bis auf uns gekommenen Spuren in dieser Hinsicht leicht einer Korrektur im Sinne der gregorianischen Psalmodie unterliegen konnte (dem Gregorianischen folgend hatte auch Mailand im 16. Jh. die Mediante angenommen).

Es folgt eine Tabelle einiger Psalmtöne, die gallikanischen Ursprungs zu sein scheinen:

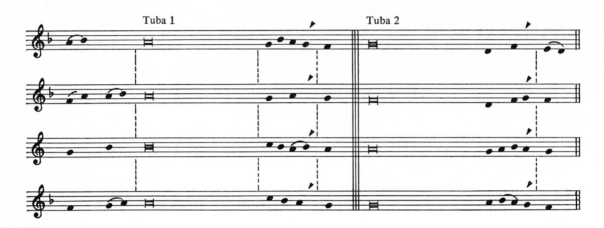

Die beiden ersten Psalmodien stammen aus der *Commemoratio brevis* (GerbertS I, 218, 217) und sind gegen Ende des 9. Jahrhunderts von einem Benediktiner zwischen Seine und Rhein komponiert worden. Nach den acht offiziellen Tönen fügt der Autor zwei Spezialtöne für zweichörige Psalmodie hinzu. Die erste Psalmodie ist der Ton für zwei Tenores, der seit dem 12. Jahrhundert „peregrinus" genannt wurde, da er dem Tenorsystem aus dem gregorianischen Oktoechos fremd war.

Die dritte Psalmodie ist ganz einfach dem gallikanischen Hymnus *Te Deum* entnommen, dessen Melodie sich tatsächlich auf eine einfache Psalmodie für zwei Tenores beschränkte.

Die vierte Psalmodie schließlich ist gallikanischen Ursprungs. Sie steht in dem Pariser Brevier de Vintimille (1736), das die traditionellen Psalmtöne gesammelt hatte *ex antiquo usu modorum Psalmodiae Ecclesiae Parisiensis*. Diese Psalmodie für zwei Tenores ist wahrscheinlich ein Erbe aus dem alten gallikanischen Psalmton, aber nicht ohne Abänderungen geblieben. Zu diesen einfachen Psalmodien sind zwei antiphonierende Psalmtöne mit *Alleluia* hinzuzufügen. Das *Alleluia* wird einmal im ersten Vers, zweimal in der zweiten Versgruppe und dreimal in der dritten Gruppe gesungen. Der Tenor ist für die drei Versgruppen nicht derselbe:

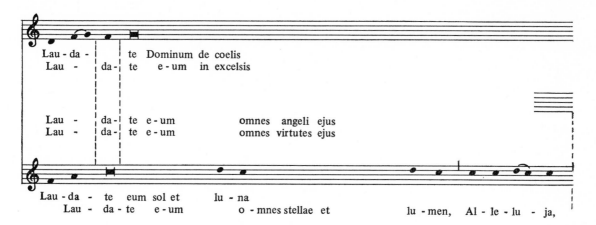

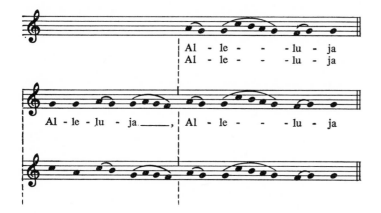

Die erste dieser Psalmodien ist erhalten in Manuskripten von Rouen und in einigen anglo-normannischen Manu-skripten. Die zweite Psalmodie ist nichts anderes als das *alleluiaticum* (Ps. 148–150) der gallikanischen Liturgie, das gerettet wurde durch gregorianische Antiphonare vor dem 13. Jahrhundert, in denen es als Teil des alleluiatischen Offiziums für *Septuagesimae* steht (G. Oury, *Psalmum dicere cum alleluia*, Ephemer. liturg. 79, 1965, S. 98–108).

B. Hymnen: Zu unterscheiden sind die Hymnen in Prosa, die überall in Gallien gebraucht wurden, und die metrischen Hymnen, die in vielen Kirchen, aber nicht überall, verwendet wurden.

Zwei Prosa-Hymnen sind: das *Te Deum* und das *Gloria in Excelsis*.

Im *Te Deum* sind zwei Teile zu unterscheiden: der erste, bis zum *sanguine redemisti*, ist eine Psalmodie für zwei Tenores des gallikanischen Typs (siehe oben A.). Man wird bemerken, daß das dreifache Sanctus melodisch fast iden-tisch ist mit dem Sanctus der ambrosianischen Messe. Der zweite Teil ist zusammengesetzt aus einer Reihe von Psalm-versen, die ursprünglich mit dem *Gloria in excelsis* verknüpft waren und deren handschriftliche Tradition sehr ver-worren ist (siehe M. Frost, *Notes on the Te Deum, the Final Verses*, in *Journ. of theol. Studies* 34, 1933, S. 250–256). Über den Ursprung der Melodie dieses zweiten Teils (*Aeterna fac. . .*) kann man also nichts sagen, weil gerade in diesem Vers eine Modulation eine Abänderung der melodischen Konstruktion herbeiführt.

Die gallikanische Melodie des *Gloria in excelsis* kann man wahrscheinlich identifizieren mit der-jenigen des Gloria XV der Vatikanischen Ausgabe: syllabische Melodie mit unvollständigen Ton-leitern, in der Faktur sehr archaisch. Die Intonation ist übrigens identisch mit derjenigen des *Te Deum*:

Das Alter dieser melodischen Fassung ist durch den Text bezeugt. Tatsächlich haben mehrere Manuskripte, die diese Melodie wiedergeben, in dem aufgezeichneten Text die charakteristischen Varianten des gallikanischen Textes beibehalten: *Hymnum dicimus tibi, Propter gloriam tuam magnam* etc. Wahrscheinlich muß man zu den gallikanischen Gesängen auch das *Gloria in excelsis* in seiner griechischen Fassung rechnen (M. Huglo, *Revue grégorienne* 29, 1950, S. 35—36).

Metrische Hymnen: Einige metrische Hymnen sind offenbar in Gallien bezeugt, und verschiedene Anzeichen sprechen für den gallikanischen Ursprung der Melodie. Man erinnere sich an die oben geprüften Stücke: *Inventor rutili* für das *Lucernarium* (siehe S. 225), *Christe qui lux es* (für die *Duodecima*, siehe S. 223), *Mediae noctis tempus est* (siehe S. 225). Für die Hymnen *Veni Redemptor gentium* und *Pange lingua gloriosi* ist es unmöglich, unter den zahlreichen Melodien diejenige herauszufinden, die bis in die Zeit des gallikanischen Gesangs zurückgehen könnte.

C. Antiphonen: Wie das ambrosianische und das spanische Antiphonar hat der gallikanische Gesang die Versantiphon gekannt. Die Offizien von St. Denis und von St. Remi, die älter sind als die gregorianischen, gestatteten Versantiphonen. Viel sonderbarer ist, daß drei Offizien des gregorianischen Antiphonars Versantiphonen zuließen (25. Januar, 30. Juni und 10. August). Dieser besondere Umstand hat seit dem Mittelalter viele Fragen aufgeworfen, die noch keine Lösung gefunden haben.

Die gallikanischen Stücke lassen oft einen Vers zu, so die Antiphonen des Mandatum für Gründonnerstag (siehe oben *Si ego lavi. V. Exemplum*, S. 225), die Antiphon *Populus meus* mit zwei Versen (*Quia eduxi; Quid ultra*), bezeugt durch französische Antiphonare Ende des 9. Jahrhunderts und durch eine ambrosianische Parallele (PalMus. VI, 304); dieses Stück enthält die berühmte gallikanische Intonation (über *aut in quo . . .*); die Antiphon *Collegerunt V. Unus autem*, die vielleicht ein alter gallikanischer Sonus ist (man findet sie manchmal verwendet als Offertorium in einigen gregorianischen Manuskripten, z. B. in den Pariser).

Eine andere Art von Antiphonen ohne Vers läßt sich identifizieren: die Antiphon *ante Evangelium*, die wie in Mailand ohne Psalmodie gesungen wurde.

Dazu gehören die Antiphonen *Salvator omnium* und *Hodie illuxit* (MGG IV, 1311) und wahrscheinlich *Insignes praeconiis* (MGG IV, 1309, 1311). Die Fraktions- oder Kommunionsantiphonen sang man ebenso ohne Psalmodie: *Venite populi* (siehe oben S. 226, 228), *Emitte Angelum* (krit. Ed. v. P. Cagin, *Te Deum ou illatio*, 1900, S. 217 und 495), *Memor sit* (MGG IV, 1315). Die kleinen Antiphonen des gallikanischen Offiziums lassen sich unmöglich identifizieren. Indessen werden gallikanischen Ursprungs sein die drei mit Alleluia beginnenden Antiphonen (*Alleluia, Lapis revolutus est; Alleluia, Noli flere Maria; Alleluia, Quem quaeris mulier*), die denselben Zuschnitt haben wie die *Alleluia*-Antiphonen der von Dom Morin entdeckten keltischen Fragmente (*Rev. bén.* 1905, S. 344; siehe *Revue grég.* 41, 1963, S. 61). Sie gehören nicht mit Sicherheit zum römischen Osteroffizium, das Amalarius und den *Ordines Romani* wohlbekannt war.

Griechisch-lateinische Stücke: der Cherubim-Hymnus oder das Cherubikon ist in St. Denis bis ins 13. Jahrhundert hinein gesungen worden. Er ist indessen nur in Manuskripten mit Neumennotation überliefert (siehe *Essays presented to Egon Wellesz*, 1966, S. 79). Er kommt zweifellos aus der altgallikanischen Liturgie.

Das in so vielen Manuskripten erhaltene griechische Sanctus ist wahrscheinlich ein Erbe aus der altgallikanischen Liturgie (siehe Kenneth Levy, *The Byzantine Sanctus*, in *Annales musicologiques* VI, 1958—1963, S. 7—67).

D. Responsorien: Mit Ausnahme des oben genannten Responsoriums *Descendit de coelis* gibt es kein Beispiel für ein umfangreiches Responsorium des gallikanischen Offiziums.

Zweifellos würde eine Analyse der alten vorgregorianischen Offizien von St. Denis, St. Remi, St. Germain d'Auxerre vielleicht ein oder zwei Stücke gallikanischer Herkunft zutage fördern. Man weiß durch Hilduin (*Ep. ad Ludovicum*, MGH Ep. aev. kar. III, 330), daß das Offizium von St. Denis Gesänge gallikanischer Herkunft enthielt. Dieses Offizium wurde umgearbeitet und dem Gregorianischen angepaßt.

E. Preces: Auf diesem Gebiet liegt die schönste geschlossene Einheit gallikanischer Stücke vor. Die Preces wurden vor allem in der Fastenzeit gesungen. Man findet sie wieder in den kleinen Rogations-Litaneien der gregorianischen Bücher.

Diese Stücke sind zu zahlreich (man hat in den gregorianischen Manuskripten ca. 40 gezählt), als daß sie hier einzeln aufgezählt werden könnten. Hier sei nur hingewiesen auf die Litanei *Dicamus omnes*, betitelt *Deprecatio sancti Martini pro populo* (Missel von Stowe) oder *Deprecatio Gelasii* (Alkuin), die in mittelalterlichen Handschriften sehr verbreitet war (Ed. B. Capelle, *Rev. bén.* 46, 1934, S. 130—133). Eine Rezension dieser Preces ist mit einer gallikanischen Melodie in den aquitanischen Manuskripten erhalten (MGG IV, 1313).

Es ist sehr wahrscheinlich, daß diese Preces in der Fastenzeit gesungen wurden, ebenso wie die übrigen durch die aquitanische Tradition erhaltenen Stücke, die oben genannt wurden: *Miserere Pater Juste, Miserere Domine supplicantibus, Rogamus te Rex seculorum* (siehe oben S. 226). Die Manuskripte von Moissac und Albi enthalten eine Reihe von Preces für die Verstorbenen, die mit denjenigen spanischer Manuskripte identisch sind: *Miserere miserere, miserere illi Deus* (Rojo-Prado, *Canto mozar.* S. 75; MGG IV, 1312).

Schließlich gibt es eine weitere Reihe von Preces in normannischen und lothringischen Manuskripten; sie gehören zu einem anderen Zyklus. Sie haben oft Litaneicharakter, der sie von den eigentlichen Preces in rhythmischen Versen unterscheidet: *Clamemus omnes una voce; Exaudi, exaudi, exaudi Domine Preces nostras* (MGG IV, 1314), *Sancte, sanctorum Deus* etc.

Trotz seines verschiedenartigen Charakters weist der gallikanische Gesang Merkmale auf, die des höchsten Interesses würdig sind. Wegen seiner Vorliebe für Psalmodien mit doppelten Tenores, wegen seiner liturgisch-musikalischen Eigentümlichkeiten, die ihn in die Nähe des ambrosianischen Gesangs und des spanischen Repertoires rücken, wegen seiner Kompositionsverfahren und insbesondere wegen seiner Neigung zu melismatischen Entwicklungen verdient er die größte Aufmerksamkeit von seiten der Musikwissenschaft.

Michel Huglo

Römisch-fränkische Liturgie

Die „römisch-fränkische liturgische Zone" bezeichnet im strengen Sinn die Diözesen in jenem weiten Gebiet, das sich von der Seine bis nach Franken erstreckt. Es ist das Gebiet, in dem die fränkischen Stämme in Verbindung mit den gallisch-römischen ihre kulturelle Entwicklung fanden und das seine politische Einheit unter Pippin und unter Karl d. Gr. finden sollte.

V. Vogel bezeichnet mit römisch-fränkischer und römisch-germanischer Epoche die Zeit vom Pontifikat Gregors d. Gr. (590—604) bis zu demjenigen Gregors VII. (1072—1085). Hier werden jedoch sowohl im Raum wie in der Zeit die Koordination dieses „römisch-fränkischen Liturgiebereichs" stärker zusammengezogen. Unter diesem Terminus werden die bedeutenden Zentren: Palastkapelle, Kathedralen, Klosterkirchen, in denen sich die römische Liturgie seit 754 eingerichtet und verfestigt hat, verstanden. Das war der Zeitpunkt, zu dem Pippin der Kleine aus den Händen Stephan II. die Königskrone in der Abtei von St. Denis empfing. Besonders entscheidend war der Augenblick, in dem sein Sohn Karl d. Gr. an der Leitung des Königreichs beteiligt wurde.

In etwas mehr als einem halben Jahrhundert (754—814) vollzog sich in Gallien, Westgermanien, dem Alpenmassiv und Norditalien eine glückliche Synthese zwischen dem lateinischen Erbe und dem germanischen Eigengut.

Tatsächlich hat das Eindringen des römischen Ritus in Gallien und in Germanien schon vor der Regierung Pippins d. Kl. begonnen. Die altgallikanischen Sakramentarien hatten mehr als eine Anleihe bei dem römischen Leonianum gemacht, und schon gegen 700 war das gelasianische Sakramentarium in St. Denis oder in Corbie kopiert worden, bevor man es für die Kompilation jener vor 800 auf beiden Seiten des Rheins weitverbreiteten Bücher benutzte. Diese Anleihen und diese Kompilationen waren gewiß nicht gemacht worden, um die Verschiedenheit der Riten und der liturgischen Formulare des fränkischen Königreichs abzustellen.

Die amtliche Einführung des römischen Ritus im Frankenreich, die vor allem die allzu große Mannigfaltigkeit der gallikanischen liturgischen Gebräuche eindämmen sollte, datiert seit der Regierung Pippins d. Kl. Seinem Sohn und „Fortführer seines Werks" verdankt man die große Anstrengung, zu einer liturgischen Einheit zu gelangen, die darauf hinauslaufen sollte, im fränkischen Imperium eine mit den lokalen Gebräuchen verschmolzene römische Liturgie einzuführen.

Um diese Einheit zu verwirklichen, bedurfte es nicht nur der Kraft der Gesetze, die die Leitlinien der liturgischen Reform zogen, sondern auch präziser Direktiven und liturgischer Texte.

Die Vorschriften für Anordnung der Messe, Wahl der Lesungen des officium divinum, Organisation der besonderen Riten für die Karwoche etc. waren enthalten in kleinen Büchern, die die Riten beschrieben, wie sie in Rom gepflegt wurden: in den *Ordines Romani*. Wenn man sich im fränkischen Königreich auch bemühte, die römischen Vorschriften für die Liturgie zu befolgen, versagte man es sich doch nicht, die römischen Gebräuche im Gewande lokalen Brauches anzunehmen, sei es, indem man diesen oder jenen Ritus hinzufügte, an den der Geistliche seit langem gewöhnt war, sei es, indem man dieses oder jenes Detail modifizierte oder abschaffte. So führte der römische Ritus, vereinigt mit lokalen Gebräuchen, zur Einrichtung einer römischen Liturgie, *„ajustée aux réalités"* (M. Andrieu). Sie wurde die Grundlage für die Ordinarien der Diözesen und für die mittelalterlichen Meßbücher.

Zur praktischen Durchführung der Liturgie brauchte man vor allem Texte: Bücher für die Lesungen der Messe und des Offiziums, Sakramentarien für die vom Priester gesungenen Gebete und Präfationen, Kollektenbücher für die Gebete des Offiziums, schließlich Textbücher für die Gesänge der Messe und des Offiziums.

Unter der Regierung Karls d. Gr. nahm die große Einheitsbewegung der liturgischen Bücher Gestalt an. Für die Rezitation des officium divinum gab man die Benutzung des *Psalterium Romanum* auf und hielt sich ausschließlich an das *Psalterium Gallicanum*, das ursprünglich für das kritische Studium des Psalters vorgesehen war, das dann aber liturgischer Psalter wurde. Für die Lesungen des Offiziums ließ man kein *Homiliarium* aus Rom kommen, um es allen Kirchen aufzuerlegen, sondern auf Anordnung Karls d. Gr. schuf der Diakonus Paul Warnefrid († 792) ein *Homiliarium*, das er aus Sammlungen patristischer Predigten und Kommentare zur Heiligen Schrift kompilierte. Dieses *Homiliarium* wurde zum grundlegenden Dokument für die Offiziumslesungen während des ganzen Mittelalters.

Für die Meßbücher erhielt der Diakonus Alkuin († 804), der „Minister" für Kult und Kultur am Palatinischen Hof, den Auftrag, die liturgische Einheit zu verwirklichen.

Alkuin ergänzte das zwischen 784 und 791 von Papst Hadrian I. Karl d. Gr. übersandte gregorianische Sakramentarium. In dem Vorwort *Hucusque* legte er die Gründe für diese Ergänzung dar (siehe R. Amiet, *Le prologue Hucusque... au Sacramentaire grégorien* in Scriptorium VII, 1953, 177–210). Es war in der Tat nötig, die Lücken des von Rom übersandten Buches zu füllen, besonders für die Sonntage nach Pfingsten, die von nun an für Gebete vorgesehen sein sollten. Später sollte diese Ergänzung in das Sakramentarium selbst übernommen werden, das so zur Grundlage des römisch-fränkischen Meßbuchs wurde. Alkuin ist auch der Verfasser eines *Comes* oder Lektionars der Messe, dessen Grundlage eine komplettierte und erweiterte römische Perikopenliste war. Als charakteristisches Beispiel für die Eigentümlichkeit dieses Lektionars lassen sich die Lesungen für die Mitternachtsmesse nennen, für die man — entsprechend einem Brauch aus der gallikanischen Liturgie — eine Prophetenlesung (Jesaja IX, 2–7) vor der Epistel eingesetzt hatte. Hinsichtlich mehrerer liturgischer Funktionen machten die römischen Bücher gar keine oder unvollständige Aussagen. Jede Kirche handhabe also die Riten nach Gutdünken und appellierte an die Gebräuche der Vorfahren, denen man stark verbunden blieb. Daher findet man für den Segen des Palmsonntags, für gewisse Zeremonien der Karwoche, für Begräbnis-Messe und -Offizium in den durch die Manuskripte bezeugten Gebräuchen ebenso viele liturgische Abweichungen, wie es Kirchen gab.

Einführung des römischen Gesangs in das fränkische Königreich:

Der römische Gesang ist in das fränkische Königreich in mehreren Stufen eingedrungen. Die Texte und die Tatsachen sind bekannt (sie sind zusammengetragen von H. Hucke in *Römische Quartalschrift* 49, 1954, 172 ff.).

In der ersten Hälfte des 8. Jahrhunderts verbreitete St. Bonifatius, Ratgeber Pippins bei der Einführung der römischen Liturgie in das fränkische Königreich, den römischen Gesang in Germanien und im Elsaß. In Metz führte St. Chrodegang († 766) 753 in seiner Kirche außer einer festen, derjenigen Roms entsprechenden Ordnung die „cantilena romanae ecclesiae" (*Gesta ep. Mett.*, MGH SS II, 228; *Vita Chrodeg.*, MGH S. X, 564) ein. Sein Neffe Remedius von Rouen folgte um 760 seinem Beispiel. Er ließ aus Rom den *secundicerius* Simeon kommen, um die Geistlichkeit Rouens im römischen Gesang auszubilden.

Nach Walafrid Strabon (MPL 114, 957 A) war es König Pippin, der den römischen Gesang in Gallien zur Zeit der Reise Stephan II. (754) angeordnet haben soll. Auf jeden Fall schrieb im Jahre 789 die von Karl d. Gr. öffentlich bekanntgemachte *Admonitio generalis* der Geistlichkeit vor, den römischen Gesang zu lernen: „ut cantum romanum pleniter discant" (MGH *Legum sectio II, Capitul.* I, 61). 802 führte Karl d. Gr. den römischen Gesang für das Officium nocturnum und die Messe ein (MGH *Legum sectio I, Capitul.* I, 107), und im folgenden Jahre hatte eine Umfrage die Kenntnisse der Priester auf dem Gebiet der Liturgie und des Gesangs zu prüfen (Texte siehe bei Hucke, a. a. O., 176–177).

Um das Programm zu verwirklichen, bedurfte es zweier Voraussetzungen: 1. mußten die Bücher kopiert werden, die die Texte der Gesangsstücke enthielten, 2. brauchte man Sänger, die in mündlicher Tradition die Melodien weiterreichten, da es noch keine Notation gab. Daher schickte Paul I. zwischen 758 und 763 Pippin ein Antiphonar und Responsoriale: „antiphonale et responsale" (MGH *Epist.* III, 529). Amalarius erklärt ein gutes halbes Jahrhundert später, daß diese Ordnung lästig sei und daß er es vorgezogen habe, die Antiphonen und Responsorien des Offiziums zusammenzustellen (MPL 105, 1245).

In der auf die Übersendung der Gesangbücher folgenden Zeit erwähnen alte Bibliothekskataloge die römischen Gesangbücher. So besaß man in St. Wandrille-de-Fontenelle zwischen 787 und 806 einen Band des römischen Antiphonars „antiphonarium romanae ecclesiae, volumen unum" (Becker, *Catal. Bibl. ant.* Nr. 4, 21). Eine Notiz in dem Graduale von Mont-Blandin erwähnt ebenfalls *antefonarios romanos.* Schließlich hat Wala († 836), Neffe Karls d. Gr., später Abt von Bobbio, aus Rom ein Antiphonar in vier Bänden, das vom Pontifikat Hadrians I. (772—795) datiert, nach Corbie mit gebracht. Amalarius, der es zu prüfen hatte, stellte fest, daß es oft von dem Gebrauch in Metz abwich. Die Verbreitung der Melodien geschah auf mündlichem Wege, da die Notation noch nicht so allgemein bekannt war, daß man ganze Bücher notierte. 813/814 dankte Leidrad dem Kaiser dafür, daß er ihm einen Geistlichen der Kirche zu Metz geschickt hatte, der die Elite der Lyonner Geistlichkeit im *ordo psallendi secundum ritum sacri palatii* (MGH *Epist.* II, 542—543) unterwies und der eine *scola cantorum* einrichtete. Damit folgte er den Konzilsbeschlüssen von 798, die den Bischöfen vorschrieben, in jeder Diözese eine Schule zu gründen.

Amalarius erwähnt die zeitgenössischen Meister, die die mündliche Überlieferung empfangen hatten „per primos magistros quos melodiam cantus romani docuerunt infra terminos Francorum" (MPL 105, 1307 D).

Das Antiphonar war schon verbreitet, als sich das Bedürfnis einer Überarbeitung zeigte. So überarbeiteten Helisachar, Abt von St. Maximin in Trier, um 820 (MGH *Ep. aevi kar.* III, 307), Amalarius, Bischof von Metz, um 831—832 (*De ordine antiphonarii,* MPL 105, 1243—1316; *Studi e Testi* 140) Agobard, Bischof von Lyon (*de correctione antiphonarii,* MPL 104, 329—340), Aurelian von Réomé um 850 (GerbertS I, 28—63) und schließlich Otveus, Priester in Lüttich (MGH *Ep. aevi kar.* VI, 197) die Texte, verbesserten die Melodien und änderten vor allem die Verse des Responsoriums, um einen stärkeren Sinnzusammenhang zwischen Vers und Responsorium herzustellen.

Diese Verbesserungen haben ihre Spuren in der handschriftlichen Tradition hinterlassen, und zweifellos muß man die Abweichungen, die man in den handschriftlichen Responsorialien hinsichtlich der Wahl der Responsoriumsverse festgestellt hat, bis in diese ferne Zeit zurückführen. Für den Gebrauch von Lyon beobachtet man, daß das Graduale und das Antiphonar fast dieselben geblieben sind, wie Agobard und der Diakonus Florus sie eingerichtet hatten, d. h. sie enthalten Texte, die ausschließlich der Heiligen Schrift entnommen sind, und keine Texte einer „composition ecclésiastique".

Der römisch-fränkische Gesang

Bei der Lektüre dieser historischen Zeugnisse stellt sich eine Frage: was ist eigentlich dieser „römische Gesang", den die Texte überall erwähnen? Ist es der im ganzen *Imperium* verbreitete Gesang (Jammers: *die übliche Art*), bezeugt in Tausenden von Manuskripten, den man seit langem „gregorianisch" nannte? Oder bezeichnet der Ausdruck *cantilena romanae ecclesiae* das auf die Stadt Rom begrenzte Repertoire, das nur in fünf vollständigen Manuskripten und in einigen Fragmenten bezeugt ist und dessen vom Gregorianischen abweichende Melodien (Jammers: *die abweichende Art*) gewisse archaische Züge zeigen (Stäblein: *altrömisch*)? Man hat durch musikalische Vergleiche und durch Zusammenstellen der liturgischen Eigentümlichkeiten festgestellt, daß das Alt-Römische nicht nur auf die Ewige Stadt begrenzt war, sondern sich auch nach Norditalien (Stäblein, Mf. 19, 1966, 3—9), nach Mittelitalien, nach Fulda, nach Corbie und wahrscheinlich auch nach England (M. Huglo, *Sacris erudiri* VI, 1, 1954, 96—124) ausgebreitet hatte, während das Gregorianische in allen Kirchen und Abteien des karolingischen Imperiums bezeugt ist.

Stellt man einerseits die Ausbreitung der *cantilena romanae ecclesiae* über alle Länder des Imperiums vor 800 in Rechnung, andererseits die Zeugnisse, die die Unterschiede im Gesang oder den Wechsel in der Tradition bestätigen, so erheben sich nicht nur in liturgischer, sondern auch in musikalischer Hinsicht schwerwiegende Probleme. Bernardus Noricus stellt fest, nachdem er von der Verbreitung des *cantus gregorianus* in Oberitalien, mit Ausnahme von Mailand, gesprochen hat, daß *non habetur nunc officium divinum quod primis temporibus agebatur* (MGH. SS. XXV, 667).

Amalarius fragt im Anschluß an den oben erwähnten Text, ob die Abweichungen auf die Sänger des Königsreiches oder auf die römischen Sänger zurückzuführen seien (MPL 105, 1307).

Andere Historiker oder Chronisten berichten, nicht ohne legendäre Züge, daß Karl d. Gr. erhebliche Abweichungen im Gesang feststellte. Um Abhilfe zu schaffen, ordnete er an, auf die Quelle, also auf Rom, zurückzugehen (siehe Hucke, a. a. O., 175).

Aber kann Rom denn den Anspruch erheben, Urheberin des gregorianischen Gesangs zu sein? In Rom selbst gibt es vor dem 13. Jahrhundert kein Zeugnis des gregorianischen Gesangs. Ist nicht das Alt-Römische bis in diese Zeit der einzige gebräuchliche Gesang in Rom gewesen? Ist schließlich das Gregorianische, das eine gewisse Anzahl von textlichen und liturgischen Varianten bietet, die in Rom selbst unerklärlich sind, nicht eine Umarbeitung und Abwandlung des Alt-Römischen, aber außerhalb Roms? Hat es für den Gesang nicht eine Reform, parallel derjenigen der Liturgie, gegeben, d. h. eine Umgestaltung der Quellen im Sinne gallikanischer Traditionen? Aber in welchem Zentrum hätte eine so bedeutsame Umwandlung der Melodien unternommen werden können? Diese Probleme sind sehr schwierig zu lösen und verdienten es, eines nach dem anderen wiederaufgenommen zu werden. Für den Augenblick genügt es, sich an einige sichere Schlüsse zu halten und die Frage des Ursprungs der gregorianischen Cantilena beiseite zu lassen.

Wie man durch die historischen Zeugnisse feststellen kann, ist die Einheit des Gesangs im fränkischen Königreich nur durch wiederholte Anstrengungen der zentralen Gewalt erreicht worden.

Aufeinanderfolgende Wogen brandeten über Germanien und über Gallien. Die ersten Reformen, die zum Ziel hatten, die allzu große Mannigfaltigkeit der gallikanischen Repertoire abzustellen, gingen mit Sicherheit von Rom selbst aus. Andererseits stellte man im 9. Jahrhundert einen Gesang fest, der beansprucht, weniger römisch als gregorianisch zu sein. Mehrere Manuskripte berufen sich auf den hl. Gregor, besonders durch den Prolog *Gregorius praesul* (Anhymn 49, S. 19; MGH *Poetae aev. kar.* II, 686; einzelne Parallele in einer Komposition Alkuins, ebda I, 310).

Welchen Ursprungs dieser Gesang auch sein mag — römischen oder außerrömischen — man muß wohl zugeben, daß seine Substanz selbst römisch ist hinsichtlich seiner liturgischen Funktion (in Verbindung mit dem Sakramentarium und dem Lektionar), hinsichtlich seines Textes und sogar hinsichtlich der musikalischen Gattung.

Auf jeden Fall hat diese neue Woge des römischen Gesangs — oder vielmehr des gregorianischen — einen Archetyp zum Ursprung, von dem die gegenwärtig erhaltene handschriftliche Tradition abstammt. In vielen Punkten kann dieser Archetyp rekonstruiert werden, zumindest für die Gesänge der Messe, obgleich es nicht immer möglich ist, die ursprüngliche Melodielinie bis in die kleineren Details wiederherzustellen. Aber es ist möglich, mit Sicherheit den genauen Inhalt des Graduale zu bestimmen und zu entscheiden, ob ein Stück zum Archetyp gehörte oder nicht. Mit einem Wort: es ist möglich, den Zuwachs des Graduale und des Antiphonars kurze Zeit nach ihrer ersten Verbreitung festzustellen.

Die Gesänge des Graduale

Durch Analyse der ältesten notierten oder nichtnotierten Gradualien und durch Vergleich der gregorianischen Tradition mit der Tradition Roms selbst (alt-römische Gradualien) ist es möglich, Schlüsse zu ziehen auf die Entstehung des gregorianischen Graduale und auf seinen ersten Zuwachs.

In der Anordnung des gregorianischen Graduale ist ein wichtiger Unterschied zu bemerken zwischen den Manuskripten des Alt-Römischen und den gregorianischen Manuskripten: im Alt-Römischen sind die Sonntage aufgeteilt in kleine Gruppen von vier bis sieben Sonntagen, eingeschoben zwischen die wichtigsten Feste des Sanktorials: *Dom. post oct. Apostolorum, Dom. post (natale) sancti Laurentii, Dom. post S. Angeli* (s. R. Le Roux, *Les graduels des dimanches après la Pentecôte* in *Etudes grég.* 5, 1962, 119 ff.).

Diese sehr charakteristische Disposition ist den gregorianischen Sakramentarien eigen. In den gregorianischen Gradualien dagegen findet sich die fortlaufende Reihe der 23 Sonntage an das Ende der Gradualien gestellt, genau wie in dem Supplement Alkuins zum Sakramentarium. Eine weitere Eigentümlichkeit findet sich im Sanktorial: Für das Fest des 20. Januar (St. Fabian, Papst, Märtyrer und St. Sebastian) geben die Gradualien des Alt-Römischen, die Sakramentarien und die Lektionare zwei Formulare: eines für St. Fabian, das andere für St. Sebastian. Der Grund ist einfach: in Rom feierte man die Geburt des Papst Märtyrers auf dem Friedhof von Callist, das Fest des zweiten *ad Catacumbas*. Außerhalb Roms gab es keinen Grund, diese beiden Messen, die auf denselben Tag fielen, zu trennen. So gibt es in allen gregorianischen Gradualien nur ein Formular für die beiden Märtyrer (Hesbert, *Antiph. Miss. sextuplex*, Nr. 24). Diese Vereinheitlichung der beiden Formulare ist jedoch nicht in allen Kopien des Sakramentariums und des Lektionars im karolingischen Imperium durchgeführt worden, sondern nur in dem Comes Alkuins und in einigen Handschriften Nordfrankreichs.

Eine besondere Beobachtung kann man schließlich am Fest des hl. Gorgon (9. September) machen: Das gregorianische Graduale zeigt für diesen Tag eine eigene Messe an (Hesbert, *Antiph. Miss. sextuplex*, Nr. 148). Nun gibt es aber in den alt-römischen Gradualien, in den gregorianischen Sakramentarien und in den ältesten Evangeliarien keine Formulare für diesen Märtyrer. In Metz aber wollte man den Märtyrer, dessen Körper Bischof Chrodegang in die Kathedrale zurückgebracht hatte (L. Duchesne, *Le Liber Pontificalis* . . . II, 83; MGH *Lib. Pontif.*) besonders ehren. Das Fest des 9. September wurde 869 von Karl dem Kahlen für seine Krönung gewählt (Th. Michels, *La date du couronnement de Charles-le-Chauve et le culte liturgique de St. Gorgon à Metz* in *Revue bénédictine* 51, 1939, S. 288–292). Diese Gründe erklären, warum das gregorianische Graduale das Fest des hl. Gorgon wiedereingeführt hat, trotz des Schweigens der römischen Quellen. Dieses Bündel übereinstimmender Indizien scheint hinreichend anzuzeigen, daß der Archetyp des gregorianischen Graduale nicht in Rom selbst redigiert worden ist.

Die nun folgenden Beobachtungen berühren die ältesten Einschübe des Graduale. Es ist in der Tat beachtenswert, daß jedes komponierte Stück nur wenige Jahre nach der Ausbreitung des Archetyps sich in allen späteren Manuskripten nicht wiederfindet und daß seine relativ langsame Einfügung in die Tradition sich durch Regelwidrigkeiten in der Übertragung verrät.

Drei besondere Fälle erhellen dieses „Gesetz":

1. Die Messe Omnes gentes des 7. Sonntags nach Pfingsten: Diese, für die Himmelfahrts-Vigilie komponierte Messe, deren einziges eigenes Stück der Introitus ist, gibt es im Alt-Römischen überhaupt nicht. Sie erscheint zum ersten Mal im *Blandiniensis* am Ende des 8. Jahrhunderts mit der Bemerkung: „Ista hebdomata non est in antefonarios romanos (Hesbert, *Antiph. Miss. sextuplex*, Nr. 179). Aurelian von Réomé zitiert um 850 auch diesen Introitus als zum 7. Sonntag gehörig (GerbertS I, 49), aber der Tonar von Metz kennt diesen Introitus nicht (Ed. W. Lipphardt, *Der karolingische Tonar von Metz*, S. 19, Nr. 77). In St. Gallen, in Einsiedeln, in St. Emmeram und in Benevent steht der Introitus nicht am 7. Platz, sondern am Ende der Sonntage nach Pfingsten. Wenn man zu diesen lokalen Variationen hinzufügt, daß die musikalischen Formeln, die zur Centonisation dieses Textes benutzt wurden, keine Introitus-Formeln sind, sondern Formeln stärker ornamentierter Stücke, wird man sicher sein dürfen, daß dieses Stück nicht zum ursprünglichen Bestand gehört und daß es einer der ältesten Einschübe des gregorianischen Graduale bildet (R. J. Hesbert, *La Messe Omnes gentes du VIIe dimanche après la Pentecôte* in *Revue grégorienne* 17, 1932, und 18, 1933).

2. Aus der Prüfung der handschriftlichen Tradition ergibt sich ein zweites Beispiel für ein nicht ursprüngliches Stück: der zweite Tractus des Karfreitags, *Eripe me*. Nach dem anonymen Autor des *De divinis officiis*, der am Ende des 9. oder zu Beginn des 10. Jahrhunderts schrieb, soll dieser Tractus *nuperrime compilatum* gewesen sein (MPL 101, 209). Nach Amalarius nahm man in Rom selbst am Karfreitag den Tractus *Qui habitat* des ersten Sonntags der Fastenzeit (MPL 105, 1260 A) wieder auf. Tatsächlich ist dieser Tractus in den alt-römischen Gradualien und in den ältesten *Ordines Romani* (XXIII, Nr. 18; XXIX, Nr. 31) vorgeschrieben. Aber in den gregorianischen Gradualien, mit Ausnahme der beiden beneventanischen Manuskripte (die Rom nahestanden), hat sich der Tractus *Eripe me* überall durchgesetzt. In den Manuskripten der *Ordines Romani*, die älter sind als die des Graduale, stellt man fest, daß im 9. Jahrhundert der Tractus *Eripe me* dem *Qui habitat* (Ordo XXIV, Nr. 24; XXVII, Nr. 37; XXVIII, Nr. 33) seinen Platz streitig macht und daß er schließlich Sieger bleibt (Ordo XXXI, Nr. 38; XXXIII, Nr. 4).

3. Die Communio *Beati mundo corde* für Allerheiligen: Ein besonderes Fest für alle Heiligen wurde wahrscheinlich in einigen Kirchen Galliens seit dem 7. Jahrhundert gefeiert, aber in Rom selbst erst im Laufe des 9. Jahrhunderts eingeführt. Der Archetyp des gregorianischen Graduale enthielt dieses Fest mit Sicherheit nicht. Die Communio *Beati mundo corde* existierte jedoch schon am Ende des 8. Jahrhunderts, denn sie steht unter den Communiones des 1. Tons im Tonar von St. Riquier (ed. v. M. Huglo, Revue grégorienne 32, 1952, 226).

Ein anderer Befund: die notierten Manuskripte, die die Communio *Beati mundo* bringen, teilen sich in vier Gruppen, von denen jede eine abweichende Melodie hat, obgleich alle vier im 1. Ton stehen. Andere Manuskripte zeigen anstelle der Communio *Beati mundo corde* ein anderes Stück an. So bringen die deutschen die Communio *Amen dico vobis* oder *Gaudete*; an St. Corneille in Compiègne sang man statt der Communio das Responsorium *Beati estis sancti*. Diese Beispiele zeigen, wie ein nach der Verbreitung des Archetyps komponiertes Stück sich nicht in derselben Art wie der „bloc primitif" überliefern und die Verspätung nicht wieder aufholen kann. In den notierten Manuskripten steht es sogar manchmal unter den abweichennden Melodien.

Dieses Phänomen der Vielzahl an Melodien für die nicht ursprünglichen Stücke oder für die Stücke lokaler Herkunft mit beschränkter Ausbreitung ruft nach einer Erklärung.

Im 8. und im 9. Jahrhundert gab es die musikalische Notation noch nicht zur Notierung des Repertoires. Es wurde durch die mündliche Tradition überliefert. Wenn in einem Graduale oder in einem Antiphonar, das in dem Scriptorium einer Kirche nach dem Modell einer Nachbarkirche kopiert worden war, ein Sänger ein Stück fand, dessen Melodie er nicht kannte, hatte er nur zwei Hilfsmittel: er konnte die Sänger der Nachbarkirchen fragen, ob sie die Melodie des ihm unbekannten Stückes kennen. Im Bejahungsfalle blieb ihm nichts anderes übrig, als sie zu lernen. Bei negativer Auskunft konnte ein Sänger, wenn er Kenntnisse und Talent besaß, dem neuen Text eine schon bestehende Melodie unterlegen (Centonisation) oder sogar eine ganz neue Melodie komponieren.

Dieser Versuch einer Erklärung kann Rechenschaft geben über die Vielzahl der Melodien, die für gewisse, nicht zum alten Stamm des Graduale gehörenden Alleluias zutreffen. So läßt das Alleluia *Ave Maria* nach den Regionen, in denen man es findet, fünf verschiedene Melodien zu, *Crastina die* sieben abweichende Melodien, *Gloria & honore* neun Melodien etc. (Liste in K. H. Schlager, *Thematischer Katalog der ältesten Alleluia-Melodien*, 1965, S. 32).

Das *Alleluia* ist dasjenige Stück des Graduale, das den größten Zuwachs erfahren hat, nicht nur mit Rücksicht auf das Alt-Römische — eine sehr kleine Zahl — sondern auch mit Rücksicht auf die Liste des Archetyps des gregorianischen Graduale. So zählt das Graduale von Albi aus dem 11. Jahrhundert (BN lat. 776) dreimal soviele *Alleluia*-Verse wie die Gradualien ohne Notation aus dem 9. Jahrhundert. Zu bemerken ist auch, daß für die Sonntage nach Pfingsten die Wahl des *Alleluia* freistand (*Quale volueris*). Aber diese Wahl wurde sehr bald in einer jeder Kirche eigenen Liste festgelegt und quasi unumstößlich während des ganzen Mittelalters; man komponierte auch — besonders in Aquitanien und in Italien — eigene Verse, die zu den Psalmversen des ursprünglichen Bestands hinzugefügt wurden.

Das einfachste Verfahren, ein neues *Alleluia* zu schaffen, war die Adaption eines bestehenden melodischen Timbres an einen neuen Text. So hatte seit vor 1100 der Vers *Letabitur* als Modell für 18 andere Verse gedient (Schlager, S. 196, Nr. 274), das Alleluia *Justus ut palma* für 35 Verse (ebda. Nr. 38) und *Dies sanctificatus* für 43 Verse (ebda. Nr. 27).

Im großen ganzen nahmen die Komponisten dieser Alleluias — oder vielmehr die Adaptoren — das schon von den ersten Komponisten des gregorianischen Gesangs geübte Verfahren wieder auf, die sich für die Gradualien — besonders diejenigen des Typs *Justus ut palma* — damit begnügt hatten, neue Texte einem bestehenden Melodietypus anzupassen (P. FERRETTI, *Estetica gregoriana*, Rom 1934, S. 175 ff.).

Aber auch die eigentliche Alleluia-Komposition hat viel Erfolg gekannt, insbesondere in zwei Regionen: in Südwestfrankreich (ca. 120 Kompositionen) und in Italien (110 Kompositionen, darunter ca. 40 nur beneventanische). In Nordfrankreich, England und Deutschland entstanden weniger Alleluias als im Süden (nur 35 Melodien; siehe K. H. Schlager, *Thematischer Katalog* . . . , S. 21).

Nach dem Alleluia-Vers sang man bis zum Ende des 11. Jahrhunderts eine sehr lange Alleluia-Vokalise, genannt *Sequela* oder *sequentia*: „sequitur jubilatio quam sequentiam vocant" (siehe MPL 78, 971, nota d). Diese seit dem 8. Jahrhundert durch den *Blandiniensis* bezeugte „séquence" (Hesbert, *Antiph. Miss. sextuplex*, Nr. 199) ist vielleicht gallikanischen Ursprungs (siehe oben S. 227). Auf jeden Fall sang man sie noch im 11. Jahrhundert, und an einigen Orten trug sie die Bezeichnung *neumae gallicanae*. Diese langen, textlosen Vokalisen sind erhalten in einer ganzen Anzahl von östlichen Troparien-Prosarien vom 10. Jahrhundert bis zum Ende des 11. Jahrhunderts (Ed. A. Hughes, *Anglo-french Sequelae*, 1934).

Eine paläographische Beobachtung bestätigt den östlichen Ursprung dieser Vokalisen. In 38 von 54 Vokalisen findet man in den Kadenzen ein Neuma, das niemals in Stücken des alten gregorianischen Fonds angewandt wurde: den *pes stratus*

Dieses Neuma, das in einigen gallikanischen Stücken vorkommt (siehe oben, S. 228), ist in gewisser Weise die „signature" der Sequenz. Man findet es gewöhnlich auf einem ganzen Ton (do-re-re; re-mi-mi; fa-sol-sol etc.). Wenn die Melodie der Sequenz dem Text der „prose" angepaßt wurde, verschwand der pes stratus natürlich nicht. Wie die anderen Neumen wurde er auf den Text verteilt, sei dieser östlichen oder deutschen Ursprungs.

So sind aus der Sequenz *Occidentana* folgende Prosen hervorgegangen:

(Notker)	San -	cti	Spi -	ri -	tus	as -	sit	no -	bis	gau - di -	a.
(Engl.)	Cel -	sa	pu -	e -	ri	con -	cre -	pent	me -	lo - di -	a.
(Aquit.)	Rex	o -	mni -	po -	tens	di -	e	ho -	di -	e___	erna
(Benev.)	Pan -	ge	nunc	lin -	gua -	mo -	du -	lan -	do	car - mi -	na.

In Nordfrankreich, in Aquitanien und in St. Gallen hat die aus der Alleluia-Sequenz entstandene Prose während des ganzen Mittelalters in ihrer musikalischen Struktur das Zeichen ihres Ursprungs bewahrt.

Der *pes stratus* wurde aber auch angewandt in einer ganzen Anzahl von Alleluia-Versen, die nicht zum „fonds primitif" des Graduale gehören: *Amavit eum Christus resurgens, Justorum animae, Letabitur, Tu es sacerdos, Vidi speciosam* (aquitanisch), *Venite ad me* (aquitanisch) etc. Diese paläographische Beobachtung, die man Dom Cardine verdankt, zeigt, daß Kompositionszentren mit persönlichen Kompositionsverfahren noch nach dem Bekanntwerden des Graduale bestanden haben. In diesen Zentren wurde eine ganze Anzahl von Tropen für das Ordinarium der Messe, besonders Kyrie-Tropen, komponiert (vor allem diejenigen, die den pes stratus in den Kadenzen zulassen), während tatsächlich die Gesänge des Ordinariums nicht zum gregorianischen Graduale im strengen Sinne gehören. Im 8. Jahrhundert gab es wahrscheinlich nur eine sehr einfache Melodie für das Kyrie, eine für das Sanctus, wie in Mailand, und eine für das Agnus Dei.

Seit dem 9. Jahrhundert ließ die Entwicklung des Tropus die neuen Stücke des Ordinariums in einem solchen Grade anwachsen, daß die ältesten Troparien schon zu Beginn des 10. Jahrhunderts eine große Anzahl an Melodien und an Tropen enthielten, deren Ausbreitung nach der Art jedes Stückes variierte.

Für die Tropen des Kyrie hat man festgestellt, daß im 10. Jahrhundert schon 25 Melodien, alle in einem anderen Modus als *fa* komponiert, in Umlauf waren (M. Melnicki, *Das einstimmige Kyrie . . .* , 1954, S. 44). Einige dieser Stücke sind ohne Zweifel seit dem 9. Jahrhundert komponiert worden. Für die Tropen des *Gloria in excelsis* kann man annehmen, daß mehrere Kompositionen schon seit dem 9. Jahrhundert in Umlauf waren. Aber hier sind, entgegen gewissen anderen Tropen, Text und Melodie zur selben Zeit entstanden (Kl. Rönnau, *Die Tropen zum Gloria in excelsis Deo*, 1967).

Das Sanctus muß ursprünglich sehr einfach gewesen sein, da die *Admonitio generalis* von 789 verlangt, daß es vom Volk gleichzeitig mit dem Priester gesungen werden sollte. Die einfachste und die älteste Melodie ist zweifellos diejenige, die sich fest verbindet mit dem Rezitativ der Präfation und die deren Schluß ist (= Sanctus XVIII der Vatikanischen Ausgabe). Aber schon im 10. Jahrhundert sind die Melodien und die Tropen über dem *Hosanna* sehr zahlreich und variiert (P. J. Thannabaur, Art. „Sanctus" in MGG XI, 1348 ff.). Dieselbe Beobachtung macht man für das *Agnus Dei*, dessen älteste Melodie zweifellos diejenige ist, die die Litaneien der Heiligen abschließt (Stäblein, Art. „Agnus Dei" in MGG I, 148–156).

In diesen Stücken des Ordinariums sind die Gesetze der modalen Komposition, die für die Stücke des alten Fonds angewandt wurden, erweitert und sogar überholt. Neue neumatische Formeln, ehemals ungebräuchliche Intervalle (Sext und sogar Oktave) sind neu eingeführt. Das ist ein sehr normaler Entwicklungsweg, da ja Prosen und Tropen nicht mehr zu dem gehören, was man durch Übereinkommen den „ancien fonds grégorien" nennt. Diese Stücke bilden ein neues Repertoire, das aus dem alten Fonds schöpft, aber das sich in der Folgezeit auf eigenen Wegen und in neuen Richtungen entwickelt hat. Dagegen hat sich das Graduale während des Mittelalters wenig verändert. Es hat keinen Zuwachs an wirklich neuen Melodien gehabt (außer für das Alleluia). Man hat sich damit begnügt, neue Texte den gebräuchlichen Melodien anzupassen. So sind z. B. die Offertorien *Justorum animae* und *Tu es Petrus* im 10. oder 11. Jahrhundert dem *Viri Galilaei* (oder *Stetit Angelus*) angepaßt worden, die Communio *Per signum Crucis* der Communio *Ab occultis* (für die Fastenzeit). So handhabte man es bis ins 13. Jahrhundert und sogar noch länger, wenn man nach den manchmal ungeschickten Adaptationen urteilt, die vorgenommen wurden für die Fronleichnams-Messe (Offertorium *Sacerdotes* angepaßt an *Confirma hoc*; Communio *Quotiescumque* angepaßt an *Factus est repente*) oder für die Messe zu Mariä Himmelfahrt, *Gloriosa Dei Genitrix*, der Kathedrale in Sens, die wahrscheinlich von Pierre de Corbeil stammt.

Die Gesänge des Antiphonale Officii

Zu allen Zeiten hat sich das Antiphonar nach denselben inneren Entwicklungsgesetzen wie das Graduale an neuen Stücken bereichert. D. h., daß neue Texte an vorher bestehende Motive angepaßt wurden. Diese in jedem Modus zahlreichen Motive erlaubten und erleichterten das schnelle Anwachsen der Antiphonen (P. Ferretti, *Estetica greg.*, 111 ff.). So schreibt das Antiphonar Hartkers dem Timbre des 4. Tons des Typs *Benedicta tu* mehr als 90 Antiphonen zu. Offensichtlich gehörten nicht alle zum Archetyp des Antiphonars.

Für die Responsorien-Verse bestanden am Anfang nur acht Grundformeln, eine für jeden Ton (P. Ferretti, *Estetica greg.*, S. 270–273). Die anderen Formeln, diejenigen der Responsorien-Verse *Descendit* und *In medio*, die Amalarius ungewöhnlich erschienen, sind vielleicht gallikanischen Ursprungs (siehe oben, S. 232). Die Adaption von Verstexten an die melodische Formel geschah nach unwandelbaren Regeln. So war es sehr leicht, die Verstexte des Responsoriums zu verändern.

Nun wissen wir, daß aufgrund der Differenzen, die in der Art, Vers und Responsorium zu alternieren, im Römischen einerseits und in Gallien andererseits bestanden, der Verstext seit vor 820 von Helisachar modifiziert worden war, so daß ein Sinnzusammenhang bestand zwischen dem Vers und der Reprise des Responsoriums. (Das Problem stellt sich nicht in Rom, wo man das Responsorium am Anfang wiederaufnahm, nach dem Gesang des Verses.) Amalarius war über die Arbeit Helisachars informiert. Er bewunderte sie und nahm ebenfalls Überarbeitungen in demselben Sinne, aber diskretere, vor. Es ist schon bemerkenswert, daß man die Rückwirkungen dieser Arbeiten in der handschriftlichen Tradition findet, wo man für die Wahl der Verse zwei verschiedene Traditionen entdeckt (R. Le Roux, *Les répons de Psalmis in Etudes grégoriennes* 6, 1963, 133 u. 140).

Das Studium der Antiphonen des Antiphonars sollte nicht abgetrennt werden von der Analyse der Tonarien und der Schriften der Theoretiker. Die Anweisung der psalmodischen Unterschiede der Antiphonen wurde in der Tat in den Tonaren festgelegt, deren ältestes Zeugnis der karolingische Tonar von Metz (ed. v. W. Lipphardt, 1965) und der Traktat von Aurelian von Réomé um 850 (GerbertS I, 28–63) sind. Schließlich bringt die Gegenüberstellung des *de ordine antiphonarii* des Amalarius (MPL 105, 1243–1316; *Studi e Testi* 140) mit den ältesten Antiphonarien (Hesbert, *Corpus antiphonalium officii* I, 1963, und II, 1965) oft die Lösung des Ursprungs gewisser Stücke. Mit Hilfe dieses Mittels kann man die sehr alten Modifikationen und Additionen herausstellen, die am Antiphonar für den ganzen liturgischen Zyklus vorgenommen wurden.

Das erste Stück des Antiphonars, das Responsorium *Aspiciens a longe*, stellte schon Amalarius ein Problem: er fragte sich, warum dieses Responsorium mehrere Verse enthielt, ganz im Gegensatz zu anderen Responsorien, die nur einen haben. Er hatte sogar den römischen Hauptsänger Theodor wegen dieses Problems befragt (MPL 105, 1245). Die Prüfung der Fragmente von Lucca vom Ende des 8. Jahrhunderts (Ed. Huglo, KmJb. 35, 1951, 11) löst diese Frage: dieses älteste Zeugnis des Antiphonars enthielt nur einen Vers. Daraus muß man schließen, daß die ergänzenden Verse vor 830 eingeführt worden sind, zu der Zeit, in der Amalarius seine Reise nach Rom unternahm.

Ein anderes Advents-Responsorium hat die Aufmerksamkeit Amalarius' auf sich gezogen: das Responsorium *Vicesima quarta die*, das anspielt auf die Fasten des 24. Dezember am Heiligen Abend. Amalarius hatte beobachtet, daß dieses Responsorium in Gallien am 18. Dezember gesungen wurde — dem Tag, der der *Expectatio partus* des altgallikanischen Kalenders entsprach — und daß der Text diesem gallikanischen Gebrauch angepaßt war: *Octava decima die*. Papst Gregor IV. wurde wegen dieser Frage um Rat gebeten, und er hatte die Lehre und den Gebrauch von Rom bestätigt: *Vicesima quarta die* (MPL 105, 1245). Nun vergegenwärtigen uns die ältesten Antiphonare die beiden Lehren: 1. die römische, gewiß ursprüngliche Lehre (*Vicesima quarta die*), gestützt auf die Fragmente von Lucca vom Ende des 8. Jahrhunderts (KmJb. 35, 1951, 13), auf die deutschen und einige italienische Antiphonarien (Hesbert, CAO I u. II, Nr. 8 u. 15); 2. die gallikanische Lehre, Ergebnis einer Umarbeitung, die bezeugt wurde von Agobard (MPL 104, 333) und Amalarius seit dem ersten Drittel des 9. Jahrhunderts, durch das Antiphonar von Compiègne und die anderen französischen Handschriften und schließlich durch das Verzeichnis der Antiphonare von Trier vom Ende des 9. Jahrhunderts.

Die großen Antiphonen O des Advent, die zwischen dem 17. und dem 24. Dezember alle in demselben Timbre des 2. Tons gesungen wurden, ließen ursprünglich nur sieben Antiphonen zu. Man leitet sie her von dem Akrostichon *ero cras*, gebildet aus den Buchstaben, die dem Anruf „O" folgen. Jede Umstellung der Stücke und jede Addition verrät sich durch ihre Spuren. So sollte die von Amalarius erwähnte Antiphon *O Virgo virginum* (MPL 105, 1265 D und 1267 A) nicht als ursprünglich betrachtet werden. Dieselbe Bemerkung gilt für spätere Kompositionen wie *O Gabriel* oder *O Thomas Dydime* etc., die während des Mittelalters sehr populär waren.

Für den 24. Dezember zeigt die Mehrzahl der Antiphonarien die Serie der besonders schönen Antiphonen *Rex pacificus* an, in mehreren Manuskripten mit Vorliebe für die ersten Weihnachtsvespern. Aus mehreren Gründen hat man gefragt, ob diese Antiphonen nicht um 800 aus Anlaß der Krönung Karls d. Gr. komponiert worden sind. Der Ausdruck *Rex pacificus*, der Salomon in den Königsbüchern und den Messias bezeichnet, wird ebenfalls zur Bezeichnung Karls d. Gr. in den *Annales Fuldenses* und in der *Vita Karoli* Eginhards benutzt. Es ist möglich, daß diese beiden Antiphonen, die das Friedensideal des abendländischen Kaisers zusammenfassen, um 800 entstanden sind (H. Franke, *Weihnachten im Weltbild des germanischen Mittelalters* in Kölnische Volkszeitung 5. I, 1936).

Für das Offizium der Weihnachtsnokturn schreiben der *Ordo Romanus* XII und die altrömischen Antiphonarien zwei Offiizien vor: das eine wurde zelebriert in Sa. Maria Maggiore vor der Mitternachtsmesse, das zweite in St. Peter gesungen vor der Zelebration der Morgenmesse. Diesem zweiten Offizium folgten die Laudes und, etwas später, die dritte Nativitäts-Messe. Außerhalb Roms hatten diese Vorschriften für ein doppeltes Offizium keinen Sinn mehr. Nach der Gewohnheit der fränkischen Liturgisten, die römischen Quellen den lokalen Erfordernissen anzugleichen, ging das erste Offiizium auf den 1. Januar, die Weihnachsoktave, über, während das zweite für Weihnachten selbst bestimmt wurde. Diese Aufteilung der beiden Offizien auf den 1. Januar und auf den 25. Dezember, die seit der Einführung des römischen Ritus in Gallien vorgenommen wurde, ist durch Amalarius und durch die handschriftliche Tradition bezeugt (R. Le Roux, *Les antiennes . . . pour Noël et le 1er janvier* in *Etudes grégoriennes* 4, 1961, 65—170).

Für die Epiphanias-Oktave (13. Januar) ließ Karl d. Gr. selbst die Reihe der Antiphonen *Veterem hominem* etc. aus dem Griechischen ins Lateinische übersetzen. Wenn man den *Gesta Caroli* in diesem Punkte glaubt, hat der Kaiser selbst darum gebeten, daß die byzantinische Melodie dem lateinischen Text angepaßt wurde: *ut ipsam materiam in eadem modulatione redderet.* Tatsächlich hat der lateinische Adaptor ein Motiv des 7. Tons benutzt, das nicht ohne Beziehung zur byzantinischen Intonation des griechischen Textes ist. Er hat aber die byzantinische Melodie nicht sklavisch kopiert (Ol. Strunk, *The latin antiphons for the Octave of the Epiphany* in *Mélanges Ostrogorsky* II, 1964, 417—426). Da die Reihe *Veterem hominem* in allen alten Antiphonarien enthalten ist, kann man fragen, ob diese Antiphonen nicht zum ursprünglichen Repertoire gehörten. Der Bericht in den *Gesta Caroli* wäre dann erfunden, da das Zusammenfallen der lateinischen Melodie mit der griechischen Melodie zur Zeit der Durchreise der byzantinischen Gesandtschaft am Hofe Karls d. Gr. im Januar 802 beobachtet wurde.

Für Septuagesimae zeigen die alten Antiphonarien ein *Alleluia*-Offizium, allgemein genannt *Office des adieux à l'alleluia*, an. Tatsächlich durfte das *Alleluia* von diesem Zeitpunkt an bis zum Osterfest nicht mehr gesungen werden. Dieses Offizium, das nicht römischen Ursprungs ist, hatte seine Elemente aus der Liturgie der Osterzeit und sogar aus gallikanischen Bausteinen entliehen (siehe oben S. 238 das zum *Alleluiaticum* Gesagte).

Es wurde übrigens von Alexander II. (1061—1073) unterdrückt, wenn man Bernold von Konstanz glauben will (MPL 151, 1282). Amalarius kannte dieses Offizium, aber man findet es nicht in der deutschen Antiphonar-Tradition (CAO I—II, Nr. 52). Das scheint ein Zeichen dafür zu sein, daß diese Wiederverwendung gallikanischer Stücke erst nach der ersten Verbreitung des gregorianischen Antiphonars vorgenommen wurde (M. Robert, *Les adieux à l'alleluia* in *Etudes grégoriennes* 7, 1967, 41—51).

Ostern erschien das Alleluia wieder im Offizium und in der Messe. Die *Ordines Romani* XXX A, XXX B und XXXI kündigen für den Ostersonntag „III Psalmi cum alleluia" an. Nun entdeckte Amalarius im Antiphonar von Metz drei Antiphonen (*Ego sum qui sum, Postulavi, Ego dormivi*), die er weder im römischen *Ordo antiphonarum* noch im römischen Antiphonar von Corbie (MPL 105, 1293 D) fand. Er fragte sich also, wo die Metzer Komponisten diese drei Antiphonen gefunden haben könnten. Für uns steht die Antwort fest: es handelt sich um römisch-fränkische Kompositionen. Dieselbe Beobachtung ist gültig für die drei Pfingst-Antiphonen (MPL 105, 1301). Die Untersuchung des Sanktorials des Antiphonars verdiente eine lange Studie. Man wird sich hier mit einer einfachen Bemerkung über das Offizium von St.Michael (CAO I und II, Nr. 113) begnügen müssen. Hinsichtlich dieses Offiziums macht Amalarius Mitteilung von Alkuins Abschaffung der Responsorien dieses Offiziums.

Wenn man die altrömischen Antiphonarien prüft, stellt man fest, daß es für diesen Tag nur aus anderen Offizien entliehene Stücke gibt (Dédicace etc.), aber keines dieser Responsorien gehört zum gregorianischen Repertoire. Woher stammen sie?

Unter den Stücken für den 29. September findet man in einigen Antiphonarien die Antiphon *Beati archangeli Michaelis.* Dieses Stück ist in der Tat ein Gebet des gregorianischen Sakramentariums, das in eine Antiphon verwandelt wurde. Das Verfahren, das sich ca. zwanzigmal in der Tradition des Antiphonars wiederholt, kam nicht von den ersten Komponisten des Antiphonars. Erst im 9. Jahrhundert ist man darauf gekommen, die Quelle gewisser Stücke in der Euchologie zu suchen. Aber das ist eine Entstellung des eigentlichen Sinns der Antiphon.

Die literarischen Quellen der Texte erlauben manchmal, das Auftreten einiger Antiphonen zu datieren. So ist die Antiphon *Ascendit Christus* der ersten Vespern zu Mariä Himmelfahrt in Rouen, die auch in den anglo-normannischen Manuskripten steht, nicht gallikanischen Ursprungs, wie Gastoué glaubte. Das Stück stammt aus einer St. Jérôme zugeschriebenen Predigt (MPL 30, 129 CD), die tatsächlich das Werk von Paschase Radbert, Abt von Corbie, ist. Die Antiphon kann also erst in der zweiten Hälfte des 9. Jahrhunderts oder zu Beginn des 10. komponiert worden sein.

Dasselbe Datierungsverfahren kann man anwenden für das Responsorium *Candida virginitas* aus *de Virginiate* des Aldhelm von Sherborne († 710); ein Auszug daraus ist wiedergegeben in dem Evangeliarium Karls d. Gr. um 781–783, das Godescalc kopierte (MGH. *Auct. antiquiss.* XV, 422–424), und für das Responsorium *Gaude Maria Virgo*, dessen Herkunft mit legendären Berichten verbrämt ist (GerbertS I, 50; L. Brou in *Ephemerides liturgicae* 1948 und 1951). Ein anderes Responsorium für die Jungfrau, das Responsorium *Felix namque es*, ist — ebenso wie die Antiphon *Sancta Maria* — einer Predigt des Abtes Ambrosius Autpert, Abt von St. Vincent in Vulturne (MPL 39, 2131), entnommen. Das Responsorium für Allerheiligen, *Beata vere Mater Ecclesia*, kommt aus einer Predigt Helisachars oder Walafrid Strabons für Allerheiligen (MPL 39, 2135). Diese erst seit dem 9. Jahrhundert oder später komponierten Stücke haben keine allgemeine Verbreitung gefunden. Sie haben sich ausgebreitet in der Umgebung ihres Entstehungsortes. Dieselbe Beobachtung gilt für die Offizien der jeweils örtlich verehrten Heiligen.

Die Offizien für die regionalen Heiligen, deren Kult nicht über die Diözese, in der sie begraben waren und verehrt wurden, hinausging, sind oft nur in ein oder zwei Manuskripten bekannt. Diese alten Offizien unterscheiden sich in ihrem musikalischen Stil nicht sehr von anderen Offizien des alten Fonds des gregorianischen Antiphonars. Wenn man sie jedoch in ihrer chronologischen Anordnung prüft, entdeckt man die ersten Zeichen einer Entwicklung in der musikalischen Komposition des Mittelalters.

Nach Hariulf soll Alkuin († 804) ein Offizium für St. Richarius, Schutzheiliger der Abtei von Centula, komponiert haben. Davon ist nur eine Hymnusstrophe übriggeblieben, die man übrigens in dem sehr viel neueren Offizium, das das heute verlorene alte Offizium ersetzt hat, nicht wiederfindet. Ein weiteres Offizium wird Alkuin zugeschrieben, dasjenige des hl. Vaast, Bischof von Arras. Diese Zuteilung ist unbegründet, obwohl das fragliche Offizium vom Anfang des 9. Jahrhunderts datiert und inspiriert ist von der *Vita Vedosti*, die der gelehrte Minister Karls d. Gr. umgearbeitet hatte. In diesem Offizium trifft man zum ersten Mal das große Schlußmelisma im ersten Responsorium, ohne Zweifel Erbe des gallikanischen Gesangs, dessen Gebrauch in allen eigentlich mittelalterlichen Offizien zur Tradition wurde. (L. Brou, *L'ancien office de saint Vaast* in *Etudes grégoriennes* 4, 1961, 7–42).

Hilduin († 842), Abt von St. Denis, hat das alte Offizium von St. Denis umgearbeitet, dessen Text aus der *Passio Sti. Dyonisii* des Pseudo-Fortunat stammt und in dem gewisse Elemente vielleicht gallikanischen Ursprungs sind. Hilduin komponiert auch — auf Bitten Lothars, der 825 an der Regierung des karolingischen Reiches beteiligt wurde — das Offizium des hl. Cornelius, Papst und Schutzheiliger der Abtei St. Corneille in Compiègne, wo seine Reliquien aufbewahrt wurden. Eginhard († 840), Biograph Karls d. Gr., hat einen *rythmus* und ein Offizium zu Ehren der hl. Märtyrer Marcellin und Peter, Schutzheilige der Abtei Seligenstadt, komponiert. Dieses Offizium ist nur durch ein einziges Manuskript ohne Notation bekannt. Zwei weitere Offizien unbekannter Autoren sind durch ein Manuskript vom Anfang des 9. Jahrhunderts bezeugt: das Offizium von St. Benoit (siehe Dold in *Texte und Arbeiten*, XV–XVIII) und das Offizium von St. Emmeram (MHG, SS. rer. merov. IV, 524–526).

Das Offizium von St. Rémi, zum ersten Mal durch Godescalc von Orbais († 870) bezeugt, existierte gewiß am Anfang des 9. Jahrhunderts. Dieses Offizium ist wahrscheinlich gallikanischer Herkunft. Es hat sich in Frankreich und in Italien unter dem Einfluß des Papstes Leo IX., der 1049 nach Reims gekommen war (J. Hourlier, *Extension du culte de saint Rémy* in *Etudes grégoriennes* I, 1954, 121 ff.), ausgebreitet.

Wie andere im Verlaufe oder gegen Ende des 9. Jahrhunderts komponierte Offizien muß man das Offizium des hl. Otmar nennen, dessen Komposition vielleicht auf das Jahr 867 zurückgeht, das Jahr der Translation des Heiligen. Das Offizium, das sich in Hartkers Antiphonar findet, muß damals das erste gewesen sein, das für die musikalische Komposition eine fortschreitende Nummernordnung der Töne angewandt hat: 1. Antiphon, 1. Ton; 2. Antiphon, 2. Ton; 8. Antiphon, 8. Ton;

9. Antiphon, 1. Ton etc. Sollte diese Datierung nicht aufrechterhalten werden können, wäre Hucbald von St. Amand († 930) der erste gewesen, der dieses Verfahren für die Komposition des Offiziums *In plateis* für St. Peter benutzt hätte. Hucbald soll ebenfalls die Offizien für St. Thierry und für Ste. Cilinie komponiert haben. Aber die Melodien dieser Offizien sind uns nicht vollständig überliefert (R. Weakland, *The compositions of Hucbald* in: *Etudes grégoriennes* 3, 1959, 155—162).

Das älteste rhythmische Offizium soll dasjenige des Bischofs Etienne von Lüttich († 920), eines Zeitgenossen Hucbalds, für den hl. Lambert sein. Er wandte auch das Verfahren der fortschreitenden Numerierung der Töne in der Komposition von zwei anderen sehr berühmten Offizien an, dem Offizium der Trinität und dem Offizium der Translation des hl. Etienne (A. Auda, *Etienne de Liège*, 1923).

In den späteren Offizien — Prosaoffizien oder rhythmischen Offizien — wurde die Nummernfolge der Töne eine quasi unwandelbare Regel. Eine andere wichtige Beobachtung betrifft die Entwicklung regionaler Kompositionsschulen am Ende des 10. oder zu Beginn des 11. Jahrhunderts: normannische Schule (mit Isambert, der zu Unrecht als Autor des Offiziums des hl. Nikolaus gilt); Schule des Loiretals, mit Létald und Constantin von Micy; Schule von Chartres, mit Fulbert († 1029) und Angelram; aquitanische Schule, lothringische Schule, Lütticher Schule . . .

In Italien komponierte man auch eigene Offizien, aber sehr viel weniger als in Frankreich; in Deutschland mindestens seit dem 9. Jahrhundert. Außer dem schon erwähnten Offizium von St. Emmeram muß das Offizium des hl. Simeon (von Trier?) genannt werden, das Offizium des hl. Nikolaus, das von Reginold von Eichstätt (966—991) stammen soll, das Offizium des hl. Willibald, das Offizium der Hl. Eucharius, Valerius und Maternus (auf Bitte Egberts um 980 von Remigius von Mettlach komponiert), das alte Offizium der hl. Afra von Augsburg, das später ersetzt wurde durch das Offizium des Hermannus Contractus († 1054), das Offizium der elftausend Jungfrauen von Köln, das Offizium der sieben Märtyrer-Brüder etc.

Wenn man die deutschen Offizien mit den französischen vergleicht, stellt man eine gewisse Zahl von Unterschieden in der Komposition und im Stil fest, die diesen beiden Gruppen ausgeprägte Eigentümlichkeiten verleihen (P. Bayart, *Les offices de St. Winnoc et de St. Oswald* in *Annales du Comité flamand* 35, 1926, 22 ff.).

Die Eigentümlichkeiten dieser beiden Offiziengruppen sind nicht die einzigen Merkmale, die die Traditionen des Ostens und des Westens unterscheiden. Wenn man das Repertoire aufmerksam prüft, wird man feststellen, daß die Trennung Ost und West sich allenthalben wiederfindet.

Man nehme z. B. die *Alleluia*-Verzeichnisse der Sonntage nach Pfingsten: die deutschen Verzeichnisse beginnen mit *Domine Deus meus* und lassen sich leicht von den französischen oder den südländischen unterscheiden (*Deus judex* oder *In te Domine*; *Verba mea*). Ein Vergleich der neumatischen Varianten des Graduale läuft ebenfalls auf eine Klassifizierung der Manuskripte hinaus: eine östliche und eine westliche Gruppe, jede charakterisiert durch Gewohnheiten und Tendenzen, die übrigens nur auf Details beruhen. Z. B. schreiben die einen, um einen Einschnitt zu reintonieren, einen Torculus vor, die anderen eine Clivis. Man erinnere sich auch an die Frage des von P. Wagner entdeckten germanischen Choraldialekts in den diastematischen Manuskripten, d. h. die Neigung zur oberen Grenze des Halbtons, während man sich in den romanischen Ländern an die untere (E, H) hält. Diese Unterscheidung zweier Gruppen findet sich ebenfalls in den Varianten des Antiphonars und insbesondere in der Wahl der Responsoriumsverse.

Auf dem Gebiete der Prosen und Tropen schließlich sind zahlreiche Beobachtungen über die Unterschiede im Repertoire und in den Melodien gemacht worden, die St. Gallen und St. Martial voneinander trennen — ohne sie einander entgegenzustellen.

Es wäre Mißbrauch, diese Differenzen zwischen Ost und West zu übertreiben, denn sie beruhen nur auf minimalen Details. Die Basis selbst, das Gesamtrepertoire, ist das gleiche im Osten wie im Westen. Es hat Eigenentwicklungen des einen oder anderen Teils gegeben, gemäß der charakteristischen Neigung eines jeden Volkes — das eine mehr konservativ, das andere mehr den Neuerungen geöffnet.

In welcher Zeit hat diese Entwicklung in zwei leicht unterschiedliche Richtungen begonnen sich abzuzeichnen? Es ist schwierig, eine Antwort zu geben, obgleich eine Hypothese eine solche wohl zuließe. Sind die beobachteten Abweichungen nicht seit dem Zeitpunkt zutage getreten, in dem die von Karl d. Gr. stark konsolidierte Einheit des Karolingischen Imperiums begann, auseinanderzubröckeln? Am 14. Februar 842 trafen sich Karl der Kahle und Ludwig der Deutsche in Straßburg, um ihr Bündnis zu bekräftigen. Der eine sprach seinen Schwur in romanischer Sprache, der andere in altfränkischer. Im Jahre darauf zwingen sie Lothar die Teilung von Verdun auf, die die durch Thronbesteigung Karls des Kahlen — unter dem sich die zweite karolingische Renaissance der Wissenschaften und der Künste entfalten sollte — hinausgezögerte Reichsteilung vorbereitet.

Beginnt nicht seit diesem Zeitpunkt, in dem die Teilungen der Enkel Karls d. Gr. zersplittern, jedes Stück des großen Reiches sich nach seinem eigenen Schicksal zu entwickeln? Welches auch die Gründe für die beobachteten Unterschiede sein mögen: es steht fest, daß die Entwicklung und die Entfaltung der mittelalterlichen Musik hervorgegangen ist aus dem in allen Kirchen des Reiches Karls d. Gr. eingepflanzten und genährten Keim: aus dem römisch-fränkischen Gesang.

Michel Huglo

Der Cantus Romanus im Mittelalter

Der *cantus romanus*, d. h. der liturgische Gesang der römischen Kirche ist in seiner mittelalterlichen Entwicklung aufs engste mit den liturgischen Austauschbeziehungen der römischen Mutterkirche mit der fränkischen Reichskirche verbunden. Man hat in der Begegnung des römischen Kirchengesangs mit der Musikpraxis der nördlichen Völker eines der folgenreichsten Ereignisse erkannt.

Für die noch jungen, erst in die Geschichte eingetretenen Völker des Nordens bedeutete die Annahme des gottesdienstlichen Gesangs der römischen Kirche den Beginn einer neuen Musikkultur. Es ist dadurch keineswegs die Musikpraxis dieser Völker unterdrückt worden, aber es erfolgte aus dieser Begegnung ein Anstoß zu Neuem, bisher noch nicht Bekanntem. Beide Musikkulturen haben einander so reichlich gespendet, daß wir uns heute die abendländische Musikkultur und ihren vielhundertjährigen Werdeprozeß nicht mehr anders vorstellen können. Neben die einheimische Musik der nach dem Süden drängenden Völker trat von Anfang an eine in sich geschlossene, auf einem System von Regeln aufgebaute und alle Tage des Kirchenjahres umspannende Kunst. Sie erhob sogar den Anspruch auf pflichtmäßiges Erlernen und praktische Ausübung nicht nur für die Priester und Mönche, sondern für alle, die sich überhaupt eine höhere Bildung erwerben wollten. Aus dem Gegensatz zur einheimischen Musikauffassung wurde die musikalische Denkarbeit geweckt oder sogar geschärft. Die mehr und mehr wachsende Vertrautheit mit den kirchlichen Gesängen befruchtete die teilweise noch schlummernden künstlerischen Anlagen zu neuen, von der bisherigen Übung aus nicht erreichbaren Leistungen. Die gesamte abendländische Christenheit hat sich so die gleichen wesentlichen Grundlagen zu weiterer musikalischer Entfaltung geschaffen.

Trotz aller volkstumsbedingten Eigenarten blieb die abendländische Welt in allem geeint, was für eine fortschrittliche, neuen Zielen entgegenführende Entwicklung notwendige Voraussetzung sein mußte. Offensichtlich war der gottesdienstliche Gesang der römischen Kirche von Natur aus dazu veranlagt, nicht durch den Zwang einer fremden Musikpraxis geschädigt zu werden. Die nördlichen Völker jedoch und ihre Musikauffassung waren offenbar weit davon entfernt, durch den von der Liturgie auferlegten Zwang sich benachteiligt zu fühlen. Sie haben denn auch sehr bald durch die südliche Einstimmigkeit hindurch den Weg zu einer entwicklungsfähigen Mehrstimmigkeit gefunden. Die vorderasiatischen östlichen christlichen Liturgien der alten Patriarchate haben diesen Weg nicht beschritten. Sie sind bei ihrer grundsätzlichen Einstimmigkeit geblieben. Erst sehr spät haben sie Formen westlicher Mehrstimmigkeit in ihre Liturgie einbezogen.

An den geistlichen und weltlichen Zentren des karolingischen Reiches hat die Beschäftigung mit der musikalischen Kunst der Kirche zusammen mit dem durch Boethius dem Mittelalter vermittelten theoretischen Wissen der Antike eine musikalische Literatur ins Leben gerufen und wissenschaftliche Bestrebungen geweckt. Es sind Leistungen entstanden, die wenigstens seit Aurelian von Réomé (9. Jh.) bereits im Geiste der aufkommenden Scholastik die gesamte Musikauffassung des Mittelalters wesentlich bestimmt haben.

Aus der Frühzeit der gottesdienstlichen Musik des Abendlandes wissen wir sehr wenig. Erst seit der Mitte des 8. Jahrhunderts sprechen die Quellen deutlicher.

Aber wir wissen, daß seit etwa 600 einzelne fränkische Bischöfe und Äbte, Mönche, Pilger, Laien und Kleriker in Rom die Liturgie bewundern und sich von dem Wunsch gedrängt fühlen, diese Liturgie auch in der Heimat begehen zu können. Diese Pilger aus dem Norden haben deshalb, soweit es möglich war, auch liturgische Bücher mit in die Heimat genommen, häufig unter großen materiellen Opfern. Zu dieser Zeit gab es in Rom noch keinen Anspruch auf zentrale Führung in Liturgiefragen. Rom widersetzt sich noch nicht der regionalen Unterschiedlichkeit in der Ordnung der Liturgie. So ist die Durchdringung der nördlich gelegenen Gebiete mit römischen Liturgiebräuchen noch eine Sache privater Initiative. Quellen über diese Beziehungen vor der Mitte des 8. Jahrhunderts bilden die liturgischen Texte selbst, ferner hagiographische Berichte, Papstbriefe, Konzilsbeschlüsse und annalistische Mitteilungen. Da in Rom liturgische Bücher auch in dieser Frühzeit schon immer Mangelware bedeuteten, blieb den fränkischen Pilgern oft nur die Möglichkeit, sich ein Buch abschreiben zu lassen. Papst Martin I. (649–653) schrieb in einem Brief an Amandus, den Apostel Flanderns, daß er überhaupt nur noch Reliquien schicken könne; denn die Bücher seien vollständig ausgegangen (codices iam exinaniti sunt a bibliotheca nostra). Noch oft sollte dieser römische Büchermangel empfindlich verspürt werden.

751 wurde Pippin König der Franken. In der Ordnung des Gottesdienstes begann ein neuer, wichtiger Abschnitt. Jetzt entschied der König selbst, wie in seinem Herrschaftsbereich der Gottesdienst gefeiert werden sollte. Die Absicht des Königs hatte zur Folge, daß für mindestens zweihundert Jahre die Ordnung und der Ausbau der kirchlichen Liturgie vom Frankenreich aus bestimmt wurden. Pippins Tat war keineswegs überraschend. Bereits drei Jahrzehnte zuvor hatte Bonifatius († 754) rastlos an der engeren Verbindung zwischen der fränkischen und römischen Kirche gearbeitet. Ohne Zweifel waren seine Anstrengungen auch der nachdrücklichen Stärkung und Verbreitung jener liturgischen Romanisierungstendenzen gewidmet, die seit dem 7. Jahrhundert im Frankenreich aufgekeimt waren.

Die entscheidende Wende brachten die Ereignisse von 753/55. Damals weilte Papst Stephan II. im Frankenreich. Chrodegang von Metz, der bischöfliche Verwandte des Königs, hatte den Papst in sicherem Geleit von Rom ins Frankenreich gebracht. Papst Stephan und König Pippin verpflichteten sich zu gegenseitiger Hilfe.

Dem König schien es ohne Zweifel ratsam, die Geschlossenheit des Reiches in einer einheitlichen gottesdienstlichen Ordnung zum Ausdruck zu bringen. Es war deshalb ein kühner Entschluß des Herrschers, die römische Liturgie öffentlich zu empfehlen und die Romanisierung der bis dahin noch bodenständigen Liturgie zu fördern. Die unmittelbare Verbindung mit der römischen Kirche schien die Machtstellung des fränkischen Königtums durch die Niederlegung der bisherigen gottesdienstlichen Schranken nur zu fördern. Die einheimischen Gottesdienstordnungen waren zwar auch lateinisch, aber eben nicht stadtrömisch. Der Ausbau einer neuen römisch-fränkischen Liturgie hatte so seinen Anfang genommen. Die Annahme des stadtrömischen Ritus bedeutete gleichzeitig auch die Übernahme des entsprechenden gottesdienstlichen Gesangs.

In den Bestimmungen, die die Einführung der neuen Ordnung betreffen, wird immer wieder betont, daß der Klerus den *cantus romanus* erlernen und ordnungsgemäß singen soll. Man hat daraus geschlossen, daß die Übernahme der römischen Singweise der eigentliche Kern der Reform sei. Zwar bedeutet *cantus* zweifellos in erster Linie etwas Gesungenes. Aber ob es den Franken nur um die musikalische Form des Gottesdienstes ging, scheint doch sehr fraglich. Dennoch ist die musikalische Seite nicht zu umgehen.

Zur Charakterisierung der Reform Pippins ist zu beachten, daß die Quellentexte häufig Wendungen wie *cantus romanus*, *cantilena* oder *ordo psallendi* benützen. Es bleibt indes doch die Frage, ob das übliche moderne Verständnis dieser Begriffe genügt. In der Literatur läßt sich nachweisen, daß die Begriffe *cantus* und *cantilena* auch die Bedeutung von „vortragen" haben können. So ist z. B. im klassischen Latein *cantare* Äquivalent von *laudare* und *praedicare* (bei Horaz, Virgil, Ovid und Cicero, Ep. ad. Quintum). Im Mittelalter hatte *cantare* die Bedeutung von *recitare* (Beda, Remigius von Autun und Wilhelm von Hirsau).

Karl der Große beruft sich bei seinen Bestimmungen über die Ordnung der Liturgie jeweils auf die Absichten und das Beispiel seines Vaters Pippin.

So erinnert er in der *Admonitio generalis* (23. 3. 789) an die Abschaffung des gallikanischen Gesangs *(genitor noster Pippinus rex . . . quando Gallicanum [cantum] tulit ob unanimitatem apostolice sedis*; MG Capit. reg. Francorum I 61). Im *Capitulare de imaginibus* (791) forderte er Gehorsam gegenüber Papst Hadrian I. in liturgischen Fragen *(genitoris nostri . . . viri Pippini regis cura et industria sive adventu in Gallias reverendissimi et sanctissimi viri Stephani, romanae urbis antistitis, [nostra ecclesia] est ei [Romanae ecclesiae] etiam in psallendi ordine copulata . . .*; Libri Carolini. *Capitulare de imaginibus* I 6; MG Concilia II, Supplementum (1924) 21; PL 98,1021 C). In der *Epistola generalis* (786–800) finden wir dieselben Gedankengänge *(Accensi . . . genitoris nostri exemplis, qui totas Galliarum ecclesias romanae traditionis suo studio cantibus decoravit, nos nihilominus solerti easdem curamus intuitu praecipuarum insignire serie lectionum*; MG Capit. reg. Francorum I 80). Zu diesen Zeugnissen kommen noch andere hinzu. Auch Walafrid Strabo († 849) schreibt die Einführung der *cantilena Romana* dem Vater Karls des Großen zu *(Cantilenae vero perfectiorem scientiam, quam iam pene tota Francia diligit, Stephanus papa, cum ad Pippinum patrem Karoli Magni imperatoris in Franciam . . . venisset, per suos clericos petente eodem Pippino invexit, indeque usus eius longe lateque convaluit*; Liber de exordiis et incrementis c. 26; MG Capit. II 508). Karl der Kahle (875–877) kommt in einem Brief an den Klerus von Ravenna auf die unterschiedliche Liturgieordnung zu sprechen *(Nam usque ad tempora abavi nostri Pippini Gallicanae et Hispanicae ecclesiae aliter quam Romana vel Mediolanensis ecclesia divina officia celebrabant; Ad clerum Ravennatem;* Mansi, *Concilia* XVIII B 730). In der Chronik von Moissac (zum Jahre 802) wird bemerkt, daß Karl der Große allen Bischöfen seines Reiches befohlen habe, nach römischer Ordnung den Gottesdienst zu feiern (*Mandavit autem, ut unusquisque episcopus in omni regno vel imperio suo ipsi cum presbyteris suis officium, sicut psallit ecclesia Romana, facerent;* PL 98, 1429 A).

Die altgallische Liturgie umfaßte jenes liturgische Sonderbrauchtum, das wir, abgesehen von einem Lektionar aus Wolfenbüttel (dem wohl ältesten Liturgiebuch der lateinischen Kirche [5. Jh.]), im gallisch-merovingischen Raum im 6./7. Jahrhundert antreffen. Diese altgallische Liturgieordnung trug durchaus westliche Prägung, aber es hatten sich in ihrem Spätzustand doch manche östliche Einflüsse bemerkbar gemacht. Über das Ausmaß der byzantinischen Einflüsse gehen die Meinungen auseinander. Auf diesem Hintergrund bedeutete die Romanisierung, d. h. die Abschaffung dieser Ordnung zugleich auch eine Sicherung für den Westen, zumal von Byzanz her immer politische Rechte über den Westen geltend gemacht wurden.

Bei der Einführung der römischen Ordnung kommt dem Bischof Chrodegang von Metz (742—766) ein entscheidender Anteil zu.

Paulus Diaconus (730—799) berichtet über ihn in den *Gesta episcoporum Mettensium* und rühmt Verdienste um die Ausbildung des fränkischen Klerus (*Ipsumque clerum abundanter lege divina Romanaque imbutum cantilena, morem atque ordinem Romanae ecclesiae servare praecepit, quod usque ad id tempus in Mettensi ecclesia factum minime fuit;* MG SS II 268). Die Verdrängung der altgallischen Liturgie durch die römische nach 753 ist ohne Zweifel durch Chrodegang und die von ihm begründete *Schola Mettensis* gefördert worden. Durch diesen Prozeß ist auch altgallisches Liturgiegut in die neue, römisch-fränkische Liturgie eingegangen.

Chrodegang schuf für die Kleriker in Anlehnung an die *Regula monasteriorum* eine Regel. Sie wurde auf der Synode zu Aachen (816) allen Klerikergemeinschaften im Frankenreich zur Pflicht gemacht. Im 11. Jahrhundert haben die Regeln der Augustinerchorherren und der Prämonstratenser an die Kanonikerregel Chrodegangs angeknüpft. Chrodegang ist auch der Verfasser einer alten Stationsliste für die Metzer Kirche nach römischem Vorbild.

Schon bald nach Chrodegangs Tod kamen die gesanglichen Leistungen der *Schola Mettensis* denen der römischen *Schola cantorum* gleich. Ein Schüler des Alkuin und sein späterer Nachfolger als Abt von Ferrières, der Angelsachse Sigulf, hatte in Rom seine liturgischen Studien absolviert und ging zur Vollendung seiner gesanglichen Ausbildung zwischen 760 und 770 nach Metz (*Vita Alcuini;* MG SS XV 1, 189). Der römische Diakon Johannes († 882) berichtet, daß unter Papst Hadrian I. (772—795) Karl der Große zwei fränkische Sänger in Rom habe ausbilden lassen (*Quibus tandem satis eleganter instructis, Metensem metropolim ad suavitatem modulationis pristinae revocavit et per illam totam Galliam suam correxit; Vita Gregorii Magni* II 9; PL 75, 91 C).

Der Metzer Gesang ist für das Frankenreich vorbildlich geworden. In keiner anderen Schule gab es so viele berühmte Namen. Auch nach dem Tode des Kaisers Karl behielt Metz die Führung. Ihre Lehrer — unter ihnen als Leiter Rotland und die Sänger Warimbert und Bernaker — führten im 11. Jahrhundert die alte Tradition fort. In Theoger von Metz hatte sie im 11. Jahrhundert einen bedeutenden Theoretiker gefunden. Es ist möglich, daß auch der spätere Bischof Stephan von Lüttich (903—920) aus der Metzer Schule kommt. Er hat sich als Bischof musikalisch schöpferisch betätigt und gilt als Verfasser des Dreifaltigkeits-Offiziums und des dem Erzbischof Hermann von Köln gewidmeten Lambertus-Offiziums. Möglicherweise sind in der Metzer Schule auch noch andere Offizien entstanden. Man hat etwa fünf Offizien zusammengestellt: 1. Das bereits erwähnte Dreifaltigkeits-Offizium; 2. das Stephanus-Offizium; 3. das Johannes-Offizium; 4. das vermutlich von Hucbald verfaßte Offizium: *In plateis ponebantur;* 5. das Marien-Offizium: *Ecce tu pulchra.* Vier dieser Offizien haben eine Beziehung zu einem Metzer Heiligtum. Über Metz und Stephan von Lüttich hat uns Sigebert von Gembloux († 1112) manche Mitteilung hinterlassen (MG SS IV 478; PL 160, 573 C—574 A).

In die Zeit der großen Blüte der Metzer Schule fällt auch die Tätigkeit Amalars. Er ist der Liturgiker seiner Zeit. Sein Antiphonar ist zwischen 831 und 835 entstanden. Wir kennen den Aufbau des Antiphonars nur durch den Prolog und durch den als Verteidigung gedachten und um 840 entstandenen *Liber de ordine antiphonarii* (Ed. Hanssens I 74 ff; 361—363; III 13—109).

Im Auftrag Kaiser Ludwigs des Frommen reiste Amalar 831/32 nach Rom zu Papst Gregor IV., um den römischen Usus an der Quelle kennenzulernen. Der Papst konnte ihm jedoch kein Antiphonar für die Metzer Kirche mitgeben. Amalar ließ sich durch den römischen Archidiakon Theodor über Einzelheiten der römischen Ordnung unterweisen und kehrte wieder ins Frankenreich zurück, um Abt Wala von Corbie aufzusuchen, der zur Zeit des Papstes Eugen II.

(824–827) in Rom ein Antiphonar für das Stundengebet in vier Bänden erhalten hatte. Die Kompilation des Antiphonars, die Amalar zusammenstellte, ist so angelegt, daß das in seinem Kern Chrodegangsche Metzer Antiphonar durch neuere Antiphonen und Responsorien ergänzt wurde. Besondere Aufmerksamkeit widmete Amalar den Texten der Responsoriumsverse. Eine Eigentümlichkeit des fränkischen Usus war außerdem, daß nach dem Vers des Responsoriums das Responsorium nur teilweise wiederholt wurde. Es ergaben sich daraus öfter unlogische Textverbindungen. In Agobard von Lyon und dessen Streitschrift *De correctione antiphonarii* (PL 104, 329–340) entstand für Amalar scharfe Kritik, vor allem, weil er zahlreiche nicht aus der Heiligen Schrift stammende Texte aufgenommen habe. Amalar starb um 852 in Metz. Die melodische Fassung der Gesänge des Stundengebets blieb durch Amalars Antiphonar-Kompilation unberührt. Weder seine eigenen Schriften noch die seiner Gegner sprechen davon, daß die Gesänge durch Textänderungen in Mitleidenschaft gezogen wurden. Die responsoriale Psalmodie bestand überdies aus Formeln, die sich jedem beliebigen Text anpassen konnten.

Während die kirchlichen Reformbestrebungen im Gange sind, ist in Rom — es war seit dem 7. Jahrhundert schon immer so — ein erschreckender Büchermangel zu beobachten. Nichts hätte der neuen Entwicklung dienlicher sein können, als wenn für die Ordnung der Liturgie geeignete Vorlagen vorhanden gewesen wären. Bis zur Mitte des 8. Jahrhunderts sind im Frankenreich und in Italien nur wenige namhafte Schreibschulen bekannt: außer Luxeuil und Bobbio kann man etwa Corbie, Tours, Verona und vielleicht Reims erwähnen. Seit Karl der Große immer eindringlicher und mit steigenden Forderungen seinen Willen an Bischöfe und Äbte kundtat, vervielfachten sich die Skriptorien.

Die Hofschule selbst ging mit dem besten Beispiel voran. In einer ungewöhnlichen Dichte entstanden vor allem in der Landschaft nördlich von Paris und an der unteren Seine zahlreiche Klöster. Sie wurden alle von den Normannen heimgesucht, so daß nur wenige *Codices* erhalten geblieben sind. Das *Scriptorium* der Abtei Saint-Riquier, die unter Angilbert (†814) eine reiche Bibliothek erhielt, ist heute nur noch in einer einzigen Handschrift aus dieser Zeit zu erkennen. Aber ein Bibliothekskatalog, der unter Helisachar um 831 zusammengestellt wurde, gewährt einigen Einblick. Neben gregorianischen und gelasianischen Missales des 8. Jahrhunderts werden auch sechs Antiphonarien genannt. Es scheint sich dabei um Meßantiphonarien zu handeln, möglicherweise auch um solche für das Stundengebet. Die Bücher sind bereits von Alkuin überarbeitet (G. Becker, Catalogi bibliothecarum antiqui [1884] 28). Über Bücherschenkungen und Bücheranschaffungen im 8. und 9. Jahrhundert erfahren wir aus den *Gesta sanctorum Patrum Fontanellensis coenobii* (heute Saint-Wandrille-Fontenelle). Ein unbekannter Mönch aus Fontenelle hat um 834 bis 845, wahrscheinlich auf Geheiß des Abtes Fulco (834–845), die *Gesta* geschrieben (MG SS II 270–304). Das *Scriptorium* der Abtei nahm einen solchen Aufschwung, daß Abt Widolaich (753–787) der Kirche von Tours ein Antiphonar schenken konnte. Im Schenkungsverzeichnis des Abtes Ansegisus (823–833) werden Gegenstände aufgezählt, die ausdrücklich nach römischem Vorbild angeschafft oder nachgeahmt wurden. Bereits in der zweiten Hälfte des 8. Jahrhunderts war nämlich die römische Liturgie in der Abtei Fontenelle eingeführt worden. Das kann kaum überraschen, wenn man die nahen Beziehungen der Abtei zum Hof kennt. Der als Schreiber berühmte Priester Harduin (†811) hat Abschriften gefertigt von Sakramentaren, Lektionaren, Psalterien, Hymnarien und Antiphonarien (*sacramentoria volumina tria, lectionarium volumen unum, item lectiones evangelii volumen unum, psalterium cum canticis ac himnis Ambrosianis ac terminis paschalibus volumen unum, antiphonarium Romanae ecclesiae volumen unum*). Von Abt Ansegisus heißt es: Er ließ ein wertvolles Lektionar auf Purpurpergament mit Elfenbeindeckel herstellen; ebenso ein Antiphonar aus Purpurpergament mit silbernen Buchstaben und Elfenbeindeckel (*Lectionarium etiam in membrano purpureo similiter scribere iussit, decoratum tabulis eburneis, antiphonarium similiter in membrano purpureo argenteis scriptum litteris ornatumque tabulis eburneis*). Ansegisus konnte der Abtei St. Germer-de-Fly (Dep. Oise) *sacramentaria in codicibus duobus* schenken. Die Quelle berichtet ferner über Abt Gervold (787 bis 806), daß er das Volk versammelt habe und es im Volksgesang unterwies, soweit er Zeit dazu fand (*De diversis locis plurimum Christi gregem aggregavit optimisque cantilenae sonis, quantum ordo temporis sinebat, edocuit*). Um 862 ist Fontenelle von den Normannen zerstört worden. Es teilte das Los mit dem benachbarten Gimedia (Jumièges). Als Abt Gervold vom Hof Karls des Großen nach Fontenelle kam, waren viele Mönche noch des Lesens und Schreibens unkundig. Aber Gervold schuf eine Schreibschule und der Priester Harduin führte die Mönche in die Kunst des Schreibens ein. Harduin schrieb viele Bücher selbst „*proprio sudore*". Der universal gebildete Abt Ansegisus hatte seine Anregungen ebenfalls am Hof empfangen. Er war der Erbauer der Bibliothek und des Archivs. Daß in Fontenelle die Musik gepflegt wurde, geht aus den Mitteilungen der Gesta hervor. Von Abt Wando (†747) wissen wir, daß er Prozessionsgesänge eingeführt hat.

Die Nachrichten aus Fontenelle finden auch auf andere Weise eine Bestätigung. Seit der Mitte des 8. Jahrhunderts, wenn nicht schon etwas früher, hat es Bücher für den gesungenen Gottesdienst gegeben. Notenzeichen sind allerdings noch nicht eingetragen worden. Wertvolle Zeugen ältester fränkischer Überlieferung sind folgende Handschriften:

1. *Antiphonale Blandiniense.* Brüssel, Bibl. Royale, cod. lat. 10127–10144. Provenienz: Gegend von Lüttich; geschrieben um 800. Im 13. Jahrhundert befand sich die Handschrift in der Abtei Blandinienberg (Mont-Blandin) bei Gent. Zu ihrem ursprünglichen Inhalt sind noch eine gewisse Anzahl Feste hinzugekommen, die sonst nur in

den *Gelasiana* des 8. Jahrhunderts auftreten. Es fehlt in der Handschrift der hexametrische Prolog: *Gregorius praesul*, der seit dem 9. Jahrhundert in manchen Handschriften dem *Introitus: Ad te levavi* vorausgeht. Man nimmt an, daß der Prolog unter Papst Hadrian I. (772–795) verfaßt wurde. Der einleitende Titel des Meßantiphonars von Blandinienberg lautet: *In dei nomen incipit antifonarius ordinatus a sancto Gregorio per circulum anni. Antiphona: Ad te levavi.*

2. *Antiphonale Compendiense.* Paris, BN lat. 17 436; Ende 9. Jh. Provenienz: aus Compiègne. Die Handschrift enthält das Antiphonar für die Messe und das Stundengebet. PL 78, 725–850.

3. *Antiphonale Corbeiense.* Paris, BN lat. 12 050, um 900. Die Handschrift enthält auch das Sakramentar des Rodrad von etwa 853. Möglicherweise ist die Vereinigung der beiden Teile nur zufällig.

4. *Antiphonale Rhenaugiense.* Zürich, ZB., Rheinau 30, um 800. Provenienz: Gallien.
Vielleicht ist die Schreiberhand dieselbe wie im *Sacramentarium Gelasianum Rhenaugiense* aus dem 8. Jahrhundert.

5. *Antiphonale Silvanectense.* Paris, Bibl. St. Geneviève 111. Provenienz: St. Denis; die Handschrift ist ursprünglich für die Kathedrale von Senlis geschrieben, etwa um 800.

6. *Cantatorium Modoetinense.* Kapitelsbibliothek Monza/Oberitalien. 9. Jh. In der Handschrift befinden sich nur Texte zu den Sologesängen (*Graduale, Alleluia* mit Vers, *Tractus*) der Messe. Obwohl die Handschrift fränkisch ist, scheint sie einen römischen Urbestand zu enthalten.

Die Texte der sechs Meßantiphonare sind von R. J. Hesbert, Antiphonale missarum sextuplex (1935), veröffentlicht. Die Handschriften enthalten nur die Texte der Gregorianischen Gesänge.

Zu diesen neumenlosen Quellen des liturgischen Gesangstextes gesellen sich — erreichbar seit dem späten 8. Jahrhundert — die Tonare. Diese musikalischen Handbücher ordnen die Gesänge nach Tonarten und Differenzen. Als bisher älteste Quelle gilt der im späten 8. Jahrhundert geschriebene Tonar von Saint-Riquier (Paris, BN lat. 13159, Fragment, ediert von M. Huglo).

Dieser Tonar umfaßt nur eine kleine Zahl von Gesängen. Der um 870 nach einer Vorlage aus der Zeit zwischen 817 und 835 angefertigte Tonar von Metz (Bibl. Munic. ms. 351; vgl. W. Lipphardt, Der karolingische Tonar von Metz, 1965) enthält einen Meßtonar und einen Offiziumstonar. Der Metzer Tonar läßt den Blick auf Vorgänge der Choralgeschichte mehrere Jahrzehnte vor seiner Niederschrift zu. Er umfaßt das Repertoire eines Tonars und Antiphonars vor 830 und ist so die älteste umfassende Quelle des Gregorianischen Gesangs aus so früher Zeit.

Man hat die Tonare, die zeitlich jünger sind, in zwei Gruppen eingeteilt: in Kurztonare und Volltonare. Kurz-Tonare haben ihre Bedeutung im Schulunterricht. Die Voll-Tonare dienen der Gesangspraxis und haben Bedeutung für die Zeit, als es noch keine Neumenhandschriften gab. Der erste Voll-Tonar wurde von Regino von Prüm um 900 verfaßt. Regino beklagte in *De harmonica institutione*, daß ein Teil der Antiphonen in einer Tonart beginne, in eine zweite übergehe, um sogar noch in einer dritten zu schließen. Damit scheint Regino bereits die Einheit der Tonart für die Gesangsstücke zu fordern.

Die Melodien werden unter Bezugnahme auf eine einheitliche Tonart betrachtet. So werden sie auch im Tonar geordnet. Sehr oft ergab sich ein tonartlicher Wechsel der Gesänge, damit eine einheitliche Modalität herbeigeführt werden konnte. Die Verschiedenheit in der Auffassung der jeweiligen Tonart zeigt sich auch in späteren Tonaren. Die Rücksicht auf die Finalis und die Differenzen bedingen die Festlegung der Melodie in Tonstufen und führen zur Ordnung im Tonar. *„So unterschiedlich die frühen Tonare in ihren Ordnungsprinzipien sind, wesentlich erscheint die Tatsache, daß hier eine lediglich auf Tonstufen aufgebaute Ordnung der melodischen Linie ohne Berücksichtigung ihrer ursprünglichen Modellbindungen vorliegt"* (K. G. Fellerer, Deutsche Gregorianik im Frankenreich, 1941, 85).

Um 1000 wird der Reichenauer Tonar (Bamberg, St.B., lit. 5) datiert, der die Gesänge in alphabetischer Reihe ordnet. Dieser Ordnung haben sich auch andere süddeutsche Tonare angeschlossen. Der Tonar Bernos von Reichenau um 1020 ist nicht ohne Einfluß auf weitere Tonare geblieben. Auch der Rekluse Hartker von St. Gallen hat in seinem Antiphonar um 1000 einen Tonar zusammengestellt. Der bedeutendste, aber nicht vollständige Voll-Tonar französischer Herkunft befindet sich in einem Graduale aus Südfrankreich um 1070 (Paris, BN lat. 776). Der Tonar von Toulouse steht in einem Graduale des 11. Jahrhunderts (London, Br. Mus., ms. Harl. 4951). Im Umkreis von Limoges läßt sich eine weitere Gruppe von Tonaren festlegen. Odorannus von St. Pierre-le-Vif bei Sens verfaßte um 1040 einen kurzen Traktat mit einem Tonar (Rom, BVat Reg. 577). Zu St. Bènigne in Dijon entstand um 1050 der *bilingue* Tonar mit Neumen und Buchstabennotation (Montpellier, *Faculté de Médecine* H 159), der die Gesänge des Graduale nach Tonarten ordnet. Dieser Tonar diente ursprünglich nur dem Unterricht. In der von ihm gebrauchten Tonschrift, innerhalb der von a–p (Tonhöhe A–aa) reichenden Tonbuchstabenreihe, erscheinen an den Halbtonstufen die bekannten fünf eckigen Zeichen, die nach einer nicht unbestritten gebliebenen Meinung Vierteltonstufen ausdrücken sollen. In Italien und Spanien sind nur wenige Tonare überliefert. Einen vollständigen Tonar enthält die Handschrift Q 318 aus Montecassino (möglicherweise aus Benevent; 11. Jh.). Das Interesse an den Tonaren hörte auf, als die Neumenschrift im Liniensystem sich durchgesetzt hatte. Nur für den theoretischen Unterricht der Schule behielten die

Kurz-Tonare noch lange ihre Gültigkeit. Mit Hilfe von Memorialversen hat man im Musikunterricht die Tonarten verständlich zu machen gesucht. Die offenbar byzantinischen Intonationsformeln (*Noenoeane* und *Noeagis*), die sich in den ältesten Tonaren (Reichenau u. a.) finden, wurden seit dem 11. Jahrhundert durch Melodiemodelle in Form kleiner Antiphonen überliefert, wie z. B. *Primum quaerite regnum dei* usw. bis *Octo sunt beatitudines*. Man hat auch andere Texte dafür ausgewählt. Das am Schluß dieser Gesangsformeln stehende *Neuma* hatte die Aufgabe, die Tonart und ihre Eigenart vorzustellen. Die Bedeutung der Tonare im Rahmen der mittelalterlichen Entwicklung der Gregorianischen Gesänge besteht darin, daß vor allem der Wechsel der Modalität sehr früh erkannt werden kann.

Der *cantus romanus* ist sicher nicht ohne Zusammenhang mit der Entwicklung und Ausbildung des Sakramentars überliefert worden.

Man hat diesem Gesichtspunkt in der Musikwissenschaft bisher noch wenig Aufmerksamkeit geschenkt. Zwar ist das Sakramentar ein Liturgiebuch, das nur die zur Feier der Liturgie notwendigen Priestergebete enthält, aber im Laufe der Zeit haben die Sakramentare auch das Antiphonar berücksichtigt. Man hat seit vielen Jahrzehnten die geschichtliche Entwicklung der Sakramentare verfolgt und durch immer neue, wenn auch oft sehr fragmentarische Funde, erhellen können. Viele Dokumente, die aufschlußreich wären, sind der Ungunst der Zeiten zum Opfer gefallen. Bis zum 7. Jahrhundert fehlen eigentliche Meßbücher vollständig. Seit dem 8. Jahrhundert werden die Denkmäler zahlreicher. Wertvollere Handschriften sind auf Grund ihrer vornehmen Ausstattung häufiger erhalten geblieben als die große Menge der für den alltäglichen Gebrauch bestimmten Bücher.

Ein Sakramentar-Typ ist eine mehr oder weniger vollständige Redaktion eines Sakramentars. Einige Redaktoren lassen sich feststellen wie z. B. Papst Gregor der Große oder der karolingische Hoftheologe Alkuin. In vielen Fällen kann der Redaktor nur vermutungsweise erschlossen werden. Erst späte Quellen des 8. Jahrhunderts bezeugen uns Gregor den Großen als Redaktor eines Sakramentars, das man gewöhnlich Gregorianum nennt. Die Redaktion eines Sakramentars war zunächst die Aufgabe des Bischofs selbst. Die einzelnen Typen haben sich an ihren Entstehungsorten rascher abgelöst als in Gegenden, wohin sie übernommen wurden. Hier wurden sie oft weit über die Zeit hinaus in der ursprünglichen Form beibehalten. Das Gelasianum entstand in Ravenna um das Jahr 550 und wurde noch in der Mitte des 8. Jahrhunderts in Nordfrankreich abgeschrieben. In Ravenna war aber unterdessen längst das Gregorianum im Gebrauch.

Die Entwicklung der Sakramentartypen geht weithin zusammen mit der Geschichte der Lektionare und mit dem Antiphonar der Messe, das ja jeweils auch den neuesten Stand einnehmen mußte. Man nimmt heute an, daß Papst Gregor der Große zu Beginn seines Pontifikats im Jahre 592 (oder 595) einen nur für die Stationsgottesdienste in Rom eingerichteten Liber Sacramentorum — das Gregorianum — zusammengestellt hat. Dieses stadtrömische Liturgiebuch hat sich seit dem 7. Jahrhundert mehr und mehr durchgesetzt und das Gelasianum verdrängt. Für die Bedürfnisse der gewöhnlichen Pfarrkirche reichte das Gregorianum nicht aus. Auf diese Weise entstanden die sogenannten Mischsakramentare, von denen die in Oberitalien aufgekommenen Vertreter der sogenannten Jung-Gelasiana bis nach Gallien hin weiteste Verbreitung gefunden haben. Aus den mittelitalienischen Mischsakramentaren sind sehr früh die Plenarmissalien (Voll-Missalien) entstanden. In ihnen können wir die eigentliche römische Pfarrliturgie am reinsten erkennen. Das bis jetzt älteste Fragment eines Plenarmissale befindet sich in der römischen Sammelhandschrift (BVat. lat. 10 644). Nach Lowe (Codices antiquiores latini I Nr. 56) stammen diese Fragmente noch aus dem 8. Jahrhundert. Die Gesangstexte haben keine Neumen; sie sind in kleinerer Textschrift als die Orationen und Lesungen eingetragen. Die Bedeutung dieses Fragments liegt darin, daß wir in Mittelitalien im 8. Jahrhundert bereits Voll-Missalien mit den Gesangstexten finden, zu einer Zeit als Karl der Große von Papst Hadrian I. ein authentisches Exemplar des Gregorianum (= Hadrianum) erhielt.

Die Entwicklung zum Voll-Missale hat in den Ländern nördlich der Alpen erst 500 Jahre später eingesetzt. Auf kaiserlichen Wunsch sollte jedoch das stadtrömische Gregorianum im ganzen Herrschaftsbereich eingeführt werden. Da das stadtrömische Sakramentar sich als völlig unzureichend erwies, mußten durch Alkuin eine Umredaktion auf Grund der Jung-Gelasiana des 8. Jahrhunderts erfolgen und fehlende Texte ergänzt werden. Das war aber schon der Augenblick, in dem die Bewegung in den gottesdienstlichen Fragen rückläufig wird. Der Einfluß des Nordens wird spürbar. Die Franken bringen ihre neuen Liturgiebücher nach Rom. Diese Liturgie ist nun nicht mehr die eigentlich römische, sondern eine römisch-fränkische. Die Mischliturgie hat sich progressiv durchgesetzt. Erst im 11. Jahrhundert übernimmt Rom unter Papst Gregor VII. (1073–1085) wieder selbst die Führung. Die weitere Geschichte des römischen Missale wird erneut von Rom bestimmt.

Das Missale Romanum des 13. Jahrhunderts ist in einer Handschrift aus Avignon (Bibl. Munic. cod. 100) vertreten in Rom durch BVat. Ottob. lat. 356. Die Missalien der römischen Kurie des 14., 15. und 16. Jahrhunderts enthalten im allgemeinen die römisch-fränkische Liturgie. Die Editio princeps des neueren Missale ist das Missale von 1474. Die historische Leistung der römisch-fränkischen Austauschbeziehungen war nach dem Ausweis der Überlieferung nicht eine vollständige Umgestaltung der römischen Liturgie im fränkischen Sinne, sondern vielmehr neben einer ungemein starken Bereicherung der von Rom überkommenen liturgischen Formen vor allem die Bewahrung und geradezu die Rettung der römischen Liturgie. Man ist vom modernen Standpunkt aus geneigt, alles Mittelalterliche einfachhin als Fehlentwicklung abzulehnen, insbesondere im liturgischen Bereich. Man übersieht dabei, welche Anstrengungen rein geschichtlich notwendig waren, dem Abendland die ihm entsprechende Gestalt des Gottesdienstes zu schenken, auch jene Gestalt des gottesdienstlichen Gesangs, die eben eine abendländische sein mußte.

Es war die Leistung der Franken, die Liturgie Roms über den Tiefstand des 9. und noch des 10. Jahrhunderts hinübergerettet zu haben, zumal das kulturelle Leben Roms in dieser Zeit weit abgesunken war. Die Tätigkeit römischer Schreibschulen war offenbar mehr als dürftig. Sie hatte bisher schon den Anforderungen der christianisierten nördlichen Völker nicht genügen können. Um so reichhaltiger tritt im Frankenreich vom 10. Jahrhundert an — teilweise auch etwas früher — die schriftliche Überlieferung der liturgischen Gesänge auf den Plan. Man muß die Treue und Einheitlichkeit der frühen Musikdokumente bewundern. Die Unterschiedlichkeiten in der melodischen Überlieferung sind in den einzelnen Regionen nicht so groß, daß man daraus unüberbrückbare Gegensätze ablesen könnte, wie man zeitweilig behauptet hat. Ob die Überlieferung romanisch oder deutsch ist, dürfte in diesem Zusammenhang nebensächlich sein. Es sind zwei höchst interessante Ausprägungen ein und derselben Urgestalt. Die Einheit des cantus romanus bleibt bestehen. Alles, was lebendig ist, muß auch eine Entwicklung haben. Die treibenden Kräfte, die dem Fortschritt der Zeit und der Kunst dienen, waren auch in der Überlieferung des römischen Gesangs tätig. Ohne Zweifel war die sogenannte Diatonisierung des aus dem Süden gekommenen Gregorianischen Gesangs ein entscheidender Eingriff, ebenso wie die Wandlungen in der Tonschrift und in der musikalischen Interpretation der liturgischen Gesänge. Es war aber stets eine organische Weiterbildung, die nicht zerstörte, sondern ausbaute, ohne an die Fundamente zu greifen. Zerstört hat erst eine spätere Zeit vom 16. Jahrhundert an. Zum Museumsgegenstand wird das 20. Jahrhundert diese so typisch abendländische liturgische Musik machen. Wie seltsam ist doch der Ruf der Gegenwart nach zeitgemäßer Umgestaltung des *cantus romanus*.

Maurus Pfaff

Wandlungen und Entwicklungen der gregorianischen Melodien

Den Wandlungen und Entwicklungen der gregorianischen Gesänge wurde, trotz des heute zugänglichen reichen Quellenmaterials, nur geringes Interesse entgegengebracht. Vielleicht ist auch das sogenannte klassische Repertoire, das uns seit dem frühen Mittelalter überliefert wird, allzusehr bevorzugt worden. Die natürliche Fortsetzung in den Neukompositionen blieb im allgemeinen als Zerfallserscheinung unbeachtet.

F. A. Gevaert hat in seiner 1895 erschienenen *Mélopée antique dans l'Eglise Latine* zum erstenmal den Antiphonen des Stundengebets eine umfassende Untersuchung gewidmet. Seine Darstellung ist selbstverständlich auf Widerstand gestoßen, vor allem auf seiten konservativer, zeitbedingt romantisch eingestellter Kreise. Man war vielfach noch sehr der legendären Autorenschaft Gregors des Großen verpflichtet. Gevaert hat mit großem Scharfsinn den Nachweis zu erbringen versucht, daß die liturgischen Gesänge, wenigstens soweit die Antiphonen in Frage stehen, hauptsächlich durch die Verwendung einer Reihe von typischen Singweisen charakterisiert werden müssen. Gevaert erblickte in diesem Verfahren eine Nachwirkung der antiken Nomoskomposition. Einen anderen Weg schlug A. Gastoué mit seinem Werk *Les Origines du Chant Romain* (1907) ein. Er dachte sich einen Zusammenhang mit den byzantinischen *Hirmoi*, in denen eine einzige Melodieformel das künstlerische Gefäß für verschiedene Texte abgibt. Zum Vergleich könnte man hier die Psalmodie heranziehen, die ebenfalls schon immer eine einzige musikalische Formel für alle Verse des Psalms verwendet. Gastoué hat sich auch in seinem Buch *Le Graduel et l'Antiphonaire Romains* (1913) eingehender mit diesen Fragen beschäftigt, vor allem, was die zeitliche Datierung gewisser Gesänge anging. Es zeigt sich deutlich, daß das sogenannte klassische Repertoire doch auf einen zeitlich sehr breiten Raum auseinandergelegt werden muß. Es kommt hinzu, daß man ja mit Sicherheit auch Umarbeitungen des ursprünglichen Repertoires annimmt. P. Wagner hat sich ebenfalls mit dem klassischen Repertoire befaßt und Ausblicke auf spätere Neuschöpfungen gegeben. In seiner Formenlehre (1921) trifft er eine Einteilung in gebundene und freie Formen. Die gebundenen Formen sind jene Ausdrucksweisen, die keine wesentlichen Veränderungen für alle oder wenigstens die meisten Texte gleichen liturgischen Ranges kennen. Die freien Formen versehen die liturgisch gleichartigen Texte in der Regel mit verschiedenen Singweisen. Zu den gebundenen Gesängen gehören die Gebete, die Lesungen und die Psalmodie. Es handelt sich dabei im wesentlichen um rezitativische Vortragstypen.

Die Einheit des gregorianischen Repertoires der Frühzeit ist nicht so groß wie man zeitweilig angenommen hatte. Es liegen ohne Zweifel Schichten vor, die Einheiten bilden. Da und dort verrät ein Gesang auf Grund besonderer Indizien seine spätere Entstehung. Hier hat die liturgiegeschichtliche Forschung manche Möglichkeiten erschlossen, vor allem auf dem Gebiet der Sakramentar- und Lektionarforschung. Das Kalendar ist ebenfalls so weit erforscht, daß die Einführung neuer Feste im Zusammenhang mit archäologischen Erkenntnissen viel mehr verdeutlicht werden kann. So wissen wir, daß im 7. Jahrhundert in Rom 16 neue Feste eingeführt wurden. Von diesen Festen sind 10 in das Sacramentarium Hadrianum eingegangen. Im 8. Jahrhundert wurde das Sanctorale durch 7 weitere Feste bereichert. Schließlich hat Papst Gregor II. (715—731) die Donnerstagsmessen der Quadragesima eingeführt und dabei fast alle Gesänge aus bereits vorhandenen Sonntagsformularen (nach Pfingsten) entnommen. Das Hadrianum erhielt ferner einen Zuwachs durch das Fest des hl. Urbanus am 25. Mai. Dieses Fest wurde unter Gregor III. (um 735) eingefügt. Man schließt daraus, daß das Hadrianum etwa um 735 abgeschlossen war. 785/86 wurde dieses stadtrömische Sakramentar an Karl den Großen gesandt, obwohl es damals nicht mehr den neuesten Stand der liturgischen Entwicklung in Rom darbot. Gegenüber der weiteren Entwicklung in Rom bedeutete dieses Exemplar einen Rückstand um 50 Jahre. Und gerade dieses Exemplar sollte die fränkische Liturgieentwicklung so entscheidend bestimmen. Um die Mitte des 8. Jahrhunderts gelangte auch ein Antiphonar der Messe ins Frankenreich. Die Handschrift von Blandinienberg könnte möglicherweise eine direkte Abschrift davon sein.

Die ältesten nichtneumierten Handschriften des Meßantiphonars hat R. J. Hesbert im *Antiphonale missarum sextuplex* (Brüssel 1935) herausgegeben. Die Edition faßt in sechs Spalten die Gesangstexte der ältesten Meßgesangbücher zusammen. Für das Stundengebet hat derselbe Herausgeber das *Corpus antiphonalium officii* veröffentlicht (Bd. I [1963] für den römischen Cursus; Bd. II [1965] für den monastischen Cursus; Bd. III [1968]). Durch diese Edition wird die zeitliche Festlegung bestimmter Offiziumsgesänge ermöglicht. In den frühesten erreichbaren Quellen läßt sich ein bestimmter Urkern des Gesangsrepertoires für das Stundengebet erkennen. In noch früheren Quellen erfahren wir nur die Verteilung des Psalteriums, während die Texte von Antiphonen und Responsorien nicht erwähnt werden.

Man hat die Gleichsetzung der musikalischen Gestalt mit der liturgischen Situation zu den bemerkenswertesten Tatsachen der abendländischen Musikgeschichte gerechnet. Die liturgische Stellung eines Gesangs ist zugleich das ausschlaggebende und formbildende Element. Liturgischer Zweck und musikalische Form wirken zusammen. Das ist nicht immer so geblieben. Wohl hat man noch sehr lange an den klassischen Regeln der Centonisation (Modellformel-Komposition) festgehalten, aber schon das nachkarolingische Zeitalter begann mit einer neuen Technik. Langsam, aber immer deutlicher, entstehen Neuschöpfungen, die man als eigenständige Produkte bezeichnen kann. Eine neue Art des musikalischen Empfindens setzt sich vor allem in den nördlicheren Ländern durch. Hinzu kommen die neuen Auffassungen über den Einzelton und das Melisma. Sie bewirken eine neue Auffassung von Melodie und musikalischer Form.

Am meisten hat sich diese Tendenz in den Gesängen des Stundengebets bemerkbar gemacht. Die weitere Entwicklung des hohen und späten Mittelalters zeigt, wie immer wieder Neues aus neuem Geist heraus zu schaffen unternommen wurde. Man kann diese neuen Kompositionen nicht mit den klassischen vergleichen. Was besonders auffällt, ist, daß die liturgische Situation kaum mehr den Charakter der Gesänge bestimmt und festlegt. Die kleinere und größere Melismatik dieser Neuschöpfungen läßt keine Rücksicht mehr auf den liturgischen Zusammenhang erkennen. Der Charakter der Melodien hat sich sehr geändert. Bevorzugt wird z. B. der E-Modus; eine besondere Neigung ist auch für den F-Modus festzustellen. Am Ende des Mittelalters hat diese Entwicklung, die zur Gleichschaltung der liturgischen Gesänge führte, ihren Abschluß gefunden. Der Vergleich mit den Vertonungen des Meßordinariums läßt diesen Prozeß deutlich erkennen.

Die einzelnen Teile des Meßordinariums erfahren im späten Mittelalter bereits eine zyklische Vertonung. Die Polyphonie des 15. und 16. Jahrhunderts hat dieses Prinzip übernommen und jeden Gesang des Ordinariums in der gleichen Art vertont.

Die für die abendländische Musikgeschichte so bedeutungsvolle und folgenreiche Auseinandersetzung zwischen Sprache und Musik hat schon am Ende des Mittelalters einen entscheidenden Punkt erreicht. Die Musik ist selbständig geworden und spricht ihre eigene Sprache. In diesem Prozeß wurde aber auch das Zeitalter der gregorianischen Nach- und Neuschöpfungen abgeschlossen. Es folgt das Zeitalter des Reformchorals. Die traditionellen Melodien werden dem humanistischen Zeitgeist entsprechend umgearbeitet, entstellt und zerstört. Die Auflösung der echten Überlieferung hat vom 16. bis zum 19. Jahrhundert gedauert. Erst die Restauration ist wieder zu den echten Quellen zurückgekehrt.

Im Abendland ist schon sehr früh die chorische, d. h. wechselchörige Psalmodie verbreitet. Ihr gegenüber steht die Solo-Psalmodie (responsoriale Psalmodie).

Ursprünglich hat der Psalmist die Psalmen allein vorgetragen. Der Chor antwortete mit der Antiphon. Jetzt trat an Stelle des Psalmisten ein großer Chor von Sängern, der in zwei Gruppen aufgeteilt war und in fortlaufendem Wechsel die einzelnen Verse des Psalms vortrug. Dafür verwenden die beiden Gruppen die gleiche, ständig wiederholte musikalische Formel. Die Praxis des zweichörigen Gesangs hat sich schließlich über den ganzen liturgischen Vortrag ausgebreitet. Das doppelchörige Singen wurde nicht nur auf die Psalmodie ausgedehnt, sondern auch auf die Gesänge des Ordinarium missae und sogar auf die strophischen Hymnen des Stundengebets. Hier gibt es keinen Solisten mehr. Dieser Wechsel findet statt beim Volksgesang und beim Gesang der Kleriker. Die Gemeinde selbst (der Chor der Kleriker oder Sänger) wird in zwei gleiche oder ungleiche, auf jeden Fall gleichrangige Gruppen aufgeteilt. Man nennt diese Vortragsart Alternationsform. Die neueren liturgischen Strömungen möchten den Solisten im altchristlichen Sinne wieder aufwerten.

Schon sehr früh haben sich für den Vortrag der Psalmen gewisse Melodietypen herausgebildet. Entscheidend dafür war der Rahmenvers (Refrain) oder die Antiphon. Aus dem Zusammenwirken von Antiphon und Psalmvers sind die besonderen Eigenheiten im Bau der Psalmodie entstanden. Die jeweile Übereinstimmung von Antiphon und Psalmvers ist zu einem maßgebenden Formgesetz für die äußere Gestalt der Psalmodie geworden.

Die mittelalterliche Psalmodie ist auf der Grundordnung der acht Modi (Tonarten) aufgebaut. Jeder Psalmton kann einem Modus zugeteilt werden. Die ältesten erreichbaren Dokumente der chorischen Psalmodie stammen aus dem 10. Jahrhundert. Die sogenannte Commemoratio brevis vermag dazu ein anschauliches Bild des noch recht archaischen Charakters der Psalmodie zu geben. Die Formen variieren in den Handschriften des Mittelalters.

Aus dem spätmittelalterlichen Usus haben sich schließlich unsere modernen Psalmtonformeln herausentwickelt. Das wohl interessanteste Stück an der Psalmtonformel stellen die Schlußformeln dar, die Differenzen (differentiae, varietates oder diffinitiones). Die Technik der Differenzen zeigt eine ungemein große Vielfalt an Formeln. Die jeweilige Wiederholung der Antiphon nach den einzelnen Versen wird vorausgesetzt. Auch in der neueren Praxis entbehrt die Differenz nicht des musikalischen Reizes. In sinnvoller Weise wird durch die Differenz die Antiphon mit dem Psalmton verbunden. Dies kommt auch dann zu voller Wirkung, wenn nur die Psalmverse ohne Wiederholungen aufeinander folgen.

Man nimmt an, daß die Differenzen teilweise noch außerhalb des Tonartengesetzes liegen. Sie stammen möglicherweise aus einer Zeit, in der die empirische Praxis weit über der Theorie stand. Der enge Zusammenhang von Antiphon und Psalmton wirkt auch heute noch überzeugend. Die Differenzen der Meßpsalmodie sind nicht so zahlreich wie bei der Offiziumspsalmodie.

Zusammenfassend sagt P. Wagner von der mittelalterlichen Psalmodie (3. Bd., S. 135): *„Man darf für die lateinische Urpsalmodie eine Formel annehmen, die vornehmlich rezitierend die Mitte und das Ende, vielleicht auch den Anfang des Psalmverses mit einer bescheidenen melodischen Figur auszeichnete. Der Grundriß der römischen Psalmodie ist jedenfalls dieser:*

Initium   Tenor   Tenor   Finalis

Diese Urfassung muß subtonal gewesen sein. Eine zweite jüngere Form war semitonal. Als dann die Psalmformeln an den Oktoechos angelehnt wurden und zusammen mit ihm eine endgültige Gestalt gewannen, erhielt jede Tonart einen eigenen Tenor und es wurde die Regel aufgestellt, daß der authentische Tenor eine Quinte, der plagale eine Terz sein sollte.“ Unter der Einwirkung des Achttonarten-Systems stellte die Psalmodie beide Haltetöne nebeneinander. Dem Wechsel der Zeit hat diese Grundlage der Psalmodie mit der Unterscheidung von subtonalen und subsemitonalen Formeln erfolgreich widerstanden.

Die responsoriale Psalmodie verhält sich gegenüber der antiphonischen etwas anders. Ihre Tonformeln haben nicht für einen ganzen Psalm Geltung. Die Psalmodie der Messe und des Offiziums ist einfacher gehalten, obwohl eine gewisse Mannigfaltigkeit angestrebt wird. Die responsoriale Psalmodie sucht bereits künstlerische Ausprägung.

Die responsoriale Psalmodie kommt eigentlich nur im Stundengebet vor. Sie ist einfach oder feierlich, je nachdem es sich um ein Responsorium breve oder prolixum handelt. Die einfache responsoriale Psalmodie ist jedoch keine Vorstufe der feierlichen responsorialen Psalmodie. Aber die feierliche responsoriale Psalmodie übertrifft alle anderen Typen. Man könnte auch den Vers des Responsorium graduale der Messe nennen, ebenso den Tractusgesang, aber die Struktur beider ist so melismatisch ausgebaut, daß man nicht mehr im eigentlichen Sinne von einer Psalmodie sprechen kann. In der Stufenleiter der Psalmodie nimmt die responsoriale Psalmodie des Stundengebets die höchste Stufe ein. Die responsoriale Psalmodie des Stundengebets kann übrigens nicht aus der antiphonischen Psalmodie abgeleitet werden.

Die einzelnen Formen der responsorialen Psalmodie entsprechen dem Achttonarten-System. Sie lassen einen bestimmten Grundriß in ihrem Aufbau erkennen. Sie scheinen gleichzeitig fixiert worden zu sein. Der tonliche Umfang ist normalerweise der einer Quinte; beim 6. Modus reicht dieser Umfang bis zur Oktave. Die meisten Formeln haben einen Doppeltenor. Im frühen Mittelalter haben diese acht Formeln genügt. Aber mit dem Aufkommen von Neukompositionen in nachkarolingischer Zeit setzt auch das Bemühen ein, eine neue Art von Psalmversen zu schaffen.

Neue Offiziumstexte erforderten dem Zeitgeschmack entsprechend auch neue Psalmtonformeln, vor allem um erhöhter Feierlichkeit besonderen Ausdruck zu geben. Selbst völlig im traditionellen Stil gebaute Responsorien haben in gewissen Fällen einen neuen Vers.

Die nachfolgenden Beispiele sollen auswahlweise zeigen, wie sich aus den Frühformen die Spätformen des Mittelalters entwickelt haben. Antiphonen und Responsorien des Stundengebets zeigen diese Entwicklung besonders deutlich. In den Meßgesängen scheint sich hier keine Weiterentwicklung angebahnt zu haben. Es blieb bei gewissen Anpassungen. Nur die *Alleluia*gesänge heben sich ganz deutlich ab. Sie breiten sich üppig wuchernd bis ins späte Mittelalter aus.

Notenbeispiel 1

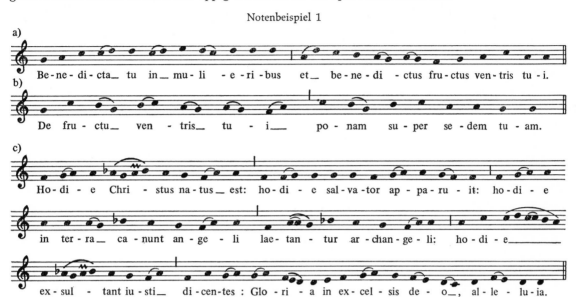

Die Beispiele 1 a und b zeigen zwei Melodiemodelle, nach denen zahlreiche andere Texte gesungen wurden. Dieses Anpassungsverfahren war in alter Zeit sehr beliebt. Im Ferialoffizium vor allem kommen Antiphonen vor, die einer Psalmtonformel nahezu ähnlich sind. Textlich bestehen sie gewöhnlich aus einem Teil des Psalmverses.

Die ausgedehnteren Antiphonen reihen öfter mehrere Sätze aneinander. Sie folgen teils gewissen Melodietypen, teils nehmen sie sehr selbständige Formen an.

Beispiel 1 c ist eine *Hodie*-Antiphon. In dem mehrfachen *Hodie* wird die Aneinanderreihung besonders deutlich. Das Wort *Hodie* wird sehr einheitlich behandelt. Ähnliches gilt von den verschiedenen O-Antiphonen.

Notenbeispiel 2

Diese Introitusantiphon, die sich in den ältesten Meßgesangbüchern (Rheinau, Blandinienberg, Compiègne, Corbie und Senlis) an der Feria IV. Q. T. des Advents verzeichnet findet, steht heute gewöhnlich am 4. Adventssonntag. Man findet sie auch in der Messe von Annuntiatio S. Mariae (Senlis). In der gregorianischen Gestalt beginnt der Text *Rorate caeli* sehr plastisch. Die beiden Wörter *caéli* und *desúper* (mit Betonung auf der zweiten Silbe) erhalten ein deutlich voneinander abgehobenes Profil. Die Melodie scheint an den akzentischen Verlauf des Textes gebunden zu sein. Das ist offenbar auch bei entwickelteren Gesängen der Fall. Dasselbe geschieht auch bei *nú-bes*, *plú-ant* und *iú-stum*. Die Disposition der Melodie geschah so, daß nach der Quinte Re — la noch eine weitere Erhebung nach ut bzw. nach re erfolgte. Von da sinkt die Melodie zurück nach Fa, dem Ruhepunkt der ganzen ersten Hälfte des Stückes. Diese auffallende Durchorganisation der Melodie wird auch auf das ganze Stück übertragen, so daß die Melodie ein Gesicht bekommt. Am *Initium* und an den Klauseln, in der Bevorzugung bestimmter Töne (Skelett-Töne) und bestimmter Intervalle und Melodieanwendungen wird man sofort erkennen, daß dieser Introitus

Notenbeispiel 3

ve - - - - - ni - te gen - tes et ad - o - ra - te

do - mi - num: qui - a ho - di - - e de - scen - dit lux

b) ma - - - - - - - gna su - per - ter - - ram :

Al - le - lu - ia

V E - mit - te spi - ri - - tum tu - - um et cre - a -

bun - - - - - - - - - tur: et re - no - va - bis

fa - ci - - em ter - - rae

keinem anderen Modus als dem ersten zugehört. Im Mittelalter wurde am 4. Adventssonntag an dessen Stelle auch *Memento domine* gesungen (vgl. Compiègne, hier sogar mit Neumen).

Die *Alleluia*-Gesänge bilden in gewissem Sinne noch ein Rätsel. In den Handschriften stehen sie oft gesondert beisammen. Ihre Komposition — von den Frühformen angefangen — erstreckt sich auf das ganze Mittelalter. Ihre Melodik weist viel Neuartiges auf. Sie lassen sich nicht einfach in das überlieferte klassische Repertoire einfügen.

Man nimmt allgemein an, daß die *Alleluia*-Verse erst seit Gregor dem Großen hinzugekommen sind. Die Texte der Verse verweisen auf eine wohl jüngere, die *Alleluia*-Gesänge selbst auf eine ältere Zeit. Bei den Versen muß man festhalten, daß sie sehr viele konstruktive und modale Verschiedenheiten aufweisen, so daß man eine zeitliche Scheidung wenigstens für möglich halten muß. Eine wenige Beispiele umfassende Gruppe läßt eine Disposition in ihrem Aufbau vermissen. Die Mehrzahl der *Alleluia*-Gesänge bietet Beispiele einer übersichtlichen, alle Teile symmetrisch gestaltenden Gliederung. Die erste Gruppe ist wohl die ältere, die zweite die jüngere. Dazu kommt, daß die ältere Gruppe die Schlüsse mit einer Coda bildet, der ein äußerer Zusammenhang mit dem *Alleluia* selbst fehlt. Die meisten anderen wiederholen auf den letzten Silben die Anfangspartie.

Beispiel 3 a wiederholt die *Alleluia*-Melodie auf den letzten Textsilben des Verses nicht. Die Singweise ist ein Typus, der besonders in der Weihnachtszeit Verwendung findet. Es liegt auch eine griechische Textfassung für diesen Vers vor.

Beispiel 3 b zeigt eine einfache *Alleluia*-Melodie von Pfingsten. Das *Alleluia* wird im Vers über terrae vollständig wiederholt. Diese Form ist die häufigste. Mit dieser *Alleluia*-Melodie sind auch andere Texte ausgestattet worden.

Notenbeispiel 4

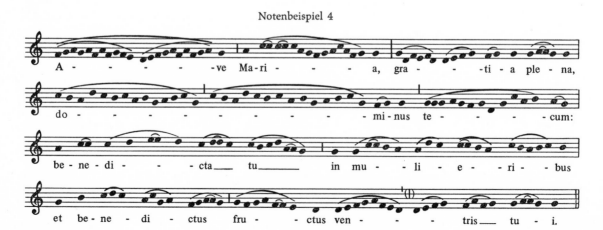

A - - - - - ve Ma-ri - - a, gra - - - ti - a ple - na,

do - - - - - - - mi - nus te - - - cum:

be - ne - di - - cta tu in mu - li - e - - ri - - bus

et be - ne - di - ctus fru - ctus ven - - - tris tu - i.

Das Offertorium *Ave Maria gratia plena* wurde im 7. Jahrhundert für das Fest *Annuntiatio* geschaffen. Am Quatembermittwoch des Advents steht es an zweiter Stelle nach dem Offertorium *Confortamini* (in Blandinienberg). Schließlich gelangte es anstelle des Offertoriums *Exsulta satis* auf den ursprünglich freien 4. Adventssonntag (*Dominica vacat*). In seiner ursprünglichen Form enthält das Offertorium *Ave Maria* den Text *dominus tecum* nicht. In den ältesten neumierten Handschriften wird dieser Text gewöhnlich am Rande von zweiter Hand nachgetragen. Am Quatembermittwoch findet sich das *Ave Maria* in den Handschriften Blandinienberg, Corbie und Senlis; am 4. Adventssonntag in Compiègne und Senlis; an *Annuntiatio S. Mariae* in Blandinienberg, Compiègne, Corbie und Senlis. Es ist ferner mit zwei Offertoriumsversen 1. *Quomodo* und 2. *Ideoque* überliefert.

Notenbeispiel 5

Die Beispiele 5 a und b geben die Nikolaus-Antiphon *O Christi pietas* in zwei verschiedenen Melodiefassungen. Der Kult des hl. Nikolaus verbreitete sich seit der Translatio der Reliquien nach Bari sehr rasch im Abendland. Als Schöpfer eines Nikolausoffiziums wird der Abt Isembert von St. Catharina bei Rouen genannt. Der Musiktheoretiker

Theoger von Metz († 1120 zu Cluny) erwähnt die Antiphon *O Christi pietas* (Gerbert II 190). Die Antiphon *O Christi pietas* gehört dem F-Modus an und scheint sich ganz besonderer Beliebtheit erfreut zu haben, zumal sie später als *Sanctus*-Melodie Verwendung findet (*Ordinarium* VIII EdVat). In italienischen Handschriften kommt eine gleichlautende Textfassung im Nikolausoffizium vor, aber mit der Melodie der großen O-Antiphonen. Hier scheint man noch traditionsgebundener gewesen zu sein und sich der Anpassung bedient zu haben.

Das Beispiel 5 c bringt eine Antiphon, die in deutschen Handschriften des hohen und späten Mittelalters vorkommt und gewöhnlich zur abendlichen Komplet gesungen wurde. Sie taucht offenbar erst im 12. Jh. auf. Sie steht im E-Modus, der in den nördlicheren Gegenden bevorzugt wird. Auffallend an der Antiphon sind die häufigen Schlüsse auf E. Beachtenswert ist die Stelle über *sero an media nocte*, wo die Melodie bis zur Quinte unter den Grundton E hinabsteigt. Auch das Melisma über *dor-(mientes)* am Schluß kann man kaum übersehen.

Auch die Responsorien des Stundengebets haben im Mittelalter eine Entwicklung durchgemacht. Man kann sagen, daß sie ursprünglich an den antiphonischen Stil anknüpfen, also an die reicheren Chorlieder. Sie bevorzugen eine gewisse Gruppenmelodik. Sie sind außerdem Sololieder und jeweils verbunden mit der reponsorialen Psalmodie. Sie nehmen den V. und VI. Modus am wenigsten in Anspruch.

Notenbeispiel 6

Das Beispiel 6 a ist ein typischer Vertreter des II. Modus. Das Responsorium *Fundata est* zeigt einen modal ausgeprägten Grundriß. Auffallend ist, daß die Verfasser der Responsorien nicht so häufig zu Psalmtexten gegriffen haben. Viele Texte stammen aus den erzählenden oder prophetischen Büchern der Heiligen Schrift oder aus den Lebensbeschreibungen oder Passionen der Heiligen. Die großen Responsorien setzen ja auch oft eine Lesung fort, die nicht aus dem Psalterium genommen ist. Verhältnismäßig wenige Responsorien haben auch Psalmtexte.

Im Normalfall schließt sich eine Psalmformel in einem der acht Modi an.

et con - ti - nu - o ex - i - vit san - guis et_____ a - qua;

et in - cli - na - to_ ca - pi - te e - mi - sit_____ spi - ri - - tum.

℣. Et ve - - lum tem - pli scis - sum est a sum - mo us - que de - or - sum

et_ o - mnis ter - - ra_ tre - - mu - it_____ Tunc

Das Responsorium *Tenebrae factae sunt* vom Karfreitag ist eines der besonderen Stücke unter den großen Responsorien. Es geht in seiner melodischen Struktur über den Rahmen der gewöhnlichen Stücke weit hinaus. Der Höhepunkt über *deus meus* wird bereits vorbereitet durch *exclamavit Jesus voce magna*. Seit dem Konzil von Trient fehlt in den offiziellen Büchern der Zusatz *Tunc unus ex militibus*, der sich bis dahin in der gesamten Überlieferung findet. Der Vers folgt in der üblichen Formel der Psalmodie des VII. Modus. Die Repetenda ist dann natürlich *Tunc unus ex militibus*.

Das folgende Beispiel bewegt sich im gewöhnlichen Umfang des VIII. Modus.

.c)

Ver - - bum ca - ro_ fa - ctum est_____ et_ ha - bi - ta - - vit

in_____ no - - bis: Et_ vi - di - mus glo - ri - am e - - ius,

glo - ri - am qua - si u - ni - ge - ni - ti_____ a pa - tre

ple - num gra - - ti - ae et_ ve - ri - - ta - - tis _.

℣. In_ prin - ci - pi - o_ e - rat ver - bum et ver - bum e - rat a - pud

de - - um et_ de - us_ e - - rat_ ver - bum. Et_ vi - di - mus

Es hat jedoch eine besondere Bedeutung, weil es in der Weihnachtsmatutin bevorzugt an letzter Stelle steht und gewöhnlich über *veritate* im Mittelalter mit einem Neuma ausgestattet wurde. Diese Schlußmelismen waren bereits seit der karolingischen Zeit sehr beliebt und kommen in bestimmten Responsorien, vor allem an Festen, vor. Beispiel 6 c zeichnet sich aber auch durch eine neue ungewöhnliche Psalmformel über dem Vers *In principio* aus. Dieser Brauch wird im Mittelalter bei ganz neu geschaffenen Responsorien immer häufiger. Man wollte damit der Festfeier besonderen Ausdruck verleihen (vgl. Benedictus es domine).

Das Responsorium *Judaea et Jerusalem* scheint erst im 11. Jahrhundert aufgekommen zu sein. In ihm fällt das lange Melisma über *erit* auf. Aber auch der Vers bringt eine neuartige Psalmformel des IV. Modus.

d)

℟. Ju - dae - a et Je - ru - sa - lem_____! no - li - te ti - me - - re:

Cras e - gre - di - e - mi - ni et do - - mi - nus e - - -

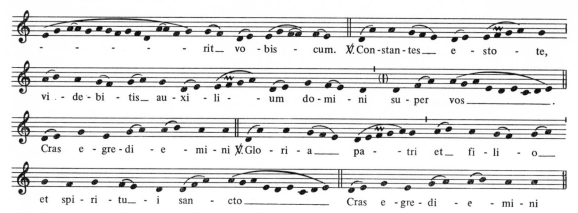

Das Responsorium 6d *Stirps Jesse* soll in der Kathedralschule von Chartres, die unter Bischof Fulbert von Chartres (11. Jh.) besonderen Ruf genoß, entstanden sein. Es gehören dazu noch zwei weitere Responsorien *Solem iustitiae* mit dem Vers *Cernere divinum* und *Ad nutum domini* mit dem Vers *Ut vitium*.

e)

Die melodische Struktur des Responsoriums Stirps Iesse ist neu. Auf dem letzten Wort *almus* fällt das große Melisma auf. Auch der Vers ist neu. Berühmt wurde das Melodiestück von *flos filius eius*, das nach dem Wunsch des Petrus Venerabilis von Cluny auch als *Benedicamus domino* an hohen Festen gesungen werden sollte. Auch die Mehrstimmigkeit hat sich dieser Melodieformel über *flos filius eius* angenommen.

Das Beispiel 6f gehört in dieselbe Zeit und kommt in mittelalterlichen Dokumenten bis zum Konzil von Trient vor.

f)

Es wird überliefert, daß König Robert der Fromme von Frankreich († 1031) ein großer Freund der Liturgie gewesen sei. Er gilt als Komponist liturgischer Gesänge, von Hymnen, Antiphonen und Responsorien. Berühmt wurde sein Responsorium *Cornelius centurio* zu Ehren des hl. Petrus. Es wird ihm auch *Iudaea et Ierusalem* zugeschrieben. Das Responsorium umfaßt den Ambitus des I. und II. Modus.

Den üblichen zum Teil melismatischen Stil mittelalterlicher Responsorien verläßt das Responsorium *Virgo flagellatur*, das dem Abt Ainard von St. Pierre-sur-Dives zugeschrieben wird.

Es ist zu Ehren der im Mittelalter viel verehrten Märtyrin Katharina verfaßt. Auffallend ist der sehr syllabische Charakter. Auch das Schlußmelisma über *agmina* ist neuartig. Unvermittelt geht die Syllabik in das Melisma über. Auch der Vers ist neu. Das Responsorium war sehr beliebt und hat deshalb auch eine neue Textunterlage erhalten: *Homo quidam fecit coenam magnam.* In dieser Gestalt lebt es bis heute fort. Gewisse Beziehungen zur Antiphon *Ave regina caelorum* sind möglich.

Das Mittelalter hat noch zahlreiche andere Responsorien geschaffen. Das Dreifaltigkeitsoffizium, das man dem Bischof Stephan von Lüttich († 920) zuschreibt, hat die Reihe begonnen (vgl. Hartker, St. Gallen 390). Ältere Offizien wurden durch neuere ersetzt. Anstelle der Prosatexte haben die Reimoffizien einen sehr breiten Raum eingenommen. Vielfach handelt es sich um Gelegenheitsarbeiten. Die Verfasser sind teilweise bekannt, aber viele Namen bleiben anonym. Erst im späten Mittelalter sind gewisse Feste für die Gesamtkirche vorgeschrieben. 1354 führte Innozenz VI. auf Wunsch Kaiser Karls IV. das *Festum lanceae et clavorum* ein; 1389 folgte unter Urban VI. das *Festum Visitationis*; 1423 in Köln das *Festum Septem Dolorum (Compassionis BMV)*; 1474 gestattete Sixtus IV. den öffentlichen Kult der Heiligen Joseph und Anna.

Das Konzil von Trient und noch mehr das Zweite Vatikanum haben diese späten Offizien aus dem liturgischen Kalender (1969) gestrichen.

Maurus Pfaff

Die gregorianischen Gesänge in den Ortstraditionen

Bei der Ausbreitung des Christentums spielten die durch das Imperium Romanum geschaffenen Organisationsformen eine entscheidende Rolle. So wurde z. B. die Stadt Rom — der Sitz des Kaisers — auch die Residenzstadt des Papstes.

Weitere Bischofssitze wurden meist nur an Orten errichtet, die sich durch ihre geographische und geopolitische Lage auszeichneten. Nicht selten waren sie zugleich militärische Stützpunkte, Orte der Verwaltung, der Industrie, des Handels und der Kunst. Ein ausgebautes Straßennetz verband die wichtigsten Städte.

Alte Römerstädte, wie z. B. Trier, Köln und Mainz besaßen frühe christliche Gemeinden und wurden im 4. bis 5. Jahrhundert Bischofssitze. Diese Städte verloren auch nicht in den Stürmen der Völkerwanderung ihre Bedeutung. Sie blieben Kulturzentren des Frankenreiches, das sich seit dem 5. Jahrhundert territorial ausbreitete. Nach 568 umfaßte das Frankenreich Austrasien (Hauptstädte Metz und Reims), Neustrien (Soissons und Paris), Aquitanien und Burgund. Im 7. Jahrhundert verlagerte sich die Macht Galliens in die Gebiete von Maas, Mosel und Rhein (Austrasien). Von dort konnte sich das Frankenreich nach Osten weiter ausdehnen, indem weitere Gebiete der Friesen, Sachsen, Thüringer, Alemannen und Bayern unter den Einfluß der fränkischen Herrschaft gerieten.

Für die Beurteilung der Einheitlichkeit bzw. der Verschiedenheit des gregorianischen Chorals ist die Kenntnis des Verhältnisses von Staat und Kirche nützlich. Voraussetzung der späteren Rezeption des gregorianischen Chorals war die Annahme des katholischen Glaubens durch Chlodwig (481—511). Sowohl die Herrscher des Frankenreiches (besonders Pippin und Karl der Große) als auch die iroschottischen (Columban, Gallus) und angelsächsischen Missionare (Willibrod, Bonifatius) haben die Verbindung des Reiches mit dem Papsttum in Rom verstärkt. Besonders Bonifatius († 754), der vom Papst zum Erzbischof der deutschen Kirche ernannt wurde, organisierte die gesamte fränkische Reichskirche. Er gründete neue Bistümer (Erfurt, Würzburg, Freising, Regensburg und Passau), faßte sie mit den bestehenden Bistümern zu Provinzen zusammen und schaffte feste kirchliche Organisationsformen. Sein erzbischöflicher Sitz war zuletzt Mainz. Die Praxis, mehrere Bistümer zu Provinzen zu vereinigen, wirkte sich besonders auf die Rezeption des gregorianischen Chorals aus. Die Liturgie der Hauptkirche des Erzbischofs (z. B. Köln, Dom) war das Vorbild der Kathedralkirchen der suffraganen Bistümer (z. B. Lüttich, Utrecht, Münster, Bremen). Die Liturgien der suffraganen Bistümer haben z. B. ein gemeinsames Kalendarium mit den entsprechenden Formularen, sie unterscheiden sich jedoch durch Zusätze und Weglassungen. Diese Relation von Erzbistum und suffraganen Bistümern blieb als Prinzip das ganze Mittelalter bestehen. Bei der Missionierung des Ostens und des Nordens Europas wurde in den neu errichteten Bistümern die Form des gregorianischen Chorals übernommen, die in der Diözese gebräuchlich war, von wo die Mission ausging.

Die Rezeption des gregorianischen Chorals im 8. und 9. Jahrhundert vollzog sich verhältnismäßig einheitlich. Die vorher gebräuchlichen Gesänge wurden fast gänzlich zurückgedrängt und fanden nur eine spärliche Aufnahme in den gregorianischen Choral. Bei der Beurteilung der Einheitlichkeit ist jedoch zu unterscheiden zwischen der Einheitlichkeit des Repertoires und der einheitlichen Anordnung des Repertoires. Bei den Propriumsgesängen der Messe stimmen *Introitus*, *Graduale*, *Tractus*, *Offertorium* und *Communio* in den einzelnen Ortstraditionen meist überein. In einzelnen Fällen jedoch wurden bei Beibehaltung der gleichen Melodie andere Verse des verwendeten Psalms gebraucht. Die Allelujagesänge dagegen weisen in ihrer Anordnung in den einzelnen Diözesen erhebliche Unterschiede auf, weil ursprünglich ein bestimmtes *Alleluja* nicht für jedes Fest vorgesehen war. Allerdings wurden die *Allelujagesänge* später in den einzelnen Diözesen für das *Proprium de tempore* verbindlich vorgeschrieben, während für die Heiligenfeste in der Zeit des hohen und späten Mittelalters immer mehr neue *Alleluja*-Texte und in einem geringeren Umfang auch Melodien geschaffen wurden.

Während die alten Texte meist aus der hl. Schrift stammen, enthalten die neuen Auszüge aus der *Vita* des betreffenden Heiligen. Dadurch wurden die neuen *Allelujagesänge* in ihrem Text der jeweiligen nachfolgenden Sequenz angeglichen, die ebenfalls Berichte aus dem Leben der Heiligen enthält. Das Seqenzenfaszikel der einzelnen Ortstraditionen weist neben einem Teil bekannter Stücke zahlreiches Sondergut auf, das von Kirche zu Kirche innerhalb einer Stadt unterschiedlich war. Neben anderen Propriumsgesängen (z. B. Tropen, Hymnen) wurden zahlreiche neue Ordinariumsgesänge geschaffen. Diese sind teilweise älteren Melodiemodellen nachgebildet und zeichnen sich häufig durch eine reichere Melismatik aus.

Für die Annahme, daß die Rezeption und Verbreitung des gregorianischen Chorals im Frankenreich verhältnismäßig einheitlich — wenn auch nicht uniform — war, spricht die Tatsache, daß fast überall der „germanische Dialekt" (Peter Wagner) gebräuchlich war. Bei dieser Fassung wurden an manchen Stellen der Gesänge Tonsprünge statt Tonstufen verwendet.

Die Notenschrift, die die Gesangspraxis widerspiegelt, war innerhalb der einzelnen Ortstraditionen nicht einheitlich. Eine einheitliche Fassung und eine einheitliche Gesangspraxis gab es nur für eine bestimmte Kirche, weil hier die Sänger übereinstimmend singen mußten. An der Communio *Ecce dominus veniet* seien die Unterschiede zwischen den Ortstraditionen von Köln, St. Gereon, dem Aachener Münster und der Leipziger Thomaskirche gezeigt: Im oberen System steht die kölnische Fassung, im zweiten die aus Aachen und im dritten die aus Leipzig.

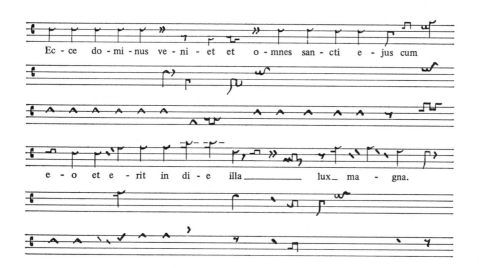

Der Vergleich der drei Handschriften ergibt, daß die Ortstraditionen in Köln und Aachen wenig voneinander abweichen, obwohl das Graduale des Arnoldus aus Aachen ca. 180 Jahre älter ist als das kölnische Graduale. Bereits Peter Wagner machte die Beobachtung, daß in Deutschland (im Gegensatz zu Italien) der gregorianische Choral bis ans Ende des Mittelalters sorgfältig tradiert wurde. Sieht man bei dem Handschriftenvergleich von einigen Abweichungen liqueszierender Notenzeichen ab, so ist nur bei dem Wort *omnes* eine tonliche Veränderung festzustellen. Das Thomas-Graduale aus Leipzig weist stärkere Abweichungen auf: An Stelle der *Virga* wird die „Fliegenfußneume" verwendet, die besonders in der Metzer Notenschrift gebräuchlich ist, ferner werden weniger liqueszierende Notenzeichen verzeichnet und in der Tonhöhe sind zwei Abweichungen festzustellen.

Der gregorianische Choral wurde von einzelnen gesellschaftlichen Gruppen unterschiedlich aufgenommen. Im frühen Mittelalter bildete sich eine feudale Gesellschaftsordnung heraus, deren Oberschicht (Adel und hohe Geistlichkeit) sich auch in ihrem Bildungsniveau von anderen Gruppen abhob. Zahlreiche Kanonikate wurden von Adeligen besetzt; so konnte z. B. nur ein Hochadeliger Kanoniker des Kölner Domstiftes werden. Neben den Klöstern waren die Stifte Stätten einer vorzüglichen Choralpflege. Eine Choraltradition vermochte sich nur an solchen Orten zu bilden, wo entsprechende Institutionen bestanden. Die breite Schicht des Volkes konnte wegen der mangelnden Bildung die ganze Fülle gregorianischer Gesänge nicht aufnehmen, sondern sie mußte sich mit einer Auswahl einfacherer Gesänge begnügen. Aus diesem Grunde wurden neben bereits bestehenden Stiftskirchen zahlreiche Pfarrkirchen errichtet, damit auch die Liturgie auf die seelsorgerischen Gegebenheiten abgestimmt werden konnte. Dabei ist im Verlauf des Mittelalters ein Ausbau paraliturgischer Handlungen festzustellen. Andachten und Prozessionen gewannen an Bedeutung. Die dabei gebrauchten Gesänge waren einfacher und das Repertoire war nicht durch allgemein verbindliche Vorschriften festgelegt. Im späten Mittelalter trat neben die feudale Gesellschaftsordnung noch eine berufsständige. Das Bürgertum als Mittelschicht gewann an Bedeutung und konnte seinen Einfluß ebenfalls auf das kirchliche Leben ausdehnen. In diesem Zusammenhang sind besonders die zahlreichen Bruderschaften zu erwähnen, die sowohl Kleriker als auch Laien als Mitglieder aufnahmen. Ihr Gesangsrepertoire enthielt jedoch nicht mehr ausschließlich gregorianische Gesänge sondern auch volkssprachliche.

Gottfried Göller

Die Gesänge der Ordensliturgien

Die Notwendigkeit gemeinsamer Gottesdienste bei den Versammlungen der Mönche aus verschiedenen Klöstern und Ländern bedingt die Uniformität der Ordensfassungen der liturgischen Gesänge. Es soll hier nur auf einige dieser Ordensfassungen hingewiesen werden.

Zisterzienser

Der Orden der Zisterzienser (*OCist.*), der 1098 von Robert von Molesme OSB gegründet und 1119 von Papst Calixtus II. bestätigt wurde, hat als erster eine solche Ordensfassung festgelegt.

Dieser von Zisterz (Cistercium, Cîteaux) ausgehenden Erneuerung des Mönchtums und seiner Rückkehr zur ursprünglichen Form der Regel des hl. Benedikt von Nursia ist sowohl ein restaurativer Zug als auch eine fortschrittliche Haltung eigen. Als fortschrittliches Prinzip ist die zentralistisch orientierte Organisation des Ordens zu bewerten mit einem auf Lebenszeit gewählten Generalabt, der auf den Generalkapiteln den Vorsitz führt. Für die Reform der Liturgie bedeutete dies eine Rückkehr zum ursprünglichen gregorianischen Choral und eine für alle Abteien des Ordens verbindliche Festlegung der liturgischen Texte und Gesänge. Für die Gestaltung der Liturgie wurden besonders folgende Schriften bestimmend: Die Regel des hl. Benedikt, die *Charta caritatis*, die *Consuetudines* und die einzelnen Statuten der Generalkapitel. Besonders die Kap. 8–19 der Regel des hl. Benedikt enthalten Anweisung für eine geordnete und würdige Persolvierung des *Officium divinum*. Die 1119 vom dritten Abt von Cîteaux, Stephan Harding, geschriebene *Charta caritatis* stellt das Grundgesetz des Ordens dar. In ihr wurde bereits die Verwendung der gleichen liturgischen Bücher für alle Zisterzienserklöster gefordert. Die gleiche Forderung wurde im 3. Kapitel des 2. Teils der *Consuetudines* wiederholt: *„Missale, epistolare, textus, collectaneum, graduale, antiphonarium, regula, hymnarium, psalterium, lectionarium, kalendarium ubique uniformiter habeantur"* (Migne, PL 181, 1725). In den Statuten des Generalkapitels um 1134 wurde darauf gedrängt, daß die Regel des hl. Benedikt in allen Zisterzienserklöstern gleich interpretiert werde, und daß für die Liturgie überall die gleichen Bücher zu benutzen seien.

Auf der Suche nach der ursprünglichen Form des gregorianischen Chorals versuchten die Reformer, die in Metz gepflegte Form zu übernehmen. Jedoch stellte sich bald eine Diskrepanz zwischen den Vorstellungen der Reformer über die ursprüngliche Choralpraxis und der tatsächlichen Choralpflege heraus, wie sie in Metz geübt wurde. Sowohl die textliche als auch die musikalische Fassung des Metzer Antiphonars wurde gerügt. Daraufhin wurde die Choralreform, die man sich zunächst nur als eine Restauration vorgestellt hatte, in die Hände Bernhards von Clairvaux gelegt, der seinerseits eine Kommission bestellte, die einen für den ganzen Orden verbindlichen Musterkodex herstellen sollte.

Der erarbeitete zisterziensische Normalkodex ist als Cod. 114 / 82 der Bibliothèque publique in Dijon fast vollständig erhalten. Seine einzelnen Teile sind: Brevier, Epistolar, Evangeliar, Missale, Collektar, Kalendarium, Regula und Consuetudines, Psalterium, Cantica, Hymnar, Antiphonar und Graduale. Auf der Verso-Seite des ersten Blattes steht neben der Inhaltsangabe die Bestimmung, daß das vorliegende Buch die unabänderliche Form enthalte, nach der überall die Einheitlichkeit herzustellen und Verschiedenheiten zu beseitigen seien. Das Antiphonar und das Graduale gerieten bereits im späten Mittelalter (um 1480) in Verlust. Sie sind uns jedoch in zuverlässigen Abschriften erhalten (z. B. Kolmar, Bibliothèque municipale, Ms. 445, 12. Jh.; Ms. 406, 14. Jh.).

Einer der maßgeblichen Mitarbeiter in der von Bernhard von Clairvaux bestellten Kommission war Guido, Abt des Klosters von Cherlieu in Burgund.

Bereits als Novize hatte er mit Bernhard Fragen der liturgischen Reform besprochen. Bernhard regte ihn an, seine Gedanken in einer Schrift (*Regulae de arte musica*) niederzulegen. Diese trug Bernhard dem Generalkapitel vor. Danach verfaßte Guido noch einen zweiten Traktat: *De cantu et correctione Antiphonarii* (Migne, PL 182, 1122). Aus den von Bernhard formulierten Prologen zum Graduale und Antiphonar ist zu erkennen (Migne, PL 182, 1551), in welchem Umfange er die Gedanken Guidos aufgenommen hat. Dieser Auffassung steht das *Tonale Bernardi* (Gerbert, 2, 264) nahe, das fälschlicherweise Bernhard zugeschrieben wurde.

Die Arbeit der zweiten Liturgiereform, welche sich etwa auf den Zeitraum von 1134—1147 erstreckte, während die ersten Reformversuche unter der Leitung des Abtes Stephan Harding auf die Jahre 1109—1110 entfielen, wurde besonders dadurch gekennzeichnet, daß die Reformer sich zuerst ein ziemlich festumrissenes Bild vom authentischen gregorianischen Choral entwarfen und dabei bestimmte Kriterien gewannen, nach denen sie die Choraltradition beurteilten.

Eines dieser Kriterien bezieht sich auf den liturgischen Text, der möglichst abwechslungsreich sein und nicht mehrmals verwendet werden solle.

Dabei wurde nicht genügend berücksichtigt, daß, wenn der gleiche Text an einem Fest des Kirchenjahres mehrmals verwendet wird, ihm immer jeweils andere liturgische Funktionen zukommen, und daß sich seine musikalische Gestalt (z. B. Graduale, Offertorium) wie auch seine Aufführung (z. B. solistisch, chorisch) immer entsprechend ändert. Die Reformer konnten jedoch bei der Bearbeitung der liturgischen Bücher ihre Forderung nicht konsequent durchführen, da sie sich durch solche einschneidenden Änderungen gegen die kirchliche Tradition gestellt hätten. Deshalb blieben die Gesangtexte der Messe von solchen textlichen Überarbeitungen ziemlich verschont, während nur die Responsorialverse in den Nokturnen vielfach neue Texte erhielten.

Weitergehend waren die Änderungen, die an den gregorianischen Melodien vorgenommen wurden. Hierbei wirkten sich besonders folgende vier Prinzipien aus: Festlegung des Ambitus einer Melodie auf eine Dezime, Anwendung der von den Theoretikern erstellten Tonartenlehre auf die gregorianischen Melodien, Festlegung der Tonalität eines bestimmten Gesangsstückes und schließlich Kürzung einiger Melismen.

Guido von Cherlieu interpretierte Ps. 143, 3 „*in psalterio decachordo psallam tibi*" so, daß die hl. Schrift vorschreibe, die liturgischen Gesänge dürften den Umfang einer Dezime bzw. einer Oktave nicht überschreiten. Dieser spekulativ gewonnenen Forderung entsprachen nur die antiphonalen, nicht jedoch alle responsorialen Gesänge; denn die Anforderungen, die beim Singen des gregorianischen Chorals an den Chorsänger gestellt werden, sind auch hinsichtlich des Ambitus niedriger als die an den Solisten. So haben bei 114 Gradualien nach Peter Wagner 22 einen Ambitus von einer Undezime und 5 den einer Duodezime. Das Offertorium mit seinen Versen erreichte nicht selten den Umfang einer Duodezime, wie z. B. am Sonntag Quinquagesima: *Benedictus es, Domine, doce me*. Während in den Ortstraditionen die Offertoriumsverse teilweise noch bis zur Mitte des 13. Jahrhunderts gesungen wurden (z. B. Aachen, Graduale des Arnoldus), fehlen sie in den zisterziensischen Gradualien. In engem Zusammenhang mit der Begrenzung des Tonumfanges steht die Lehre von den Tonarten. Sie wurde auf das ganze Repertoire des gregorianischen Gesanges angewendet. Seit dem 10. Jahrhundert entwickelten Musiktheoretiker ein Tonartenschema, das authentische und plagale Tonarten umfaßte. Während die authentischen Tonarten als eine Zusammensetzung aus Quinte und Quarte über der Tonika erklärt wurden, schrieb man den plagalen Tonarten eine Zusammensetzung aus Quarte unter und Quinte über der Tonika zu. Ferner durfte eine Tonart durch die Zusammensetzung von Quinte und Quarte nur einen Ambitus von einer Oktave erreichen. Es ist bekannt, daß dieses Tonartensystem zwar auf einen Teil der gregorianischen Melodien angewendet werden kann, jedoch meistens nicht auf Melodien, die einer älteren Überlieferungsschicht angehören. Die Tonartenlehre fordert auch eine Festlegung der Tonalität eines bestimmten Gesanges, wobei sowohl der Anfangs- als auch der Schlußton identisch mit dem Grundton sein soll. Guido von Cherlieu übernahm dabei eine Lehre, die sich seit dem 9. Jahrhundert entfaltet und im Laufe der Zeit befestigt hatte. E. Gerson-Kiwi hat in der Fs. B. Stäblein, Kassel 1967, nachgewiesen, daß bei alten Psalmvertonungen z. B. weder das Initium noch die Finalis einen Grundton aufweisen, daß die Ausprägung der Tonalität also einer späteren Entwicklungsstufe entspricht. Die zisterziensische Reformkommission änderte vielfach solche gregorianischen Gesänge ab, welche den Forderungen nach einer bestimmten Tonalität nicht entsprachen. Bezeichnend für die Reformer ist, daß sie dabei oft nur ganz wenige Töne veränderten, wie z. B. bei dem *Initium* der *Communio* am Feste der unschuldigen Kinder:

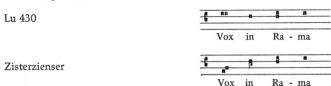

Die ursprüngliche Fassung mit dem Ton d auf „*Vox*" läßt eine Textausdeutung erkennen. Die Communio beginnt mit einem Aufschrei, der die Klage der Mütter der unschuldig getöteten Kinder charakterisiert. Die zisterziensische Fassung dagegen stellt die Tonart des 7. Tones heraus, wobei ein sehr formelhaft wirkender Melodieanfang entsteht. Die Kürzung der Melismen, die übrigens nicht so radikal — wie oft behauptet — durchgeführt wurde, ist nicht nur auf das Einschränken des Artifiziellen zurückzuführen, sondern auch auf die bereits erwähnten Prinzipien: Festlegung des Ambitus und der Tonalität. Zahlreiche *Alleluja*formen wurden wohl wegen ihrer, den Reformern zu üppig erscheinenden Melismatik umgebildet. Das *Alleluja* weist nämlich die Form Aj, Bj, Aj auf, d. h. das *Alleluja* (A) mit reich melismatischem Schluß (j) wird nach dem Vers (B) nochmals ganz wiederholt. Aber auch der Vers (B) endet mit dem gleichen melismatischen Schluß, der auch *Jubilus* genannt wird. Die dreimalige Wiederholung des *Jubilus* jedoch erschien den Reformern zu lang. Deshalb wurde der *Jubilus* des Verses nicht nur verkürzt sondern auch melodisch umgebildet. Nicht verändert wurden die Melismen innerhalb des Verses. Die neugewonnene zisterziensische Form des *Alleluja* ist nun folgende: Aj, Bm, Aj (mit m soll das Melisma bezeichnet sein, das an die Stelle des Jubilus getreten ist). Besonders bei 63 Gradualien wurde eine Kürzung der Melismen vorgenommen, weil sie den Forderungen des entsprechenden Ambitus nicht entsprachen. Änderungen der Chorpsalmodie nahmen die Reformer besonders aus Gründen der Festlegung der Tonalität vor. Zahlreiche Schlußweisen (Differenzen) der einzelnen Psalmtöne wurden gestrichen, wenn ihr Schlußton nicht der Grundton (Tonika) der betreffenden Tonart war. So schließt die Introituspsalmodie im 1. Ton z. B. je nach dem Anfangston der danach zu wiederholenden Antiphone auf eine dreifache Weise:

Die beiden letztgenannten Differenzen wurden durch die Reformer gestrichen. Diese Kürzungen blieben jedoch auf die Gesänge der Meßliturgie beschränkt, obwohl Guido von Cherlieu dadurch sein Prinzip durchbrach. Peter Wagner (S. 463) vermutet, daß aufführungspraktische Gründe die Reformer abgehalten haben, auch in der Chorpsalmodie des Stundengebetes die Differenzen abzuschaffen, weil beim Stundengebet — im Unterschied zur Meßliturgie — alle im Chorraum Anwesenden singen. Für sie, die weniger im Notenlesen geübt waren, bedeuteten die Differenzen eine Hilfe, da der Schlußton der Psalmdifferenz die gleiche Tonhöhe hat wie der Anfangston der darauffolgenden Antiphon. Trotzdem weist das Tonale Bernardi auch in der Chorpsalmodie des Stundengebetes Streichungen auf. Die Weglassung zahlreicher Psalm-Differenzen bedeutet musikalisch gesehen einen Verlust, weil dadurch der Zusammenhang von Psalmvers mit kleiner Doxologie und der zu wiederholenden Antiphone zugunsten des Prinzips der Tonalität geopfert wurde.

Dem Reformwerk der von Guido von Cherlieu geleiteten Kommission wird man nicht voll gerecht, stellt man nur die eine Seite heraus, nämlich daß hier der gregorianische Choral nicht nach den Gesetzen seiner Entfaltung beurteilt, sondern eine Choraltheorie des 12. Jahrhunderts auf ihn angewendet wurde. Andererseits muß man anerkennen, daß diese Reform von Männern durchführt wurde, die mit der Gesangspraxis des gregorianischen Chorals vertraut waren und dementsprechend die Änderung der Gesänge sehr behutsam vornehmen konnten.

Außerdem ist bei zahlreichen Kürzungen, wie z. B. bei dem Weglassen der Offertoriumsverse, zu bemerken, daß diese nicht nur auf die Kürzungsfreudigkeit der Reformer, noch auf den Wegfall des Opferganges zurückzuführen sind, was von manchen Liturgiewissenschaftlern behauptet wird, sondern auch der Mangel an geeigneten Solisten eine Rolle gespielt haben kann, was z. T. auf einen Rückgang der Prosperität zurückzuführen ist. Neben den bereits genannten Kürzungen wurde die Zahl der Tropen und Sequenzen erheblich eingeschränkt. Andererseits weist das zisterziensische Hymnar neben älteren Hymnen, die wohl auf mailändische Quellen zurückzuführen sind, auch solche auf, die nach Bruno Stäblein (MGG 2, 1279) Neukompositionen darstellen, im eigenen Orden entstanden sind und stilistisch auf eine Entstehungszeit um 1150 hinweisen. Erweiterungen des Repertoires fanden in bescheidenem Maße im 13. Jahrhundert statt, da in dieser Zeit zahlreiche Ordensgenossen kanonisiert wurden, und ein Bedürfnis nach neuen Formularen für die Liturgie bestand. Hierbei griff man jedoch meistens auf bereits vorhandene Melodien zurück.

Zu wenig wird in der Literatur erwähnt, daß der Zisterzienserorden im 13. Jahrhundert den Wandel von den adiastematischen Neumen zur diastematischen Notation mitvollzog.

In zisterziensischen Handschriften aus der ersten Hälfte des 13. Jahrhunderts finden sich bereits Ansätze zu einer gotischen Notation. Zahlreiche Zeichen weisen noch keinen ausgeprägten Kopf (später Hufnagelkopf) auf, man kann deshalb noch nicht von einer Hufnagelnotation sprechen. Sind auch die Neumenzeichen bei den Zisterziensern nicht so zahlreich wie in bestimmten Ortstraditionen, so zeugen sie doch davon, daß man sich nicht der einfacheren Singweise zugewendet hatte, welche die römische Quadratnotation repräsentiert. Die Notation der Zisterzienser durchläuft zahlreiche Entwicklungsstufen bis zum Ende des Mittelalters.

Bemerkenswert ist, daß das zisterziensische Repertoire an Gesängen im Verlauf des späten Mittelalters keine wesentlichen Erweiterungen erfahren hat. Der im 12. Jahrhundert erarbeitete Normalkodex blieb unverändert. Auch die einzelnen Zisterzienserklöster weisen untereinander kein Sondergut auf.

Kartäuser

Der Orden der Kartäuser (*Ordo Cartusiensis*) wurde 1084 vom hl. Bruno (* um 1030 in Köln, † 6. 10. 1101 zu La Torre) in einem entlegenen Teil der Alpen „La Chartreuse" (Cartusia) östlich von Grenoble gegründet.

Die Ordensregel lehnt sich zwar an die Regel des hl. Benedikt an, berücksichtigt jedoch die Ziele eines Einsiedlerordens. Die *Consuetudines Cartusianae* (PL 153, 631) wurden erst vom 5. Prior der „Großen Kartause", wie La Chartreuse auch genannt wurde, Dom Guigo von Chastel, 1127 schriftlich fixiert und 1133 von Papst Innozenz II. approbiert. In der nachfolgenden Zeit erhielten sie noch verschiedene Zusätze und erst 1688 wurden sie als Ganzes von Papst Innozenz XI. bestätigt. 1164 wurde der Orden eximiert und dem Generalkapitel unterstellt, das den Generalprior wählte. 1176 wurde der Orden von Papst Alexander III. endgültig bestätigt. In der Zeit des päpstlichen Schismas (1378 – 1417) teilte sich der Orden und hatte entsprechend zwei Generalprioren. Die Spaltung endete unter dem Pontifikat des Papstes Alexander V. Durch die päpstliche Bulle Julius II. (1508) wurde bestimmt, daß der jeweilige Prior der „Großen Kartause" zugleich General des ganzen Ordens sei, und daß alljährlich in La Chartreuse ein Generalkapitel abzuhalten sei. Die Ordensregel schreibt vor, daß der einzelne Mönch in der Abgeschiedenheit einer besonderen Zelle bzw. eines kleinen Häuschens mit Gebet, frommer Lesung, Studium und Handarbeit beschäftigt leben solle. Die Mönche persolvieren gemeinsam nur die Matutin und die Vesper. An Sonn- und Feiertagen jedoch wird das ganze Offizium mit Ausnahme der Komplet in der Gemeinschaft gefeiert. An diesen Tagen nehmen sie das Mittags- und Abendessen gemeinsam ein, auch werden dann innerhalb des Klosterbezirkes Spaziergänge unternommen, wobei von dem immerwährenden Stillschweigen dispensiert wird.

Der Orden konnte sich in seiner Frühzeit nur langsam ausbreiten. 1142 besaß er erst 12, 1258 erst 56, 1360 etwa 170 und 1520 etwa 230 Niederlassungen.

Die starke Ausbreitung des Ordens im 14. und 15. Jahrhundert kann darauf zurückzuführen sein, daß das vom hl. Bruno verkündete Frömmigkeitsideal zu seiner Zeit noch zu neu war und folglich eine breitere Schicht keinen Zugang zu diesen Ideen fand. Obwohl Bruno sich auf die Regel des hl. Benedikt berief, die sich ausdrücklich gegen eine vorwiegend individualistisch geprägte Frömmigkeit aussprach, forderte er die Selbstheiligung des Individuums in der zeitweiligen Abgeschiedenheit von der klösterlichen Kommunität. Von daher gesehen wird verständlich, daß in Zeiten, in welchen sich der Akzent der Frömmigkeit von der Heiligung innerhalb einer Gemeinschaft auf eine Heiligung des Individuums in der Abgeschiedenheit verlagerte, auch ein stärkeres Interesse an der Lebensform der einsiedlerischen Kartäuser festzustellen ist. Die Gedanken des hl. Bruno wurden besonders durch die Mystik des hl. Bernhard von Clairvaux, die Mystik innerhalb des Dominikanerordens und schließlich durch die Gedanken der *Devotio moderna* erweitert. Der Gründer der *Devotio moderna*, Geert de Groote, weilte vor und nach seiner Bekehrung (1374) in der Kartause Monnikhuizen bei Arnheim, wo ihn Heinrich Eger von Kalkar in seinen Plänen bestärkte. Die *Devotio moderna*, die sich besonders stark im Rhein-Maas-Raum ausbreitete, hatte nicht nur eine Blüte der Konvente der Windesheimer Kongregation und eine Reform des Kreuzbrüderordens (1410) zur Folge; auch zahlreiche Kartausen nahmen ihre Gedanken auf, da sie sich mit den Vorstellungen ihres Ordensgründers weitgehend deckten. Es ist deshalb nicht verwunderlich, daß gerade in diese Zeit die Blüte mancher Kartäuserkonvente fällt, wie z. B. die der Kartause St. Barbara in Köln.

Die Choraltradition des Ordens gilt nach B. Stäblein (MGG 2, 1279) und H. Hüschen (MGG 7, 709) als weitgehend unerforscht.

Von einer Liturgie der Kartäuser kann man in der Frühzeit des Ordens nur bedingt sprechen; denn das *Officium* wurde vorwiegend in der Abgeschiedenheit der Zelle persolviert und eine tägliche Konventmesse war vor 1222 noch nicht gebräuchlich. Man begnügte sich, die Messe nur an Sonn- und Feiertagen zu feiern. Die *Consuetudines* (PL 153, 646) schreiben vor, daß an Ostern auch die Laienbrüder der Messe beiwohnen sollen. In der Frühzeit des Ordens gab es auch noch kein einheitliches *Officium*, das für alle Kartausen verbindlich war. Dieses wurde erst auf dem ersten Generalkapitel im Jahre 1142 gefordert.

Es verwundert deshalb nicht, daß die Kartäuser als Einsiedler am Anfang ihrer Ordensgründung den gregorianischen Choral noch nicht pflegten. Wurde das *Officium divinum* gemeinsam verrichtet, dann beschränkte man sich auf das Rezitieren im *Tonus rectus*. Der gregorianische Choral wurde vermutlich erst nach dem Tode von Guigo von Chastel eingeführt. In der *Tertia compilatio statuorum* wird vorgeschrieben, daß das *Officium* nur zu singen sei, wenn wenigstens acht Mönche zum Chorgebet versammelt seien.

Das Repertoire gregorianischer Gesänge scheinen die Kartäuser in Anlehnung an die Ortstradition von Lyon geschaffen zu haben.

Diese Meinung vertritt der Kartäuser Petrus Sutor († 1537) in seiner ordenshistorischen Schrift *Vita Cartusiana*. H. Hüschen (MGG 7, 710) weist darauf hin, daß möglicherweise der *Liber de correctione antiphonarii* des Agobardus von Lyon (PL 104, 329) die Grundlage des Antiphonars des Kartäuser bildet, während das Totenoffizium des Ordens jenem Ritus ähnelt, der in den *Consuetudines Cluniacenses* des Udalricus von Cluny (PL 149, 643) niedergelegt ist. Eine Analyse der liturgischen Bücher des Kartäuserordens steht zwar noch aus; den Zielen des Ordens entsprechend wurden jedoch andere Traditionen nicht unbearbeitet übernommen.

Die Kartäuser forderten, daß der liturgische Text nur aus der Bibel entlehnt sein darf. Dies bedeutet, daß sie, im Unterschied zur Ortstradition der einzelnen Diözesen, auf die meist den Psalmen entnommenen Gesangstexte zurückgriffen und neu geschaffene Texte ausschieden, die vorwiegend auf den Viten der Heiligen basierten. Aus diesem Grunde sangen die Kartäuser keine Sequenzen und ursprünglich auch keine Hymnen (im 15. Jahrhundert jedoch waren 25 Hymnen im Gebrauch). Auch das Repertoire der Ordinariumsgesänge schränkten sie stark ein. Die Kartäuser verwendeten nur drei *Kyrie-*, zwei *Gloria-*, ein *Credo-*, zwei *Sanctus-* und zwei *Agnus dei-*Vertonungen. Den gregorianischen Choral führten die Kartäuser sehr einfach aus. Sie sangen ihn sehr langsam, im Tonfall dumpfer Klage. In der *Nova collectio statutorum* finden sich ähnliche Formulierungen wie bei den Schriftstellern der *Devotio moderna*, daß nämlich für den Vortrag des Gesanges weniger die Kunstfertigkeit als vielmehr die Demut des Herzens entscheidend sei. Ihrer Gesangspraxis entsprechend haben sich die Kartäuser von der anfänglich gebrauchten ortsgebundenen Neumierung gelöst (Notenbeispiel MGG 7, 707) und später nur die Quadratnotation (Notenbeispiel MGG 7, 710 und Tafel 30) benutzt, die keine liqueszierenden Noten aufweist. Der Anfang des Introitus zum ersten Adventssonntag, der in drei verschiedenen Fassungen dargeboten wird, zeigt, daß die Kartäuser auf liqueszierende Notenzeichen verzichtet haben. Obwohl sie die römische Quadratnotation verwendeten, übernahmen sie nicht die römische Choralfassung. Zum Vergleich wurden eine Handschrift aus dem Basler Kartäuserkonvent und eine aus dem Kölner Stift St. Gereon herangezogen. Beide Handschriften entstammen dem 15. Jahrhundert. Außerdem wird die Fassung des Liber usualis mitgeteilt. Auffallend sind die Abweichungen bei Ad und animam.

Aus dem Geist des Ordens erklärt sich auch, daß nur der gregorianische Choral verwendet wurde. Andere Gesangsformen wie auch jegliche Instrumentalmusik waren verboten.

Praemonstratenser

Der Orden der Praemonstratenser (*O. Praem.*) wurde 1120 von Norbert von Gennep im waldreichen Tal Praemonstratum (Prémontré, Departement Aisne bei Laon) gegründet.

Der Ordensstifter wurde 1080 in Xanten geboren. Er entstammte dem Geschlechte der Grafen von Gennep. Der Orden, den 1126 Papst Honorius II. bestätigte, breitete sich in verschiedenen Ländern Europas rasch aus. Er umfaßte um 1230 bereits über 500, um 1350 über 800 und um 1400 über 1000 Stifte. Die Praemonstratenser suchten das monastische Mönchsleben mit der pfarrlichen Seelsorge und mit der Missionierung zu verbinden.

Die Praemonstratenser schufen in der Zeit der Gründung des Ordens keine einheitliche und eigene Liturgie. Sie scheinen sich an rheinisch-lothringischen und nordwestfranzösischen Ortstraditionen orientiert zu haben. Außerdem ist ein Einfluß der Liturgie der Zisterzienser feststellbar. Erst Hugo de Fosse (1093—1164), der zweite Generalabt des Ordens, arbeitete einen *Liber ordinarius* aus, der die Vorschriften der ordenseigenen Liturgie enthielt.

Die Urschrift ging verloren. Ein *Liber ordinarius* aus dem Ende des 12. Jahrhunderts wird in Paris (BN f.l.n.a. 1896 — 1897) aufbewahrt. In den *Statuta* von 1174 und 1294 wie in den Bullen von 1177 und 1256 wird die Forderung nach einheitlichen liturgischen Büchern erhoben. Die Tatsache, daß diese Forderung mehrmals ausgesprochen wurde, gibt Anlaß zu der Vermutung, daß entsprechend der nicht so stark zentralistischen Organisation die Ordensliturgie den Gesang in den einzelnen Klöstern abgewandelt und entsprechend den seelsorgerischen Aufgaben den Ortstraditionen angepaßt wurde. Diese Vermutung wird noch dadurch gestützt, daß die Notation der Handschriften aus einzelnen Klöstern uneinheitlich ist und die Merkmale der am betreffenden Ort üblichen Notenzeichen aufweist.

Die liturgischen Bücher des 15. und 16. Jahrhunderts haben nur noch wenige Gemeinsamkeiten mit der Ordenstradition. Der Generalabt Jean des Pruets (1573—1596) veranlaßte auf dem Generalkapitel von 1574, daß neue, der Tradition des Ordens entsprechende liturgische Bücher gedruckt wurden: Brevier (1574), Prozessionale (1574) und Missale (1578). Jedoch wurden auch noch später in den einzelnen Klöstern (z. B. in Knechtsteden) Handschriften in Hufnagelnotation geschrieben, was auf eine eigene Choraltradition des betreffenden Klosters schließen läßt. Eine Choralreform — etwa wie die der Zisterzienser — haben die Prämonstratenser im Mittelalter nicht durchgeführt. Die „Choralreform" im 17. Jahrhundert unter Generalabt Augustin le Scellier (1645—1666) bezog sich nur auf die Kürzung der Melismen, die Änderung der Modi und die Festlegung der Notenzeichen auf arithmetisch meßbare Zeitwerte.

Dominikaner

Der Spanier Dominikus (1170—1221) begleitete in den Jahren 1203 bis 1204 den Bischof Diego von Azevedo auf zwei Reisen nach Südfrankreich, wo er die Lehre der Albingenser kennenlernte. Durch Predigt und Beispiele der Entsagung wollte er die Irregeführten bekehren. Deshalb gründete er 1215 an der Kirche des hl. Roman den Orden der Dominikaner (Ordo Praedicatorum), der nach der Regel des hl. Augustinus (mit Zusätzen aus der Regel der Praemonstratenser) lebte.

Der Orden wurde 1216 von Papst Honorius III. bestätigt. Auf dem 1. Generalkapitel zu Bologna (1220) wandelte Dominikus den Orden in einen Bettelorden um. Dort wurde auch der 1. Ordensgeneral (Magister generalis) gewählt, die Ordensresidenz bestimmt und die jährliche Abhaltung von Generalkapiteln beschlossen. Der Magister generalis wurde ursprünglich auf Lebenszeit gewählt. Nach dem Vorbild der Franziskaner wurden ihm vier Socii in der Leitung des Ordens beigegeben. Jeder Socius entstammte einer anderen Nation. Sitz des Ordensmeisters war der Konvent St. Jacques zu Paris. Er wurde 1273 nach Rom verlegt. Besonders unter den ersten fünf Ordensmeistern entfaltete sich der Orden zu reicher Blüte: Dominikus (1220—1221), Jordanus de Saxonia (1221—1237), Raimundus de Penaforte (1238—1240), Johannes Teutonicus (1241—1252) und Humbertus de Romanis (1254—1263). Die Dominikaner erlangten besonders auf dem Gebiete der Wissenschaft, der Bekämpfung der Häresie, der Seelsorge und der Mystik großes Ansehen und Macht.

Durch die Rezeption der aristotelischen Schriften wurde in Verbindung mit der christlichen Lehre ein umfassendes Weltbild geschaffen, das alle Teile der Wissenschaften in einem System vereinigte. Neben der spekulativen Methode gewann die empirische an Bedeutung. In diesem Zusammenhang sind besonders die naturwissenschaftlichen Schriften des Albertus Magnus zu nennen. Das *Speculum majus* des Vinzenz von Beauvais — die umfangreichste und weitverbreitetste Enzyklopädie des Mittelalters und der beginnenden Renaissance — bot dem Wißbegierigen eine Stoffsammlung, in der die Schriften von ca. 400 Autoren verarbeitet waren. Thomas von Aquin — wohl der berühmteste Gelehrte des Ordens — machte sich die Gedanken des Aristoteles zu eigen und schuf in seinen Summen und anderen Schriften das geschlossenste System mittelalterlichen Denkens.

Die Dominikaner besaßen am Anfang keinen eigenen und einheitlichen Choral. Vielmehr orientierten sie ihre Choralpflege an der jeweiligen Ortstradition.

Auf dem 1. Generalkapitel in Bologna 1220 und auf dem 9. in Paris 1228 wurde bestimmt, daß reisende Ordensangehörige sich der Liturgie des Aufenthaltsortes anpassen sollen. Da der Pariser Konvent Sitz des Ordensmeisters und zugleich die im 13. Jahrhundert angesehenste Ordenshochschule war, gewannen die liturgischen Gepflogenheiten dieses Konventes, der die Liturgie der Stadt weitgehend übernahm, auch für den übrigen Orden an Bedeutung. Auf dem 25. Generalkapitel zu Bologna (1244) und auf dem 26. in Köln (1245) wurde mit Nachdruck eine Vereinheitlichung des Offiziums in Text und Melodie verlangt. Entsprechend der Verfassung des Ordens wurde eine Kommission eingesetzt, die aus je einem französischen, englischen, lombardischen und deutschen Ordensmitglied bestand. Sie sollten im Kloster zu Angers die divergierenden Fassungen einer Korrektur unterziehen, um eine fehlerfreie und einheitliche Liturgie des Offiziums zu schaffen. Dieser erste Redaktionsversuch fand jedoch auf den nachfolgenden Generalkapiteln keine Billigung. Auf dem 31. Generalkapitel zu London (1250) wurde beschlossen, die Kommission nach Metz zu schicken, um dort die reine römische Choraltradition zu studieren. Der zweite Redaktionsversuch fand jedoch auf dem 32. Generalkapitel zu Metz (1251) nur eine vorläufige Zustimmung. Auf dem 34. Generalkapitel zu Buda (1253) wurde die Aufgabe der Korrektur in die Hände des neugewählten Ordensgenerals Humbert gelegt.

Die von Humbert selbst durchgeführte Choralrevision wurde auf dem 36. Generalkapitel in Mailand (1255) und auf dem 37. in Paris (1256) einmütig anerkannt. Die neue Choralausgabe wurde 1267 von Papst Clemens IV. zu Viterbo bestätigt.

Die Arbeit des Humbert, die im *Correctorium fratris Humberti* — oder auch nach dem Aufbewahrungsort der Handschrift *Correctorium S. Jacobi Parisiensis* genannt — niedergelegt ist, stellt weniger eine Reform als vielmehr eine Normierung des Dominikanerchorals dar. Humbert übernahm nach Peter Wagner die liturgischen Gepflogenheiten der Pariser Kirche.

Diese Liturgie war jedoch im 8. bis 9. Jahrhundert als römisch-gregorianische adaptiert und durch lokale Zusätze und Varianten angereichert worden. Peter Wagner hat in seiner Neumenkunde 1912² S. 471 darauf aufmerksam gemacht, daß die Dominikanerfassung an die Lesart der Zisterzienser erinnert. Diese Vermutung wurde durch Untersuchungen von Delalande bestätigt, der jedoch für das Hymnar nordfranzösische Quellen benutzte. Da diese Liturgie in dem Musterkodex des Humbert fixiert wurde, ist die Liturgie der Dominikaner ein Zeuge für die Choralpflege jener Zeit; denn im Gegensatz zu der Ordenstradition haben die einzelnen Ortstraditionen erhebliche Erweiterungen erfahren. Während die neumenreichen Gradualien nicht gekürzt wurden, wurden die Alleluja manchmal in zweifacher Weise verändert: 1. Das Melisma auf der letzten Silbe des Versus wurde kaudiert; 2. Wiederholungen von Figuren innerhalb mancher Binnenmelismen wurden gestrichen. Eine Besonderheit findet sich im Choral der Dominikaner bei den Lektionsformeln: Sie verwenden statt der sonst üblichen subtonalen Tuba die subsemitonale (Halbtonschritt unter dem Rezitationston).

Entsprechend der Zielsetzung des Ordens wurde der Choral einfacher ausgeführt, worauf die Verwendung der römischen Choralnotation schließen läßt. Außerdem wurde auf den Generalkapiteln zu Bologna (1244) und London (1250) das Diskantieren verboten, d. h., daß die Gesänge in der vom Intonator angestimmten Tonhöhe bis zum Ende zu singen seien, ohne Oktavintervalle einzuschieben. Dennoch hat Hieronymus de Moravia OP, ein Mitglied des Pariser Konventes, in seinem Musiktraktat über den *Discantus* ausführlich berichtet.

Wie die Dominikaner gelegentlich das Schlußmelisma des Alleluja-Verses gekürzt haben, sei an dem Alleluja *Ostende nobis* vom 1. Adventssonntag belegt. Im ersten System steht die Fassung des *Liber usualis* und im zweiten die der Dominikaner:

Gottfried Göller

Neue Formen

Neue liturgische Aufgaben, aber auch der Wandel im musikalischen Denken und Empfinden, sowie die sowohl das Frömmigkeitserlebnis wie das Musikerlebnis verändernde gesellschaftliche Entwicklung haben seit der Grundlegung der abendländischen liturgischen Gesänge im 7. Jahrhundert zu neuen Formen des liturgischen Gesangs geführt. Die Umbildung bestehender Formen ist dabei ebenso bedeutsam wie die Gestaltung neuer Formen, die sich teils an die Tradition anschließen, teils zu Neugestaltungen führen.

In den Ordensliturgien und in den landschaftlichen Traditionen sind solche Neugestaltungen ebenso erfolgt wie im *cantus romanus*. Dazu gab die Einführung neuer Feste Veranlassung, die für *Missa* und *Officium* neue Gesänge notwendig machten.

Sie sind örtlich entstanden, sind an den Ort gebunden geblieben oder haben eine regionale oder auch universalkirchliche Verbreitung gefunden. Manche Feste und ihre liturgisch-musikalische Gestaltung sind nur zeitlich begrenzt gefeiert worden. Ihre liturgischen Melodien gingen verloren oder wurden mit neuen Texten verbunden. Der Bestand der Propriumsgesänge erfuhr damit bedeutsame Erweiterungen. Ebenso wurden die Antiphonen, Responsorien und Hymnen des Officiums durch neue Gesänge vermehrt. Diese durch die äußere Erweiterung der Liturgie bestimmte Vermehrung der liturgischen Gesänge steht in der lebendigen Entwicklung der Liturgie, die bis zur Gegenwart weiterreicht, in der klassischen Form der Gregorianik im 15. Jahrhundert nach ihrer großen Entfaltung im 13. Jahrhundert aber einen gewissen Abschluß gefunden hat. Das Verhältnis von *Ordinarium* und *Proprium* hat sich seit dem 2. Jahrtausend verändert und damit sowohl zu einer Erweiterung der Ordinariumsgesänge wie ihrer zyklischen Bindung geführt.

Neben der von der Liturgie bestimmten Weiterführung des *cantus romanus* haben sich neue Formen seit dem 7. Jahrhundert entwickelt. Zunächst wurden die liturgischen Gesänge durch Tropen dem allgemeinen Verständnis und religiösen Ausdruck näher gebracht. Die Sequenzen in ihrer Bindung an die *Alleluja*-Gesänge sind eine Sonderform der Tropierung, die — in sukzessiver Erweiterung der liturgischen Melodie in der Kultsprache — die vielgestaltigen Tropen zu allen Formen des liturgischen Gesangs mit Ausnahme des Credo schafft. Die melodische Erweiterung in der Landessprache aber führte zum Kirchenlied, das Reste des ursprünglichen liturgischen Gesangs wie das *Kyrie eleison* noch lange erhält. Die gleichzeitige Tropierung einer liturgischen Kernmelodie ist der Ausgangspunkt der Mehrstimmigkeit in ihrer ursprünglichen Vieltextigkeit. Sie begründet die Sonderentwicklung der abendländischen Musik, die noch den Klangverbreiterungen der Kernmelodie der gesamt-abendländischen Musikgeschichte eine neue Richtung gibt.

Der *Tropus* als die Grundlage einer — die festliegenden liturgischen Gesänge in subjektiver Empfindung erweiternden — kirchlichen Kunst hat neben der bloßen Fortführung des liturgischen Gesangs durch Textunterlegungen, Einschübe etc. zu selbständigen formalen Gebilden geführt, die schon in den Sequenzen, noch mehr in den *Cantiones* in der liturgischen Sprache wie im Kirchenlied in der Landessprache deutlich werden. Eine künstlerische Form tritt bestimmend in die musikalisch-liturgische Gestaltgebung und nimmt damit die Züge des künstlerischen Wandels in sich auf.

Am deutlichsten wird dies in der abendländischen Entwicklung der Kirchenmusik durch die Mehrstimmigkeit gekennzeichnet, aber auch die metrischen Formen, sowie die Ausbildung des textlichen und musikalischen Reims und das Streben nach Dialog und dramatischer Darstellung kennzeichnen die Lösung der kirchenmusikalischen Gestalt von einer starren liturgischen Tradition im Banne der künstlerischen Bestrebungen der Zeit. Die *Cantiones*, die Reimoffizien und die liturgischen Dramen sind Zeugen dieser Entwicklung, die im 2. Jahrtausend die persönliche künstlerische Aussage zur treibenden Kraft kirchenmusikalischer Gestalt werden läßt.

Damit verändern und differenzieren sich die kirchenmusikalischen Formen und bedingen eine Entwicklung der Gregorianik wie der musiktheoretischen Auseinandersetzung mit den liturgischen Melodien. Die von der Einstimmigkeit bestimmte kirchliche Musik hat einen inneren Wandel der Auffassung und Gestalt gefunden, wenn auch seit dem 13. Jahrhundert der Schwerpunkt der Ausdrucksgebung sich immer mehr auf die mehrstimmige Kirchenmusik verlagert hat.

Die Stellung der Musik im Gottesdienst ist eine andere geworden, als sie in der Zeit war, da die musikalische Gestalt aus der liturgischen Ordnung geformt wurde. Das menschliche Empfinden hat die liturgischen Formen erweitert, nicht zuletzt auch mit den kirchenpolitischen Vereinheitlichungsbestrebungen in ihrer Verbreitung bestimmt. Gleichzeitig tritt, wie liturgische Spiele und Cantiones zeigen, ihre Verwendung über den Rahmen der Liturgie in den Bereich einer Kirche und Welt verbindenden geistlichen Musik.

Karl Gustav Fellerer

Ordinariums- und Propriumsgesänge neuer Feste

Das um die Jahrtausendwende parallel mit den Vereinheitlichungsbestrebungen im Karolingerreich und parallel mit der endgültigen schriftlichen Fixierung des römischen Choralrepertoires in Liniennotation auftretende Neuschaffen nimmt sowohl vorhandene Gesänge zur Ausschmückung durch Tropen als auch alte Melodien zur Umgestaltung in Anspruch und stattet daneben die Meßformulare neuer Feste auch mit Neukompositionen aus. Die größte Blüte erlebt dieses Neuschaffen aus den verschiedensten eigenständigen musikalischen Einflüssen heraus und zwar in den Tropen, Sequenzen, Cantionen und Reimoffizien, doch werden auch den gleichbleibenden Teilen der Messe, dem *Ordinarium* (*Kyrie, Gloria, Credo, Sanctus-Benedictus* und *Agnus dei*) besondere Pflege zuteil. Weniger zahlreich und üppig sind die Neukompositionen für die *Propriumsteile* (*Introitus, Graduale, Offertorium* und *Communio*). Die *Alleluja*-Lieder bilden dabei eine Ausnahme, denn *„während der gesamten Dauer der monodischen Komposition bis ins 15. Jh. war das Alleluja der einzige unter den Propriengesängen, der immer wieder auf alte oder neue Texte neugeschaffen wurde"* (Stäblein). Bei den übrigen Propriengesängen bediente man sich entweder der Übernahme vorhandener Texte mit Melodien, oder man gestaltete vorhandene Melodien den neuen Texten entsprechend um. Obwohl in den neukomponierten Melodien mehr und mehr die subjektive Ausdrucksgestaltung, die musikalische Textdeutung und je landschaftlich verschiedene musikalische Einflüsse zu spüren sind, bleiben die Schöpfer dieser Neukompositionen oder Umgestaltungen doch, von einigen Ausnahmen abgesehen, weiter anonym, wiewohl die Kenntnis einiger Namen solcher in der spätmittelalterlichen Monodie schöpferischen Persönlichkeiten einen weiteren Hinweis gibt auf das In-den-Vordergrund-Drängen des künstlerischen Individuums mit seinem Empfinden und seinem Gemüt, wie das auch auf anderen Gebieten des mittelalterlichen Geisteslebens zu beobachten ist.

Die Propriumsteile zweier Meßformulare zwischen dem 12. und 15. Jh. eingeführter Feste geben Aufschluß über diese Entwicklung: 1264 verfügt Papst Urban IV. (1261–64) das *Fronleichnamsfest* für die ganze römische Kirche, das Clemens V. (1305–14) im letzten Jahr seines Pontificats bestätigt. Die liturgische Ordnung des Festes dürfte auf den hl. Thomas von Aquin zurückgehen († 1274), dessen *Sequenz: Lauda Sion* ja auch Kernstück bis auf den heutigen Tag geblieben ist. Die Melodien der Gesänge sind anderen und meist älteren Festen entlehnt: Der *Introitus: Cibavit eos* entstammt in Text und Melodie dem Pfingstmontag. Das *Graduale: Oculi omnium* steht in den früheren Handschriften am 20. Sonntag nach Pfingsten. Das *Alleluja: Caro mea* ist eine musikalische Anpassung des neuen Textes an eine vorhandene Melodie zu dem Text *Laetabitur justus*, eine ganz aus diesem Jubeltext heraus gestaltete Melodie, die aber auch eine Neuschöpfung nach der Jahrtausendwende sein dürfte, denn sie findet sich noch nicht in den von Dom Hesbert kompilierten sechs Missalen des 8. u. 9. Jhs. im Antiphonale Sextuplex (Paris 1935), wohl aber in dem von Peter Wagner 1930–34 in Faksimile herausgegebenen Graduale der Thomaskirche zu Leipzig aus dem 13./14. Jh. und in vielen anderen Handschriften dieser Zeit. Fünfmal wird dieses *Alleluja* im *Graduale Romanum* verwendet, immer aber an Festen, die später eingeführt wurden. Der Gebrauch mit dem Vers-Text *Levita Laurentius* am Fest des Heiligen ist auch späteren Datums, denn in den Formularen der Handschriften vor 1000 steht an diesem Fest ein anderes *Alleluja*. In seiner Konzentration auf den Tenor D des 7. Kirchentones, des G-Modus, und der spannungsreichen Umspielung dieses Tones im Initium und in den Kadenzen zeigt diese Komposition noch eine starke psalmodische Bindung, obwohl der Schwung der über eine Undezime reichenden Melodie eine solche psalmodische Strenge vergessen läßt. Dominicus Johner hat schon darauf hingewiesen, daß die Zuordnung zu dem Text *Caro mea* eine Abschwächung des musikalischen Wertes bewirkt, denn der durch eine Melismenwiederholung sich steigernde musikalische Aufbau wird durch die Einführung eines neuen Textgedankens unterbrochen.

Alleluja-Laetabitur justus nach dem Moosburger Graduale Cod. ms. 156, 2° der Univ. Bibl. München, fol. 104 r. — *Alleluja-Caro mea* nach der Editio Vaticana.

Die Sequenz *Lauda Sion* gehört zu den später zu betrachtenden mittelalterlichen Neuschöpfungen.

Die Melodie des *Offertorium* ist vom Pfingstsonntag in einer glücklichen Anpassung übernommen. Auch die Antiphon zur *Communio* ist dem Pfingstsonntags-Proprium entlehnt und dem neuen Text entsprechend umgestaltet. Während das *Factus est repente* des Pfingsttextes die Vehemenz des dramatischen Pfingstwunders wiedergibt, wird hier in der Fortsetzung der Communio des Passionssonntags der tiefe Ernst der Abendmahlseinsetzung hervorgekehrt, vor allem deutlich im zweiten Teil im Verhältnis zum jubelnden Staunen des Pfingsttextes.

Aus der Communio des Pfingstfestes und der Communio für Fronleichnam, nach der Editio Vaticana.

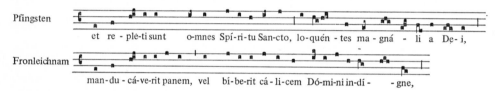

Die Melodie selbst findet sich auch im Klosterneuburger Antiphonar als 2. Responsorium der Matutin von Pfingstmontag, wobei die Frage der Priorität hier nicht untersucht werden soll.

1263 hat Bonaventura das auf Lucas I, 39—56 begründete Fest der *Heimsuchung (Visitation) Mariä* für den Franziskanerorden eingeführt und 1570 erscheint es im Missale Pius V. (1566—72) für die ganze Kirche. Die Ordnung der Gesänge lag nicht immer fest. Vielfach fanden Gesänge Anwendung, die unter der Rubrik *De Sancta Maria Virgine* in den Handschriften stehen. Darunter ist auch der heute gebräuchliche Introitus *Salve sancta parens*, der zwar melodisch dem Introitus von Epiphanie entlehnt ist, aber als textliche Übernahme aus dem *Carmen paschale* des Sedulius das einzige Beispiel eines aus zwei Hexametern bestehenden metrischen Introitus darstellt. Das *Graduale: Benedicta* ist mit anderem Text bereits in den Handschriften des 10. Jhs. vertreten. Das *Alleluja: Felix es sacra virgo*, in seiner heutigen Melodie seit dem 11. Jh. nachweisbar, ist beispielsweise im Moosburger Graduale von 1350—60 durch eine wesentlich kühnere Melodie ausgestattet, wobei das *Alleluja-Initium* schon aufschlußreich den Unterschied der aller Wahrscheinlichkeit nach jüngeren Melodie gegenüber der älteren offenbart.

Anfang des *Alleluja-Felix es sacra* nach dem Moosburger Graduale, fol. 120 r und der Editio Vaticana.

Das *Offertorium* ist aus älteren Melodien entlehnt. Die *Communio Beata viscera* wird wohl ins 11. Jahrhundert zurückreichen, doch nicht früher, denn sie ist weder im St. Gallener Codex 339 aus dem 10. Jh. noch bei Hesbert (siehe oben) vorhanden und kann in ihrer musikalischen Textgestaltung mit der Annahme individuellen Ausdruckswillens in Verbindung gebracht werden, betrachtet man nur die exponierte Stellung des *aeterni* zwischen *portaverunt* und *Patris*.

Communio-Beata viscera-Ausschnitt nach der Editio Vaticana.

Die aus diesen Beispielen erhellende Vorrangstellung des *Alleluja* im Neuschaffen des Mittelalters sei noch an zwei Ausschnitten aus *Alleluja*melodien aus dem schon genannten Moosburger Graduale verdeutlicht.

Für das schon seit dem 9. Jh. bekannte, aber erst 1476 von Papst Sixtus IV. (1471–84) bestätigte Fest der unbefleckten Empfängnis Mariens (*Conceptio B.M.V.*) ist nur am Ende der Handschrift ein *Alleluja*-Lied mit dem vierzeilig gereimten Text aus Achtsilbern *Ex regum tribu propagata* aufgezeichnet, das in einer ohne Rücksicht auf die Verszeilen gewissermaßen durchkomponierten, durch ein ständiges ♭ nach unserem F-dur tendierenden Melodie komponiert ist und damit der Tendenz des mehr harmonisch als linear empfindenden Komponierens nördlich der Alpen entspricht.

Aus dem *Alleluja-Ex regum tribu* des Moosburger Graduale fol. 261 r.

Bemerkenswert auch das riesige Melisma auf *astigis*, das durchaus dem subjektiven Ausdrucksdrang entspricht.

Unter den *Alleluja*-Liedern der Rubrik *De Sancta Maria Virgine* steht in derselben Handschrift ein *Alleluja*-Lied *O Maria, rubens rosa*, das an anderer Stelle auch mit *Tropus* erscheint. Wie das vorhergehende *Alleluja* zum F-Modus, gehört dieses dem E-Modus an, die beide im Spätmittelalter gegenüber den D- und G-Modi der Gregorianik mehr und mehr in Mode kommen (Stäblein, Art. *Alleluja* in MGG I, 348). Nicht nur der gereimte Text aus acht Zeilen und dem in der *Alleluja*-Melodie endenden Schluß macht dieses Lied zur typischen Neukomposition der Zeit, sondern vor allem auch die Melodie mit ihrem Umfang von A–e über eine Duodezime, mit ihren Oktavsprüngen in Kadenzen und zwischen Zeilenende und Zeilenanfang; das ständige Kadenzieren auf der Finalis E (nur einmal, und zwar genau in der Mitte, auf h), die Zuordnung gleicher Verszeilen zu gleichen Melodieabschnitten, der Übergang zu einer Art Durchkomposition, in der die Verse kein einheitliches Maß mehr haben.

Alleluja — O Maria, rubens rosa aus dem Moosburger Gradulae, fol. 121 r.

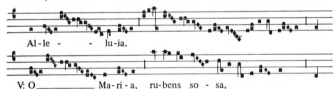

Sind bei den Proprien-Gesängen mit Ausnahme des *Alleluja* echte Neukompositionen eine Seltenheit, so ist der Bestand an neuen melodischen Formen bei den *Ordinariums*-Gesängen reich und zeigt eine frühe monodische Entsprechung zur späteren mehrstimmigen Entwicklung in der Bevorzugung der Ordinariums-Gesänge als Meß-Zyklus, obwohl in der Monodie, von der Zyklusmesse aus Oberaltaich von 1452 abgesehen, die Teile immer nur einzeln komponiert und im Falle der vatikanischen Ausgabe später zusammengestellt wurden.

Für das *Kyrie* nennt Stäblein (MGG VII, 1935) zwei Höhepunkte der Neukomposition, das 12. Jh. und das liederreiche 15. Jh. Als Beispiel für das 12. Jh. diene das Kyrie der IX. Messe der Vaticana, das in der Fülle der formalen Gestaltungen des am meisten symmetrischen Textes der Ordinariums-Gesänge (3 x 3 Anrufungen) ein Muster an abgeklärter Formgebung darstellt. Die im D-Modus melodisch einer Terzenschichtung (D–F–a–c) huldigende Weise gliedert sich in

A B C
a x a / b y b / c y c¹

wobei c ein bis zum oberen Grenzton erweitertes b ist und C¹ wieder aus 2 x c und y besteht.

Ein weiteres Beispiel für die besonders in Süddeutschland vordringende Terzenschichtung der Melodik, hier im E-Modus, zeigt ein Modell aus dem 14. Jh. (C-E-G-h[c]).

Kyrie im E-Modus aus dem 14. Jh. Melnicki, Das einstimmige Kyrie des lateinischen Mittelalters, Nr. 149.

Ein Beispiel für die sehr gefällige, liedhafte F-Melodik des Mittelalters ist das bekannte *Kyrie* der *Vaticana* VIII: *De Angelis*, das aus dem 14. Jh. aus Rouen bekannt ist, aber als Beispiel für das liederreiche 15. Jh. gelten darf.

Kyrie Vaticana VIII De angelis aus Paris BN lat. 905, aus Rouen, 14. Jh. (dort auf C notiert).

Ky - - ri - e - - - - le - y - son

Ebenfalls in das 15. Jh. gehört die Zyklus-Messe aus Oberaltaich, die im *Liber votivalis et festivitatum* des Abtes Johannes 1452 steht und in ihrer melodischen und motivischen Substanz von geringem Umfang dem auf dem Dreiklang C-E-g-c aufgebauten E-Modus angehört. Hier die Initien der einzelnen Teile:

Die Incipits der Zyklus-Messe aus Oberaltaich von 1452 in Clm 9508 der Bayerischen Staatsbibl. München nach Melnicki, *Das einstimmige Kyrie des lateinischen Mittelalters*, S. 75.

Ky - ri - e - - ley - son

Glo - ri - a in___ ex - cel - sis___ de - o

San - ctus, San - - - ctus

A - gnus De - - i

Das *Gloria* dieser Messe gehört zu den in Motivtechnik gestalteten Weisen und darf für diese Technik auch als charakteristisch für die Spätzeit des monodischen Schaffens gelten, *„eine Komposition, die mit wenig melodischem Material auskommt, dafür aber die paar bescheidenen Motive elastisch handhabt und so geschickt gruppiert, daß der ganzheitliche Fluß der Linie keinen Eindruck von Zusammensetzung spürbar werden läßt"* (Stäblein, MGG V, 314—316, dort auch die ganze Melodie).

Neben dieser Motivtechnik ist im Spätmittelalter auch noch die mehr archaische Art der psalmodischen Komposition nach einer Tonformel oder nach einem charakteristischen Melodiemodell in Übung, wie etwa die besonders in Deutschland verbreitete Weise des Gloria V der Vaticana, *„eine für das 12. Jh. charakteristische Melodie, deren zwei einmal nach unten, einmal nach oben auskreisende Bögen durch den gleichen Schluß zusammengehalten sind"* (Stäblein, MGG V, 310, dort auch Notenbeispiel).

Ein Sonderfall und zugleich Musterbeispiel für eine durchkomponierte *Gloria*-Melodie, die in ihrer *„charaktervollen Eckigkeit und gottglühenden Ekstatik"* (Stäblein) nur im Deutschland des 11. und 12. Jhs. möglich war, stellt das *Gloria* I ad. lib. der *Vaticana* dar, das nach dem Zusatz *Leonis papae* in der St. Gallener Fragmentensammlung 366 allgemein als Komposition des Bruno von Egisheim, des späteren Papst Leo IX. (1049—54) angesehen wird. Dominicus Johner glaubte in dieser eine Duodezime umspannenden Melodie mit ihren Quart- und Quintsprüngen sogar schon *„ein Rechnen mit dem äußeren Effekt"* zu sehen.

Von den in der Vaticana vorliegenden sechs Melodien zum *Credo*, das erst 1014 endgültig in die Liturgie und damit ins Meßordinarium, wenn auch nicht an allen Tagen, eingeführt wurde, gehen die nach psalmodischen Formeln komponierten Melodien *Vaticana* I, II, V und VI, zwar erst im 11. Jh. nachweisbar, doch auf frühere Vorbilder zurück, während die Melodien III und IV im 15. Jh. dazu kamen und in ihrer Gestaltung nach Melodiemodellen wieder zur Liedhaftigkeit der Zeit tendieren und deshalb auch vielfach mensural überliefert sind.

Die Modellmelodie für Credo III und IV nach Stein, *Das Credo im ersten und fünften Modus*, in: CVO 73, Jg. 1953, S. 55 ff. Vgl. S. 277.

Die Melodik der *Sanctus-Benedictus-Weisen* kann man *„generell als weniger stilisiert und volksnäher bezeichnen als die der sog. gregorianischen Gesänge; selbst die ältesten Sanctus-Weisen sind ,ungregorianisch"* (Thannabaur), so daß die spätmittelalterlichen Neukompositionen nicht so sehr als neu empfunden werden, wobei die meist melismatischen Sanctus-Weisen einerseits Melodiemodellen zuzuordnen sind, andererseits aber steht *„die häufige motivische Gestaltung der Sanctus-Melodien stilistisch im Gegensatz zum röm. Choral, kann aber für die mittelalterliche Monodie als typisch gelten"* (Thannabaur).

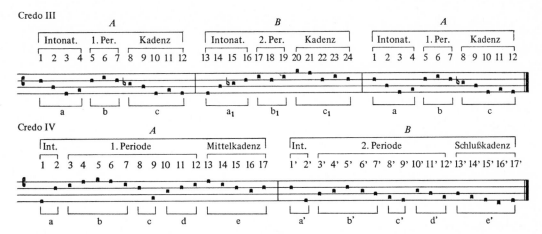

Das *Agnus Dei* steht in jeder Hinsicht, vor allem wegen der Dreigliederung des Textes, der Kompositionsweise des Kyrie am nächsten, das *Ite missa est* ist häufig sinnvoller Weise mit dem ersten Teil des Kyrie identisch.

Freiere Handhabung melodischen Materials, engmaschige Melodien im Süden (Italien) und weitgreifende, auf Terz- und Quartintervall geprägte mehr harmonisch empfundene Gesangslinien im Norden (vgl. Die *Gloria ad lib.* I und II der *Vaticana*, wobei II aus Italien stammt), textbedingte Ausdruckshaftigkeit melodischer Wendungen im Neuschaffen und im Anpassen alter Melodien weisen auf den Einfluß landschaftlicher und lokaler musikalischer Eigenständigkeit und auf individuellen Ausdruckswillen der Komponisten des späten Mittelalters hin.

Franz A. Stein

Antiphonen und Responsorien

Im Mittelpunkt des Offiziums stehen die 150 Psalmen. Beten vollständiger Psalmen setzt Schriftkundige, gelehrte Geistliche voraus. Aus dieser Gegebenheit heraus ist die Verbreitung der antiphonalen Psalmodie zu verstehen.

Die Verse des Psalms werden im Wechselchor vorgetragen; zum Psalm treten die Antiphonen hinzu. Unter einer Antiphon versteht man ein Gesangstück, das in das Psalmgebet eingefügt wird, und zwar am Anfang, meist nach jedem Vers und am Schluß. Im Hoch- und Spätmittelalter sang man die Antiphon nur noch am Anfang und am Schluß des Psalms, hatte aber auch so ein formales Schema, das reiche musikalische Entfaltungsmöglichkeiten in sich barg. Je nach Art der Melodik und des Textes erhielt der Psalm durch solche Refrains eine andere Beleuchtung.

Die Antiphon konnte aus einem kurzen Ruf bestehen, der auch der psalmenkundigen Gemeinde anvertraut wurde. Flocht man aber Antiphonen ein, die Gedanken und Aussagen des Psalms hervorhoben oder dem Psalm eine besondere Bedeutung gaben, so entstand ein Gebilde, das sich von dem Wechsel: Psalmrede des Chors — Gemeinderuf unterschied.

Durch die Antiphonen war es möglich, das der jeweiligen Epoche eigene Gedanken- und Musikgut in den Psalmvortrag einzufügen und sich damit den Psalm innerlich zu eigen zu machen. Die Antiphonen dienten, im Unterschied zu den Tropen, nicht dazu, fremdes Melodiegut sich anzueignen.

Bei Einsetzen der schriftlichen musikalischen Überlieferung sind die Antiphonenmelodien zum großen Teil geschaffen, zeigen aber noch klar erkennbare verschiedene Schichten. Diese Chorstücke, die abseits der hauptsächlichen musikalischen und liturgischen Entwicklung nach 550 lagen, prägen melodisch und textlich diese Schichten deutlich aus. *„Hier gelingt auch, was bei Meßantiphonen kaum möglich ist, eine Aufgliederung nach musikalischen Stilschichten, die im Zusammenhang mit textgeschichtlichen und liturgiegeschichtlichen Untersuchungen eine annähernd genaue Chronologie ergeben"* (W. Lipphardt).

Das von Rom aus im 8. Jahrhundert im Frankenreich eingesetzte Antiphonar enthielt aber nur eine beschränkte Anzahl von Formularen, und die danach sich ständig mehrenden Feste riefen auch nach neuen Antiphonen und Responsorien; für die Antiphonen schuf man vorerst keine neuen Melodien, sondern adaptierte die alten zu den neuen Texten. Eigentliche Neukompositionen erscheinen in den Reimoffizien. Textlich lassen sich psalmographe (Text aus dem Psalter), biblische (Text aus anderen Teilen der heiligen Schrift) und historische (Texte aus Heiligenviten und Legenden) Antiphonen voneinander scheiden.

Eine erste Schicht innerhalb der psalmographen Antiphonen zeigt das Ferialbrevier mit kurzen Antiphonen, deren Texte jeweils aus dem ersten Halbvers des entsprechenden Psalms bestehen. Eine solche melodische formelhafte Antiphon, die im Verlauf des Psalms von der Gemeinde ebensogut wiederholt werden konnte, zieht sich als Anruf und Anrede litaneiartig durch das Gebet; sie werden auch bei der Intonation des Gesangs Bedeutung gehabt haben:

Ant. mon. 38

Mi - se - re - re me - i De - us   e   u   o   u   a   e

Diese mehr formelhaften Kurzantiphonen weiten sich in einer zweiten Schicht von Gesängen der Nocturn, die für einen ganzen, geschlossenen Psalmvers Melodiemodelle ausprägen. Wie Gevaert zeigte, finden solche Modellmelodien im ganzen weiteren Verlauf der Antiphonengeschichte Verwendung, teils durch Neutextierung, teils durch eigenschöpferische Erweiterungen. — In dieser zweiten Schicht werden die Texte oft mitten aus dem Psalm genommen: damit wird ein bestimmter Gedanke des Psalms herausgehoben und nicht nur der Psalmeingang rufartig eingeflochten. Der Jubelpsalm 97 zum Beispiel beginnt mit dem Aufruf zum Gotteslob: *Cantate Domino canticum novum*, die Antiphon ist aber über den zweiten Vers gebaut, der die Ursache zum Anstimmen des *Canticum novum* umreißt: *Notum fecit Dominus salutare suum*:

Respons. 61

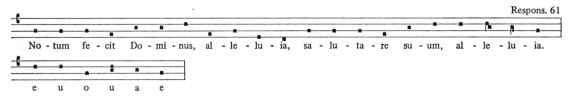

No - tum fe - cit Do - mi - nus, al - le - lu - ia, sa - lu - ta - re su - um, al - le - lu - ia.

e   u   o   u   a   e

Einer dritten Schicht psalmographer Antiphonen gehören die Laudesantiphonen der Fastenzeit an: verschiedene Vershälften werden zusammengestellt; der Kerngedanke, den schon die Antiphonen der zweiten Gruppe heraushoben, wird hier konzentriert und auf das gefeierte Fest bezogen. Kleine Melismen setzen Akzente in der Melodie und gliedern den Text reicher:

Ant. mon. 312

De - us, De - us me - us, ad   te   de   lu - ce   vi - gi - lo_____,   qui - a

fa - ctus es ad - ju - tor me - us.   e   u   o   u   a   e

Mit diesen drei Gruppen ist die Komposition psalmographer Antiphonen im wesentlichen umrissen; W. Lipphardt hat versucht, diese Gruppen mit jenen vier Päpsten in Verbindung zu bringen, die der Archikantor Johannes hervorhebt: Damasus (366—384) für die erste Gruppe, Leo I. (440—461) für die zweite, Gelasius I. (492—496) und Symmachus (498—508) für die dritte Gruppe psalmographer Antiphonen.

Die Antiphonen auf Prophetentexte bilden eine geschlossene Gruppe innerhalb der Antiphonen auf Texte aus den übrigen Teilen der Bibel. Oft ist in diesen Gesängen der Oster- und Passionszeit der Text der Bibel ergänzt und umschrieben:

	Antiphon:	*Domine*	Jesaias:	*Domine*
		vim patior	V. 14	*vim patior*
		responde pro me		*responde pro me.*
		quia nescio		
		quid dicam	V. 15	*Quid dicam, aut quid*
		inimicis meis.		*respondebit mihi, cum*
		Ps. *Ego dixi*		*ipse fecerit?* Jes. 14, 15.

Solche Prophetenantiphonen haben eine ganz neue Bedeutung innerhalb des antiphonalen Psalmgesangs: Den Bußpsalm Davids (Ps. 50) durchzieht der Ruf Jonas aus dem Fisch um Erbarmen.

Zwei ähnliche Gehalte in den Texten von Psalm und Antiphon werden miteinander verbunden. Der Ruf des Propheten weist aber auch voraus auf das kommende Heil; mit solchen Antiphonen wird die Advents- und Passionszeit zur erfüllten Vor-Zeit, der Psalm durch die Antiphon von Erwartungsgedanken durchzogen:

Ant. mon. 408

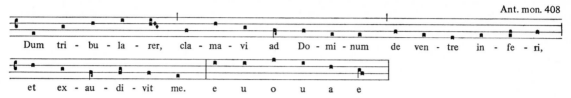

Ähnlich ist die Bedeutung der vorpfingstlichen Antiphonen auf Evangelientexte für die neutestamentlichen Cantica, die Melodiemodelle der Prophetenantiphonen bevorzugen. Callewaert zeigte, daß sich diese Antiphonen textlich nicht genau an den Vulgata-Wortlaut halten, sondern Wendungen aus Homilien Gregors des Großen einarbeiten; dabei muß allerdings in Betracht gezogen werden, daß die Texte dieser Antiphonenschicht recht variabel sein können, was die Beweisführung erschwert. Zwei Antiphonen, *Si vere fratres* und *Si culmen veri* für den Sonntag und Dienstag in Sexagesima, enthalten Zitate aus der Homilie XV Gregors (Patrolog. lat 76, 1131—34):

Si culmen veri honoris quaeritis	*Si culmen veri honoris quaeritis*
ad illam coelestem	*ad coeleste regnum tendite. Si gloriam*
patriam	*dignitate diligitis in illa superna*
	curia Angelorum ascribi festinate
	...ad extremum judicium sine ulla
	momenti interpositione quotidie
quantocius properate	*volentes nolentesque properatis.*

Diese Art von Propheten- und Evangeliumsantiphonen ist mit einiger Sicherheit, wenn nicht Gregor selber, so doch seiner Zeit zuzuschreiben.

Reiche Melodik findet sich bei den Cantica-Antiphonen, die den Höhepunkt der Offiziumsfeiern bilden und deshalb melodisch hervorgehoben werden. Als Beispiel diene die Magnificatsantiphon der zweiten Weihnachtsvesper; ihr Text stammt aus einer lateinischen Predigt *„Praedicamus hodie natum"* (Patr. lat. 39, 1987 ff), das ihr zugrundeliegende Melodiemodell reicht weiter zurück, da in der Zeit nach den Evangeliums-Antiphonen keine neuen Melodiemodelle mehr entstehen.

Ant. mon. 249

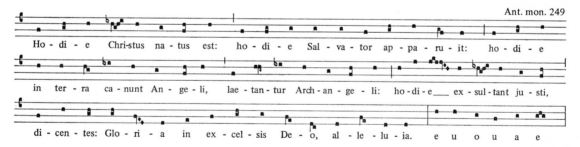

Der erste und zweite Abschnitt korrespondieren hier textlich und musikalisch; diese Entsprechung ist besonders deutlich, da die beiden Abschnitte durch einen rezitativischen Einbau miteinander verbunden sind. Im Schlußabschnitt *Gloria in excelsis deo* klingt das Gloria V an.

Durch ihre Verwendung heben sich die Prozessions- und marianischen Antiphonen vom übrigen Repertoire ab; oft sind sie psalmfrei oder, wie die vier heute noch gesungenen marianischen Antiphonen, psalmfrei geworden. Um das *„Salve regina"* entstand im 15./16. Jahrhundert eine eigene Salve-Andacht, indem das *„Salve regina"* vom Complet losgelöst Zentrum einer liturgischen Volksfeier wurde. Während dieser Feier stellte man vor das *„Salve regina"* wiederum Marienantiphonen, die meist auf Texte aus dem Hohen Lied gearbeitet sind, wie die folgende:

Der erste Abschnitt ist ein Bogen, der von G über den Tenor bis f aufsteigt, auf dem Tenor kadenziert und sich schrittweise zum Grundton neigt. Der mittlere Abschnitt besteht aus einem zweifach gebrachten Motiv, das die Unterterz des Tenors und dessen Obersekunde umspannt, und einer kadenzierenden Schlußgruppe. Der zweite und dritte *revertere*-Ruf sind melodisch gleich, die zweite Hälfte besteht aus einem wohlproportionierten Abstieg vom Tenor zum Grundton, wobei zuerst flüchtig auf GF und dann bestätigend auf G kadenziert wird. Diese Art melo-

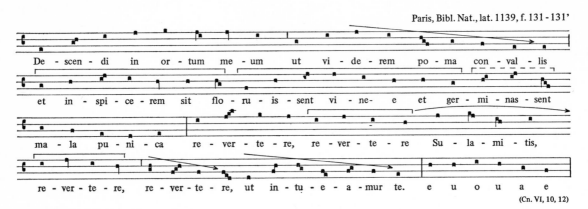

Paris, Bibl. Nat., lat. 1139, f. 131 - 131'

De - scen - di in or - tum me - um ut vi - de - rem po - ma con - val - lis

et in - spi - ce - rem sit flo - ru - is - sent vi - ne - e et ger - mi - nas - sent

ma - la pu - ni - ca re - ver - te - re, re - ver - te - re Su - la - mi - tis,

re - ver - te - re, re - ver - te - re, ut in - tu - e - a - mur te. e u o u a e

(Cn. VI, 10, 12)

discher Arbeit entspricht bis in Einzelheiten jener, die B. Stäblein an Gesängen des Troubadours Bernart de Ventadorn gezeigt hat.

Wird ein *Psalmus responsorius* vorgetragen, antwortet die Gemeinde mit einem Kehrvers dem Solisten, der die Psalmverse singt. Bei der Einführung des antiphonalen Psalmgesangs im 4. Jahrhundert wird diese neue Art dem alten, responsorialen Psalmvortrag gegenübergestellt; in diesem haben wir die Psalmodie der frühchristlichen Musik zu sehen.

Solchen Psalmvortrag kennt die heutige Liturgie nicht mehr, im Gegensatz zur Antiphonie, die in der Form der Invitatoriumspsalmodie die ursprüngliche Wiederholung der Antiphon nach jedem Psalmvers beibehalten hat. Dagegen sind die *Responsoria prolixa* eine Form reichmelodischen Gesangs, die sich aus zwei Teilen aufbaut: der Respons als Refrain vom Chor gesungen und ein Psalmvers, den der Solist vorträgt. Wie uns Amalarius berichtet, ist der Wechsel zwischen Repetenda und Vers zu seiner Zeit nicht einheitlich gehandhabt worden; Amalarius stellt der römischen Vortragsweise die fränkische gegenüber, die von der zweiten Hälfte des Responsum, der Repetenda Gebrauch macht:

römisch:		fränkisch:		
Praecentor	*Responsum*		*Responsum*	1. Hälfte
Succentores	*Responsum*			*Repetenda*
Praecentor	*Versus*		*Versus*	
Succentores	*Responsum*			*Repetenda*
Praecentor	*Gloria patri*		*Gloria patri*	
Succentores	*Responsum*			*Repetenda*
Praecentor	*Responsum*		*Responsum*	1. Hälfte
Succentores	*Responsum*			*Repetenda*

Amalar selbst war bemüht, der fränkischen Liturgieauffassung entsprechend, den Einschnitt für die Repetenda so zu wählen, daß textlich ein sinnvoller Anschluß entstand; damit entfernte er sich von orientalischen und gallikanischen Einstellungen, die einer primär musikalischen Fassung, die vom Wortsinn unabhängiger war, breiteren Raum gewährte. Wie die Repetenda gehört auch die kleine Doxologie *Gloria patri* nicht zum ursprünglichen Brauch und wurde erst in Amalars Zeiten von den Römern fest eingefügt. Seit dem späteren Mittelalter wird die Doxologie nur an das letzte Responsorium jeder Nocturn angehängt. In allen diesen Veränderungen zeigen sich Tendenzen, die ursprünglich deutlich voneinander abgehobenen Formen der Antiphonie und des Responsorialgesanges einander anzunähern. Dabei übernimmt auch Rom fränkische Elemente.

In der Messe wie im Offizium folgen die responsorialen Gesänge immer einer Lesung.

Damit wird die in der Lesung verkündete Lehre und deren Ausklingen im solistischen Gesang, der in enger Verbindung mit dem Chor steht, indem er ja dessen Responsum anstimmt und am Schluß wiederholt, zu einer Glaubenseinheit verschmolzen und im Liturgischen erlebbar gemacht.

Neben den *Responsoria prolixa* kennt das Offizium die *Responsoria brevia (Responsoriola)*; im monastischen Stundengebet erklingen sie in den Laudes und der Vesper, im weltlichen in den kleinen Tageshoren (Sekund, Terz, Sext, Non und Komplet).

Wie in der Messe wird auch im Offizium das Responsorium ursprünglich einen längeren oder den ganzen Psalmtext umfaßt haben; bei Einsetzen der schriftlichen Überlieferung haben die Responsorien mit wenigen Ausnahmen nur einen Vers; die Responsorien sind entwickelte, solistische Gesänge mit entsprechender Melodik.

Textlich lassen sich auch hier drei Schichten voneinander trennen; allerdings steht die Beantwortung der Frage, ob sich damit auch verschiedene historische Lagen zeigen, noch aus.

Die psalmographen Responsorien erscheinen, die Texte in numerischer Reihenfolge der Psalmen, nach Epiphanie; ebenso sind die Responsorien der Passionssonntage (außer dem ersten) und des vierten und fünften Sonntags nach Ostern psalmograph. Vier Gruppen haben biblische Texte: die Adventszeit, die Fastenzeit, die Passionszeit und die Osterzeit. Naturgemäß finden sich die Responsorien mit nichtbiblischen Texten zahlreich bei den neueren und lokal begrenzteren Festen, vor allem für die Heiligen.

Melodisch lassen sich innerhalb der Responsorien vier Gruppen unterscheiden, je nach der Verwendungsart fester Melodieformeln.

Eine erste Gruppe verwendet ganze Melodien für Responsorien des 2., 7. und 8. Tones. Die verschiedenen Texte werden hier, ähnlich wie in der Gruppe der nichtbiblischen Antiphonen, zu einer stehenden Melodie adaptiert, wobei verschieden lange Texte gerne Anlaß zur Einführung rezitierender Abschnitte geben wie im folgenden ℟ *Muro tuo* über den Textabschnitt *Libera, Domine deus Israel*:

Frere, Ant. Sansb., I, 53

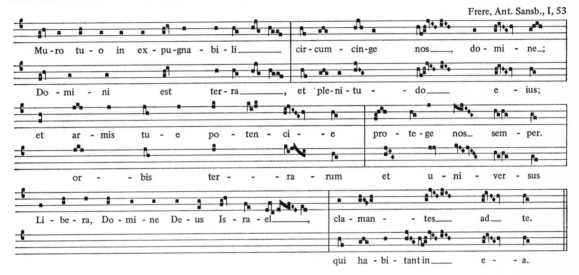

Eine große Anzahl von Responsorien ist, ähnlich wie z. B. die *Tractus*, aus feststehenden Melodieelementen aufgebaut, die bis zu einem gewissen Grade auswechselbar sind. Es lassen sich aber, im Unterschied zu den *Tractus*, gewisse Regelmäßigkeiten dieser „Centonisierung" feststellen, indem bestimmte Melodieelemente die Gesänge vornehmlich eröffnen oder schließen. Eine in den Responsorien des achten Tones häufige Eröffnung zeigen die folgenden zwei Beispiele:

Fribourg, BCU, L 61, f. 139 und 319'

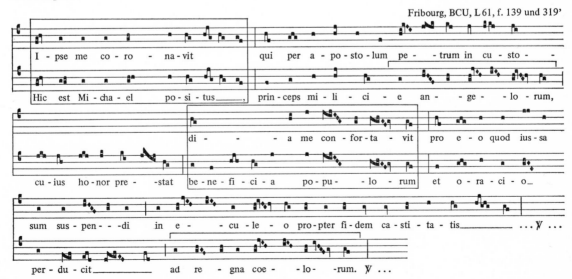

Eine weitere Gruppe verbindet diese feststehenden Melodieteile mit freien Abschnitten; dabei zeigen sich gerade im folgenden Beispiel neue formbildende Mittel deutlich ab, indem etwa die Kadenzierungsformeln einander angeglichen werden, in diesem Fall die Psalmodieformel der Versmelodie ausprägend nach dem Schema: Oberterz – Konjunktur zum Grundton – Obersekunde – Grundton. Ähnlich sind auch die Anfänge der einzelnen Abschnitte ausgeglichen. Auffallend sind diese Vereinheitlichungen bei der formelfreien Melodie über den Text *„et postulans pu(gila)"*, wo auf die Intonation ein auf dem ersten Tenor der Psalmformel rezitierender Einschub erfolgt:

Respons. 354

Neben diesen drei Gruppen, die sich recht nahe stehen, zeigen die Responsorien mit freier Melodik ein deutlich anderes Gepräge: die ausgewogene, in sich ruhende Melodik des klassischen Chorals ist dynamischer geworden, mit größeren Intervallen und weiterem Stimmumfang kann eine Melodie in einem kurzen Abschnitt einen großen Ambitus durchlaufen. Dem Wortinhalt und den Gegensätzen des Textes wird nachgegeben, so daß eine andere text-musikalische Einheit als bei früheren Antiphonen und Responsorien entsteht, die die Verwendung einer Melodie oder einzelner Melodiemodelle zu verschiedenen Texten weniger zuließe.

Das erste Wort *„Ecce"* des ℟ *„Ecce apparebit Dominus"* ist mit einem Melisma ausgezeichnet, das sich um den Tenorton a windet, auf die folgenden Worte hinweist und damit der Intonation eine andere, vom Anstimmen des Gesangs verschiedene Bedeutung verleiht, die auch in der mehrstimmigen Komposition bis ins 18. Jahrhundert nachwirkt und weitergepflegt wird. Der im Text ausgedrückte Höhenunterschied zwischen den tiefen Nebeln und der Höhe, in der der Herr erscheint, wird melodisch nachgezogen, indem die Melodie zuerst den Grundton D umkreist, dann jäh eine None nach oben stößt, um eine Oktave höher, auf d, zu rezitieren:

Respons. 393

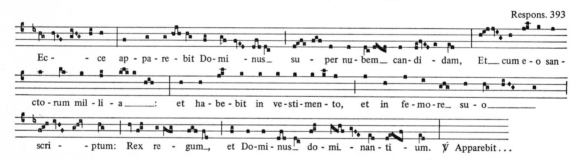

Die eingangs erwähnten Kurzresponsorien (*Responsoria brevia*) verwenden vor allem 3 Melodien, denen die Großzahl der Texte, in manchen Handschriften alle, angepaßt werden. In lokalen Formularen vor allem des Spätmittelalters macht sich die Tendenz bemerkbar, die Anzahl der Texte zu verringern und die Melodien durch Neukompositionen zu vermehren.

Jürg Stenzl

Hymnen

Die einzige poetische Gattung, die sich bis heute neben den Psalmen und *Cantica* in der römischen Liturgie erhalten hat, ist der *Hymnus*, ein Strophenlied mit außerbiblischem, metrisch oder rhythmisch gestaltetem Text, der sich aus gleichgebauten Strophen zusammensetzt. Hymnen werden im Stundengebet gesungen: nach dem *Invitatorium* der Matutin, am Anfang der kleinen Horen, jeweils vor dem *Canticum* in *Vesper* und *Laudes*, und vor den Abschlußgesängen in der Complet. Kennzeichnend ist für den *Hymnus* die Anrufung der Dreifaltigkeit in einer doxologischen Schlußstrophe und ein abschließendes Amen. Im Verhältnis zwischen Text und Melodik überwiegt die Syllabik.

Als Strophenlied ist die Hymnenmelodie ein neutraler Textträger; die Melodie ist für verschiedene Textstrophen geschaffen worden und eignet sich deshalb auch zur Unterlegung verschiedener Texte gleicher Metrik. Die Neutextierung älterer Melodien war eine Möglichkeit, das im 4. Jahrhundert entstandene grundlegende Repertoire zu erweitern. Daneben entstanden auch neue Melodien zu älteren Texten und neue Weisen zu neuen Texten.

Wie bei den in ähnlicher liturgischer Ungebundenheit gewachsenen *Alleluia*-Liedern der Messe, so bestehen auch im Hymnenrepertoire verschiedener Kirchen und Klöster erhebliche Unterschiede, besonders im Sanctorale. Hymnen sind vorzugsweise in eigenen Büchern, den sogenannten Hymnaren, gesammelt, von denen die Handschriften Rom, Bibl. Vaticana Ross. 205, ein Hymnar des 10./11. Jahrhunderts aus Moissac, und Verona, Bibl. Cap. CIX (102), ein Hymnar des 11. Jahrhunderts aus Verona, als die ältesten anzusehen sind.

Der *Hymnus* der ersten christlichen Jahrhunderte — im Neuen Testament im Zusammenhang mit Psalmen und geistlichen Liedern erwähnt (in den Paulus-Briefen an die Epheser 5, 19 und die Kolosser 3, 16) — ist im Rahmen der weitreichenden Definition zu sehen, wie sie Augustinus gibt: *Hymnus ergo tria ista habet, et canticum et laudem et dei (Enarrationes CXLVIII, 17).* Der aus dem Griechischen übernommene Begriff „Hymnus" umfaßt hier im weitesten Sinne gesungene geistliche Poesie mit dem Akzent des Lobens und Preisens. Dazu gehören u. a. das *Gloria in excelsis deo*, das *Te decet laus* am Ende der Nokturn, der sogenannte Ambrosianische Lobgesang: das *Te deum laudamus*, liedhafte Tropen und Notkers Sequenzen, die er in einem *Liber Hymnorum* sammelt.

In den im engeren Sinne als Hymnen anzusprechenden Gesängen bekommt die teils spontan einer Andachtsstimmung, teils aus der Meditation hervorgegangene religiöse Dichtung eine sprachlich strengere und musikalisch einfache und prägnante Form, in Anlehnung an die strophische Hymnik im syrischen Kirchengesang, die im 4. Jahrhundert Ephraim (um 310—373) vertritt. Augustinus (354—430) spricht davon, daß der Hymnengesang in Mailand *secundum morem orientalium partium (Conf. 9, 7)* übernommen worden sei.

Der unmittelbaren, oft mehr das Gefühl als die andächtige Seele berührenden Faszination der frühen Hymnen bedienten sich auch Häretiker wie der Gnostiker Bardesanes (gest. 222). Auf den Konzilien erhoben sich Stimmen für und gegen die liturgische Verwendung der Hymnen, und die römische Kirche verhielt sich noch bis ins 11./12. Jahrhundert ablehnend, obwohl der Hymnus schon um 530 mit der Regel des hl. Benedikt zu einem festen Bestandteil des Stundengebetes geworden war und es auch nach dem Tridentinischen Konzil blieb.

Der eigentliche Beginn der lateinischen Hymnodik fällt in die Zeit der Glaubenskämpfe mit den Arianern im 4. Jahrhundert. Hilarius, Bischof von Poitiers, und Ambrosius, Bischof von Mailand, setzten sich mit Refrain-Strophen zum Preis der Trinität gegen den Arianismus in Gallien und Italien zur Wehr. Im 9. Buch seiner *Confessiones* beschreibt Augustinus, wie Ambrosius im Jahr 386, als er — von der dem Arianismus zugekehrten Kaiserin Justina verfolgt — in der Kathedrale Nachtwache hielt, mit den Gläubigen Hymnen sang, um sie vor Niedergeschlagenheit und Erschöpfung zu bewahren. Die zentrale Bedeutung des Mailänder Bischofs für die Anfänge der Hymnendichtung geht auch aus dem Namen *ambrosiani* hervor, mit dem schon in der Benediktinischen Regel die Hymnen bezeichnet werden.

Die weitreichende Ausstrahlung und Vorbildlichkeit dieser Hymnen, von denen „*Aeterne rerum conditor*", „*Splendor paternae gloriae*" und „*Aeterna Christi munera*" noch heute im römischen Brevier stehen, wird am Beispiel des „*Deus creator omnium*" deutlich.

Mailand, Bibl. Trivulziana 347 (ol. A. 102), 28b - 28bv, 188 - 189v (=Monumenta Monodica I, Mel. 8, S. 5):

Kennzeichnend für den ambrosianischen Hymnus ist zunächst die äußere Form: jede der vier oder acht Strophen besteht aus vier regelmäßig jambisch steigenden Achtsilbern ohne Reim, wobei der Akzent gegenüber dem Metrum bereits überwiegt. Diesem volkstümlichen Modell entspricht eine einfache, klare statische Melodie im Quintambitus, blockhaft schwer, „*unbehauen*" in ihrer Folge von Einzeltönen wie in den ohne Symmetrie zusammengesetzten vier

Zeilen, aus denen sich nur die abschließende Zeile mit dem kleineren Ambitus heraushebt. In den Mittelzeilen erhält die D-Melodie mit der Betonung des E und der Basis C einen E-modalen Einschlag, der für die kleine archaische Gruppe innerhalb der Mailänder Hymnen charakteristisch ist. Die Wurzeln dieser Melodik liegen vermutlich im Volkslied, das auch noch später auf die Hymnenmelodik Einfluß behält.

Die herausragende Erscheinung unter den Hymnendichtern der ersten christlichen Jahrhunderte ist nach Ambrosius der 348 geborene Spanier Prudentius, aus dessen Gedichtsammlung *Liber Cathemerinon* (Tages-Liederbuch) vom Jahre 405 einzelne, in verschiedenen antiken Versmaßen stehende Strophen herausgelöst und zu Hymnen zusammengestellt wurden.

Die zur privaten Andacht bestimmte Dichtung des Prudentius zeichnet sich durch typisch spanische, ekstatische Gefühlstiefe aus. Die zu 12 Prudentius-Hymnen überlieferten Melodien gehören einer späteren Zeit an. Neben dem im Mittelalter viel gelesenen Prudentius sind unter den spätantiken Hymnoden noch zu nennen: Paulinus, Bischof von Nola (gest. 431), Caelius Sedulius (Mitte des 5. Jahrhunderts), von dem der abecedarische Hymnus *„A solus ortus cardine"* stammt, Magnus Felix Ennodius, Bischof von Pavia (gest. 521), der als Diakon der mailändischen Kirche 12 Hymnen in der Nachfolge des Ambrosius verfaßte, und Venantius Fortunatus, Bischof von Poitiers (gest. nach 600), der Dichter der Kreuzhymnen *„Pange lingua gloriosi"*, *„Crux benedicta nitet"* und *„Vexilla regis prodeunt"*, letztere, im Jahre 569 anläßlich der Übertragung von Kreuzreliquien nach Poitiers entstanden, wurde im 11. Jahrhundert Kreuzfahrerlied.

Die genannten Dichter waren literarisch und philosophisch gebildete Männer, denen hohe Staats- und Kirchenämter anvertraut waren. Wie das ihnen vertraute Lehrsystem der Septem artes liberales, so stehen auch die Versordnungen ihrer Gedichte auf dem Boden der Antike. Das quantitierende, das silbenmessende Prinzip dominiert (außer in den Dichtungen des Ambrosius), auch die Strophenformen sind antiken Vorbildern verpflichtet. Hexameter, Distichen und trochäische Tetrameter (fallende 15-Silber) finden sich in größerer Zahl in den Prozessionshymnen, die eine eigene Gruppe innerhalb der Hymnen bilden und zu den halbliturgischen geistlichen Liedern überleiten, was schon in ihrer handschriftlichen Bezeichnung als *versus* zum Ausdruck kommt. Die bekanntesten Beispiele für diese auch in Form und Melodik der weltlichen Liedkunst näher als dem Choral stehenden Hymnen sind die Versus des Petrus Damiani (vgl. Monumenta Monodica I, Mel. 788–798, S. 462–469).

In metrischer Form stehen auch noch jene Hymnen, die in der Karolingerzeit entstanden sind, zum Teil unmittelbar von Geistlichen aus dem Gelehrtenkreis am fränkischen Hof verfaßt wurden. Dazu gehört der möglicherweise vom Dichter der *Historia Langobardorum*, Paulus Diaconus (gest. 799), geschriebene Hymnus *Ut queant laxis*, in sapphischen Strophen, deren Halbzeilen mit den 6 Solmisationssilben beginnen; weiterhin die 9 Hymnen des Paulinus von Aquileia (gest. 802); die Hymnen, die der Angelsachse Alkuin (gest. 804) und der Westgote Theodulf, der 821 verstorbene Bischof von Orléans, dichteten. Auch dem Mainzer Erzbischof und Leiter der Klosterschule in Fulda, Rabanus Maurus (gest. 856) und seinem Schüler Walafrid Strabo (gest. 849), dem späteren Abt des Klosters Reichenau, sowie Ratpert von St. Gallen (gest. nach 884) werden Hymnen zugeschrieben. Hymnendichter des 10. Jahrhunderts sind u. a. in St. Gallen Waltram (um 900), Hartmann (gest. 924) und Ekkehard I. (gest. 973), Hucbald von St. Amand (gest. 930) und Odo von Cluny (gest. 942). Ein musikalisches Zeugnis dieser Zeit ist vermutlich die folgende Melodie, die im Hymnar von Nevers (Paris, Bibl. Nat. n. a. lat. 1235) zu einem der vier Martinshymnen Odos steht und vielleicht — nach Quellenlage und stilistischen Merkmalen — als Komposition des Cluniazenser Abtes anzusehen ist.

Paris, Bibl. Nat. n. a. lat. 1235, 171v - 172 (=Monumenta Monodica I, Mel. 157, S. 99):

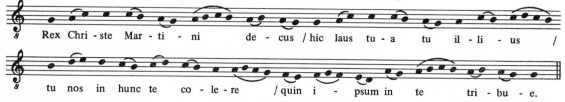

Rex Chri - ste Mar - ti - ni de - cus / hic laus tu - a tu il - li - us /

tu nos in hunc te co - le - re / quin i - psum in te tri - bu - e.

Gegenüber dem rund 500 Jahre älteren ambrosianischen Hymnus zeigt die Melodie als auffallendstes Kennzeichen eine symmetrische Anlage: zwei Melodiezeilen entsprechen sich, das vierte Glied endet mit einem Rückgriff auf den Anfang. Der Ambitus ist bis zur None erweitert; Zwei-, Drei- und Viertongruppen beleben und runden den Melodieverlauf. Die Melodie ist im einzelnen sorgfältig disponiert, wie die Klausel-Differenzierung der beiden ersten Zeilen und der in die dritte Zeile verlegte Spitzenton e erkennen lassen. Die auch äußerlich geordnet erscheinende Form, die Glättung und Rundung des Melodieverlaufs und eine klare modale Ausprägung sind frühe Vorzeichen der klassischen Hymnenmelodik des 13. und 14. Jahrhunderts.

Von den Hymnendichtern des 11. Jahrhunderts sind zu nennen: Fulbert von Chartres (gest. 1029), Adémar von Chabannes (gest. 1034), Papst Leo IX. (gest. 1054), Bischof Heribert von Eichstätt (gest. 1042), Odilo von Cluny (gest. 1048), Herimann von der Reichenau (gest. 1054), Petrus Damiani (gest. 1072), Alfanus von Salerno (gest. 1085) und Gottschalk von Limburg (gest. 1098).

Im allgemeinen stehen die Hymnen des 10. und 11. Jahrhunderts musikalisch nicht auf der hohen Stufe, die von den maßgebenden Gattungen Tropus und Sequenz erreicht wird. Erst mit Gründung der Ordensgemeinschaften im 12. und 13. Jahrhundert — der Zisterzienser (gegr. 1098), der Prämonstratenser (gegr. 1120), der Franziskaner (gegr. 1209) und der Dominikaner (gegr. 1215) — trat die Hymnenkomposition für sich oder im Rahmen neuer Offizien wieder in den Vordergrund. Im 13. und 14. Jahrhundert sind auch aus dem Kreis der Augustiner-Chorherren individuell geprägte Melodien hervorgegangen. Die 1084 gegründeten Kartäuser kannten zunächst keine Hymnen, später nur eine eng begrenzte Zahl. In den Hymnen, die bei der vor 1140 erfolgten Repertoire-Bildung des Zisterzienser-Ordens zu den übernommenen Mailänder Melodien und zum verbreiteten Standard-Repertoire hinzukamen, wird die Tendenz zu einer sich kraftvoll von der Finalis lösenden und aufstrebenden Melodik deutlich, wie im folgenden, aus dem Zisterzienser-Hymnar Heiligenkreuz 20 entnommenen Beispiel.

Heiligenkreuz, Stiftsbibl. 20, 232v (=Monumenta Monodica I, Mel. 60, S. 36):

Die schon mit der vierten Silbe erreichte Septimspannung zur Finalis wird im zweiten Glied mit klarer D-modaler Quintraum-Melodik ausgeglichen. In der dritten Zeile klingt der dynamische Anfang an, bevor die Melodie abschließend wieder zum Zielton D stufenweise herabgleitet. Bezeichnend für die hier vorliegende Melodik des 12. Jahrhunderts ist u. a. auch die Melodieführung in Tonräumen über der Finalis und über der Quinte: D und a stehen sich in formbildender quintischer Polarität gegenüber.

Wie die Zisterzienser auf die Mailänder Melodien, so greifen auch die Bettelorden des 13. Jahrhunderts zum Teil auf gegebene Melodien zurück: die Dominikaner übernahmen nordfranzösische, die Franziskaner italienische Hymnenmelodien.

Die Textierung älterer Melodien wurde dadurch erleichtert, daß bis ins 13. und 14. Jahrhundert keine bestimmten Gesetze für das Wort-Ton-Verhältnis erkennbar sind: teils werden Verslängen, teils Wortakzente berücksichtigt, oft folgt die Melodie auch nur ihren eigenen Gesetzen. Erst im Spätmittelalter fallen Wortakzente mit Hochtönen der Melodie regelmäßiger zusammen, in den Senkungen bereiten kleine Melismen den Akzent vor. Um diese musikalische Spannung zu erreichen, werden zuweilen ältere Melodien umgestaltet: Melismen werden verschoben oder gekürzt (De-Kolorierung), so daß Ein- und Mehrtöner mit dem Ziel einer kontrastreichen Melodieführung und einem akzentgerechten Wort-Ton-Verhältnis verteilt sind. Ein regelmäßiger Wechsel von Einzeltönen und Ligaturen tritt in Hymnen des 13. Jahrhunderts auf. Da die Bewegung von Nordfrankreich ausgeht, darf man an den Einfluß der Modalrhythmik der Notre-Dame-Schule denken.

Im Spätmittelalter brechen E- und F-Modus in die Hymnenmelodik ein. Das den E-Melodien eigene C-E-G-c-Gerüst läßt sich besonders oft in Melodien aus böhmischen Quellen nachweisen; die weichere und mit dem Halbtonschritt zur Finalis leitton-ähnlich schließende F-Melodik findet sich auch in englischer und südfranzösischer Überlieferung. Als Beispiel einer spätmittelalterlichen Hymnenmelodie folgt „Lingua pangat", ein Complethymnus *de visitatione* aus einem Züricher Psalter und Hymnar des 15. Jahrhunderts.

Hinzuweisen ist auf die dreiklang- und leitton-betonte F-Melodik, die je drei Zeilen umspannenden Melodiebogen und die Tonraumdisposition: Oktavraum über der Finalis in den ersten zwei Stollen, Einschluß des Plagalraums für die Schlußzeilen, in denen die meisten Ligaturen stehen. Die im Grunde einfache Melodik entspricht der unkomplizier-ten Form des akzentuierenden Gedichtes, in dem Achtsilbler (mit Binnenreim) und Siebensilbler (durchgehend gereimt) wechseln. Die Wortakzente sind fast durchgehend mit Hochtönen versehen.

Zürich, Zentralbibl. C 8a, 163 - 163v (=Monumenta Monodica I, Mel. 586, S. 322):

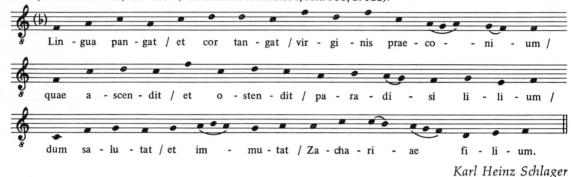

Karl Heinz Schlager

Cantiones

Lieder mit geistlichem Text, die dem liturgischen Gesang im engeren Sinne nicht angehören, werden im 14. und 15. Jahrhundert als Cantiones bezeichnet. Sie schließen sich an die geistlichen Lieder des hohen Mittelalters an, die an den Klerikerfesten zwischen Weihnachten und Epiphanie und als Geleitgesänge in Messe und Offizium, bei Prozessionen und in geistlichen Spielen gesungen wurden.

In diesem Traditionszusammenhang stehen noch einige der Cantiones der Handschrift München, Universitäts-bibliothek 156 2°, einem 1354–1360 für das Kollegiatsstift St. Castulus in Moosburg geschriebenen Graduale, das im Anhang Sequenzen, Evangelien, tropierte Episteln, Cantiones, Benedicamus-Domino-Tropen u. a. enthält. Den 33 Cantiones schickt Johannes de Perchausen, Kanonikus und später Dekan des Stiftes, einen kurzen Prolog voraus (231v). Er bezieht sich auf den *Liber Sextus* und das zweite Konzil von Lyon (1274), auf dem die *„canciones* (im Kon-zilstext: *conciones) et publica parlamenta“* aus der Kirche verbannt wurden, und bekennt sich zum usualen Kirchen-gesang. Die in der Handschrift folgenden Cantiones sind nach diesem Vorwort für die *„novelli clericuli“,* die Kloster-schüler, bestimmt, die am Fest der unschuldigen Kinder einen Scholarenbischof wählten und ihn mit Liedern und Reigentänzen einführten. Auf diesen Anlaß beziehen sich die Rubriken der ersten vier Cantiones, denen neben Liedern für einzelne Heiligenfeste hauptsächlich Lieder *pro laude nativitatis domini et beate virginis* folgen.

1. Benedicamus-Domino-Tropen als Cantiones

Die dritte *Cantio,* beginnend mit *Gregis pastor tytirus (Analecta Hymnica* 20, Nr. 133 und Anhang XVIII), verbindet diese süddeutsche Sammlung des 14. Jahrhunderts nicht nur im Hinblick auf ihre Zweckbestimmung, sondern auch musikalisch mit älterer Überlieferung. Text und Melodie stehen in der aus Apt oder einer Abtei in Katalanien stammenden Handschrift London, British Museum Add. 36881 aus dem 13. Jahrhundert, die in den Umkreis der St.-Martial-Quellen gehört. Das Lied steht hier als zweistimmiger Benedicamus-Domino-Tropus im G-Modus. Die Verein-fachungen der Melodie in der Moosburger Quelle, besonders die Tonrepetitionen und die Ab-schnittswiederholung im Refrain, sind Kennzeichen der jüngeren Cantionen-Melodik gegenüber der älteren Tropen-Melodik.

London, Brit. Mus. Add. 36881, 13v (Unterstimme):

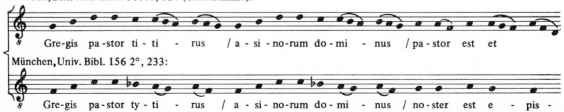

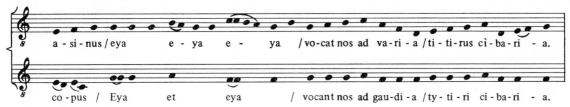

a - si - nus / eya   e - ya   e - ya   / vo-cat nos ad va - ri - a / ti - ti - rus cì - ba - ri - a.

co - pus / Eya   et   eya   / vocant nos ad gau - di - a / ty - ti - ri ci - ba - ri - a.

Es ist bezeichnend, daß in der jüngeren süddeutschen Quelle eine Strophe nicht überliefert ist, die in der älteren südfranzösischen Handschrift das Lied als Benedicamus-Domino-Tropus ausweist. Sie lautet hier: *„O pastore titiro / gratulans haec concio / benedicat domino"*. Dagegen schließt die Cantio: *„Veneremur tytirum / qui nos propter baculum / invitat ad epeulum"*. Im Übergang vom Tropus zur Cantio entfällt die Strophe, in der der Versikel des Zelebranten aus der Entlassungsformel im Stundengebet, *„Benedicamus (od. Benedicat) domino"*, mit dem Text verwoben ist.

Doch nicht immer geht die Kennzeichnung der Benedicamus-Domino-Lieder im Cantionen-Repertoire verloren. Das seit dem 14. Jahrhundert in böhmischen Handschriften überlieferte *Patrem parit filia* (*Analecta Hymnica* 1, Nr. 176) steht bereits im *Officium fatuorum*, dem an *Circumcisio* gefeierten Esels- oder Narrenfest, wie es in der Handschrift Sens 46 aus dem Anfang des 13. Jahrhunderts aufgezeichnet ist. In der mit Tropen, Sequenzen und Conductus besonders reich ausgestatteten Liturgie dieses im Mittelalter so beliebten Klerikerfestes steht *Patrem parit filia* mit der Rubrik *Ad Benedicamus* am Ende der Complet. Es setzt sich aus sechs Strophen zusammen, denen ein gleichbleibender Refrain folgt. In der böhmischen Fassung, wie sie in Prag, Universitätsbibl. XIII H 3c vorliegt, einem Benediktinerinnen-Prozessionale vom Anfang des 14. Jahrhunderts, kehren vier der sechs Strophen aus Sens wieder, unter ihnen auch die formelhafte letzte Strophe, die für das folgende Beispiel ausgewählt ist. Kennzeichnend ist neben dem akklamierenden *Ergo* und dem *Benedicat domino* die —o—Assonanz; in Ausdrücken wie *concio, iubilo, tripudio, organo, cantico, melodo* wird die Nähe zum weltlichen Lied und Tanz, zur Mehrstimmigkeit und zur instrumentalen Ausführung deutlich.

Sens 46, 6:

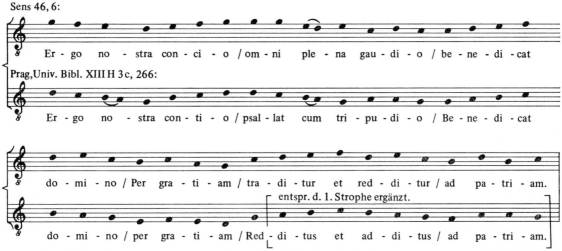

Er - go no - stra con - ci - o / om - ni ple - na gau - di - o / be - ne - di - cat

Prag, Univ. Bibl. XIII H 3 c, 266:

Er - go no - stra con - ti - o / psal - lat cum tri - pu - di - o / Be - ne - di - cat

do - mi - no / Per gra - ti - am / tra - di - tur et red - di - tur / ad pa - tri - am.

entspr. d. 1. Strophe ergänzt.

do - mi - no / per gra - ti - am / Red - di - tus et ad - di - tus / ad pa - tri - am.

Zu den elf Benedicamus-Domino-Liedern, die in der Handschrift Prag, Universitätsbibl. XIII H 3 c vor untropierten Benedicamus Domino der österlichen Zeit und Benedicamus Domino mit textierten Melismen stehen, sind nur acht verschiedene Melodien überliefert; vier Lieder werden zur gleichen Melodie gesungen: *Johannes postquam senuit* (Analecta Hymnica 1, Nr. 164), *In laudibus infantium* (Analecta Hymnica 1, Nr. 161), *Petrus clausus ergastulo* (Analecta Hymnica 1, Nr. 177) und *Paradisi prepositus* (Analecta Hymnica 1, Nr. 175). Es gibt aber in diesem Bereich — wie bei den *Alleluia*-Liedern der Messe — auch Texte, zu denen mehrere Melodien bekannt sind.

Ein Beispiel ist das weit verbreitete *Puer natus in Bethlehem* (Analecta Hymnica 1, Nr. 178, Anhang XVII und XVI und 20, Nr. 111), das zu mindestens zwei verschiedenen Melodien gesungen wurde. Die Übertragung des Liedes aus vier Quellen vom ausgehenden 13. bis zum beginnenden 16. Jahrhundert zeigt die Variationsbreite der Überlieferung auf. Die Melodien in den drei ältesten Quellen (a, b, c) gehören zu einer Familie; die engere Verwandtschaft besteht — von der Transposition abgesehen — zwischen den Aufzeichnungen von 1360 aus Moosburg (b) und von 1420 aus Jistebnicz (c), die syllabischer verlaufen als die notenreicher und gerundeter gestaltete Melodie der italienischen Quelle des 13. Jahrhunderts (a). In der Handschrift der Turiner Biblioteca Nazionale ist die Cantio mit folgendem Refrain verbunden: *„Natus est nobis parvulus / Ihesus Marie filius"*. Im Franus-Kantionale von 1505

(Königgrätz 43) liegt eine schlichte E-Melodie mit zweizeiligen Textstrophen vor. Mit lateinischen und deutschen Strophen (*Ein Kind ist gborn zu bethleem* des Heinrich von Laufenberg, 1439) setzt sich die Überlieferung dieser Cantio als Kirchenlied fort (vgl. Wackernagel I, Nr. 309–318, II, Nr. 759; Bäumker I, S. 312 ff.).

Zu ähnlichen Beobachtungen führt der Vergleich der Fassungen des Neujahrliedes *In hoc anni circulo* (Analecta Hymnica 1, Anhang XXIII, 2st. aus Prag, UB II C 7, S. 215), für das ebenfalls französische, italienische und böhmische Quellen aus mehreren Jahrhunderten vorliegen. Die Neigung zu klarer Ausprägung der Modalität und zu Satzteil-Wiederholungen zeichnet die jüngere böhmische Überlieferung aus, musikalische Wiederholungen finden sich auch in der italienischen Fassung, nicht jedoch in der französischen. Das Lied ist unter den Versus der um 1100 geschriebenen südfranzösischen Handschrift Paris, Bibliothèque Nationale lat. 1139 mit eingestreuten provenzalischen Strophen überliefert, die zu den ältesten Zeugnissen volkssprachlicher Umsetzung lateinischer Gesänge gehören.

2. Conductus als Cantiones

Wie die Benedicamus-Domino-Lieder, so entstammen auch die Conductus — selbständige Geleit-, Prozessions- und Auftrittsgesänge, die die Tradition der St. Galler Versus des 10. Jahrhunderts fortsetzen — dem südfranzösischen Überlieferungsraum. Sie sind dort seit dem 12. Jahrhundert als einstimmige Liedgattung in Offizien und geistlichen Spielen beheimatet, bevor sie in das mehrstimmige Notre-Dame-Repertoire eingehen. Die Tradition dieser auf eine Bewegung bezugnehmenden Gesänge setzt sich im liederfreudigen Spätmittelalter fort und wirkt auch auf das Cantionen-Repertoire ein.

Am leichtesten sind jene Cantiones als Conductus zu erkennen, die sich mit der letzten Strophe als Geleitgesänge für den Lektor auf seinem Weg zum Lesepult ausweisen. In der Regel wird der Lektor genannt und angesprochen, etwa mit folgender Strophe, mit der die in Graz, Universitätsbibl. 258 und im Moosburger Graduale überlieferte Cantio *Tribus signis* (Analecta Hymnica 20, Nr. 164) schließt: *„Lector, lege, summo rege / tibi benedictio / sit in coelis et fidelis / Amen dicat concio".* Mit Hilfe dieser oder ähnlicher Formeln können von den 33 Liedern im Cantionenteil des Moosburger Graduale sechs als Conductus bezeichnet werden; vier weitere stehen als Conductus in älteren französischen Quellen und sind deshalb ebenfalls dieser Gattung zuzuschreiben.

Der Übergang vom Conductus zur Cantio stellt sich in einigen Fällen mit kennzeichnenden Textänderungen ein. So schließt das Neujahrslied *Ecce novus annus est* (Analecta Hymnica 20, Nr. 170 und Anhang XIV) im Neujahrsofficium der Kirche von Le Pny (ed. U. Chevalier) mit der vertrauten Anrede des Lektors: *„Ergo fas est ludere / Cantibus insistere / Regi nato psallere / Prophetica canere / Iube, done, dicere",* während im Cantionenteil des Moosburger Graduale diese Strophe variiert und gekürzt ist: *„Ergo fas est ludere / Cantibus intendere / Novas laudes dicere / Regi nostro psallere".*

Lehrreich ist auch der Vergleich der Aufzeichnungen von *Ecce venit de Syon* (Analecta Hymnica 20, Nr. 32) in der Moosburger Quelle von 1360 und in der rund ein Jahrhundert älteren Zisterzienser-Handschrift Stuttgart, HB I Asc. 95, wo die Cantio zwischen Gesängen mit der Rubrik *„Carmen de sancta Maria"* steht. Der für die Gattung Cantio weitgehend formbestimmende Refrain, den der Conductus in der Regel nicht aufweist, ist in der älteren Quelle noch nicht aufgezeichnet. So scheint das ohnehin alpenländisch klingende *„Eya et eya, iubilando resonet ecclesia"* der Moosburger Handschrift eine typische nachträgliche Erweiterung zu sein. *Ecce venit de Syon* steht schon im elsässischen *Hortus deliciarum* der Herrad von Landsberg von 1180 und ist deshalb den Cantiones zuzuzählen, die Johannes de Perchausen aus älteren Quellen in seine Sammlung aufgenommen hat.

Dazu gehört auch *Nove geniture* (Analecta Hymnica 20, Nr. 37). Es findet sich in der Conductus-Sammlung einer Handschrift, die im 14. Jahrhundert die Mehrstimmigkeit der Schule von Notre-Dame überliefert, in Florenz, Biblioteca Laurenziana Plut. 29, 1. Wenn man die Unterstimme des zweistimmigen Satzes isoliert und sie der Moosburger Aufzeichnung gegenüberstellt, wird die Verwandtschaft der Melodien deutlich.

Nicht immer erstreckt sich die Abhängigkeit von Conductus und Cantiones auf Text und Melodie. Die in Cambridge, Univ. Library Ff. I. 17 B, einer den St.-Martial-Handschriften nahestehenden Quelle des 13. Jahrhunderts, mehrstimmig gegebenen Conductus *Verbum patris humanatur* (Analecta Hymnica 20, Nr. 121) und *In natali summi*

Florenz, Bibl. Laurenziana Plut. 29, 1, 355 (Unterstimme):

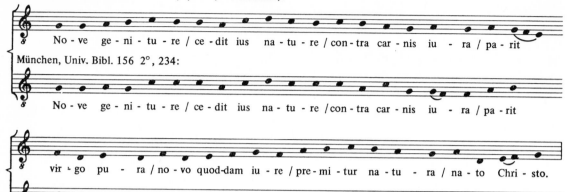

regis (Analecta Hymnica 20, Nr. 161) weichen musikalisch von den Notierungen in München, Universitätsbibl. 156 2° erheblich ab.

Cantiones, die in der Art von Benedicamus-Domino-Liedern oder als Conductus ad lectorem schließen, waren gleichsam liturgisch legitimiert, einerseits als Tropen zur liturgischen Entlassungsformel, andererseits als Geleitlieder zur Vorbereitung der Lesung. Die Formelhaftigkeit der Benedicamus-Domino enthaltenden Schlußstrophen läßt den Verdacht aufkommen, daß man diese Strophen auch Liedern angehängt hat, die ursprünglich nicht der Tropierung des Benedicamus-Domino dienten (sondern beispielsweise als Versus überliefert waren, wie *In hoc anni circulo*). Da andererseits auch nachgewiesen ist, daß die kennzeichnende letzte Strophe bei der Verselbständigung des Tropus zur Cantio entfallen kann (wie es bei *Gregis pastor titirus* der Fall war), wird es nicht leicht leicht sein, den tatsächlichen Anteil der *Benedicamus-Domino*-Lieder im Cantionenbestand des 14. und 15. Jahrhunderts zu ermitteln. Ähnliches gilt auch für die *Conductus*, besonders für jene, die ursprünglich nicht für den Gottesdienst bestimmt waren und die Nennung des Lektors nicht enthalten.

3. Cantiones als Tropen

An die Praxis, Lieder in Gestalt von Tropen in die Liturgie einzubeziehen, erinnert auch die Interpolation der Cantio *Dies est laeticiae* in eine Gloria-Melodie. Gleichzeitig mit dem Auftreten als selbständige Cantio ist *Dies est laeticiae* (Analecta Hymnica 1, Anhang XIII) in einigen deutschen und böhmischen Handschriften, von denen das Graduale RB misc. 169 der Staatlichen Bibliothek in Bamberg die älteste sein dürfte, zwischen die einzelnen Satzteile eines F-modalen, in deutschen, böhmischen und Prämonstratenser-Handschriften überlieferten Gloria (Bosse Nr. 37) eingeschoben.

Da die Liedstrophen geteilt werden, ergibt jede Strophe zwei Abschnitte zur Interpolation, die mit vier bzw. sechs Zeilen den liturgischen Text in der Regel an Umfang übertreffen, so daß sich das Verhältnis Choral:Tropus zugunsten der hinzukommenden Cantio verschiebt. Das Beispiel wirft ein bezeichnendes Licht auf die Tropenpraxis des späten Mittelalters, die mehr auf das Nebeneinander als auf die gegenseitige Zuordnung des gregorianischen Chorals und seiner Zusätze in Form von Tropen gerichtet ist. Nur unter dieser Voraussetzung ist es auch möglich, ein selbständiges Lied als Tropus einem Ordinariumsgesang einzufügen. Im folgenden Beispiel sind die ersten zwei Interpolationen, denen eine Cantio-Strophe entspricht, enthalten, sowie der Anfang der dritten Interpolation.

Bamberg, Staatl. Bibl. RB misc. 169, 10:

Et in ter-ra pax ho-mi-ni-bus bo - ne vo-lun-ta-tis.

Pu-er ad-mi-ra-bi-lis / to-tus de-lec-ta-bi-lis / in hu-ma-ni-ta-te / qui i-ne-sti-ma-bi-lis /

est et in-ef-fa-bi-lis / in di-vi-ni-ta-te.

Lau-da-mus te.

Or-to de-i fi-li-o...

4. Liturgische Cantiones

Im Spätmittelalter war es jedoch nicht mehr notwendig, das geistliche Lied auf dem Umweg über andere Gattungen dem Choral an die Seite zu stellen. In einem Prager Cantionale aus der zweiten Hälfte des 15. Jahrhunderts mit der Signatur Prag Višehrad V Cc η liest man fol. 1—2 eine Reihe von Rubriken, in denen *Cantiones* mit dem täglichen Votivamt der Adventszeit, dem *Rorate*, in Verbindung stehen. Die Aufstellung der Gesänge für den Sonntag und alle Wochentage enthält Hinweise auf *Cantiones* nach tropierten *Kyrie*-Melodien, nach Sequenzen und nach tropierten *Sanctus*-Melodien.

Die *Cantiones* der im Volk beliebten, am frühen Morgen gefeierten Votivmesse zu Ehren Mariens sind ein Hinweis auf den großen Anteil, den die volkstümliche Christus- und Marienverehrung bei der Entstehung und Bestimmung der Cantiones im Spätmittelalter hat. Der hohe Anteil kommt ebenso zum Ausdruck in der Tatsache, daß Weihnachts-, Marien- und Sakramentslieder über die Hälfte des gesamten Cantionenbestandes einnehmen. Die *Cantio*, verwurzelt in der Liedkunst des geistlichen Standes, steht im 14. und 15. Jahrhundert unter dem wachsenden Einfluß der Laienbruderschaften, die neben den Literatenzirkeln und den Lateinschulen auf die musikalische Ausgestaltung von Gottesdiensten und Andachten einwirkten. Die schon im Zusammenhang mit *Puer natus in Bethlehem* und *In hoc anni circulo* angedeutete Wandlung oder Entwicklung von Cantiones zu volkssprachlichen Kirchenliedern kommt deshalb nicht überraschend. Den Übergang von der Cantio zum Kirchenlied bilden landessprachliche Cantiones, die besonders in Quellen aus Ostdeutschland und Böhmen zu finden sind, wo die Zusammenhänge zwischen Cantio und vorreformatorischem Kirchenlied am deutlichsten werden. Unter den vielen Cantiones, zu denen deutsche Texte bekannt sind, ist auch das bekannte Weihnachtslied *Resonet in laudibus* mit der vertrauten, in der süddeutsch-österreichischen Tradition der Krippen- und Wiegenlieder stehenden F-Melodie. Die Überlieferungslage stellt sich für den lateinischen Text so dar, daß das Seckauer Cantionarium von 1345 (Graz, Universitätsbibl. II 756), das Tropar Stuttgart, HB I Asc. 2 aus einem schwäbischen Zisterzienserstift und das schon mehrfach genannte Moosburger Graduale als älteste Quellen betrachtet werden. Die -o-Assonanzen der Schlußstrophe in Graz, Universitätsbibl. II 756, wo das Lied in der Weihnachtskomplet strophenweise zwischen die Zeilen des Canticums *Nunc dimittis* eingefügt ist, wie die Stellung in der Moosburger Handschrift, wo *Resonet in laudibus* nicht unter den eigentlichen Cantiones steht, deuten auf die Verwendung als Benedicamus-Domino-Lied. Noch im 14. Jahrhundert findet sich mit der Handschrift Leipzig, Universitätsbibl. 1305 ein Zeugnis für das Nebeneinander von deutschen und lateinischen Strophen, beginnend mit „*Joseph liber neve myn hilf mir wygen myn kindelin*".

5. Repertoire und Melodien

Zählt man die in den acht Bänden 1, 2, 15, 20, 21, 33, 45 b und 46 der *Analecta Hymnica* genannten Quellen zusammen, so kommt man zu einem Bestand von etwa 200 Handschriften, in denen vom 12. bis ins 16. Jahrhundert über 1000 geistliche Lieder mit lateinischen Texten enthalten sind: *Versus, Rhythmi, Planctus, Modus, Versiculi, Conductus, Carmina, Cantilenae, Cantiones.* Da in diesen Bänden nur die poetischen Texte gesammelt sind, wird die vollständige Summe der Handschriften wie der Lieder diese Zahl noch übersteigen. Die Gattung *Cantio* ist im Ausgang des Mittelalters das Sammelbecken für jüngere und ältere Traditionen.

Der Anteil der heimischen Lieder, die in böhmischen Handschriften zum Teil auf böhmische Volksweisen zurückgehen mögen (vgl. Analecta Hymnica 1, S. 36 f.), ist sicher jeweils hoch, doch zeigt gerade das Beispiel der Cantionensammlung des Johannes von Perchausen, daß man den Einfluß älterer „internationaler" Melodien (Gennrich) berücksichtigen muß — ist doch von den 33 Cantiones fast ein Drittel französischer Herkunft und nur drei Lieder sind dem Dekan Johannes zugeschrieben. Es ist deshalb kaum zu erwarten, daß sich die *Cantio* musikalisch als formal und melodisch einheitliches Gebilde darstellt. Ursprüngliche Conductus und Benedicamus-Tropen werden anders verlaufen als böhmische Volksweisen und Krippenlieder alpenländischer Tradition, klösterliche Reigenlieder des 12. Jahrhunderts werden andere Kennzeichen tragen als Andachtslieder zu Ehren Mariens im 14. Jahrhundert.

Zum Wesen des Liedes gehört die Strophigkeit, und mit ihr setzt sich auch die *Cantio* von Antiphonen, Tropen und Sequenzen deutlich ab und rückt in die Nähe des *Hymnus*, von dem sie sich u. a. durch die fehlende Doxologie unterscheidet. In der Regel gehört zur *Cantio* auch ein Refrain, der musikalisch auf die Strophe bezugnehmen oder selbständig sein kann.

Zum Beispiel weisen 26 von den 33 Melodien der Moosburger Quelle einen Refrain auf. Der Wechsel von Strophe und Refrain, dem in der Ausführung das Alternieren zwischen (verschiedenen) Vorsänger(n) und einem Chor entsprechen kann, verweist die Cantio in den Bereich des volkstümlichen Singens. Die Cantio ist keine kunstvolle Gesangsgattung, sie ist in der Regel frei von weit schweifenden Melismen, dagegen dominieren Syllabik und stufenweise oder terzschrittige Bewegung. Oft geben repetierende Noten dem Lied einen tänzerischen Akzent.

Die Cantio ist in allen vier Modi überliefert. Es gibt viele Beispiele für die im Spätmittelalter in die neu komponierten Ordinariumsgesänge und Offizien, Tropen und Sequenzen eindringende E- und F-Melodik, die den Melodien wegen der Strukturtöne im Terzabstand den Anschein einer zugrunde liegenden Dur-Tonart verleihen. Doch findet sich auch eine große Anzahl von Melodien auf der Basis D; so gehört von etwa 150 *Cantiones* der Handschrift Königgrätz 43, dem Franus-Kantionale von 1505, immerhin ein Drittel dem D-Modus an. Auffallend zurück tritt nur der G-Modus, der für die nördlich der Alpen liegenden Überlieferungsgebiete der Cantio auch in früheren Jahrhunderten nicht charakteristisch gewesen ist. Während die E- und F-Melodien meist zu einem leicht eingehenden und nachzusingenden Verlauf tendieren, können die D-Melodien ebenso einer Antiphon wie einem Volkslied gleichen.

Zwei kurze D-modale Marien-*Cantiones* ohne Refrain aus dem Franus-Kantionale mögen als Beispiele dienen. Der leicht melismatisch modellierten, in Bogenformen angelegten, fließenden Melodie von *Jubilemus omnes* steht die syllabische, halbtonarme, über Repetitionen, Quintskalen und Dreiklangsbildungen abwärts springende Melodie von *Singuli catholici* gegenüber.

Königgrätz, Städt. Mus. 43, 292v:

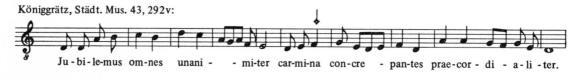

Ju - bi - le - mus om - nes unani - - mi - ter car - mi - na con - cre - pan - tes prae - cor - di - a - li - ter.

Königgrätz, Städt. Mus. 43, 260:

Sin - gu - li ca - tho - li - ci ma - ri - e lau - des da - te / in ym - nis et can - ti - cis e - am ve - ne - ra - te.

Neben kurzen, durchkomponierten Cantiones stehen längere gegliederte Lieder mit einer der Textgliederung folgenden Zeilenmelodik und Ruhepunkten auf den Reimsilben. Die entstehenden Abschnitte fügen sich zu einfachen, zwei-, drei- oder mehrteiligen Formen zusammen, wobei Wiederholungen, Teilwiederholungen, variierte Wiederholungen oder motivische Anklänge die Form im einzelnen gliedern können.

So erkennt man zum Beispiel die Form der Rundkanzone, wie sie aus dem Minne- und Meistersang bekannt ist. Zwei gleichen Stollen folgt ein längerer oder kürzerer Steg, nach dem der Stollen als Abgesang wiederholt wird. Steg und Abgesang bilden den Refrain der Cantio; schematisch: AA/BA. Die folgende Cantio in dieser Form ist dem Moosburger Graduale entnommen. Der Beginn in der Oktave über der Finalis und die folgende Abwärtsbewegung kehren in mehreren Cantiones wieder.

München, Univ. Bibl. 156 2°, 240 v:

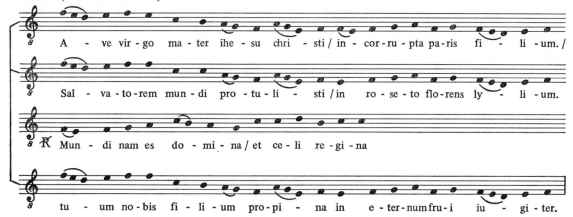

A - ve vir-go ma-ter ihe-su chri - sti / in - cor-ru-pta pa-ris fi - li -um. /

Sal - va-to-rem mun-di pro-tu-li - sti / in ro-se-to flo-rens ly - li-um.

℟ Mun - di na-mes do - mi - na / et ce - li re-gi - na

tu - um no-bis fi - li-um pro-pi - na in e - ter-num fru-i iu - gi-ter.

Die symmetrische Kleingliederung vieler Cantiones, deren regelmäßiges Auf und Ab zwanglos zum Zweier- oder Dreiertakt tendiert, läßt eine rhythmische Ausführung auch dort als wahrscheinlich erscheinen, wo die Aufzeichnung keinen Wechsel der Notenwerte sichert.

Karl Heinz Schlager

Reimoffizien

Zu den Gattungen innerhalb des einstimmigen liturgischen Gesangs, die das ganze Mittelalter hindurch neu geschaffen wurden, gehört neben dem *Hymnus,* dem *Tropus,* der *Sequenz* und dem *Alleluja* der Messe auch das Offizium, das Stundengebet der römischen Kirche. Es setzt sich zusammen aus der nächtlichen Matutin (oder den Vigilien), den morgendlichen *Laudes,* den vier kleinen Horen im Verlauf des Tages, der abendlichen Vesper und dem Kompletorium. Das Offizium enthielt schon nach der Regel des heiligen Benedikt (gest. um 550) liturgische Poesie in der Form frei gedichteter Strophenlieder, den Hymnen. Die poetische Fügung des Textes in metrischer oder rhythmischer Form greift später auch auf Antiphonen und Responsorien über, deren Texte zunächst in biblischer Prosa bestanden, und führt im 12. und 13. Jahrhundert zur Ausbildung des Reimoffiziums, in dem alle textlich nicht festliegenden Teile des Stundengebetes in rhythmischer und gereimter Sprache geschrieben sind.

Ein Reimoffizium beginnt in der Regel mit den sechs Antiphonen, die zu den fünf Psalmen und dem Magnificat der ersten, schon am Vorabend des Festes gefeierten Vesper gesungen werden. Es folgen die Invitatoriumsantiphon der Matutin und die zusammen neun Antiphonen und neun Responsorien, die mit den Psalmen und Lesungen in den drei Nokturnen alternieren. Es schließen sich die sechs Antiphonen zu den Psalmen und dem *Nunc dimittis* der Laudes an. Am Schluß steht gewöhnlich noch eine Magnificat-Antiphon für die zweite Vesper.

Den Anlaß zur Dichtung und Komposition neuer Offizien gab in erster Linie die Reliquienübertragung oder die Heiligsprechung eines regional verehrten Heiligen, dem ein Kloster oder eine Kirche geweiht war.

Wenn man die in zehn Bänden der Analecta Hymnica vorliegenden 865 vollständigen Reimoffizien nach Heiligenfesten ordnet, so kommt man auf fast 500 Namen, von denen den meisten nur ein einziges, singulär oder zumindest regional begrenzt überliefertes Offizium zukommt. Zu den wenigen Heiligen, deren allgemeine Verehrung in mehreren Reimoffizien zum Ausdruck kommt, zählen Anna (mit 21 Offizien), Barbara (mit 17 Offizien), Margareta (mit 16 Offizien), Ursula (mit 13 Offizien), Achatius (mit 12 Offizien) und Martha (mit 11 Offizien). Nach den Reimoffizien zu bestimmten Heiligenfesten bilden nur noch die Offizien zu jüngeren und älteren Marienfesten und zur Passion Christi (*de corona spinea, de vulneribus, de effusione sanguinis* u. a.) eine größere Gruppe. Die übrigen Zeiten und Feste des Kirchenjahres sind nur in verschwindend geringer Zahl mit Reimoffizien bedacht, obwohl eines der ältesten Offizien in teilweise poetischer Form der Trinität gewidmet ist.

Als Stoff für die zahlreichen Heiligen-Offizien dient in der Regel die Vita oder Legende des Heiligen. In den Antiphonen und Responsorien eines liturgischen Tages von der ersten bis zur zweiten Vesper wird fortlaufend die

Lebensgeschichte des Heiligen erzählt, seine Stationen, seine Prüfungen, seine Visionen, die Wunder, die mit seinem Wirken in Verbindung gebracht werden. Betrachtungen und Bitten, in denen die im Verlauf des Mittelalters zunehmend persönlicher werdende Haltung der poetischen Aussage gegenüber der objektiven Bibelprosa zum Ausdruck kommt, können eingeschlossen sein. Diese Erzählform des Reimoffiziums hat ihr Vorbild in den Lesungen der Matutin, die ursprünglich nicht nur der Heiligen Schrift, sondern auch der Vita oder der Passio des zu feiernden Heiligen entnommen waren. Dieser Inhalt ging auch in die mit den Lektionen alternierenden Responsorien ein, während die zwischen den Psalmen stehenden Antiphonen zunächst noch auf die Bilder und Gedanken der Psalmverse abgestimmt waren.

Der in den Handschriften des Mittelalters für das Reimoffizium gebrauchte Terminus *Historia* (mit der näheren Bestimmung *rhythmata* oder *rimata*) gilt im allgemeinen für die Gesamtheit der Antiphonen und Responsorien eines Reimoffiziums; er kann aber auch nur die Folge der Matutin-Responsorien bezeichnen, und dies scheint der ältere Sprachgebrauch zu sein, denn als *historiae* wurden ursprünglich auch die den Responsorien benachbarten, aus den Büchern des Alten Testaments und den Märtyrerakten entnommenen Lektionen bezeichnet, wobei *historiae* im Sinne einer konkreten geschichtlichen Wahrheit zu verstehen ist.

Der Ausgangspunkt für die Geschichte des poetischen Stundengebetes wird im 9. Jahrhundert im heutigen Nordfrankreich zu suchen sein. Die wenigen nachweisbar frühen Offizien verweisen in dieses Gebiet, ebenso eine lange Reihe von Heiligen, die als Patrone von Kirchen und Klöstern mit dem religiösen und kulturellen Zentrum des Frankenreiches in Verbindung stehen. Benediktiner, Cluniazenser, Zisterzienser, Franziskaner (allein aus diesem Orden sollen — nach Irtenkauf — etwa 770 Reimoffizien hervorgegangen sein), Dominikaner, Augustiner-Chorherren und Carmeliten trugen maßgeblich zur Erweiterung des Repertoires und zur Verbreitung der Reimoffizien bei. Die Bewegung erfaßte nach Frankreich auch England, Deutschland und die nördlichen Länder, während Reimoffizien in italienischen Antiphonaren und Brevieren selten sind. Die karolingische Renaissance, mit der die Reimoffizien ebenso wie die Tropen und Sequenzen in Zusammenhang gebracht werden dürfen, fand nördlich der Alpen statt. Die römische Kirche verhielt sich konservativ gegenüber der liturgischen Poesie in jeder Form. Radulph, der Dekan von Tongern, bestätigt diese Beobachtungen aus seiner Sicht des 14. Jahrhunderts, wenn er schreibt, in den Offizien de tempore würden alle Nationen überwiegend die gleichen Historien kennen, übereinstimmend mit dem römischen Brevier, *„sed de sanctis sive de diebus sanctorum Italianae ecclesiae romano magis se conformant, quia proprias historias sanctorum minime admittunt. Deinde ecclesiae gallicanae, deinde anglicanae, postremo alemannicae ecclesiae ad historias sanctorum proprias magis se dilataverunt".*

Einzelne metrisch und rhythmisch gestaltete Antiphonen und Responsorien-Verse sind schon in der Handschrift St. Gallen, Stiftsbibliothek 390–391, dem sogenannten Hartker-Antiphonar aus dem 10. Jahrhundert (ed. Paléographie Musicale II/1), nachzuweisen. Peter Wagner hat in mehreren Responsoriumsversen dieser Quelle Hymnenstrophen erkannt, deren Übernahme in die zunächst prosaischen Gattungen des Offiziums vielleicht die Entwicklung zum Reimoffizium einleitet. In der gleichen Handschrift finden sich, verstreut in mehreren Offizien, bereits Verse aus der geistlichen Dichtung, und in der *Historia de sancta trinitate* u. a. eine Reihe von unregelmäßig versifizierten Antiphonen. Die genannten Gesänge aus dem Hartker-Antiphonar folgen in der Mehrzahl metrischen, silbenmessenden Gesetzen, wie die folgenden Beispiele:

Iam tenet Othmarus paradisi gaudia clarus
Suppeditans agno date laudes robore magno.
(zwei Hexameter aus dem Othmarus-Offizium).
Laus deo patris parilique proli
et tibi sancte studio perenni
spiritus nostro resonet ab ore
omne per aevum.
(eine sapphische Strophe aus der *Historia de sancta trinitate*).

Daneben stehen jedoch schon rhythmische, silbenzählende Verse, die regelmäßig steigen oder fallen. Ein Beispiel für diese zukunftsweisenden Bildungen ist die erste Antiphon der ersten Vesper des Trinitätsoffiziums mit einem fallenden Sieben-Silbler und drei steigenden Acht-Silblern (bzw. jambischen Dimetern, den Versen der ambrosianischen Hymnenstrophe):

> *Gloria tibi trinitas* *et ante omnia saecula*
> *aequalis una deitas* *et nunc et in perpetuum.*

Das Nebeneinander von Prosa und Strophen mit metrischen oder rhythmischen Versen mit gelegentlichen End-Assonanzen oder Reimen ist bezeichnend für die nur teilweise versifizierten Offizien des 10. und 11. Jahrhunderts, die man noch nicht als ausgesprochene Reimoffizien ansprechen darf. Auch im 12. Jahrhundert ist dieses Stadium noch gegeben, obwohl zu dieser Zeit die prosaischen Abschnitte schon seltener werden.

Unter den noch immer mannigfaltigen Versformen innerhalb eines Offiziums tritt der leoninische Hexameter mit Binnenreim zwischen Zäsur und Versende (oder zwischen Zäsur und Zäsur) in den Vordergrund. Beispiele für diese Versform enthält das vom 13. bis ins 16. Jahrhundert oft überlieferte und weit verbreitete Karlsoffizium (Analecta Hymnica 25, Nr. 66; ed. E. Jammers), das mit folgender Antiphon beginnt:

> *Regali natus de stirpe deoque probatus*
> *Carolus illicitae sprevit contagia vitae.*

Neben metrischen und rhythmischen Bildungen findet sich vom 11. Jahrhundert an auch gereimte Prosa, deren unterschiedlich lange Zeilen sich zu gleich langen Versen vereinheitlichen können, so daß der Übergang zu einer Versfolge möglich ist.

Beispiele bietet das Chrysanthus- und Daria-Offizium, das aus Handschriften des 15. Jahrhunderts bekannt ist, jedoch mit Sicherheit einige Jahrhunderte früher entstand. Die zweite Antiphon der zweiten Nokturn lautet:

> *Virgo Daria auro et gemmis radians ad iuvenem ingreditur*
> *sed victa feliciter per iuvenem convertitur.*

Die weitere Entwicklung verläuft etwa parallel mit den Wandlungen, die in den Versformen der Tropen und besonders der Sequenzen beobachtet werden können. Die Tendenz führt vom metrischen zum rhythmischen Vers, von der Assonanz zum Endreim. Es ist verständlich, daß die Großform des Offiziums später eine einheitlichere poetische Form erhält als die Tropen und Sequenzen. So erscheint eine fest geprägte Strophenform, wie sie der 1192 verstorbene Augustiner-Chorherr Adam von St.-Victor schon im 12. Jahrhundert für die Sequenz schuf, in vergleichbarer Form für das Offizium erst im 13. Jahrhundert. Julian von Speier, bis zum Tod im Jahre 1285 Chormeister am Hof Ludwigs IX. und am Minoritenkolleg in Paris, gab mit zwei Reimoffizien auf Franziskus und Antonius das Vorbild für die zahlreichen Reimoffizien, die seit dem 13. Jahrhundert aus dem Kreis der Franziskaner hervorgingen.

Die jeweils ersten Antiphonen des vorwiegend jambisch steigenden Franziskus- und des überwiegend trochäisch fallenden Antonius-Offiziums zeigen die Ordnung der Silbenzahlen, Reime und Zeilenausgänge und das Zusammenfallen von Vers- und Wortakzent:

Franciscus vir catholicus	8(-silbig)	a (Reim)	m (männl. Ausgang)
et totus apostolicus	8	a	m
ecclesiae teneri	7	b	w (weibl. Ausgang)
Fidem Romanae docuit	8	c	m
presbyterosque monuit	8	c	m
praecunctis revereri.	7	b	m
Gaudeat ecclesia	7	a	m
Quam in defunctorum	6	b	w
sponsus ornat gloria	7	a	m
matrem filiorum.	6	b	w

Mit Julian von Speier und seiner Zeit ist die eigentliche Vollendung und Blütezeit des Reimoffiziums erreicht. Die noch weithin unerforschte Geschichte des Reimoffiziums im Spätmittelalter reicht bis zum Konzil von Trient, auf dem die Reimoffizien mit wenigen Ausnahmen aus den Brevieren verbannt wurden.

Doch konnte Dreves noch zwei Reimoffizien aus späterer Zeit namhaft machen, von denen die 1649 geschriebene Historia auf den heiligen Florian als Nr. 11b in Band 26 der Analecta Hymnica abgedruckt ist.

Nur für wenige Reimoffizien sind Verfasser bekannt. Wie wichtig diese Kenntnis sein kann, zeigt das schon erwähnte, in Handschriften des 15. Jahrhunderts überlieferte Offizium *de Chrysantho et Daria* (Analecta Hymnica 25, Nr. 73). Die Reliquien dieser Heiligen sind im Jahre 844 nach Münstereifel übertragen worden. Zu dieser Zeit ist in der zugehörigen Benediktinerabtei Prüm ein als Dichter und Hagiograph tätiger Mönch Wandalbert nachweisbar, dem man eine Offiziumsdichtung zuschreiben könnte. Es gibt jedoch kein sicheres Zeugnis für den vermuteten Zusammenhang zwischen dem im 15. Jahrhundert überlieferten Offizium und dem zur Zeit der Reliquienübertragung tätigen Mönch Wandalbert, der in diesem Fall als ältester Dichter von poetischen Offizien anzusehen wäre.

Ähnlich verhält es sich mit dem ebenfalls aus einer Quelle des 15. Jahrhunderts bekannten Offizium *de sancto Wingualoeo* (Analecta Hymnica 18, Nr. 100). Gurdestin, in der zweiten Hälfte des 9. Jahrhunderts Abt des bretonischen Klosters Landevennec, hat die Vita des genannten Heiligen geschrieben und mit Sicherheit eine Antiphon des fraglichen Offiziums (*Ave pater sanctissime*). Es ist jedoch nicht sicher, ob er der Verfasser der vollständigen Historia ist (ausgenommen die jüngere Benedictus- und Magnificat-Antiphon).

So verbleibt als wahrscheinlicher Ausgangspunkt für die Offiziumskomposition die *Historia de sancta trinitate* des 930 verstorbenen Hucbald von Saint-Amand, die (beginnend mit *Gloria tibi trinitas*) noch heute im römischen Brevier erhalten ist.

Hucbald zugeschrieben werden auch die Offizien *de sancta Rictrude* (Analecta Hymnica 13, Nr. 87), *de sancta Eusebia* (Analecta Hymnica 13, Nr. 49), *de sancto Mauronto* (Analecta Hymnica 13, Nr. 77) und ein Offizium *de sancto Lamberto* (Analecta Hymnica 26, Nr. 79), dessen prosaische Responsorien von Bischof Stephan von Lüttich, einem Zeitgenossen Hucbalds, verfaßt wurden. Aus der zweiten Hälfte des 10. Jahrhunderts stammt das Offizium *de sancto Folquino* (Analecta Hymnica 13, Nr. 55), das Folquin, Abt von Laubach, seinem Namenspatron widmete. Zwischen dem 11. und 15. Jahrhundert können, nach Cl. Blume, noch für die folgenden, in den Analecta-Hymnica-Bänden enthaltenen poetischen Offizien die Verfasser benannt werden. Wenn auch nicht alle Zuschreibungen gesichert sind und nach manchem Zeugnis unbestimmt bleibt, ob der Dichter zugleich auch der Komponist gewesen ist, so geben die Namen doch Anhaltspunkte für die Datierung und Lokalisierung einiger Reimoffizien, deren sprachliche Form und musikalischer Stil als Orientierungspunkte für weitere Untersuchungen dienen können.

Analecta Hymnica		Liturgische Bestimmung	Verfasser	Zeit
Band	Nummer			
18	47	de sancto Maiolo	Odilo v. Cluny	11. Jh.
18	42	de sancto Leobino	Fulbert v. Chartres	11. Jh.
18	80	de sancto Piato	dgl.	
28	62a	de sancto Saviniano	Odorannus v. Sens	11. Jh.
18	31	de translatione s. Gerardi	Leo IX.	11. Jh.
5	64	de sancto Gregorio	dgl.	
24	96	de sancta Sabina	Alfano	11. Jh.
24	85	de translatione s. Matthei	dgl.	
13	96	de sancto Trudo	Theoderich (v. Saint-Troud)	11./12. Jh.
18	40	de sancta Landrada	dgl.	
28	50	de sancto Placido	Reinaldus v. Colle di Mezzo	12. Jh.
5	86	de sancto Udalrico	Udalschalc v. Maischach	12. Jh.
13	78	in decollatione s. Johannis baptistae	Richard de Gerberoy (v. Amiens)	13. Jh.
13	71	de sancto Ludovico	Arnaud du Pre	13 Jh.
25	39	de sancto Arnulpho Villariensi	Goswin de Bossut	13. Jh.
5	1	de sancta trinitate	John Peckham	13. Jh.
26	1	de sancto Eskillo	Bryndolphus Algotson (v. Skara)	13./14. Jh.
26	31	de sancta Helena v. Sköfde	dgl.	
24	30	de visitatione BMV	Raymundus de Vineis	14. Jh.
24	29	de visitatione BMV	Adam Easton	14. Jh.
41a	1—15	15 div. Reimoffizien	Christian von Lilienfeld	14. Jh.
24	37 (?)	de visitatione BMV	John Horneby	14. Jh.
25	58	de sancta Birgitta	Birgerus Gregorii (v. Upsala)	14. Jh.
25	62	de sancto Botuido	dgl.	
25	37	de sancta Birgitta	Nikolaus Hermannus v. Linköping	14. Jh.
25	21	de sancta Anna	dgl.	
26	43	de sancto Iacobo	Ghiselerus v. Hildesheim	15. Jh.
28	39	in festo patronorum Hildesheimensium	Lippold von Steinberg	15. Jh.
5	91	de sancto Vincentio Ferrerio	Martialis Auribelli	15. Jh.
17	8	de BMV	Gil de Zamora	15. Jh.
24	2	de inventione pueri Jesu	Johann Hofmann v. Meißen	15. Jh.
25	56	de sancta Birgitta	Johannes Benechini	15. Jh.
26	75	de sancta Katharina suescica	dgl.	

1. Wien, Nationalbibliothek, Cod. 1609, fol. 6

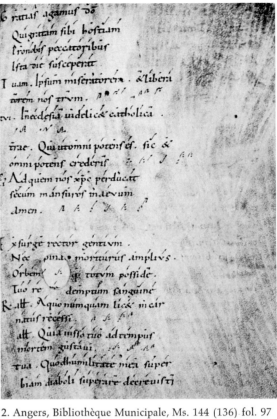

2. Angers, Bibliothèque Municipale, Ms. 144 (136) fol. 97

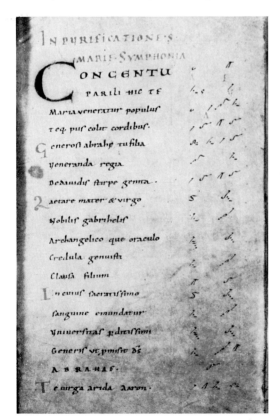

3. St. Gallen, Stiftsbibliothek, Ms. 380

Das auffallendste musikalische Kennzeichen vieler Reimoffizien ist die numerische Folge der acht Kirchentöne in den Antiphonen und Responsorien. Diese schematische musikalische Ordnung beginnt mit den sechs Vesper-Antiphonen, die fortlaufend im ersten bis sechsten Kirchenton stehen. In der Matutin setzt die Zählung neu ein. Antiphonen und Responsorien werden getrennt von eins bis neun gezählt und erhalten den ihrer Stellung entsprechenden Kirchenton, so daß beispielsweise in der ersten Nokturn Antiphonen im ersten, zweiten und dritten Kirchenton und Responsorien im ersten, zweiten und dritten Kirchenton stehen, in der zweiten Nokturn Antiphonen im vierten, fünften und sechsten Kirchenton, ebenso die Responsorien. Bei Antiphon (und Responsorium) Nr. 9 beginnt entweder eine neue Reihe mit dem ersten Kirchenton (so bei Julian von Speier im Antonius-Offizium), oder es wiederholt sich der achte Kirchenton (so im Trinitätsoffizium Hucbalds).

Die *Laudes*-Antiphonen werden entsprechend den Vesper-Antiphonen im ersten bis sechsten Kirchenton komponiert. Abweichungen von diesem Prinzip waren offenbar in der Responsorienreihe eher möglich als bei den Antiphonen. So zeigt zum Beispiel das Elisabeth-Offizium des 13. Jahrhunderts in der Matutin eine geordnete Folge der Kirchentöne für die neun Antiphonen, während von den Responsorien die Mehrzahl im E- und F-Modus steht, wobei eine Differenzierung in authentische und plagale Modi wegen des erweiterten Ambitus nicht mehr möglich ist. Man wird dieses Kirchentonarten-Schema, das nicht für alle Reimoffizien gültig ist (vgl. das weit verbreitete Karls-Offizium), weder als *„unkünstlerisches Verfahren"* oder *„interessante Spielerei"* (Wagner), noch als *„sonderbare Schulmeisterei"* (Wellner) abwerten dürfen, sondern die äußerliche Straffung des musikalischen Verlaufs als Äquivalent für den metrisch oder rhythmisch geordneten Text betrachten müssen. Beides dient dem bewußten Streben nach Form und Einheitlichkeit.

Die numerische Folge der Kirchentöne bedingt musikalisch eine klare Ausprägung und Unterscheidung der authentischen und plagalen Tonarten nach Ambitus und Tongerüst. Innerhalb dieser engen tonalen Bindung bleibt Spielraum für melismatische Auszierungen, die den Antiphonen oft das Aussehen von Responsorien geben können. Besonders die Antiphonen zu den Cantica entwickeln sich in dieser Richtung. Die Responsorien selbst lösen sich vom Gerüst der Responsoriums-Psalmodie und nähern sich den responsorialen Gesängen der Messe. So werden die im römischen Choral gewahrten Gattungsgrenzen in den neuen Reimoffizien allmählich aufgehoben, und neue Formen großzügiger psalmodischer Melodik entwickeln sich.

Wesentlich für den musikalischen Stil vieler Offizien wird vom 12./13. Jahrhundert an das engere Verhältnis zur Metrik oder Rhythmik des Textes. Wurden Verse zunächst noch als Prosa mit betonten Wortakzenten und mit Satzschlüssen auf der Finalis komponiert, so treten später auch Zäsuren, Halbverse und Reime musikalisch in Erscheinung, wobei neben Sekunde, Quarte und — in wachsendem Maß — Quinte auch die Terz in Zwischenschluß-Funktion auftritt. Die Spannung zwischen metrisch-rhythmischer und musikalischer Gliederung ist ein wichtiger Aspekt in der Betrachtung der bisher noch wenig erforschten und edierten Reimoffizien.

Karl Heinz Schlager

Tropen und Sequenzen

Zwischen der Zusammenstellung der Texte und Melodien des seit Pippin (751—768) und Karl dem Großen (768—814) auch für das Frankenreich verbindlichen römischen Antiphonars im 7. Jahrhundert und der Entstehung des ersten größeren Repertoires kunstvoll gesetzter Mehrstimmigkeit im südfranzösischen St. Martial (Limoges) im Ausgang des 11. Jahrhunderts liegt eine Periode, deren schöpferische Leistung in Tropen und Sequenzen zum Ausdruck kommt. Beide Gattungen bleiben das ganze Mittelalter hindurch in gesamteuropäischer Überlieferung lebendig; der Höhepunkt ihrer Geschichte liegt jedoch in der Karolinger- und Ottonenzeit, in der das in Nordfrankreich einsetzende Tropen- und Sequenzenschaffen noch unmittelbar im Zeichen der karolingischen Renaissance und der schöpferischen Übernahme und gleichzeitigen didaktischen Neuinterpretation des römischen Chorals im Frankenreich steht.

Tropen und Sequenzen sind Zusätze zum römischen Choral. Als gemeinsame Vorstufen der sich verschieden ausprägenden und entwickelnden Gattungen können textlose Melismen betrachtet werden, wie sie schon vor dem Beginn der schriftlichen Überlieferung mit Notation nachweisbar sind. Die Termini für diese Melismen lauten: *neumae, melodiae und sequentiae.*

In dem 836/37 geschriebenen *Liber de ordine antiphonarii* erwähnt der karolingische Liturgiker Amalar im Zusammenhang mit den Responsorien zum Fest des Evangelisten Johannes ein *neuma triplex* oder *trifarium neuma,* ein dreifaches bzw. dreigeteiltes Melisma, das, wie aus dem Wortlaut und der späteren Überlieferung hervorgeht, mit verschiedenen Responsorien verbunden wurde (das Notenbeispiel ist leicht einzusehen in *MGG* XIII, Art. *Tropus,* Beisp. 9).

Spuren von wandernden Melismen finden sich auch noch später. So enthält z. B. der Alleluia-Vers *Non vos relinquam* in der Handschrift Besançon, Bibliothèque municipale 79, einem Graduale des 11. Jahrhunderts, das *afferen-tur*-Melisma aus dem Alleluia-Vers *Adducentur;* und im Neujahrsoffizium von Sens (ed. Villetard) setzt sich der Versiculus *Sancta dei genitrix* aus dem Initium des Alleluia mit dem Vers *Posuisti domine* und dem *ce-drus*-Melisma aus dem Alleluia-Vers *Justus ut palma* zusammen.

Dem Zeugnis über ein neues austauschbares Melisma, wie es Amalar gibt, kann man auch eine Aussage über instrumentale melismatische Zwischenspiele an die Seite stellen.

Von dem um 900 in St. Gallen lebenden Mönch Tuotilo wird mit Zitierung von zwei Introitus-Tropen in einer Klosterchronik berichtet, daß er für Psalterium und Rotte liebliche Melodien, *neumata,* erfunden habe.

Zu den Quellen, in denen Introitus-Tropen mit untextierten Zwischenmelismen belegt sind, zählt auch die Handschrift 1609 der Wiener Nationalbibliothek mit einem in St. Galler Neumen des 9./10. Jahrhunderts geschriebenen Troparteil. Auf fol. 6 (siehe Abb. 1) stehen in der oberen Hälfte eine Einleitung und vier Interpolationstropen zur Introitus-Antiphon *Suscepimus deus misericordiam tuam* vom Fest Purificatio BMV. Die unneumiert am linken Rand stehenden Wörter *tuam, tui, t[er]rae* und *ei[us]* bezeichnen die Schlüsse der Introitus-Abschnitte, nach denen der Tropus eingefügt ist. Die melismatischen Erweiterungen stehen nach jeder der vier Interpolationen. Silbenzahl und Folge der höheren (Virga) und niederen (Punctum) Einzeltöne und der anschließend von den Gruppen-Neumen angedeutete Melodieverlauf stimmen wahrscheinlich überein, so daß die gleiche Melodie textiert und untextiert vorliegt.

Eine andere Form textloser Melismatik waren die *melodiae* oder *sequentiae.* Auch von ihnen spricht Amalar. In der ersten Auflage des *Liber officialis* von 823 heißt es: „*Haec iubilatio quem cantores sequentia vocant*". Die als *sequentia* bezeichnete *iubilatio* gehört zum Alleluia der Messe, es ist der nach dem Vers in erweiterter Form gesungene Alleluia-Jubilus, der — als *melodiae* bezeichnet — auch im mailändischen und im alt-römischen Choral bekannt ist.

Das folgende Beispiel ist einem in aquitanischen Neumen geschriebenen Graduale des 11./12. Jahrhunderts aus Narbonne entnommen, in dem sich noch einige *sequentiae* erhalten haben. Im Alleluia-Vers *Domine refugium* vom 11. Sonntag nach Pfingsten mündet der Vers-Schluß *progenie-* nicht in die dem Vers vorausgehende Alleluia-Melodie ein, sondern in eine eigenständige umfangreichere *sequentia.*

Alleluia, Vs. Domine refugium (mit sequentia)
Paris, B. N. lat. 780, 111:

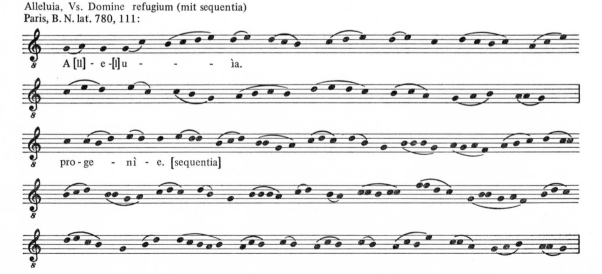

Die musikalischen Erweiterungen des römischen Chorals, die als Eingangs-, Binnen- oder Paenultima-Melismen in einen Gesang eingeschoben waren oder über einer Schlußsilbe oder einem abschließenden Vokal den Gesang verlängern konnten, erscheinen mit Beginn der Überlieferung von Melodien in der Regel schon als feste Bestandteile bestimmter Gesänge, d. h. von den ab 900 überlieferten Melismen in den responsorialen Gesängen der Messe und des Offiziums läßt sich nicht mit Sicherheit sagen, ob sie ursprünglich dem Gesang angehörten. Deshalb bleibt die vermutlich primäre, rein musikalische Form des Tropus, auf die vielleicht Cassiodors Gebrauch des Terminus *tropis* im Sinne von melodischen Wendungen in der bekannten Briefstelle aus dem Jahre 507 hinweist: „ . . . *et tamquam insatiabile bonum tropis semper variantibus innovatur*", weitgehend im Dunkel der Geschichte. Die Tropen des 10. und 11. Jahrhunderts stellen sich im wesentlichen dar als inhaltlich deutende Zusätze zum Choral in Form textierter Melismen, in den Handschriften als *prosa*, *prosula*, *verba* oder *verbeta* bezeichnet, oder als textlich-musikalische Erweiterungen des Chorals in Form von einleitenden oder eingeschobenen Partien, deren Worte und Melodien neu entstanden sind: die Tropen im eigentlichen Sinne.

Textierungen von Melismen erklären sich zwanglos aus dem Geist einer die Literatur und damit das Wort neu entdeckenden Epoche wie der Karolingerzeit. Mit den unterlegten Worten konnten die Sänger auch manche der für fränkische Kehlen ungewohnten Melismen des römischen Chorals, die noch nicht in eindeutiger Notenschrift unveränderlich festgelegt waren, besser im Gedächtnis behalten — das wissen wir aus dem Prooemium der ersten großen Sequenzen-Sammlung, die auf den St. Galler Dichter Notker Balbulus (gest. 912) zurückgeht. An gleicher Stelle findet sich auch der Hinweis auf die Anregung und das Vorbild zu Notkers Dichtungen: die Textierungspraxis in dem nordfranzösischen Kloster Jumièges, aus dem nach dem Normanneneinfall von 851 ein Mönch nach St. Gallen flüchtete. In der zweiten Hälfte des 10. Jahrhunderts war dann die Melismentextierung schon so verbreitet und üblich geworden, daß der Eichstätter Bischof Reginold ein neues Offizium für den hl. Willibald zugleich dichtete, komponierte und — tropierte, wie es die erste Nachricht über die Textierung von Responsoriums-Melismen bezeugt.

Während die Tropen im allgemeinen von einem bestimmten liturgischen Gesang, auf den sie textlich und musikalisch eng abgestimmt sind, abhängig blieben und mit diesem Gesang überliefert sind, werden die Sequenzen schon in ihrem Vorstadium als textlose Melismen auch unabhängig vom *Alleluia* der Messe aufgezeichnet, sie entfernen sich musikalisch weiter von der Choralmelodik als die Tropen und behalten ein ihnen eigenes, kennzeichnendes Formprinzip das ganze Mittelalter hindurch bei. Diese grundlegenden Unterschiede zwischen Tropen und Sequenzen bedingen eine getrennte Betrachtung der beiden Gattungen.

Die Tropen

Man kann grundsätzlich zwei verschiedene Arten der Tropierung unterscheiden: die Textierung von gegebenen Melismen und die Neukomposition und Textierung von einleitenden und interpolierenden Abschnitten.

Die Art der Tropierung steht in Zusammenhang mit dem zu tropierenden Gesang. Die melismenreichen Gesänge der Messe, besonders *Alleluia* und *Offertorium*, sowie die großen Responsorien im Nachtoffizium bieten sich für Melismentextierungen an; dagegen eignet sich der *Introitus* der Messe eher zur Einfügung von textlich-musikalischen Abschnitten an den gegebenen Nahtstellen zwischen Antiphon, Psalmvers und Doxologie. Mit den genannten Gesängen sind die am häufigsten tropierten gregorianischen Gattungen im engeren Sinne bezeichnet. An diesen Proprien wird die Begegnung zwischen traditionellem Choral und gegenwärtigem Tropus besonders deutlich. In den meist jüngeren und im Fränkischen entstandenen Ordinariumsgesängen sind sich Original und Tropierung stilistisch näher, obwohl auch unter den *Kyrie*-Melodien und den oft mit *Regnum tuum solidum permanebit in aeternum* schließenden Gloria-Tropen Stücke hohen Alters zu finden sind. Von einem Kyrie-Tropus spricht Amalar schon im Jahre 831. Während in den Gloria-, Sanctus- und Agnus-Tropen die textlich-musikalischen Interpolationen überwiegen, finden sich zum bevorzugt tropierten Kyrie mehr Textierungstropen. An einige Textanfänge erinnern noch die Namen, die den Kyrie-Melodien der Editio Vaticana beigegeben sind: *Lux et origo*, *Fons bonitatis*, *Cunctipotens genitor* u. a.

Melismentextierungen lassen sich an zahlreichen Alleluia-Melodien exemplifizieren. Nicht nur der Jubilus, größere Binnenmelismen im Vers, und die *sequentia* sind mit einem zusammenhängenden Text syllabisch aufgelöst worden. Die Textierung konnte den gesamten Vers erfassen, so daß die ursprünglichen Worte zwar erhalten blieben, aber durch Ergänzungen und Weiterführungen ausgedeutet oder sogar in einen neuen Sinnzusammenhang gebracht wurden. Diese Gesamttextierung einer Alleluia-Melodie mit Vers ist schon in der ersten Hälfte des 9. Jahrhunderts nachweisbar (Alleluia und Vers *Christus resurgens ex mortuis* in München, Bayerische Staatsbibliothek Clm 9543, 199 v, aus St. Emmeram in Regensburg). Sie ist auch gegeben in dem folgenden, verbreitet nachweisbaren Beispiel, das aus einem beneventanischen Graduale des 11./12. Jahrhunderts entnommen ist und textlich wie musikalisch von der bereits veröffentlichten Form in der Handschrift Einsiedeln, Stiftsbibliothek 366 abweicht.

Tropiert wird das Alleluia mit dem Vers *Post partum.* Die handschriftliche Aufzeichnung beginnt mit dem Alleluia (Initium und Jubilus) in untextierter Form (I). Es folgt die vorwiegend syllabische Textierung des Alleluia, als *p[ro]s[ula]* bezeichnet, wobei die Initientextierung *Psallat ludens talia* im Vokalklang auf das urspünglich an dieser Stelle stehende *Alleluia* abgestimmt ist (II). An den Vers in unveränderter Form (III) schließt sich eine Gesamttextierung des Verses an (IV), unter Einschluß des im Vers bereits gegebenen Textes. Der Vergleich mit dem Vers zeigt, daß folgende Melismen aufgelöst und mit Text versehen sind: *par-tum, inviola-ta, genitrix-.* Die Textierung mündet mit *inter[cede]* wieder in den Versschluß ein. Die folgende Prosula (V) ist wie die am Anfang stehende aus einer Textierung des Alleluia entstanden, das nach dem Vers zu wiederholen ist. Ihr Anfang *pro nostris* entspricht textlich und musikalisch dem Versschluß *pro nobis,* mit dem der Vers Anschluß an die Jubilusmelodik gewinnt.

Alleluia, Vs. Post partum (Gesamttextierung)
Benevent, Bibl. Cap. VI. 39, 146v / 147:

qui ad te con - cur - runt sup - pli - cevs pe - ti - mus. In - ter .

Die klassische Ausformung des Tropus im eigentlichen Sinne, einer textlich und musikalisch neu geschaffenen Erweiterung des römischen Chorals, liegt bei den Tropen zum Eingangslied der Messe, zum *Introitus* vor. Hier sind es besonders die der Antiphon vorausgehenden, schon früh in metrischer Form gedichteten Introduktionen, in denen sich das Wesen des Tropus erschließt. Ihre historischen Wurzeln liegen vielleicht in den prosaischen, praefationes genannten Einleitungen der alt-gallikanischen Messe.

Viele einleitende Introitus-Tropen schließen mit einer Aufforderung, den folgenden Introitus feierlich anzustimmen. Kann man darin das Bestreben nach Aktualisierung erkennen, so dient die Dialogform mancher Introitus-Tropen, von denen die mit *Quem queritis* beginnenden Einleitungen zum Introitus am Oster- und Weihnachtsfest den Ausgangspunkt für die Kirchenraumspiele bilden, der Verlebendigung des folgenden Bibelwortes.

Im folgenden Beispiel, das der um 1000 geschriebenen St.-Martial-Handschrift Paris, Bibliothèque Nationale lat. 1121 entnommen ist, wird der Introitus *Terribilis est locus iste* am Fest der Dedicatio ecclesiae tropiert, genauer: die Introitus-Antiphon, die mit einer Einleitung und zwei Interpolationen erweitert ist. In der Einleitung liegt ein typisches Beispiel für die „Inszenierung" des Bibelwortes vor: der Introitustext wird dem hl. Jacobus als Gesang in den Mund gelegt. Die erste Interpolation ist eine Paraphrase der sie umgebenden Introituszeilen, z. T. kehren die gleichen Worte wieder. Die zweite Interpolation ergänzt mit einem Relativsatz den Schluß der vorausgehenden Introituszeile *et porta caeli*. Der musikalische Zusammenhang ist durch das gleiche D-plagale Tongerüst gegeben und wird besonders augenfällig in der Vorimitation des Introitus-Anfangs am Schluß der Introductio. Die Wendung kehrt am Schluß der zweiten Interpolation als Vorwegnahme des letzten Antiphonen-Abschnitts wieder. Es ist bezeichnend für die Bedeutung des Tropus, daß mit ihm die musikalische Gesamtform Introitus + Tropus einen neuen Spitzenton erhält, der über der Melodiespitze im Introitus liegt.

Introitus „Terribilis est locus iste" (mit Tropen)
Paris B. N. lat. 1121, 19v:

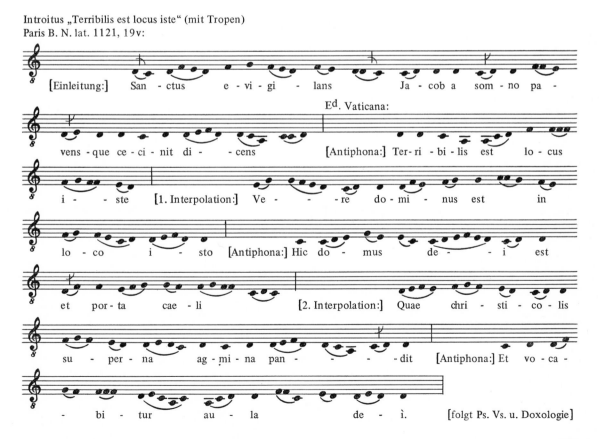

Aus der unübersehbaren Zahl von Tropen, die sich im Verlauf des Mittelalters praktisch an alle Gesangsgattungen der Messe und des Offiziums anschließen, und deren literarischer und musikalischer Formenreichtum kaum systematisiert werden kann, seien noch die Tropen zu den Lesungen und zum Entlassungsruf des Zelebranten im Offizium erwähnt, weil sie Sonderformen repräsentieren. Die Tropen zu den Lesungen der Messe, zur Epistel (als *farcitura* bezeichnet) und — seltener — zum Evangelium sind — ebenso wie Tropen zum Credo und zum Pater noster — Cento-Tropen, d. h., sie sind aus älteren Gesängen (bevorzugt poetisch schon ausgeprägten wie Sequenzen, Tropen, Hymnen) herausgenommen und neu zusammengesetzt.

Die strophischen, in eingängiger Melodik gehaltenen Tropen zum *Benedicamus domino*, *Versus* genannt, leiten über zu den lateinischen Liedern des Mittelalters (siehe Art. *Cantiones*).

Die Sequenzen

Der Name Sequenz geht zurück auf die eingangs erwähnten, erweiterten *Jubilus*-Melismen nach dem *Alleluia*-Vers. Sie wurden im westfränkischen Bereich (etwa dem heutigen Frankreich) als *sequentia(e)* bezeichnet, im Osten und Süden (Süddeutschland, Schweiz, Italien) als *longissimae melodiae*. Diesen verschiedenen Bezeichnungen entsprechen auch unterschiedliche musikalische Ausprägungen.

Die südlichen *melodiae*, wie sie in den bis ins 6. Jahrhundert zurückgehenden Alleluia-Melodien der alt-römischen Ostervespern vorliegen, fließen gleichförmig in kleinen Intervallen, sie enthalten keine größeren Wiederholungen und bleiben untextiert. Die *sequentiae* nördlich der Alpen, erstmals nachweisbar im 8./9. Jahrhundert in den noch neumenlosen Handschriften Brüssel, Königliche Bibliothek 10127–10144, dem Antiphonale von Mont-Blandin, und in München, Bayerische Staatsbibliothek Clm 14843, einer Sammelhandschrift aus Toul, schreiten formbildend in charakteristischen Intervallfolgen, sie setzen sich aus einzelnen Gliedern zusammen, die aufeinander folgen *(sequentiae)*, und sie werden textiert. Die textierte Form erscheint in westfränkischer Überlieferung mit dem literarischen Terminus *prosa ad sequentiam* (bzw. nur *prosa*), in ostfränkischen Quellen (St. Gallen/Einsiedeln) erhielt sich der musikalische Name *sequentia*.

In nord- und südfranzösischen Handschriften trifft man auf verschiedene Vorstadien der Sequenz als musikalisch-literarischer Gattung. Neben den *sequentiae* im Anschluß an Alleluia-Verse sind schon im 9. Jahrhundert selbständige *sequentiae* ohne Alleluia-Verse überliefert, die mit einem späteren Terminus als *sequelae* angesprochen werden. Sie bestehen aus einem Alleluia-Initium und einer langen Neumenkette ohne Text, wobei die Wiederholung von Abschnitten ausgeschrieben oder mit d = duplex angezeigt sein kann.

Abb. 2 zeigt einen Ausschnitt aus einer nordfranzösischen Sequelen-Sammlung des 10. Jahrhunderts in der Handschrift Angers 144 (136), fol. 97. Die Melodiewiederholungen sind in gleichen Neumenfolgen ausgeschrieben. Von den Rubriken verweist *Post partum* auf einen bekannten Alleluia-Vers.

Einige Sequelen sind in zwei oder drei mittleren Versikeln textiert und so zu „teiltextierten Sequenzen" geworden, deren melodische und textliche Kernpartien vermutlich die Ausgangspunkte der jeweiligen Großform bilden und in späteren durchtextierten Sequenzen erhalten bleiben.

Das Hauptcorpus im Sequenzen-Repertoire besteht aus „*standardisierten kirchlichen Sequenzen*", die im Anschluß an das *Alleluia* unmittelbar vor Verkündigung des Evangeliums gesungen wurden. Sie verlaufen musikalisch in Doppelversikeln nach dem Prinzip der „*fortschreitenden Repetition*" (schematisch: aa bb cc . . .). Diese Form, die auch den Lai, den Leich und die Estampie kennzeichnet und viele Responsoriums-Tropen als kleine Sequenzen erscheinen läßt, bleibt bestimmend für den Bau der Sequenz in ihrer vom 9. bis ins 16. Jahrhundert reichenden Geschichte. Nur am Rande stehen jene Sequenzen, die den Parallelismus der einzelnen Melodieglieder nicht aufweisen, und die aus kleinen Melodiepartikeln locker zusammengefügten „*archaischen Sequenzen*", in denen die fortschreitende Repetition durch drei- und mehrfache Wiederholung einer Zeile und durch strophische Wiederholung größerer Teilabschnitte (den „*doppelten cursus*") unterbrochen wird, so daß Gebilde entstehen, die formal und stilistisch dem Lai und dem *Planctus* nahestehen.

Das folgende Beispiel einer regelmäßigen kirchlichen Sequenz ist aus Autun, Bibliothèque Municipale S. 143, einem nordfranzösischen Graduale des 15. Jahrhunderts übertragen. Die Handschrift enthält fol. 209 ff. (= I ff.) eine Sammlung von über 60 liturgisch geordneten Sequenzen. *Celeste organum*, eine westfränkische, seit dem 11. Jahrhundert vorwiegend in französischen Quellen überlieferte Sequenz (Text: Analecta Hymnica 7, Nr. 35), ist für die Messe *in galli cantu* am Weihnachtstag bestimmt. Die Sequenz beginnt mit einem a-parallelen ersten Versikel und setzt sich in 8 Doppelversikeln (2a/b bis 9a/b) fort, die mit einer Ausnahme zweigeteilt sind. Der fünfte Versikel, der etwa die Sequenzen-Mitte bildet und auch den Spitzenton d enthält, läßt sich in drei Melodiepartikel gliedern. Diese Binnenzäsuren sind eine westfränkische Eigenheit; in der ostfränkischen Sequenz werden die einzelnen Versikel mehr als durchgehende Einheit empfunden und gestaltet.

Der E-Modus im Ambitus C–c (d) mit Versikelschlüssen auf C, E und G, die kurzatmige, oft repetierende Melodik und die vorwiegend offenen Klauseln rücken die Sequenz in die Nähe der weltlichen Musik. Das abschließende melismatische *Amen* erinnert an Hymnenschlüsse. An den Binnen- und Versikelschlüssen assoniert der Text in der Regel auf —a, eine vor allem in westfränkischer Überlieferung bewahrte Erinnerung an den zu —a gesungenen Alleluia-Jubilus. Als textiertes Alleluia könnte man den ersten Versikel auffassen, doch ist kein Vers bekannt, dem ein Alleluia dieser Form vorausgeht, so daß man in dieser Sequenz eine textlich-musikalische Neuschöpfung ohne Bezug auf eine gegebene *sequentia* vermuten darf. Kennzeichnend für die Sequenz als Dichtung ist die freudig erregte, festlich gehobene und mit musikalischen Begriffen durchsetzte Sprache.

Sequenz „Celeste organum"
Autun Bibl. Municip. S. 143, fol. III:

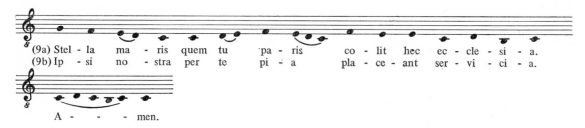

Von den Namen, die den Sequenzen von Beginn ihrer Überlieferung an beigegeben sind und sie als einmalige musikalische Schemata ausweisen, die mehrfach textiert werden können, deutet nur ein Teil auf die Herkunft der Sequenzen von *Alleluia*-Melodien mit Versen (z. B. *Ostende, Iustus ut palma, Post partum, Dies sanctificatus, Dominus in Sina, Qui timent, Exsultate deo, Os iusti, Multifarie* u. a.). Andere Namen sind dem Anfang der jeweiligen Sequenz entnommen, erinnern an die Instrumente des Spielmanns (z. B. *Fidicula, Lyra* u. a.), oder sie bestehen aus Begriffen, die manchmal schwer zu deuten sind, aber vermutlich Hinweise auf Herkunft, Datierung und Bestimmung der Sequenz enthalten (z. B. *Graeca, Romana, Amoena, Aurea, Musa, Hieronima, Una faba* u. a.).

Unter den Sequenzendichtern der Frühzeit ragt der St. Galler Mönch Notker Balbulus hervor (840—912), Dichter, Geschichtsschreiber und Lehrer, der in seinem 860 bis 887 entstandenen *Liber hymnorum* eine Sammlung von 40 Sequenzentexten zu 33 verschiedenen Melodie-Schemata hinterlassen hat.

Das in mehreren Handschriften aus dem Überlieferungskreis St. Gallen/Einsiedeln erhaltene Werk bezeugt die schon in der geographischen Lage begründete Schlüsselstellung des Schweizer Klosters für die Geschichte der Sequenz. Die Verbindung St. Gallens mit Norditalien geht hervor aus der Widmung des Werkes an den Kanzlerbischof Liutward von Vercelli, aus dem Gebrauch des Terminus *longissimae melodiae* und — dementsprechend — dem Vorhandensein a-paralleler Sequenzen (mailändischen oder römischen Ursprungs?). Andererseits stehen unter den 33 Melodie-Formularen, die Notker von den insgesamt 50 in St. Gallen bekannten Formularen zur Textierung auswählte, viele westfränkische Sequenzen. Und nicht zuletzt kam die Anregung zur Textierung der verlängerten *Alleluia-Jubili* aus Nordfrankreich. In Notkers aufschlußreichem Vorwort zu seiner Sequenzensammlung heißt es, der aus Jumièges geflohene Mönch habe ein Antiphonar (in diesem Zusammenhang ein Buch der Meßgesänge) mit sich geführt, *„in quo aliqui versus ad sequentias erant modulati"*. In Nachahmung dieser Technik begann Notker seine erste Textierung *Laudes deo concinat* (Analecta Hymnica 53, S. 93), eine Ostersequenz zum Formular *Organa*. Im Rat seines Lehrers Iso, dem er diese Textierung vorlegte, ist nicht mehr allgemein vom Singen der *versus* zu den *sequentias* die Rede, sondern präzis von einzelnen Fortschreitungen der Melodie, denen einzelne Silben entsprechen müssen: *„Singulae motus cantilenae singulas syllabas debent habere"*.

Da sich die Bewegung der Melodie von Ton zu Ton vollzieht, lehrt Iso die syllabische Textunterlegung, die offenbar in den nordfranzösischen Vorbildern nicht konsequent durchgeführt war — falls überhaupt eine Totaltextierung der *sequentiae* vorlag. Notker, dem dieses Verfahren zunächst schwierig erscheint, verfeinert seine Arbeit schließlich so weit, daß er die Wortlängen der ursprünglichen, in ostfränkischer Gruppen-Neumierung am Rand noch erhaltenen Ligatur angleicht (Anzahl der Ligaturtöne = Anzahl der Silben eines Wortes) und innerhalb der textlichen Parallelversikel zu einer musikalischen Zeile die Response der untereinander stehenden Worte nach Wortlänge, Wortakzent und Wortsinn sucht.

Abb. 3 zeigt den Beginn von Notkers Sequenz *Concentu parili*. Nach der Rubrik *In purificatione s[ancte] Marie* ist noch das Melodieschema *Symphonia* angegeben. Die Aufzeichnung findet sich in der Handschrift 380 der Stiftsbibliothek von St. Gallen.

Die ostfränkische Sequenzentradition mündet im 11. Jahrhundert in den Prototyp der Ostersequenz *Victimae paschali laudes*, als deren Dichter Wipo, der Hofkaplan Kaiser Konrads II., bezeugt ist. Von der lapidaren pentatonischen D-Melodik und von dem mit Antithesen und Dialogansätzen dramatisierten Text hebt sich die beliebteste westfränkische Sequenz dieser Zeit *Laetabundus (Analecta Hymnica 54, Nr. 2)* mit weicher, leicht melismatisch gerundeter F-Melodik und lyrischer Grundhaltung im Text deutlich ab.

Die Sequenzen *Victimae* und *Laetabundus* stehen am Beginn des Neuschaffens von autonomen Sequenzen, die sich endgültig von jeder Bindung an das Alleluia gelöst haben. Größere Form, erweiterter *Ambitus*, Eindringen der E- und F-Melodik und Reihung von formelhaften, austausch-baren Melodiezeilen mit stereotypen Klauseln sind musikalische Kennzeichen der jüngeren Sequenz. Die 1108 gegründete Augustiner-Chorherren-Abtei Saint-Victor in Paris ist ein letztes Zentrum der Sequenzendichtung. Merkmale der Dichtungen von Adam von Saint-Victor (gest. 1192) sind eine streng rhythmische Versform mit Mittelzäsur und Binnenreimen. In *„Adamitischen Strophen"* ist auch eine Ostersequenz abgefaßt, die mit folgenden Parallelversen zum ersten Doppelversikel beginnt: 1a) *Zyma vetus expurgetur / Ut sincere celebretur / Nova resurrectio*; 1b) *Haec est dies nostrae spei / Huius mira vis diei / Legis testimonio*.

Nach dem Willen des Tridentinischen Konzils sind nur noch fünf Sequenzen im liturgischen Gebrauch. Die älteste unter ihnen ist das österliche *Victimae paschali laudes*. Papst Innocenz III. (gest. 1216) wird als Verfasser der Pfingstsequenz *Veni sancte spiritus* genannt. *Lauda Sion salvatorem* zum Fronleichnamsfest geht auf eine Dichtung von Thomas von Aquin (gest. 1274) zurück. Ebenfalls aus dem 13. Jahrhundert, vermutlich von dem Franziskaner Thomas von Celano (gest. nach 1250) verfaßt, stammt die Sequenz der Totenmesse *Dies irae*. Auch aus dem franziskanischen Bereich erwuchs im 13. Jahrhundert die Sequenz *Stabat mater dolorosa* zum Fest der sieben Schmerzen Mariens, geschrieben von Jacopone da Todi (gest. 1306).

Karl Heinz Schlager

Liturgische Dramen

Die Geschichte des liturgischen Dramas setzt mit der Entwicklung neuer Formen im einstimmigen lateinischen Gesang des Mittelalters ein. *„Man hat wiederholt darauf hingewiesen, daß der katholische Gottesdienst zur dramatischen Belebung hinneigt und bereits in den gregorianischen Melodien zwar nur selten, aber dann um so wirkungsvoller tonmalerische Absichten und überhaupt dramatisches Empfinden begünstige. Diese Kräfte und Entwicklungsmöglichkeiten, die in den Mutterboden der Liturgie gelegt sind, sollten dem christlichen Abendland Grundlage und Ausgangspunkt eines neuen Dramas, im weiteren Verfolg sogar unseres jetzigen Dramas bieten"* (Ursprung). Den Namen führt der zu betrachtende Gegenstand seit der Mitte des 19. Jahrhunderts, als E. de Coussemaker 1861 in seinem Werk *Drames liturgiques du moyen âge* zweiundzwanzig Beispiele dieser Gattung verschiedener Gestalt und Herkunft in neuzeitlicher Übertragung herausgab.

Die ersten Beispiele der musikalischen Textdeklamation mit verteilten Rollen sind von einfachster Gestalt und unmittelbar mit der Liturgie verbunden. Sie fanden ursprünglich im Kirchenraum statt. Erst später wurden sie ausgeweitet und die lateinischen Texte mit volkssprachigen vermischt. Wegen der Vielfalt der Schauplätze wurde die Aufführung auch aus dem Kirchenraum hinaus verlegt. Eigentliche Keimzelle des liturgischen Dramas ist der *Tropus* zum *Introitus* der Messe.

Als erstes liturgisches Drama ist wohl das *Osterspiel*, die *Visitatio Sepulchri* anzusehen, die Dramatisierung des *Tropus* zum *Introitus* des Osterfestes, der in einem Dialog zwischen den drei Frauen am Grab und dem Engel besteht.

Quem quaeritis in sepulchro . . . fragt der Engel, *Jesum Nazarenum crucifixum . . .* antworten die drei Marien, *Non est hic, resurrexit . . .* antwortet der Engel und daran schließt sich der Introitus *Resurrexi . . .* an. Die letzte Entscheidung über den eigentlichen Ursprungsort dieser einfachsten Dramatisierung des Ostertropus steht noch aus. Er ist in fast gleichlautenden Fassungen aus dem Tropar der St. Gallener Handschrift 484 von ca. 950 bekannt und ebenso aus dem Tropar aus St. Martial in Limoges (Paris, Bibl. Nat. lat. 1240) von ca. 930.

In der zweiten Hälfte des 10. Jahrhunderts wurde diese dramatisierte Fassung des Ostertropus von dem Beginn der Messe an das Ende der Matutin, vor das *Te Deum* verlegt, seltener in die Vesper vor das *Magnificat*. Die Verlegung kann wegen der Ausdehnung erfolgt sein, aber auch als eine direkte Reaktion auf die betreffende Textstelle der hl. Schrift, die als Zeit den Tagesanbruch angibt. (*Et valde mane . . . orto jam sole* [Markus 16, 2—3]).

Ostertropus aus St. Gallen (nach Smoldon)

Der erste wirkliche Hinweis auf eine dramatische Ausführung des Tropus ist wahrscheinlich im *Winchester Tropar* von ca. 980 zu sehen (Oxford, Bodleian Libr., Bodl. 775), ergänzt durch die Angaben in der *Regularis Concordia*, der *Consuetudo* des Bischofs Ethelwold von Winchester (965—975), die aber wieder vom Festland, aus Gent und Fleury, übernommen sein dürfte (Lipphardt).

Eine erste wesentliche Bereicherung erfuhr dieser Tropus durch die Aufnahme der Sequenz des Wipo von Burgund (ca. 1024—1050) *Victimae paschali laudes*, die heute noch zum Bestand der liturgischen Gesänge der römischen Kirche gehört.

Nach der allgemeinen Aufforderung an die Christen, das Osterlamm zu preisen, ist der Dialogvers *Dic nobis Maria . . .* für die Verbindung mit dem dramatisierten Tropus besonders geeignet. Diese Bereicherung wurde im frühen 12. Jahrhundert eingeführt und schließt die erste Stufe des liturgischen Osterspiels ab. In einer zweiten Stufe begegnen wir in den meisten Fällen einem textlich veränderten, ausgeschmückten *Quem quaeritis*-Dialog und außerdem der Einfügung eines *Apostelspiels*, nach Johannes 20, 3—4: *Petrus und der andere Jünger machten sich auf und eilten zum Grabe. Beide liefen zugleich, doch der andere Jünger lief schneller als Petrus und kam als erster zum Grabe.* Dieses Apostelspiel wurde mit liturgischen Antiphonen bestritten, z. B. *Currebant duo simul*, zuerst von den in verschiedenfarbigen Gewändern als Apostel verkleideten Klerikern gesungen und dann vom Chor wiederholt, während die beiden ihren Gang oder Lauf zum Grab ausführten. An manchen Orten wurde die sich anschließende Ostersequenz *Victimae paschali laudes*, deren Dialogverse *Dic nobis, Maria . . .* in Verbindung mit dem Apostelspiel besonders sinnvoll erscheinen, noch durch das volkssprachige *Christ ist erstanden* ergänzt, das zum Te Deum überleitete. Diese zweite Stufe ist vorwiegend deutscher Provenienz. Sie dürfte ihren Ursprung kurz vor 1200 in Passau haben (Lipphardt).

Im 13. und 14. Jahrhundert erfuhren die Osterspiele weitere Ausdehnungen und Neugestaltungen. Hauptbestandteil blieb nach wie vor der *Quem quaeritis*-Dialog, wenn auch in verschiedenen Varianten. Um diesen Dialog gruppiert sich eine Reihe von dramatischen Szenen, die in verschiedenen Landschaften entstanden. Das *Magdalenenspiel* mit dem einleitenden Klagegesang der drei Marien stammt aus der Normandie (Lipphardt, MGG VIII, 1016), das *Salbenkrämerspiel* aus Aquitanien (St. Martial) oder Katalonien (Ripoll).

Es sind sechs verschiedene Szenen, die mit Variationen und in verschiedenen Zusammenstellungen in allen Spielen der dritten Stufe vorkommen: 1. Klagelied der Marien, 2. Bitte der Frauen und der Entschluß, Spezereien zu kaufen, 3. Salbenkrämerspiel (der *Ungentuarius* war in manchen Spielen eine stumme Rolle, in anderen später vor allem mit Gesang bedacht und zum Dialog mit den Frauen bestimmt. Für die allgemeine Dramengeschichte ist hier ein erster Ansatzpunkt für eine komische Figur zu sehen), 4. Klagelied der Maria Magdalena, 5. Erscheinung Christi (als Gärtner) bei Magdalena, 6. Marias Mitteilung der Auferstehung an die Jünger und an die anderen Frauen. Diese dritte Stufe der Osterspiele ist gekennzeichnet durch zunehmende strophische Gestaltung der Texte, durch Versifizierung und auch durch melismatisch reichere Ausschmückung, die auch zur musikalischen Textdeutung tendiert.

Frage des Auferstandenen an Maria Magdalena aus
dem Osterspiel von Ciridale (nach Smoldon)

Einen sehr hohen Stand der Kunstfertigkeit in der Versifizierung und der daraus resultierenden musikalischen Um- und Neugestaltung erreichte das große Osterspiel aus St. Benoit-sur-Loire in Fleury in der großen Spielhandschrift aus Orleans (Orleans, Stadtbibliothek 201). Dort ist auch der *Quem quaeritis*-Dialog in Verse gesetzt.

Große zusammenhängende Verskompositionen in verschiedenen Szenenfolgen zeichnen vier Osterspiele aus, die man deshalb als *Ludi paschales* im engeren Sinne bezeichnen kann (Lipphardt). Sie kommen aus Benediktbeuren, Klosterneuburg, Tours und Origny-Sainte Benoite bei St. Quentin.

Das *Klosterneuburger Spiel* (Klosterneuburg, Stiftsbibl. 574) aus dem 13. Jahrhundert kennt eine Grabwächterszene, Auferstehung, Höllenfahrt, Krämerszene, die Frauen am Grabe, Magdalenenklage und Begegnung mit Christus, Apostelspiel und endet in *Victimae Paschali laudes* und *Christ ist erstanden*. Mangels fehlender Konkordanzen sind noch nicht alle linienlos neumierten Melodien entziffert.

Das Spiel der *Carmina Burana* (München, Staatsbibl. Clm 4660a), ebenfalls aus dem 13. Jahrhundert, stellt offenbar eine Übernahme und Erweiterung des Klosterneuburger Spieles dar. Das Spiel aus *Origny* (St. Quentin, Stadtbibliothek 86, abgedruckt bei Coussemaker, Drames liturgiques . . . S. 256—79) entstammt dem 14. Jahrhundert und bringt neben einigen neuen Versen und Melodien vor allem französische Verse für die Salbenkrämerszene und im Dialog zwischen dem Engel und Maria Magdalena. Außerdem erscheinen alle Rubriken in französischer Sprache. Das ausgedehnte Spiel aus *Tours* (Tours, Stadtbibl. 927, abgedruckt bei Coussemaker, Drames liturgiques . . . S. 21—48) ist die Abschrift einer am Ende des 12. Jahrhunderts erstellten Kompilation aller Osterspielszenen, die früheren Quellen entnommen und dort auch nachweisbar sind. Smoldon bezeichnet es als *not a good example of the Easter Sepulchre type*. In diesem Zusammenhang kommt ihm wegen seiner Ausdehnung und wegen des Versuches der Vereinheitlichung aller Szenen Bedeutung zu. Außerdem findet sich darin sogar die Szene vom ungläubigen Thomas, die in den Emmaus- oder Peregrinus-Spielen des Ostermontags noch begegnen wird.

Eine nicht so bedeutende Rolle wie die *Visitatio Sepulchri* spielt in der Geschichte des liturgischen Dramas das *Peregrinus*- oder *Emmaus-Spiel*, das in die Ostervesper des Ostermontags eingeordnet war und die Begegnung Jesu mit den Jüngern auf dem Weg nach Emmaus (Lukas 24, 13—32) zum Inhalt hat.

Die Quellen des 12.—14. Jahrhunderts zeigen in der Hauptsache Folgen von Antiphonen aus der Liturgie, die mit diesem Evangelienabschnitt in Zusammenhang stehen, weniger Neukompositionen. Zu nennen sind das Breviarium aus Saintes (Paris, Bibl. Nat. lat. 16 309) mit ausschließlich liturgischen Weisen und ebenfalls mit liturgischen Weisen, aber in anderer Auswahl, das Benediktbeurer Spiel (München, Staatsbibl. Clm 4660a), das auch die Geschichte vom ungläubigen Thomas einbezieht. Neue Melodien zu einem vollständig versifizierten Text finden sich in dem Spiel von Beauvais (Paris, Bibl. Nat. nouv. acq. lat. 1064) aus dem 12. Jahrhundert. Am reichhaltigsten, mit eigenen Szenen für das Treffen Jesu mit den Jüngern in Jerusalem (Johannes 20, 24—25) und für den ungläubigen Thomas, mit eigenen Umgestaltungen der liturgischen Antiphonen ist das Peregrinus-Spiel aus Fleury in der Spielhandschrift aus Orleans (Orleans, Stadtbibl. 201).

Die seit dem 12. Jahrhundert übliche Lesung der *Passion* am Passionssonntag, Palmsonntag und an den Tagen der Karwoche mit verteilten Rollen dürfte eigentlich ebenfalls als Anlaß für eine dramatische Darstellung des Passionsgeschehens gelten. Die erhaltenen lateinischen Quellen legen diese Vermutung auch nahe, doch läßt der zahlenmäßig geringe Quellenbestand auch die Annahme berechtigt erscheinen, daß den klerikalen Autoren liturgischer Spiele *vielleicht das zentrale Geschehen der Messe ein ausreichendes Gedenken an den größten Augenblick des liturgischen Jahres* (Smoldon) bedeutete, und eine gewisse heilige Scheu vor diesem Geschehen und seinem Bericht die Schaffung eigener Passionsspiele nicht notwendig erscheinen ließ.

Zwei solcher *Passionsspiele* sind vollständig erhalten: ein *Ludus breviter de passione* ohne musikalische Aufzeichnungen und ein zweites umfangreicheres Spiel, beide in den *Carmina Burana* aus Benediktbeuern.

Das große Spiel sieht mehrere Schauplätze vor, wie das Haus des Simon, den Ölberg, das Haus des Pilatus und den Kreuzigungsort, so daß von daher schon eine Aufführung im Rahmen des Gottesdienstes fraglich erscheint. Im Text sind volkssprachige Verse mit dem Latein vermengt. Die musikalische Gestaltung kennt Lektionstöne, Responsoriums- und Antiphonenmelodien, die im Chor von den Klerikern solistisch vorgetragen wurden. Zentrales Stück dieses Passionsspiels ist die *Marienklage* unter dem Kreuz mit den Sequenzen *Planctus ante nescia* und *Flete fides animae*. Bedeutend für die Entwicklung des mittelalterlichen Dramas erscheinen hier bereits Teufel und Engel als schlechte und gute Geister der Maria Magdalena. Das große Passionsspiel der *Carmina Burana* ist vielleicht eine Kompilation von getrennt existenten Szenen (Smoldon). Hinweise auf dramatische Gestaltung gab auch schon die Marienklage in dem *Processionale* aus Cividale (Cividale, Archäologisches Museum, C 1), in der außer der zentralen Gestalt der Maria weitere Gesangspartien, ein Engel und Christus am Kreuz verzeichnet sind. Für die Marienklagen der Passionsliturgien, die weite Verbreitung fanden und auch in der volkssprachigen Dichtung eine große Rolle spielen, sind überliefert die Sequenzen *Planctus ante nescia*, *Flete fides animae* und *Stabat mater* und die Cantio *O filii ecclesiae*.

Für die anderen Hauptfeste nach Ostern, für Pfingsten und Christi Himmelfahrt, ist nur ein Spiel für *Christi Himmelfahrt* bekannt, zu dem zwar weder Text noch Melodien vorhanden sind, von dem aber eine ausführliche Beschreibung der Ausführung in einem Moosburger *Breviarium* und *Directorium chori* um 1360 (München, Staatsbibl. Clm 9469)) erhalten ist. Es wurde nach der Non aufgeführt. Zum Schluß wurde eine figürliche Nachbildung Christi zur Kirchendecke emporgezogen, die vor den Augen der Apostel entschwindet.

Wie bei der *Visitatio Sepulchri* an Ostern ist für die *Weihnachtsspiele* ein dem Ostertropus nachgebildeter Tropus *Quem quaeritis in praesepe* die Keimzelle für die spätere Dramatisierung, die Lucas 2, 7—20 und diesen Tropus verbindet.

Den Tropus überliefern ebenfalls Handschriften aus St. Martial in Limoges und außerdem weitere Handschriften der Zeit. Das eigentliche Spiel besteht erst in der Verbindung dieses Tropus mit dem *Officium Pastorum* (so in Rouen Hs. Paris, Bibl. Nat. lat. 904): die Hirten kommen, der Engel singt von oben in die Kirche herab *Nolite timere . . .* und der Engelchor stimmt in das *Gloria in excelsis Deo . . .* ein. Wenn die Hebammen (die *obstetrices*) am Grab sind, beginnt der Dialog *Quem quaeritis in praesepe.*

Ein anderer weit verbreiteter und bis ins 16. Jahrhundert geläufiger Tropus für Rollenverteilung und Dramatisierung ist das bekannte *Hodie cantandus . . .* zur *Missa publica,* der dritten Weihnachtsmesse vor dem Introitus *Puer natus est nobis.*

Das umfangreichere Spielgeschehen konzentrierte sich um das Fest der Erscheinung des Herrn, um *Epiphanie* am 6. Januar. Hier vermutet Jaeggi ebenfalls einen Ausgang von einem dem *Quem quaeritis* nachgebildeten Tropus.

Das eigentliche *Spiel von den drei Weisen,* die Psalm 72, 10 zufolge zu Königen geworden waren, hatte Verbindung zur Liturgie, entnahm auch die Texte und die Melodien den liturgischen Büchern. Erst das bald hinzukommende *Herodesspiel* ist davon unterschieden und bringt mit vielen Schauplätzen und vielen weltlichen Charakteristiken Elemente hinein, die vom eigentlichen liturgischen Drama abweichen und darüber hinausweisen.

Schon vor 1100 sind in einem Herodesspiel in Palermo (Madrid, Nationalbibliothek, Ms 289) wie auch später in einem Straßburger Fragment (London, Brit. Mus. Addington 23922) aus dem 13. Jahrhundert Verse von Vergil und Sallust enthalten. In einem Spiel aus Rouen (Montpellier, Universitätsbibl. H 304) vom 12. Jahrhundert sprechen zwei der Könige ein Kauderwelsch, um ihre Fremdländischkeit zu demonstrieren. In den meisten Fällen wird der Kindermord selbst nur durch den Befehl des Herodes angedeutet, in einigen wenigen Quellen ist er auch mit in der Szenenfolge enthalten. In Benediktbeuern und Laon (Laon, Stadtbibl. 263) verbindet sich mit dem Herodesspiel die *Rachelklage,* die vielerorts auch getrennt, und zwar am 28. Dezember, dem Fest der unschuldigen Kindlein, gespielt wurde, während das Herodesspiel zum 6. Januar gehört.

Gelegenheit für Spiele um die Weihnachtsgeschichte bot sich an allen zwölf Tagen von Weihnachten bis Erscheinung. Eine weitere Ausweitung der Weihnachtsspiele bilden die sogenannten *Prophetenspiele, Ordo Prophetarum,* deren Aufführungstage nicht genau festliegen. Ausgangspunkt dürfte eine in der Weihnachtszeit benutzte apokryphe und dem hl. Augustinus zugeschriebene Predigt sein, mit der mit Zitierung der Propheten Moses, Jesaias, David, Jeremias, heidnischer Gelehrter, Vergil und der erythräischen Sibylle die Juden zum Glauben angehalten worden sein sollen. Diese Propheten-Predigt mit verteilten Rollen kommt aus dem 11. Jahrhundert aus St. Martial mit vollständig versifizierten Texten.

Das größte aller Weihnachtsspiele, so groß und vielfältig, daß es fraglich ist, ob es je in der Liturgie oder überhaupt in der Kirche gespielt wurde, stammt wieder aus den *Carmina Burana.* Es enthält das Prophetenspiel, eine Disputation zwischen der Kirche (vertreten durch Augustinus) und der Synagoge (vertreten durch den Archisynagogus), eine Verkündigung, ein Hirtenspiel, Herodesspiel, den Kindermord, die Flucht nach Ägypten und den Tod des Herodes.

Wie auch in anderen solcher lateinischer liturgischer Spiele kann man hier Goliardische Versmaße finden, also wesentliche Einflüsse der Vagantendichtkunst, womit sicherlich auch musikalische Einflüsse der Spielleute verbunden waren. In diesem Benediktbeuerner Spiel ist nicht alles neumiert aufgezeichnet, auch sind linienlos neumierte Teile nicht ganz klar in ihrem musikalischen Bestand.

Darüber hinaus gibt es eine geringere Anzahl von liturgischen und musikalischen Dramen, die zumindest in ihrer Darstellung alttestamentarischer Szenen sich aus den Prophetenspielen entwickelt haben dürften; so der *Ludus von Isaak und Rebecca* und von *Joseph und seinen Brüdern*, ferner ein großes *Danielspiel* in der Pariser Handschrift (Bibl. Nat. lat. 11331) aus Laon, ohne Noten verzeichnet, vermutlich dem Vagantendichter und Abälard-Schüler Hilarius zuzuschreiben. Aus Beauvais ist ein solches Danielspiel aus dem 12. Jahrhundert mit Liniennotationen erhalten (London, Brit. Mus. Egerton 2615). Die Danielspiele halten sich im Text weitgehend an die Schrift, fügen aber die apokryphe Erzählung der wunderbaren Erscheinung Habakuks mit dem Engel beim gefangenen Daniel und die Weissagung des Propheten über die Ankunft Christi hinzu.

Wahrscheinlich wurde das Danielspiel zur Matutin an *Circumcisio Domini* (1. Januar) gespielt und traf so mit der ausgelassenen Festesfreude der Asini (junge Klerikalstudenten) in den Domschulen zusammen, denen besonders die Tage nach Weihnachten — 28. Dezember war das Fest des Schülerbischofs — Anlaß zu frohen Festen gaben. Die besondere Eignung dazu bestand in der Entfaltung eines prächtigen Schauspiels, eines Spektakulums mit Belsazar und Darius und ihren Gefolgen, mit reicher Ausstattung durch Gewänder und Geräte, mit dem Sieg des Darius über Belsazar in einer Art Massenszenerie, mit Daniels Errettung aus der Löwengrube, da der Engel den Löwen mit dem Schwert gegenübertritt, usw.

Ausnutzung aller musikalischen Möglichkeiten, reiche Variation der Strophenform, unbegrenzte melodische Erfindungskraft, Verteilung auf Solisten und Chöre, vermutlich sogar Einbeziehung von Instrumenten, das alles läßt darauf schließen, daß *hier sicherlich die meisten Bestandteile für eine mittelalterliche Oper vorliegen* (Smoldon).

Aus dem Neuen Testament ist ein Spiel von der *Auferweckung des Lazarus* zu nennen, aufgezeichnet in der schon genannten *Spielhandschrift* aus Orleans. Die verschiedenen Szenen verlangen hier unterschiedliche Schauplätze, darum mußte die Aufführung auf mehrere Stellen des Kirchenschiffs verteilt werden. Da es mit dem *Te Deum* schließt, ist anzunehmen, daß es auch in der Matutin verwendet wurde. In der gleichen Quelle ist auch ein Spiel von der *Bekehrung des hl. Paulus* überliefert.

Der im Mittelalter sehr beliebte *Nikolauskult* fand musikalisch-dramatischen Ausdruck in vier Spielen, die ebenfalls die Fleury-Spielhandschrift aus Orleans überliefert. Bei diesen Spielen scheint der Inhalt besonders nennenswert, da er zeigt, wie weit bei solchen *Heiligenspielen* der Abstand zum eigentlichen liturgischen Spiel und damit zum eigentlichen liturgischen Geschehen eines Festes geworden war.

Tres Filiae: (für Vesper und Laudes) Ein Vater kann ob seiner Armut seine drei Töchter nicht mit entsprechender Mitgift verheiraten. St. Nikolaus bringt das nötige Gold. — *Tres Clerici:* (für die Matutin) Drei Kleriker bitten um ein Nachtlager. Der Hausherr verweigert es. Die Frau nimmt sie auf und die beiden beschließen, sie zu berauben. Die Kleriker werden ermordet. St. Nikolaus erscheint und bittet ebenfalls um Nachtquartier und um Speise und erinnert das Paar an vorhandene Fleischvorräte. Sie erkennen den Heiligen und bitten um Gnade. Er ermahnt sie zur Reue, spricht ein Gebet über die toten Kleriker, worauf diese ins Leben zurückkehren. — *De quomodo Judeo qui imaginem Sancti apud se abscondidit:* (vor der Messe) Ein Jude läßt sein Geld beim Bild des Hl. Nikolaus zurück. Drei Räuber stehlen es in seiner Abwesenheit. Zurückgekehrt bemerkt er den Raub und bittet den Heiligen um Hilfe. Dieser erscheint den Räubern und befiehlt ihnen die Rückgabe. Zwei zögern, der dritte folgt. — *Filius Getronis:* (für die zweite Vesper) Die Geschichte des jungen Adeodatus, des Sohnes von Getron und Euphrosina, der durch St. Nikolaus aus der Gefangenschaft am Hofe des heidnischen Eroberers Marmorinus wunderbar zurückgeführt wird. Das Spiel ist von besonderem Interesse, weil jede der agierenden Gestalten eine eigene Melodie für ihre Verse hat. Auch dieser Ludus geht über die Liturgie besonders weit hinaus, da er viele Schauplätze benötigt: das Elternhaus, die Nikolauskirche der Vaterstadt Exoranda, die Straßen dieser Stadt, ein Bankett am Königshof und ein Gastmahl bei den Eltern für die armen Kleriker.

In diesen mittelalterlichen Versdichtungen sind keinerlei liturgische Prosastücke eingestreut, auch kaum liturgische Medien, wie es immer bei den Oster- und Weihnachtsspielen der Fall ist.

Von dem eschatologischen *Spiel vom Antichrist* aus Tegernsee (München, Staatsbibl. Clm 19411) aus dem 12. Jahrhundert besitzen wir leider keine Musik, obwohl die über 400 lateinischen Verse sicher gesungen wurden. In der Ausdehnung seiner Schauplätze gewissermaßen über alle Länder, in der Vielzahl der Szenen und der Entfaltung äußerer Ausstattung kann man es nur mit dem prunkhaften Danielspiel vergleichen.

Vorher gab es ein eschatologisches Spiel bereits um 1100, überliefert in einem Tropar aus Limoges (Paris, Bibl. Nat. lat. 1139), dessen Handlung auf dem Gleichnis von den klugen und törichten Jungfrauen (Matth. 25, 1—3) basiert. Lateinische und französische Verse sind in diesem *Sponsus-Spiel* vermischt. Fast alle auftretenden Personen haben individuell verschiedene Melodien zu den in gleichem Strophenbau gehaltenen Versen. Vom 14. Jahrhundert an entwickeln sich unter Zunahme des volkssprachigen Anteils an der Dichtung die mittelalterlichen *Mysterienspiele*, die sich mehr und mehr auf den gesprochenen Text konzentrieren. Der Gesang und die Musik sind zwar noch von Bedeutung, aber doch meist auf Einlagen verschiedenen Umfanges beschränkt. Diese Spiele lösen sich mehr und mehr aus der liturgischen Bindung an Messe, Matutin und Vesper, wodurch sie ihre Bedeutung für die Entwicklung der Kirchenmusik verlieren und zum Betrachtungsgegenstand der Theatergeschichte im allgemeinen und der Geschichte des Dramas im besonderen werden.

Franz A. Stein

Gestalt und Überlieferung der gregorianischen Gesänge

Die Verlagerung der römischen Liturgie und ihres Gesangs nach dem Norden ist oft geschildert worden. Eine zentrale Gestalt in diesem Prozeß war der auch politisch bedeutsame Bischof Chrodegang von Metz († 766). Bereits kurz nach seinem Tod gilt Metz als „Vorort" des römischen Gesangs und als überragendes Vorbild im Frankenreich. Der Ruhm von Metz war bis zu den Zisterziensern im 12. und den Dominikanern im 13. Jahrhundert nicht erloschen. Es wird als sicher angenommen, daß die Gesangstradition von Metz gregorianisch war. Sie ist durch die gut hundert Jahre nach Chrodegangs Tod einsetzende schriftliche Überlieferung der Melodien gesichert.

Die schriftliche Fixierung der gregorianischen Gesänge ist in der Entwicklung der abendländischen Tonschrift ein Ereignis, dem sehr große Bedeutung zukommt. Gewöhnlich nimmt man an, daß bis zum Auftreten der ersten Neumenzeichen die mündliche Überlieferung maßgebend war. Es scheint, daß diese lebendige Tradition keinen Zusammenhang mit den bekannten Tonschriften der Antike kennt. Die Verschiedenheit der Musikkultur der Antike und des Mittelalters wird gerade in der abendländischen Tonschrift deutlich zum Ausdruck gebracht. Wir kennen das Wort Isidors von Sevilla († 630): *Nisi enim ab homine memoria teneantur, soni pereunt, quia scribi non possunt* (*Etym. III cap. 5*; Gerbert, *SS I 20 a*). Jedenfalls verweist er auf das Gedächtnis; denn sonst gehen die Töne verloren. Es gibt keinen Beweis dafür, daß zu Beginn des 7. Jahrhunderts eine Tonschrift bereits existierte. Die schriftliche Musikdarstellung, unsere Neumenschrift, beginnt erst zu Beginn des 9. Jahrhunderts. Diese mittelalterliche Neumenschrift ist aus den cheironomischen Zeichen der frühchristlichen Musiker und den Akzent- oder Prosodiezeichen der spätantiken Grammatiker hervorgegangen. Die Neumenschrift mußte als Gedächtnisstütze dienen und setzte so die Kenntnis der durch die Neumen dargestellten Melodievorgänge im wesentlichen voraus. Wir kennen aber auch die mündliche Überlieferung im frühen Mittelalter nicht. Die moderne Forschung steht deshalb hier vor großen Schwierigkeiten, vor allem, wenn der Versuch unternommen wird, die musikalische Bedeutung der Neumen zu erschließen.

Die spätantiken Grammatiker bis zu Isidor von Sevilla haben klare und einfache Vorschriften für die Interpunktion beim Lesevortrag hinterlassen. Wir sprechen deshalb vor einer lateinischen Lektionsschrift. Die Grundzeichen sind folgende: tiefer Punkt (*comma*) für die kurze Pause, mittlerer Punkt (*colon*) für die mittlere Pause, hoher Punkt (*periodus*) für das Satzende. Im frühen Mittelalter hat man dieses einfache System erweitert und eine große Anzahl von Kombinationen von Punkten und *Virgulae* geschaffen. In der karolingischen Zeit herrschen vor: . und · für die kleine und . , oder ; oder ·, · für die große Pause. Einige Schulen, wie z. B. Regensburg und Freising oder westliche Schulen wie St. Amand, gehen im 9. Jahrhundert zu dem vereinfachten System über: tiefer Punkt . für die kleine, hoher Punkt · für die große Pause. Dieses System gilt insbesondere für die liturgischen Prachthandschriften des 10./11. Jahrhunderts. Das Fragezeichen, das noch hinzukommt, trat zuerst in den Handschriften der Maurdramnus-Minuskel und an der Hofschule auf und hat von Anfang an deutlich die Form eines geschwungenen oder gebrochenen Zeichens mit musikalischer Bedeutung. Es nimmt vom 9. bis 12. Jahrhundert sehr verschiedenartige Gestalten an. Vielfach stimmen sie überein mit der *Quilisma*-Neume, die von den mittelalterlichen Musikschriftstellern als „*zitternde und steigende Tonverbindung*" beschrieben wird. Man nennt diese Lesepunkte *Positurae* oder *Pausationes*. Einen eigentlichen musikalischen Sinn besaßen diese Zeichen wohl ursprünglich nicht. Er kam ihnen erst im Mittelalter zu. Die *Positurae* sollten dem Leser (*Lector*) äußerlich die Ruhepunkte beim Lesevortrag anzeigen. Bereits Hieronymus, der Philologe unter den kirchlichen Schriftstellern des lateinischen Westens, bezeugt, daß er seine Texte in *Cola* und *Commata* einteile. Er kannte überdies auch den bis heute in liturgischen Texten noch notwendigen *Asteriscus* und den Doppelpunkt als Interpunktionszeichen. Die *Positurae* wurden im Unterricht des ganzen Mittelalters gelehrt.

Aus Westfrankreich stammt offenbar ein etwas differenzierteres System liturgischer Interpunktion. Da dieses System vom Zisterzienserorden für die zur Lesung bestimmte Literatur übernommen wurde, lassen sich dadurch die Zisterzienserhandschriften des 12. und 13. Jahrhunderts bestimmen. Auch die Dominikaner haben es eingeführt.

Die *Positurae* in Form von Punkten bilden die Vorstufe zu der in mittelalterlichen Klöstern üblichen Lektionsschrift, der eine eigentlich musikalische Bedeutung zukommt. Sie soll nämlich den liturgischen Gesangsvortrag einer Lesung regeln. Diese Lektionsschrift tritt in Lektionarien des 9. Jahrhunderts auf. Sie stellt eine weiterentwickelte Art der alten *Positurae* dar. Die mittelalterlichen liturgischen Lektionszeichen beginnen gewöhnlich mit einem Punkt. Entsprechend der Tonbewegung wird nach oben oder unten ein Zeichen angefügt, das der Neumenschrift entnommen ist. So vereinen sich die Interpunktionszeichen jetzt mit den musikalischen Zeichen, um dem Textwort einen entsprechend gehobenen Ausdruck zu verleihen. Je nach der Art der lokalen Überlieferung zeigen diese Lektionszeichen bestimmte Melodieformeln für den liturgischen Lesevortrag an. Im ganzen sind es vier Zeichen:

1. Der *Punctus circumflexus*. Dieser mit einem Circumflex versehene Punkt entspricht der *media distinctio* oder *Mediatio*. Er stellt eine Erweiterung des *Comma* dar. Durch den Namen *Flexa* wird der Charakter als Neumenzeichen sichergestellt.

2. Der *Punctus elevatus*. Dieser Punkt entspricht dem *Colon* und wird durch einen Punkt mit darübergeschriebenen *Pes* dargestellt.

3. Der *Punctus interrogativus*. Aus diesem Punkt hat sich das moderne Fragezeichen entwickelt. Er deutet eine von unten nach oben führende Formel an. Die Verwandtschaft mit dem *Quilisma* ist sichtbar.

4. Der *Punctus versus*. Er bezeichnet den einfachen Punkt und beschließt die *plena distinctio*, die Satzperiode. Er bedeutet musikalisch den melodischen Abstieg. Das den Punkt ergänzende Zeichen ist ein Apostroph.

Es fällt auf, daß die mittelalterlichen Positurae eine fallende Tonbewegung aufweisen. Das entspricht dem Fallen der Stimme bei einem Ruhepunkt. Beim *Punctus elevatus* und beim *Punctus interrogativus* führt die Modulation wieder nach oben und zeigt, daß das Interesse am Satzgedanken noch weiterhin wachgehalten werden soll. Der Rezitationston wird durch diese Lektionsformeln nie überschritten. Beim *Punctus versus* ist die Modulation energischer und andauernder. Sie führt zuerst nach unten, aber rasch zurück zum Rezitationston. Bei der liturgischen Lesung nennt man den Rezitationston *Tuba*. Es soll der Ton wie mit einer *Tuba* fixiert werden. *Tuba* und Punktuation sind demnach die konstitutiven Elemente einer liturgischen Lesung. Die *Tuba* bietet den liturgischen Text ohne Tonveränderung dar; die Punktuation bezeichnet die musikalische Interpunktion an den syntaktischen Einschnitten.

Die *Tuba* kommt als subtonale und subsemitonale Tuba vor. Entsprechend finden auch die *Positurae* den dadurch bedingten musikalischen Ausdruck. Die subtonale Ausprägung der Formeln scheint die ältere zu sein. Eine absolute Fixierung der Tonhöhen ist wohl nicht durchgeführt worden. Es genügte, wenn die inneren Tonverhältnisse übereinstimmten.

Seit dem 15. Jahrhundert geriet die mittelalterliche Punktuation mit den vier Zeichen des *Punctus circumflexus, elevatus, versus* und *interrogativus* in Vergessenheit, zumal dort, wo das Stundengebet nur noch privat verrichtet wurde. Aber auch bei den Lesungen der Messe waren Vereinfachungen eingetreten, so daß eigentlich nur noch das Fragezeichen sich weiterhin durchgesetzt hat. Die Angaben für den feierlichen Vortrag von Lesungen erübrigten sich deshalb. Es genügten die notwendigen syntaktischen Zeichen der neueren Interpunktion. Seit dem tridentinischen *Missale* (1570) erfüllen für den Gesang der Orationen Doppelpunkt, Strichpunkt und Punkt die Funktion der alten *Positurae*.

Das Alter der im süd- und westeuropäischen Raum ausgebildeten Neumenschriften ist nicht mit Sicherheit anzugeben. In der Regel wird das 9. Jahrhundert als Entstehungszeit genannt (etwa nach 820). Die Musikschriftsteller des Mittelalters äußern sich erst sehr spät dazu. Zuverlässig ist eigentlich erst der Mönch Aurelian von Réomé (aus Moutier-Saint-Jean in der Diözese Langres / Côte d'Or). Ob die Synode von Cloveshoe (747) in England bereits an Musikaufzeichnung dachte, ist nicht sicher festzustellen: *iuxta exemplar quod videlicet scriptum de Romana habemus ecclesia*. Möglicherweise handelt es sich dabei um ein Buch mit den Gesangstexten zur Messe. Die *Admonitio generalis* Karls des Großen (789) spricht von notae (*Psalmos, notas ... bene emendate*). Wir wissen nicht genau, was unter diesen *notae* gemeint ist.

Nach S. Corbin kommen mit Neumierungen vor 900 folgende Quellen in Frage: 1. Paris, BN lat. 2291, f. 1v, um 871 aus St. Amand; 2. Paris, BN lat. 8093, f. 17 v, vor 860 aus Lyon; 3. Rom, BVat Ottoboni lat. 313, f. 113 v, zwischen 831 und 857 aus Paris; 4. Rom, BVat Regin. 215, f. 130 v — 131, um 877 aus Fleury. Andere Handschriften wurden nachträglich noch im 9. Jahrhundert neumiert, z. B.: 5. Schlettstadt I (1093) f. 64 v; 6. Autun, ms. 4/5, f. 25 r/v aus Flavigny; 7. Tours, ms. 184, f. 64 v; 8. Tours, ms. 10, f. 164 v; B. Bischoff hat folgende Beispiele für das 9. Jahrhundert nachgewiesen: 9. München, StB., Clm 9543, f. 199 v. Diese Handschrift gehört zur Regensburger Schreibschule. Sie enthält das bisher älteste Neumenbeispiel aus Süddeutschland, geschrieben zwischen 817 und 834. Der Schreiber von Text und Neumen ist der Clericus Engyldeo; 10. Oxford, Bodl. Auct. F 4/26, Fragment eines Antiphonars, Anfang 9. Jahrhundert mit bretonischen Neumen; 11. Leiden, BPL 25, Bl. 1, Fragment eines Antiphonars, Mitte oder drittes Viertel des 9. Jahrhunderts mit bretonischen Neumen.

Die gelehrten Theoretiker wie Aurelian haben für die damals aufkommende Neumenschrift die Terminologie antiker Schriftsteller benützt. Aurelian schließt sich noch eng an die Begriffe der lateinischen Prosodie an und spricht von *arsis, acutus, gravis, circumflexus, repercussio bina* und *trina*. Die eigentliche Terminologie für die Neumenschrift ist aber jünger als die Neumen selbst. Erst um 1000 wurde sie ausgebildet. Sie ist ein Werk der Schreibschulen. Die noch vorhandenen Listen mit Neumennamen sind zumeist süddeutscher Herkunft.

M. Huglo hat eine Darstellung über diese Quellen gegeben (M. Huglo, *Les nomes des neumes et leur origine,* in: Et. Grégor. I [1954] 53 ff.). In den Glossaren des 9. und 10. Jahrhunderts finden wir noch keine speziellen Namen für die Neumen. Erst die Musikschriftsteller, die sich in ihren Traktaten mit den Gesängen befassen, sprechen davon (11. bis 12. Jh.).

Zwei Gruppen dieser Neumenlisten können wir unterscheiden, eine große deutsche und eine kleine italienische. Die italienischen Dokumente beschränken sich auf zwei Handschriften: die eine stammt aus S. Maria Novella in Florenz (Florenz, BN F 3.565; 12. Jh.), die andere aus Montecassino (Hs. 318; 11. Jh.). Beide Handschriften verwenden eine Terminologie, die sehr von der heutigen abweicht. Vielleicht könnte darin ein älteres Stadium erblickt werden. Die Handschrift aus Montecassino bringt außerdem noch eigene, sehr phantasievolle Neumenbezeichnungen wie *Acuasta, Acupusta* usw. Im ganzen sind es 34 Namen. Die Florentiner Handschrift enthält auf f. 100 noch eine zweite Tabelle mit anderen seltsamen Namen für zusammengesetzte Neumen (vgl. P. Feretti, in: Casinensia I [1929] S. 195).

Die süddeutschen Neumenlisten kann man entsprechend ihrem Umfang in zwei Gruppen ordnen; dabei lassen sich eine *Tabula brevis* und eine *Tabula prolixior* unterscheiden.

a) die *Tabula brevis* kommt in zwei Fassungen vor. Die eine — sie findet sich in ungefähr 16 Handschriften — enthält in der Tabelle die bis heute gebräuchlichen 17 Neumennamen. Die zweite Fassung ist interpoliert und erstreckt sich auf zwei Handschriften, nämlich Wolfenbüttel, Cod. lat. 8° 334 (4641) und St. Blasien, eine Handschrift des 14. Jahrhunderts, die jedoch verloren gegangen ist (vgl. M. Gerbert, *De cantu et musica sacra II* [St. Blasien] 1774, Tafel 10, Nr. 2).

Die Handschrift aus Wolfenbüttel kommt aus dem Kloster St. Ulrich und Afra zu Augsburg. Die Tabelle steht auf fol. 90r (12. Jh.).
Die Tabula brevis mit den 17 Namen ist wohl älter als die interpolierte Tafel. Immerhin könnte sie noch ins 11. Jahrhundert zurückreichen. Der Merkvers in der Tabula brevis lautet:

Epiphonus Strophicus Punctum Porrectus Oriscus
Virgula Cephalicus Clinis Quilisma Podatus
Scandicus et Salicus Climacus Torculus Ancus
Et pressus minor ac maior non pluribus utor.

b) Die *Tabula prolixior* ist in vier bis fünf Dokumenten vertreten. Nach der Hs. Wolfenbüttel ergeben sich 55 einfache und zusammengesetzte Neumennamen. Es sind die folgenden: *Punctum, Apostropha, Virga, Gutturalis, Flexa, Pes, Semivocalis* und *Quilisma.* Die Tabelle bezeichnet die einzelnen Zeichen grundsätzlich durch ein wesentliches und ein zusätzliches Element. Grundelemente sind z. B. *Virga, Pes* und *Flexa.* Ergänzungen durch Punkte vor oder nach der Neume werden durch die Beiwörter: *praepunctis, subpunctis* und *conpunctis* bezeichnet. Diese Terminologie wird seltener verwendet als die der kurzen Tabelle; dennoch vermag sie manchmal deutlicher die einzelnen Bestandteile der Neume anzugeben.

Die Neumenzeichen haben also nicht von Anfang an schon ihre eigentümlichen Namen gehabt. Da der Gesang ja mündlich weitergegeben wurde, war es von Anfang an nicht notwendig, jedem Zeichen auch einen Namen zu geben. Als aber das theoretische Studium der Gesänge hinzukam, wurde eine bestimmte Terminologie notwendig. Der Unterricht in der Ars musica sollte und konnte dadurch leichter gemacht werden.

Die Bezeichnungen der kurzen Tabelle sind synthetisch. Sie geben eine äußere Beschreibung der Gestalt des Zeichens wieder. Die Bezeichnungen der längeren Tabelle sind analytisch und geben die einzelnen Bestandteile an.

Man kann annehmen, daß seit Beginn des 10. Jahrhunderts die Neumenschrift sich sowohl auf syllabisch einfache als auch auf melismatische Gesänge erstreckte.

Daß man nicht immer auf die Neumenzeichen angewiesen war, beweist die Tatsache, daß sehr oft Schlußmelismen nicht ausgeschrieben wurden. Sie waren gut bekannt und konnten deshalb auch ohne Neumen zu Ende gesungen werden. Die Klagen über die Unsicherheit hinsichtlich der Tonstufen beginnen schon im 9. Jahrhundert. Die ersten Versuche, diesen Unsicherheitsfaktor auszuschalten, setzen ein. Man fügte den Neumen Tonbuchstaben hinzu oder ergänzte durch Intervallzeichen. Damit war jedoch das Problem keineswegs behoben. In manchen Überlieferungen werden die *Litterae significativae* benützt, aber auch sie helfen dem Übel nicht ab. Sie schaffen keine Klarheit. Diese Buchstaben sind ein Charakteristikum der St. Galler Neumenhandschrift und können sich auf den Einzelton und auf Tongruppen beziehen. Auch Buchstabenverbindungen kommen vor. Johannes von Affligem (um 1100) besitzt eine umfassende Kenntnis dieser Buchstaben. Aber wegen ihrer Vieldeutigkeit zeigt er sich ihnen gegenüber sehr kritisch (*Nam cum in neumis nulla sit certitudo, notae pradictae non minorem praetendunt dubitationem, praesertim cum per eas multae dictiones diversarum significationum incipiant, ideoque ignoretur, quid significent.* Vgl. Gerbert, SS II 259 a). Die Hilfstonschrift des Hermann Contractus († 1054) war zweifellos nützlicher. Sie zeigt die in den Neumenzeichen angedeutete Tonbewegung genauer an. Sie bestimmt die nach oben und unten abzumessenden Tonschritte. Zu diesem Zweck werden die Anfangsbuchstaben der lateinischen Intervallbezeichnungen den Neumen beigefügt. Die Tonschrift-Buchstaben des Hermann konnten auch selbständig verwendet werden. Besondere Bedeutung aber hat diese Hilfstonschrift nicht gewonnen. Die Schrift Hermanns bedeutet indes eine Ergänzung zur Neumenschrift und ermöglicht eine genauere Tonortangabe. Mit den Klagen über die Unzulänglichkeit der Neumenschrift hielt der Zerfall ihrer Kenntnis gleichen Schritt. Im 15. Jahrhundert steht man den linienlosen Neumen völlig hilflos gegenüber.

Der Begriff „Neume" geht auf das griechische Wort νευμα zurück. Neumen sind Zeichen der liturgischen Tonschrift, die vor der Ausbildung der abendländischen Tonschrift auf dem Liniensystem zur Aufzeichnung von Melodiebewegungen verwendet wurden. Das griechische νευμα bedeutet „Wink", „Gebärde". In der lateinischen Sprache wurde das griechische Neutrum zu einem Femininum: *neuma, neumae, neumarum.* In der französischen Sprache wurde daraus *le neume* und im Deutschen sagt man: die Neume.

Bei den mittelalterlichen Musikschriftstellern erfährt das Wort „Neume" eine doppelte Deutung. Die eine ist die ursprüngliche, die andere ist eine abgeleitete. Ursprünglich bedeutet Neume soviel wie musikalische Bewegung, musikalische Figur, kurze typische Melodieformel — später jedoch auch Melisma (längere Melodieformel). In dieser Bedeutung faßt eine Neume mehrere Töne, die musikalisch eng zusammengehören, also eine Tonbewegung, zusammen.

Der Verfasser der Musica Enchiriadis (9./10. Jh.) spricht von Melodieformeln, an denen die Musiklehrer ihren Schülern die Eigentümlichkeiten der Tonarten zu erläutern versuchten. Diese Melodieformeln heißen *neumae* (*Usitata neuma regularis ad primum tonum haec est: Noannoeane;* Gerbert, SS I 179 b und 181 a). Neumen heißen im Mittelalter auch jene Vokalisen, die bei besonderen Anlässen Antiphonen und Responsorien festlicher gestalten sollten. Schließlich spricht man vom Neuma des Alleluia (*Post Alleluia quaedam melodia neumatum cantatur, quod sequentiam quidam appellant;* vgl. Ulrich von Cluny († 1093), *Consuetudines Cluniacenses* I cap. 10; PL 149, 655 A).

Und Petrus Venerabilis, Abt von Cluny († 1156), erwähnt das *Pneuma* am Schluß der Antiphonen (*pneuma quod in fine antiphonarum canitur;* vgl. *Statuta* Petri Venerabilis, St. 67 PL 189, 1044 B). Das Wort *pneuma* bedeutet eigentlich der „Hauch", wurde aber im Mittelalter mit *Neuma* synonym verwendet. Die Bedeutung von „Neume" im Sinne einer typischen Melodieformel ist ohne Zweifel alt und stimmt mit dem griechischen *Nomos* und dem hebräischen *Ne'ima* überein.

Die zweite Bedeutung des Wortes „Neume" dient zur Bezeichnung der graphischen Darstellung einer Tonbewegung. Damit ist ein Tonzeichen sowohl für den Einzelton als auch für gewisse Tongruppen gemeint. Sicher ist diese Bedeutung jünger.

Aurelian von Réomé und andere (Hucbald) sprechen von *figura notarum, notae musicae, notae compositae, notae usuales.* Für den Grammatiker ist *nota* ein Zeichen außerhalb des gewöhnlichen Alphabets. Deshalb können die ersten graphischen Zeichen im 9. Jahrhundert nicht anders heißen als *notae.* So werden auch die Neumenzeichen beim *Anonymus Vaticanus* verstanden (*de accentibus toni oritur nota, quae dicitur neuma.* Vgl. Rom, BVat Pal. 235, f. 38 v). Vom 11. Jahrhundert an werden *neumae* allgemein als Zeichen der Tonschrift verstanden. Diese zweite Bedeutung ist auch in das moderne Vokabular zur Bezeichnung der Neumenschrift eingegangen. Über die Herkunft der lateinischen Neumenzeichen gibt es keine einheitliche Auffassung. Wahrscheinlich ist, daß sie aus den Akzent- und Prosodiezeichen der Spätantike hervorgegangen ist. In einzelnen Schrifttypen hat sich diese Zeichenschrift sehr rasch auch in das seit dem 11. Jahrhundert aufkommende Liniensystem eingefügt. Seit dem 12. Jahrhundert hat sich daraus die Quadratnotation entwickelt, wie wir sie noch heute kennen. Man hat die Neumenschrift mit byzantinischen und hebräischen Vorbildern in Beziehung gebracht. Doch sind diese Hypothesen nicht so stichhaltig, daß sie Allgemeingültigkeit beanspruchen können. Analogien mit anderen musikalischen Notationen sind selbstverständlich möglich und wohl auch vorhanden. Die größte Wahrscheinlichkeit besitzt wohl noch immer die Verwandtschaft mit den grammatischen Akzenten spätantiker Schriftsteller.

Der Begriff „Neume" beschränkt sich auf die lateinischen Quellen. Der Bereich der östlichen Kirche kennt ihn nicht. Nachdem die von der Antike überlieferte instrumentale und vokale Buchstabentonschrift für den liturgischen Gesang nicht in Anspruch genommen wurde, blieb nur der eine Ausweg, für den lebendigen Vortrag liturgischer Texte Zeichen zu verwenden, die die Tonbewegung sinnfällig zu machen vermögen.

Da das Verhältnis von Musik und Sprache ein Hauptthema abendländischer Musikgeschichte ist, kann es sinnvoll erscheinen, diese Auseinandersetzung an der Entwicklung der abendländischen Tonschrift zu verfolgen. Der Akzentcharakter dürfte eine der auffallendsten Eigentümlichkeiten der Neumenschrift sein. Er ist auch in ihrem letzten Entwicklungsstadium — in der Quadratnotenschrift — nicht völlig untergegangen.

Das Liniensystem, in das die einzelnen Schrifttypen sich mehr oder weniger leicht einfügen ließen, hat sich anscheinend aus der bei Boethius durch Linien geordneten Aufzählung von Tonstufen entwickelt. In dieser Gestalt wird es ganz selbstverständlich in der Musica Enchiriadis verwendet, wo die Linien Saiten eines Instruments andeuten. Mit der Fixierung der Neumenschrift im Liniensystem durch Linien und Kustoden — Bezeichnung des nachfolgenden Tons beim Übergang von einer Zeile zur anderen — und mit der genauen Bestimmung der Linien durch die Schlüsselbuchstaben wird aus der Neumenschrift die abendländische Notenschrift. Sie setzt ein diatonisches Tonsystem voraus, da die Ganz- und Halbtonschritte innerhalb des Liniensystems festliegen.

Die Entwicklung der abendländischen Neumenschrift-Typen geht parallel mit derjenigen der übrigen Schriftzeichen, wenigstens seit der karolingischen Zeit. In der Frühzeit (9. Jh.) herrscht noch eine gewisse Freiheit in der Gestaltung, aber auch eine Vorliebe für dünnere und zartere Striche und Pünktchen. Das 10. Jahrhundert beginnt die Typen zu normalisieren und im 11. Jahrhundert haben wir schön ausgeprägte Formen. Im 12. Jahrhundert setzt die Tendenz zu Vergröberungen ein, die dann das Kennzeichen des späteren Mittelalters sein wird. Das Liniensystem mit seinen besonderen Erfordernissen bleibt nicht ohne Spuren. Noch ist eine kalligraphisch schöne Schrift möglich, aber auf neuer Grundlage. Während in der früheren Zeit die Neumenhandschriften Kleinformat haben, entstehen im späteren Mittelalter die großen Folianten, die Chorbücher. Seit dem 12. Jahrhundert gleichen sich die einzelnen Neumenfamilien einander an, sofern sie nicht aussterben, und bilden zuletzt nur noch zwei Typen: die Quadratnotenschrift und die spätgotische und deutsche Hufnagelschrift. Die Hufnagelschrift gehört der Vergangenheit an, während die Quadratnotenschrift in ihrer spätmittelalterlichen Ausprägung bis heute erhalten geblieben ist.

Die nachfolgenden Abbildungen sollen einen Eindruck von der Vielfalt der Typen und ihrer Entfaltungen geben. Man hat in neuester Zeit zu den bisher bekannten Typen einen bislang unbeachteten Neumentyp hinzugefügt: den paläofränkischen. J. Handschin hat zuerst diese archaischen Neumen behandelt; E. Jammers hat ihnen besondere Aufmerksamkeit gewidmet. Doch beschränkt sich dieser Typ auf ganz wenige Beispiele. Das Zentrum scheint in Reims oder St. Amand zu liegen. In Deutschland finden wir ihn in Essen.

Der bretonische Neumentyp ist eine alte Sonderform des nordfranzösischen Typs. Er ist hauptsächlich in der Handschrift Chartres 47 (PalMus XI) vertreten.

Wir beginnen mit dem konservativsten Neumentyp der nördlichen Schriften, mit dem deutschen Neumenschrifttyp des frühen 11. Jahrhunderts. Bei ihm fallen die kalligraphische Schönheit und die große Deutlichkeit der Zeichen auf.

1. St. Gallen, StB. 376, S. 199; zweite Hälfte des 11. Jahrhunderts; 26,0 x 18,5 cm (Abb. 4, nach Seite 320).

Es handelt sich um ein prächtig ausgestattetes Pult- oder Abtsexemplar. Spätere Einträge erfolgten besonders im 13. Jahrhundert. In planvoller Anlage enthält die Handschrift nach einigen Vorsatzblättern: ein Kalendar mit komputistischen Tabellen (S. 13—37), ein Tropar (S. 39—80), ein neumiertes Graduale (S. 81—286) mit einer Sammlung von *Alleluia*versen (S. 287—296), Gebete (S. 298 bis 311) und abschließend ein Prosar (S. 312—434).

Die Neumenzeichen der Handschrift sind für St. Gallen und seine Schreibschule charakteristisch. Sie zeigen großen Reichtum und eine Subtilität, die von keinem anderen Typ erreicht wurde. Sie zeichnen sich aus durch die Zartheit und Feinheit der Linienführung. Besondere Vorliebe zeigen die Handschriften aus St. Gallen für die sogenannten „Hakenneumen" (P. Wagner). H. M. Bannister lehnte diese durch Wagner eingeführte Bezeichnung ab und schlug statt dessen vor „*elementi neumatici complementari*", wobei er den Terminus „*episema*" nur in graphischer Bedeutung verstanden wissen wollte. Diese Handschriften übertreffen alle anderen durch ihre Vorliebe für Verzierungen und Vortragsmanieren. Die in St. Gallen gepflegte Neumenschrift hat sich im deutschsprachigen Raum so sehr verbreitet, daß man einfachhin vom deutschen Neumenschrift-Typ sprechen kann. St. Gallen hat seine Neumenschrift erst ganz spät, im 15. Jahrhundert, aufgegeben. Die deutschen Neumen haben sich in ihrer reinen Form nicht für das Liniensystem geeignet. Sie mußten wenigstens eine gewisse Umwandlung durchmachen. Auch die zahlreichen Varietäten der einzelnen Neumenschreiber mitsamt den Sonderzeichen (Buchstaben und Episeme) sind bald vollständig verschwunden.

Neben St. Gallen hat das im Bodensee gelegene Inselkloster Reichenau (um 1000) Neumenhandschriften hergestellt, wie z. B. die Hs. Bamberg, StB. Lit 5. Möglicherweise sind noch andere dort entstanden wie Paris, Arsenal 610 oder Zürich, ZB., Rheinau 71 (11. Jh.). Auf die Schreibschule von Regensburg hat das Kloster Reichenau einen nicht geringen Einfluß ausgeübt. Es ist überdies durchaus möglich, daß die St. Galler Neumenschrift wie andere Neumentypen bis ins 9. Jahrhundert zurückreicht. Auch dürfte ein Zusammenhang der deutschen mit der nordfranzösischen Schrift nicht ausgeschlossen sein. Der *Ductus* der Neumenzeichen von St. Gallen ist gewöhnlich schräg, nicht so steil wie bei der französischen Schrift. Das Einflußgebiet der deutschen Neumenschrift erstreckt sich über den ganzen deutschen Sprachraum und reicht sogar noch darüber hinaus. Im Süden finden wir den deutschen Neumentyp in Monza, Bobbio und im Aostatal. Im Westen treffen wir ihn noch in Echternach und Prüm und im 11. Jahrhundert auch im burgundischen Besançon und in Remiremont in den Vogesen. Im Südosten reicht er weit bis Agram und Ungarn, wo er auch dann noch festgehalten wurde, als schon die östliche Ausprägung der lothringischen Neumenschrift sich auszubreiten begann. Entlang des Rheintals hat sich begreiflicherweise ein Mischtyp herausgebildet, der zuweilen lothringische und deutsche Elemente aufgenommen hat. Man hat deshalb neuerdings auch von einem rheinischen Neumentyp gesprochen. Doch scheinen die Quellen hierfür noch nicht umfassend erschlossen zu sein. Vielleicht sind sie nicht sehr zahlreich und zudem nur in Fragmenten erhalten.

Die Abbildung (St. Gallen 376, S. 199) zeigt die außerordentlich feierlich ausgeschmückte Seite mit dem Osterproprium. Die Gesänge sind folgende: Oster-*Introitus*, *Responsorium-Graduale* mit *Versus* und *Alleluia* mit dem Beginn des *Versus*.

Die erste Textzeile der Seite bringt eine Mahnung, das Buch nicht unberechtigt zu entfernen. Solche Bemerkungen finden sich in mittelalterlichen Handschriften öfter. Die Zeilen 2 bis 5 (nahezu die Hälfte der Seite) werden ausgefüllt durch die große Initiale R und den *Introitus Resurrexi et adhuc*. Die Zeilen 6 und 7 führen den Text in Majuskeln fort. Die nachfolgenden Zeilen haben die in St. Gallen übliche karolingische Minuskel. Ebenso schön wie der Text sind auch die Neumen geschrieben. Neben der *Virga* kommt der runde Punkt und der *Tractulus* (horizontaler Punkt) vor. Die *Virga* ist im Psalmvers *Domine probasti* besonders häufig. An der Virga fällt das Episem deutlich auf. Es reicht sowohl nach rechts als auch nach links. Der *Pes* kommt in der runden und der eckigen Form vor. In der Zeile 14 steht am Ende zweimal der *Pes quassus*.

Die *Flexa* ist gerundet und schräg ausgerichtet. An ihrer oberen Wölbung befindet sich öfter ein *Episem* in Gestalt eines nach oben geschwungenen Bogens. Der *Porrectus* zeigt die übliche Form (hoch, tief, hoch). Am dritten Bestandteil wird häufig ein *Episem* angebracht. Der *Torculus* erscheint sogar in drei Ausprägungen. Rund und eckig tritt er über dem Wort *Resurrexi* auf, in Normalform finden wir ihn über *alleluia* (Z. 6). *Scandicus*- und *Climacus*formen kommen in verschiedenen Verbindungen vor. Auch die liqueszenten Zeichen sind vorhanden. Eine liqueszente *Virga* (mit Schleife nach rechts) erscheint als *Cephalicus* über *alleluia* (Z. 8: zweimal). Wäre das gebogene Ende des *Virga*-strichs normal ausgeführt, würde dieses Zeichen die Form einer *Clivis* haben. Ein *Epiphonus* (liqueszenter *Pes*) tritt über *Confitemini* (Z. 13) ein. Über *scientia* (Z. 7) erkennen wir einen liqueszenten *Torculus*.

Von den Häkchenformen kommen vor die *Bistropha*, *Tristropha*, der *Oriscus*, das *Quilisma* (mit zwei, auch drei ansteigenden Halbbögchen), das *Trigon* und die *Apostropha*. Bistrophen und Tristrophen finden wir in Zeile 6, 7, 8 und 13. Der *Oriscus* ist besonders schön und deutlich über *mirabilis* (Z. 8). Die *Apostropha* steht bei der strophischen *Flexa* (Z. 11: *dominus*) oder als Zusatz beim *Torculus* (Z. 8: *alleluia*). Eine *Virga strata* läßt sich in Z. 15 über *alleluia* erkennen (*Franculus* oder *Gutturalis*). Es ist das *Pressus*zeichen ohne den nachfolgenden Punkt. Das *Pressus*-zeichen steht bei diesem *Alleluia* (Z. 15) überdies zweimal mit Punkt. Das *Trigon* besteht aus drei Punkten (Dreieck). Es ist ein kaum deutbares Zeichen. Das *Trigon* steht nie allein über einer Silbe, wenigstens eine Note geht ihm voraus (Z. 11 und 13). Schließlich kommen auch *Bivirga* und eine *Trivirga* vor. Ungemein reich ist die Verwendung der *Litterae significativae* wie t, m, c, s, e, l, i und *leniter* (Z. 8: *alleluia*) oder sim l (*similiter leniter*) über *alleluia* (Z. 15). Weder die Episeme noch die *Litterae* lassen sich in ihrer eigentlichen Bedeutung erschließen. Die *Litterae* haben als Zusätze zu den Neumen das Problem der sicheren Neumenlesung nicht behoben. Darüber klagen bereits die Zeitgenossen selbst. Die Schlußmelismen des RG über *ea* und des Versus über *eius* sind nicht vollständig ausgeschrieben. Am notwendigen Raum hat es bei *ea* kaum gefehlt. Man darf daraus jedoch nicht einfach folgern, daß das Schlußmelisma nicht oder nur verkürzt gesungen worden wäre.

2. Karlsruhe, LB. Augiensis LX, f. 266 v; 33,4 × 22,9 cm; 12. Jahrhundert mit späteren Nachträgen und Einlagen; Palimpsest-Handschrift unbekannter Herkunft; Süddeutschland (Abb. 5, nach Seite 320).

Die Schriftart des Textes ist die karolingische Minuskel. Ihre Buchstaben weisen die charakteristische Rundung und Breite auf und zeichnen sich durch eine wohltuende Proportion in der Größe der kleinen und langen Buchstaben aus. Die Oberlängen von b, d und l lassen oben eine abgeschrägte Verdickung erkennen. Da und dort scheint auch leichte Gabelung vorhanden zu sein. c steht manchmal für t; d hat die gerade Form; beim g ist der untere Bogen geschlossen; bei h geht der Bogen nicht unter die Grundlinie; i besitzt noch keinen Strich, obwohl er im 12. Jahrhundert bereits vorkommt; r ragt nicht über die anderen kleinen Buchstaben hinaus, sein Schulterstrich ist klein und spitz, das runde r fehlt; s ist am Anfang und Ende lang, ebenso in der Mitte des Wortes. Gelegentlich scheint auch rundes s vorzukommen. Bei t geht der senkrechte Strich nicht über die Größe der Kleinbuchstaben hinaus. Für den Vokal u und den Konsonanten v steht meistens u, seltener v. y besitzt eine Unterlänge und hat oben einen Punkt. Öfter steht y anstelle von i. Statt ae steht gewöhnlich e (Z. 13). Ligaturen für die Silbe *et* kommen vor, nie jedoch für eine Endung. Abkürzungen sind selten, z. B. Z. 8 *auribus percipite* oder Kontraktion Z. 3: *dominus*, Z. 14: *Iesu*. Bogenverbindungen fehlen. Die kleinen Präpositionen verbinden sich mit dem nachfolgenden Wort. Die Sätze schließen mit einem Punkt. Die Buchstabenformen und die Ligaturen, ebenso die Abkürzungen weisen auf die zweite Hälfte des 12. Jahrhunderts. Diese Schrift ist zum größten Teil in der Handschrift unversehrt erhalten geblieben.

Mit der Notation der Handschrift verhält es sich etwas anders. Überall, wo heute die Hufnagelschrift über der karolingischen Minuskel des Textes steht, befand sich eine ältere Neumenschrift. Vermutlich im 14. Jahrhundert hat man die alte Neumenschrift abgeschabt und an ihrer Stelle die damals herrschende Form eingetragen. Die Rasuren beschränken sich nur auf den Raum, der für das ursprüngliche Liniensystem vorgesehen war. Manchmal wurde das alte Liniensystem beibehalten.

Fol. 266 v der Handschrift enthält Gesänge für das *Mandatum* (Z. 3) am Gründonnerstag (Fußwaschung). Die Antiphon: *Dominus Jesus . . .* fährt auf Zeile 1 fort mit: *lauit pedes . . . faciatis*. Ps. *Deus misereatur* (Z. 2). Es folgen die Antiphonen: *Mandatum nouum; In hoc cognoscent; Postquam surrexit; Si ego dominus; Vos vocatis me; In diebus illis . . . lacrimis cepit (. . . unguebat)*.

Die Neumenschrift wurde mit brauner Tinte eingetragen und macht einen feinen und gepflegten Eindruck. Der Schreiber bedient sich des Liniensystems. Jedes System hat vier Linien, von denen die F-Linie rot und die C-Linie (obere und untere) gelb sind. Die Linien für D und a sind geritzt. Die F-Linie der oberen Oktav ist ebenfalls rot. Wegen des großen Melodieumfangs einzelner Gesänge werden stellenweise (Z. 12 bis 14) zusätzliche Linien eingetragen. Die Schlüsselbuchstaben fehlen nicht. B und F kommen in den Zeilen 1, 2, 11 und 12 vor; Zeile 3 bis 10 stehen für F und c nur einfache Punkte; in Zeile 11 bis 14 finden wir die Buchstaben F, a, c und e. Der *Custos* fehlt ganz. Nicht neumiert ist der Psalmvers *Misere mei deus* und der Vers *Pacem meam . . .* (vgl. dazu Zeile 10; Vers *Audite hec omnes . . .* mit Meßpsalmodie). Die Antiphonen *Postquam surrexit* und *Si ego dominus* (beide im I. Modus), ebenso die Antiphon *Vos vocatis* (II. Modus) sind auch für Fragen der Modalität von Interesse.

Das Notenbild ist sehr einheitlich. Als Einzelzeichen, vor allem für die syllabischen Melodiebewegungen, wird die schräg geneigte in ein Köpfchen auslaufende *Virga* verwendet. Der Gesamtduktus dieser Neumenschrift ist schräg nach rechts geneigt. Die Verwendung der *Virga* zeigt eine völlige Unabhängigkeit von melodischen Rücksichten (höherer oder tieferer Ton). Der Punkt ist hier in der *Virga* aufgegangen, denn im Liniensystem ist die höhere oder tiefere Lage nicht mehr entscheidend. Der Punkt kommt als runder Punkt, auch als *Tractulus* in Gruppenverbindungen vor (Z. 7: *hoc*). Der runde Punkt hat seinen natürlichen Platz beim *Scandicus* und beim *Climacus* und ähnlichen anderen Verbindungen. Der *Pes* wird in seiner runden Gestalt am häufigsten verwendet. Der eckige *Pes* ist seltener (Z. 3: *vobis*; Z. 8: *audite*). Der *Pes quassus* oder *volubilis* (St. Gallen 376) kommt vor, ist aber im Liniensystem nicht mehr von Bedeutung. Der *Pes quassus* ist eigentlich nur eine abgekürzte (aus zwei Noten bestehende) Form des *Salicus*; er steht offenbar auch dort, wo andere Handschriften ein *Quilisma* schreiben. Die *Flexa* hat nur ein einziges Zeichen. Der *Torculus* wird gewöhnlich mit dem runden *Pes* gebildet. Er kommt öfter liqueszent vor mit Verkürzung des dritten Bestandteils. Manchmal wird der liqueszente Teil in einem längeren Abstrich leicht nach innen geführt (Z. 9: *alterius* und Z. 12: *illis*). Der *Climacus* tritt in der normalen Form auf (Z. 2: *vobis*; Z. 12: *enim*). Der *Scandicus* kommt als *Pes rotundus plus Virga* vor (Z. 1: *vobis* und *scitis*; Z. 14: *et*). Vielleicht soll dadurch ein größeres zusammenhängendes Intervall deutlich gemacht werden. Die Liqueszenten treten besonders als *Epiphonus* und *Cephalicus* auf (*Epiphonus* Z. 12: *cognouit*). Der *Cephalicus* ist auf 266 v häufiger. Der liqueszente *Climacus* (*Ancus* oder *Sinuosus*) fällt ebenfalls auf (Z. 7: *peluim*). Das *Pressuszeichen* kommt in den noch vorhandenen Neumenresten auch allein vor. Auf S. 266 v sehen wir es in Verbindung mit einer Gruppenneume (Z. 6: *a*). Auch *Bistropha*, *Tristropha* sind vorhanden (Z. 4: *lege* und Z. 8: *o[rbem]*). Eine *Apostropha* steht am Abschluß einer Gruppe in Zeile 1 über *uobis*. Das *Quilisma* erscheint mit zwei nach oben geöffneten Bogen (Z. 7: *hoc*).

Die Verwandtschaft dieses Neumentyps mit der aus Süddeutschland stammenden Handschrift Graz, UB 807 ist auffallend. Dennoch liegen zahlreiche Unterschiede vor. Man wird diesen Neumentyp am Ende des 12. Jahrhunderts als eine Mischung westlicher (lothringischer) und deutscher (St. Galler) Neumenzeichen ansehen müssen. Beim ersten Blick herrscht die lothringer Richtung vor. *Pes volubilis* (*Pes quassus*) und *Quilisma* erinnern an die ältere Praxis der deutschen Neumen. In der Liniennotation sind sie in dieser Form eigentlich nicht mehr möglich. Die Handschrift nimmt deshalb eine gewisse Grenzstellung zwischen älterer und jüngerer Praxis ein. Es wäre wichtig, noch andere ähnliche Typen zu vergleichen.

R. Stephan (AfMw 13, 1956, 65) schreibt: *„Bedenken gegen eine Reichenauer Herkunft des Cod. Aug. LX erregt auch die Notenschrift. Die Tatsache der Schabung der ursprünglichen Notenschrift erklärt sich am plausibelsten, wenn man einen Besitzwechsel der Handschrift annimmt ... Wenn wir bedenken, daß es sich bei dieser einzig interessierenden Notation um eine perfekte Diastematie auf vier Linien handelt, so kompliziert sich das Problem. Denn weder ist die Diastematie in Verbindung mit Linien noch der Metzer Neumentypus auf der Reichenau im 12. Jahrhundert nachweisbar"*. Erst im 15. Jahrhundert soll die Handschrift auf die Reichenau gekommen sein. Die bisherige Lokalisierung läß sich deshalb nicht mehr halten.

3. Laon, Bibl. de la Ville, Codex 239, S. 12 (PalMus X); 10. Jahrhundert, Graduale, geschrieben für die Kathedrale Notre Dame de Laon (Abb. 6, nach Seite 320).

Die Handschrift ist wohl der beste Vertreter des Metzer oder, wie man neuerdings sagt, des lothringischen Neumentyps. Es handelt sich um eine Mischschrift aus Akzenten und Punkten. Das Verbreitungsgebiet dieser Neumenschrift ist das alte Austrasien, ferner Lothringen, Flandern und Brabant. In einem späteren Zeitpunkt greift dieser Typ auch nach Osten über den Rhein und kommt in Niedersachsen (Braunschweig) und selbst noch in Leipzig vor. Im Südosten finden wir ihn in Wien, aber auch in Polen, Böhmen, Ungarn und Norditalien (Como).

Die Zentren dieser Neumenschrift sind Soissons und Metz. Allerdings haben wir aus Metz keine ausreichenden Dokumente, so daß doch eher das nordwestlichere Laon als Ausgangspunkt in Frage kommt. Diastematie wird bei diesem Neumentyp schon sehr früh angedeutet. In der weiteren Entwicklung hat sich die lothringische Schrift als besonders geeignet für eine Übertragung ins Liniensystem erwiesen. Wir finden sie deshalb auch im deutschen Raum, leicht vermischt mit dem deutschen Typ, als Notenschrift auf Linien.

Die Abbildung zeigt diesen archaisch erscheinenden Neumentyp.

13 Textzeilen befinden sich auf der Seite. Der Text beginnt mit dem Schluß des 1. Offertorium-Verses (*Operuisti . . .*) *iram tuam* (Z. 1.). Die Wiederholung aus dem Offertorium *Benedixisti domine* wird mit *remis(isti . . .)* angegeben. Es folgt der 2. Vers: *Ostende nobis . . . da nobis*; Wiederholung: *remisisti*. Die *Communio*: *Dicite pusillanimes* schließt sich an (Z. 3 und 4). Die Rubrik für den folgenden Quatembermittwoch lautet: *Feria IIII, Statio ad S. Mariam ad presepem*. Dann beginnt der *Introitus Rorate caeli*, es folgen das *Graduale* (= *Responsorium*) *Tollite portas* mit ℣ *Quis ascendet*. Ein zweites *Graduale* wird angefügt (*Iterum Responsorium*) *Prope est dominus* mit ℣ *Laudem domini* (Z. 13).

Der *Ductus* der Neumenschrift ist schräg. Das *Punctum* hat eine eigentümliche Hakenform (nach oben geöffnet); in auf- und absteigenden Bewegungen erscheint häufig das runde *Punctum*. Daneben steht in Verbindungen auch die *Virga* (Z. 6: *Rorate*). Der *Pes* ist rechtwinklig. Die *Flexa* kommt in einer gebundenen, rechtwinkligen und einer aufgelösten Form vor (Z. 8: *principes*, gebunden). Der *Porrectus* besteht aus einer *Flexa* und schräg nach rechts aufwärtsführendem Strich (Z. 9: *introibit*). Der *Torculus* setzt mit einem horizontalen Anstrich an und verbindet damit eine steile *Flexa* (Z. 6: *nubes*). Der *Climacus* wird durch runde Punkte und Hakenpunkte dargestellt (Z. 10: *domini*). Der *Scandicus* führt schräg aufwärts und schließt gewöhnlich mit einer *Virga* ab (Z. 11: *corde*). Der *Epiphonus* bildet eine nach oben geöffnete Bogenform (Z. 11: *corde*), während der *Cephalicus* sich nach unten öffnet (Z. 13: *in*). Das *Trigon* wird aus Punkt und *Flexa* gebildet (Z. 6: *pluant*). Beim *Quilisma* finden wir die Hakenform nach unten (Z. 9: *gloriae*, zweimal). Der *Pressus* wird durch Punkt, Schleife (*Oriscus*) und *Flexa* gebildet (Z. 8: *aeternales*). Tironische Noten kommen vor (Z. 11: *manibus*; Z. 12: *omnibus*, zweimal).

Die Handschrift kennt auch die *Litterae significativae* s, h, eq, t, a, c, v, nl, nt und md. Gegenüber den gebundenen Neumenformen sind die aufgelösten häufiger. Aufwärtsführende Tonbewegung wird schräg nach rechts geschrieben, abwärtsführende stellt die Zeichen gewöhnlich senkrecht übereinander.

Die lothringische Neumenschrift ist später vor allem in die Schreibschulen der Zisterzienser, Prämonstratenser und Augustinerchorherren übergegangen. Sie hat sich lange neben der Quadratnotation und der Hufnagelschrift halten können. Im 14. Jahrhundert entsteht in Böhmen die *notatio rhombica*. Alle Tonzeichen sind rhombisch und die einzelnen Noten sind durch dünne Haarstriche verbunden. In Preßburg erscheint diese Notation zuerst zu Beginn des 15. Jahrhunderts. Auch in späten kursiven Notationen in Ungarn ist noch der Einfluß der lothringischen Neumenschrift zu spüren.

4. Rom, BVat. lat. 5319, f. 97 r, 30,3 × 20,0 cm; Graduale mit einer Sonderfassung (altrömisch), Anfang 12. Jahrhundert (Abb. 7, nach Seite 320).

Fol. 97 r enthält einen Teil der Vesper vom Sonntag nach Ostern. Der Text beginnt (1. Zeile) mit der Antiphon: *In die resur (rectionis meae...)*. Es folgt: *All(eluia)* und der ℣ *Laudate (pueri dominum)*. Auf Zeile 9—12 folgen die beiden Antiphonen *Post dies octo* und *Quia vidisti me* mit je einem Vers. Als besondere Eigentümlichkeit müssen die griechischen Texte vermerkt werden (Z. 2—8). Zeile 1, 5 und 8 steht je ein *Alleluia*gesang. Die griechischen Verse sind dem Psalm 94 (Invitatoriumspsalm) entnommen: 1. ℣. *Deute galliasometha...* 2. ℣ *Prothasomen to prosopon...* 3. ℣. *Oty theos megas...*

Der Schluß von Vers 3 (*epy pasin tin gin*) ist aus Ps. 46, 3 entnommen. In der römischen Liturgie kommt der 3. Vers auch als *Alleluia*gesang am 15. Sonntag n. Pfingsten vor.

Der Ductus dieser mittelitalienisch-beneventanischen Neumenschrift ist senkrecht. Die F-Linie ist rot, die c-Linie gelb. Nur die c-Linie hat den Schlüsselbuchstaben. Der Custos steht am Ende der Zeilen. Der Punkt tritt auf als horizontaler (*tractulus*) und als rhombischer Punkt. Die *Virga* hat ein Häkchen am oberen Ende nach links (*Episem* nach links). *Pes* und *Flexa* sind rechtwinklig senkrecht. Der *Torculus* ist steil und beginnt mit einem horizontalen *Tractulus* (Z. 1: *die*).

Liqueszente Formen lassen sich öfter feststellen: *Virga liquescens* (Z. 9: *ingressus*), *Pes liquescens* (Z. 12: *et*), *Flexa liquescens* (Z. 4: *en* mit Punkt), *Pes flexa liquescens* (Z. 12: *et*).

Die *Climacus*-Form wird aus *Virga* und zwei Punkten gebildet (Z. 3: *otos*). Der *Oriscus* kommt in mehreren Weisen vor (Z. 4, 7, 11 und 13); *Flexa* mit *Oriscus* (Z. 5 und 8), *Climacus* mit *Oriscus* (Z. 10: *timere*). Die *Bistropha* kommt ebenfalls vor (Z. 9: *clausis*; Z. 13: *meo*).

5. Rom, BVat. lat. 10 645, Sammelkodex, f. 5 v; die Fragmente f. 3 r—6 v sind die Reste eines um 1000 geschriebenen Vollmissale; 28,5 × 21,5 cm (Gesamtformat nach A. Dold: 32,1 × 21,5 cm). Auf jeder Seite zwei Spalten Text zu je 24 Zeilen. Schrifttyp: Bari. Beneventanische Notation (Abb. 8, nach Seite 320).

Die Handschriften der Schreibschule von Bari, deren Einfluß bis nach Dalmatien reichte, weisen einen etwas abweichenden Typ auf gegenüber der vorherrschenden beneventanischen Schrift. Sie unterscheiden sich durch eine auffallende Rundung der Buchstaben und durch den leichten Duktus. Man hat als Erkennungszeichen dieses Schrifttyps folgende Momente angegeben: das eingekerbte e, ähnlich einem griechischen Epsilon, die besondere Rundung des i in der Ligatur, besonders in der Verbindung fi; ferner den häufigeren Gebrauch des Zeichens ⊟ = est; das Profil eines Menschen in manchen Initialen und schließlich das kurze Schluß-r.

Die Textschrift und vor allem die reichlich vorhandenen Initialen des Fragments weisen in die Zeit des ausgehenden 10. oder in den Anfang des 11. Jahrhunderts. Die Niederschrift dieses Vollmissale dürfte wohl noch vor der des Sakramentars des Abtes Desiderius von Monte Cassino erfolgt sein. Das Sakramentar, das zwischen 1058 und 1087 geschrieben wurde, zeigt deutlich den Übergang zu den eckigen und gebrochenen Formen, während unser Fragment noch auffallend runde Formen aufweist. Das o kennt noch nicht die Rautenform, d ist noch nicht eckig und bei m und n treten die nach rechts auslaufenden Abschlußstriche noch kaum in Erscheinung. Die Initialen sind verschlungenes Rankenwerk, das durch Vogelköpfe, Tiergestalten und durch menschliche Profile belebt wird. Öfter zieht sich das Rankenwerk in seinen Ausläufern über mehrere Zeilen hin. Die Farbtöne sind rot, blaßgelb, grün, violett und azurblau. Auch die bei den Textabschnitten der Epistel und Evangelien und zu Beginn der Gesänge stehenden kleineren Anfangsbuchstaben, die meistens in Unziale ausgeführt sind, wurden nach beneventanischer Art fast immer mit zwei verschiedenen Farbtönen ausgefüllt. Die Rubriken haben die gleiche Schrift wie die eigentlichen Texte. Es kommen ferner Lektionszeichen vor, z.B. das Dreier-Zeichen und das mit einem umgekehrten Strichpunkt vergleichbare Zeichen. Die Textschrift der Gesänge ist etwas kleiner. Mit einem neumenartigen Zeichen versehen ist der *Punctus interrogativus*.

Auf unserer Abbildung (Seite 5 v) oben in der linken Spalte beginnt die Fortsetzung der Präfation vom Feste der heiligen Märtyrer Johannes und Paulus (26. Juni): (*Beati enim martyres tui . . .*) *quod dauidica uoce canitur . . . sine cessatione dicentes: sanctus.* Es folgt die *Communio: Et si coram hominibus tormenta passi sunt, deus temptauit illos tamquam aurum in fornace probauit eos et sicut holocausta accepit eos.* Die *Postcommunio* schließt sich an. Die zwei letzten Spalten enthalten die Rubrik: *IIII. K. JUL. UIGI SCORUM APLORU / PETRI ET PAULI INTROI.*

Die rechte Spalte beginnt oben mit: *Dicit dominus petro, cum esses iunior, cingebas te et ambulabas, ubi uolebas; cum autem senueris, extendes manus tuas et alius te cinget et ducet, quo tu non uis; hoc autem dixit significans, qua morte clarificaturus esset deum. P. Celi enar(rant).* Nun folgen zwei Orationen zur Auswahl. Die Epistellesung beginnt Z. 18 mit der Rubrik: *LEC* (Z. 19), *IN diebus illis; ACTUU APLOR* (Z. 20), *Petrus et Johannes ascendebant . . . Ex utero matris* (Z. 24). Es folgt eine Lücke. Die beiden Gesänge auf dieser Seite sind in der sonstigen handschriftlichen Tradition gut bezeugt. Die *Communio: Et si coram* enthält zwei kleine Textvarianten (*illos* für *eos* und *sicut* für *quasi*).

Die Neumenschrift zeigt ein Frühstadium, das allerdings schon deutliche Diastematie kennt. Der *Custos* steht am Ende der Zeilen. Der *Ductus* der Neumenschrift ist leicht und ungekünstelt. Der horizontale Punkt (*Tractulus*) fällt durch seine Häufigkeit auf. Der *Gravis-Punkt* ist seltener. Der runde Punkt kommt in Verbindungen vor. Der *Pes* ist leicht gerundet (Intr. Z. 4: *ducet* und *quo*); die *Flexa* ist eckig. *Torculus* und *Porrectus* haben gewöhnlich eckige und spitze Formen. In der *Communio* kommt zweimal ein *Climacus praevirgis* vor (Z. 1: *hominibus* und Z. 3: *aurum*). Die *Virga* steht selten allein.

Einen *Pes quassus* enthält die *Communio* zweimal (Z. 12: *hominibus* und Z. 15: *holocausta*). Ein *Salicus* scheint über *tormenta* (Z. 12) und *probavit* (Z. 14) vorzuliegen. Das *Quilisma* steht über *illos* (Z. 13) und *eos* (Z. 15). *Bistropha* und *Tristropha* kommen im *Introitus* vor (Z. 2: *ambulabas* und Z. 5: *autem*). Von den liqueszenten Zeichen fallen besonders auf der *Epiphonus* und der *Cephalicus*. Das *Cephalicus*zeichen wird, wenn es eine liqueszente *Flexa* darstellt, mit einem Häkchen versehen, das gewöhnlich nach links eingebogen wird.

Zu diesem vatikanischen Fragment eines Vollmissale kommen noch andere Fragmente eines vielleicht etwas älteren Meßbuchs, die sogenannten Züricher oder Peterlinger Fragmente, deren Fundgeschichte sich in Lausanne, Peterlingen (Payerne) und in Zürich abspielte und die ebenfalls dem Bari-Schrifttyp zugehören.

6. Rom, BVat. lat. 10 645 (Sammelkodex, f. 48–50 eines monastischen Antiphonars); 30,0 x 21,0 cm; f. 48 v–49 r; Mitte des 12. Jahrhunderts (Abb. 10, nach Seite 320).

Textschrift in karolingischer Minuskel. Die Initialen erinnern an die beneventanische Schrift. Die Neumen auf Linien zeigen einen schönen regelmäßigen Ductus. Die F-Linie ist rot, die c-Linie gelb, die übrigen Linien sind geritzt. Am Ende der Zeilen steht der *Custos*. Rhombische Punkte wechseln mit der *Virga* ab. Dazu kommt noch der horizontale Punkt (*Tractulus*). Der *Pes* ist fast allgemein rund, die *Flexa* eckig. Die Liqueszenten und andere Spezialzeichen (*Oriscus, Bistropha* usw.) sind leicht zu erkennen.

Der Inhalt unserer Abbildung umfaßt einen Teil des Ferialoffiziums vom Dienstag (fol. 48 v): *Invitatorium: In psalmis iubilemus domino.* Zeile 7 und 11 folgen zwei großen Responsorien: *Auribus percipe* und *Statuit dominus.* Auf Seite 49 r steht die *Magnificat*-Antiphon der Freitagsvesper und der Beginn der Samstag-Matutin mit dem *Invitatorium: Dominum deum nostrum . . .* Zeile 9 und 12 folgen die Responsorien *Misericordiam* und *Domine exaudi.*

7. Paris, BN. lat. 903; Graduale, Tropar und Prosar von St. Yrieux (Scanti Aredii); 40,0 x 31,5 cm; 11. Jahrhundert; f. 76 v (PalMus XIII S. 152) (Abb. 9, nach Seite 320).

Südlich der Loire erstreckt sich das Gebiet des alten Aquitanien. Es ist vielleicht ein Zufall, daß gerade aus Limoges und den benachbarten klösterlichen Zentren so viele Handschriften erhalten geblieben sind.

Die aquitanische Neumenschrift fällt auf durch das Vorherrschen des Punktes. Diese Schrift, die sich sehr um die Diastematie bemühte, bringt auch bereits mit dem Punkt zum Ausdruck, daß sie eine Tonort-Schrift sein will. Während sonst die frühen Neumen gewöhnlich nur die Richtung der Tonbewegung bezeichnen, kommt hier sehr deutlich die Tendenz zur Festlegung des Tonorts zum Ausdruck. Die Gruppenzeichen werden aufgelöst.

Unsere Abbildung zeigt Gesänge der österlichen Vigilfeier: *Kyrie eleison, Gloria in excelsis deo* (Intonation) und dann das österliche *Alleluia* mit dem Vers *Confitemini domino.* Das erste *Alleluia* ist kurz, während die Wiederholung mit einem langen Melisma ausgestattet ist. Für den Ostertag folgt der *Introitus: Resurrexi;* in der letzten Zeile beginnt das *Graduale* (GR): *Haec dies . . . exultemus.*

4. St. Gallen, Stiftsbibliothek, Ms. 376, p. 199

5. Karlsruhe, Badische Landesbibliothek, Augiensis LX, fol. 266ᵛ

6. Laon, Bibliothèque de la ville, Cod. 239, fol. 5ᵛ

7. Rom, Biblioteca Apostolica Vaticana, Cod. lat. 5319, fol. 97ʳ

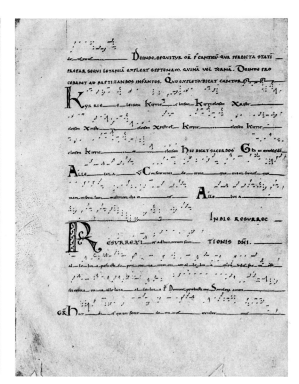

8. Rom, Biblioteca Apostolica Vaticana, Cod. lat. 10645, fol. 5ᵛ

9. Paris, Bibliothèque Nationale, Cod. lat. 903, fol. 76ᵛ

10. Rom, Biblioteca Apostolica Vaticana, Cod. 10645, fol. 48ᵛ—49ʳ

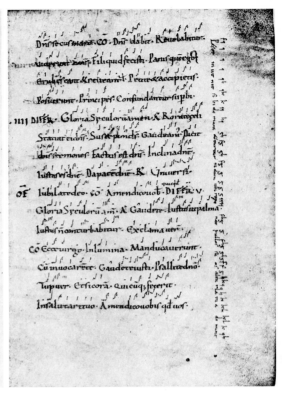

11. London, British Museum, Add. 30845, fol. 135^r

12. Rom, Biblioteca Apostolica Vaticana, Cod. Regin. 577, fol. 62^r

13. Rom, Biblioteca Apostolica Vaticana, Cod. lat. 4756, fol. 86^v–87^r

14. Rom, Biblioteca Apostolica Vaticana, Cod. Palat 857, fol. 71ᵛ–72ʳ

15. Karlsruhe, Badische Landesbibliothek, St. Peter, Pm 16, fol. 17ᵛ

16. Beuron, Klosterbibliothek, 2° Lit. 86, Graduale Basel 1488

Da der Punkt in diesem Neumentyp vorherrscht, erscheinen nur wenige Zeichen, die der Akzentnotation angehören. Man kann diese Gruppe auf die *Virga*, die *Flexa*, den *Porrectus praepunctis*, den *Pes stratus*, das *Quilisma* und einige liqueszente Neumen beschränken. Das *Oriscus*-Zeichen erscheint im *Franculus, Pressus* und *Salicus*. Das *Quilisma*-Zeichen zeigt eine aufsteigende Tonbewegung im Abstand einer kleinen Terz an. Strophische Neumen werden durch Punkte gebildet (*Apostropha, Bistropha, Tristropha* u. a.). Zahlreiche liqueszente Verbindungen sind zu beobachten. Die *Virga* kommt als *communis, cornuta* und *semicircularis* vor. Die *Virga cornuta* bildet nach oben einen offenen Bogen. Sie bezeichnet gewöhnlich die Tonstufe *mi* oder *si*, manchmal auch *la*. Die *Virga semicircularis* bildet einen Bogen (nach links geöffnet). Sie kommt in der *Pes*-Verbindung vor.

Bei steigender Tonbewegung werden die Tonzeichen schräg nach rechts geschrieben.

Bei fallender Tonbewegung stehen die Zeichen senkrecht untereinander z. B. *Flexa* und *Climacus*. In gleicher Weise werden gebildet der *Porrectus* : . und der *Torculus* . : Ähnlich verhalten sich andere Kombinationen.

Die aquitanischen Handschriften enthalten auch eine archaischere Melodiefassung. So zeigt der Introitus über *Resurrexi* die Tonstufe *mi* gegenüber *fa* der sonstigen Überlieferung.

Der Gebrauch dieser Notation hat sich auf Südfrankreich und Spanien beschränkt.

8. London, BrMus. add. 30 845, f. 135 r; 37,0 x 25,0 cm; die Handschrift stammt aus dem Kloster St. Sebastian zu Silos in Alt-Kastilien (heute San Domingo de Silos); 10./11. Jahrhundert. Die Handschrift enthält Offizium und Messe für die Zeit vom 13. Juni bis 15. November. Liturgie des mozarabischen Ritus (Abb. 11, nach Seite 320).

Unsere Abbildung zeigt die rechte obere Spalte von S. 135 r. Der Gesang *Mirabilis deus* ist ein *Sacrificum* (SFM = *Offertorium*. Texte und Gesänge der vollständigen Seite gehören zum Offizium und zur Messe der Heiligen Servandus und Germanus (23. Oktober).

Die Neumen fallen durch einen besonders steilen *Ductus* auf. Man rechnet diese Neumenform zur ersten Phase der mozarabischen Neumenschrift. Einzelne Neumenzeichen lassen sich deutlich erkennen. *Virga, Punctum, Pes, Clivis, Scandicus, Climacus, Apostropha* u. a. Manche Zeichen sind spezifisch mozarabisch.

Als Übergangsschrift hat sich aus aquitanischen Einflüssen zusammen mit der mozarabischen die katalanische Schrift entwickelt.

Mit der Einführung der römischen Liturgie im 11. Jahrhundert ging die mozarabische Liturgie mit ihrem liturgischen Gesang unter. Seit dem 12. Jahrhundert sind die liturgischen Gesangbücher in der durch die Kluniazenser in Spanien verbreiteten aquitanischen Neumenschrift geschrieben. Eine Umschrift der alten mozarabischen Gesangbücher in das abendländische Liniensystem ist nicht erfolgt. Nächste Verwandte der mozarabischen Neumenschrift vermutet man in gewissen Neumenzeichen Mittel- und Süditaliens. Vor allem fällt die Vorliebe für Schleifen auf. Eine Variante der mozarabischen Steilschrift ist die schräg nach rechts verlaufende Toledanische Schrift.

Die Textschrift heißt auch „westgotische" Schrift. Sie hat sich in dieser Form nach der Eroberung Spaniens durch die Westgoten aus der römischen Kursive entwickelt.

Im 11. Jahrhunderet wurde durch das Konzil von León bestimmt, daß die liturgischen Bücher in Zukunft nur noch in der karolingischen Minuskel geschrieben werden sollen.

9. Rom, BVat. Regin. 577, f. 62 r; 23,6 x 16,2 cm; die Handschrift enthält Werke des Mönchs Oderannus aus S. Pierre le Vif (S. Petri vivi) zu Sens mit einem Tonar, vermutlich um 1054 (Abb. 12, nach Seite 320).

Fol. 62 r zeigt eine Seite des Tonars mit den Incipits der Meßgesänge, geordnet nach Tonarten. Die Abbildung enthält auf 15 Zeilen Gesänge mit den Differenzen 3, 4 und 5 zum 1. Modus. In Zeile 5 steht die 4. Differenz mit der Formel: *Gloria seculorum amen* und ebenso in Zeile 10. Über *Panis quem ego* (Z. 3) fehlen die Neumen. Am Rande hat eine spätere Hand die *Communio Passer invenit* mit Buchstaben-Notation eingetragen, wie sie im *Antiphonarium tonale missarum* von Montpellier (PalMus VIII) vorkommt. Dieser Tonar ist das Hauptdokument für eine Doppelschrift aus Buchstaben und Neumen. Die Neumierung entspricht dem nordfranzösischen Typ.

Unsere Abbildung von Seite 62 r zeigt den nordfranzösischen Neumentyp, näherhin den der Schule von Tours. Der *Ductus* der Neumenschrift ist steil. Neuerdings bezeichnet man diesen Neumentyp zusammen als Typ der Schulen von Lyon, Rouen, Tours und Sens. Er ist eine echte Akzentschrift und zeigt nahe Verwandtschaft mit den Akzentschriften Englands, Deutschlands und Oberitaliens. Das obere Ende der *Virga* ist leicht verdickt. Der *Pes* kommt in runder (liqueszierend) und eckiger Form vor. Die *Flexa* ist spitz und hat einen langen Anstrich. Der *Porrectus* ist eckig und der *Torculus* mit dem horizontalen Anstrich ist steil geschwungen. Der Punkt kann rund sein, aber auch die Gestalt eines horizontalen *Tractulus* haben. Rhombische Formen des Punktes kommen in absteigender Bewegung vor. Der *Cephalius* hat die übliche Form (Z. 10: *Gaudete*). Ein *Salicus* steht über *dabit* (Z. 1). Die *Distropha* kommt öfter vor (Z. 1, 5 und 10); eine *Tristropha* Zeile 11 und 14. Das *Quilisma* steht Z. 5, 10 und 15; ein *Pes quassus* Zeile 15 über *salutari*.

Unter dem Einfluß des Liniensystems geben die Neumenzeichen des nordfranzösischen Typs ihre feinen Striche bald auf. Durch Verdickung des Köpfchens bildet sich seit dem 12. Jahrhundert langsam die Quadratnotation heraus. Im 13. Jahrhundert nehmen diese Zeichen energischere Ausprägung an. In dieser Gestalt wurde die nordfranzösische Neumenschrift als Quadratnotation der hervorragendste Vertreter diastematischer Neumenschrift für die romanischen Länder. Sie gelangte schließlich allgemein zu unbestrittener Vorherrschaft.

Neben dem Tonar von Montpellier wurde neuerdings als größere Quelle für die Neumenschrift des nordfranzösischen Typs in der PalMus das Graduale und Antiphonale von Noyon (10. Jh.) veröffentlicht.

10. Rom, BVat. lat. 4756; Brevier aus Chartres, Winterteil, geschrieben vor 1264, 2 Spalten; 14,9 x 10,0 cm; Französische Quadratnotation (Abb. 13, nach Seite 320).

Die Abbildung zeigt die Seiten 86 v und 87 r der Handschrift. Den Inhalt bilden Lesungen und Responsorien der 1. Nokturn der Weihnachtsmatutin. Die Quadratnoten sind auf vier Linien eingetragen. Die F-Linie ist grün, die c-Linie gelb. Als Schlüsselbuchstaben dienen c, manchmal auch F. Der *Custos* fehlt. Im Liniensystem wird gelegentlich *be molle* gebraucht. *Virga* und rhombischer Punkt wechseln miteinander ab. In einigen Fällen zeigt die *Virga* am oberen Ende eine Verdickung. Die Zeichen sind allgemein etwas nach rechts geneigt. Der *Oriscus* in Gestalt einer *Virga* ist häufig. Liqueszente Zeichen kommen ebenfalls vor. Das 3. *Responsorium Descendit de celis* enthält über *fabrice mundi* ein Melisma mit der *Prosa: Familiam custodi Christe tuam* und *Fac deus munda corpora*. Ebenso fällt über *Tamquam* und *Gloria* das in beiden Fällen gleichlautende Melisma auf.

11. Rom, BVat. Palat. 857; f. 71 v—72 r; Officium de sancta Elyzabeth; 22,7 x 20,0 cm (Abb. 14, nach Seite 320).

Jede Seite enthält zwei Spalten. Die Neumen stehen auf 4 roten Notenlinien; die Textschrift ist ebenfalls auf einer Linie eingetragen. Die zahlreichen i-Striche des Textes fallen auf. Als Schlüsselbuchstaben kommen c und F vor, manchmal auch ♭. Die Antiphonen der 1. Vesper sind nach Tonarten geordnet, ebenso die Antiphonen der Matutin (S. 72 r Sp. 2). Reimoffizium.

Die Neumenschrift hat einen sehr einheitlichen Duktus. Der Punkt nach lothringischer Art wechselt mit der *Virga*, die ein kleines, oft nach rechts geneigtes (dachförmiges) Köpfchen hat. Daneben kommt in Abwärtsbewegungen der rhombische Punkt vor (*Climacus*). In aufsteigender Bewegung (*Scandicus*) hat der Punkt etwas Neigung zur horizontalen Länge. Die *Flexa* hat die lothringische Form (Punkt + *Virga*); der *Pes* wird ebenfalls aus Punkt + *Virga* gebildet. Der *Torculus* entsteht aus Punkt + runder *Flexa*. Ferner enthält das Beispiel zahlreiche liqueszente Formen. Auf S. 71 v steht zweimal (1. Sp. Z. 5 und 2. Sp. Z. 2) die Form des *Pes quassus* bzw. ein *Quilisma*.

12. Karlsruhe, LB. St. Peter Pm 16; Herkunft: Erfurt?; Graduale mit 211 Bl.; 28,6 x 20,2 cm; 15. Jahrhundert (Abb. 15, nach Seite 320).

Die Abbildung zeigt die Seite 17 v mit dem *Introitus: Puer natus est* und dem *Graduale: Viderunt omnes* der 3. Weihnachtsmesse. Auf dem *Graduale*-Vers folgt der *Tropus: Notum fecit deus . . .* Als Schlüsselbuchstabe kommt c vor; für die F-Linie dient der einfache Punkt. Der *Custos* fehlt.

Als Einzelnote steht gewöhnlich die *Virga*, ganz selten der Punkt (vgl. 3. Zeile über *cuius*). Der rhombische Punkt erscheint in absteigender Bewegung. Die *Tristropha* (Z. 1) und die *Bistropha* (Z. 7) haben noch die alte Hakenform. Nicht zu übersehen ist der *Salicus* (Z. 2: *datus*) und der *Torculus strophicus* (Z. 2: *nobis*). Die *Flexa* erscheint in runder und eckiger Form (Z. 4: *eius*). Ein *Cephalicus* steht Zeile 3 über *imperium* und Zeile 9 über *Notum*.

Die F-Linie ist rot, die c-Linie gelb, die übrigen Linien sind schwarz. Die Farben des Initiale und der Verzierungen sind rot, blau, gelb, grau und blaßrot.

Die Handschrift ist für die späte Zeit noch mit Sorgfalt geschrieben, wenn auch manches schon nachlässig erscheint.

13. Beuron, Bibliothek, 2° Lit. 86; Antiphonarium Constantiense(?) des Jacob von Kilchen in Basel, um 1500. Frühdruck; deutsche (gotische) Choralnotation; Papierdruck (Abb. 16, nach Seite 320).

Man kann annehmen, daß es sich bei diesem Exemplar um eine Ausgabe des Jacob von Kilchen handelt. Gegenüber der bei Molitor, *Choralwiegendrucke*, abgebildeten Tafel VIII liegen kleine Melodievarianten vor. Das Antiphonar enthält Antiphonen und Responsorien für die wichtigeren Tage des Kirchenjahres. Für einzelne Hochfeste ist die Matutin (Vigilien) aufgenommen. Hinzu kommen die Gesänge aus dem *Commune sanctorum*. Bei einigen Responsorien steht die Rubrik: *Quando Responsorium canitur sine neuma* oder *quando non canitur neuma*. Von besonderem Interesse ist die Feier der österlichen Liturgie. Für Peter und Paul und Mariä Himmelfahrt sind Gesänge zur Auswahl angegeben (*vel sequentes antiphonas* oder: *si quis vult, recipiat has antiphonas*). Reimoffizien kommen vor für die Feste Dorothea, Gregorius, Visitatio BMV, Margaretha, Verena, Theodor, Elisabeth landgravia, Katharina, Konrad und für das Offizium der hl. Lanze. Es folgt eine größere Auswahl von marianischen Antiphonen.

Die deutsche Choralnotenschrift (Hufnagelschrift), wie sie in den Wiegendrucken um 1500 begegnet, kennt als Grundformen für die Neumenzeichen nur noch die *Virga* (Hufnagel) und die Rhombe. Die Gruppenzeichen erscheinen teilweise noch in geschlossener Form, aber auch, sogar viel öfter, in mancherlei Zusammensetzungen aus den einfachen Zeichen. Eine Regel für die Zusammensetzung ist oft nicht zu erkennen. In den ersten Drucken erscheint der *Salicus* noch als *Bistropha* mit nachfolgender höherstehender *Virga*. Vollständig fehlt das *Quilisma*. Manchmal kann man feststellen, daß die Rhombe tiefer steht als die *Virga*. In der Zusammensetzung aus Einzelzeichen behauptet die *Virga* die höhere, die Rhombe die tiefere Tonstufe. Der *Strophicus* erscheint als Doppelnote aus *Virga* + *Rhombe*; aber auch *Clivis strophica*, *Pes strophicus*, *Torculus strophicus* kommen noch vor. Die Hakenform für *Bistropha* und *Tristropha* scheint unterdrückt zu sein.

Die ältesten deutschen Choralnotendrucke liefern ein unvergleichlich treueres Bild der alten Neumenschrift als die entsprechenden italienischen oder französischen Drucke in Quadratnotenschrift. Durch die Auflösung der Gruppenzeichen allerdings wird das geschlossene Bild der Neumenzeichen aufgehoben. Die dadurch bedingte neue Phrasierung führt zur Mehrdeutigkeit. Das sind ohne Zweifel Schwächen des Choraldrucks. Sie haben dem späteren Zerfall der Notenschrift vorgearbeitet. Erstaunlich ist, daß die Melodien bis dahin in einer bewundernswerten Treue überliefert worden sind.

Maurus Pfaff

Die Theorie des gregorianischen Gesanges im Mittelalter

Die Musiktheorie des frühen Mittelalters ist bestimmt durch zwei Kräfte: die spätantike Überlieferung und das bereits vorhandene Repertoire einstimmiger lateinischer liturgischer Melodien; hinzu kommen noch gewisse byzantinische Einflüsse. Aus dem Zusammenwirken dieser Kräfte entwickelte sich eine Theorie, die versuchte, die real erklingende Musik des gregorianischen Chorals rational zu durchdringen, begrifflich-terminologisch zu erfassen, tonsystematisch zu ordnen und in das größere musikphilosophische System der *ars musica* einzufügen. Das mittelalterlich-scholastische Denken mit seiner Betonung der *auctoritas* förderte dabei eine durchgehende Tradierung von Begriffen, Definitionen und Schemata, die das Grundsystem interpretierten, differenzierten und weiterentwickelten, seine Grundlagen aber jahrhundertelang im wesentlichen beibehielten. Zu den musiktheoretischen Grundlagen gehört das System der acht Kirchentöne, das dem gregorianischen Melodiengut eine tonale Ordnung gibt. Das kirchentonale System ist das zentrale Thema der *musica practica* innerhalb des großen Gesamtkomplexes mittelalterlicher Musiklehre.

Durch die fünf Bücher *De institutione musica* des Boethius († 542) wurden Musikanschauung und Tonsystem der Spätantike dem abendländischen Mittelalter übermittelt. Boethius, Cassiodor († 580) und Isidor von Sevilla († 636) haben für das ganze Mittelalter verbindlich die philosophisch-mathematisch-spekulative Musiklehre, die *ars musica* im Sinne von *scientia* in das mathematisch orientierte *Quadrivium* innerhalb des Systems der *septem artes liberales* eingeordnet sowie die verschiedenen musikalisch-harmonikalen Bereiche von der *musica naturalis* (*mundana, caelestis, humana*) bis zur *musica artificialis* (*instrumentalis*) klassifiziert. Neben diesem enzyklopädischen Bildungsideal entstand aber auch eine Musiklehre, die sich ganz auf die konkreten Gesänge, auf die Praxis der zunächst weitgehend unreflektierten, mündlich überlieferten oder nur ungenau notierten alten liturgischen Melodien konzentrierte.

Da Flaccus Alcuin († 804) nicht mehr als Verfasser der *Musica* gelten kann, nach der die acht Kirchentöne jeden Gesang gleichsam wie mit Leim zusammenhalten (GS I, 26 a), überliefert die denselben Satz enthaltende *Musica disciplina* des Benediktiners Aurelian von Réomé (um 850) die älteste Darstellung der mittelalterlichen Kirchentöne (GS I, 39 b ff., cap. 8: *De Tonis octo*) und schließt daran die ersten ausführlichen Erörterungen einzelner gregorianischer Gesänge in tonaler Ordnung an. In seiner Definition erwähnt Aurelian zwar den Bezug zum *„vollständigen Tonsystem"* (der Antike), jedoch liegt das Schwergewicht im Wesen der Kirchentonart auf dem charakteristischen melodischen Verlauf (*„Tonus est totius constitutionis harmonicae differentia et quantitas, quae in vocis accentu sive Tenore consistit"*). Primär werden die Kirchentöne durch die modalen Eigenschaften typischer und charakteristischer Melodiewendungen und -formeln verstanden, deren übereinstimmendes gemeinsames Tonmaterial im Kirchenton als Richtmodell und Ordnungsprinzip erscheint.

Diese Auffassung korrespondiert mit Aurelians Forderung, der Cantor müsse eine genaue, gedächtnismäßige Kenntnis der Psalmintonationen, Antiphonen und Responsorien haben. In Anzahl, Benennung und Zuordnung der *toni* herrscht eine auffallende Ähnlichkeit mit dem byzantinischen *Oktoechos*. Die acht Kirchentöne werden vier Grundformeln mit gemeinsamem Zentralton (*„vox finalis"*) zugeordnet und diese werden griechisch mit *protus, deuterus, tritus* und *tetrardus* gezählt. Sie wurden später als die ursprünglichen „antiken" Modi angesehen, die die *„moderni"* jeweils nach der höheren und tieferen Klanglage der Gesänge in *„tonus authenticus"* und *„tonus plagalis"* teilten (Guy de Châlis, *Regula de arte Musica*, CS II, 158 b). Aurelian zählt so die einzelnen Kirchentöne als *Protus authentus, protus plagalis, deuterus authentus* etc. Die paarweise Anordnung schließt bereits eine Subordination der plagalen unter die authentischen Töne als die „magistri" ein. Zur näheren Charakteristik der modalen Eigenarten verweist Aurelian auch auf Melodiemodelle (*„formulae notarum"*), denen ähnlich den byzantinischen Intonationsformeln Silben wie „*Noeane, Nonanoeane*" u. ä. unterlegt sind (GS I, 42 u. 55). Es fehlen bei ihm jedoch noch die im byzantinischen Oktoechos bereits benutzten griechischen Namen dorisch, lydisch, phrygisch usw. Ihre Einführung, die die Kirchentöne aus der antiken Musiktheorie herleiten sollte, geschah in der 1. Hälfte des 10. Jahrhunderts.

Die Verfasser der unter dem Namen Hucbalds veröffentlichten *Alia musica* (GS I, 126 b ff.; ed. Chailley, 121) setzten die mit den griechischen Stammesnamen dorisch usw. benannten vermeintlich antiken Tonarten mit den abendländisch-lateinischen Kirchentönen gleich. Diese irrtümliche Gleichsetzung war nicht nur folgenreich für die weitere Theorie der mittelalterlichen Tonarten, sondern setzte bereits die historische Verwechslung der griechischen Tonarten mit den Transpositionsskalen durch Boethius voraus (*De institutione musica* IV, cap. 15, ed. Friedlein, 342).

Das vollständige griechische Tonsystem, das *Systema telaion*, umfaßte im Raum von zwei Oktaven eine intervallische Ordnung, die durch vier verschränkte und getrennte diatonische Tetrachorde bestimmt war, aber keine relativen oder absoluten Tonhöhen beinhaltete. Die Tonarten („*harmoniai, tropoi, modi*") bildeten sieben verschiedene Oktavgattungen („*eide, species*"), ausgehend von den drei Grundtonarten Dorisch (Intervallfolge im Tetrachord von oben: *Tonus, Tonus, Semitonium*), Phrygisch (TST) und Lydisch (STT). Die Tonarten fanden ihre musikalische Realisierung jedoch erst innerhalb der *tonoi* genannten Transpositionsskalen, die das Systema auf einen bestimmten Ton fixierten und ebenfalls dorisch, phrygisch usw. benannt waren. Boethius verwechselte nicht nur die sieben Oktavgattungen (modi, tropoi) mit den sieben von Ptolemäus aufgestellten Transpositionsskalen (toni), sondern kehrte auch noch deren Reihenfolge um: Der *Hypodorius*, der innerhalb der sieben von a (hypodorisch) bis h (mixolydisch) reichenden Transpositionsskalen den höchsten Klangraum (a′–a) einnahm, erhielt nun den tiefsten (A–a); aus der antiken Transpositionsskala Dorisch (e′–e abwärts) wurde die boethianische Oktavgattung (*species diapason*) Dorius (D–d aufwärts).

Obwohl beispielsweise Notker Labeo († 1022) die *modi* als Oktavgattungen von den *toni* als Kirchentönen trennte (GS I, 99 f.), ist die Verbindung beider in der *Alia musica* schon durch Boethius nahegelegt, und zwar einmal dadurch, daß er außer den aufgeführten sieben Oktavgattungen noch eine achte ohne weitere Erläuterung erwähnt, zum andern durch seine Definition: „ . . . *ex diapason igitur consonantiae speciebus existit, qui appellantur modi, quos eosdem tropos vel tonos nominant*", in der also die Begriffe *modus, tropus* und *tonus* unterschiedslos gebraucht werden. Die Verbindung von Oktavgattungen und Kirchentönen, die sich in den Benennungen mit dorisch, phrygisch usw. dokumentiert, wurde fortan beibehalten, obwohl sie auf grundlegenden historischen Irrtümern beruht und obwohl ein fundamentaler Unterschied zwischen beiden besteht. Bei den untereinander gleichwertigen Oktavgattungen ist das entscheidende Kriterium die verschiedene Lage der Halbtöne innerhalb der Skalen; bei den paarweise als authentisch und plagal subordinierten Kirchentönen ist die Lage des gemeinsamen Grund- und Zentraltons, der Finalis, maßgebend. Während also nach den Oktavgattungen (*species diapason*) 1. und 8. Modus identisch sind (D–d), unterscheiden sich der 1. und der 8. Kirchenton durch die unterschiedliche Finalis deutlich in der inneren Struktur, denn die Tonarten mit der ungeraden Zählung haben als *authenticus* (*auctoralis, principalis*) den Zentralton als Grundton, die Tonarten mit der geraden Zählung haben ihn als *plagalis* (*collateralis, subjugalis*) im mittleren Tonbereich. Das verdeutlicht das Schema der Kirchentöne, wie es sich nach der *Alia musica* darstellte:

Tonus		Modus		Finalis
primus	protus authentus	dorius	D – d	D
secundus	protus plagalis	hypodorius	A – a	D
tertius	deuterus authentus	phrygius	E – e	E
quartus	deuterus plagalis	hypophrygius	H – h	E
quintus	tritus authentus	lydius	F – f	F
sextus	tritus plagalis	hypolydius	C – c	F
septimus	tetrardus authentus	mixolydius	G – g	G
octavus	tetrardus plagalis	hypomixolydius	D – d	G

Infolge der Verbindung der Kirchentöne mit den Oktavgattungen erhielt die Lehre von den Kirchentönen neben dem modalen ein skalares Element. Zu ihrem melodischen Modelltypus trat ergänzend eine feste Tonfixierung und eine intervallische Anordnung. Diese wurde verankert im mittelalterlichen Tonsystem, das sich etwa gleichzeitig im 10. Jahrhundert herausbildete und im *Dialogus de Musica* (GS I, 253 b) des Odo von St. Maur († um 1030) in seinen Grundzügen dargestellt ist.

Odo demonstriert das diatonische System durch Buchstaben, die auf die Monochordabmessungen (etwa bei Boethius) zurückgehen, bei Odo auch als Notenschrift gebraucht werden und nach der Diastematisierung der Neumen als musiktheoretisches Demonstrationsmittel bis heute benutzt werden. Entscheidende Grundlage ist die Heptatonik. Die Erkenntnis der Oktavidentität, bei der man sich auf die von Vergil (Aeneis VI, 646) erwähnten *„septem discrimina vocum“* beruft (Notker Labeo, GS I, 96), drückt sich im Gebrauch von nur sieben Buchstaben aus, die in unterschiedlicher Form wiederholt werden: für die tiefere Oktave als Majuskeln (*litterae capitales*), für die mittlere als Minuskeln (*minutae*) und für die höhere als Doppelbuchstaben (*duplicatae / geminatae*).

Während Odo sich noch auf den Umfang des griechischen *Systema telaion* von zwei Oktaven und dem zusätzlichen tiefsten Ton Gamma (Γ) beschränkte, erweiterte um 1100 Johann von Affligem (früher als Johannes Cotto bekannt) das System nach oben um drei weitere Tonstufen (Musica, CSM I, 61). Dieses Tonsystem wurde vor allem durch den 1026/28 geschriebenen *Micrologus de disciplina artis musicae* (CSM IV) des berühmten Guido von Arezzo († 1050) weit verbreitet. Erst im ausgehenden 13. Jahrhundert hat es Hieronymus von Mähren um die 20. Tonstufe $\frac{e}{e}$ erweitert (*Tractatus de Musica*, ed. Cserba, 46). Das mittelalterliche Tonsystem, dem relative Tonhöhen zugrunde liegen, stellt sich demnach so dar:

$$\Gamma \quad A \quad B \quad C \quad D \quad E \quad F \quad G \quad a \quad \flat b \quad c \quad d \quad e \quad f \quad g \quad {a \atop a} \quad {\flat b \atop \flat b} \quad {c \atop c} \quad {d \atop d} \quad {e \atop e}$$

Dieses diatonische Tonsystem fand seinen Niederschlag in der Notenschrift, die Guido von Arezzo 1028 in den *Aliae regulae* (GS II, 34 ff.) endgültig als eine Notenschrift mit Linien im Terzabstand ausarbeitete, und bei der die Buchstaben des Tonsystems als Schlüssel verwandt wurden. Damit war einer strengeren und rationaleren Ordnung der Tonarten nach intervallischen Strukturen, namentlich nach Ganzton- (T) und Halbtonabstand (S) die Richtung gewiesen. Sie beseitigte in der Praxis der gregorianischen Gesänge allerdings auch manche durch Verschleifung, Vortragsart oder Verzierung hervorgerufene Verunklarung der Tonstufendistanzen. Sinn und Zweck von Tonsystem, Notenschrift und Kirchentönen war es, den rein umgangsmäßigen *usus* des Cantors auf eine artifizielle Stufe zu heben, die den praktischen Kirchenmusiker dem Musicus annäherte.

Neben der Oktavidentität und ihrer Verankerung im Tonsystem wurde für die Theorie der Kirchentöne auch die alte Tetrachordlehre von Belang. Der noch durch Notker Labeo (GS I, 96) von Boethius übernommene antike Aufbau aus vier Tetrachorden mit der Intervallfolge STT (H—E; E—a; h—e; e—$\frac{e}{e}$) wurde verändert, um die Tetrachorde in die Tonartenlehre einbeziehen zu können. Die vier kirchentonalen Finales D, E, F und G wurden in einem Tetrachord vereinigt, das nun die Intervallfolge TST zeigt. Die *Musica enchiriadis* gab am Ende des 9. Jahrhunderts jedem der im *Tetrachordum finalium* zusammengefaßten Töne ein eigenes Zeichen (Dasia-Zeichen), dessen Abwandlungen die entsprechenden (ersten, zweiten usw.) Töne der anderen Tetrachorde bezeichneten. Da in der *Musica enchiriadis* diese Tetrachorde der Intervallfolge TST jedoch unverbunden aufeinander folgten, die jeweils tiefsten Töne also im Quintabstand standen (Γ, D, a, e), ergab sich im 4. Tetrachord bereits der Ton fis, d. h. die Oktavidentität wurde nicht gewahrt, was Guido von Arezzo (CSM IV, 112 f.) zu kritischer Ablehnung veranlaßte. Während seit Johannes von Affligem (CSM I, 61 f.) einige Theoretiker die zwanzig Tonstufen von Gamma bis $\frac{e}{e}$ schematisch in die fünf Tetrachorde *graves, finales, acutae, superacutae, excellentes* einteilten, wobei alle außer dem *Tetrachordum finalium* lediglich unter dem Gesichtspunkt der Klanghöhe betrachtet werden, hat Berno von Reichenau († 1048) im *Prologus* zu seinem *Tonarium* (GS II, 63 b) ein Tetrachordsystem mitgeteilt, das sowohl die Oktavidentität als auch die Struktur der Kirchentöne verdeutlicht und von seinem Schüler Hermannus Contractus († 1054) in seiner *Musica* (GS II, 127 b ff.) übernommen wurde:

I	II	III	IV							I	II	III	IV
A	B	C	D finales				superiores			d	e	f	g
graves			D	E	F	G	a	h	c	d excellentes			
			I	II	III	IV	I	II	III	IV			

Die teils verbundene (bei D), teils getrennte Anordnung der Tetrachorde bewirkte, daß jedes Tetrachord in seiner Struktur durch den Halbton in der Mitte bestimmt war, so daß etwa alle untersten Töne (mit I numeriert) dieselbe *„qualitas"* (*proprietas*) haben, d. h. ihrer Lage im Tetrachord entspricht eine Affinität in der Aufeinanderfolge von Ganz- und Halbtönen über und unter sich, die schon Guido herausgestellt hatte (CSM IV, 131 f. u. GS II, 47 a).

Die vier „Tonqualitäten" (I – IV) korrespondieren mit den drei möglichen verschiedenen Arten (*species*) der Tetrachorde mit dem Halbton in der Mitte (TST), zu Beginn (STT) und am Ende (TTS), die 4. Qualitas wiederholt die 1. Quartspecies. Die sich aus der Position im Tetrachord ergebende Tonqualität konnte nun auf die vier Grundmodi (*protus, deuterus, tritus, tetrardus*) der Kirchentöne bezogen werden, denn das authentische D/d hat dieselbe Qualitas wie die entsprechenden plagalen Töne A/a. Alle vier bilden jedoch die Gerüsttöne des *protus authentus*, der das authentische Dorisch und das plagale Hypodorisch umfaßt. Die Konsequenz aus dieser intervallisch-skalenmäßigen Auffassung der Kirchentöne war die Aufteilung der Oktavgattungen (*species diapason*) in Quart- und Quintgattungen (*species diatesseron / diapente*), wie sie sich schon in der *Cita et vera divisio monochordi* des Pseudo-Bernelini (GS I, 313) findet. Neben Berno (GS II, 69 f.) hat in besonders konsequenter Weise Hermannus Contractus (GS II, 132 a ff.) die Kirchentöne aus den Intervallspecies aufgebaut. Die unterschiedlichen Oktavgattungen von authentischen und plagalen Tönen erweisen dabei ihre innere strukturelle Verwandtschaft auf zweierlei Weise: Die Oktavgattungen gehen von Tönen gleicher Tonqualität im Tetrachordsystem aus (A und D = I); sie haben die gleiche Quintgattung und die gemeinsame Quartgattung ist nur durch die Lage über (authentisch) oder unter (plagal) der Quinte unterschieden:

$$protus\ authentus = 1.\ Quintgattung + 1.\ Quartgattung = \qquad D\,E\,F\,G\,a + a\,h\,c\,d$$
$$protus\ plagalis \ = 1.\ Quartgattung + 1.\ Quintgattung = A\,H\,C\,D + D\,E\,F\,G\,a$$

Daraus geht auch der Unterschied des Dorischen und Hypomixolydischen hervor, die zwar dieselbe Oktavgattung (D–d) haben, dieser aber eine unterschiedliche innere Struktur zugrunde legen, nämlich das Hypomixolydische, die 4. statt der 1. Gattung der Quarten und Quinten (statt D – a / a – d im Dorischen: D – g / g – d).

Die Intervallübereinstimmung der zusammengehörigen authentischen und plagalen Töne im „antiken" *modus* (*protus, deuterus*) haben Bernhard von Clairvaux (†1153) in seiner *Praefatio seu Tractatus de cantu seu correctione Antiphonarii* (ed. J. Mabillon, Opera Omnia I, 2, 1719, 702) und Guido de Carolo loco (Guy de Chalis, CS II, 157 f.) unter dem Begriff der *„maneria"* oder *„maneries"* zusammengefaßt. Diese von Hermannus Contractus gerühmte klare und feste „Ordnung der Oktaven, Quinten und Quarten, in der alle ersten Intervallgattungen durch erste Buchstaben der Tetrachorde, alle zweiten durch zweite usw. gebildet sind" (GS II, 132 a), hat Aribo scholasticus in der 2. Hälfte des 11. Jahrhunderts in der von dem Regensburger Mönch Otker stammenden *„figura quadripartita"* (GS I, 348 a) anschaulich zusammengefaßt, die wegen der Berücksichtigung der *tropi* (*modi*) den alten Monochordabmessungen überlegen sei (Musica, CSM II, 1 ff.). Anhand der Lehre von den Quart- und Quintgattungen hat Aribo die entsprechenden melodischen Formeln entwickelt, für den *protus authentus* allein 80, von denen er 52 als brauchbar ansieht (CSM II, 54 ff.).

Obwohl Wilhelm von Hirsau (†1091) und sein Schüler Theogerus von Metz (†1120) die Lehre von den Tetrachorden und Intervallgattungen noch einmal mit den Kirchentönen verbanden (GS II, 172 ff. u. 186 ff.), setzte sich die unter dem Namen Guidos von Arezzo weitertradierte Lehre von den Kirchentönen durch, in der die intervallische Struktur nicht als das wesentlichste Element erscheint und die dadurch dem komplexen Wesen der Kirchentöne besser gerecht wurde. Das Komplexe in der Kirchentonalität kommt auch in der Terminologie zum Ausdruck.

Während im 9. Jahrhundert etwa bei Aurelianus Reomensis (GS I, 31) und noch bei Regino von Prüm (†915) nur *tonus* gebraucht wurde, überschrieb der anonyme Verfasser der *Alia musica* seine Darstellung mit *Expositio troporum*, bezeichnete die Kirchentöne mit *„modus primus"* etc. und gab den Einzelabschnitten die Überschriften *„de primo tono"* etc. Die Autorität von Boethius in der Terminologie (s. o.) verschaffte aber seit Guidos Definition: *„quatuor modi vel tropi, quos abusive tonos nominant"* (CSM IV, 133) dem Terminus *modus* eine Vorherrschaft, bis um 1300 wieder *tonus* „modern" wurde (Engelbert von Admont [†1331], GS II, 291). Manche Phänomene der gregorianischen Gesänge ließen sich durch die intervallische Struktur der Oktavgattungen nicht oder nur ungenügend erklären: das

Vorkommen von b und h, das Überschreiten der Oktave im Umfang, die bevorzugte Stellung von Finalis und Tenor und im Zusammenhang mit ihnen die typischen Melodieverläufe der einzelnen Kirchentöne.

Bereits im Odonischen Tonsystem hatte das vor allem in Gesängen des 1./2. und 4./5. Kirchentons vorkommende b-molle (*rotundum*) einen konstitutiven Platz neben dem ♭-*durum* (*quadratum*) in der *forma* der Kirchentöne (GS I, 259 ff.) und behielt ihn auch, obwohl Guido (CSM IV, 124) Vorbehalte gegen diese Doppelstufe anbrachte. Er wollte sie nur zur Vermeidung des Tritonus F—h gerechtfertigt sehen. Zur Vermeidung des b-molle empfiehlt Guido (CSM IV, 125 f.) die Transposition in die höhere Quinte, während Berno (GS II, 74 f.) gerade die Doppelstufe bh benutzt, um durch eine Transposition Gesänge mit systemfremden Tönen (fis, es) kirchentonal zu erfassen. Die Transposition von Gesängen, die nach Rudolf von St. Trond († 1130) einer Notwendigkeit oder auch der Absicht des Komponisten entspringen konnte (*Quaestiones in musica*, ed. Steglich, 53), wurde seit Johannes von Affligem (CSM I, 101) meist in die Oberquinte vorgenommen, denn hier bestand durch die erwähnte gleiche Tonqualität in der Tetrachordlage eine Affinität zu den regulären Finaltönen, so daß die Tonstufen a, h und c als „*affinales*" oder „*confinales*" fungieren konnten. Bei Transpositionen auf andere Stufen entsteht nach Engelbert von Admont (GS II, 357 b, 359 b u. 365) infolge einer Veränderung der intervallischen Disposition eine Transformation.

Obwohl man grundsätzlich an der Oktave als Umfang des Kirchentons festhielt, wurde jedoch unter dem Zwang der bereits vorhandenen Gesänge schon im frühen 11. Jahrhundert bei Odo (GS I, 259 ff.) und Guido (CSM IV, 155 f.) der reguläre Ambitus „*ex licentia*", wie Johannes von Affligem (CSM I, 92) sagt, erweitert, und zwar nach oben um zwei Töne, nach unten um einen Ton (mit Ausnahme des 5. Modus, der einen Halbtonschritt unter der Finalis hat). Das wäre ein Zugeständnis, das mit der Lehre von den Modi als Oktavgattungen nicht in Übereinstimmung zu bringen ist. Nachdem Johannes de Garlandia d. J. um 1300 sich bereits über „*cantus regulares, irregulares et mixti*" kurz geäußert hatte (CS I, 168 a), hat erst Marchettus von Padua († 1343) in seinem *Lucidarium in arte musicae planae* (GS III, 101 b) versucht, die etwas schematische Theorie der Oktavgattungen mit den unregelmäßigen Tonumfängen der praktischen Gesänge zu harmonisieren: Die vom „*tonus perfectus*" des vollen Oktavbereichs abweichenden kleineren Umfänge werden dem „*tonus imperfectus*" zugeordnet, die Ausweitung nach oben bei den authentischen, nach unten bei den plagalen wird als „*tonus plusquamperfectus*" bezeichnet, während die Erweiterungen in den jeweiligen Raum der zugehörigen plagalen oder authentischen Tonart „*tonus mixtus*" heißt („*tonus commixtus*" bezieht sich auf den irregulären Aufbau einer Melodie). Italienische Theoretiker des 15. Jahrhunderts von Ugolino von Orvieto (1420, CSM VII, 99 ff.) und Georgius Anselmi (1434, ed. Massera, 162 ff.) bis zu Johannes Tinctoris (1475) und Franchinus Gaffur (1492) haben diese differenzierten Unterscheidungen aufgegriffen und ausgebaut.

Eine weitere Differenz ergibt sich daraus, daß die Theorie von der Zusammensetzung aus Quint-Quartgattungen schematisch-einheitliche Gerüsttöne setzt, die mit den Gerüsttönen in den typischen melodischen Wendungen der praktischen Gesänge nicht übereinstimmen, z. B. entsprechen im Phrygischen E—h—e nicht den Gerüsttönen phrygischer Melodiemodelle E G a c. Die beiden wichtigsten Gerüsttöne sind die *Finalis* und der *Tenor*. Die wesentliche Rolle der Finalis, die jeweils einem authentischen und einem plagalen Tonus als gemeinsamer Zielton zugeordnet ist, bildet den zentralen Bezugston, der auch im Melodieverlauf bestimmend hervortritt und damit in jeder Hinsicht das gewichtigste Kriterium für die kirchentonale Einordnung eines Gesanges ist („*Cuius toni videtur in fine*").

Deshalb definierte bereits Odo von St. Maur in seinem *Dialogus de Musica* (GS II, 257 b): „*Tonus vel modus est regula, quae de omni cantu in fine diiudicat*". Neben der Finalis ist es ein zweiter Ton, der zur Erkenntnis der Tonart beiträgt; er wird in den Melodien jeweils bevorzugt angestrebt (als *repercussa*), bildet den Rezitationston in der Psalmodie (*tuba*) und fiel bald auch mit dem Anfangston des „*... saeculorum. Amen*" (*euouae*), der Schlußformel der kleinen Doxologie „*Gloria patri*", zusammen: der „*Tenor*". Seit Johannes von Affligem (CSM I, 82 ff.) im 11. Jahrhundert gehörte F als Tenor zum 2. Ton, a zum 1., 4. und 6., c zum 3., 5. und 8. sowie d zum 7. Ton. Die *Tenores* haben demnach unterschiedliche Abstände zu den jeweiligen Finaltönen: die authentischen Tonarten Quinte und

Sexte, die plagalen Terz und Quarte. Neben der Hauptformel für das *„saeculorum. Amen"* (*„principale euouae"*) verzeichnen die Theoretiker schon seit Aurelian von Réomé im 9. Jahrhundert auch die verschiedenen *differentiae*. Sie dienten dazu, den Übergang von den feststehenden Psalmformeln zu den verschiedenen Antiphonanfängen herzustellen, und wurden auch *divisiones* (Regino von Prüm, CS II, 14 a) oder *diffinitiones* (Berno, GS II, 77 a) genannt. Wenn Hieronymus von Mähren (ed. Cserba, 154) geradezu vom *tonus differentialis* spricht, wird erkennbar, wieweit auch diese melodischen Formeln zur Erkenntnis der tonalen Zugehörigkeit dienten, so daß Gobelinus Persona († 1421) sie als Essenz des *tonus*-Begriffes hinstellt (ed. H. Müller, 186 a: *„Tonus est propria notificatio cantus per Saeculorum. Amen"*).

Diese ganzheitliche Betrachtungsweise, derzufolge Hieronymus von Mähren als *Tonus* die Gesamtheit der Melodie ansah (ed. Cserba, 154: *„Tonus est totum modulationis corpus uniuscuiusque cantus"*) fand jedoch ihre beispielhafte Realisierung besonders in jenen Melodieformeln und Vokalisen, die die komplexe Vielzahl aller typischen Eigenschaften in sich vereinigten: die *Neumae*. Guido ging so weit, in der *Epistola de ignoto cantu* zu behaupten, die kirchentonale Zugehörigkeit eines Gesanges lasse sich nur durch den Vergleich mit dem entsprechenden *Neuma* erkennen (GS II, 48 a: *„Sola autem hac neuma solemnis primum tonum discernere"*).

Die *Neumae*, die Jacobus von Lüttichs *Speculum musicae* (1330) auch *formulae, odae, jubili* nennt (CS II, 320 b), wurden nach dem *Tractatus de musica plana* (um 1390) eines anonymen Kartäusermönches (CS II, 470 a) bei bestimmten Gelegenheiten am Ende von Antiphonen und Responsorien gesungen. Bevorzugt wurden sie aber an jene bereits erwähnten alten Intonationsformeln mit den Silben *Noeane* angehängt, die sich seit der *Musica enchiriadis* im 9. Jahrhundert (GS I, 158) über weitere zwei Jahrhunderte noch bei Regino von Prüm (CS II, 5 ff.) und Berno von Reichenau (GS II, 79 ff.) finden. Bei Berno erscheinen außerdem schon jene *formulae toni*, die seit Guido (CSM IV, 151) mit den Memorierversen *„Primum quaerite regnum dei; Secundum autem simile est huic"* usw. unterlegt waren und über Johannes von Affligem (CSM I, 86) bis in das *Lucidarium* des Marchettus von Padua (GS III, 119 b) und den Inkunabeldruck der *Flores musicae* (1332/42) des Hugo Spechtshart von Reutlingen von 1488 (ed. Gümpel, 159 a), ja bis ins 16. Jahrhundert tradiert wurden.

An die jeweiligen melodischen Eigenarten schlossen einige mittelalterliche Theoretiker im Anschluß an die antike Ethoslehre Kapitel über den Charakter, den Ausdruck und die Wirkung der Kirchentöne an: *„De tropis et virtute musicae"* (Guido, GS II, 14 a), *„De proprietatibus octo tonorum"* (Quidam Cartusiensis, CS II, 448). Sie weisen jedoch auch im Vergleich mit den Ausführungen von Johannes Aegidius de Zamora (GS II, 387 a) und Johannes de Muris (GS III, 235 b) nur geringe Übereinstimmungen in den *effectus* auf.

Obwohl im 14. Jahrhundert Marchettus von Padua (GS III, 103 a) und Jacobus von Lüttich (CS II, 243 a) wieder betonten, daß zur Erkenntnis der Tonarten die Kenntnis der Oktavgattungen unerläßlich sei, verdrängte das nicht die Überzeugung, daß zur feineren Unterscheidung der charakteristischen Eigenschaften der Kirchentöne eine entsprechende Übersicht über die wichtigsten Gesänge notwendig sei. Aus dieser Einstellung erklärt sich, daß die *Neumae* und *Primum-quaerite*-Formeln vielfach weitere systematische Aufstellungen von Antiphonae- und Responsorialgesängen nach ihrer Zugehörigkeit zu den acht Kirchentönen einleiteten, die ein Tonarium oder Tonale bildeten.

Während den Tonarien des Regino von Prüm (CS II, 3 ff.), des Berno von Reichenau (GS II, 79 ff.) und des Odo von St. Maur (CS II, 117 ff.) wesentliche musiktheoretische Kommentare vorangestellt waren, bildeten umgekehrt die Tonarien, als sich nach der Einführung der diastematischen Neumen ihr ursprünglicher Zweck für die unmittelbare Praxis überhoben hatte, in abgekürzter Form einen integralen Bestandteil der mittelalterlichen Tonartenlehre von Johannes Affligemensis (CMS I, 163 ff.) über Hieronymus von Mähren (ed. Cserba, 160 ff.) und Jacobus von Lüttich (CS II, 318 ff.) bis zu Hugo Spechtshart von Reutlingen (ed. Gümpel, 159 ff.) und Nicolaus Wollick (*Opus aureum*, Köln 1501).

Die mittelalterlichen Musiktheoretiker hatten so ein Instrumentarium vielseitiger Kriterien zur Beurteilung der Gesänge nach den Kirchentönen entwickelt, was im Hinblick auf die gregorianischen Gesänge ihr Hauptanliegen war. Die wesentlichsten Elemente faßt das Bernhard von Clairvaux zugeschriebene Tonale in der Mitte des 12. Jahrhunderts zusammen: *„Tonus est regula, naturam et formam cantuum regularium determinans"* (GS II, 265 a). In Übereinstimmung mit Guy de Châlis (CS II, 169 a) bestimmen neben der *Finalis* mit der *natura* die Anordnung (*dispositio*) der Halb- und Ganztonschritte sowie mit der *forma* der Melodieverlauf die Tonalität. Beim Melodieverlauf durchdringen sich quantitative und qualitative Gesichtspunkte. Neben dem *Ambitus* insgesamt wird geprüft, ob sich die Melodie in dem gemeinsamen Quintbereich von authentischem und plagalem Ton bewegt, in den *voces communes* oder mehr in den *voces propriae*, die nur einem von beiden zugehörig sind. An diese Fragen der *progressio* schließt sich endlich die Frage nach der „compositio" an, d. h. nach der typischen Verlaufsform in der melodischen Gestalt.

Die *Modi* hatten sich zu einer normativen Richtschnur für die liturgischen Gesänge entwickelt, weil durch sie der Gesang *„moderatur id est regitur, vel modulatur id est componitur"* (Johannes von Affligem, CSM I, 77). Die miteinander verbundenen verschiedenen Grundsätze waren selbstverständlich auch für die Komposition neuer Gesänge maßgebend.

Guido von Arezzo legt im 15. Kapitel seines *Micrologus: „De commoda componenda modulatione"* (CSM IV, 162) ebenso wie sein Nachfolger Johannes von Affligem im 18. Kapitel seiner *Musica: „Praecepta de cantu componendo"* (CSM I, 177) auf drei Gesichtspunkte besonderes Gewicht: eine sinnvolle Gliederung in Abschnitte, eine Anpassung des melodischen Charakters an den Sinn des Textes und den angestrebten Ausdruck, sowie eine *varietas* in der melodischen Bewegungsrichtung und Bewegungsart (sprunghaft-schrittweise). Während Hieronymus von Mähren im 24. Kapitel (ed. Cserba, 173) besonders ausführlich die Verwendung der Intervalle bei der Neukomposition dargestellt hat und ihre Zusammenstellung im Hinblick auf eine ausgeglichene und ebenmäßige Melodiebildung in verschiedene Grade der Schönheit und Häßlichkeit einteilte, faßten im ausgehenden 14. Jahrhundert die Autoren der Simon Tunstede zugeschriebenen *Quatuor principalia musices* im Kapitel 48: *„De planum cantu componendo"* (CS IV, 247) noch einmal alle hierfür zu beachtenden Kriterien der Tonuslehre zusammen.

Seit dem 11. Jahrhundert wurden die Kirchentöne noch durch ein weiteres intervallisches System, das der Hexachorde, überlagert. In den Anfängen eine didaktische Methode zur Schulung des Gehörs, entwickelte sich daraus das System der Solmisation, das dazu diente, alle liturgischen Gesänge intervallgerecht zu singen, ohne die Problematik von Tonsystem und Kirchentönen zu berühren. 1028 beschrieb Guido von Arezzo in der *Epistola de ignoto cantu* (GS II, 43 ff.) an seinen Confrater Michael in Pomposa, wie mit Hilfe der sechs Tonsilben ut re mi fa sol la im Zusammenhang mit einer Merkmelodie jeder Gesang vom Blatt gesungen werden könne. Grundlage war der dem Paulus Diakonus zugeschriebene sapphische Hymnus an den hl. Johannes, den Schutzpatron der Sänger, bei dem die ersten Silben der Halbverse in der möglicherweise von Guido geschaffenen Melodie unter den Tönen c d e f g a stehen: *UT queant laxis REsonare fibris / MIra gestorum FAmuli tuorum / SOLve poluti LAbii reatum / Sancte Johannes.* Nachdem schon Guido selbst auf die Versetzbarkeit dieses Hexachordes auf c in die höhere Quinte (auf g) hingewiesen hatte, entwickelte sich durch zweimalige Transposition des Hexachordes auf c das Guido zugeschriebene sogenannte Solmisationssystem. Um 1100 betrachtet es Johannes von Affligem (CSM I, 49 f.) bereits als gebräuchlich und erwähnt die Guidonische Hand (*„manus Guidonis"*), auf der alle Tonstufen mit den Tonsilben auf Fingergelenken und -spitzen dargestellt sind. Bei Hieronymus von Mähren (ed. Cserba, 45 ff.), Johannes de Garlandia (CS I, 157 ff.) und Engelbert von Admont (GS II, 320 b ff.) ist das System in der Mitte des 13. Jahrhunderts dann voll ausgebildet. Die Hexachorde auf c (*naturale*), auf g (*durum*) und f (*molle*) haben einheitlich den Halbtonschritt in der Mitte und werden in sieben Reihen auf das ganze Tonsystem von Γ bis ͤ nach folgendem Teilschema ausgedehnt:

```
        Γ   A   B   C   D   E   F   G   a   b♮   c   d   e
        ut  re  mi  fa  sol la
            naturale: ut  re  mi  fa  sol la
                        molle: ut  re  mi  bfa sol la
                        durum: ut  re  ♮mi fa  sol la
```

Den Tonbuchstaben (*litterae, claves*) wurden so die entsprechenden Tonsilben (*syllabae, voces*) bei der Benennung der Tonstufen angefügt (z. B.: a la mi re). Überschreiten die Melodien den Umfang eines Hexachordes, so wird durch „Mutation", einem Wechsel der Tonsilbe (etwa von la nach mi bei a la mi re), in ein anderes Hexachord übergegangen. Durch dieses bis ins 16. Jahrhundert bewährte System der Solmisation wurde vor allem eine eindeutige gesangliche Fixierung der alternativ gebrauchten Töne der Doppelstufe b—fa / ♮-mi gewährleistet, da beide Halbtonschritte jeweils die Mitte eines eigenen Hexachordes (s. o.) bildeten. Hieronymus von Mähren (ed. Cserba, 169) hat deshalb diejenigen Hexachorde aufgeführt, die bei den einzelnen Kirchentönen je nach dem Vorkommen von h oder b bei der Solmisation zu benutzen sind.

Während die Solmisationslehre als Hilfsmittel zum Erlernen der gregorianischen Gesänge in keinem Traktat fehlt, werden Fragen des Choralvortrags, wie sie in kirchlichen Regeln, Statuten und Erlassen häufiger zu finden sind, in der Musiktheorie meist nur anhangsweise aufgegriffen, z. B. von Hieronymus von Mähren (ed. Cserba, 187 f.) und von den Simon Tunstede zugeschriebenen *Quatuor principalia musices* (CS IV, 251 a).

Mit seinen fünf Regeln, „*ordinate et debite cantum ecclesiasticum cantare*" (u. a. das Zeitmaß einzuhalten, sich nach dem Leiter zu richten, mit einheitlicher Stimmgebung und in mittlerer Stimmlage zu singen), weist Hieronymus unmittelbar auf die Schrift des Conrad von Zabern († um 1480) hin, aus dessen Reformtätigkeit ein eigener Traktat über den Choralvortrag hervorging. Die Schrift *De modo bene cantandi choralem cantum* von 1474 erfuhr sogar um 1480 eine frühneuhochdeutsche Übersetzung in der „*Lere von körgesanck*" (ed. Gümpel). Die musikalisch-liturgischen Voraussetzungen für einen vorzüglichen Choralvortrag werden in sechs Anweisungen des Singens („*concorditer, mensuraliter, mediocriter, differentialiter, devotionaliter, urbaniter*") ausführlich erörtert. Das einträchtige Zusammensingen soll in ebenmäßiger Mensur innerhalb der mittleren Stimmlage geschehen; die Gesänge, die sich im Tempo nach dem kirchlichen Festcharakter richten (bei Hochfesten: langsam-feierlich), sollen andächtig, in Ehrfurcht vor der tradierten Melodieform und kunstvoll vorgetragen werden; schließlich sollen alle „bäurischen" Unarten wie Verfärbung der Konsonanten, nasale Stimmgebung, Schreien, schläfriges oder unruhiges Singen, vermieden werden.

Obwohl seit der Mitte des 14. Jahrhunderts mit dem enzyklopädisch angelegten *Speculum musicae* des Jacobus von Lüttich (CS II, 193 ff.) die Theorie der gregorianischen Gesänge in ihren Grundzügen als etwas Abgeschlossenes betrachtet werden konnte, und obwohl seit dem 13. Jahrhundert die *musica mensuralis* gegenüber der *musica choralis, plana* oder *gregoriana* das Interesse der Theoretiker zunehmend in Anspruch nahm, haben auch noch am Ende des Mittelalters Autoren ausschließlich den Choral behandelnde Traktate veröffentlicht, z. B. die beiden Basler Universitätslehrer Michael Keinspeck (*Lilium musicae planae*, Basel 1496) und Balthasar Prasberg (*Clarissima planae atque choralis musicae interpretatio*, Basel 1501), denn der Choral war immer noch die Grundlage aller Kunstmusik. Wenn schließlich Heinrich Glarean aus seinen zwischen 1519 und 1539 betriebenen Studien der antiken Musiktheorie zur Erweiterung des traditionellen Systems der acht Kirchentöne auf zwölf kam, die seiner 1547 gedruckten Schrift *Dodekachordon* den Titel gaben, erweist das die unverminderte Aktualität der im Mittelalter über die gregorianischen Gesänge entwickelten theoretischen Lehren.

Klaus Wolfgang Niemöller

Ausgewählte Literatur

Abert, A. A., Das Nachleben des Minnesangs im liturgischen Spiel, in: Mf I, 1948.

Abert, H., Zu Cassiodor, in: SIMG III, 1901/02, 439.

Altisent, M., Il „Tonus Praefationis" ambrosiano, in: Ambr. 17, 1941, 23—31.

Amelli, M., L'epigramma di Paolo Diacono intorno al canto Gregoriano e Ambrosiano, in: Memorie stori che Forogiuliesi 9, 1913.

Amiet, R., Le prologue Hucusque au Sacramentaire grégorien, in: Scriptorium 7, 1953, S. 177—210.

Andoyer, R., L'ancienne liturgie de Bénévent, in: RCGr 20, 1911/12, 176—183; 21, 1912/13, 14—20, 44—51, 81—85, 112—115, 144—148, 169—174; 22, 1913/14, 8—11, 41—44, 80—83, 106—111, 141—145, 170—172; 23, 1919/20, 42—44, 116—118, 182—183; 24, 1920/21, 48—50, 87—89.

Andrieu, M., Les Ordines Romani du Haut-Moyen-Age I—V, Louvain 1931 — Gembloux 1956.

Anglès, H., Latin Chant before St. Gregory and Gregorian Chant, in: NOHM II, London 1954.

ders., Sakraler Gesang und Musik in den Schriften Gregors des Großen, in: Essays presented to E. Wellesz, Oxford 1966.

ders., Ambrosian Chant, in: NOHM II, London 1954, S. 59—72.

ders., La música medieval en Toledo hasta el siglo XI, in: Sp F I, 8, 1938, 1—68.

ders., Mozarabic Chant, in: NOHM II (1954), 81—91.

ders., La Música de las Cantigas de Santa Maria del rey Alfonso el Sabio, Barcelona 1958.

ders., Die Sequenz und die Verbeta im mittelalterlichen Spanien, in: Fs. für Carl-Allan Moberg 1961.

ders., Early Spanish Musical Culture and Cardinal Cisneros's Hymnal of 1515, in: Aspects of Medieval and Renaissance Music. A Birthday Offering to Gustave Reese. New York 1966, S. 3—16.

ders., Antiphonarium Mozarabicum de la Catedral de León. Edición y notas por los PP. Benedictinos de Silos, León 1938.

ders., Antifonario visigótico-mozárabe de la Catedral de León. Edicion facsimil Madrid—Barcelona—León 1953 (Monumenta Hispaniae Sacra, Serie Litúrgica. Vol. 2 Facsimiles Musicale I).

ders., Saint Césaire d'Arles et le chant des Hymnes, in: Maison-Dieu, 1967, S. 73—78.

ders., Die volkstümlichen Melodien in den mittelalterlichen Sequenzen, in: Fs. W. Wiora, Kassel 1967, 214—220.

Apel, W., Gregorian Chant, Indiana ³/1966.

Appel, M., Terminologie in den mittelalterlichen Musiktraktaten, Diss. Berlin 1935.

Aubry, P., Iter Hispanicum. Notices et extraits de manuscrits de musique ancienne conservés dans les bibliothèques d'Espagne. Paris 1908, 57—73.

Auda, A., L'école musicale liégeoise au Xe siècle: Etienne de Liège, in: Mémoires publiés par l'Académie Royale de Belgique, classe des Beaux-Arts, II, fasc. I, Bruxelles 1923.

ders., Les Modes et les Tons de la Musique et spécialement de la Musique Médiéval (Mémoires de l'Académie Royale de Belgique III, 1), Bruxelles 1930.

ders., Les Gammes musicales. Essai historique sur les Modes et sur les Tons de la musique depuis l'Antiquité jusqu'à l'époque moderne, Liège 1947.

Avery, M., The Beneventan Lections for the Vigil of Easter and the Ambrosian Chant Banned by Pope Stephan IX at Montecassino, in: StGr 1, 1947, 433 bis 458.

Balmer, L., Tonsystem und Kirchentöne bei Johannes Tinctoris, Bern u. Leipzig 1935.

Baroffio, G., Die Offertorien der ambrosianischen Kirche. Vorstudie zur kritischen Ausgabe der mailändischen Gesänge, Diss., Köln 1964.

ders., Die mailändische Überlieferung des Offertoriums Sanctificavit, in: Fs. Bruno Stäblein, Kassel 1967, S. 1—8.

Bartholomaeis, V. de, Origini della poesia drammatica italiana, Turin ²/1952.

Bayart, P., Les offices de saint Winnoc et de saint Oswald, d'aprés le manuscrit 14 de la Bibliothèque de Bergues, in: Annales du Comité flamand de France 35, Lille 1926.

Baumstark, A., Ein frühchristliches Theotokion in mehrsprachlicher Überlieferung und verwandte Texte des ambrosianischen Ritus, in: OC, N.F., 9, 1920, S. 36 bis 61.

Bautier-Regnier, A.-M., Notes du lexicographie musicale: A propos des sens de neuma et de nota en latin médiéval, in: RB XVIII, 1964.

Becker, A., Ein Erfurter Traktat über gregorianische Musik, in: AfMw I, 1918/19, S. 145.

Becker, Ph. A., Vom christlichen Hymnus zum Minnesang, in: HJb 52, 1932.

Benz., S., Der Rotulus von Ravenna, Münster 1967.

Beyssac, G., Notes sur le Kyrie „fons bonitatis", in: RaGr III, 1904.

Birkner, G., Eine „Sequentia Sancti Johannis confessoris" in Trogir (Dalmatien), in: MO 2, Kassel 1963.

Blume, Cl. und Dreves, G., Analecta Hymnica Medii Aevi, Leipzig 1886—1922. Nachdruck 1965.

Bopp, L., Die Volkstümlichkeit und Verkündigungskraft der altspanischen Liturgie, in: SpF II, 1962, 123—138.

Borella, P., L'antifona post Evangelium, in: Ambr 8, 1932, 97—107.

ders., L'Ingressa della Messa ambrosiana, in: Ambr 24, 1948, 83—90.

ders., Il rito ambrosiano, Brescia 1964.

Bosse, D., Untersuchung einstimmiger mittelalterlicher Melodien zum „Gloria in excelsis deo", Diss. Erlangen 1954.

Bragard, R., Le Speculum musicae du compilateur Jacques de Liège, in: MD VII, 1953, 59 und VIII, 1954, 1.

Brambach, W., Die verloren geglaubte „Historia de sancta Afra Martyre" und das „Salve regina" des Hermannus Contractus, Karlsruhe 1892.

ders., Das Tonsystem und die Tonarten des christlichen Abendlandes im Mittelalter bis auf die Schule Guidos von Arezzo, Leipzig 1881.

ders., Die Musikliteratur des Mittelalters bis zur Blüte der Reichenauer Sängerschule (500–1050), Karlsruhe 1883.

ders., Theorie und Praxis der Reichenauer Sängerschule, Karlsruhe 1888.

Brenn, F., Die gregorianischen Modi nach dem Speculum Musicae, in: KrB, Basel 1949, S. 72.

Brockett, C. W., Inverstigacion sobre la música mozárabe, Diss. Columbia University 1970.

Bronarski, L., Die Quadripartita figura in der mittelalterlichen Musiktheorie, in: Fs. P. Wagner, 1926, 27.

ders., Die Lieder der heiligen Hildegard, ein Beitrag zur Geschichte der geistlichen Musik des Mittelalters (= Veröffentlichungen der gregorianischen Akademie Freiburg, Schweiz, IX), Leipzig 1922.

Brou, L., Le répons « Ecce quomodo moritur » dans les Traditions romaine et espagnole, in: Revue Bénedictine, Abbaye de Maredsous, 1939, S. 144–68.

ders., Études sur la liturgie mozarabe. Le Trisagion de la Messe d'aprés les sources manuscrites. EL 61, 1947, S. 309–384.

ders., Le Psallendum de la messe et les chants connexes d'après les sources manuscrites, EL 61, 1947, S. 13–54.

ders., Les « Benedictiones » ou cantique des trois Enfants dans l'ancienne messe espagnole, in: HS I, 1948, 21–33.

ders., Les chants en langue grecque dans les liturgies latines, in: SE I, 1948, 165–180.

ders., Liturgie « Mozarabe » ou Liturgie « Hispanique »?, in: EL 63, 1949, S. 66–70.

ders., The Psalter-Collects from V–VI Century Sources. Henry Bradshaw Society, 1949.

ders., Bulletin de liturgie mozarabe, in: HS 2, 1949, S. 459–484.

ders., Les fragments visigothiques de l'université de Cambridge, in: HS 3, 1950, S. 139–144.

ders., L'Antiphonaire Visigothique et l'Antiphonaire Grégorien au debut du VIII siècle, in: ACMs, Roma 1950, AnM V, 1950, S. 3–10.

ders., Sequences et Tropes dans la liturgie mozarabique, in: HS IV, 1951, 27–41.

ders., L'Alleluia dans la liturgie mozarabe. Étude liturgico-musicale d'après les manuscrits de chant, in: AnM VI, 1951, S. 3–90.

ders., Un antiphonaire mozarabe de Silos d'après les fragments du British Museum, in: HS V, 1952, S. 341 bis 366.

ders., Notes de paléographie musicale mozarabe, in: AnM VII, 1952, 51–76 und X, 1955, 23–44.

ders., Fragments d'un antiphonaire mozarabe du monastère S. Juan de la Peña, in: HS V, 1952, S. 36–65.

ders., Le joyau des antiphonaires latins, in: Archivos Leoneses VIII, 1954, 7–114.

ders., Encore les « Spanish Symptoms » et leur contrepartie, in: HS vol. 7, 1954, S. 467–485.

ders., L'ancien office de saint Vaast, évêque d'Arras, in: EGr 4, 1961, 7–42.

ders., Le répons Gaude Maria Virgo, in: EL 62, 1948, 321–353; 65, 1951, 28–33.

Brou, L. und Vives, J., Antifonario visigótico-mozárabe de la catedral de León (Monumenta HS, Serie Litúrgica, Vol. V₁), Madrid–Barcelona 1959.

Bruning, E., De middelnederlandse liederen van het onlangs ontdekte Handschrift van Tongeren (Omstreeks 1480), Antwerpen 1955.

ders., Der musikalische Wert des Reimoffiziums zu Ehren des hl. Antonius von Padua, in: GrBl LV, 1931.

Bulst, W. (Hg.), LXX Hymni antiquissimi, Heidelberg 1959.

Buzga, J., Zur musikalischen Problematik der alttschechischen Kantionalien, in: Mf 12, 1959.

Cabrol, F., Le « Liber Ordinum » et la liturgie mozarabe, in: Revue des Questions Historiques, Paris 1905, 173 bis 185.

ders., Mozarabe (La Liturgie), DACL XII, 1935, Sp. 390 bis 491.

ders., Les origines de la liturgie gallicane, in: Revue d'Histoire ecclésiastique 30, 1930, 949 ff.

Cagin, P., Avant-propos sur l'Antiphonaire Ambrosien, in: PalMus 5, 1896, 1–200.

Callewaert, C., L'œuvre liturgique de s. Grégoire. La Septuagésime et l'Alleluia, in: SE 1940, 635–653.

Cappelle, B., Deux psautiers gaulois dans le doc. Aug. CCLIII, in: RBen 37, 1925, 215–223.

Cattaneo, E., Il breviario ambrosiano, Milano 1943.

ders., I canti della frazione e communione nella liturgie ambrosiana, in: Fs. Leo Kunibert Mohlberg II, Roma 1949, 147–174.

ders., Rito ambrosiano e liturgia orientale, in: AA 2, 1950, 19–42.

ders., Note storiche sul canto ambrosiano, in: AA 3, Milano 1950.

ders., Il canto ambrosiano, in: Storia di Milano (Treccani), IV, Milano 1954, 575–611.

Chailley, J., Les anciens tropaires et sequentiaires de l'Ecole de Saint-Martial de Limoges (Xe–XIe siècles), in: EGr II, 1957.

ders., Le drame liturgique médiéval à St. Martial, in: Revue de l'histoire du théâtre VII, 1955.

ders., Alia musica (Publications de l'Inst. de Musicologie de l'Université de Paris 6.), Paris 1965.

Chevalier, U., Repertorium Hymnologicum, Löwen und Brüssel, 1892–1921.

ders., Prosolarium ecclesiae Aniciensis, Office en vers de la Circoncision en usage dans l'église du Puy, (Bibliothèque Liturgique V, 1) Valence 1894–1903.

Claire, J., L'évolution modale dans les répertoires liturgiques occidentaux, in: RGr 40, 1962, 196–211, 229 bis 245; 41, 1963, 49–62, 77–102, 127–151.

ders., La psalmodie responsoriale antique, in: RGr 41, 1963, 8–29.

ders., Les répertoires liturgiques occidentaux, in: RBen 40, 1962, 208 ff.

Corbin, S., Le manuscrit 201 d'Orléans. Drames liturgiques dits de Fleury, in: Romania 74, 1953.

Crocker, R. L., The Repertory of Proses at Saint Martial de Limoges in the 10th Century, in: JAMS XI, 1958, 149–164.

ders., The Troping Hypothesis, in: MQ LII, 1966.

Coussemaker, Ch. E. H. de, Drames liturgiques du moyen âge, Paris 1861.

Craig, H., English Religious Drama of the Middle Ages, Oxford 1955.

Cserba, P. S., Hieronymus de Moravia O. P. Tractatus de Musica (Freiburger Stud. z. Mw. 2.), Regensburg 1935.

Cugnier, G., Anciens usages et coutumes liturgiques de l'abbaye de Luxeuil, in: Mémoires de la société pour l'histoire du Droit et des Institutions des anciens pays bourguignons, comtois et romands, fasc. 24, 1963, 35—41.

Delaporte, Y., Le Répons „Continet in gremio", in: RaGr IX, 1910.

Deshusses, J., Le bénédictionnaire gallican au VIIIᵉ siècle, in: EL 77, 1963, 169—187.

Diaz y Diaz, M. C., Los prólogos del Antiphonale visigothicum, in: Archivos Leoneses 8, 1954, 226—257.

Dijk, A. van, Wann hat Julian von Speier seine Reimoffizien . . . verfaßt?, in: Franziskanische Studien XXIII, 1936.

Dreimüller, K., Die Musik im geistlichen Spiel des späten Mittelalters, in: KmJb, 34, 1950.

Dreves, G. M. und Blume C., Ein Jahrtausend lateinischer Hymnendichtung, Leipzig 1909.

Drinkwelder, O., Ein deutsches Sequentiar aus dem Ende des 12. Jahrhunderts, Graz und Wien 1914.

Ebel, B., Das älteste alemannische Hymnar mit Noten, Kodex 366 (472) Einsiedeln (XII. Jh.), Einsiedeln 1930.

Ebner, A., Gregor der Große und das römische Antiphonar, in: Km. Jb. VII 1892.

Eitner, R., Die Kirchentonarten in ihrem Verhältnis zu den griechischen Tonleitern, in: MfM IV, 1872, 169 u. 189.

Ellinwood, L., Musica Hermanni Contracti (Eastman School of Music Studies 2.), Rochester 1936.

Evans, P., Some reflections on the Origin of the Trope, in: JAMS 14, 1961.

Fábrega, A., Pasionario Hispano (siglos VII—XI). (Monumenta HS, Serie Liturgica vol. 6.) Madrid—Barcelona I—II 1953—55.

Falvy, Z., Die Weisen des König Stephan-Reimoffiziums, in: Stm VI, 1964.

Felder, H., Die liturgischen Reimoffizien auf Franziskus und Antonius von Julian von Speier, Freiburg (Schweiz) 1901.

Fellerer, K. G., Deutsche Gregorianik im Frankenreich, in: KB 5, Regensburg 1941.

ders., Der Gregorianische Choral im Wandel der Jahrhunderte, Regensburg 1936.

ders., Die Mariensequenzen im Freiburger Prosarium, in: Fs. Arnold Schering, Berlin 1937.

ders., Zum Musiktraktat des Wilhelm von Hirsau, in: Fs. W. Fischer, 1956, 61.

ders., Untersuchungen zur Musica des Wilhelm von Hirsau, in: Mescelánea en homenaje a Mons. H. Anglès, I, Barcelona 1958—61, 239.

Férotin, M., Le Liber Ordinum en usage dans l'Église visigothique et mozarabe d'Espagne du V au XI siècle (MEL V), Paris 1904.

ders., Le Liber Mozarabicus Sacramentorum et les Manuscrits Mozarabes (MEL VI), Paris 1912.

Ferretti, P., Estetica Gregoriana, Roma 1934.

Flindell, E. F., Der Terminus Organum in den frühen Introitus-Tropen, in: Mf XVIII, 1965.

Frank, G., The Medieval French Drama, Oxford 1954.

Franquesa, A., Die Beteiligung des Volkes in der mozarabischen Liturgie, in: LL V, 1938, 243—272.

Frere, W. H., Antiphonale Sarisburiense, London, 1901 bis 1925.

ders., Graduale Sarisburiense, London 1894.

Friedlein, G., Anicii M. T. S. Boetii de institutione arithmetica, de institutione musica, Leipzig 1867.

Gajard, J., Les récitations modales des 3ᵉ et 4ᵉ modes et les mss. bénéventains et aquitains, in: EGr 1, 1954, 9—45.

Gamber, K., Codices latini liturgici antiquiores, Fribourg 1963.

ders., Ordo antiquus Gallicanus. Der gallikanische Meßritus des 6. Jahrhunderts, Regensburg 1965 (Textus patristici et liturgici, Fasc. 3.).

ders., Die mittelitalienisch-beneventanischen Plenarmissalien, in: SE 9, 1957, 26 5—285.

ders., Die kampanische Lektionsordnung, in: SE 13, 1962, 326—352.

Garbagnate, E., Gli inni del breviario ambrosiano, Mailand 1897.

Gastoué, A., Les origines du Chant Romain, Paris 1907.

ders., Paraphonie et Paraphonistes, in: RMl X 1928.

ders., Le Graduel et l'Antiphonaire romains, Lyon 1913.

ders., Histoire du chant liturgique à Paris, des origines à la fin des temps carolingiens, Paris 1904, in: RCGr, 1902—1903.

ders., Le chant gallican, Grenoble 1939, in: RCGr, 1937 bis 1939.

ders., Über die 8 „Töne", die authentischen und die plagalen, in: Km. Jb. XXV, 1930, 25.

Gatard, A., Ambrosius (Chant), in: DACL 1, 1907, 1353 bis 1373.

Gautier, L., Histoire de la Poésie liturgique au Moyen Age. Les Tropes, Paris 1886.

Gennrich, F., Grundriß einer Formenlehre des mittelalterlichen Liedes, Halle 1932.

ders., Internationale mittelalterliche Melodien, in: ZfMw XI, 1928/29.

Gérold, T., Les Drames liturgiques médiévaux en Catalogue, in: Revue d'histoire et de philosophie religeuse XVI, Straßburg 1936.

Gevaert, F. A., Der Ursprung des römischen Kirchengesanges, Leipzig 1891.

ders., La Mélopée antique dans le chant de l'église latine, Gent 1895.

Gieburowski, W., Die Musica magistri Szydlovite, ein polnischer Choraltraktat des 15. Jahrhunderts und seine Stellung in der Choraltheorie des Mittelalters, Posen 1915.

ders., Choral Gregorjanski w Polsce od XV do XVII wieku ze specjalnem uwzglednieniem tradycji i reformy oraz choralju Piotrkowskiego (Die Entwicklung des gregorianischen Chorals in Polen vom 15. bis zum 17. Jahrhundert), Poznań 1922.

Gilson, J. P., The mozarabic Psalter. Henry Bradshaw Society 30, London 1905.

Gindele, C., Die gallikanische „Laus perennis" Klöster und ihr Ordo Officii, in: RBen 69, 1959, 32—48.

Gmelch, J., Die Kompositionen der heiligen Hildegard, Düsseldorf 1913.

Goede, N. de (Hg.), The Utrecht Prosarium. Liber sequentiarum ecclesiae capitularis Sanctae Mariae Ultraiectensis saeculi XIII. Codex Ultraiectensis, Universitatis Bibliotheca 417 (Monumenta Musica Neerlandica, Bd. VI), 1965.

Gombosi, O., Studien zur Tonartenlehre des frühen Mittelalters, in: AMl X, 1938, 149; XI, 1939, 28, 128 u. XII, 1940, 21.

Griffe, E., Aux origines de la liturgie gallicane, in: Bull. de littérature ecclésiastique 52, 1951, 32—48.

Gümpel, K.-W., Die Musiktraktate Conrads von Zabern (Akad. d. Wiss. Mainz. Abh. d. geistes- u. sozialwiss. Kl., Jg. 1956, Nr. 4), Mainz 1956.

ders., Hugo Spechtshart von Reutlingen: Flores musicae (1332/42) (ebenda, Jg. 1958, Nr. 3), Mainz 1958.

ders., Zur Interpretation der Tonus-Definition des Tonale Sancti Bernardi (ebenda, Jg. 1959, Nr. 2), Mainz 1959.

Gurlitt, W., Zur Bedeutungsgeschichte von musicus und cantor bei Isidor von Sevilla (ebenda, Jg. 1950, Nr. 7), Mainz 1950.

Gysi, H. P., Studien zum Vokabular der Musiktheorie im Mittelalter. Eine linguistische Analyse. Diss. Basel 1958.

Handschin, J., Tropes, Sequences and Conductus, in: NOHM II, London 1954, 128–174.

ders., Über Estampie u. Sequenz, in: ZfMw XII, 1928/29 u. XIII, 1930/31.

ders., Two Winchester Tropers, in: The Journal of Theological Studies 37, 1936.

Hanssenns, M., Amalarii episcopi opera liturgica omnia, in: Studi e Testi 138–140, Roma 1948–1950.

Harrison, F., Benedicamus, Conductus, Carol: A newly-discovered Source, in: AMl XXXVII, 1965.

Heiming, O., Vorgregorianische römische Offertorien in der mailändischen Liturgie, in: LL 5, 1938, 72–79.

ders., Die ältesten ungedruckten Kalender der mailändischen Kirche, in: Fs. Alban Dold, Beuron 1952, 214 bis 235.

ders., Die Mailänder Meßfeier, in: Eucharistiefeiern in der Christenheit, hrsg. v. T. Bogler, in: LuM 26, Maria Laach 1960, S. 48–57.

Hesbert, R.-J., Le problème de la transfixion du Christ dans le traditions biblique, patristique, iconographique et musicale, Tournai 1940.

ders., Un antique offertoire de la Pentecôte „Factus est repente", in: Organicae voces, Fs. Joseph Smits van Waesberghe, Amsterdam 1963, S. 59–69.

ders., Le chant de la bénédiction épiscopale, in: Mélanges en l'honneur de Mgr. M. Andrieu, Strasbourg 1956, 201–218.

ders., La Messe Omnes gentes du 7e dimanche après la Pentecôte, in: RGr 17, 1932, 81–89, 170–179; 18, 1933, 1–14.

ders., Antiphonale Missarum Sextuplex, Bruxelles 1935.

ders., Corpus antiphonalium Officii I–II, Rerum ecclesiasticarum Documenta, Series Major, Fontes VII bis VIII, Roma 1963–1965.

ders., La Tradition Bénéventaine dans la Tradition manuscrite, in: PalMus 14, 1931, 60–479.

ders., Les dimanches du Carême dans les mss. romano-bénéventains, in: EL 48, 1934, 198–222.

ders., L'Antiphonale Missarum de l'ancien rit bénéventain, in: EL 52, 1938, 28–66, 141–158; 53, 1939, 168–190; 59, 1945, 69–95; 60, 1946, 103–141; 61, 1947, 153–210.

ders., L'évangélaire de Zara, in: Scriptorium 8, 1954, 177–204.

Hesbert, R.-J. (Hg.), Le Prosaire de la Sainte-Chapelle (Monumenta MS I), Macon 1952.

ders., Le Prosaire d'Aix-la-Chapelle (Monumenta MS III), Rouen 1961.

Hofmann, H., Tropen zu den Offiziums-Responsorien, Diss. Erlangen 1970.

Holman, H.-J., Melismatic Tropes in the Responsories for Matins, in: JAMS XVI, 1963.

Hoppin, R. H., Exultantes collaudemus: A sequence for Saint Hylarion, in: Aspects of Medieval and Renaissance Music, = FS G. Reese, New York 1966.

Hourlier, J., Extension du culte de saint Rémy en Italie, in: EGr 1, 1954, 181–185.

Hucke, H., Gregorianischer Gesang in altrömischer und fränkischer Überlieferung, in: AfMw 10, 1955, 74–87.

ders., Die Einführung des gregorianischen Gesanges in Frankreich, in: RQ 49, 1954, 172–187.

ders., Untersuchungen zum Begriff „Antiphon" und zur Melodik der Offiziumsantiphonen, Freiburg i. Br. 1952 (masch.).

ders., Musikalische Formen der Offiziumsantiphonen, in: KmJb XXXVII, 1953, 7–34.

Hughes, A., Anglo-french Sequelae, London 1934 (reprint 1966).

Huglo, M., A proposito di una nuova enciclopedia musicale. Le « melodiae » ambrosiane, in: Ambr 27, 1951, 114–119.

ders., Antifone antiche per la Fractio Panis, in: Ambr 31, 85–95.

ders., L'invito alla pace nelle antiche liturgie beneventane e ambrosiane, in: Ambr. 30, 1954, 158–161.

ders., Vestiges d'un ancien répertoire musical de Haute-Italie, Zweiter Intern. Kongr. f. Kirchenmusik, Wien 1954, Bericht, Wien 1956, 142–145.

Huglo, M. mit Cardine-Agustoni-Moneta Caglio, Fonti e paleografia del canto ambrosiano, in: AA 7, 1956.

ders., L'annuncio pasquala della liturgia ambrosiana, in: Ambr. 33, 1957, 88–91.

ders., Une antienne ambrosienne diffusé hors de Milan, in: Quaderno di Ambr 35, 1959, S. 164.

ders., Relations musicales entre Byzance et l'Occident, in: Proceedings of the 13th Intern. Congr. of Byz. Studies, Oxford 1966, 267–280.

ders., La mélodie grecque du Gloria in excelsis, in: RGr 29, 1950, 30–40.

ders., L'auteur de l'Exultete pascal, in: Vigilae Christianae 1953, 79–88.

ders., Mélodie hispanique pour une ancienne hymne à la Croix, in: RGr 28, 1949, 191–196.

ders., Source hagiopolite d'une antienne hispanique pour le dimanche des Ramaux, in: HS V, 1952, 367–374.

ders., Les preces des graduels aquitains empruntées à la liturgie hispanique, in: HS 8, 1955, 361–383.

ders., Die Adventsgesänge nach den Fragmenten von von Lucca (8. Jh.), in: KmJb 35, 1951, 10–15.

ders., Un tonaire du graduel de la fin du VIIIe siècle (B.N.lat. 13 159), in: RGr 31, 1952, 176–186, 224–233.

ders., Le chant vieux-romain: manuscrits et témoins indirects in: SE 6, 1954, 96–124.

ders., Les listes alléluiatiques dans les témoins du graduel grégorien, in: Fs. H. Husmann 1968.

ders., Liste complémentaire de mss. bénéventains, in: Scriptorium 18, 1964, 89–91.

ders., Un nouveau prosaire nivernais, in EL 71, 1957.

Hüschen, H., Art. Franziskaner, in: MGG IV (mit weiteren Literatur-Hinweisen).

ders., Das Cantuagium des Heinrich Eger von Kalkar 1328–1408 (Beitr. zur rhein. Mg. 2.), Köln 1952.

ders., Textkonkordanzen im Schrifttum des Mittelalters. Habil. Schr. Köln 1955, masch. (in Vorber. als KB 20).

ders., Die Musik im Kreis der artes liberales, in: KrB, Hamburg 1956, 117.

ders., Regino von Prüm, Historiker, Kirchenrechtler und Musiktheoretiker, in: Fs. K. G. Fellerer, 1962, 205.

ders., Der Modus-Begriff in der Musiktheorie des Mittelalters und der Renaissance, in: Mittellat. Jb., II, 1965, 224.

Husmann, H., Zum Großaufbau der ambrosianischen Alleluia, in: AnM 12, 1957, 17—33.

ders., Alleluia, Sequenz und Prosa im altspanischen Choral, in: Miscelanea Higino Anglès, I, Barcelona 1958 bis 1961, 407—415.

ders., Sequenz und Prosa, in: AMl II, 1954.

ders., Die St. Galler Sequenztradition bei Notker und Ekkehard, in: AMl 26, 1954.

ders., Alleluia, Vers und Sequenz, in: AMl IV, 1956.

ders., Sinn und Wesen der Tropen, veranschaulicht an den Introitus-Tropen des Weihnachtsfestes, in: AfMw XVI, 1959.

ders., Die Sequenz Duo tres, in: Memoriam Jacques Handschin, Straßburg 1962.

ders., Tropen- und Sequenzhandschriften (RISM B V 1), München 1964.

Irtenkauf, W., Die Alleluia-Tropierungen der Weingartner Hss., in: Fs. zur 900-Jahr-Feier der Abtei Weingarten.

ders., Das Seckauer Cantionarium vom Jahre 1345 (Hs. Graz 756), in: AfMw 13, 1956.

ders., Die Weihnachtskomplet im Jahre 1345 in Seckau, in: Mf IX, 1956, 257—262.

ders., Art. Reimoffizium, in: MGG XI.

Jacobsthal, G., Die chromatische Alteration im liturgischen Gesang der abendländischen Kirche, Berlin 1897.

Jaeggi, O., Zum Tropus „Psalle ludens thalia", in: Der kultische Gesang der abendld. Kirche, hg. v. F. Tack, Köln 1950.

ders., Le Rappresentazioni sacre del Codice 366 di Einsiedeln, Diss. Rom 1941 (mschr.).

Jammers, E., Der mittelalterliche Choral, Mainz 1954.

ders., Die Anfänge der abendländischen Musik, Straßburg 1955.

ders., Der gregorianische Rhythmus. Antiphonale Studien, Straßburg 1937.

ders., Art. Cantio, in: MGG II.

ders., Rhythmen und Hymnen in einer St. Galler Hs. des 9. Jh., in: Fs. B. Stäblein, Kassel 1967.

ders., Das Karlsoffizium „Regali natus", Straßburg 1934 (Sammlung musikwissenschaftlicher Abhandlungen, hg. v. Karl Nef, Bd. 14).

ders., Die Antiphonen der rheinischen Reimoffizien, in: EL 43, 1929 und 44, 1930.

ders., Wort und Ton bei Julian von Speier, in: Der Kultische Gesang der abendländischen Kirche, in: Fs. D. Johner, Köln 1950.

ders., Einige Anmerkungen zur Tonalität des Gregorianischen Gesangs, in: FS K. G. Fellerer, Regensburg 1962, 235.

Jesson, R., Ambrosian Chant. The Music of the Mass, Diss. Indiana University 1955 (mschr.).

ders., Ambrosian Chant, in: W. Apel, Gregorian Chant, 465—483.

Kähler, E., Studium zum Te Deum und zur Geschichte des 24. Psalms in der alten Kirche, Göttingen 1958.

Kahmann, B., Lo stile melodico nel canto ambrosiano, Diss. Roma 1942 (mschr.).

Kettering, H., Die Musik im Essener Stift bis zur Reformation (Beitr. zur rhein. Mg., 8), Köln 1955.

Kienle, A., Über ambrosianische Liturgie und der ambrosianische Gesang, Separatdruck aus: Studien und Mitteilungen des Benediktiner- und Cistercienser-Ordens, Brünn 1884.

Klauser, T., Die liturgischen Austauschbeziehungen zwischen der römischen und der fränkisch-deutschen Kirche vom 8.—11. Jh., in: HJb 53, 1933, 169 ff.

Kornmüller, U., Die Choralkompositionslehre vom 10. bis 13. Jahrhundert, in: MfM IV, 1872, 57.

ders., Die alten Musiktheoretiker, in: KmJb I, 1886, 1; II, 1887, 1; III, 1888, 1; IV, 1889, 1.

ders., Die Musica enchiriadis und ihr Zeitalter, in: KmJb VII, 1892, 21.

ders., Musiklehre des Ugolino von Orvieto, in: KmJb X, 1895, 19.

ders., Etwas zum 15. Kapitel des Mikrologus von Guido von Arezzo, in: KmJb XX, 1907, 116.

Krieg, E., Das lat. Osterspiel von Tours (Lit.-hist.-mw. Abh. XIII), Würzburg 1956.

Kromolicki, J., Die Lehre von der Transposition in der Musiktheorie des früheren Mittelalters, in: Fs. H. Kretzschmar, 1918, 62.

Kunz, L., Ursprung und textliche Bedeutung der Tonartsilben Noeane, Noeagis, in: KmJb XXX, 1935, 5.

ders., Die Tonartenlehre des Boethius, in: KmJb XXXI bis XXXIII, 1936—38, 5.

Labhardt, F., Das Sequentiar Cod. 546 der Stiftsbibliothek von St. Gallen und seine Quellen, Bern 1959 und 1963 (Publikationen der Schweizerischen musikforschenden Gesellschaft, II, 8).

Lange, G., Zur Geschichte der Solmisation, in: SIMG I, 1889/1900, 535.

Lange, K., Die lat. Osterfeiern, München 1887.

Leclercq, H., Gallicane (Liturgie), in: DACL VI, 1, 474—593.

Leeb, H., Die Psalmodie bei Ambrosius, Wien 1967.

Levy, K., A hymn for thursday in holy week, in: JAMS 16, 1963.

Lipphardt, W., Die mozarabische Neumenschrift, in: MGG IX.

ders., Über Alter und Ursprung des deutschen Choraldialekts, in: JbLw, 1956, 104—107.

ders., Der karolingische Tonar von Metz, Münster in W., 1965 (LQF 43).

ders., Gregor der Große und sein Anteil am römischen Antiphonar, KrB, Rom 1950, 248—254.

ders., Das Hymnar der Metzer Kathedrale um 1200, in: Fs. B. Stäblein, Kassel 1967.

ders., Das Moosburger Cantionale, in: JbL III, 1957.

ders., Art. Liturgische Dramen, in: MGG VIII.

ders., Die Weisen der lat. Osterspiele des 12. u. 13. Jh., in: Mw. Arbeiten II, Kassel 1948.

Lippmann, E. A., Melismatic Tropes in the responsories for matins, in: JAMS 16, 1963.

Loew, E. A., The Beneventan Script. A History of the South Italian Munuscule, Oxford 1914.

ders., A New List of Beneventan Mss., in: Collect. Vatic. in honorem G. A. M. Card. Albareda . . . Città del Vaticano 1962, II, S. 211—244.

Machabey, A., Remarques sur le Winchester Troper, in: Fs. Heinrich Besseler, Leipzig 1961.

Mäkinen, T., Die aus frühen böhmischen Quellen überlieferten Piae Cantiones-Melodien (Studia Historica Jyväskyläensia II), Jyväskylä 1964.

Marcora, C., Il santorale ambrosiano. Recerche sulla formazione dagli inizi al secolo IX, in: AA 5, 1953.

Markovits, M., Das Tonsystem der abendländischen Musik im frühen Mittelalter, Bern 1968.

Marxer, O., Zur spätmittelalterlichen Choralgeschichte St. Gallens. Der Codex 546 der St. Galler Stiftsbibl., St. Gallen 1908.

Massera, G., Georgii Anselmi Parmensis „De Musica", Florenz 1961.

Matthias, F. X., Der Straßburger Chronist Königshofen als Choralist. Sein Tonarius, Graz 1903.

Mearns, J., Early Latin Hymnaries, Cambridge 1930.

Meier, B., Die Handschrift Porto 714 als Quelle zur Tonartenlehre des 15. Jahrhunderts, in: MD VII, 1953, 175.

Messenger, R. E., Christian Hymns of the First Three Centuries, New York 1942.

ders., The Medieval Latin Hymns, Washington 1953.

Meyer, W., Über die rhythmischen Preces der Mozarabischen Liturgie. Göttingen 1913.

ders., Gesammelte Abhandlungen zur mittellateinischen Rhythmik. I—III, Berlin 1905—1936.

Michels, T., La date du couronnement de Charles-le Chauve (9 Septembre 869) et le culte liturgique de saint Gorgon à Metz, in: RBen 51, 1939, 288—292.

Mittler, P., Melodieuntersuchung zu den dorischen Hymnen der lateinischen Liturgie im Mittelalter (Siegburger Studien II), Siegburg 1965.

Moberg, C.-A., Zur Melodiegeschichte des Pange lingua-Hymnus, in: JbLw 5, 1960.

ders., Die liturgischen Hymnen in Schweden, Beiträge zur Liturgie- und Musikgeschichte des Mittelalters und der Reformationszeit I, Kopenhagen 1947.

ders., Über die schwedischen Sequenzen, 2 Bde., Uppsala 1927.

ders., Die Musik in Guido von Arezzos Solmisationshymnus, in: AfMw XVI, 1959, 187.

Mocquereau, A., Le nombre musical gregorien ou rythmique grégorienne, 2 Bde., Rome—Tournai 1908—1927.

Moll, J., Nuevos hallazgos de manuscritos mozárabes con neumas musicales, in AnM V, 1950, 11—14.

Moneta Caglio, E., L'Antifona post Evangelium, in: Ambr. 17, 1941, 119—123.

ders., I responsori „cum infantibus" nella liturgia ambrosiana, in: Fs. Carlo Castiglioni, Milano 1957, 479—578.

ders., Lo stacco espressivo nel canto ambrosiano, in: L. Agustoni, L'interpretazione dei neumi tramandataci dalla loro stessa grafia, in: Ms 82, 1958, 114—119.

Moragas, Dom Beda, Transcripició musical de dos himnes in Miscelanea Liturgica, 4, Madrid—Barcelona 1953.

Morin, D. G., Les véritables origines du Chant grégorien, Paris 1890.

ders., En quoi consiste présisément la réforme grégorienne du chant liturgique, in: RBen 7, 1880, 193—204.

ders., Fragments inédits et jusqu'à présent uniques d'antiphonaire gallican, in: RBen 22, 1905, S. 327 ff.

Mühlmann, W., Die Alia Musica (Gerbert, Scriptores I). Quellenfrage, Umfang, Inhalt und Stammbaum, Diss. Leipzig 1914.

Müller, Hans, Hucbalds echte und unechte Schriften über Musik, Leipzig 1884.

Müller, Hermann, Der Tractatus musicae scientiae des Gobelinus Person, in: KmJb XX, 1907, 177.

Müller-Heuser, F., Vox humana. Ein Beitrag zur Untersuchung der Stimmästhetik des Mittelalters (KB 26), Regensburg 1963.

Nejedlý, Z., Dejiny Husitskeho Zpevu, Prag 3/1955.

Niemöller, K. W., Nicolaus Wollick (1480—1541) und sein Musiktraktat (Beitr. zur rhein. Mg. 13.), Köln 1956.

ders., Zur tonus-Lehre der italienischen Musiktheorie des ausgehenden Mittelalters, in: KmJb XL, 1956, 23.

ders., Die Anwendung musiktheoretischer Demonstrationsmodelle auf die Praxis bei Engelbert von Admont (16. Mediävistentagung Köln 1968), in: Methoden in Wissenschaft u. Kunst des Mittelalters (Miscellanea mediaevalia VII.), Berlin 1970.

Nocilli, G., La Messa Romana, Venezia-Roma 1961.

Novak, V., Scriptura Beneventana, Zagreb 1920.

Oesch, H., Guido von Arezzo. Biographisches und Theoretisches unter besonderer Berücksichtigung der sog. odonischen Traktate (Publ. d. schweizer. musikforsch. Ges. 4.), Bern 1954.

ders., Berno und Hermann von Reichenau als Musiktheoretiker (ebenda 9.), Bern 1961.

Olivar, A., El Sacramentario de Vich (Monumenta HS, Ser. Lit. 4), Madrid—Barcelona 1953.

ders., Sacramentarium Rivipulliense (Monumenta HS, Ser. Lit.), 1963.

Orel, D., Kancional Franusuv, Prag 1922.

Osthoff, H., Deutsche Liedweisen u. Wechselgesänge im mittelalterlichen Drama, in: AfMw VII, 1942.

Osthoff, W., Die Conductus des Codex Calixtinus, in: Fs. B. Stäblein, Kassel 1967.

Ostojić, I., Benedictinci u Hrvatskoj i ostalim Nasim Kraje vima, 1. Bd., Split 1963.

Ott, K., Le melodie ambrosiane studiate specialmente in rapporto alle gregoriane, Roma 1915.

Peacock, P., The Problem of the old Roman Chant, in: Essays presented to E. Wellesz, Oxford 1966.

Pfaff, H., Die Tropen und Sequenzen der Hs. Rom Naz. Vitt. Em. 1343 (Sess. 61) aus Nonantola, Diss. München 1948.

Pfeiffer, H., Klosterneuburger Osterfeier und Osterspiel, in: Jb. des Stiftes Klosterneuburg I, Wien 1908.

Pietzsch, G., Die Klassifikation der Musik von Boetius bis Ugolino von Orvieto (Stud. z. Gesch. d. Musiktheorie im Mittelalter 1.), Halle 1929.

ders., Die Musik im Erziehungs- und Bildungsideal des ausgehenden Altertums und frühen Mittelalters (ebenda 2.), Halle 1932.

Pinell, J., Vestigi del lucernari in Occident, in: Liturgica 1, 1956, 91—145.

ders., De liturgiis occidentalibus cum speciali tractatione de liturgia hispanica, 2 Bde., Romae 1967 (weitere Literatur).

ders., Los textos de la antigua liturgia hispanica. Bibliografía general, in: Estudios sobre la Liturgia Mozárabe. Toledo 1965, 107—191.

ders., Las „Missae", grupos de cantos y oraciones en el Oficio de la antiqua liturgia hispana, in: Archivos Leoneses, 8, 1954, 145—185.

Pocknee, C. E., The French Diocesan Hymns and Their Melodies, London 1954.

Porter, W. S., The Gallican Rite, London 1958.

Pothier, J., Hymne du rite mozarabe pour l'adoration de la croix, in: RCGr, 1897, 117—122.

Potiron, H., L'origine des modes grégoriens, Paris 1948.

ders., Boèce, théoricien de la musique grecque (Travaux de l'Inst. cathol. de Paris IX.), Paris 1961.

Prado, G., Mozarabic Melodies, in: Speculum, III, April 1928.

ders., Estado actual de los estudios sobre la mésuca mozárabe, in: Estudios sobre la liturgia mozárabe, Toledo 1965, 89–106.

ders., Gloria in excelsis in EL 46, 1932, 481–486. – Analecta Sacra Tarraconensia 15, 1942, 45–53.

ders., El Kyrial Espanol, in: Analecta Sacra Tarraconensia 14, 1941, 97–118.

Probst, F., Die ältesten römischen Sakramentarien und Ordines, Münster/W. 1892.

Quasten, J., Expositio antiquae liturgiae gallicanae Germano Parisiensi ascripta, Münster i. W. 1934 (Opusc. et Textus, ser. lit. 3).

ders., Oriental Influence in the Gallican Liturgy, in: Traditio I, 1943, S. 55–73.

Rajeczky, B. und Rado, P., Hymni et Seqentiae, Melodiarium Hungariae Medii Aevi, I, Budapest 1956.

Rajeczky, B., Über die Melodie Nr. 773 der Monumenta Monodica I, in: Fs. B. Stäblein, Kassel 1967.

Ranke, E., Chorgesänge zum Preis der h. Elisabeth aus mittelalterlichen Antiphonarien, Leipzig 1884.

Raugel, F., Saint Césaire précepteur du chant gallican, in: KrB, Köln 1958, Kassel u. Basel 1959, 217–218.

Riemann, H., ΤεΤαΤηΤω und NoEANe, in: ZIMG XIV, 1912/13.

ders., Geschichte der Musiktheorie, Berlin ²/1920; kommentierte engl. Ausg. von Raymond H. Haggh (History of Music Theorie), Lincoln/Nebraska 1962.

Robert, M., Les adieux à l'alleluia, in: EGr 7, 1967, 41–51.

Rönnau, K., Die Tropen zum Gloria in excelsis Deo, Diss. Hamburg 1964.

ders., Regnum tuum solidum, in: Fs. Bruno Stäblein, Kassel 1967.

Rojo, C., The Gregorian Antiphonary of Silos and the spanish Melody of the Lamentations, in: Speculum, V, No 3 July 1930, 306–323.

Rojo, C. und Prado, G., El Canto Mozárabe. Estudio historico-crítico de la antigüedad y estado actual. Barcelona 1929.

Salmon, P., Le lectionnaire de Luxeuil Roma 1944 (Collectanea biblica latina VII.).

Schlager, K.-H., Ein beneventanisches Alleluia und seine Prosula, in: Fs. Bruno Stäblein, Kassel 1967, 217–225.

Schmid, H., Byzantinisches in der karolingischen Musik, in: Ber. z. XI. Internat. Byzantinisten-Kgr., Ber. V, 2: III. Tonartenlehre, München 1958, 16.

Schmidt-Görg, J., Die Sequenzen der hl. Hildegard, in: Beiträge zur rhein. Musikgesch. 20, Köln 1956.

Schmitz, A., Ein schlesisches Cantional aus dem 15. Jh., in: AfMf I, 1936.

Schneider, H., Die altlateinischen Cantica, Beuron 1938 (Texte und Arbeiten in Heft 29–30).

ders., Die biblischen Oden im christlichen Altertum, in: Biblica 30, 1949, 28 ff.

Schoenbaum, C., Die Weisen des Gesangbuchs der Böhmischen Brüder von 1531, in: JbLw III, 1957.

Schubinger, A., Die Sängerschule St. Gallens vom 8.–12. Jh., Einsiedeln und New York 1958.

Schünemann, G., Ursprung und Bedeutung der Solmisation, in: Schulmusikalische Zeitdokumente (Vorträge d. VII. Reichsschulmusikwoche in München), Leipzig 1929, 41.

Schuler, E. A., Die Musik der Osterfeiern, Osterspiele u. Passionen des Mittelalters, Kassel 1951.

Seay, A., Ugolino of Orvieto, Theorist and Composer, in: MD IX, 1955, 111 u. XI, 1957, 126.

Sesini, U., Poesia e musica nella Latinitas christiana dal III al X secolo, Turin 1949.

Smend, D. J., Die römische Messe, Tübingen 1920.

Smits van Waesberghe, J., Zur ursprünglichen Vortragsweise der Prosulen, Sequenzen und Organa, in: KrB Köln 1958.

ders., Muziekgeschiedenis de Middeleeuwen, T. I–II, Tilburg 1936–39 u. 1939–47.

ders., School en Muziek in de Middeleeuwen, Amsterdam 1949.

ders., The musical Notation of Guido of Arezzo, in: MD V, 1951, 15.

ders., John of Affligem or John Cotton?, in: MD VI, 1952, 139.

ders., De musico-paedagogico et theoretico Guidone Aretino, Florenz 1953.

ders., Guido von Arezzo als Musikerzieher und Musiktheoretiker, in: KrB Bamberg, 1953, 44.

ders., The Theory of Music from the Carolingian Era up to 1400. A descriptive Catalogue of Manuscripts, (RISM), München 1961.

Smoldon, W. L., The Easter Sepulchre Music Drama, in: ML 1946.

ders., Liturgical Drama, in: NOHM II, 1954.

Spanke, H., Rhythmen- und Sequenzstudien, in: Studi Medievali N.S. IV, 1931.

ders., Aus der Vorgeschichte und Frühgeschichte der Sequenz, in: ZAL 71, 1934.

ders., Die Londoner St. Martial-Conductushandschrift, in: Bulletin de la Biblioteca de Catalunya VII, 1928 bis 1932.

ders., Das Moosburger Graduale, in: Zeitschrift für romanische Philologie 50, 1930.

ders., St. Martialstudien, in: Zeitschrift für französische Sprache und Literatur 54, 1930/31.

ders., Mittelalterliche Musikhandschriften (München lat. 5539), in: ZAL 69, 1932.

ders., Die Stuttgarter Hs. H.B.I Ascet. 95, in: ZAL 68, 1931.

ders., Ein lateinisches Liederbuch des 11. Jh., in: Studi medievali N.S. XV, 1942.

Spitta, P., Die Musica enchiriadis und ihr Zeitalter, in: VfMw V, 1889, 443.

Stäblein, B., Kann der gregorianische Choral im Frankenreich entstanden sein?, in: AfMw XXIV, 1967, 153 bis 169.

ders., Choral, in: MGG II.

ders., Ambrosianisch-gregorianisch. IGMw., Vierter Kongreß, Basel 1949, KrB, hrsg. v. d. Schweiz. musikforschenden Gesellschaft, Ortsgruppe Basel, Basel o. J., 185–189.

ders., Graduale, in: MGG V.

ders., Italien, in: MGG VI.

ders., Zur archaischen ambrosianischen (Mailänder) Mehrstimmigkeit, in: Fs. Ettore Desderi, Bologna 1963, 169–174.

ders., Monumenta monodica Medii Aevi I, Hymnen, Kassel und Basel 1956.

ders., Alleluia, in: MGG I; Ex(s)ultet, in: MGG III; Gallikanische Liturgie, in: MGG IV; Gloria in Excelsis, in: MGG V.

ders., Monumenta Monodica Medii Aevi II., Die Gesänge des altrömischen Graduale Vat. lat. 5319, Kassel 1970.

ders., Zur Frühgeschichte des römischen Chorals, in: ACMs, Rom 1950, Tournai 1952, 271–275.

ders., Zur Entstehung der gregorianischen Melodien, in: KmJb 36, 1952, 5–9.

ders., Der „altrömische" Choral in Oberitalien und im deutschen Süden, in: Mf 19, 1966, 3–9.

ders., Hymnenstudien, HabSchr Erlangen 1946 (ungedr.).

ders., Zur Geschichte der choralen Pange lingua-Melodie, in: Der kultische Gesang d. abendl. Kirche, hg. v. F. Tack, Köln 1950.

ders., Eine Hymnusmelodie als Vorlage einer provenzalischen Alba, in: Fs. H. Anglès, Barcelona 1958–61.

ders., Hymnus, in: MGG VI.

ders., Zur Frühgeschichte der Sequenz, in: AfMw XVIII, 1961.

ders., Die Unterlegung von Texten unter Melismen, Tropus, Sequenz u. andere Formen, in: KrB. New York I, 1961.

ders., Der Tropus „Dies sanctificatus" zum Alleluia „Dies sanctificatus", in: StMw XXV, 1962.

ders., Die Schwanenklage. Zum Problem Lai-Planctus-Sequenz, in: Fs. K. G. Fellerer 1962.

ders., Notkeriana, in: AfMw XIX/XX, 1962/63.

ders., Zwei Textierungen des Alleluia Christus resurgens in St. Emmeram-Regensburg, in: Organicae Voces, Fs. J. Smits van Waesberghe, Amsterdam 1963.

ders., Zum Verständnis des klassischen Tropus, in: AMl 35, 1963.

ders., Die Sequenzmelodie „Concordia" u. ihr gesch. Hintergrund, in: Fs. H. Engel, Kassel 1964.

ders., Psalle symphonizando, in: Fs. W. Wiora, Kassel 1967.

ders., Sequenz, in: MGG XII.

ders., Tropus, in: MGG XII (m. umfassenden Lit.-Angaben).

ders., Saint-Martial, in: MGG XI, Versus, in: MGG XIII.

Steglich, R., Die Quaestiones in musica; ein Choraltraktat und ihr vermutlicher Verfasser Rudolf von St. Trond 1070–1138 (Publ. d. IMG, Beih. X), Leipzig 1911.

Stein, F. A., Das Moosburger Graduale, Freiburg 1956.

ders., Das Moosburger Graduale (1354–60) als Quelle geistlicher Volkslieder, in: JbLW II, 1956.

Steinen, W. v. den, Der Kosmos des Mittelalters, Bern 1959.

ders., Notker, der Dichter u. seine geistige Welt, 2 Bde., Bern 1948.

Steiner, R., Some monophonic latin songs composed around 1200, in: MQ LII, 1966.

Stephan, R., Lied, Tropus und Tanz im MA, in: ZAL 87, 1956, 147–162.

Stratmann, C. I., Bibliography of Mediaeval Drama, Berkeley u. Los Angeles 1954.

Strunk, O., The latins Antiphons for the Octave of the Epiphany, in: Mélanges Ostrogorsky II, Beograd 1964, 417–426.

Suñol, G. M., La restaurazione ambrosiana, in: Ambr 14, 1938, 145–150, 174–176, 196–200, 296–304; 15, 1939, 113–116, 12–16; 16, 1940, 108–112.

ders., Contributo del canto ambrosiano allo studio della modalità, in: Ambr 22, 1946, 6–9.

ders., Introduction à la Paléographie musicale grégorienne. Cap. XIII. Notation espagnole. Paris 1935, 311–352.

Sylvestre, H., Antiennes de Matines d'un ancien office de l'Assomption ou de la Purification, in: EL 67, 1953, 138–146.

Szöverffy, J., Die Annalen der lat. Hymnendichtung, ein Handbuch, I. Die lat. Hymnen bis zum Ende des 11. Jh., Berlin 1964, II. Die lat. Hymnen vom Ende des 11. Jh. bis zum Ausgang des Mittelalters, Berlin 1965.

Thannabaur, P. J., Das einstimmige Sanctus der römischen Messe in der handschriftlichen Überlieferung des 11. bis 16. Jhs., München 1962 (Erlanger Arbeiten zur Mw, hrsg. von Br. Stäblein, Bd. 1).

ders., Sanctus, in: MGG XI.

ders., Anmerkungen zur Verbreitung und Struktur der Hosanna-Tropen im deutschsprachigen Raum u. in den Ostländern, in: Fs. Bruno Stäblein, Kassel 1967.

Thomas, P., Principes de la théorie modale hexachordale dans les théoriciens médiévaux et principalement dans Guy d'Arezzo, in: ACMs, Rom 1950, 276.

Ursprung, O., Die antiken Transpositionsskalen und die Kirchentöne, in: AfMf V, 1940, 129.

Valois, J. de., Le chant grégorien, Paris 1963.

Vecchi, G. (Hg.), Troparium Sequentiarium Nonantolanum. Cod. Casanat. 1741. Pars prior, Modena 1955 (Monumenta Lyrica Italiae Medii Aevi I. Latina).

Villetard, H., Office de Pierre de Corbeil, Paris 1907.

Vivell, P. C., Zur Musik-Terminologie. Planus, in: ZIMG XV, 1913/14, 312.

Vives, J. – Claveres, J., Oracional Visigótico (Monumenta HS I. Ser. Lit.), Barcelona 1946.

Vogel, C., Les échanges liturgiques entre Rome et les pays francs jusqu'à l'époque de Charlemagne, in: Le chiese nei regni del Europa occidentale Vol. VII, t. I (1960), 185–295, 326–330.

Vogel, M., Boethius und die Herkunft der modernen Tonbuchstaben, in: KmJb 46, 1962, 1.

ders., Die Entstehung der Kirchentonarten, in: KrB, Kassel 1962, 101.

Waeltner, E. L., Die „Musica discipline" des Aurelianus Reomensis, in: KrB, Köln 1958, 293.

Wagner, P., Einführung in die gregorianischen Melodien. 3 Bde., Leipzig 1911, Hildesheim/Wiesbaden 4/1962.

ders., Paraphonista, in: RMl IX, 1928.

ders., Ambrosianischer Gesang, in: LThK 1, 1930, S. 345 bis 347.

ders., Der mozarabische Kirchengesang und seine Überlieferung, in: SpF I, Münster 1928, 102–141.

ders., Untersuchungen zu den Gesangstexten und der responsorialen Psalmodie der altspanischen Liturgie, in: SpF I, Münster 1930, 67–113.

ders., Ein vierstimmiger Agnus-Tropus, in: KmJb 26, 1931.

ders., Zur mittelalterlichen Offiziumskomposition, in: KmJb 21, 1908.

ders., Zur mittelalterlichen Tonartenlehre, in: Fs. G. Adler, 1930, 29.

Wantzloeben, S., Das Monochord als Instrument und als System, Halle 1911.

Weakland, R., The compositions of Hucbald, in: EGr 3, 1959, 155–162.

ders., Chants of Milanese Rite, in: NCE 9, 1967, 842 bis 843.

ders., The Beginnings of Troping, in: MQ 44, 1958.

ders., Hucbald as Musician and Theorist, in: MQ 42, 1956, 66.

Weinmann, C., Hymnarium Pairisiense, das Hymnar der Zisterzienser-Abtei Pairis im Elsaß, Regensburg 1905.

Weiß, G., „Tropierte Introitustropen" im Repertoire der südfranzösischen Hss., in: Mf XVII, 1964.

ders., Zum Problem der Gruppierung südfrz. Tropare, in: AfMw 21, 1964.

Weiss, J. E., Julian von Speier, Forschungen zur Franziskus- und Antoniuskritik, zur Geschichte der Reimoffizien und des Chorals (Veröff. aus dem kirchenhist. Seminar München III), 1900.

ders., Die Choräle Julians von Speier zu den Reimoffizien des Franziskus- und Antoniusfestes (Veröff. aus dem kirchenhist. Seminar München VI), 1901.

Wellner, F., Drei liturgische Reimoffizien aus dem Kreis der Minderen Brüder, München 1951.

Werner, E., The Genesis of the Liturgical Sanctus, in: Essays presented to E. Wellesz, Oxford 1966.

ders., Eine neuentdeckte mozarabische Handschrift mit Neumen, in: Miscelánea Higino Anglès, II, 1959–61, 977–91.

ders., The Psalmodic Formula NOEANNOE and Its Origin, in: MQ XXVIII, 1942, 93.

Werner, H.-J., Die Hymnen in der Choraltradition des Stiftes St. Kunibert zu Köln (Beitr. zur rhein. Mg., 63), Köln 1965.

Wilmart, A., Germain de Paris (lettres), in: DACL VI, 1, S. 1049 ff.

Wiora, W., Zum Problem des Ursprungs der mittelalterlichen Solmisation, in: Mf IX, 1956, 263.

Wolf, F., Über die Lais, Sequenzen und Leiche, Heidelberg 1841.

Wolf, J., Anonymi cuisdam Codex Basiliensis, in: VfMw IX, 1893, 408.

ders., Die Musiktheorie des Mittelalters, in: AMl III, 1931, 53.

Wolking, H., Guidos „Micrologus de disciplina artis musicae" und seine Quellen, Diss. Münster, Emsdetten 1931.

Young, K., The Drama of the Medieval Church, 2 Bde., Oxford 1933.

Zwick, G., Les Proses en usage à église de Saint-Nicolas à Friboug jusqu'au dix-huitième siècle, Immensee 1950.

Kirchenmusik und abendländische Musikgeschichte

Die Kirchenmusik in der Musik des Abendlandes

Schon in der 2. Hälfte des 1. Jahrtausends sind Besonderheiten des abendländischen Musiker-
lebens in die Entwicklung der in der mittelmeerischen Musikkultur entstandenen liturgischen Gesänge
eingedrungen und haben Umbildungen der Gesänge wie Neuschöpfungen geschaffen. Am stärksten
aber wirkt sich das abendländische Musikempfinden in der Mehrstimmigkeit aus, die die Entwicklung der liturgischen Einstimmigkeit aus der allgemeinen Musikentwicklung zur Klangverbreiterung
und ihrer besonderen abendländischen Entfaltung führt. Die abendländische Musik hat um die
Wende des 1./2. Jahrtausends ihre Sonderentwicklung genommen, die sie von der Musik der gesamten Welt löst. Gewonnen wurde die Klangverbreiterung in der Mehrstimmigkeit. Sie bedingt eine
neue klangliche Gestalt und Ausdruckswertung.

Zunächst an den *cantus prius factus* gebunden — und als dessen klangliche Erweiterung in der
Gleichzeitigkeit entfaltet — hat die Mehrstimmigkeit um die Jahrtausendwende die Einzelstimmen
als selbständige melodische und rhythmische Gebilde in der Geschlossenheit des Zusammenklangs
zusammengefügt und die einfachen Mehrklanggebilde der Parallel-, Gegen- und Seitenbewegung
abgelöst. So sehr diese Gestaltungsweisen noch in der ars antiqua nachwirken — das wesentliche der
neuen abendländischen Musikauffassung ist die Erfassung selbständiger Stimmen. Sie gewinnt
damit in ihrem horizontalen Ablauf ihre satztechnische Bedeutung.

Den an den *cantus gregorianus* gebundenen Formen des *Organum* und des *Motetus* tritt die freie
vom mehrstimmigen Klang bestimmte Form des *Conductus* gegenüber. Die Verselbständigung der
Stimmen wird in der Mehrtextigkeit noch gesteigert. Um die Wende des 13./14. Jahrhunderts wird
eine rhythmische Eigenordnung der Stimmen deutlich, die aber unter sich wieder zu einer inneren
Verbindung führt. Die isorhythmische Motette setzt die Stimmen untereinander in eine rhythmische
Beziehung und schafft neue Klangmöglichkeiten, die vor allem durch die spielmännische Instrumentenverwendung und die bewegte Satztechnik gewonnen werden. Die enge Verbindung mit dem
liturgischen *cantus gregorianus* löst sich immer mehr in der in die Kirche übernommenen spielmän-
nischen Praxis. Sie führt zu der kirchlichen Auseinandersetzung, die sich in den Synodal-Beschlüssen
und vor allem in der *Constitutio Docta SS.Patrum* von Papst Johannes XXII., der in Avignon mit
der neuen Kunst vertraut wurde, zeigt. Bestimmend in dieser Entwicklung ist das persönliche Aus-
druckselement, das diese Kunst beherrscht und nicht mehr als objektivierende, an den liturgischen
cantus gregorianus gebundene, den Klang verbreitende Satzkonstruktion, wie in der *ars antiqua*,
erscheinen läßt.

Die Kirchenmusik tritt damit in die allgemeine abendländische Musikentwicklung. Sie bestimmt
diese nicht mehr allein, sondern wird mitbestimmt von Musizierformen, die außerhalb der Kirche
im weltlichen Raum gewachsen sind. In dieser Wechselbeziehung der *musica sacra* und *profana* liegt
das Problem, das zu den kirchlichen Stellungnahmen geführt hat. Denn der liturgische Gesang blieb
für die Kirche im Mittelpunkt. Die an ihm entwickelten künstlerischen Formen finden nur die
kirchliche Anerkennung, wenn sie ihn umranken und in seiner zentralen Stellung bestehen lassen.

Zahlreiche Kompositionen berücksichtigen diese Stellung der liturgischen Melodie und haben
selbst in Zeiten, da sich die allgemeine Satztechnik weit von der Grundgestalt der liturgischen Melodie entfernte, in der *cantus-firmus*-Arbeit die kirchlich geforderte Bindung an die liturgische Melodie
aufrechterhalten, selbst wenn sie umgestaltet und zurechtgebogen wurde. Dies tritt im 15. Jahrhundert mit der *cantus*-Kolorierung des Dunstable-Dufay-Kreises auf, aber auch im variablen
Kanon, soweit er sein thematisches Material der liturgischen Melodie entnimmt. Die zeitbedingte

Umbildung der liturgischen Melodie steht in der Wechselwirkung mit diesen Satzerscheinungen. Die Durchkomposition des Ockeghem-Obrecht-Kreises in der 2. Hälfte des 15. Jahrhunderts ist der vom Fauxbourdon klanglich bestimmten Melodieparaphrasierung der Kunst Dunstables († 1453) und Dufays († 1474) gefolgt und hat im variablen Kanon die größte technische Kunstentfaltung gewonnen.

Die die weltliche und kirchliche Musik satztechnisch in gleicher Weise umfassende Entwicklung läuft parallel mit einem Wandel der Frömmigkeit und des liturgischen Erlebens. Die subjektive Frömmigkeit in einer Vielgestaltigkeit von Formen und in einer Verbindung mit dem säkularen Denken hat in der *Devotio moderna* im ausgehenden 14. Jahrhundert durch G. Groote († 1384) Gestalt und in den Brüdern und Schwestern vom gemeinsamen Leben wie in der Windesheimer Kongregation der Augustiner-Chorherren einen Mittelpunkt gefunden. Von den Niederlanden sind diese Gedanken in einer kirchlichen Reformbewegung über ganz Europa ausgestrahlt. Das objektive kirchliche Denken der Scholastik wird gegenüber einem praktisch-religiösen Erleben, das in der *Imitatio Christi* von Thomas von Kempen seinen Ausdruck gefunden hat, zurückgedrängt. Die objektive liturgische Ordnung trat subjektiven Gebets- und Erlebnisgestaltungen gegenüber zurück und verband ein anthropozentrisches Erleben mit einer christozentrischen Frömmigkeit. Der Mensch in seinem Wandel und seiner Entwicklung als Individuum im Sinne des Renaissance-Denkens trat in den Vordergrund und bestimmte die individuelle Entwicklung des kirchenmusikalischen Ausdrucks und seiner Gestaltungen.

Damit wurde die Kirchenmusik nicht nur in einer subjektiven Ausdrucksdifferenzierung zu vielgestaltigen Formungen und satztechnischen Entwicklungen geführt, sondern trat auch in engste Verbindung mit der allgemeinen, gesellschaftlich bestimmten Musikentwicklung. Der liturgische Gesang verlor seine führende Stellung in der Kirche oder wurde zeitbedingten Strömungen entsprechend umgebildet. Die melodische und satztechnische Entwicklung des Dufay-Kreises wurde in der 2. Hälfte des 15. Jahrhunderts nach der kontrapunktischen Seite hin weitergeführt und kam zu den „Künsten" der Niederländer im Kreis um Ockeghem († ca. 1495). Diese technische Steigerung des Satzes konnte aber bestimmte Ausdruckswerte vor allem in der Gegenüberstellung zur Homophonie gewinnen. Bei J. Obrecht bahnte sich diese Ausdrucksrichtung bis zu ihrer großen Entfaltung bei Josquin († 1521) an. Eine Ausdruckskunst hat in der *musica reservata* ihre Grundlage erhalten, die in einem homophon-polyphonen Satzausgleich unter Klärung der grammatikalischen und ausdrucksmäßigen Deklamation in der altklassischen Polyphonie ihre Gestalt fand. Sei es die Abklärung des Stils bei Palestrina, die große Klangwirkung in der Polychorie bei den Venezianern oder die Dramatisierung des Textausdrucks bei Orlando di Lasso — die Ausdrucksdifferenzierung strebt immer deutlicher dem subjektiven Einzelausdruck zu, der nicht nur in der Satzgestaltung, sondern auch in der Vortragsweise der Monodie die Lösung von der objektivierten liturgischen Gestaltung vollziehen konnte.

Das Konzil von Trient hat der deklamatorisch klaren, im Satz und Klang ausgeglichenen mehrstimmigen Kirchenmusik ihren Platz neben den einstimmigen mittelalterlichen Gesängen in der Liturgie gegeben, aber auch die Grundlage für eine an die humanistische Wortdeklamation und an tonale Schwerpunkte gebundene Gregorianik geschaffen. Das landessprachliche Kirchenlied und die Orgelmusik, die wie die Polychorie und die größer werdende Chorbesetzung eine klangliche Füllung des Kirchenraums erstrebten, entstanden neben der großen Chorkunst des 16. Jahrhunderts. Der Prunkgottesdienst der Papstmesse erfaßte als musikalisches Ideal die Gottesdienstgestaltungen, die durch die Monodie und die barocken Ausdrucksgestaltungen der Musik zu einer neuen Gestaltungs- und Ausdrucksdifferenzierung führen.

Von der beginnenden Mehrstimmigkeit bis zu dieser nachtridentinischen Gottesdienstgestaltung findet die Kirchenmusik eine vielgestaltige Entwicklung. Die Gregorianik behält zwar ihre liturgische Stellung, vor allem im *Officium*, doch tritt besonders in der *Missa* die kunstvolle mehrstimmige Komposition in den Vordergrund. Im außerliturgischen und im Volksgottesdienst gewinnt der landessprachliche Volksgesang zunehmende Bedeutung. Die Instrumente stützen nicht nur den immer komplizierter werdenden Satz, sondern bestimmen auch die Klangwirkung.

Das seit dem 11. Jahrhundert auftretende erkenntniskritische Denken des Nominalismus hat die Grundlagen einer subjektiv-formalen Entwicklung des religiösen und künstlerischen Ausdrucks geschaffen. Wilhelm v. Ockhams *via moderna* gab auch einer subjektiven kirchenmusikalischen Entwicklung, die stets einem neuen, im menschlichen Empfinden bestimmten Ausdruck zustrebte, Anregungen. Die seit dem 13. Jahrhundert einsetzende religiöse Bewegung, die im Humanismus gegebene Besinnung auf den Menschen, die Erfassung der Antike, die Weitung des Wissens durch die Entdeckungen schärften einen kritischen Sinn, der zu den fortschreitenden Neuerungen der christlichen Kunst in neuem Ideengehalt führte.

Kirche und Kultur wurden als Einheit empfunden, die Kirche verstand sich in der Verantwortung einer sich steigernden Kulturpflege. In ihr mußte die Kirchenmusik eine von ihrer höchsten technischen Steigerung bestimmte Gestalt gewinnen, die in der liturgischen Verpflichtung den Menschen im religiösen Empfinden erfaßt und fördert, die aber auch in den kulturellen Strömungen das musikalische Schaffen für den Gottesdienst in den Vordergrund stellen mußte. Damit gewannen die mehrstimmigen musikalischen Formen von der *ars antiqua* über die *ars nova* zu der Steigerung der kontrapunktischen Satztechnik im burgundisch-niederländischen Kreis zunehmende Bedeutung gegenüber dem gregorianischen Gesang. Er hat seine künstlerische Bedeutung in seiner Verarbeitung im polyphonen Satz, während er als liturgischer Gesang immer weniger in seiner künstlerischen Bedeutung erfaßt wurde.

Die Verbindung der gregorianischen Melodie mit gleichzeitigen Stimmen im Mehrklang und in der Mehrstimmigkeit hat eine neue Auffassung der gregorianischen Melodien und eine zunehmende Umgestaltung im Sinne des *cantus planus* bedingt. Damit ist eine neue zeitbedingte Umbildung der liturgischen Melodien gegeben, die zu einer Differenzierung der verschiedenen Fassungen führt. So sehr die Kunst des Noten-Drucks gegenüber den verschiedenen handschriftlichen Überlieferungen eine Vereinheitlichung der gregorianischen Melodien durch die Druckausgaben bedeutet, so sehr haben die einzelnen Drucker unterschiedliche Fassungen verbreitet, die seit dem 15. Jahrhundert vor allem auf Kürzung und tonale Schwerpunktordnungen gerichtet waren.

Die Betonung der gregorianischen Melodien im Zusammenhang mit dem Tridentinum und ihre Verbindung mit der humanistischen Wortdeklamation hat zur *Editio Medicaea* 1614 und zu den Reformfassungen des 17./18. Jahrhunderts geführt. Ihrer letzten Vereinfachung auf einzelne Töne wie bei Kaspar Ett ist das geschichtliche Bewußtsein der Romantik gegenübergetreten, das zu Beginn des 20. Jahrhunderts die Editio Vaticana auf Grund der historischen Quellen schaffen ließ.

Mit der Entfaltung der Mehrstimmigkeit seit dem 2. Jahrtausend ist die Kirchenmusik in eine Auseinandersetzung mit der weltlichen Musik des Abendlandes getreten. Sie hat aber maßgebend die Entwicklung der mehrstimmigen Kunst in Polyphonie und Homophonie bestimmt. Das Konzil von Trient bedeutet in dieser Entwicklung der Kirchenmusik einen bestimmten Einschnitt. In seinen Entscheidungen wurde die Abgrenzung zur weltlichen Musik und die seit Josquin bereits immer deutlicher hervortretende Wortbetonung und Wortverdeutlichung gefordert. In ihrer liturgischen und künstlerischen Grundlegung hat die Kirchenmusik der katholischen Kirche ihren Sinn auch gegenüber der sich im 16. Jahrhundert entfaltenden Kirchenmusik der Reformation erhalten. Diese sich machtvoll entwickelnde reformatorische Kirchenmusik hat auf neuen theologischen Grundlagen neben der Weiterpflege der alten Motette den landessprachlichen Gemeinde- und Kantionalgesang in einem neuen liturgischen Gesangsgut entwickelt. Die katholische Kirchenmusik folgte im 16. Jahrhundert der Weiterentwicklung traditioneller musikalischer Formen in Gregorianik, Mehrstimmigkeit und Volksgesang im Banne der allgemeinen abendländischen Musikentwicklung.

Karl Gustav Fellerer

Die Musik des mittelalterlichen Gottesdienstes

Die Vielgestaltigkeit des christlichen Kults in den ersten nachchristlichen Jahrhunderten ist im Abendland durch Ordnungen abgelöst worden, die durch Isidor von Sevilla, Amalar, Agobard, Walafried Strabo u. a. ihre Darstellung gefunden haben. Die im römisch-fränkischen Reich entwickelte Liturgie der Karolinger erforderte ihre Gesänge und deren Ordnung. Wenn unter Gregor VII. (1073–1085) gegenüber den Einflüssen der Entwicklungen nördlich der Alpen die stadtrömische Liturgie in den Vordergrund gerückt wurde und Bernold von Konstanz († 1100) in seinem Micrologus daran seine Liturgiereform-Forderungen anschloß, so war damit ein neuer äußerer Rahmen auch für die liturgischen Gesänge gegeben. Die geistige Vertiefung der Liturgie in den Schriften von Thomas von Aquin († 1274), Albertus Magnus († 1280), Hugo von St. Cher († 1263), Wilhelm Duranti († 1296) u. a. fand in ihrer musikalischen Gestaltung, die über die Tradition der gregorianischen Melodien hinausging und in der kirchlichen Mehrstimmigkeit eine grundsätzliche Erweiterung in Klang und Gestaltung bedeutete, ein Gegenstück. Auch in der Musik erfuhr die Liturgie ihre Deutung und Charakterisierung.

Hatte schon der Tropus durch entsprechende Texteinschübe und -unterlegungen eine Deutung gleichbleibender Texte erstrebt, so ist in der mehrstimmigen Motette mit gleichzeitig verschiedenen Texten nicht nur eine Klangverbreiterung, sondern auch eine Textdeutung erfolgt. In dieser Richtung stehen auch die verschiedenen mehrstimmigen Formen, die zu unterschiedlichen liturgischen Handlungen verschiedene musikalische Gestalten fügten. Das geistliche Lied in der Landessprache kennzeichnet die Scheidung von Priestergottesdienst und Laienkult, der in Handlungen der Volksfrömmigkeit wie im „Leute-Gottesdienst" deutlich wird. Die in der allgemeinen abendländischen Musikentwicklung hervortretende Klangdifferenzierung gibt dem Instrumentarium und seiner Verbindung mit den Singstimmen in der Kirchenmusik besondere Möglichkeiten. Wie die Askese sowie die Sinnenfreude und Weltoffenheit, die durch die Kreuzzüge gefördert wurde, das kirchliche Leben bestimmt, so steht die Tradition der liturgischen Melodie neben der sich immer mehr in ihrem klangsinnlichen Reiz verstehenden Mehrstimmigkeit. Damit wird die kirchliche Kunst zunehmend dem Einfluß weltlicher Musizierformen geöffnet. Der Klangraum der Stimmverbindung wie die Gestaltung des Tonraums der Einzelstimme in einer bestimmten Zeitordnung kennzeichnen die kirchliche Mehrstimmigkeit des Abendlands. Die Frühformen abendländischer Klangverbreiterung in Parallel- und Seitenbewegungen (Bordun) legen in der Verbindung mit der Gegenbewegung und Umspielung den Grund für die abendländische Harmonie- und Kontrapunktentwicklung. In der Borduntechnik und Heterophonie der Antike sind diese Erscheinungen ebenso vorgebildet wie die Melodiemodellbehandlung und Ostinatobildungen.

Johannes Scotus hat vom *concentus concorditer dissonans* gesprochen, der seine eigene Klang- und Satz-Gesetzlichkeit ausbildet. Seit dem frühen 12. Jahrhundert verselbständigte sich die Organalstimme gegenüber dem *cantus prius factus*. St. Martial und die Provence haben diese Kunst gefördert, die in England im Winchester Tropar Gestalt fand. An *Notre Dame* in Paris sammelten sich die Künstler, die der neuen Kunst zuerst ihre bestimmende Gestalt gaben: Leoninus, dessen zweistimmige Sologesänge der Messe und des Offiziums die Verwendung der Mehrstimmigkeit neben den gregorianischen Gesängen kennzeichnen, und Perotinus, der um 1200 die Kompositionen des Leoninus in Umarbeitungen ergänzte und vor allem straffer rhythmisierte sowie durch weitere Stimmen klanglich erweiterte. Neben der Bindung dieser Kunst an die liturgische Melodie bildete sich im *Conductus* auch eine freie auf der gleichzeitigen Stimmbewegung und Klangordnung beruhende Mehrstimmigkeit, die sich, wie die einstimmigen Formen (Sequenz, Cantiones, Strophen- und Refrainlied) in liturgischer und Landessprache, entsprechend den Erscheinungen in der weltlichen Musik vom liturgischen Gesang verselbständigt. Vers und Kanzone des Trouvères-, Troubadours- und Minnegesangs wirken auf die geistlichen Formen seit dem 12. Jahrhundert zunehmend ein und schließen die Kirchenmusik an die allgemeine Musikentwicklung an. Sowohl in der Lösung vom gregorianischen *cantus firmus* wie in den Satz- und Klangtechniken der Mehrstimmigkeit und der Melodieformen wird die Verbindung von Kult- und Profanmusik deutlich und damit eine Verselbständigung der in Raum und Zeit wie in den verschiedenen Gesellschaftskreisen gegebenen musikalischen Gestaltungen. Seit dem 13. Jahrhundert nimmt die Verbindung des kirchlichen Satzes mit dem *cantus gregorianus* immer mehr ab, der *cantus gregorianus* selbst erfährt eine Eigenentwicklung, die sich in den „Reformfassungen" allgemeinen zeitgebundenen Musikauffassungen anschließt und als lebendiges Erbe der frühchristlichen Gottesdienstgestaltung gewertet und damit weitergepflegt wird. So tritt in der gottesdienstlichen Musik neben die mehrstimmige Entwicklung und die freien Formen der Volksfrömmigkeit eine selbständige Entwicklung der Gregorianik in ihrer Gestalt wie in ihrer kultischen Verwendung.

Die Lösung der Kirchenmusik von der liturgischen Melodie, ihr Anschluß an die allgemeine Musikentwicklung, der nicht nur neue Gestaltungen, sondern vor allem einen neuen Ausdruck des musikalischen und des Frömmigkeitserlebens sowie ihre stilistische Vermengung mit den musikalischen Profanformen kennzeichnet, mußte zur kirchlichen Auseinandersetzung mit diesen neuen Erscheinungen führen. Papst Johannes XXII. macht in seiner *Constitutio* diese Problematik deutlich, die letzten Endes auf die Frage der liturgischen Gesänge und die freie musikalische Entwicklung vor allem in der Mehrstimmigkeit zurückgreift.

Nach Leoninus und Perotinus hat schon Petrus de Cruce in der 2. Hälfte des 13. Jahrhunderts den strengen Satz besonders durch die melodisch entwickelte Oberstimme gelockert und in angereichertem Klang und rhythmischer Bewegtheit ein neues Erlebnis im Hörer geweckt. Eine sinnenhafte Empfindung des Gesamtsatzes, die Klang und Melodik in Konsonanz und Kantabilität schafft, bedingt eine Wirkung, die im Musikalischen das Frömmigkeitserleben steigert. Philipp de Vitry hat in der Kantabilität der Einzelstimmen, in der Konsonanzsteigerung durch Terz und Sext und einer neuen, die modale Rhythmik in eine neue schwerpunktbetonte Ordnung überführenden Dauerordnung die isorhythmische Motette gestaltet.

Das vitale Erleben hat in gleicher Weise der Kult- und Profanmusik als Kunstwerk Eigengesetzlichkeit gegeben und eine Ideenkunst entwickelt, die dem Kenner mehr sein konnte als dem naiv empfindenden Menschen. Die Konstruktion, die kantable Oberstimmen mit gedehnten gregorianischen Cantus-firmus-Tönen klangvoll in einer untereinander bezugnehmenden Rhythmik bindet, bestimmt einen neuen Gedanken des Satz- und Struktur-Aufbaus, der als abstraktes Prinzip sich mit der sinnenfreudigen Klangkunst vereint. Damit gewinnt die Struktur der Caccia, der Fuga, des Kanons, verbunden mit Manieren wie dem Hoquetus und klanglichen Spannungen wie in der *musica ficta*, Bedeutung. Die Zahlenordnung bestimmt die Periodengliederung und ihre klangliche Überbrückung in einem auf sinnliche Wirkung gerichteten Gesamtsatz.

Die von Nikolaus von Kues betonte *coincidentia oppositorum* gewinnt hier klangliche Gestalt und legt in der Vereinigung von *ordo* und *sensus* den Grund zu der burgundisch-niederländischen Musikentwicklung im 15. Jahrhundert. Die Realistik des Klangs nimmt die Abstraktion des *Ordo* in sich auf und überwindet sie in der Sinnlichkeit klanglich-formaler Gestaltung. Wie bei Dante (1265—1321) die Überwindung des mittelalterlichen *Ordo* in einem auf den Menschen bezogenen Denken angebahnt wird, so wird bei Philipp von Vitry (1291—1361) der Gegensatz zwischen Abstraktion und Menschbezogenheit in der Musik deutlich. Die Musiktheorie läßt bei Jakob von Lüttich und Johannes de Grocheo diese Zwiespältigkeit ebenso erkennen wie sie in Roger Bacons Nominalismus und in der Naturwertung der Okkamisten auftritt. Bei Guillaume de Machaut († 1377) ist Philipp von Vitrys Kunstrichtung in Frankreich zur Kunst der Fantasie und des Klangs als Verbindung einer gesellschaftsbedingten Liedkunst im Sinne romantisch-ritterlicher Tradition und der konstruktiven Motette eines besonderen Kennerkreises weitergeführt. Diese von einem besonderen Musikerstand getragene Kunst hat Johannes XXII. im Exil zu Avignon kennengelernt und die Vermengung kirchlicher und weltlicher Formen erfahren.

Mit der neuen Ausdrucksgebung dieser in Frankreich entwickelten Kunst, die in Italien bei Francesco Landino u. a. auf anderer Grundlage eine Parallelentwicklung findet, ist auch eine Umgruppierung der kirchlichen Gesänge in ihrer Verwendung gegeben. Waren in der *ars antiqua* die mehrstimmigen Sätze an die Stelle der Sologesänge in *Officium* und *Missa* getreten, so wird die neue Kunst vorwiegend mit Ordinariumsgesängen verbunden. Einerseits eine Umwertung von *Ordinarium* und *Proprium* in der Liturgie, andererseits die aufführungstechnischen Schwierigkeiten haben diese Kunst mit den wiederholbaren Ordinariumsgesängen verbinden lassen, während das Proprium vorwiegend der Gregorianik überlassen wurde, für die der eigene kirchliche Sängerstand bestehen blieb, während für die mehrstimmige Kunst eine bestimmte musikalische Bildung, die auch von Profanmusikern getragen sein konnte, erforderlich war. Gleichzeitig verschob sich in dieser Entwicklung das Verhältnis von Solo-, Schola-, Chor- und Volksgesang sowie der Instrumentenverwendung.

Die italienische Trecentomusik hat gegenüber der französischen Motettenkunst Lied und Melodik betont. Das italienische Madrigal und die nordfranzösische Ballade haben unterschiedliche Grundlagen. Das religiöse volkstümliche Lied, sowohl in der liturgischen Sprache in Weiterführung der Sequenz und des Hymnus wie die volkssprachliche Lauda haben im besonderen in der franziskanischen Bewegung des 13./14. Jahrhunderts in Italien die Grundlage für eine form- und ausdrucksbestimmte ein- und mehrstimmige Kunst geschaffen. Die Individualität der Stimmen, die melodische Entwicklung und tonale Klangwirkung sowie die melodische Stimmverbindung im Kreis um Francesco Landino, Jacopo da Bologna, Bartolino da Padova entfalteten eine gesellschaftlich begründete sinnenfreudige Fantasiekunst, die bis Antonio Squarcialupi (1417—1480) Motette und Messe in Italien beherrschte.

Durch das Papsttum in Avignon kam es zu einem Austausch zwischen der italienischen und französischen Entwicklung, der die Konstruktion der isorhythmischen Motette mit ihrer Oberstimmenmelodik und rhythmisch geordneten Stimmverbindung, neben einfachen homophonen Sätzen und dem Diskant-cantus-firmus verbindet. Eine sinnlich-anthropozentrische Grundhaltung in der kirchenmusikalischen Gestaltung kommt den Bestrebungen entgegen, die in der sich entwickelnden Volksfrömmigkeit und einer in dieser Richtung entwickelten Liturgie hervortreten. Dazu gehört auch die seit dem 13. Jahrhundert auftretende Verkürzung des Offiziums, das vor allem durch die Franziskaner als *Breviarium secundum consuetudinem curiae Romanae* in ganz Europa verbreitet wurde, nicht ohne örtlichen Entwicklungen und Gesängen Raum zu lassen, die erst durch das Tridentinum eingeschränkt wurden.

Ebenso ist die Meß-Liturgie und ihre musikalische Gestaltung seit der karolingischen Zeit entwickelt worden. Schon durch Alkuin erfolgten Ergänzungen zum *Gregorianum-Hadrianum*, der an der Aachener Tradition ausgerichteten Meßgestaltung des 8. Jahrhunderts. Den einzelnen Kirchen war jedoch die Verwendung einzelner Texte und Gesänge freigestellt, die aus gelasianischen oder gallikanischen Traditionen entnommen wurden. Die römische Messe blieb das Muster. Der *ordo Romanus* und der *Liber antiphonarius* wurde neben den römischen Lektionarien, Evangeliarien und Epistolarien Roms gebraucht, bis seit dem 10. Jahrhundert sich *Missalia plenaria* entwickelten und seit dem 13. Jahrhundert vorbildlich für die Liturgie des Abendlandes wurden. Ergänzt durch Sonderfeste und ihre Formulare sowie durch einzelne Gesänge wie Sequenzen, Offertorien und Communio mit Versen wurden die gregorianischen Melodien und Neukompositionen mit den liturgischen Rubriken in die *Missalia plenaria* aufgenommen, soweit die liturgischen Schola-Gesänge nicht in besonderen Gradualien etc. zusammengefaßt wurden. Proprium und Ordinarium kennzeichnen neben den Priestergesängen, Lektionen etc. den musikalischen Bestand der Messe. Die Propriumgesänge wurden zunächst auch mehrstimmig gesungen, doch hat sich seit dem 14. Jahrhundert der mehrstimmige Ordinariumsgesang immer mehr durchgesetzt, während das Proprium der Gregorianik überlassen blieb. Die Tropen, als der Versuch, die objektiven liturgischen Texte der persönlichen Frömmigkeit und Auffassung der Gläubigen anzupassen, sind in die meisten Gesänge gedrungen. Die Sequenz hat vom 9. Jahrhundert bis zum Tridentinum eine seit dem 12. Jahrhundert zunehmende Verselbständigung in Ausdruck und Form bei Adam von St. Viktor (†1192), Thomas von Celano (†1255), Thomas von Aquin (†1274), Jacopone da Todi (†1306) gefunden. Hier hat sich im besonderen eine neue gregorianische Kunst entwickelt, die sich bald von ihrer melodischen Grundlage, dem *Alleluia*-Melisma, zu selbständiger Gestaltung entfernt hat.

Seit dem 13. Jahrhundert sind die Ordinariumsteile mehrstimmig gesungen worden, im 14. Jahrhundert entstand die durchkomponierte, d. h. musikalisch einheitliche Messe. Das *Gloria* wurde im 6. Jahrhundert durch Papst Symmachus zunächst an Weihnachten in die römische Messe eingefügt und blieb lange, abgesehen von Ostern, den Bischofsmessen vorbehalten. Erst seit dem 11. Jahrhundert wurde es auch in andere Messen übernommen. Das *Credo*, im 6. Jahrhundert in der byzantinischen, mozarabischen und gallikanischen Messe, an Festtagen seit dem 8. Jahrhundert auch in der fränkischen Messe üblich, trat erst 1014 in die römische Messe, vorwiegend vom Volk gesungen, daher nur in wenigen Melodien überliefert. Die mehrstimmige Meßkomposition hat *Gloria* und *Credo* in den Gesamtaufbau des *Ordinarium* übernommen.

Die Einheit der musikalischen Gestalt umfaßt alle Ordinariumteile, zu denen in der *ars nova* auch das *Ite missa est* tritt (Machaut). Wie bei Thomas von Aquin die weltliche Philosophie mit der Theologie verbunden wird, so bestimmen neue musikalische Gesetze die mehrstimmige Gestalt der Meßgesänge seit dem 14. Jahrhundert. Gegenüber der Tradition der liturgischen Gesänge wird ein neues Frömmigkeits- und Glaubensgefühl in dieser Entwicklung der ars nova deutlich, das sich in den folgenden Jahrhunderten fortsetzt.

In der Verteilung von gregorianischen Solo-, Chor- und Volksgesängen sowie mehrstimmigen Sätzen, die in zunehmendem Maße traditionsgebundene liturgische Gesänge übernehmen, wird eine neue religiöse und liturgische Grundhaltung deutlich. In der Gesamtgestalt des Gottesdienstes werden Priestergesänge, gregorianische und mehrstimmige Gesänge unter gesteigerter Bedeutung des mehrstimmigen Ordinarium verbunden.

In den zunehmenden außerliturgischen Gottesdienstformen haben die ein- und mehrstimmigen Kompositionen, insbesondere neue Gestaltungen in der liturgischen und Landessprache, Raum gefunden. Mit den seit dem 13. Jahrhundert entwickelten neuen kirchenmusikalischen Ausdrucksformen steht die Entwicklung der musikalischen Ausbildung in enger Verbindung.

Karl Gustav Fellerer

Musikinstrumente im mittelalterlichen Gottesdienst

Die Frage des Gebrauchs von Musikinstrumenten im mittelalterlichen Gottesdienst kann nicht unabhängig von der frühchristlichen Auseinandersetzung mit den heidnischen Kulten der Spätantike gesehen und beurteilt werden. Denn jene Auseinandersetzung läßt die Grundeinstellung besonders deutlich erkennen: Einerseits galt es, die Menschen für den Glauben und die Lehre des jungen Christentums zu gewinnen, andererseits, die damit unvereinbaren Inhalte und Sitten heidnischer Religionen abzuwehren und zu bekämpfen.

Im Prinzip waren es nicht die Instrumente selbst, gegen die sich die Verdikte der Kirchenväter richteten, sondern die Art ihres Gebrauchs. Anders ist die aus dem Orient stammende und im christlichen Schrifttum weit verbreitete allegorische Deutung von Musikinstrumenten nicht zu verstehen (H. Abert, S. 210 ff., Quasten, S. 81 ff.).

Seit Regino von Prüm (GS I, 233 b) gewann die Unterscheidung von *Musica naturalis* und *artificialis* an Bedeutung, was auf eine Gegenüberstellung der von Gott her bestimmten und der vom Menschen geschaffenen Musik hinauslief. Doch wurde die zuletzt genannte Einteilung nach der Jahrtausendwende umgedeutet, so z. B. bei Aribo (GS II, 225 b), der unter *musicus naturalis* einen ungebildeten „Natursänger", unter *musicus artificialis* hingegen einen mit der *ars musica* vertrauten Musiker verstand. Diese Begriffsverschiebung setzt einen tiefgreifenden Wandel in der Musikauffassung voraus, wie er sich in der karolingischen Zeit mit der Christianisierung des Nordens anbahnte.

Ein Ereignis, das von weitreichender historischer Bedeutung für die Verwendung von Instrumenten in der abendländischen Musik werden sollte, war die Schenkung einer Orgel durch den byzantinischen Kaiser Konstantin VI. Kopronymos im Jahre 757 an den Frankenkönig Pipin III.

In Byzanz kannte man die Orgel nur als weltliches Instrument. Auf welchem Wege sie in die Kirche Eingang fand, ist bisher nicht ganz geklärt. Das späte Zeugnis des Platina aus dem 15. Jahrhundert, Papst Vitalian (656—672) habe im Zuge der Reform des Kirchengesanges auch die Orgel für den liturgischen Gebrauch zugelassen, scheint lediglich auf einer Vermutung (*ut quidam volunt*) zu beruhen und darf daher nicht als zuverlässige Überlieferung gewertet werden (Perrot, S. 285). Ungewiß bleibt ebenfalls die Aufstellung und Verwendung der Orgel Pipins. Daß sie in der königlichen Abtei Saint-Corneille in Compiègne gestanden habe, wie vielfach behauptet wird, ist schon deshalb zweifelhaft, weil diese Abtei erst ein Jahrhundert später, unter Karl dem Kahlen, gegründet wurde (Perrot, S. 272 f.). Nach dem Vorbild dieser byzantinischen Orgel ließ Karl der Große ein weiteres Instrument bauen und nach Aachen bringen. Es wurde wegen seines kräftigen und gefälligen Klanges viel gerühmt. Der venezianische Priester Georg wurde um 826 unter Aufsicht des kaiserlichen Schatzmeisters Thanculf von Ludwig dem Frommen mit dem Bau einer Orgel (hydraulicon) für den Palast in Aachen betraut. Ferner ist überliefert, daß sich Papst Johann VIII. (872—882) mit der Bitte an Bischof Anno von Freising wandte, ihm eine Orgel (*optimum organum*) und einen Orgelspieler (*artifex*) für den Unterricht in der *musica disciplina* zu schicken. Trotz einer gewissen Verbreitung des Instruments ist sein kirchlicher Gebrauch erst seit dem 10. Jahrhundert bezeugt (Belege bei Perrot, S. 287 ff.).

Besondere Hervorhebung verdient die pneumatische Orgel der Kirche von Old Minster in Winchester, die wahrscheinlich zwischen 984 und 994 (Holschneider, S. 139) gebaut wurde. Nach der Beschreibung Wulfstans handelte es sich um ein von zwei Fratres gespieltes Instrument (Doppelorgel?) mit 40 Schleifen, bezeichnet durch fränkische Tonbuchstaben. Der ungewöhnlich große Umfang entsprach — bei je 20 Claves — zwei Oktaven und einer Quarte, während der übliche Umfang bis ins 12. Jahrhundert hinein — wie bei den Glockenspielen — (vgl. Smits van Waesberghe, S. 18 f.) nur eine Oktave umfaßte. Diese Orgel soll 400 Pfeifen, zu je 10 Chören angeordnet, besessen haben. Um das Riesenwerk bedienen zu können, waren 70 Kalkanten erforderlich. In derselben Beschreibung heißt es, daß die Orgel überall in der Stadt gehört wurde. Eine ähnliche Lautstärke hatte eine Legende (MPL XXX, 219) bereits einer Orgel in Jerusalem zugeschrieben.

Die allmähliche Verbreitung des Instruments — man denke auch an die vor der Jahrtausendwende einsetzende Überlieferung von Orgelmensurtraktaten — scheint in Zusammenhang mit den seit der Karolingerzeit aufgekommenen Bestrebungen gestanden zu haben, den Gottesdienst künstlerisch auszuschmücken, namentlich durch Tropen, Prosen und Sequenzen.

Vom 9. Jahrhundert an greifbar werdende Ansätze zur Mehrstimmigkeit — ebenfalls *organum* genannt, wie zuvor schon „Musikinstrument" und speziell „Orgel" — werden zwar gewöhnlich mit dem Gebrauch der Orgel in der Kirche in Verbindung gebracht, doch scheint es nicht ausgeschlossen, daß hier lediglich die Orgel allgemein oder das Instrumentale überhaupt im Hintergrund stehen. Die Tatsache, daß die älteste Stufe der Organumlehre im Zusammenhang mit Sequenzen bezeugt ist (z. B. *„Rex coeli domine"* in der *Musica enchiriadis*), läßt auf organale Ausführung dieser Gattung schließen. Dazu konnten außer der menschlichen Stimme auch Musikinstrumente herangezogen werden (GS I, 166). Unklar bleibt, welche Instrumente dafür in Frage kamen und ob sie sich darauf beschränkten, lediglich die gesungenen Töne mitzuspielen (Waeltner, S. 70, 258). Zahlreiche Sequenzen- und Prosentexte sprechen von Instrumenten und instrumentaler Begleitung, doch ist umstritten, wie weit die poetischen Texte den realen Gebrauch der dort genannten Instrumente implizieren. Wie schon in der Psalmenübersetzung der Vulgata sind es auch hier organum, cithara, lyra, psalterium, tympanum, cymbalum, tuba, außerdem tibia und fistula, die immer wieder erwähnt werden. So heißt es beispielsweise *„Clara resonent nunc organa"* (AH 7, Nr. 59), *„Lyra nostra resultet symphonia sonans organica"* (AH 40, 272), *„Exsultate deo agmina fidelia timpano et cithara organica"* (AH 40, 50). Diese Namen sind jedoch nicht eindeutig bestimmten Instrumententypen zuzuordnen. Dennoch wird man den Gedanken nicht ganz von der Hand weisen können, daß in denjenigen Teilen der Liturgie, die einen besonderen Anreiz für künstlerische Ausgestaltung boten (in der Messe der choralische Höhepunkt mit Graduale und Alleluia zwischen Lektion und Evangelium; in der Matutin die Responsorien), an hohen Festtagen auch Instrumente mit herangezogen wurden. Von einer normativen Regelung ist jedoch bis ins hohe Mittelalter nichts bekannt, was freilich nicht ausschließt, daß, lokal begrenzt, ein gewisser, heute kaum noch rekonstruierbarer Brauch lebendig war. Vereinzelte Textstellen geben darüber Aufschluß; so schreibt im 11. Jahrhundert Honorius von Canterbury: *„Ideo hac arte instructi divina verba in hac laude modulamur ut hymno et caetera, et instrumentis huius artis ut organis, cymbalis et campanis Deo servimus, quia et psalmos per musica instrumenta scimus"* (MPL 194, 500). Auf die Psalmen anspielend, bejaht Honorius Augustodunensis (11./12. Jh.) instrumentale Unterstützung des Gesangs: *„...quod musicis instrumentis iubemur Deum laudare. Antiqui enim solebant in sacrificio uti artibus: unde et nos in divinis officiis utimur organis"* (Gerbert, De cantu II, 100). Sogar die Mitwirkung von Spielleuten muß weit verbreitet gewesen sein, da sich die kirchlichen Stellen wiederholt dagegen wandten. In diesem Sinne äußerte sich im 13. Jahrhundert z. B. der spanische Musiktheoretiker Aegidius von Zamora: *„Et hoc solo musico instrumento* (= Orgel) *utitur ecclesia in diversis cantibus, et in prosis, in sequentiis, et in hymnis, propter abusum histrionum, eiectis aliis communiter instrumentis"* (GS II, 388 b).

Von der spätmittelalterlichen Alternatimpraxis ausgehend, wurde in der musikwissenschaftlichen Forschung die Frage diskutiert, ob schon im hohen Mittelalter mit einem vers- und abschnittsweisen Wechsel zwischen Orgel und einstimmigem Choralgesang gerechnet werden muß, und zwar nicht nur bei Prosen, Sequenzen und Hymnen, sondern auch bei anderen Gesängen, ja sogar bei mehrstimmigen Kompositionen (Schering, S. 37; Krüger, S. 53 ff.). Auch wenn dies in einzelnen Fällen vorgekommen sein mag, bleibt diese Rückübertragung im ganzen hypothetisch und wird in ihren Konsequenzen von der Mehrzahl der Forscher abgelehnt.

Zu einem eigenen Problem hat sich die bildliche Darstellung von Musikinstrumenten, vor allem in der Buchmalerei und Plastik, entwickelt. Lag es zunächst nahe, von solchen Darstellungen aus unmittelbare Rückschlüsse auf den Instrumentenbau und die zeitgenössische Spielpraxis zu ziehen, so hat sich immer deutlicher gezeigt, daß es sich hier um ein komplexes Phänomen handelt, das nicht nur von den traditionellen Elementen her, sondern auch vom symbolischen Charakter jener Darstellungen verstanden und gedeutet werden muß. Zu den traditionellen Elementen gehören die auf bestimmte Bibelstellen bezogenen Bildschemata (David als Rex et Propheta, David mit seinen vier

Musikern, David vor Saul usw.), dazu heute nicht mehr bekannte Bildvorlagen (wie sie z. B. für den Utrecht-Psalter und seine Kopien sowie für den Stuttgart-Psalter vorauszusetzen sind). Bei den als Attribute dargestellten Instrumenten macht sich vielfach der Einfluß des zeitgenössischen Instrumentariums geltend, jedoch ohne Verläßlichkeit für das Detail; so kann ein Instrument sorgfältig ausgeführt sein, und doch fragt es sich, ob es damit auch schon als Abbild einer realen Vorlage zu werten ist. Erst in der zweiten Hälfte des 13. Jahrhunderts zeichnet sich die Tendenz zu einer mehr naturgetreuen Wiedergabe ab, die auch den zugehörigen Rahmen der Handlung andeutungsweise mit einbezieht (z. B. Erweiterung des Bildschemas „David und seine vier Musiker" vielleicht durch Bezugnahme auf die zeitgenössische Musizierpraxis in dem Brevier Philipps des Schönen, Paris, B. N., Ms. lat. 1023, f. 36 v).

Es ist wohl kein Zufall, daß die mittelalterlichen Quellen in ihrer Aussage über den Gebrauch der Instrumente im Gottesdienst so karg sind. Offenbar genügten jener Zeit bereits die spärlichen Andeutungen zum Verständnis des angesprochenen Sachverhalts, was ein festes Traditionsgefüge voraussetzt. Es bleibt daher für die Gegenwart ein weithin ungeklärtes Problem, wie man sich im einzelnen die Wirklichkeit der Musikinstrumente im mittelalterlichen Gottesdienst vorzustellen hat.

Dagmar Droysen

Das geistliche Lied in der Landessprache

Das geistliche Lied umfaßt als Oberbegriff Kirchenlied und geistlichen Volksgesang. Das Kirchenlied, als Wort erst aus nachreformatorischer Zeit belegt und von der Praxis der evangelischen Kirche geprägt, bezieht sich auf den der Liturgie funktionell zugeordneten, in diese eingebundenen Gesang; der Volksgesang erfaßt alle volkssprachigen Lieder mit geistlichem Gehalt, die als nicht „liturgiefähig" nur lose mit der Liturgie verbunden werden können oder außerhalb stehen. Während in der evangelischen Kirche das Kirchenlied als liturgischer Gemeindegesang feststeht, konnte in der katholischen Kirche die Gemeinde bis zum Vaticanum II mit dem Singen deutscher geistlicher Lieder keine liturgische Funktion ausüben. Für mittelalterliche Gemeindelieder in der Landessprache erscheint daher die Verwendung des Begriffes Kirchenlied nicht sinnvoll. Den außerliturgischen Charakter solcher Lieder, auch wenn sie während des Gottesdienstes erklangen, bezeugen nicht nur kirchliche Rechtsentscheidungen in vorreformatorischen Jahrhunderten, sondern überdies die liturgiewissenschaftliche Deutung der Belege, die über das geistliche Singen jener Zeit berichten. *„Die Untersuchung der Funktion der geistlichen deutschen Lieddichtung des Mittelalters auf dem Hintergrund ... [der Liturgie-] Definition ... ergab, daß sich eine echt liturgische Verwendung deutscher Lieder vor der Reformation nicht nachweisen läßt und daß überhaupt der Anteil an wirklichen Gemeindegesängen am geistlichen Liedgut des Mittelalters gering ist, weil die Funktion der Gemeinde, auch beim Singen deutscher geistlicher Lieder, vielfach von der Schola übernommen wurde"* (Janota, IV).

Abgesehen von frühen Zufallsfunden, wie das aus dem 9. Jahrhundert überkommene Freisinger Petrus-Lied (Erk-Böhme, Nr. 2090) oder die aus dem 11. Jahrhundert stammende lateinische Übertragung eines älteren deutschsprachigen Gallus-Liedes (Erk-Böhme, Nr. 2092), ist die Frühgeschichte des geistlichen Liedes in der Landessprache vor allem aus literarischen Berichten zu erschließen (Vgl. W. Wiora, *The Origins of German Spiritual Folk Song*, in: *Ethnomusicology 8*, 1964, 1—13). Erst im 12. Jahrhundert setzen Text- und Melodiehinweise und Niederschriften zunächst in liturgischen Büchern, später in eigenen Liederhandschriften ein. Als Lied gilt dabei nur jener Text, der durch seine Überlieferung mit Noten, als Kontrafakt zu einem anderen Lied, durch entsprechende Anmerkungen oder wenigstens entsprechende Nachrichten als gesungenes Lied ausgewiesen ist; Reimgebete, die still während der Messe gesprochen werden konnten und bisher vielfach als *„Gesänge zur Messe"* (Wackernagel) ausgegeben wurden, finden keine Berücksichtigung.

Fragen wir uns zunächst, welche Möglichkeiten im Mittelalter innerhalb der Meßfeier einem Gemeindegesang in der Landessprache offenstehen konnten.

Der Hinweis auf ein landessprachliches *„Glorialied"* (Wackernagel) ist weder aus den überlieferten Berichten noch aufgrund der Erkenntnisse der Liturgiewissenschaft sinnvoll. Die Quellen nennen *„als Träger des Gloriagesanges fast ausnahmslos nur den chorus, das heißt die Gesamtheit der im Gottesdienst anwesenden Kleriker"* (Jungmann I, 460f.). Eine Einbruchstelle landessprachlicher Gesänge liegt dagegen im Credo vor. Zwar mußte der liturgische Gesang des Credo lateinisch erhalten bleiben, doch konnten daneben deutsche Lieder in Erscheinung treten. *„Bei dieser Praxis kam dann den landessprachlichen Rufen und Liedern innerhalb des Predigtanhanges, wenn auch nicht in der Funktion, so doch für den Augenschein, ein liturgischer Charakter zu"* (Janota, 52).

Die im Mittelalter bestehende Variationsbreite der von partikularen Gewalten erlassenen liturgischen Vorschriften mochte dabei zu mancherlei Wildwuchs geführt haben, so daß das Basler Konzil in seiner 21. Sessio am 9. Juni 1435 gegen den Mißbrauch sich wandte, während der Messe die angestimmten lateinischen Texte nicht vollständig zu singen oder sie gar ganz ausfallen zu lassen; auch dürften während des Hochamtes keine Lieder in der Volkssprache gesungen werden. Von der Synode zu Eichstätt wird dieser Canon wörtlich wiederholt. Die Synode zu Schwerin im Jahr 1492 formuliert sinngemäß (*cap. XLVII. Que cantica in Missa integre cantari debent, statutum*): „*Item statuimus, & mandamus, ut quilibet Sacerdos nostre Dioecesis, cum gratia Dei dispositus, Missarum solemnia decantaverit, Gloria in excelsis, Credo, Offertorium, Prefationem cum Pater noster, juxta Sacrorum Canonum sanctiones a principio usque ad finem decantet, nullo abstracto, diminuto, vel resecto: aut aliud responsorium, vel carmen vulgare loco praemissorum in organis, aut choro, qui presentes fuerint Clerici resonent*". (Nach Bäumkers Übersetzung: „*Ein jeder Priester unserer Diöcese soll, wenn er, mit der Gnade Gottes disponirt, das Amt der heiligen Messe singt, dafür sorgen, daß das Gloria in excelsis, Credo, Offertorium, Praefatio und Pater noster, den Beschlüssen der heiligen Canones gemäß, von Anfang bis zum Ende ausgesungen werden, ohne daß irgend etwas ausgelassen, gekürzt oder beschnitten wird, und ohne daß die im Chor anwesenden Geistlichen ein anderes Responsorium oder ein Lied in der Volkssprache anstatt der genannten Gesänge singen oder von der Orgel spielen lassen*"; Bäumker II, 9).

Die Suche nach „verbotenen" Liedern ist allerdings wenig erfolgreich. Zu nennen ist „*Wir glauben in einen got / schepfer himels und der erden*", das erstmals Hoffmann aus der Breslauer Hs. I Q 466, Bl. 27r, mitteilt. Die Melodie dieses Liedes entstammt einem lateinischen Tropus, jedoch ist der deutsche Text keine Übersetzung dieser Trope. Wackernagel und Bäumker beschreiben die weitere Verbreitung des Beleges, auf dessen Melodie in der Zwickauer Hs. auch das Lied „*Wir sollen vns alle frewen*" (Bäumker I, 684; Wackernagel II, Nr. 1248) erscheint. Wir stehen hier vor zwei Belegen, deren Liedcharakter bezeugt ist und von denen Aufführung während des Gottesdienstes anzunehmen ist; die Lieder erklangen jedoch nur als Beifügungen, als Ausschmückungen des Gottesdienstes und ohne liturgische Funktion.

Ältere Handschriften enthalten keine volkssprachigen Lieder, die während des Offertoriums, des Sanctus und der Wandlung hätten gesungen werden können. Erst als die lateinischen Sakramentsgesänge (der Gemeinde) um die Mitte des 16. Jahrhunderts verschwanden, traten deutsche Wandlungslieder teilweise an deren Stelle. Als liturgische Gesänge können jedoch weder die lateinischen noch die späteren deutschen Lieder bezeichnet werden, da der Vollzug der Liturgie hier allein beim Zelebranten liegt. Diese Gegebenheiten beim Kanon entsprechen den Verhältnissen während der Kommunion: da selbst der Chor beim Gesang des Pater noster ausgeschlossen blieb, ist an ein volkssprachliches Paternosterlied nicht zu denken. Für das Agnus Dei liegen aus vorreformatorischer Zeit keine Hinweise auf Gemeindegesänge vor.

Trotz der keineswegs einheitlichen liturgischen Gesetzgebung des Mittelalters duldete demnach die Kirche keine — ihrem Verständnis nach — unpassenden Einschübe in die Liturgie. Das Singen geistlicher Lieder in der Landessprache konnte sich dagegen nach den liturgischen Handlungen ungehemmt und reich entfalten. Dafür ist vor allem das Predigtlied ein eindeutiger Beweis: als nicht liturgisch geregelter Gottesdienst unterlag die Predigt nicht dem Gebot der lateinischen Kultsprache.

In Verbindung mit den verschiedenen Predigtannexen entwickelte sich gleichsam ein eigener Gottesdienst in der Landessprache.

Von den ältesten Predigtliedern kennen wir nur Textinzipits oder erste Liedzeilen: daraus kann jedoch nicht geschlossen werden, daß sich diese Lieder in einem Vers erschöpfen, obwohl diese Möglichkeit grundsätzlich nicht auszuschließen ist (Ruf). Manche der zum Teil mit andeutender Notenschrift versehenen Liedzeilen lassen sich aus späteren Quellen zu einem mehrzeiligen Lied erweitern und vervollständigen. In zwei Predigtbruchstücken aus der ersten Hälfte des 13. Jahrhunderts heißt es etwa am Schluß der Predigt zum Allerheiligentag: „*vnd heuet iwern rvf. Die hiligen alle helfen vns*" (F. K. Grieshaber, *Predigt-Bruchstücke*, in: Germania I, 1856, 449, Z. 23 f.); die Predigt „*In die animarum*" endet: „*Darvmb heuet iwern rvf. Den gotis svn. den lo(ben) wir*" (ebda., Z. 41 f.). Eine Parallele zum ersten Liedbeginn — ebenfalls am Schluß einer Allerheiligen-Predigt — steht in der Sammlung *Speculum Ecclesia* aus dem 12. Jahrhundert: „*Nu heuet iwer hende unde iwer herze ûf ze dem almahtigen gote mit dem leisse: ,Helfen uns alle heiligen'* " (ed. Mellbourn, 115). Vielleicht weisen die Neumen in Grieshubers Fragmenten darauf hin, daß die Predigtlieder vom Prediger selbst angestimmt wurden, worauf sich folgendes Zitat aus *Seifried Helbling*, Ende des 13. Jahrhunderts, beziehen könnte: „*der predigaer ein ende schuof / und huop den gebûren einen ruof, / den munt er wît ûf tet: dô fuor ich ûz an der stet*" (VII, 99—102; ed. Seemüller, S. 241 f.).

Aber auch vor der Predigt konnte ein geistliches Lied in der Landessprache gesungen werden, und zwar in der Regel zwischen dem Exordium und dem eigentlichen Predigttext. Aus den Homiliaren wissen wir, daß sich an dieser Stelle eine Zäsur herausgebildet hatte: Es folgte nach dem Exordium eine Aufforderung zum Gebet, oder es wurde zuweilen auch ein dem Fest angemessenes Lied gesungen. Diese Praxis bezeugt bereits der „Prediger von Sankt Lambrecht" in der Mitte des 13. Jahrhunderts: Am Schluß des Exordiums zum Fest Purificatio St. Mariae wird die Gemeinde aufgefordert: „*ideo sanctam Mariam, matrem Domini, in auxilium ves cum in vocate, canentes: ,Helf uns, sande Marie'* " (Hs. 841 der UB Graz, Bl. 57v.). In der Predigt „*De apostolis*" heißt es: „*invocate gratiam Sancti*

Spiritus, dicentes: ,Nu bite wir den heiligen geist" (ebda., Bl. 66v.). Doch scheint das Singen eines deutschen geistlichen Liedes zwischen Exordium und eigentlicher Predigt nur zu bestimmten ausgezeichneten Tagen oder Zeiten üblich gewesen zu sein. Zahlreiche Nachweise lassen sich für das Lied „Christ ist erstanden" als Predigtlied zwischen Ostern und Christi Himmelfahrt führen. Als Heilig-Geist-Lied erscheint: „Nû biten wir den heiligen geist / umb den rehten glouben aller meist, / daz er uns behuete an anserm ende, / so wir heim suln varn ûz disem ellende / kyrieleis"; als Marienlied: *„O muoter der parmhertzikait / Maria, du vil rayne mayd".*

Für das vorreformatorische Predigtlied läßt sich demnach eine reiche Tradition nachweisen — aus den oben schon genannten Gründen. Schließlich kennt auch Vehe's Gesangbüchlein von 1537 nur Lieder vor und nach der Predigt — und läßt so die in der Tat eingeschränkte Möglichkeit für den Gebrauch des Liedes in der Landessprache während des Gottesdienstes deutlich werden. Die lutherische Neuerung *„Titsch psalmen zuo singen naich und vor der bredig"* bezieht sich dagegen nicht grundsätzlich auf den deutschen Gesang, sondern nur auf das Singen deutscher Psalmen. — Näherer Untersuchung bedürfte der Hinweis, daß man in Nordfrankreich im 12. Jahrhundert versucht habe, die Gläubigen das *Symbolum Apostolicum* singen zu lassen; es steht offen, *„ob dabei die Volkssprache verwendet wurde"* (Jungmann I, 604).

Wenden wir uns dem Kirchenjahr zu, so steht zunächst die Beschäftigung mit den Liedern des Weihnachtsfestkreises an. Die Gesänge in der Landessprache der erst verhältnismäßig spät, im 11. Jahrhundert durch die Cluniazenser und im 13. Jahrhundert durch die Franziskaner, verbreiteten Adventsliturgie sind fast ausnahmslos Übertragungen lateinischer Hymnen.

Der Hymnus *„Veni redemptor gentium"* wird im 14. Jahrhundert zu *„Kom du loser der heydenen / Wys vns de bord der Juncurowen"* (Wolfenbüttel Helmst. 632, Bl. 85r.) verdeutscht; im 15. Jahrhundert lauten die Übertragungen: *„cum des volkes vorlozer vnd lat dik schowen / Bewyse de bord der kuschen juncvrowen"* (Stadtbibl. Hamburg, Hs. des Convents No. VI, Bl. 233r–234r.), oder: *„Kvm vploser der sunder bant / Der maget gebort wijs vns to hant"* (Wolfenbüttel Helmst. 1272, Bl. 118v–119v.), oder: *„Erlediger der völckher, khum"* (Hymnarius zu Sigmundslust, 1524; Wackernagel II, 1358) u. ä. Dem Zeugnis nachreformatorischer katholischer Gesangbücher folgend, wurden im Advent deutsche Fassungen des *„Mittit ad virginem"* gesungen, wovon wir ebenfalls vorreformatorische Übertragungen kennen: *„Des menschen liebhaber / sand czu der maide her"* (Mönch von Salzburg; Wackernagel II, Nr. 576), *„Von Got so wart gesannt / der Jungkfrawn her czu landt"* (Oswald von Wolkenstein; Klein, Nr. 130, S. 319 f.), *„Hin zuo dir megde vin / sent got den engel sin"* (Heinrich Laufenberg; Wackernagel II, Nr. 760).

Erst unmittelbar vor der Reformation treten eigenständige Adventlieder in größerer Zahl auf, in der Regel als Kontrafakta zu weltlichen Liedern. Genannt sei: *„AVß hertem wee klagt menschlichs gschlecht / es stond in grossen sorgen"* (Wackernagel II, Nr. 1156) als Kontrafaktur des Wächterliedes *„Aus hertem we klagt sich ein held / in strenger hut verborgen"* (Böhme, Altdeutsches Liederbuch, Nr. 111). Dagegen kann das Lied *„IN eynem aduent des mois ich lyen / Do soichte ich in dat hertze myn"* (Stadtarchiv Köln, Hs. W. 8° 70, Bl. 10r–12r.) Eigenständigkeit beanspruchen.

Eine stattliche Anzahl gereimter Übertragungen von Hymnen, Sequenzen und sonstiger lateinischer Lieder ins Deutsche ist für die Weihnachtszeit festzustellen. Bedeutsam sind etwa des Mönchs von Salzburg (*„Von anegeng der sunne klar / bis an ein ende der werllde gar"*; Wackernagel II, Nr. 564) und Heinrich Laufenbergs (*„Verr von der sunne vfegang / vntz zuo der erden vmbeuang"*; ebda., Nr. 756) Fassungen des lateinischen *„A solus ortus cardine"* (ebda., Nr. 49), wozu sich noch ein Beleg aus der Handschrift Wolfenbüttel Helmst. 632, Bl. 85, fügt (*„Van des de sunne vn vp gheit / Went dar der werlde end an steit"*). Ungewöhnlich reich aber verzweigten sich *„Dies est laetitiae"* und *„Puer natus in Bethlehem"* in deutscher Sprache und als Mischpoesie; vielleicht gerade deshalb, weil beide Lieder nicht zum klassischen Hymnenschatz der mittelalterlichen Kirche gehörten und wohl kaum vor dem 14. Jahrhundert entstanden. Aufgrund der Quellenlage ist anzunehmen, daß die genannten und weitere Weihnachtslieder [*„Nu sis uns willekomen herro Crist"*, *„Gelobet seist du Jesus Christ"*, *„Der Tag, der ist so freudenreich"* (Predigtlied), *„In dulci jubilo"* (Predigtlied)] im Rahmen des Gottesdienstes zunächst nur von der Schola oder vom Chor gesungen wurden und erst später in das lebendige Gut der Gemeinde eingingen.

Ebenso lag — nach bisheriger Kenntnis — die feierliche Form des Kindelwiegens im Rahmen der Weihnachtskomplet zunächst bei Chor und Solisten, nicht bei der Gemeinde. Ab der zweiten Hälfte des 14. Jahrhunderts wird in der Vereinfachung der Struktur und mit dem Eindringen deutscher Lieder bei der Ausgestaltung des Schlußteils der Weihnachtskomplet zur Kindelwiegenfeier der Einfluß der Gemeinde spürbar. L. Berthold (Kindelwiegenspiele, S. 213) schildert den Brauch des Kindelwiegens nach einer Erlauer Aufzeichnung des 15. Jahrhunderts folgendermaßen: „Die amme wiegt die wiege (volvat cunabulum) und singt dazu die erste strophe des hymnus Magnum nomen domini. Darauf nimmt Josef den knaben auf den arm (Sustineat puerum), vielleicht um ihn zu schaukeln, und singt dazu die zweite strophe dieses hymnus. Umrahmt wird das ganze durch das von engeln gesungene Resonet in laudibus. Und zwar geschieht das so: zwischen die verschiedenen strophen dieses hymnus, der ganz durchgesungen wird, schieben sich immer wieder die gleichbleibenden wiegenstrophen der amme und Josephs ein". Ähnlich spielte sich die Szene im Hessischen (2. Hälfte des 15. Jahrhunderts) und im Sterzinger Spiel (1511) ab, nur wird hier das Resonet bereits deutsch gesungen.

Außerhalb des engeren kirchlichen Rahmens bot sich dem geistlichen Volksgesang jedoch ein weites Feld. Aufschlußreich sind dafür jene Berichte aus Biberach, die Schilling publizierte; wir zitieren aus dem Abschnitt über die Weihnachtsfeiertage: „Den *Hayligen tag hat man Drey tag gefeüreth, wie wohl man Sanct Stephan vnd Sancte Hannsen sunst auch noch gefeüret hat, vnd hat vff den tag Mangerlay Andöchtige, Hüpsche gesang gesungen*" (S. 113), und führen mit einem weiteren Zitat zum Dreikönigsbrauchtum weiter: „*Ahn der Hayligen Drey Königtag so sendt die Schuoler zue Nachts vmbher Gangen mit einem grossen Stern vnd gesungen vm Gottes willen vor den Heüsser*" (S. 159); „*Nach der Vesper ist mann zue der Heyligen drey Khönig Altar Gangen mit dem Creüz, da Andechtiglichen gesungen die weyhennöchtige gesang von der geburth vnd den Hayligen Drey Khönig*" (S. 96).

Mit der Betrachtung des Brauchtums am Palmsonntag, an dem sich nach verschiedenen Zeugnissen die Gemeinde mit einem landessprachigen Lied an der Palmfeier beteiligte, ist der Osterfestkreis erreicht. Auch deutsch-lateinische Mischpoesie, von Chor und Gemeinde abwechselnd gesungen, tritt uns hier wieder entgegen, wie das Seckauer Breviarium aus dem Jahre 1345 zeigt:

„Post hec subiungat sacerdos hanc collectam: Deus qui miro ordine disposicionis. His dictis praecedant tres pueri cantantes v[ersum] ‚Gloria laus‘ crucem praecedentes. Chorus reincipiat v. ‚Gloria laus et honor tibi sit‘, populo respondente:

> *‚Israhelischeu menigeu*
> *deu fuor christ engegene*
> *mit lob und mit gesange*
> *gegen dem hailande*
> *Willechomen seistu herre,*
> *chaiser alles israhelis‘.*

Pueri: ‚Israhel es tu rex‘.
Chorus: ‚Cui puerile decus‘.
Populus: ‚Willechomen seistu‘ etc.
Omnibus finitis clerus et populu intrent ecclesiam, ubi missa celebrabitur" (UB Graz, Hs. 756, Bl. 76 v.).

Der deutsche Text ist eine freie Übersetzung der vierten Strophe des Hymnus „*Gloria laus et honor*".

Der Palmprozession kommt liturgischer Charakter zu; wir treffen deshalb in ihrem Bereich nur auf spärliche Zeugnisse deutscher Lieder.

Dagegen liegen für den Bereich der *Matutinae tenebrarum* — die sogenannten Düster-, Finster-, Pumper-, Polter-, Rumpel- oder Tafelmetten während der drei letzten Tage der Karwoche — Belege für deutschen Gemeindegesang vor, der über eine bloße Kyrieakklamation hinausgeht. Ein abwechselnd lateinisch-deutscher Gesang ist für die Matutin am Mittwoch und Freitag wiederum im Seckauer Breviarium von 1345 bezeugt. In diesem nach bisheriger Kenntnis frühesten Beleg für ein deutsches Lied bei der Finstermette wird ausdrücklich der Gesang der Gemeinde genannt: Am Schluß der Matutin folgten im Wechsel zwischen Chor und Gemeinde in Anrufungen:
Kyrieleison — Christeleison. „Deinde prelatus ymnum: ‚Rex christe factor omnium‘. Populus Kyrie eleison. Aliter populus:

> *Chvnich schepfer alles dester ist*
> *du der in dem himelreiche pist*
> *geweltlich mit den travten*
> *dv chere an vns die genade dein.*

Chorus: Cuius benigna.
populus: Du hilf vns herre . . ." (UB Graz, Hs. 756, Bl. 80vb—81ra).
Der deutsche Text ist als Ausschmückung des liturgischen Hymnentextes zu verstehen, der vom Chor gesungen wurde.

Der wichtigste Vertreter des mittelalterlichen Gemeindeliedes findet sich in der Auferstehungsfeier der Osternacht: „Christ ist erstanden". Doch kommt auch diesem Lied keine streng liturgische Qualifikation zu; denn es erscheint bei allen bislang bekannten Visitatio-Texten am Schluß der Feier, meist unmittelbar vor oder gar nach dem Tedeum.

„Gemeinsam mit dem Tedeum erhebt es sich zum Osterjubel und erhält in dieser Funktion seinen unumstrittenen Rang unter allen anderen Gemeindeliedern, was sich allein an der Ehrwürdigkeit und Breite der Tradition ablesen läßt" (Janota, S. 199; W. Lipphardt, „*Christ ist erstanden*", in: JbLH 5, 1960, 96—114). Mehrmals erwähnen die Quellen das Osterlied als Begleitgesang der Gemeinde während der Rückkehr des Klerus in den Chor; auf diese Verwendung weist der älteste bekannt gewordene Beleg des „Christ ist erstanden" in einer Handschrift des 12. Jahr-

hunderts der Studienbibliothek Salzburg (Ms. M II 6, Bl. 67rb) hin. In späteren Texten, des 15. und 16. Jahrhunderts, steht am Schluß der Visitatio nur der Anfang des deutschen Osterliedes, das Tedeum wird nicht angeführt.

Neben dem „Christ ist erstanden" sind drei Lieder namhaft zu machen, die bei der Visitatio sepulchri gesungen wurden: *„(Es) Giengen drei vrauen", „Also heilig ist dieser tag"* und *„Nun gnade uns das heilige grab"*. Diese Gesänge erklangen aber auch außerhalb des Gottesdienstes, worauf der Biberacher Bericht hinweist: *„Zue ossteren hat man nit allein ‚Crist ist erstanden' gesungen in der Kirchen, sonder in heüsser, vff dem Veld, so man mit dem Creuüz ist Gangen vnd allenthalben gesungen: Chrisst ist erstanden' in Maniger Lay weeg"* (Schilling, 132).

Durch mannigfaches Brauchtum und die dramatische Darstellung des Festgeheimnisses aufgelockert, drangen auch in die Gottesdienste an Christi Himmelfahrt deutsche Lieder ein. Im *Liber ordinis II* (um 1489) der Kirche zu Münster ist ein Gemeindelied zur Statio am Himmelfahrtstag erwähnt; es sang dort die Gemeinde, während die Kleriker in den Chor zurückkehrten, das Lied *„Crist vor tho hemele"*, das auch die Crailsheimer Schulordnung von 1480 überliefert: *„Crist fuer gen himel / was sendt er vns herwider / das tet er den heiligen geist / zuo trost der heilgen cristenhait / kyrieleyson"* (Crecelius, 251).

Die bekannten deutschen Pfingstlieder lehnen sich, soweit es sich wirklich um Gemeindegesänge handelt, an die Antiphon und vor allem an die Sequenz *„Veni, sancte spiritus"* an. Dies ist wieder mit der Verwendung der Gesänge beim Gottesdienst zu erklären: als Predigtlieder und in Verbindung mit der Sequenz bei der Pfingstfeier; Gelegenheiten also, die uns als Einbruchstellen deutschsprachigen Gemeindegesanges bereits bekannt sind.

Für die übrigen Feste des Kirchenjahres fließen die Quellen landessprachiger Lieder während gottesdienstlicher Handlungen sehr spärlich. Bei der Betrachtung des reichen Schatzes an Marien-, Heiligen-, Prozessions- und Wallfahrtsliedern sind wir im Hinblick auf ihre Funktion beim Gottesdienst weitgehend auf Vermutungen angewiesen; in der Regel fehlen Angaben, wo, wann und von wem diese Lieder gesungen wurden.

Hingewiesen sei — im Bereich des Marienliedes — nur auf frühe Zeugnisse für den Liedcharakter der Sequenzbearbeitung. In der Chronik des Lübecker Geschichtsschreibers Hermann Korner heißt es im Jahr 1399 über das Auftreten der *„Bianchi"* in Italien: *„und sungen denne van deme lidende der moder Godes ene loysen, de begunde sik so: ‚Maria stunt vil drovelik / bi deme cruce wenelik'"* (Chronik der deutschen Städte, 26. Bd., 114). In der Fassung *„Maria stuont in großen noeten / so sie ir liebez kint sach toeten"* (Wackernagel II, 335) findet sich die Bearbeitung der Sequenz bei den deutschen Geißlern des Jahres 1349. Der Kantor Nikolaus Hermann in Joachimstal zählt in der Dedikation seiner *Historie von der Sintflut* (Wittenberg 1560) Marien- und Heiligenlieder auf, die offensichtlich allgemein geläufig und im Gebrauch waren: *„Maria zart von edler Art, / Item, Die Frau vom Himmel ruf ich an, / Item, Sanct Christoph, du vil heilger Mann, / Item, Du lieber Sanct Nicolaus, wohn uns bei, und dergleichen Lieder, die dazumal heftig in Schwang gingen in deutscher Sprach"* (Hoffmann, Gesch. des dt. Kirchenliedes, Hannover 1861, 169, Anm. 27).

Bei Prozessionen erklangen vielfach die aus gottesdienstlichem Umkreis schon bekannten Lieder (siehe oben, Biberacher Beleg). An eigenständigen Prozessionsliedern sind uns zahlreiche Fassungen des *„Gott der vatter won vns bey"* (Bäumker I, 578—582) überkommen; ein Lied, das nach Vehe (1537) *„zur zeyt der Bitfahrten vff den tag Marci, vnd in der Creutzwochen"* zu singen sei.

Die Crailsheimer Schulordnung von 1480 kennt weitere Prozessionslieder: *„Sancte Maria ste vns bej / so wir sullen sterben"* und *„Mittel vnseres leben czeit / Sey wir mit tod vmbfangen"*; letzteres Lied sangen 1263 die Mönche von St. Matthias in Trier, um so den Himmel für sich geneigt zu stimmen. Zu den Prozessionsgesängen zählt aber auch *„In gottes namen varen wir"*, das seit dem 13. Jahrhundert als Schlacht- und Pilgerlied überliefert wird. Welche Rolle bei Wallfahrten — vor allem beim Gesang der klassischen Pilgerlieder: der meist sehr strophenreichen Rufe — die Vorsänger spielten, wird aus folgendem Zitat aus dem Hohenfurter Liederbuch deutlich: *„Vnd zwmal so sie verr ausczugen, die da künten lesen, solche püchel mit jn füren vnd den andern vorsingen oder lesen. Sölch kirchferter mächten von got durch das verdienen der heiligen wol ethwas erberben etc. — Item die da vorsingen oder lesen, als oft sie ainen ruff oder ain stückel des leyden christi haben ausgesungen, das volck vermanen, zw sprechen ainen pater noster derselben mainung"* (ed. W. Bäumker, Ein deutsches geistliches Liederbuch mit Melodien aus dem XV. Jahrhundert, Leipzig 1895, 16).

Zusammenfassend läßt sich feststellen, in welch geringem Maß die mittelalterliche Gemeinde die Gottesdienste mit Liedern in der Muttersprache mitgestalten konnte. Im Bereich der Meßfeier liegt eine Einbruchstelle größeren Umfangs nur bei der Predigt vor, der jedoch keine liturgische Qualifikation zukam. Wenn zu liturgischen Gottesdiensten deutsche Gemeindelieder bezeugt sind (etwa bei der Palmprozession und bei Prozessionen vor dem Hochamt hoher Festtage), stand die Gemeinde stets in Konkurrenz mit Chor und Schola, die immer mehr auch die Darbietungen der deutschen Gesänge übernahmen. Dennoch fällt auf, daß gerade im Zusammenhang mit Hymnen und Sequenzen unsere ältesten deutschen geistlichen Lieder auftreten.

Diese Beziehungen zwischen deutschem Lied und Sequenz sind zunächst musikalischer Natur, *„so wenn die Osterleise ‚Christ ist erstanden' ihr melodisches Material aus dem 1., 2. und letzten Versikel der Sequenz ‚Victimae paschali laudes' bezieht, wenn die Pfingstleise ‚Nun bitten wir den Heiligen Geist' aus der hypolydischen Fassung der Sequenz ‚Veni Sancte Spiritus' . . . gewonnen wird"* (Lipphardt, MGG 8, 786). In der Regel gilt jedoch: ein nichtliturgischer Gesang kann nur als Interpolation zu einem liturgischen Gesang, dem allein die volle liturgische Bedeutung zukommt, in die Liturgie aufgenommen werden, und zwar als erweiterter Zusatz zur Ausschmückung der Liturgie.

Der volksmäßige Einfluß ist in den lateinischen Cantiones stärker spürbar, denen keine liturgische Funktion zukam. Ein Großteil der spätmittelalterlichen (Gemeinde-)Lieder geht auf Übertragungen solcher Cantiones zurück, wie auch umgekehrt zuweilen deutsche Lieder in die Form der lateinischen Cantiones übertragen wurden.

Im Bereich des häuslichen, familiären Singens eröffnete sich dem geistlichen Lied in der Landessprache ein breites Feld. So schreibt etwa der Augustiner Stephan Lanzkrana in seiner *hymel straß*, daß der Hausvater an Sonntagen *„nach essens des ersten mit seinem volcklin gieng zuo einer predig darnach seß er daheim mit seiner haußfrawen vnd mit seinen kindern vnd mit seinem völcklin vnd fraget sy was sy jn der predig gemerckt hetten vnd sagt was er het gemerckt. verhoert sy auch ob sy die zehen gebot künnen vnd verstuenden die siben todsünd den pater noster vnd jm darzuo ein trünckle bringen. vnd ein guottes liedlin von gott. oder von vnser lieben frawen oder etwas von den lieben heiligen singen"* (Ausg. Augsburg 1484, Bl. 51r–v.).

Auf die unterschiedliche Überlieferungsweise der geistlichen Lieder in der Landessprache im Spätmittelalter und im 16. Jahrhundert weist Janota (S. 294) hin: Während die Gemeindelieder kaum in größeren Liederhandschriften vertreten seien, fände sich andererseits deren Liedgut nicht in Handschriften, die in unmittelbarer Beziehung zur Liturgie stünden.

Lat. Kirchenlied
Psalm
Antiphon
Hymnus
Sequenz

Gemeindelied

a) Predigtlied
b) Prozessionslied
c) Wallfahrtslied (Ruf)

Deutsches Chorlied
(Schola)
a) Gemeindelieder
b) Lat.-deutsche Cantiones

Konventikellied

a) Devotio moderna (Kontrafaktur)
b) Mystik (Kontrafaktur, Mischlieder)

Gemeinschaftslied

a) Geistliche Spruchdichtung
b) Meistersang
c) Hofgesellschaft
d) Bürgerliche Bildungsschicht
e) Mystik
f) Devotio moderna
g) Schola

↑ Liturgie

Liturgie

Liturgischer Gottesdienst

(Paraliturgie)

Private Frömmigkeit

Gemeinde ——————————————→ Gemeinschaft

Liederhandschriften erweisen sich in der Regel als Sammlungen einzelner Gruppen innerhalb der Gesamtgemeinde: der Devotio moderna, der Hofgesellschaften, der bürgerlichen Bildungsschichten, der Meistersänger, der Knappen. Für das Gemeindelied liegen solche Handschriften nicht vor. Das Singen deutscher geistlicher Lieder im Umkreis der liturgischen Gottesdienste bezeugen nicht Liedersammlungen, sondern zum überwiegenden Teil Zitate aus Ordinarien, Breviarien u. ä., aus Pfarr- und Mesnerbüchern, in denen der geregelte Ablauf der einzelnen gottesdienstlichen Handlungen verzeichnet ist.

Dieser abschließende Hinweis bestätigt, daß neben der liturgischen Norm eine soziologisch faßbare Verschiedenheit von Gemeinde und religiöser Gemeinschaft im Liedschaffen zu beachten ist. Denn: *„Der kirchliche Gemeindegesang ist a) von der Liturgie, b) von der Volksfrömmigkeit, c) von der musikalischen Haltung bestimmt. Liegt im ersten Falle eine Norm des Gesangsgutes und seines Vortrages vor, so werden bei den anderen die musikalischen und religiösen Gesellschaftsschichten in ihrem Ausdruck wirksam"* (Fellerer, Soziologie . . . , 40). *„Der reiche Bestand an Kirchenliedern, im Laufe der Jahrhunderte umgestaltet und ergänzt, wurde Ausdruck der verschiedenartigen religiösen und musikalischen Verhaltensweisen der verschiedenen gesellschaftlichen Guppen"* (ebda., 91). Nicht nur die liturgische Relevanz der Lieder, auch ihre unterschiedliche gesellschaftliche Verwurzelung ist daher bei der Sichtung des mittelalterlichen geistlichen Liedgutes in der Landesprache zu erfassen. Die Skizze auf S. 358 von Johannes Janota (S. 314) führt dies anschaulich vor Augen.

Wolfgang Suppan

Die frühe kirchliche Mehrstimmigkeit

Die Diaphonie

Das erste unanfechtbare Zeugnis für mehrstimmigen Gesang in kirchlichem Gebrauch legt die Lehrschrift *Musica Enchiriadis* aus der zweiten Hälfte des 9. Jahrhunderts vor mit den Worten: *„Superficies quaedam artis musicae pro ornatu ecclesiasticorum carminum utcumque in his designata sit, quae certe non minus venerabilem sui speculationem et interius gerit."* (GS I, 171) Diese oberflächliche oder zusätzliche musikalische Ausschmückung wurde damals nicht als Novität betrachtet, sondern als etwas Altgewohntes. Ihr Name war *Diaphonia* und trug die landläufige Bezeichnung *Organum.*

Über ihre Vorgeschichte vor dem 9. Jahrhundert ist bisher nichts Sicheres zu erfahren. Befragt man die *Termini,* die für die frühe Mehrstimmigkeit gebräuchlich waren, so muß man sich bewußt sein, daß der Bedeutungswandel der Ausdrücke solche Untersuchungen unsicher macht. *Diaphonia,* das antike Wort für Dissonanz, wird nun in abgeschwächtem Sinne für abweichend klingende Stimmen verwendet. Das Wort Organum ist noch vieldeutiger, meint es doch antik Instrument, speziell Musikinstrument, noch enger Orgel, neben anderem. Man ist versucht, Augustins Auslegung der Psalmstelle *„Laudate eum in chordis et organis"* (Psalm 150, 4): ... *addidit* (der Psalmist) *organum, non ut singulae* (Instrumente) *sonent, sed ut diversitate concordissima consonent, sicut ordinatur in organo"* im Sinne der Diaphonie des 9. Jahrhunderts, allerdings auf Instrumentenspiel angewendet, auszulegen (Pratella RMI 1946, 147). Organum kann jedoch auch ganz andere Bedeutungen annehmen, wie etwa in dem Ausdruck *„susceptum modulationis organum"* in einem Bericht des 11. Jahrhunderts über die Restaurierung des Kirchengesangs in England durch Sendlinge Gregors des Großen, womit am ehesten eine Sammlung von Gesängen gemeint ist (Handschin O, 2). Andere Belege für das Wort haben sich als Zutaten späterer Abschreiber erwiesen, so etwa die Notiz Adhemars von Chabannes (11. Jh.), des Mönchs von Angoulême, daß um 800 römische Sänger fränkischen Kollegen Unterricht in der *Ars organandi* erteilt hätten. Solche zeitlich weit von den Ereignissen distanzierte Zeugnisse können nicht als zuverlässig angesehen werden. Das gleiche gilt für die Erwähnung der *pueri symphoniaci* des Papstes Vitalian († 672) durch Ekkehard IV. († ca. 1060) (P. Wagner, ZfMw. 1926, 5). Auch eine Äußerung, die von Notker Balbulus († 912) Johannes Diaconus († ca. 880) zugeschrieben wurde, wonach die Nordländer unfähig gewesen seien, die süße römische Cantilene mit ihren Wendungen und den Zwielauten der Diaphonie zu singen, gehört wohl zu solchen Interpretationen, die nicht als gesichert gelten können, die aber dennoch kennzeichnen, daß der mehrstimmige Kirchengesang im Zeitpunkt solcher Aussagen, d. h. im 10. und 11. Jahrhundert, zur Selbstverständlichkeit geworden war.

Zu den Ausdrücken, die auf mehrstimmiges Singen bezogen worden sind, gehört ferner das Wort *Paraphonista* in den päpstlichen Ordines des 8. Jahrhunderts. Es ist als *„Sänger, der in paraphonen Intervallen singt",* gedeutet worden. Theo von Smyrna (2. Jh.) nennt die Quart und die Quint paraphon, während Gaudentius (2. Jh.) damit die große Terz und den Tritonus meint. Besteht schon über die antike Bedeutung Unklarheit, so wäre auch die Bezeichnung „Quart- und Quintensänger" sehr seltsam. Näher liegt die Deutung „Nebensänger", da deren Aufgabe nach den *Ordines* die des Chores war (Handschin MG, 129 ff. gegen P. Wagner ZfMw IX, 2 ff.). Auch die Verwendung des Wortes *Paraphonista* in verschiedenen Prosen-Texten (AH VII No. 98, 164, 173) scheint diese Auffassung zu bestätigen (Husmann, 1964, I, 29).

Wie ist die Diaphonie zu ihrem vulgären Namen *Organum* gekommen? Johannes von Afflighem antwortet: *„organum dicitur, eoquod vox humana apte concordans et dissonans suavitatem exprimit instrumenti"* (CS I. 157).

Das Vorbild, das mit Menschenstimmen nachgeahmt wird, ist wohl nicht in der geistlichen, sondern in der weltlichen Musik zu suchen. Die Diaphonie ist also ein Ersatz für die in der Kirche entweder gar nicht oder nur ausnahmsweise und an wenigen Orten geduldeten Instrumente und heißt darum Organum. Abwegig wäre es, dabei an die Orgel zu denken. Aldhelm im 7. Jahrhundert kennt die Orgel nur vom Hörensagen und nur als weltliches Instrument. Für die Geistlichkeit war sie wohl lange Zeit nur Lehrinstrument. In der Kirche trifft man sie erstmals um das

Jahr 951 in der Kathedrale von Winchester. In Frankreich, dem Ursprungsland der Diaphonie, ist sie Ende des 11. oder Anfang des 12. Jahrhunderts für Fécamp bezeugt und fand erst im 14. Jahrhundert allgemeinere Verbreitung. Jedenfalls fehlt sie im Bereiche des Aufkommens der Diaphonie in St. Amand und Laon im 9. Jahrhundert. Die zahlreichen Erwähnungen des Organums in Sequenztexten dürften, soweit sie nicht rein poetisch und symbolisch sind, auf das gesungene Organum zu beziehen sein. Die erste unbezweifelbare Erwähnung anderer Instrumente als der Orgel in der Kirche stammt von 1213 aus Siena. Trifft die Annahme Ewald Jammers (Choral 1954, 99) zu, wonach die Tropen sich aus instrumentalen Zwischenspielen im weltlichen Musizieren herleiten, so dürfte auch für das kirchliche mehrstimmige Singen an eine damit verwandte Anwendung als gesungenen Ersatz für Instrumentalzwischenspiele zu denken sein. Ein Mitspielen der Orgel beim Choralgesang, selbst einstimmig, und noch mehr eine Begleitung nach Art des barocken Continuos ist undenkbar schon allein darum, weil die damaligen Orgeln mit ihrem Schiebermechanismus wohl höchstens zum Bordunspiel geeignet waren. Eher dürfte man sich die damalige Verwendung der Orgel glockenähnlich als gottesdienstlichen Vor- und Ausklang vorstellen. Es ist auch fraglich, ob aus Guidos zweitem Beispiel über *„Sexta hora sedit super puteum"* wirklich auf eine verbreitete Anwendung des Borduns, des späteren Ison der Ostkirche, geschlossen werden darf. Mehrstimmiges Orgelspiel ist wohl erst im 13. Jahrhundert mit dem Aufkommen der Orgeltasten möglich geworden.

Im Gegensatz zu Aurelian von Réomé und Regino von Prüm begnügt sich die Lehrschrift *Musica Enchiriades* nicht mit Kompilationen aus antiken Musikschriftstellern, sondern versucht, eine bedeutende eigenständige Einführung in die praktische Musik aufzubauen.

Ihre Abfassung scheint in die Wirkungszeit Johannes Scotus, genannt Eriugena in Laon von ca. 866 bis 877 zu fallen. Ihr Verfasser ist unbekannt geblieben. Die Handschriften des 10. Jahrhunderts nennen Abt Notger, in den folgenden: Uchubald, Obdon, Hoger und Otger, später noch Hucbald. (Smits van Waesberghe A; Weakland MGG VI, 823.)

Dieses für die Musikgeschichte unschätzbare Dokument wurde in der für Frankreich kulturell entscheidenden Epoche verfaßt, deren folgenreichstes Ereignis die Herausbildung der französischen Sprache ist, was auch auf die Kirchenmusik wichtige Auswirkungen hatte. Dazu gehört auf liturgischem Gebiet der Verzicht auf den gallikanischen Gesang und seinen Ersatz durch den römischen um 756. Aber nach einer verhältnismäßig kurzen Vorherrschaft des Gregorianischen bis etwa 850 drängten sich gallikanische Elemente in Musik und Dichtung als Tropen, Sequenzen und Prosen ein, was zu der für die Kirchenmusik des Mittelalters bezeichnenden Mischung von Liturgischem im strengen Sinne und liturgisch Zusätzlichem, von römisch-fremden und einheimisch-französischen Elementen führte. Ein solches heimisches Element war wohl auch die Diaphonie (Jammers A). Wie ihr volkstümlicher Name Organum zu verraten scheint, hat es sich dabei um eine Übertragung, um vokale Imitation instrumentaler Spielgewohnheiten im Kirchengesang gehandelt. Daß die Beanspruchung der Diaphonie für die Kirchenmusik sich schon in gallikanischer Zeit vollzogen hat, ist nicht bezeugt (Notenbeispiel 1, S. 371).

Die Anweisungen zum mehrstimmigen Singen in der Lehrschrift *Musica Enchiriadis* wurden etwa 150 Jahre später von Guido von Arezzo in seinem *Micrologus* bestätigt und ergänzt. Daraus lassen sich für die mehrstimmige Ausführung von Melodien folgende Grundsätze ableiten.

1. Prinzipiell wird die Melodie in Unterquarten verdoppelt; möglich ist aber auch die Unterquint.

2. Von dieser Parallelführung kann, wenn die Lage des Cantus und dessen Modalität es verlangen, am Anfang und Schluß der Melodiezeilen abgewichen und im Einklang begonnen und geschlossen werden. Am Schluß der Stücke wird der Einklang, von Guido *Occursus* genannt, bevorzugt. Der Stimmenverlauf ist dann folgender:

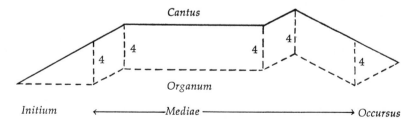

3. Den *Tritonus* vermeidet die Begleitstimme durch Verweilen auf gleicher Tonhöhe.

4. Guido erlaubt der *Cantus*stimme auch für einige Töne unter die Organalstimme hinunterzusteigen. Die Begleitstimme bleibt dabei auf gleicher Tonhöhe.

5. Die Lage der Organalstimme wechselt von Melodiezeile zu Melodiezeile mit der Lage und der Melodiebewegung des *Cantus*.

6. Beide Stimmen können in der Oktave verdoppelt werden.

Die Erläuterungen zu diesen Regeln in der *Musica* und im *Micrologus* unterscheiden sich insofern, als im älteren Traktat von den melodischen Gerüsttönen, somit vom Tetrachord, ausgegangen wird, wogegen Guido den Tonraum des Hexachords in Betracht zieht. Zudem begründet Guido die dritte Regel aus der Lehre der Kirchentonarten, die anscheinend für den Verfasser der *Musica* noch nicht als vollentwickeltes System selbstverständlich war.

Eine Reihe von Fragen sind noch nicht geklärt, so das Verhältnis zwischen Quart- und Quintorganum. Gegen letzteres bekundet Guido eine entschiedene Abneigung. Er bezeichnet es als hart. Es hat aber den Anschein, daß auch für die *Musica* das Unterquartorganum als die eigentliche Diaphonie galt, und sich das Quintorganum nur durch die Oktavverdoppelung nach Regel 5 ergab. Die Musica spricht von Quintbegleitung nur bei der Behandlung der Symphonien, d. h. der konsonanten Zusammenklänge. Zudem führt das beigefügte Beispiel den *Cantus* offensichtlich in der Unterstimme. Das Stichwort „Diaphonie" taucht erst im Zusammenhang mit dem Unterquartorganum auf. Das Quintorganum scheint somit nur aus methodisch-didaktischen Gründen und Absichten vorher behandelt worden zu sein. Dem widersprechen die *Scholien* zur *Musica Enchiriadis*, die das Unterquintorganum ausdrücklich lehren und dafür auch Beispiele geben. Dennoch bleibt der Verdacht bestehen, daß auch bei diesen Demonstrationen mehr didaktische als praktische Absichten im Spiele sind.

Die frühen Organumtraktate, zu denen außer den genannten auch die kürzeren Abhandlungen in Paris, Köln und Bamberg gehören, wählen ihre Beispiele aus dem Bereich der Antiphonen (Beisp. 2), Hymnen und Sequenzen

Verbreitung der frühen Diaphonie nach den mutmaßlichen Entstehungsnoten der einschlägigen Handschriften vom IX. bis XVI. Jahrhundert.

(Beisp. 1), somit aus den Rahmenteilen der Liturgie. Eine Ausnahme ist allerdings das Beispiel für die Vesperpsalmodie über „*Sit gloria domini in saecula*" (Psalm 103, 31). Ohne Unterschied sind es jedoch chorische Stücke. Neben den Fassungen ganzer Gesänge erscheinen auch Ausschnitte, wie der Schluß der Antiphon „*O sapientia*" (P. M. XII, 21): „*Veni ad docendum nos viam prudentiae*" und zum Invitatorium „*Regem cui omnia vivunt*": „*Venite adoremus*" (Beisp. 3). Übergang zur Mehrstimmigkeit als Schlußeffekt findet sich in späterer Zeit verschiedentlich, so Sequenzen mit mehrstimmigem *Amen* aus Périgeux aus dem 13. Jahrhundert (Lo 945 und P 5247) und auch die *Amen*-Beispiele im Traktat von Montpellier dürften für eben diesen Zweck bestimmt gewesen sein.

Die weite Verbreitung und die ununterbrochene handschriftliche Überlieferung des Traktates *Musica Enchiriadis* bis ins 16. Jahrhundert darf als Zeugnis für die Bedeutung, die die Diaphonie für die Kirchenmusik hatte, angesehen werden. Aus dem 10. Jahrhundert stammen fünf Handschriften aus St. Amand, Buda, Chartres, Einsiedeln und Regensburg (St. Emmeram), im 11. Jahrhundert folgen zwölf weitere aus Mönchen-Gladbach, Ter Duijn, Gembloux, St. Maur-des-Fossés, Freising, Tegernsee, St. Emmeram (Regensburg), St. Afra (Augsburg), Monte Cassino und noch andere französische Handschriften. Im 12./13. Jahrhundert ist der Traktat sechsmal belegt, in St. Blasien, Salem, Heilsbronn, Frankreich und Flandern. Im 14. bis 16. Jahrhundert schließen sich noch sechs Fundorte an: Oxford, Mailand, Straßburg, Leipzig, Florenz und Cesena (Karte 1). Für das Interesse am mehrstimmigen Gesang zeugen aber auch die Überlieferung des Micrologus in 73 Handschriften und spätere Organum-Traktate.

Die ersten praktischen mehrstimmigen Denkmäler

Die für die abendländische Musik charakteristische Entfaltung der Polyphonie seit dem Beginn des 2. Jahrtausends ist mit der Entwicklung der Notenschrift aufs engste verbunden und erst durch sie möglich geworden. Aus einer anfangs lediglich dem Sängergedächtnis nachhelfenden, die Melodiebewegung andeutenden linienlosen Neumierung erwuchs eine Tonschrift, die durch Diastematie und zusätzliche Linien die Tonhöhe genau bestimmte.

Sie ermöglichte erst die Lösung der Stimmen aus der starren, grundsätzlich durch Parallelführung geregelten Diaphonie, andererseits auch die rasche Folge wechselnder Zusammenklänge. Auf einer weiteren Stufe der Befreiung, gegen Ende des 11. Jahrhunderts, lösten sich die Stimmen vom rhythmischen Zwang des gleichzeitigen Fortschreitens *nota contra notam*. Dies führte in der zweiten Hälfte des 12. Jahrhunderts zu dem Bedürfnis nach rhythmisch-modaler Regelung und schließlich — um die Mitte des 13. Jahrhunderts — zur mensuralen Messung der einzelnen Werte.

Die Theoretiker der Diaphonie boten ihre Beispiele in Dasia-Notierung oder in Buchstabenschrift. Die nunmehr einsetzenden Belege für die Polyphonie sind mehr als bloße Demonstrationen von Regeln, sie sind Notierungen für den praktischen Gebrauch. Die Handschriften, in denen sie begegnen, sind Gesangbücher für die Sänger, und es ist darum nicht verwunderlich, daß in ihnen meist nur die Solopartien der Kirchengesänge aufgezeichnet sind. Der Chor sang wohl während des ganzen Mittelalters auswendig und, sofern mehrstimmig, nach den Regeln der Diaphonie.

Als erste bedeutende Pflegestätte mehrstimmiger Kirchenmusik ist die Kathedrale von Winchester bekanntgeworden. Ihr sogenannter Troper (Cb 473) aus der ersten Hälfte des 11. Jahrhunderts enthält 158 Organalstimmen, in linienlosen Neumen notiert, die darum eine verbindlich gültige Übertragung nur schwer zulassen.

Schon die Frage der Lage des *Cantus*, d. h., ob es sich um ein Organum *sub voce* oder *supra vocem* handelt, ist verschieden beantwortet worden. Aus den Überschriften *Organum modulamina Super...* *praeconia* scheint hervorzugehen, daß es sich um Oberquintorgana handelt. Die Deutung der Titel ist jedoch allem Anschein nach anfechtbar. Bei Transpositionsversuchen ergeben sich überdies erhebliche Schwierigkeiten. Zudem ist mit Stimmkreuzungen zu rechnen (Holschneider).

Die Hauptbedeutung des Winchester-Tropers liegt jedoch darin, daß er einen Blick auf die große Ausdehnung des Mehrstimmigen im Kirchengesang gewährt. Es sind hier Organalstimmen zu 12 Kyrie, davon sieben tropiert, dann sieben Gloriatropen, 19 Traktus, sieben Sequenzen, drei Introitustropen, eine Introduktion zum Gloria, 53 Alleluia-Verse, ein griechisches Gloria für Pfingsten, 21 Responsorien, 3 Invitatorien und 3 Prozessionsantiphonen aufgezeichnet. Die Mehrstimmigkeit dient also hier nicht nur zur Wiedergabe der Randstücke, sondern sie durchsetzt auch den Kern der Liturgie, die Ordinariumsgesänge und die feierlichen mit den Lektionen verbundenen Gesänge, Graduale, Alleluia und Offiziumsresponsorien. Hervorzuheben ist sodann, daß es sich bei letztgenannten Gesängen um die solistischen Verse handelt und bei den Ordinariumsstücken meistenteils um Tropen, die ebenfalls den Cantoren zufielen, was natürlich mit der Bestimmung des Gesangbuches zusammenhängt. Diese Verbindung der Mehrstimmigkeit mit den Tropen ist beachtenswert, bietet sie doch Aufschluß über die Bestimmung des mehrstimmigen Ornamentes im Geiste des Mittelalters: sie dient nicht nur der Verschönerung, sondern auch der Verdeutlichung. C h o r beteiligung kommt außer bei den Sequenzen allenfalls bei den Invitatorien und den Antiphonen in Frage. Der Winchester-Troper enthält erstmals fast alle später mit Polyphonie bedachten Gesangskategorien, und gleichzeitig erhält das Wort *Organum* die im späteren Mittelalter gebräuchliche Bedeutung von Choralbearbeitung, wobei zum Choral freilich auch die Tropen (auch *Versus, Prosa, Prosula* genannt), und zwar sowohl textliche als musikalische, zugerechnet werden können. Daneben tritt in der Gloriaeinleitung *Sacerdos dei excelsi*, die von zwei Sängern angestimmt wird, ein Gesang auf, der die Funktion des späteren *Conductus* erfüllt.

Außer in Winchester sind im 11. Jahrhundert, wenn auch vereinzelt, Stücke an verschiedenen Orten aufgezeichnet worden. Bei der Antiphon *Monasterium istud* aus Einsiedeln ist die Zusammengehörigkeit der beiden über dem Text stehenden linienlosen Neumenreihen zwar bestritten worden. Es könnte sich um zwei Melodiefassungen der Antiphon handeln (Gushee). Dagegen tauchen kleine Gruppen von Gradualgesängen und Responsorien in Fleury (R 586 und 592) und St. Maur-des-Fossés (P 11631, 12584 und 12596) sowie in Chartres (Chartres 4) auf (Beisp. 4). Aus Saint-Amand ist als Beispiel zum sogenannten Pariser Organumtraktat (P 7202) die Sequenz „*Benedicta sit*" in Dasia-Notation erhalten (Waeltner 304). Als mehrstimmige Hymne ist „*Jam lucis ordo sydere*" aus St. Maur (P 12596) darum erwähnenswert, weil hier das Prinzip Note gegen Note vielleicht erstmals durchbrochen ist, und ebenso sind die Benedicamusgesänge aus dem gleichen Kloster und aus St. Martin in Limoges zu nennen, die die Reihe der zahlreichen Vertonungen über den Schlußgesang der Offizien und der Messe eröffnen. Die erwähnten Handschriften aus St. Maur notieren, wie Eins., die Gesänge in linienlosen Neumen, wobei die Neumenzeilen übereinander stehen. In den Handschriften aus Fleury sind die Gesänge dagegen diastematisch in Einzelstimmen aufgezeichnet.

Saint-Martial

Am Ende des Jahrhunderts gewinnt die Benediktiner-Abtei St. Martial in Limoges für die Mehrstimmigkeit überragende Bedeutung, die wohl mehr in der Sammeltätigkeit als in eigenen Schöpfungen zu sehen ist. Die ersten polyphonen Aufzeichnungen in Handschriften aus diesem Bereich gehören unter die Auswirkungen der kluniazensischen Reform des Klosters nach 1063.

Die 24 Stücke des frühesten Codex (StM-A) sind zum größeren Teil noch in getrennten Stimmen nacheinander notiert. Nur drei Gesänge erscheinen in partiturmäßiger Anordnung. Diese erste Handschrift dürfte 1096–1099 geschrieben worden sein (Chailley). Ihr reihen sich im 12. und 13. Jahrhundert weitere Handschriften mit 19 (StM-B), 33 (StM-C) und 34 mehrstimmigen Stücken (StM-D) an, von denen die letztgenannte allerdings aus Apt oder einer katalanischen Abtei stammen könnte. Von den Gattungen der Diaphonie ist allein die Sequenz vertreten, in StM-A und -D mit je einem Beispiel, in StM-B und -C mit 9 bzw. 8 Stücken. Aus dem Messeordinarium erscheint in der letzten südfranzösischen oder katalanischen Handschrift der Sanctus- bzw. Hosanna-Tropus „*Clangat hodie vox nostra*". Propriumsgesänge tauchen ebenfalls erst in den späteren Handschriften von 1205 und 1210 auf. Den eigentlichen Bestand in St. Martial bilden Gesangskategorien, die früher nur vereinzelt oder überhaupt nicht vorkamen. So erhalten wir ein erstes Beispiel für den mehrstimmigen Lektionsvortrag, sodann Benedicamus-Gesänge (Beisp. 5), Conductus und motettenartige Stücke (Beisp. 6). Mit Ausnahme der Lektion sind es Gesänge, deren Bestimmung es war, die liturgischen Vorgänge einzuleiten, sie sozusagen zu dramatisieren. Dieser Hang zur lebendigen, dramatischen Präsentation hatte sich schon früher in den Sequenztexten wie auch in den Introitustropen kundgetan, und die letztgenannten Tropen sind, wie bekannt, geradezu zur Ansatzstelle für die Ausbildung des liturgischen Dramas geworden. Nun ist es der Schlußgesang der Offizien und der Messe, an den sich die verschiedensten Arten der Ausgestaltung und Erweiterung knüpfen. Neben die polyphone Darbietung der liturgischen Melodie, die noch in den Bereich des Organum fällt, treten nun Paraphrasierungen von Text und Melodie. Fünf von den 24 Stücken der frühesten St.-Martial-Quelle sind Benedicamuslieder, die dem Conductus zuzurechnen sind. Dazu kommt, daß auch die frühesten Beispiele für die Motette Benedicamus-Melodien zum Tenor haben.

Entscheidend Neues brachte St. Martial jedoch auf kompositorischem Gebiet. Das alte Prinzip, die Stimmen Note gegen Note zu setzen, wurde durchbrochen. Häufig treten nun einem Ton der einen Stimme Tongruppen in der anderen gegenüber. War das erste Beispiel dieser Art, wie schon

Frühe praktische Denkmäler einschließlich Saint-Martial (Limoges)

erwähnt, ein *Hymnus*, so sind es nun die neuen Gattungen des *Conductus* und der Motette, mit denen sich die Ausbildung des neuen Stils verbindet. Bei den Conducten gibt es zwar auch Stücke mit gleichmäßigen Gruppen, wodurch eine dem Note-gegen-Note-Satz ähnliche Stimmenstruktur entsteht. Häufig lösen sich jedoch die Stimmen auf den beiden letzten Noten der einen Stimme vor dem Schlußton vom Gleichschritt. Andere Stücke zeigen stärkere rhythmische Unabhängigkeit der Stimmen. Noch größer ist der Gegensatz der Stimmen in den ersten Motettenbeispielen, wo der zu Grunde liegende Cantus in langen gehaltenen Tönen von einer üppig rankenden Oberstimme umspielt wird.

Eine weitere Besonderheit von St. Martial ist das Auftauchen des Stimmtauschs, einer Zweistimmigkeit, die dadurch zustande kommt, daß die Sänger zeilenweise die Melodien austauschen. Die Stücke werden meist monodisch aufgezeichnet, weshalb ihre Mehrstimmigkeit nicht ohne weiteres erkennbar ist. Dieses Stimmtauschverfahren ist ein Vorläufer des Kanons und auch der freieren Imitation.

Organum, Conductus und Motetus

Im St.-Martial-Kreis scheiden sich jene drei Kategorien unter den mehrstimmigen Gesängen, die den weiteren Verlauf der Geschichte der mittelalterlichen Mehrstimmigkeit entscheidend prägten: *Organum*, *Conductus* und *Motetus*.

Von den verschiedenen Bedeutungen des Wortes *Organum* war schon die Rede. Nun wird deren Zahl noch um weitere vermehrt. In praktischen Denkmälern heftet sich das Wort an diejenigen Gesänge, die immer mehr in den Vordergrund der mehrstimmigen Kirchenmusik treten: die responsorialen Gesänge von Messe und Offizium; nur im weiteren Sinne werden auch andere Choralstücke ebenso genannt. So wird *Organum* gleichbedeutend mit mehrstimmiger Choralbearbeitung. Beim Aufkommen drei- und vierstimmiger Komposition wird das Wort öfters zur Spezialbezeichnung für die alte zweistimmige Form.

Der mittelalterlichen Frömmigkeit und Festfreude genügte jedoch diese mehrstimmige Ausgestaltung des liturgischen Gesanges nicht. Zahlreich sind die festlichen Zusätze, wie etwa die Tropen, die als textliche oder musikalische Interpolationen die Kompositionen im Innern bereichern, oder die hymnischen Lieder, welche als Einleitung oder Abschluß der gottesdienstlichen Gesänge fungieren. Diesen Zweck erfüllt der *Conductus*. Seine Aufgabe ist es, liturgische Handlungsteile einzuleiten, zu verbinden oder ausklingen zu lassen.

Wie die Tropen nehmen ihre Texte auf die spezielle Festlichkeit und auf die Stelle in der Liturgie, für die sie bestimmt sind, Bezug. Das Wort *Conductus* oder zunächst auch *Conductum* bedeutet soviel als Geleite oder Geleitgesang und taucht zuerst in außerkirchlichem Bereich im Danielspiel von Beauvais bei einstimmigen Liedern zum Auftritt der handelnden Personen auf. In kirchlichem Dienst erscheint der *Conductus* zuerst als Begleitgesang für den zur Verlesung des Evangeliums schreitenden Priester. Später gilt er für alle die liturgische Gesänge und Handlungen begleitenden Lieder, die früher *Versus* genannt wurden. In diesem Sinne wäre auch jene Einladung zum Gesang des *Gloria* im Winchester-Troper ein Conductus. Die Geleitfunktion ist in einstimmigen und z. T. zweistimmigen Conducten der Neujahrsoffizien von Beauvais und Sens noch deutlich erkennbar, denn hier werden diese Gesänge von andern Liedern, die *Versus* genannt sind, unterschieden. Doch treten um die gleiche Zeit Vermischungen ein. So fällt die große Gruppe der *Benedicamus*lieder, aber auch andere Gesänge mit geleitähnlicher Funktion, ja selbst liturgische Stücke später unter die Kategorie des *Conductus*. Stilistisch kennzeichnet ihn der metrische Vers und oft auch die Strophenform, besonders aber seine choralfreie liedartige Melodik. Im mehrstimmigen *Conductus* singen die zwei oder mehr Stimmen die Textsilben wie im *Organum* gleichzeitig.

Leichter definierbar ist der *Motetus*, handelt es sich doch um eine reine Formbezeichnung und läßt er sich doch meist unverwechselbar schon in den Handschriften daran erkennen, daß seine Stimmen mit ihren verschiedenen Texten meist nicht, wie im Organum und *Conductus*, partiturmäßig übereinander notiert sind. Im Bereich der mehr als zweistimmigen Motette treten allerdings Übergriffe des *Conductus* zur Motette auf. So kann der Stimmenoberbau einer solchen Komposition conductusähnlich sein, und mancherorts wurde er mit Unterdrückung des Tenors als Conductus verwendet.

Der Umstand, daß der mehrstimmige Gesang an die Cantoren überging und nach Noten gesungen wurde, änderte die Anweisungen der späteren Lehrschriften von Grund auf. Während ursprünglich für die Dispositionen des Diaphoniesängers die Melodie einer ganzen Distinktion und ihre Lage ausschlaggebend war, so ist es jetzt der zur Oktave erweiterte Tonraum, der vom Zusänger auszufüllen ist, und seine Fortschreitungen richtet er nun nach kürzesten Cantusabschnitten über wenigen Silben und letztlich von einem Cantuston zum nächsten. Diese neue Dispositionsart vertreten beispielsweise Guy von Charlieu im 12., der vatikanische und der venezianische Organumtraktat im 13. Jahrhundert. Gleichzeitig führt die Ausbildung des hochornamentalen Haltetonstils zur begrifflichen Differenzierung: Haltetonpartien tragen fortan die Bezeichnungen *organum purum*, *duplex organum*, *organum specialiter* und *diaphonia basilica*, während die Note-gegen-Note-Abschnitte *discantus* genannt werden.

Santiago de Compostela

In den Stilbereich von St. Martial gehören die 22 mehrstimmigen Stücke des Codex Calixtinus (Prado), dessen Entstehung zwischen 1140 bis Ende des Jahrhunderts datiert wird. In vorteilhafter Weise bilden sie ein geschlossenes Ganzes, da sie zu dem St.-Jakobs-Offizium für den Wallfahrtsort Santiago de Compostela bestimmt waren. Die Niederschrift allerdings stammt aus Nevers an der

Loire. Der Vorrat an Stücken zeigt im Vergleich mit den früheren St. Martialer Hss. Unterschiede: Motetten fehlen, andererseits enthält die Handschrift liturgische Kernstücke, nämlich zwei Kyrietropen, ein *Graduale*, ein *Alleluia*, eine Sequenz und vier Responsorien neben Benedicamusvertonungen, Benedicamustropen und Conducten, unter ihnen als erste dreistimmige Komposition „*Congaudeant catholici*".

Ordinariumsgesänge lassen sich im 12. Jahrhundert in weiteren Handschriften finden, in solchen aus Beromünster, aus Laon (Mi) und aus England (Tit. XXI). Propriumsgesänge überliefern Hss. aus Laon (Mi), Chartres und Autun; Sequenzen Hss. aus Anchin (Douai), aus Messina (Ma), aus der englischen Quelle Cb 17. Dem Offizium gehören die Responsorien aus Winchester (O Bo 572) und Messina 19421 an, sowie auch die Benedicamusgesänge aus Laon, Lucca, Messina und aus der englischen Handschrift Cb 17. Conductus finden sich in der St. Martial nahestehenden Cambridger Handschrift (Cb 17). Ein früher Conductus aus dem Elsaß enthält der Hortus Deliciarum (a. 1180) der Herrad von Landsperg aus St. Odilien zu Hohenburg.

Um die Wende zum 13. Jahrhundert mehren sich aktenmäßige Aussagen über den mehrstimmigen Kirchengesang. Die frühere Zeit hatte dafür wenig Gesichertes geboten. Von den anfechtbaren Berichten der Frühzeit über die Einführung des *Organizierens* durch Sendlinge aus Rom am fränkischen Hofe um 800 war oben S. 360 die Rede.

Aus dem 11. Jahrhundert stammt der Chronikbericht über die Einführung eines Marienfestes im Kloster St. Godehard zu Hildesheim. Nach Martin Gerbert (*Musica sacra I 354*) lautet er: „*Aurea cantatur Missa ab omnibus praelatis, canonicis, regularibus, praedicatoribus, minoribus, totius civitatis, de B.V.M. in organis, quae per tres seu quatuor horas vix potest terminari propter caudas magnas, quas cantando et organizando, pertrahere tunc consueverunt.*" Zwar nennt dieser Bericht die mannigfaltige Ausführung und die Beteiligten an dieser ausgedehnten Veranstaltung; er bleibt aber dennoch mehrdeutig.

Aufschlußreicher werden die Verordnungen erst seit dem Ende des 12. Jahrhunderts. Im Jahre 1198 bestimmt der Bischof von Paris, Odo von Sully, veranlaßt durch Ausschreitungen, welche im Neujahrsoffizium überhand genommen hatten, daß in Notre-Dame in der Vesper *Responsorium* und *Benedicamus* „in organo (d. h. hier zweistimmig), *vel triplo, vel quadruplo*" zu singen seien, gleich wie in der Matutin das dritte und sechste *Responsorium*, dazu in der Messe das *Graduale* und das *Alleluia*. 1200 wird für die Messe am Johannistag das gleiche angeordnet, und 1230/32 erhält die Messe am Tag des Thomas von Canterbury (7. Juli) die gleiche Ausstattung. Es ist wohl anzunehmen, daß die gleiche Anordnung für die hohen Feste des Kirchenjahres galt.

Aus St. Martin in Tours ist zu erfahren, daß im 13. Jahrhundert *Invitatorium*, *Responsorium* und Sequenz organiziert wurden (Villetard, S. 79).

Ergiebigere Auskunft über mehrstimmiges Singen im Gottesdienst und während des ganzen Kirchenjahres erteilt die Offizienordnung für die Kathedrale von Siena von 1213 (v. Fischer AfMw 1961, 167–182). Danach werden in der Vesper das *Responsorium*, die *Magnificatantiphon* und das *Benedicamus domino* mit *Organum*, d. h. zweistimmig gesungen, in der Messe eine *Introitus*einleitung (also ein Conduct), Introitusvers und -doxologie, *Kyrie, Sanctus* und *Agnus* Epistel, *Alleluia*, eine Antiphon zum Evangelium, Sequenz, Traktus, seltener auch das Graduale. Das mehrstimmige Pensum der italienischen Sänger ist somit bedeutend ausgedehnter als das ihrer französischen Kollegen und erinnert an die Verhältnisse im alten Winchester. Aber auch in Frankreich wird die Beigabe von mehrstimmigen Gesängen vermehrt, wie aus dem Neujahrsoffizium von Beauvais aus der Zeit von 1227 bis 1234 zu ersehen ist. Hier wird die Vesper durch eine Motette eröffnet, und eine solche beschließt auch die Prozession. In der Vesper erklingt der Vers des Offertoriumstropus „*Letemur*", in der Prozession ein Responsorium mit mehrstimmiger Intonation, Vers und Doxologie, in der Complet der Kyrietropus „*Cunctipotens genitor*", in der dritten Noktum das Invitatorium und ein Responsorium, in der Messe sodann zwei Conductus und die Sequenz.

Die genannten Quellen erteilen zudem Auskunft über die Ausführung der Gesänge. Ob allerdings aus den Anweisungen *Duo vel tres, duo subdiaconi, duo presbyteri, duo canonici, duo clericuli* (Villetard p. 133, 136, 158, 165, 172, 174) auf mehrstimmiges Singen, vielleicht in altorganaler Weise, zu schließen ist, bleibt ungewiß. Ebenso könnte die Rubrik „*in falso*" (= Falsettsingen) auf mehrstimmigen Vortrag hinweisen. Unmißverständlich ist aber die Sienaer Anweisung zum Singen des Sanctus: „... *et nota quod in hoc Angelorum concentu, quandoque Organis et Musicis utimur instrumentis*" und der Beisatz „*quod David instituit, scilicet Hymnos in Dei sacrificis cum organis et instrumentis musices jubens crepari*". Sie läßt erkennen, daß der Zuzug von Instrumenten im Gottesdienst etwas Ungewöhnliches war. Nach den Unterschieden, die in den gottesdienstlichen Anweisungen auftreten, lassen sich auch unter den mehrstimmigen Quellen zwei Gruppen bilden.

Die einen schließen sich der Ordnung von Paris und Beauvais an. Sie enthalten nur responsorische Gesänge der Messe und des Offiziums, sowie Sequenzen, Benedicamusgesänge, Conducten und Motetten. Die zweite Gruppe enthält zusätzlich auch Teile des Messeordinariums, neigt also zur Ordnung von Siena.

Für diese zweite Gruppe finden sich Belege vornehmlich in Spanien, England und Italien. In Frankreich gehört der weitaus größte Bestand an Quellen zur ersten Gruppe; doch fehlt die zweite nicht ganz. Sie ist vertreten durch Belege aus Reims (As), aus Fontevrault (Limoges), Saint-Victor und Lille. Im 14. Jahrhundert schließen sich dann die Messen von Tournai, Toulouse und Besançon an, die allerdings aus stilistischen Gründen nicht in den Rahmen unserer Betrachtung fallen.

Notre-Dame von Paris

Das Neujahrsoffizium von Beauvais (Lo A) ist eine der frühesten Quellen für die imposanteste Erscheinung im Bereich der mittelalterlichen Polyphonie, die Kunst der Cantoren von Notre-Dame in Paris. Die umfangreichsten Denkmäler dieses Zentrums der Mehrstimmigkeit überliefern die drei berühmten Handschriften in Wolfenbüttel und

Das Einflußgebiet von Notre-Dame

Florenz, die alle am Ende des 13. und zu Beginn des 14. Jahrhunderts geschrieben wurden. Die modale Notierungsart verrät, daß es sich um Abschriften nach Vorlagen vom Anfang des 13. Jahrhunderts handelt. Ihren Inhalt beschreibt ein englischer Theoretiker (Anonymus IV, CS I. 337 ff. Reckow 1967), und ihm verdanken wir auch die Mitteilung, daß der Autor des ältesten Teils dieser Sammlungen, des *Magnus Liber Organi de Gradali et Antiphonario* (= Großes Buch der Organumstücke für die Messe- und Stundengottesdienste), Leonin geheißen habe. Vielleicht ist dieser identisch mit dem 1163 bis 1192 nachweisbaren Heinrich Leonell, bzw. mit dem Dichter Leonius, der sich auch als Mäzen der Abtei St. Victor Verdienste erworben hat (Birkner a. a. O.).

Vom Magnus Liber sind drei Fassungen erhalten, die wohl früheste aus St. Andrews (W 1) mit 46, die umfänglichste in Florenz mit 107 und eine spätere (W 2) mit 49 Stücken.

Magister Leonin lebte in der Erinnerung als *optimus organista*, d. h. als Komponist zweistimmiger Stücke weiter. Seine Sammlung wurde von Perotinus Magnus, dem *optimus discantista*, ergänzt und überarbeitet und zwar nun auch drei- und vierstimmig. Zudem hat er eine große Zahl zwei- und dreistimmiger *Clausulae*, d. h. Ausschnitte aus den Choralkompositionen des Magnus Liber geschaffen, die entweder an den betreffenden Stellen die ältere Komposition ersetzen oder alternierend mit einstimmigem Choralgesang benützt werden konnten.

Die neuen Züge, welche die Kunst von Notre-Dame auszeichnen, lassen die Durchorganisierung der Vertonung erkennen. An Stelle der freien, phantasievollen Ausgestaltung der Organalstimme tritt die Disposition über die beiden oben genannten Grundtypen, die von den Theoretikern mit den Begriffen Diskant und Organum purum unterschieden wurden, je nach dem wechselnden melodischen Charakter der zu begleitenden Cantusabschnitte. Waren diese melismatisch, so wurde nur zurückhaltend gruppenweise figuriert; in den syllabischen Teilen hingegen wurden die Cantustöne zu langen Haltetönen gedehnt, über denen sich die Organalis in üppig rankender Melismatik ergeht. Gebändigt wird die melodische Freizügigkeit durch rhythmische Durchgestaltung der Melodieranken, wobei sich drei Entwicklungsphasen unterscheiden lassen. In früheren Kompositionen wird die rhythmische Straffung nur in den Diskantabschnitten den Gruppenmelismen der Organalstimme zuteil, während die über gehaltenen Cantustönen sich entfaltenden Melismenranken rhythmisch frei fließen. Doch meldet sich auch hier bald die Neigung zur gleichartigen Durchrhythmisierung an. Die Gruppen der Diskantpartien werden nach bestimmten metrischen Mustern, den Modi, geprägt, zunächst nach dem ersten, trochäischen, später auch nach den weiteren fünfen (Beispiel 7, S. 377).

Diese Straffung vollzog sich zunächst nur in der schmückenden Zusatzstimme. In der zweiten Entwicklungsphase greift sie auch auf den *Cantus* über, beginnend mit der Zerlegung der liturgischen Grundmelodie in gleich lange, durch Pausen getrennte Abschnitte. In einer dritten Phase sodann erhalten diese Cantuspartikel ebenfalls schärfere rhythmische Prägung durch modale Organisation, meist aber in ausgesprochenem Gegensatz zu den rascher fließenden Oberstimmen. Die gleichförmigen Cantusabschnitte werden zu eigentlichen rhythmischen Ostinati. Die Stimmen werden zudem auch weiter differenziert, insofern als die Oberstimmenabschnitte, die anfänglich mit den Tenordistinktionen übereinstimmten, in späteren raffinierteren Stücken sich auch von dieser Bindung lösen und die Cantusabschnitte überspielen.

In den Klauseln, die manchmal nur ein Wort, ja zuweilen nur einzelne Silben des Choraltextes neu komponieren, wird oft der *Cantus*abschnitt oder ein Teil desselben repetiert, wodurch diese Vertonungen zu selbständigen Stücken werden. Wurde nun, wie bei den beiden Benedicamus-Vertonungen aus St. Martial, der Oberstimme ein eigener Text unterlegt, so wurden solche Stücke zu Motetten. In dreistimmigen Motetten konnten die beiden Oberstimmen den gleichen Text nach Art des Conductus gleichzeitig singen, oder jede Stimme erhielt ihren eigenen Text. In diesem Falle spricht man von Doppelmotette. Und schließlich konnte eine dritte Zusatzstimme als Quadruplum zum Cantus gesetzt werden. Hat sie ebenfalls einen besonderen Text, so liegt eine Tripelmotette vor.

Bedeutend sind die Sammlungen von *Conductus* aus Notre-Dame. Der Engländer (Anonymus IV) nennt Perotin auch als hervorragenden Schöpfer dieser Gattung, und zwar nicht nur für mehrstimmige Conductus, sondern er erwähnt auch zwei seiner Conductus simplices: *„Justitia"* und *„Beata viscera"*. An mehrstimmigen Conducten sind von ihm der zweistimmige *„Dum sigillum summi patris"* und der dreistimmige *„Salvatoris hodie"* bezeugt.

Die Sammlungen aus St. Andrews (W 1) und Toledo (Ma) enthalten etwa je 60, diejenige in Florenz 189 und die zweite Wolfenbütteler Quelle noch 31 Conductus. An der Verbreitung der Notre-Dame-Conductus läßt sich die ausgedehnte Einflußsphäre der Pariser Kirchenmusik am besten ablesen. Auffallend ist allerdings, wie rasch das Interesse an dieser Gattung um 1280 der Neigung zur Motette weicht. Diese Rivalität zwischen *Conductus* und Motette scheint allerdings schon früh aufgetreten zu sein, wobei jedoch mancherorts dem Conduct der Vorzug gegeben wurde.

Es gehört zu den Merkwürdigkeiten der Überlieferung, daß sich verschiedene Conducten gerade der frühesten Quelle (W 1) als reduzierte Motetten erweisen, da sie nichts anderes sind, als der Stimmenoberbau über Tenores, die nicht aufgezeichnet sind. Diese Verringerung ist wohl aus den lokalen Verhältnissen und aus dem Bedarf zu erklären.

Die *Conductus*texte enthalten auch Hinweise auf Zeitereignisse, die sich von 1181 bis 1236 zugetragen haben und geben damit Aufschluß über die Entstehungzeit der Kompositionen, darunter auch Dichtungen des Pariser Kanzlers Philipp († 1236), von Wilhelm von Paris († 1249) und Johann Garland d. Ä. (ca. 1250). Die Vorlagen für die überlieferten Abschriften dürften nach 1236 entstanden sein. Stilistisch führen die Conducten aus Notre-Dame die Ausdrucksformen von St. Martial in gleicher Richtung auf die rhythmische Straffung weiter wie die Organumsstücke. Auch hier macht sich die modale Durchformung geltend. Diese metrische Verfestigung verleiht der Oberstimme eine weitgehende Beweglichkeit, die sich jetzt nicht nur auf Anfang und Ende der Stücke konzentriert, sondern auch Worte und Silben im Innern der Tonsätze melismatisch ausziert.

In seinem letzten Faszikel überschreitet der Codex aus St. Andrews die Schranken des mehrstimmigen Programms für Paris und schließt sich der anderen Gruppe an. Neben Offertorien und Antiphonen sind hier *Sanctus-* (Beisp. 8) und *Agnus*tropen anzutreffen. St. Andrews steht damit nicht allein. Tropen zu Ordinariumsstücken finden sich aus dieser und späterer Zeit in Hss. aus Reims (As), Meaux (Chicago), Tortosa (Ma 10 524), Burgos St. Esteve, Tarragona (Barc 1), Leominster (OM 60), Worcester und Westminster (Lamb.) Charakteristisch ist aber für diese Quellen, daß sie, im Gegensatz zu der schottischen, ihre Motetten und Conducten nicht aus Paris bezogen haben, sondern von dort nur das Vorbild, das sie in lokaler, stilistisch zurückhaltender Weise gestalteten. Zu solchen, in einem bis auf das 11. Jahrhundert zurückgehenden Stil gehaltenen Stücken gehören in St. Andrews 15 Sequenzen. Auch in den zuletzt genannten Handschriften mit peripherem Programm ist diese Gattung vertreten, so in den Hss. aus Reims, Anchin (Douai 90 und 244), Rouen, Fontevrault (Limoges), Périgeux (Lo 945), in einer englischen Quelle (Lo 248) und in Bologna (Karte 4).

Die weitere Entwicklung der Motette, wie sie vornehmlich in den beiden bedeutenden Handschriften Bamberg und Montpellier sich kundtut, ist hier nicht weiter zu verfolgen. Sie läßt die Verweltlichung der Gattung erkennen, bestätigt aber gleichzeitig, daß ihre Rolle im Gottesdienst je und je der Vermittlung zwischen Geistlichem und Weltlichem gegolten hat, und daß ihre Stellung stets am Rande des Liturgischen zu suchen ist. Die außerkirchliche, ja außerklerikale Bestimmung für weltliche Anlässe verraten die Motettentexte, in denen neben lateinischen die französischen überhandnehmen, und an den kirchlichen Ausgangspunkt ihrer Entfaltung erinnert bald nur noch der dem kirchlichen Gesang entnommene Cantusabschnitt des Tenors. Bezeichnend ist auch, daß nun erst Stücke für eindeutig instrumentale Ausführung auftreten.

Die große Zahl von Handschriften, die Lehngut aus Notre-Dame bezogen haben, läßt die Verbreitung dieser bedeutenden Kunst und ihren lange anhaltenden Einfluß erkennen (Karte 3).

Aus dem Codex St. Andrews (W 1) sind Konkordanzen außer in den Pariser Handschriften (F, W 2, Mü A, Mo) auch in Deutschland (Stuttgart) und Spanien (Ma 6 528, OA 17), aus der Florentiner Handschrift (F) in Reading (OWC) und Erfurt (KarC) festzustellen. Aus beiden Quellen gemeinsam schöpfen Beauvais (LoA), Bury (Cb J 1) und Paris (Heid). Aus der zweiten Wolfenbütteler Notre-Dame-Handschrift entlehnt die englische Quelle OCC 497. Aus der Handschrift Montpellier (Mo) stehen Stücke in den französischen Codices Ars B, Reg, Ba, P 11 266, Cl, Maz, Ca, Boul, Lüttich (Tu) und den englischen Quellen Lo C, Lo Harl, Coventry (OD 139), Burnham (OR 18), Sarum (Ars A), sowie in Hss. aus Gent (Lo B), aus Deutschland (Wimpfen [Da], Bamberg [Ba B]) und Italien (F 19, Bol). Mit W 1, F und Mo hat der Codex Las Huelgas Stücke gemeinsam; mit F und Mo der Codex aus Ely (Cb T); mit F, W 2, Ma und Mo das Manuskript aus Marchiennes (Chalons); mit F, W 2, Ma und Mo die Senser Quelle (St-V); mit F, Mo, Ba: Mü C, Lo 27630, Erf C 15. Aus Worc schöpft eine schottische Handschrift (Uppsala) und aus Mo und Worc: Westm 33 327; aus F, Mo und LoHa die nordital. Handschrift OL 72.

Vieles deutet darauf hin, daß Paris sich lange Zeit, vielleicht während zwei Jahrhunderten, mit dem einmal vorhandenen Vorrat an Kirchenmusik begnügt hat, worauf der Ausfall an mehrstimmigen Handschriften an diesem Ort anscheinend zurückzuführen ist, und wofür auch Aktenbelege Hinweise geben (Handschin AMl 1932, 12 ff.). Die Führung in der Entwicklung mehrstimmiger Kirchenmusik übernehmen im 14. Jahrhundert andere Zentren, vor allem Avignon, dank der großen Persönlichkeit Philipp de Vitrys. Damit tritt die kirchliche Polyphonie auch in den Bereich der andersgearteten *Ars Nova* ein, die von den alten Kategorien nur die Motette übernimmt. Aber auch diese ist nun einem neuen Geist verpflichtet und gehört von nun an nicht mehr zum Umkreis unserer Betrachtung.

Der Codex Las Huelgas in Burgos

Die Geschichte der Alten Kunst ist damit noch nicht zu Ende, denn auch das 14. und 15. Jahrhundert bieten Zeugnisse für eine ausgedehnte Pflege dieser nun retrospektiv gewordenen Kirchenmusik. Da steht in vorderster Linie die bedeutende Sammlung von 140 Gesängen, die mindestens stilistisch z. T. weit in die Vorzeit der Niederschrift (um 1325 im Nonnenkloster Las Huelgas in

Burgos) zurückgehen mögen. Andere Stücke stammen aber wiederum aus Notre-Dame (W 1, F und Mo) und zwar teils vollständig, teils in der oben erwähnten reduzierten oder veränderten Form.

Mehrstimmige Musik mit retrospektivem Charakter im XIII. bis XV. Jahrhundert außerhalb Notre-Dame

Der erste Teil dieser Sammlung entspricht nicht dem Pariser Repertoire. Er enthält fünf *Kyrie*, einschließlich Tropen, einen *Gloria*tropus, drei *Sanctus*, fünf *Hosanna*, neun tropierte *Agnus*, dazu die Propriumsstücke: drei Graduale, zwei *Alleluia* und einen *Offertorium*stropus, sowie 18 *Benedicamus*-Gesänge, worunter wieder einige Tropen und Lieder, und zuletzt auch elf Sequenzen. Dazu kommen die 14 Conducten und 63 Motetten des moderneren Teils, und als eine der letzten Nummern taucht das Credo der Messe von Tournai auf. Stilistisch bietet der in mensuraler Notation aufgezeichnete Codex Beispiele für alle Entwicklungsphasen vom 11. Jahrhundert bis zur Zeit seiner Aufzeichnung.

Ausklang der organalen Kirchenmusik

Der Codex Las Huelgas ist das letzte der umfänglichen Denkmäler organaler Kunst. Immerhin lassen sich aus späterer Zeit einige nicht unbedeutende Sammlungen nennen, so die Handschriften aus Engelberg (Eng 314) von 1372 mit 32 Kompositionen. Im 15. Jahrhundert folgen weitere Hss., wie die umfangreiche aus Indersdorf (Lo D) mit 80, aus Utrecht (Berlin B) mit 48, aus St. Lambrecht in der Steiermark (Gr B) mit 22, aus Eberhardsklausen (Trier B) mit 14, aus Benediktbeuren (Mü U) mit 15, aus Tegernsee (Mü D) mit 19, aus Wien (Berl A) mit 16 und aus Diessen (Mü C) mit 24 Stücken. Vereinzelte mehrstimmige Stücke und kleinere Gruppen manifestieren in weiterstreuten Handschriften die Ausdehnung der beharrlichen Pflege dieser alten Kunstart. Dazu mag die Empfehlung des Papstes Johann XXII. in seiner Constitutio „Docta sanctorum" aus dem Jahre 1324/25 das ihre beigetragen haben. An diesen alten Kirchenstil halten sich neben Spanien und Deutschland auch Italien (Cividale, Padua, Bologna, Aosta), Böhmen (Kuttenberg, Csalau) und Skandinavien (Moberg, 189), vor allem England und, wenn auch in beschränktem Maße, sogar Frankreich (Fontevrault, Cornil, Pairis) (Karte 4).

Für die ganze große Handschriftengruppe gilt, daß ihre Stücke zum peripheren Repertoire und zu dessen Stil gehören. Nur wenige nehmen Lehngut aus jenem berühmten Pariser Fundus auf, wie Westminster (Westm 3 332), Erfurt (Kar C und Erf C 15), Wimpfen (Da), Oxford (ONC), Norditalien (OL 72) und Bamberg (Ba B). Der große Rest steht abseits. Motetten begegnen zwar nun häufig (67 Stücke), doch sind es meist solche älteren Stiles, die an der Pariser Ausprägung dieser Gattung wenig Anteil haben, vielmehr manche lokale Besonderheiten aufweisen, wie die 10 Engelberger Motetten (Handschin A). In der Häufigkeit folgen die Benedicamusgesänge (53), darunter sowohl polyphone Fassungen der liturgischen Melodien, als durch Tropen bereicherte oder Benedicamuslieder, welche besonders beliebt waren.

Zahlreicher sind nun auch die Lektionsvertonungen (29), entweder in mehrstimmiger Durchkomposition des ganzen Textes oder in einstimmiger Fassung mit mehrstimmigen Zeilenschlüssen. Eine größere Gruppe bilden auch die *Kyrie*-Vertonungen (24), während die übrigen Ordinariumsteile zurückstehen (*Sanctus* mit 7, *Agnus* mit 4, *Credo* mit 6, das *Gloria* fehlt). Unter den Propriumsgesängen stehen Antiphontropen (20) obenan, es folgen Responsoriumsverse und Hymnen (je 8), Sequenzen (6), Alleluia-Verse, Introitus-Tropen mit je 4 und Offertoriumstropen (3). Die genannten Zahlen dürfen nicht als abschließend angesehen werden, sie geben aber dennoch ein ungefähres Bild über die Ausbreitung des Mehrstimmigen im Gottesdienst.

Stilistisch läßt sich ähnliches feststellen wie beim *Codex Las Huelgas*: auch hier begegnen die verschiedensten Errungenschaften seit dem 11. Jahrhundert in bunter Mischung.

Cantus in der Oberstimme, was vielleicht auf ältesten Stil und eventuell auf Chorbestimmung schließen läßt, findet sich im Gesang der *Kyrie, Sanctus* und *Agnus*, auch bei den Tropen, sodann bei Antiphonen und Hymnen, aber auch bei Tropen zu Responsorien. Am ehesten weist bei den Sequenzen die hohe Cantuslage auf Chorgesang hin. Parallelbewegung der Stimmen in Quarten ist nur vereinzelt anzutreffen, so in dem Marienlied „Salve virgo speziosa", das zudem den Cantus in der Oberstimme führt, was auf beträchtliches Alter schließen lassen könnte. Häufig und charakteristisch für den Bestand an Mehrstimmigen in diesem ganzen Handschriftenkomplex sind parallele Quinten, oft abwechselnd mit Gegenbewegung, gelegentlich aber auch in Quintenfolgen bis zu 23 Tönen. Bemerkenswert ist der Quintvortrag der Lektionen, was zur Vermutung führt, daß auch andere schlichte Psalmodien nach dieser Art der alten Diaphonie gesungen wurden. Er kann somit als Vorläufer des Falsobordone angesehen werden. Gegenbewegung tritt bei den Gesängen, die zum *Officium* gehören, am stärksten in Erscheinung, dann auch in den Conducten, während *Benedicamus*-Gesänge eher zur Parallelbewegung tendieren und bei Lektionsvertonung Gegenbewegung nur ausnahmsweise eintritt. Im *Contrapunctus simplex*, Note gegen Note, sind etwa 8 % gehalten, davon 9 Stücke ohne Stimmkreuzung. Es handelt sich um Kyrie, Benedicamus, Lektionen und Conductus in einfachstem Stil. Der Haltetonstil heftet sich wie in St. Martial vorzüglich den Anfängen und Schlüssen von Benedicamusgesängen, Responsoriumsversen und Lektionen an. Über die St.-Martial-Stufe hinaus führen 18 dreistimmige Stücke, darunter *Kyrie*- und *Agnus*-Vertonungen, *Benedicamus*gesänge, Lektionen und *Conductus*. Erwähnt seien auch 16 Stimmtauschkompositionen, darunter zwei Agnus, 2 Sanctus, 5 Benedicamus, 5 Lektionen, ein Introitus und ein Hymnus.

Für das zähe Festhalten an der alten Kunst mag vielerorts der Mangel an qualifizierten musikalischen Kräften den Ausschlag gegeben haben, der die Übernahme der hochgezüchteten Cantorenkunst von Notre-Dame, der *Ars Nova* und später der burgundischen und niederländischen Motettenkunst unmöglich machte.

Das Entscheidende in aller Kirchenmusik ist jedoch nicht ihr künstlerisches Raffinement und ihre Aktualität, sondern ihre Eignung, zur Devotion zu führen, und bei aller Devotion spielt die Erinnerung an das von den Vätern Ererbte eine Rolle. Diese Aufgabe scheint die alte organale Kunst in bescheidenen Verhältnissen auch im 15. Jahrhundert noch erfüllt zu haben. So ist sie zwar seit dem

13. Jahrhundert als „gesunkenes Kulturgut" zu betrachten, was aber ihre Popularität nicht einschränkte. Daneben haben im 14. und 15. Jahrhundert neuere volkstümliche Elemente wie der englische Diskant und wohl auch der Fauxbourdon Aufnahme in die hohe Kunst gefunden. Sie dürfen wohl als Verwandte der alten Diaphonie gelten, und schließlich hat sich der *Falso borbordone* als letzter Ausläufer bis ins 19. Jahrhundert halten können.

Der neue Geist des Humanismus und die Erneuerung der Kirchen hat an den peripheren Orten einen jähen Übergang von einer nun uralt gewordenen Musizierart zur zeitgenössischen Kunst bewirkt. Ein nicht zu unterschätzender Ansporn ging wohl auch von der Orgelmusik aus. Der stärkste Impuls war jedoch den fürstlichen Kapellen zu verdanken, deren starke Propagierung für neue und neueste Kunst nicht widerstanden werden konnte. Und schließlich hat auch der Notendruck die Verbreitung des Zeitgenössischen erleichtert. So verlischt zu Beginn des 16. Jahrhunderts die 500jährige organale Kunst.

Arnold Geering

Notenbeispiel 1
Notenbeispiel 2
Notenbeispiel 3
Notenbeispiel 4

Chartres 109. (c. 1100)

J. Stenzl nach Bannister. Rev. grég. 1911.

Notenbeispiel 5

Qui ho-di-e de Ma-ri- -e u-te-ro pro-gre-di- -ens

Ho-mo ve-rus, rex at- -que he- - - - - - - - -

rus in-ter-ris ap-pa-ru- -it, Tam be-a-tum er-go

na- -tum cum in-gen-ti gau-di- - - - - - - -o Con-lau-dan-tes,

ex-ul- -tan-tes be-ne-di- - -ca-mus Do-mi- - -no.

Notenbeispiel 6

Handschin U 196 ff.   Stm - A

Stirps Jes-se flo-ri-ge-ram____ Ger-mi-na-vit__vir-gu-a-lam___,

Be- -

𝄆 = Halteton ohne bestimmten Wert

Et in flo-re spi-ri-tus Qui-es-cit pa- -ra- -cli- -

- - - - - - - - - - - - - - - - - - -ne- - - -

- - - - - -tus___. Fructum pro-fert____ vir-gu-la___

- -di- -

375

Per quem vi - vunt se-cu - la _____ .

_____ - ca - mus _____

Stir-pis ex da-vi-ti-ce Virga di-cta mi-sti-ce, Que sic et sic flo-ru-it

do - _____

Et _ que _ flo-rem _ pro-tu - _ lit _. Vir-ga _ Jes - se vir-go _ est

De - i ma-ter, Flos _ fi - _ li - _ us e-ius _____ est

cu-ius pa - ter. Hu-ic flo-ri Pre-ter mo-rem e - di-to _____

Ca-nunt cho - ri _____ San-cto-rum ex de - bi - _ to _

Laus, laus, laus et iu-bi-la - ti-o _____ , Po-te-stas cum im-pe-ri-o _

- mi - _ no _

Notenbeispiel 7

Folgt *N*. Constantes estote. 112 Mensuren.

Notenbeispiel 8

Handschin W. b. St., № 2.

W! № 325

Die Constitutio Docta SS. Patrum Johannes XXII.

Mit der mehrstimmigen Kirchenmusik und ihrer Lösung von der liturgischen Melodie mehren sich die Stimmen, die Gefahren zwischen der traditionellen liturgischen Ordnung und Bindung der Kirchenmusik und ihrer — von den musikalisch-künstlerischen Neuerungen bestimmten — Entwicklung sehen. Jacobus von Lüttich oder Elias Salomon betonen den Gegensatz zwischen den verweltlichten musikalischen Gestaltungen und der gottesdienstlichen Aufgabe, nachdem schon Johannes Salisburiensis oder Aelredus im 12. Jh. den Gegensatz zwischen wahrer Kirchenmusik und einer verweichlichten im profanen Raum gewordenen Kunst herausgestellt hatten. 1227 wandte sich das Concilium Trevirense gegen die von weltlichen Sängern vorgetragenen, mit verschiedenen Texten versehenen mehrstimmigen Meßgesänge. Zahlreiche Synoden sprachen im 13. Jh. gegen die Unverständlichkeit des Textes, der durch die neuen, mit Manieren der Profanmusik gestalteten und vorgetragenen mehrstimmigen Gesänge von der Klarheit der liturgischen Melodien entfremdet wurde. Clemens V. entwarf auf dem Concilium Viennense (1311/12) ein bedenkliches Bild von der Gottesdienst- und Kirchenmusikpflege seiner Zeit.

In der *Constitutio Docta SS. Patrum* (1324/25) führten die andauernden Klagen zu einer kirchlichen Verordnung, die die Auswüchse ablehnte und den Sinn liturgischer Kirchenmusik hervorhob. Damit wurde ein Gesetzbuch der Kirchenmusik im 14. Jahrhundert geschaffen, das die Besonderheit gottesdienstlicher Musik gegenüber weltlichen Musizierformen herausstellte und damit der liturgischen Musik und ihrem in liturgischer Gesinnung gegebenen Vortrag die notwendige Stellung gibt. Die eingehende Auseinandersetzung mit den zeitgegebenen musikalischen Neuerungen kennzeichnet die Abgrenzung dieser Neuerungen gegenüber dem in der Tradition verwurzelten liturgischen Ausdruck.

Die *Constitutio* ist in Avignon veröffentlicht worden, wo die französische *ars nova* am päpstlichen Hof hervorgetreten ist und den mit der römischen Musikpraxis vertrauten Mitgliedern der Kurie fremdartig erscheinen mußte, während die auf den vollkommenen Konsonanzen ausgebaute Klangtechnik der *ars antiqua*, die sich dem liturgischen Gesang anschließt, im Schlußabsatz der *Constitutio* anerkannt bleibt. Damit ist die zentrale Bedeutung der liturgischen Melodie hervorgehoben und von der Mehrstimmigkeit der enge Anschluß an ihre Gestalt in klanglicher und rhythmischer Bindung gefordert. Die rhythmische Freizügigkeit der *ars nova* aber steht dieser Auffassung von Mehrstimmigkeit ebenso entgegen wie die neue Klangwirkung und ihre Stimmbewegungen. Die *Constitutio* spricht von *nonnulli novellae scholae discipuli*, die die neuen, aus der weltlichen Musik stammenden Manieren in die Kirchenmusik einführten und damit diese ihrem liturgischen Sinn entfremden konnten. Die Hoqueten wurden ebenso verurteilt wie die Überwindung der alten Kirchentöne und letzten Endes der klaren Führung und Heraushebung der liturgischen Melodie, die nunmehr durch das bewegte und von harmonischen Spannungen erfüllte Stimmengewebe überwuchert wurde. Der Gebetscharakter der kirchlichen Mehrstimmigkeit wurde durch diese Betonung des musikalischen Interesses zurückgedrängt und bedingte den Hinweis auf die Gefahren dieser neuen Kunst in der Kirche.

Nicht die Mehrstimmigkeit an sich, sondern die Verdrängung der Gregorianischen Melodie durch eine sinnlich wirkungsvolle Mehrstimmigkeit, die im Klang und in rhythmischer Bewegung, wie in ihrem, der Profanmusik entsprechenden Ausdruck, der liturgischen Aufgabe fernsteht, wurde durch Papst Johannes XXII. abgelehnt. Der liturgische Ausdruck wird von der zeitgegebenen Musikgestalt abgegrenzt und die zentrale Stellung der Gregorianik betont. Einer den liturgischen Forderungen entsprechenden Mehrstimmigkeit, die auf die festgestellten „abusus" verzichtet, aber wird ein Weg gewiesen, der in Bewegung, Rhythmus, Tonalität und Deklamation der Gregorianik folgt. *Cantus-firmus*-Arbeit und Themenentwicklung aus der Gregorianik, vor allem aber die Imitation solcher von der Gregorianik bestimmter Themen führte zur kirchlichen Polyphonie, die über Struktur, Klang- und Deklamationsprobleme im 16. Jahrhundert ihren Höhepunkt und die Abklärung ihrer Gestaltungsmittel finden konnte.

Durch das Exil der Päpste in Avignon hat die *Constitutio* zu ihrer Zeit freilich keine größere Verbreitung gefunden. Doch wurden ihre Forderungen — neben den die weltlichen Formen in der Kirchenmusik weiterführenden Kompositionen — in neuen Gestaltungen durchgesetzt und entwickelten in Polyphonie und Kanontechnik schon im 14. Jahrhundert Voraussetzungen zu einer eigenen kirchlichen Kunst. Diese Eigenart der Kirchenmusik gegenüber den weltlichen Formen beruht vor allem auf der Choralgebundenheit und der daran angeschlossenen Ausdrucksgestaltung. Eine reine Strukturauffassung, die in der Vieltextigkeit Empfindung und Verständnis des wesentlichen Textes zerstören mußte, konnte dem liturgischen Ausdruck ebensowenig entsprechen wie eine Verweichlichung in sinnlichen Klangwirkungen. Doch wurde in der richtigen mehrstimmigen Gestaltung und Vortragsweise der Gregorianik eine Steigerung ihrer Feierlichkeit empfunden (*aliquae consonantiae, quae melodiam sapiunt . . . supra cantum ecclesiasticum simplicem proferantur*), wenn die liturgische Melodie deutlich bleibt (*. . . ut ipsius cantus integritas illibata permaneat*) und die Andacht der Gläubigen gefördert wird (*. . . devotionem provocent*).

Die Synoden und Konzilien befaßten sich nach der *Constitutio* vorwiegend mit der ethischen Auffassung der Kirchenmusik im Gegensatz zu weltlichen Musizierformen. Das Interesse an der mehrstimmigen Kirchenmusik und ihrer Bedeutung war geweckt. So sehr die kirchliche Autorität ihrer Entwicklung Grenzen zog, innerhalb und außerhalb dieser Grenzen erfolgte im 14./15. Jahrhundert die kirchenmusikalische Entwicklung und in ihr die zunehmende Auseinandersetzung zwischen liturgischem Gesetz, musikalischer Ausdrucksgestaltung und religiöser Rezeption der künstlerischen Gestalten liturgischer Texte.

Zum erstenmal ist 1324 eine offizielle Stellungnahme der kirchlichen Autorität zur Kirchenmusik erfolgt, die vor allem in Zeiten künstlerischer Neugestaltungen im 16., 18. und 20. Jahrhundert mit Nachdruck erneuert wurde.

Karl Gustav Fellerer

Ars Nova

Das zentrale Ereignis auf dem Gebiet der Kirchenmusik des 14. Jahrhunderts ist die Schaffung einer neuen musikalischen Gattung: der mehrstimmigen Komposition des Meßordinariums. Es ist die Tat Guillaume de Machauts, als erster die Vielfalt der einzelnen Messensätze zu einem einheitlichen musikalischen Werk zusammengefaßt und damit die Grundlage für die Geschichte des mehrstimmigen Meßzyklus gelegt zu haben. Doch so zentral dieses Werk im ganzen der Musikgeschichte erscheinen mag, so wenig charakteristisch ist es für die Musik des 14. Jahrhunderts. Denn die sogenannte *Ars nova* zeichnet sich gerade dadurch aus, daß zum ersten Mal nicht der liturgische, sondern der weltliche Bereich für die Hauptereignisse in der Musik bestimmend war. Selbstverständlich wurde die liturgische Musik auch in dieser Zeit nach wie vor gepflegt, aber sie stand nicht mehr im Mittelpunkt des Neuen. Man hat sich oft die Frage nach dem Ursprung und Sinn dieser weitreichenden und für uns überraschenden Wende gestellt. Die Gründe mögen teils liturgische gewesen sein. So rückte man die an bestimmte Feste gebundenen Sologesänge des Propriums nicht mehr in den Mittelpunkt wie im 13. Jahrhundert. Andererseits war die Herausbildung einer freien mehrstimmigen liturgischen Praxis durch die päpstliche Bulle Johannes XXII. vom Jahre 1324 eingeschränkt. Da es nicht mehr möglich war, die neuesten musikalischen Errungenschaften auf die kirchliche Musik anzuwenden, verlagerte sich das Interesse auf andere Gebiete. Die neue Beschäftigung mit dem weltlichen Bereich wird aber auch eine ganz eigene Wurzel gehabt haben. Durch das Aufblühen der weltlichen Dichtung in den Volkssprachen wurde die Aufmerksamkeit der Musiker immer mehr auf die Möglichkeiten des poetischen Textes und vor allem auf dessen strengen formalen Aufbau gelenkt. Für die Herstellung des musikalischen Zusammenhangs, der bisher durch den liturgischen Cantus firmus gegeben war, suchte man nach neuen Mitteln. Entweder entfiel der *Cantus firmus* gänzlich und man übernahm die dichterische Form auch für die Musik, oder es wurde eine strenge rhythmische Gliederung geschaffen (isorhythmische Struktur). Im allgemeinen scheint das Problem der musikalischen Einheit, des formalen Aufbaus, im 14. Jahrhundert und besonders in Frankreich die zentrale Beschäftigung der Musiker gewesen zu sein. Hierin mag auch der Grund liegen, daß die Musik dieser Zeit stets nach Textgattungen getrennt wurde. Für die Vertonung eines Textes bildete eben seine formale Seite den Ausgangspunkt, so daß z. B. auch verschiedene weltliche Dichtungsgattungen auf verschiedene Weise vertont wurden. Solche musikalische Bestrebungen waren aber den natürlichen Gegebenheiten der liturgischen Prosatexte entgegengesetzt. Besonders die Propriumsgesänge mußten in den Hintergrund treten. Nach der großen Blüte, die sie im 13. Jahrhundert erlebt hatten, verschwinden sie fast gänzlich aus dem überlieferten Repertoire des 14. Jahrhunderts.

Wir haben zwar Grund anzunehmen, daß die mehrstimmigen Organa Perotins an großen Zentren wie Notre Dame in Paris auch im 14. Jahrhundert weitergesungen wurden. Im allgemeinen wird man aber auch in Frankreich an der einstimmigen liturgischen Tradition festgehalten haben, d. h. die Melodien wurden entweder tatsächlich einstimmig gesungen oder sie wurden mit einer diskantierenden Zusatzstimme ausgeführt. Diese Art des Vortragens ist noch in französischen Quellen des späten 13. und beginnenden 14. Jahrhunderts überliefert. Man bewahrte den Charakter des liturgischen Gesangs als Melodie, fügte dann lediglich eine zweite Stimme meist gleichen Umfangs hinzu, die im Einklang, Quint- oder Oktavabstand mit der Ausgangsstimme verlief. Dabei wurde der Rhythmus des einstimmigen Gesangs beibehalten und auch dessen Notenschrift übernommen, wenn eine Aufzeichnung überhaupt wünschenswert erschien. Im allgemeinen bedurften diese zwei- oder auch gelegentlich dreistimmigen Erweiterungen des liturgischen Gesangs jedoch keiner schriftlichen Fixierung. Sie entstammten einer musikalischen Praxis, die offenbar sehr verbreitet war und während des ganzen Mittelalters abseits von den Zentren der großen Kunstmusik ausgeübt wurde.

Im Gegensatz zu den Propriumsgesängen waren die Ordinariumssätze der Messe vor dem 14. Jahrhundert keine Verbindung mit der großen Tradition der Mehrstimmigkeit eingegangen. Dies liegt in der Tatsache begründet, daß sie von Haus aus chorische und nicht solistische Gesänge sind. Zwar sind einzelne mehrstimmige Vertonungen der textarmen Ordinariumssätze (*Kyrie, Sanctus, Agnus*) aus der früheren Zeit überliefert, sie standen aber niemals im Mittelpunkt. Mit ihnen verband sich außerdem stets die Praxis des Tropierens. In den meisten Fällen sind es sogar nur die tropierten, d. h. solistischen Teile, die mehrstimmig aufgezeichnet sind, wogegen die ursprünglichen liturgischen Abschnitte offenbar einstimmig vom Chor vorgetragen wurden. Dies scheint die übliche Praxis um die Jahrhundertwende und wahrscheinlich noch im frühen 14. Jahrhundert gewesen zu sein.

Wann und unter welchen Umständen man dazu überging, die mehrstimmige Vertonung der Ordinariumteile in den Vordergrund zu stellen, läßt sich beim jetzigen Stand der Überlieferung nicht mit Sicherheit sagen. Aus der ersten Hälfte des 14. Jahrhunderts, jener Zeit also, in der sich die Wende angebahnt haben muß, sind die Quellen zu spärlich, um verbindliche Schlüsse zuzulassen. Über die Wichtigkeit dieses Schrittes für die Geschichte der liturgischen Musik kann jedenfalls kein Zweifel bestehen. Mit ihm verschob sich der Mittelpunkt der mehrstimmigen Musik endgültig von den solistischen, an einzelne Feste gebundenen Gesängen auf die beweglichen Chorteile der Messe.

Mehrere Handschriften und Fragmente mit mehrstimmigen Ordinariumssätzen sind erst aus der zweiten Hälfte des Jahrhunderts erhalten. Die Kompositionen lassen sich nach der Überlieferungsart in zwei Kategorien gliedern, nämlich einzelne, nach Texten geordnete Sätze und zusammenhängende Folgen von Sätzen, die eigentlichen Meßzyklen also.

Der Grund für diese Unterscheidung scheint im Aufzeichnungszweck zu liegen. Sätze, die in Gruppen von Kyries, Glorias usw. notiert sind, kommen gewöhnlich in größeren Sammelhandschriften vor, die neben Messenvertonungen auch Motetten und weltliche Werke enthalten. Man wollte in erster Linie eine umfangreiche Sammlung gattungsmäßig zusammengehöriger Stücke anlegen. Das Gegenstück zu dieser Art der Überlieferung bilden im 15. Jahrhundert die Satzpaare, die anstelle der Einzelsätze in die Meßfaszikel der Sammelhandschriften aufgenommen wurden. Die Meßzyklen des 14. Jahrhunderts dagegen sind immer einzeln überliefert, und zwar, soweit wir bis jetzt feststellen können, nicht innerhalb von Sammelhandschriften. Sie kommen entweder in Verbindung mit einstimmigen liturgischen Gesängen oder aber als Hauptteil eines einzelnen Faszikels vor und wurden wahrscheinlich aus liturgischen Gründen — vielleicht auch zur Feier eines bestimmten Ereignisses — zusammengestellt. Auf jeden Fall liegt (mit Ausnahme der Messe von Machaut) der Unterschied zwischen den Zyklen und den einzelnen Ordinariumssätzen im 14. Jahrhundert allein in der besonderen Überlieferungsform und nicht in der Musik selbst. Denn auch die Zyklen bestehen musikalisch aus einzelnen Sätzen von oft sehr verschiedener Art, die erst nachträglich zusammengestellt wurden. Mehrere dieser Sätze sind auch in den Sammelhandschriften als Einzelstücke überliefert. Von hier aus gesehen, stellen die großen, als Einheit konzipierten Meßzyklen des 15. Jahrhunderts etwas ganz anderes dar. Im 14. Jahrhundert setzt sich das gesamte mehrstimmige Repertoire der Ordinariumskompositionen aus lauter unabhängigen Einzelsätzen zusammen.

Weitaus die meisten der uns bekannten mehrstimmigen Meßsätze sind einzeln in zwei Sammelhandschriften überliefert: den Codices Ivrea (Kapitelbibliothek, ohne Signatur) und Apt (Kapitelbibliothek, Ms. 16 bis). Codex Ivrea ist eine Pergamenthandschrift aus der zweiten Hälfte des 14. Jahrhunderts, die hauptsächlich von zwei Schreibern angefertigt wurde. Den Hauptinhalt bilden 37 französische und lateinische Doppelmotetten. Ihnen folgen (fol. 27v ff.) 18 Ordinariumssätze und am Schluß mehrere französische weltliche Kompositionen. In der Mitte der Meßstücke setzt der zweite Schreiber ein, von ihm sind außerdem eine Motette und zwei hymnenartige Stücke eingeschoben worden. Über das geschlossene Corpus der Messensätze hinaus befinden sich sieben derartige Stücke unter den Motetten und weltlichen Werken, meist als Nachträge auf leergebliebenen Seiten. Unter den 25 Ordinariumssätzen sind 9 Glorias und 10 Credos; hinzu kommen 4 Kyries und 2 Sanctus, von denen jeweils die Hälfte tropiert ist. Textreiche Stücke haben also eindeutig den Vorrang. Agnus-dei-Kompositionen fehlen ganz. War die Handschrift Ivrea erst ziemlich spät, im Jahre 1921, durch G. Borghezio entdeckt worden, so ist die zweite Sammelhandschrift, der Codex Apt, schon seit ihrer Beschreibung durch A. Gastoué im Jahre 1904 bekannt. Sie wurde 1936 von Gastoué ediert, nachdem schon 1924 A. Elling eine Dissertation über sie geschrieben hatte. Im Gegensatz zu Ivrea besteht Apt fast ausschließlich aus geistlichen Werken, in erster Linie sogar aus Ordinariumssätzen, die in allen sechs Faszikeln vertreten sind. Codex Apt dürfte zu Anfang des 15. Jahrhunderts, also später als Ivrea, entstanden sein.

Verschiedene Anzeichen sprechen dafür, daß die sechs Faszikel von Apt nicht von Anfang an zusammengebunden waren. Die Zahl ihrer Blätter ist sehr verschieden, die ersten vier Faszikel sind Pergament, die letzten zwei Papier; man hat versucht, kleine Unterschiede in der Größe durch angeklebte Streifen auszugleichen. Im allgemeinen sind die Faszikel I, II, IV einerseits und III, V, VI anderseits äußerlich und inhaltlich miteinander verwandt. (Ursprünglich waren die III. und IV. Faszikel in der Reihenfolge vertauscht, sie wurden erst auf Veranlassung Gastoués umgeordnet.)

Außer den Ordinariumssätzen kommen vier lateinische Motetten und im II. Faszikel zehn dreistimmige Hymnenvertonungen vor. Diese Gruppe stellt für das 14. Jahrhundert einen Sonderfall dar, denn es ist das erste Mal, daß eine größere Anzahl mehrstimmiger Hymnen geschlossen überliefert wird. Auch satztechnisch heben sie sich von den Meßsätzen ab, da die Choralmelodie stets übernommen wird. Gewöhnlich erklingt diese als Oberstimme und wird von den beiden Unterstimmen Note für Note begleitet; nur in einem Fall liegt sie im Contratenor. In der Regel sind alle drei Stimmen textiert, die akkordlich-syllabische Bewegung wird nur selten durch kleinere melodische Verzierungen aufgelockert. Ob es sich hier um Beispiele einer weiterverbreiteten, aber selten notierten Praxis handelt, die den mehrstimmigen Hymnen des 15. Jahrhunderts vorausging, oder tatsächlich um eine Ausnahme, muß vorläufig dahingestellt bleiben.

Die 35 Meßsätze des Codex Apt gliedern sich in je zehn Kyries, Glorias und Credos sowie vier Sanctus und ein Agnus dei. Davon sind sechs Kyries, zwei Glorias und ein Sanctus tropiert. Das Verhältnis der einzelnen Sätze ist also gegenüber Ivrea leicht verändert, die textreichen Stücke dominieren aber immer noch. Im Gegensatz zu Ivrea, wo alle Stücke anonym überliefert sind, gibt Apt in mehreren Fällen Komponisten an. Dies trifft besonders für den IV. und wohl jüngsten Faszikel zu, in dem Namen wie Susay und Tailhandier, bekannt aus der weltlichen Handschrift Chantilly, sowie Tapissier, der noch in Handschriften der Dufayzeit vertreten ist, erwähnt werden.

Zu der Reihe der Sammelhandschriften gehören noch zwei jetzt verschollene Codices, von denen Inhaltsverzeichnisse erhalten sind, nämlich die deutsche Handschrift Straßburg, Stadtbibliothek 222 C 22, und die burgundische Handschrift Trémoïlle.

Unsere Kenntnisse der erstgenannten, 1870 verbrannten Papierhandschrift verdanken wir einer Teilkopie und einer vollständigen Inhaltsangabe E. d. Coussemakers sowie dem Rekonstruktionsversuch Van den Borrens auf Grund dieses Materials. Für die Geschichte der Messe ist der Verlust dieser Handschrift aus dem frühen 15. Jahrhundert besonders schmerzlich, denn sie enthielt nicht weniger als 37 Ordinariumssätze, von denen nur 6 in Apt und Ivrea erhalten sind. Von der zweiten Handschrift, einem Pergamentcodex, der im Inventar der Bibliothek Philipps des Guten von Burgund aus dem Jahre 1420 erwähnt wird, ist nur noch das erste Doppelblatt vorhanden. Dies weist aber u. a. das vollständige Inhaltsverzeichnis sowie das Datum 1376 auf. Die Handschrift enthielt hauptsächlich Motetten, aber auch fünf Meßsätze und einen Hymnus, von denen ein Credo (Messe von Barcelona), ein *Ite missa est* und der Hymnus *Iste confessor* in anderen Quellen überliefert sind.

Schließlich sind mehrere Fragmente erhalten, die vermutlich die Reste größerer Handschriften meist gemischten Inhalts darstellen. Für die Ordinariumsvertonungen am wichtigsten sind verschiedene Blätter aus Bibliotheken in Barcelona.

Ein Pergamentdoppelblatt aus der Bibl. de Catalunya (B.M. 853 = *Barc A*) enthält neben zwei aus Ivrea bekannten Doppelmotetten ein Kyrie und zwei Glorias, die hier als Unica überliefert sind. In Ms. 2 der Bibl. des Orfeo Català, einem Quaternario aus Pergament (*Barc B*), sind vier Ordinariumssätze aufgeschrieben, von denen drei auch in Apt vorkommen. Über die Reste zweier weiterer Handschriften, die jetzt teils in der Biblioteca Central von Barcelona und teils im Archiv der Kathedrale von Gerona aufbewahrt sind, berichteten vor einigen Jahren H. Harder und B. Stäblein. Auch diese Fragmente, im ganzen sieben Blätter, enthalten vorwiegend Ordinariumsvertonungen, die in den meisten Fällen Verbindungen zu anderen Handschriften aufweisen. Besonders interessant ist ein dreistimmiges „Ave regina celorum", das bisher die einzige bekannte Marienantiphon aus der Gruppe der besprochenen Handschriften darstellt. Sie erinnert in ihrer musikalischen Faktur in etwa an die Apter Hymnen, hat aber im Gegensatz zu diesen nur die beiden Oberstimmen textiert.

Betrachtet man die besprochenen Handschriften und Fragmente als Gruppe, so fällt vor allem die Ähnlichkeit des überlieferten Repertoires auf. Es kommen bei den Ordinariumsvertonungen nicht nur immer wieder dieselben Kompositionstypen vor, sondern auch die Zahl der tatsächlichen Konkordanzen ist groß. Wie in der Forschung mehrfach betont worden ist, scheint es sich im wesentlichen um ein zusammenhängendes Repertoire zu handeln, das an einem wichtigen Zentrum entstanden ist und von dort aus verbreitet wurde. Unter den behandelten Quellen enthält nur die deutsche Handschrift Straßburg, Stadtbibl. 222 C 22, eine größere Zahl liturgischer Unica. Doch selbst diese Handschrift zeigt Verbindungen zu dem Repertoire von Apt und Ivrea. Für die Hauptquellen ist die Provenienzfrage leider nicht eindeutig zu lösen. Es kann vor allem nicht festgestellt werden, ob die Codices Ivrea und Apt an ihrem jetzigen Aufbewahrungsort entstanden oder zu welchem Zeitpunkt sie dorthin gelangt sind. Die Mehrzahl der Quellen scheint südfranzösischen Ursprungs zu sein; einige der zuletzt besprochenen Fragmente dürften in Nordspanien entstanden sein. Aufgrund von Andeutungen in den Motettentexten von Ivrea sowie verschiedenen anderen Überlegungen neigt man allgemein dazu, Avignon, die Residenz der Päpste von 1309 bis 1376, als Ausgangspunkt und Zentrum der mehrstimmigen Meßvertonungen des 14. Jahrhunderts anzunehmen. Direkte Beziehungen zwischen dieser Stadt und Aragon sind für die zweite Hälfte des Jahrhunderts dokumentiert, was die verhältnismäßig große Zahl von Quellen in Nordspanien erklären könnte. Auch der jetzige Aufbewahrungsort der Hauptquelle Apt liegt in unmittelbarer Nähe von Avignon. Die Verbindung der Meßkompositionen mit dem päpstlichen Hof in Avignon scheint also durchaus gerechtfertigt, obwohl schlüssige Beweise bis jetzt fehlen.

Wagners Vermutung, den überlieferten dreistimmigen Werken sei eine zweistimmige Praxis vorangegangen, ist bisher nicht quellenmäßig zu belegen. Die Einbeziehung der Ordinariumssätze in die mehrstimmige Kunstmusik überhaupt scheint erst im 14. Jahrhundert erfolgt zu sein, denn die wenigen Stücke, die wir aus dem 13. Jahrhundert kennen, sind in der Art des alten Organum gehalten und liegen außerhalb der eigentlichen Komposition. Da die Dreistimmigkeit im 14. Jahrhundert in Frankreich eindeutig dominierte, wurde sie auch für die Ordinariumsvertonungen von vornherein übernommen.

Mit dem späten Aufkommen der mehrstimmigen Ordinariumsvertonungen innerhalb des Ganzen der Musikgeschichte hängt auch die Vielfalt zusammen, die für den musikalischen Satzbau dieser Gattung charakteristisch ist. Anstatt an eine bestimmte Tradition gebunden zu sein, weisen die Messensätze Elemente verschiedener Kompositionsweisen des 14. Jahrhunderts auf. Ihre musikalische Beschaffenheit ist nicht mit der Zeit gewachsen, sondern von fremden Vorlagen übernommen worden. Dieser Umstand ist um so auffallender, als die übrige Musik im 14. Jahrhundert sehr genau zwischen einzelnen Gattungen zu unterscheiden vermochte.

Seit den Studien H. Besselers ist es in der Forschung üblich gewesen, die überlieferten Ordinariumssätze in drei Kompositionsarten je nach den vermeintlichen Vorbildern ihrer musikalischen Faktur aufzuteilen, nämlich Conductus, Motette und Diskantlied. Die Heranziehung dieser Gattungen ist insofern gerechtfertigt, als die Bezeichnung und Verteilung der Stimmen in den liturgischen Quellen häufig nach den Gewohnheiten der Motette (*Triplum, Motetus, Tenor*, z. B. *Messe von Tournai*) bzw. der weltlichen Vokalsätze (Singstimme, *Tenor, Contratenor*, z. B. Messen von Toulouse und Barcelona) erfolgt ist. Gegen diese Unterteilung gibt es aber verschiedene Einwände. Nicht nur übergeht man allzu leicht gemeinsame Merkmale, sondern man nimmt dieser Gattung gerade jene Sonderstellung der formalen Beweglichkeit, die sie innerhalb der Musik des 14. Jahrhunderts auszeichnet, da die einzelnen Sätze nun doch in fixierte (und fremde) Kategorien hineingezwängt werden. Die Ordinariumssätze passen dann auch nicht genau zu dem vorgebildeten Schema, so daß der Vergleich oft zu Mißverständnissen führt. Wie Harder gezeigt hat, kann außerdem die Zuweisung im einzelnen Fall so viele Fragen aufwerfen, daß man letzten Endes von der Zahl der textierten Stimmen, also von der Besetzung, und nicht vom Satzbau ausgehen muß.

Als „*conductusmäßig*" oder „*simultan*" werden diejenigen Vertonungen bezeichnet, die in allen Stimmen textiert sind. „*Motettenartige*" Kompositionen dagegen haben zwei textierte Oberstimmen über einem untextierten Tenor, und „*diskantliedmäßige*" Stücke bestehen aus einer textierten Oberstimme mit begleitenden Unterstimmen. Wie wir bei der Besprechung der Messen von Toulouse und Barcelona feststellen werden, stimmt aber die musikalische Faktur mit der notierten Besetzung nicht immer überein, so daß auf eine Änderung der Vorlage durch den Kopisten zu schließen ist. Mindestens zwei Stücke sind bekannt, die in verschiedenen Quellen in abweichender Besetzung überliefert sind, nämlich das Credo der Messe von Tournai und der Schlußteil eines Kyrie aus Apt (*Apt 4*). Beide Stücke sind sowohl mit drei textierten Stimmen als auch mit textierter Oberstimme und instrumentalen Unterstimmen überliefert. Die Besetzung ist also keineswegs ein durchweg konstantes Merkmal. Noch wichtiger ist das jeweilige formale Verhältnis der Ordinariumsvertonung zur fremden Gattung. Besonders bei der „*Motette*" beschränkt sich die Ähnlichkeit meist auf die allgemeine Anlage: zwei bewegte Oberstimmen über einer ruhigeren Unterstimme. Nur in seltenen Fällen handelt es sich bei dieser Unterstimme um einen liturgischen Tenor, und die beiden Oberstimmen tragen gewöhnlich denselben Text gleichzeitig vor. Die Unterschiede scheinen also größer zu sein als die Gemeinsamkeiten. Der Terminus „*Conductus*" wird in der Forschung immer häufiger als Bezeichnung für jeden Satz verwendet, dessen Stimmen sich im wesentlichen Note–gegen–Note bewegen, also beispielsweise sowohl für liturgische Stücke im alten Organalstil als auch für das Trecentomadrigal. In beiden Fällen ist ein tatsächlicher historischer Zusammenhang mit dem wirklichen Conductus des 13. Jahrhunderts nicht vorhanden. Auch hier scheint also eine genaue Differenzierung erforderlich zu sein. Der Ausdruck „*Diskantlied*" schließlich ist im Zusammenhang mit weltlichen Vertonungen entstanden. Der Begriff „*Lied*" hat bei Ordinariumssätzen keinen Platz und ist auf jeden Fall irreführend.

Versuchen wir zunächst, einige gemeinsame Merkmale der Messenvertonungen herauszuarbeiten, indem wir die fremden Gattungen beiseite lassen. Es sind vor allem folgende Merkmale, die die überwiegende Mehrzahl der französischen Ordinariumsvertonungen des 14. Jahrhunderts kennzeichnen: Sie sind meist ohne gregorianischen Cantus prius factus, weder als Tenor noch als Oberstimmenmelodie, konzipiert und unterscheiden sich somit deutlich von den älteren liturgisch gebundenen Propriumssätzen. Im Gegensatz zu diesen können sie an allen Festen des Kirchenjahres gesungen werden. Der liturgische Text bildet den Ausgangspunkt für die Vertonung. Er wird in allen gesungenen Stimmen gleichzeitig deklamiert und stellt auch die Basis für den formalen Bau des musikalischen Satzes dar. Nur in seltenen Fällen tragen zwei Oberstimmen verschiedene Texte vor, und auch dort handelt es sich stets um Tropen, d. h. die liturgische Einheit wird gewahrt. Das gleichzeitige Deklamieren des Textes in verschiedenen Stimmen wird im 14. Jahrhundert erstaunlich konsequent durchgeführt. Es geht wahrscheinlich auf die ältere Organumpraxis zurück und wird erst durch einen neuen musikalischen Stil am Anfang des 15. Jahrhunderts aufgelockert. Auch das Vermeiden eines festen musikalischen Schemas zeichnet die Messensätze aus, ein Merkmal, das wir gerade für das 14. Jahrhundert als äußerst ungewöhnlich festgestellt haben. Dies trifft besonders auf die textreichen Sätze, *Gloria* und *Credo*, zu, die zusammen mit dem *Kyrie* am häufigsten überliefert sind. Ihre Vertonung setzt sich gewöhnlich aus ungefähr gleich langen Abschnitten zusammen, die von der Gliederung des Textes abhängen. Häufig schließen die einzelnen Glieder entweder stets mit demselben Klang oder abwechselnd mit Haupt- und Nebenklang. Sie werden außerdem oft durch kurze untextierte Floskeln in einem feststehenden Stimmenpaar voneinander getrennt. Eine ähnliche Technik im *Gloria* und *Credo* von Machauts Messe hat O. Gombosi als „*Strophenbau*" bezeichnet. Bei der Mehrzahl der hier besprochenen Stücke sind die melodischen Wiederholungen unter den einzelnen Teilen jedoch zu gering, um die Übernahme eines solchen Ausdrucks aus der Dichtung zu rechtfertigen. Es handelt sich lediglich um ein neutrales Gliederungsprinzip, das keine genauen Korrespondenzen verlangt. Auf ähnliche Weise übernimmt die Vertonung die natürliche Dreiteiligkeit der *Kyrie*- und *Agnus*texte sowie der *Sanctus*rufe, ohne in den meisten Fällen eine genaue Symmetrie herzustellen. Unter den Vertonungen dieser drei Ordinariumssätze, die in untropierter Fassung ziemlich kurze Texte aufweisen, sind allerdings auch einige Stücke, deren Bau nach einem strengen rhythmischen und formalen Schema erfolgt (vgl. z. B. in der Ausgabe von Harder die Nrn. 1 und 56). Wie Harder betont hat, wird aber selbst in diesen Fällen die isorhythmische Gliederung durch die Einteilung des Textes bestimmt, so daß formales Prinzip und Textstruktur übereinstimmen. Gewöhnlich wird ein derartiges rhythmisches Schema nur in der Unterstimme (*Tenor*) durchgeführt.

Für die Ordinariumsvertonungen bestehen also sehr wohl gemeinsame Merkmale, die vor allem ein einheitliches Prinzip in der zugrundeliegenden musikalischen Absicht widerspiegeln. Bei der konkreten Realisierung dieser Konzeption wurden die vorhandenen musikalischen Mittel der Zeit übernommen, und da sie verschiedene Möglichkeiten boten, sind auch innerhalb des neuen Rahmens Unterschiede vorhanden. Variabel sind u. a. die Anzahl der textierten Stimmen, das gegenseitige rhythmische Verhältnis der Stimmen sowie deren jeweilige Lage. In manchen Sätzen sind die Stimmen nach dem Vorbild Philippe de Vitrys streng nach ihrer Lage geschieden, so daß Stimmkreuzung kaum vorkommt. In anderen dagegen weisen zwei oder alle drei Stimmen dieselbe Lage auf und kreuzen sich dauernd. Zur Vereinheitlichung des einzelnen Satzes verwendete man häufig ein Mittel aus der weltlichen Musik, nämlich die Wiederholung kleiner melodischer Floskeln in verschiedenen Kombinationen und Stimmen. Dies geschieht meist unabhängig vom Text, kann aber in ungefähr regelmäßigen Abständen auftreten. Im allgemeinen steht das klangliche Element im Vordergrund, denn das Herausstellen des Textes verbietet ein kompliziertes Zusammenspiel der einzelnen Stimmen nach Art der weltlichen Werke und zwingt zum gleichzeitigen Pausieren. Man hört in erster Linie eine Folge verschiedener Klangsäulen, die melodisch verziert sind. Vielfach wird die Bewegung um rhythmisch betonte Hauptklänge herumgeführt, auch die klangliche Verankerung leistet also einen wichtigen Beitrag zur Vereinheitlichung des musikalischen Satzes. Gewöhnlich werden Besonderheiten des Textes, die über die allgemeine Gliederung hinausgehen, in der Vertonung nicht berücksichtigt. Weder die Bedeutung einzelner Worte noch größere textliche Entsprechungen werden musikalisch hervorgehoben, und selbst die natürliche Wortbetonung wird oft mißachtet. Anders gesagt, es handelt sich um den musikalischen Vortrag, aber nicht um eine inhaltliche Deutung des gegebenen liturgischen Textes.

Unter den sechs bisher bekannten Meßzyklen weisen vier Konkordanzen zu den besprochenen Sammelhandschriften auf, wogegen die übrigen zwei — die Messe Machauts und ein Zyklus, komponiert von verschiedenen oberitalienischen Meistern — eindeutig außerhalb dieser Tradition stehen. Es ist zwar anzunehmen, daß die zuerst erwähnten vier Messen, die, ähnlich wie die Sammelhandschriften, nach ihren jetzigen Aufbewahrungsorten genannt werden — Tournai, Toulouse, Barcelona und die Sorbonne (Paris) — französischen Ursprungs sind, doch kann der genaue Entstehungsort in keinem Fall festgestellt werden.

Die älteste dieser Messen und zugleich die am längsten bekannte ist die sogenannte *Messe von Tournai*, die schon 1861 von Coussemaker veröffentlicht wurde.

Sie enthält alle fünf Ordinariumssätze in dreistimmiger Vertonung sowie eine Doppelmotette mit lateinischem Motetus und französischem Triplum über den Tenor *Ite missa est*. Sowohl diese Motette wie auch das Credo sind noch als Einzelkompositionen in den Sammelhandschriften überliefert, die übrigen Sätze dagegen sind Unica. Der ganze Zyklus wurde von einer Hand durchgehend auf einem eigenen Faszikel notiert, der jetzt Teil der Handschrift Voisin IV der Kapitelsbibliothek von Tournai ist. Diese Handschrift, eine Art Kyriale, besteht aus sechs verschiedenen Teilen aus dem 13. und 14. Jahrhundert und enthält sonst einstimmige Musik. Im mehrstimmigen Meßfaszikel sind zwei weitere Ordinariumssätze — ein Sanctus und ein Kyrie — von einer späteren Hand auf leergebliebenem Raum eingetragen worden. Die Messe selbst wurde von Coussemaker ins 13. Jahrhundert datiert, dürfte aber auf jeden Fall dem 14. Jahrhundert angehören. Immerhin bildet sie das älteste Dokument innerhalb der hier besprochenen Gruppe mehrstimmiger Quellen. Musikalisch gesehen weisen die einzelnen Sätze große Unterschiede auf, und zwar so sehr, daß man verschiedene Entstehungszeiten vermuten möchte. Bei den textarmen Sätzen, Kyrie, Sanctus und Agnus dei, sind alle drei Stimmen im wesentlichen an die alten rhythmischen Modi gebunden, so daß sie stets gleichzeitig fortschreiten. Die Sätze bestehen aus reinen Klangfolgen, die nur selten durch kleinere Verzierungen in einer Stimme oder durch hoketusartige Verschiebungen aufgelockert werden. Am strengsten gehalten ist das noch in den Ligaturen der Modalnotation aufgezeichnete Kyrie. Diese Sätze scheinen also tatsächlich aus dem späten 13. Jahrhundert zu stammen, wobei es auffällt, daß keiner von ihnen tropiert ist. Dagegen setzt sich das Gloria aus zwei bewegten Oberstimmen und einem ruhigeren Tenor zusammen, zeigt also deutlich den Einfluß Philippe de Vitrys und kann nicht eher als 1320 angesetzt werden. Auch das Credo, das in drei weiteren Handschriften überliefert ist, gehört eindeutig dem späteren Stadium an. Stilistisch bildet die Messe also keine Einheit. Gewisse Ähnlichkeiten zeigen sich aber in anderer Hinsicht: Alle Sätze sind für drei textierte, also gesungene Stimmen notiert, sie sind sämtlich untropiert, und mit Ausnahme des Credo weisen sie auffallend ähnliche Tenorstimmen auf. Möglicherweise liegt ihnen eine gemeinsame liturgische Melodie zugrunde. Der Kopist muß auf jeden Fall die einzelnen Sätze aus mindestens zwei, wenn nicht sogar drei verschiedenen Quellen abgeschrieben haben. Ein Zusammenhang mit dem eben besprochenen Hauptrepertoire der Ordinariumssätze kann nur für das Credo nachgewiesen werden.

Der zweite Zyklus, die *Messe von Toulouse*, wurde erst 1946 von J. Handschin entdeckt. Im Gegensatz zu Tournai sind die Sätze nicht hintereinander, sondern als Nachträge aus der Zeit um 1400 auf freigebliebenen Seiten eines Missale des 14. Jahrhunderts (jetzt Ms. 94 der Stadtbibliothek von Toulouse) notiert worden.

Da alle Nachträge von derselben Hand stammen, scheint ein Zyklus tatsächlich beabsichtigt zu sein, obwohl die einzelnen Einträge teilweise sehr weit auseinander liegen. Die Messe ist nicht vollständig: Von dem Credo ist nur ein Fragment des Tenors vorhanden, das Gloria fehlt ganz. Glücklicherweise findet sich aber das Credo in mehreren anderen Quellen. Sonst handelt es sich ähnlich wie in der Messe von Tournai bei den meisten Sätzen um Unica. Im Gegensatz zu der älteren Messe dürften alle Sätze aus Toulouse zu ungefähr dem gleichen Zeitpunkt entstanden sein und gehören wohl sämtlich in den Kreis der Hauptüberlieferung. Auch hier wirft der musikalische Satz einige Probleme auf. Alle Teile der Messe sind offenbar wiederum für eine einheitliche Besetzung gedacht, in diesem Fall für eine gesungene Oberstimme mit zwei begleitenden, d. h. nicht textierten Unterstimmen, die sehr wahrscheinlich instrumental aufgeführt wurden. Dieses Aufführungsprinzip scheint aber nicht immer mit der musikalischen Faktur übereinzustimmen. Wie Harder und Schrade in ihren Besprechungen dieser Messe feststellen, sind Kyrie und Sanctus vielmehr motettenartige Kompositionen, deren Oberstimmen sich bei Hoketusstellen und anderen rhythmischen Figuren gegenseitig ergänzen, während der Tenor den ruhigeren Hintergrund dazu bildet Trotz der Bezeichnung „Contratenor" verhält sich also die zweite Stimme wie eine Oberstimme und nicht wie eine Gegenstimme zum Tenor.

Eine Textierung dieser Stimme scheint nicht nur möglich, sondern sogar angebracht zu sein, um gewisse Korrespondenzen in den beiden Oberstimmen herauszustellen. Da beide Sätze Unica sind, können keine Vergleiche mit anderen Fassungen angestellt werden, doch ist die Wahrscheinlichkeit groß, daß der Schreiber seine Vorlage in diesen beiden Fällen zwecks einheitlicher Besetzung geändert hat. Merkwürdig ist auch die Bezeichnung des Schlußsatzes als *Motetus super ite missa est*, obwohl nur eine textierte und in diesem Fall sogar nur eine textierbare Stimme vorhanden ist. Von den aufgeschriebenen Sätzen ist lediglich das Agnus dei, das neuerdings in einer zweiten Fassung von Gerona gefunden wurde, tropiert.

Der einzige Zyklus innerhalb des südfranzösischen Kreises, der tatsächliche Korrespondenzen unter den verschiedenen Sätzen aufweist, ist die *Messe aus der Sorbonne* (zuerst von J. Chailley als *Messe von Besançon* besprochen).

Sie ist nur fragmentarisch überliefert, und zwar auf einem Doppelblatt, das zum Einband eines Registers von 1526 aus Dambelin (einem kleinen Ort in der Nähe von Besançon) verwendet wurde und seit 1870 in Paris aufbewahrt wird. Vermutlich fehlen mindestens ein Blatt am Anfang sowie das innere Doppelblatt des Faszikels, so daß nur Teile des Kyrie und Gloria auf dem linken Blatt und einige Stimmen des Sanctus-Benedictus sowie das ganze Agnus und abschließende Benedicamus domino auf dem rechten Blatt erhalten sind. Soweit sich beurteilen läßt, war eine durchgehend vokale Ausführung beabsichtigt. Die Stimmenzahl der einzelnen Sätze ist jedoch unterschiedlich: *Kyrie* und *Gloria* sind dreistimmig, *Agnus dei* und *Benedicamus domino* zweistimmig. Aufgrund von Korrespondenzen mit anderen Stücken vermutet man eine dreistimmige Vertonung für *Sanctus* und *Benedictus*, obwohl nur Teile der zwei unteren Stimmen in dem Fragment vorhanden sind. *Kyrie* und *Agnus* einerseits sowie *Sanctus* und *Agnus* andererseits waren auf jeden Fall musikalisch untereinander verwandt. Die beiden Außenstimmen des erhaltenen letzten *Kyrie*rufs stimmen fast genau mit dem dritten *Agnus* überein, möglicherweise bestanden ähnliche Parallelen auch zwischen den übrigen Teilen dieser Sätze. Wie Bukofzer gezeigt hat (siehe den Schluß des im Literaturverzeichnis zitierten Aufsatzes von R. Jackson), dürften ferner die fehlenden Außenstimmen des *Sanctus* am Anfang ähnlich oder identisch gewesen sein mit dem ersten *Agnus*. Demnach erscheint es durchaus möglich, daß die Anfänge von *Kyrie*, *Sanctus* und *Agnus* musikalisch gleich waren und daß die drei Teile des *Kyrie* den drei *Agnus*rufen musikalisch entsprachen. Außerdem sind Ähnlichkeiten des *Gloria* und *Sanctus* zu Stücken aus Ivrea von L. Schrade und R. Jackson aufgedeckt worden, und der Tenor des *Kyrie* kehrt fast unverändert in einem nachgetragenen *Kyrie* dieser Handschrift wieder. Der musikalische Satz ist in den verschiedenen Teilen der Sorbonne-Messe im Gegensatz zu allen anderen bekannten Zyklen einheitlich. Er besteht jeweils aus zwei bis drei gleich konzipierten Vokalstimmen, wobei die oberen Stimmen im Vergleich zum Tenor etwas bewegter sind. Nur beim abschließenden *Benedicamus domino* wird eine liturgische Melodie (Nr. II des GR) durch eine völlig gleich rhythmisierte Gegenstimme in der Art des alten Organum begleitet. Von den überlieferten Teilen ist nur das *Kyrie* tropiert.

Zeichnet sich die Sorbonne-Messe durch die einheitlich schlichte Vertonung ihrer Sätze und die gegenseitigen musikalischen Entsprechungen aus, so bietet die *Messe von Barcelona* genau das entgegengesetzte Bild.

Dieser Zyklus, der den mehrstimmigen Faszikel Ms. 946 der Biblioteca Central de Catalunya in Barcelona (*Barc C*) eröffnet, setzt sich aus fünf Sätzen zusammen, die weder besetzungsmäßig noch satztechnisch verwandt sind. Es scheint allenfalls der Wunsch nach großangelegten wirkungsvollen Kompositionen bei der Auswahl bestimmend gewesen zu sein, denn der Zyklus enthält einige der technisch kompliziertesten Stücke, die wir aus dem Kreis der Ordinariumsvertonungen kennen. Mit Ausnahme des vierstimmigen *Agnus*, das den Zyklus abschließt, sind alle Sätze dreistimmig. Besteht aber das *Kyrie* aus drei textierten und rhythmisch gekoppelten Vokalstimmen, so stellen *Gloria* und *Credo* reine Diskantkompositionen dar, deren gesungene Oberstimmen jeweils von zwei ruhiger bewegten Instrumentalstimmen begleitet werden. Das *Sanctus* ist nach Art einer isorhythmischen Doppelmotette mit verschiedenen Tropentexten in den beiden Oberstimmen gebaut, und das *Agnus* setzt sich aus zwei textierten Außenstimmen und zwei Contratenores zusammen. Wie Ludwig gezeigt hat, weist der erste dieser Contratenores große strukturelle Verbundenheit mit den beiden Außenstimmen auf und kann ebenfalls ohne weiteres textiert werden. Das Stück würde demnach nicht aus zwei Stimmenpaaren, wie Schrade behauptet hat, sondern aus drei gleichgebauten Vokalstimmen und einem begleitenden Contratenor bestehen. Die Messe wurde offensichtlich für den besonders trainierten Chor eines größeren kirchenmusikalischen Zentrums zusammengestellt; aber auch in diesem Fall können wir die genaue Provenienz leider nicht mehr feststellen. Das Fragment, das sich durch seine ungewöhnliche Kalligraphie auszeichnet, enthält zwei weitere mehrstimmige Ordinariumssätze sowie zwei Doppelmotetten. Möglicherweise war es ursprünglich Teil einer größeren Sammlung, die entweder sonst verlorengegangen ist oder nie zu Ende geführt wurde. Der erhaltene Faszikel, zusammen mit anderen Fragmenten aus Barcelona, ist zuerst durch H. Anglès bekannt geworden.

Aus der Besprechung der verschiedenen mehrstimmigen Ordinariumszyklen wird vor allem eines deutlich: Sie sind nicht nach einheitlichen Gesichtspunkten angelegt und haben auch nicht Teil an einer größeren zusammenhängenden Tradition der Messenkomposition. Sie stellen vielmehr vereinzelte, jeweils aus besonderen Anlässen entstandene Gruppierungen dar, deren Zusammenhang mit der zentralen Praxis, wie wir sie aus den Handschriften Apt und Ivrea kennen, aller Wahrscheinlichkeit nach gering war.

So vermutet etwa Harder, daß zumindest die drei zuerst besprochenen Zyklen am Rande des zentralen musikalischen Kreises entstanden sind. Dies heißt aber auch, daß man die Bedeutung dieser Zyklen innerhalb der Musik des 14. Jahrhunderts sowie ihren Einfluß auf die Ordinariumsvertonungen des 15. Jahrhunderts nicht überschätzen sollte.

Das Verhältnis der mehrstimmigen Zyklen zu der einstimmigen Praxis bleibt ungeklärt. P. Wagner war der Meinung, daß die Gruppierung der Ordinariumsteile zu Zyklen den Gepflogenheiten der liturgischen Einstimmigkeit fremd war und erst in neuerer Zeit unter dem Einfluß der mehrstimmigen Messen eingeführt wurde. Schrade machte dagegen auf eine Reihe von zehn einstimmigen Zyklen aufmerksam, die in derselben Handschrift wie die mehrstimmige Messe von Toulouse enthalten sind und wahrscheinlich aus der ersten Hälfte des 14. Jahrhunderts stammen. Seitdem sind mehrere Zyklen aus dem 14. Jahrhundert bekannt geworden. Stäblein hat schließlich gezeigt, daß einstimmige Zyklen schon seit dem 12. Jahrhundert überliefert sind. Auch Satzpaare (*Kyrie–Gloria* bzw. *Sanctus–Agnus*) sind seit dieser Zeit bekannt, wogegen die Gruppierung nach einzelnen Sätzen sogar schon früher auftritt. Alle drei Gruppierungsarten wurden bis in das späte Mittelalter nebeneinander verwendet. Die einstimmige Praxis scheint also in diesem Fall keinen direkten Zusammenhang mit der mehrstimmigen Musik aufzuweisen. Die Zusammenstellung von Ordinariumszyklen kann somit nicht als eine Neuerung des 14. Jahrhunderts angesehen werden, die von der Einstimmigkeit auf die mehrstimmigen Vertonungen überging. Auch die Bildung von Satzpaaren, die in der Einstimmigkeit schon seit dem 12. Jahrhundert üblich war, kommt in der Mehrstimmigkeit erst im 15. Jahrhundert auf. Dagegen scheint die musikalische Verbindung der verschiedenen Sätze aus der Mehrstimmigkeit hervorgegangen zu sein. Diese wird also im wesentlichen eigenen Gesetzen gefolgt sein.

Unter einigen der überlieferten Ordinariumsvertonungen sind in letzter Zeit, besonders durch L. Schrade und R. Jackson, verschiedene Zusammenhänge aufgedeckt worden, die auf Bearbeitungen schließen lassen. Wenn auch einige von Schrades Versuchen in dieser Richtung zu sehr auf allgemeinen melodischen und klanglichen Ähnlichkeiten basieren, um wirklich zu überzeugen, so kann doch in manchen Fällen kein Zweifel bestehen, daß ein und dieselbe Vertonung für verschiedene Texte verwendet wurde. Dies trifft besonders für Teile der Sorbonne-Messe (s. oben) sowie für eine Gruppe von drei Sätzen aus Ivrea und Apt zu (in der Ausgabe von Harder die Nummern 8, 50 und 60: Kyrie, Credo und Sanctus). Da die Vertonungen bei den verschiedenen Texten immer etwas verändert sind, handelt es sich nicht um einfache Contrafacta im üblichen Sinn. Schrade sieht darin vielmehr die ersten Vorläufer des für das 16. Jahrhundert typischen Parodieverfahrens. Wie Jackson betont, betreffen die Änderungen jedoch im wesentlichen nur die Reihenfolge der einzelnen Abschnitte und sind auf Verschiedenheiten besonders in der Länge der Texte zurückzuführen. Eine echte Bearbeitung vorgegebenen musikalischen Materials im Sinne des 16. Jahrhunderts liegt nicht vor. Es mag sich hier, wie Jackson meint, nicht so sehr um den Vorläufer eines späteren Kompositionsverfahrens als um eine selbständige Praxis des späten 14. und frühen 15. Jahrhunderts handeln. Auch in einem weiteren Fall glaubt Schrade, ein frühes Beispiel einer späteren Technik feststellen zu können, nämlich beim vierstimmigen Agnus der Messe von Barcelona, das er als erste *„Diskant-Tenor-Komposition"* bezeichnet. Wiederum erscheint aber der Zusammenhang nicht überzeugend, denn nach Ludwigs Untersuchungen besteht das besprochene Werk wahrscheinlich aus drei Singstimmen mit Contratenor und nicht aus zwei Stimmpaaren.

Im ganzen zeichnet sich die Praxis der besprochenen Ordinariumsvertonungen des 14. Jahrhunderts durch satztechnische Merkmale aus, die sich schon von der Kompositionsweise der unmittelbar folgenden Zeit deutlich abheben. Ein direkter Zusammenhang mit noch späteren Techniken ist deshalb kaum anzunehmen.

Der einzige bekannte Meßzyklus aus Nordfrankreich, nämlich die große Messe von Guillaume de Machaut, ist offenbar unabhängig von den südfranzösischen Vertonungen, wie sie vermutlich aus Avignon hervorgegangen sind, entstanden. Sie ist in vier der Machaut-Handschriften vollständig überliefert und wird in der Handschrift Vogüé als *Messe de Notre Dame* bezeichnet. Das Werk stellt in jeder Hinsicht eine Ausnahme dar. Es ist die einzige Messe aus dem 14. Jahrhundert, deren Sätze alle von demselben, und zwar einem namentlich bekannten Komponisten stammen, der sein Werk wahrscheinlich von vornherein als Zyklus konzipiert hat. Alle sechs Teile, also auch das kurze abschließende *Ite missa est*, sind für vier textierte Stimmen komponiert im Gegensatz zu der üblichen Dreistimmigkeit des südfranzösischen Kreises. Keiner von ihnen ist tropiert. Satztechnisch betrachtet, lassen sich diese Sätze in zwei Gruppen aufteilen, deren Eigenart vom Text her bestimmt ist: die textarmen Sätze, *Kyrie, Sanctus, Agnus dei, Ite missa est,* und die textreichen, *Gloria* und *Credo.* Zum ersten Mal läßt sich also ein übergeordnetes Prinzip erkennen, das den Charakter der einzelnen Sätze bestimmt.

Die Sätze der ersten Gruppe sind jeweils über einem liturgischen Tenor komponiert (Kyrie der 4. Messe, Sanctus und Agnus der 17. und Ite missa est mit der Sanctusmelodie der 8. Messe des heutigen *Graduale Romanum*). Demgemäß teilen sich die vier Stimmen lagenmäßig und rhythmisch jeweils in zwei Paare auf, nämlich Tenor-Contratenor und zwei Oberstimmen. Alle vier Sätze werden in ein rhythmisches Schema (Isorhythmie) einbezogen, dessen Ausmaße von der Textgliederung abhängig sind und das in erster Linie die zwei Unterstimmen umfaßt. So wird jeder *Kyrie*ruf als Einheit vertont, die drei *Sanctus*rufe stehen als Eröffnungsworte außerhalb der mit dem Wort *dominus* einsetzenden rhythmischen Wiederholungen, und auch die drei Teile des *Agnus* setzen die frei vertonten Einleitungsworte *Agnus dei* dem rhythmischen Schema jeweils voran. *Gloria* und *Credo* dagegen beruhen nicht auf einem *Cantus firmus*, sondern bestehen wegen der gleichzeitigen Deklamation des langen Textes aus vier meist gleich rhythmisierten Stimmen, die sich nur lagenmäßig als Ober- bzw. Unterstimmen unterscheiden. Auch ihr formaler Bau folgt keinem vorgegebenen Schema, sondern teilt sich je nach Texteinheiten in verschiedene Abschnitte auf. Diese sind allerdings, wie Gombosi gezeigt hat, jeweils auf ähnliche Weise zusammengesetzt, besonders im Hinblick auf ihre Zielklänge, die stets zwischen Neben- (e–cis') und Hauptschluß (d–a–d') abwechseln. Ähnlich wie bei der südfranzösischen Schule werden die Abschnitte oft durch kurze untextierte Melodiefloskeln in den beiden Unterstimmen voneinander getrennt. Der einzige isorhythmisch geordnete Teil innerhalb dieser zwei Sätze ist das *Amen* des *Credo*.

Wie man sieht, schon die äußere Anlage verrät eine ausgeprägte Selbständigkeit in der Behandlung der verschiedenen liturgischen Texte, die das *Ordinarium* umfaßt. Der formale Bau berücksichtigt jeweils die Gegebenheiten des Textes, ohne seine eigenständige musikalische Seite zu vernachlässigen. Machaut bringt es fertig, Symmetrien des Textes durch die Isorhythmie hervorzuheben, d. h. zwei vorgegebene Größen, Text und rhythmisches Ordnungsprinzip, ergänzen sich gegenseitig. Durch die Musik werden wir auf gewisse Seiten des Textes aufmerksam gemacht. Auch innerhalb der wortreichen Sätze können textliche Parallelen durch die Vertonung hervorgehoben werden, z. B. im *Gloria* die Lobpreisungen *Laudamus te, benedicimus te, adoramus te, glorificamus te*, die jeweils auf dem Wort *te* ungewöhnlich lang ausgehaltene Töne erhalten. Im *Credo* werden die Anfänge neuer Abschnitte durch *rhythmische Betonungen* des Wortes *et* kenntlich gemacht, und die einzelnen Silben des im *Gloria* zweimal vorkommenden *Jhesu Christe* sowie des liturgisch zentralen *ex Maria virgine* im *Credo* sind mit einer Folge gleich langer Noten in allen Stimmen ausgezeichnet. Außer diesen rhythmischen Entsprechungen tragen auch klangliche und melodische Wiederholungen zur Einheit des einzelnen Satzes sowie des ganzen Zyklus bei. Eine darüber hinausgehende Vereinheitlichung aller Sätze, etwa aufgrund eines gleichbleibenden melodischen Kerns wie bei den Meßzyklen des 15. Jahrhunderts, liegt dagegen nicht vor.

Die Messe Machauts scheint weder Vorgänger noch Nachfolger gehabt zu haben und fand im Gegensatz zu den weltlichen Werken des Komponisten außerhalb der Machaut-Handschriften selbst keine Verbreitung. Zeitpunkt und Anlaß ihrer Entstehung sind unbekannt. Die früher verbreitete Meinung, sie sei anläßlich der Krönung Karls V. am 19. Mai 1364 in Reims geschrieben worden, ist quellenmäßig nicht zu bestätigen und läßt sich kaum noch aufrecht erhalten. Während Machabey das Werk früh, „*vielleicht sogar schon Ende 1340*", ansetzen möchte, findet es Günther aufgrund satztechnischer Merkmale „*zweifellos eine späte Schöpfung und wohl überhaupt der Höhepunkt im Lebenswerk Machauts*". Auf jeden Fall bildet diese Messe den unbestrittenen Höhepunkt der mehrstimmigen liturgischen Musik des 14. Jahrhunderts.

Über den Stand der mehrstimmigen Musik in Italien im 14. Jahrhundert war man lange Zeit völlig unzureichend unterrichtet. Erst in den letzten Jahren ist es gelungen, mehrere hierhergehörige norditalienische Quellen zu erschließen, so daß zumindest die Lage für diese Gegend einigermaßen zuverlässig beurteilt werden kann. Zahlenmäßig sind die bis jetzt bekannten Stücke zwar immer noch gering, doch zeigen sie satztechnisch trotz verschiedener Provenienzen ein überraschend gleichbleibendes Bild. Im Gegensatz zu Frankreich, wo sich die mehrstimmige Musik im 14. Jahrhundert erstmals mit dem Meßordinarium auseinandersetzte und eine eigene Tradition hervorbrachte, zeichnet sich die übliche liturgische Praxis in Italien im 14. Jahrhundert nicht durch etwas Neues aus. Hier herrschte noch offenbar die alte Organaltradition, die weder ein Produkt Italiens noch des 14. Jahrhunderts war. Diese Art des Singens wird bereits in der Chronik des Franziskanermönches Salimbene von Parma aus der Mitte des 13. Jahrhunderts beschrieben und taucht noch in italienischen Quellen des 15. Jahrhunderts auf. Eine ähnliche Praxis ist auch in zahlreichen Handschriften des außeritalienischen, besonders deutschen Gebietes des 14. und 15. Jahrhunderts überliefert. Liturgisch umfaßte sie verschiedene Gattungen, in erster Linie *Benedicamus*- und *Responsorium*tropen, dazu aber auch einzelne Ordinariumssätze, Sequenzen, Antiphonen und Lesungen.

Die Stücke sind fast ausschließlich in größeren einstimmigen liturgischen Codices eingefügt (Antiphonarien, Gradualien usw.). Sie stellen also eine Ausnahme gegenüber der normalen Einstimmigkeit dar. Mehrstimmige liturgische Quellen im eigentlichen Sinn gibt es in Italien zu dieser Zeit nicht. Ohne Ausnahme handelt es sich bei diesen Beispielen um zweistimmige Vokalstücke, in den meisten Fällen um liturgische Melodien, die durch eine gleichgeartete und gleichtextierte Organalstimme ergänzt werden. Im Italien des Trecento blieb diese Praxis offenbar sowohl von der einheimischen weltlichen als auch von der französischen liturgischen Musik im wesentlichen unberührt. Die einzigen Anzeichen einer Beeinflussung sind einige zum Teil erhöhte Terzen und Sexten, die anstelle perfekter Konsonanzen nachträglich eingefügt wurden, sowie unbeholfene Versuche mit einer Art von Mensuralnotation. Die wichtigsten Quellen sind eine Gruppe von Handschriften aus Cividale, ein Fragment (Q 11) im *Liceo Musicale*, Bologna, zwei Handschriften mit liturgischen Spielen (C 55 und C 56) in der Kapitelbibliothek von Padua und ein Kyriale (Hs. 9–E–17) in der *Biblioteca del Seminario Maggiore* von Aosta, das auch einstimmige Meßzyklen enthält. (Das gesamte Repertoire liegt neuerdings in einer Faksimile-Ausgabe von F. Alberto Gallo und Giuseppe Vecchi vor.)

Bei dem jetzigen Stand der Quellenkenntnis ist anzunehmen, daß die Organalpraxis den Boden der mehrstimmigen liturgischen Musik in Italien während des ganzen 14. Jahrhunderts bildete, d. h. man hielt im Grunde genommen an der einstimmigen Tradition fest, die man nur wenig in Richtung auf die Mehrstimmigkeit erweiterte. Erst gegen Ende des Jahrhunderts treten mehrstimmige Stücke im eigentlichen Sinne auf. Da diese Werke verschiedene Einflüsse widerspiegeln, weisen sie kein einheitliches Verfahren auf. Am auffallendsten ist eine eigenständige liturgische Instrumentalpraxis, von der einige Beispiele in dem Codex Faenza 117 überliefert sind. Hierin finden sich neben Bearbeitungen von französischen und italienischen weltlichen Werken auch zwei *Kyrie-Gloria*-Paare sowie ein einzelnes *Kyrie*. Bei allen fünf Ordinariumssätzen wird eine kolorierte Oberstimme zu dem liturgischen, der heutigen 4. Messe (*Cunctipotens*) entstammenden Tenor hinzugefügt. Die Stücke wurden offenbar nach der Alternatimpraxis vorgetragen, d. h. Chor und Orgel wechselten einander ab, so daß nur die Orgelpartien notiert sind.

Im ganzen lassen die Faenza-Bearbeitungen auf eine verhältnismäßig ausgereifte Technik und daher auf eine längere Tradition schließen. Der Codex selbst dürfte erst um 1420 geschrieben worden sein, doch stammen alle darin bearbeiteten weltlichen Stücke aus der zweiten Hälfte des 14. Jahrhunderts. Auch die Ordinariumssätze stellen demnach wahrscheinlich eine Praxis des späten 14. Jahrhunderts dar, die sicher weiter verbreitet gewesen sein muß, als die schriftliche Überlieferung zunächst vermuten läßt.

Eher als Ausnahmen und isolierte Beispiele sind dagegen die vokalen zweistimmigen Ordinariumsvertonungen zu betrachten, die am Schluß der Trecentohandschrift *Pit* (Paris, Bibl. Nat., Fonds italien 568) notiert sind. Es handelt sich um ein *Gloria* und *Agnus* von Gherardello, ein *Credo* von Bartholus und ein *Sanctus* von Lorenzo. Diese Sätze von drei oberitalienischen Musikern des Trecento werden oft als Meßzyklus angesehen, obwohl das Kyrie fehlt. Auch das abschließende dreistimmige *Benedicamus domino* dürfte nach der Meinung Reaneys ein Nachtrag sein. Musikalisch stellen die Stücke eine einfache Übernahme des Madrigalsatzes ohne jegliche Rücksichtnahme auf die besondere Beschaffenheit des liturgischen Textes dar.

Layton vermutet, daß die Stücke zu verschiedenen Zeitpunkten komponiert und im Trecento selbst als bemerkenswerte Ausnahmen angesehen wurden. Nach seiner Darstellung dürfte das *Credo* von Bartholus zuerst entstanden sein, erreichte dann bald solche Berühmtheit, daß andere Trecentomusiker dem Beispiel mit weiteren Vertonungen von Ordinariumssätzen gefolgt sind. Im zweistimmigen Satz beruhen die Stücke nicht alle auf dem gleichen Verfahren. Nur Gherardello unterscheidet, wie im Madrigal, konsequent zwischen Ober- und Unterstimme, wogegen Stimmkreuzungen und angeglichene Stimmlagen die übrigen Vertonungen kennzeichnen. Im *Sanctus* von Lorenzo bewegen sich die Stimmen sogar häufig im Unisono. Doch weisen die konsequente Anwendung der typischen melodischen Verzierungen des Trecento sowie das rhythmisch gleichmäßige und von den Kolorierungen unabhängige Deklamieren der Textsilben eindeutig auf das Madrigal als Vorbild hin. Nur das *Benedicamus domino*, das zwar ohne Autorennamen notiert, im alten Index jedoch dem aus dem späten Trecento bekannten Komponisten Paolo zugeschrieben wird, hebt sich von den übrigen Sätzen deutlich ab. Dieser Satz beruht auf einer bekannten liturgischen Melodie des Benedicamus domino, die in der Handschrift noch in Choralnotation geschrieben ist. Über dieser Grundlage bewegen sich zwei kolorierte Oberstimmen, der Text wird in allen drei Stimmen gleichzeitig vorgetragen.

Zu dieser Gruppe der vom weltlichen Trecento her beeinflußten liturgischen Stücke gehört noch ein sehr eigenartiges Beispiel, das dreistimmige „Cantano gl'angiolieti", das in der Handschrift *Lo* mitten unter den weltlichen Vertonungen (Nr. 52) anonym überliefert ist. Das Stück besteht aus einem Tenor mit *Sanctus*text und zwei kolorierten Oberstimmen, die eine Art Tropus in der Volkssprache vortragen. Der Tropustext ist ferner so gestaltet, daß der

*Sanctus*teil aus zwei dreizeiligen Strophen, das *Benedictus* aus einem abschließenden Zeilenpaar bestehen, wobei sich das Reimschema ABB ACC DD ergibt. In diesem Fall ist also die Tropierung selbst nach dem Vorbild des Madrigals gebaut und als Folge von zwei Strophen und Ritornell vertont.

Mit diesen Sätzen verwandt, aber wahrscheinlich erst aus dem Anfang des 15. Jahrhunderts und deutlich unter französischem Einfluß entstanden, ist das *Gloria-Credo*-Paar der Trecentohandschrift London, Brit. Mus., Add. 29 987 (*Lo*; fol. 82v—85). Diese beiden Stücke sind in eine Gruppe von Vertonungen einzureihen, die um die Jahrhundertwende entstanden sind und eine erste Konfrontierung der italienischen liturgischen Musik mit den Ordinariumssätzen der südfranzösischen Schule widerspiegeln. Hervorzuheben sind in diesem Zusammenhang die sogenannten Paduaner Fragmente sowie das kleine Heft, Rom, Vat. Urb. lat. 1419 (*RU₁*). Beide Quellen weisen Konkordanzen sowohl zu den italienischen Trecentohandschriften als auch zu den französischen liturgischen Quellen auf und enthalten neben meist italienischen weltlichen Werken auch Ordinariumsvertonungen. Besonders die liturgischen Stücke sind in musikalischer Hinsicht sehr uneinheitlich.

Die Paduaner Fragmente enthalten sowohl Stücke im einfachen Organalstil als auch Konkordanzen zu Ivrea und Apt. Diese sind in Padua allerdings nur fragmentarisch überliefert, sodaß ein Vergleich mit den französischen Vorlagen kaum möglich ist. Daneben kommen bereits einige Werke Johannes Ciconias sowie Ordinariumsvertonungen von sonst unbekannten Paduaner Musikern vor. Diese Sätze zeigen deutliche französische Einflüsse, behalten aber in der kolorierten Melodieführung sowie in der Vorliebe für Terzsextklänge noch typische italienische Merkmale. In *RU₁* werden Ordinariumssätze im Madrigalstil, darunter zwei Konkordanzen zu *Pit*, mit einem verbreiteten Kyrie aus Apt zusammengebracht.

Notenbeispiel 1

Übertragung nach H. Stäblein-Harder, *Fourteenth-Century Mass Music in France* (*CMM* 29), Rom 1962, Nr. 12 und 13.

12. Apt No 35   Johanes Graneti

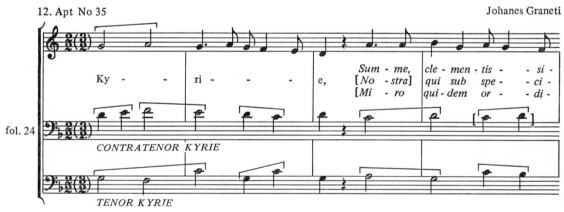

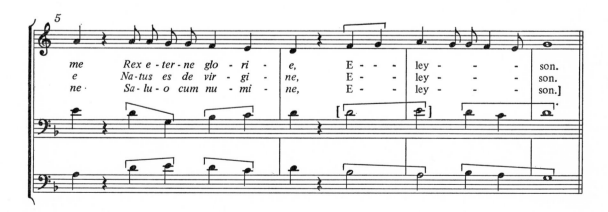

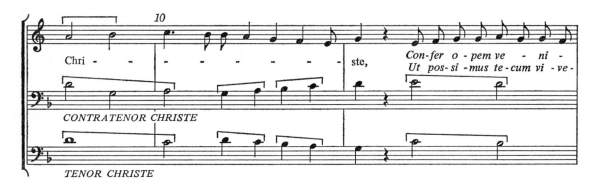

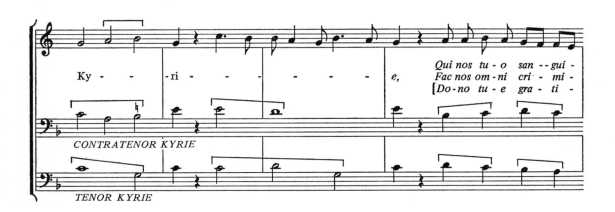

13. RU1 No. 11

fol. 93v

CANTUS Ky - ri - e, Sum-me, cle - men - tis - si -

KYRIE TENOR TRIUM PRIMORUM LEYSON

me Rex, e-ter-ne do - mi - ne, E- e-ley - son.

Chri - ste, *CANTUS* Rex, e - ter - ne do - mi -

CHRISTE TENOR TRIUM SECUNDORUM LEYSON

ne, Fi - li u - ni - ge - ni - te Ma - ri - e, He - ley - son.

CANTUS Ky - ri - e, Sum - me, cle - men - tis - si -

TENORIS KIRIE LEYSON SON

me Rex, e - ter - ne do - mi - ne

-ne -ne Ley - son.

Für die Situation der liturgischen Musik in Italien um die Jahrhundertwende ist dieses letzte Stück besonders lehrreich. Die Vorlage wird zwar übernommen, doch in eine Fassung mit typischen italienischen Zügen umgedeutet. Nicht nur wird der Contratenor hier ausgelassen, so daß eine zweistimmige Vertonung übrigbleibt, sondern auch die Tenorstimme wird vielfach geändert, um Sprünge zu vermeiden oder um sich parallel zu der Oberstimme zu bewegen. Kompliziertere rhythmische Wendungen werden in der Oberstimme durch gleichmäßige Folgen geglättet. Besonders die im Trecento so beliebten Abwärtsbewegungen mit dem Wechsel von stufenweisen Schritten und wiederholten Tönen kommen immer wieder vor. Vom Anhören allein läßt sich die Verwandtschaft kaum bemerken. An diesem Beispiel wie aus ähnlichen Italienisierungen französischer Motetten ist die Beharrlichkeit der einheimischen italienischen Praxis besonders auf dem Gebiet der kirchlichen Musik ersichtlich. Die französische Musik war den Italienern in gewissem Umfang bekannt, doch wurde sie nicht einfach übernommen, sondern stets nach den Vorstellungen der eigenen Tradition neu ausgelegt.

Soweit wir jetzt sehen, wurde die südfranzösische liturgische Mehrstimmigkeit in Italien nur selten unverändert übernommen. Mit Ausnahme der Messensätze in *Pit* scheint sich die liturgische Musik Italiens im 14. Jahrhundert überhaupt von der Tradition der Kunstmusik ferngehalten zu haben. Eine größere Anzahl von mehrstimmigen Messenvertonungen auf italienischem Boden begegnet erst in Handschriften aus der Zeit um 1420.

Zu erwähnen sind besonders die Quellen *Mod* (Modena, Biblioteca Estense, a. M. 5. 24), *BL* (Bologna, Civio Museo Bibliografico Mus., Q 15), *BU* (Bologna, Biblioteca Universitaria 2216), *O* (Oxford Bodleian Library, Can. misc. 213) und *Tr 87* (Trient, Castello del Buon Consiglio, Ms. 87), sowie die peripheren Quellen *Kras* (Warschau, Bibl. Krasiński, 52) und *StP* (Warschau, Bibl. Narodowa, F. I. 378). Im allgemeinen scheinen diese Kompositionen auch tatsächlich am Anfang des 15. Jahrhunderts entstanden zu sein.

Außer einer Reihe anonymer Stücke handelt es sich in erster Linie um die Werke von drei auch von der weltlichen Musik her bekannten Komponisten, nämlich Johannes Ciconia, Matteo da Perugia und Zacharias.

Von Matteo da Perugia, der im Jahre 1402 zum Cantor am Mailänder Dom ernannt wurde und wahrscheinlich 1418 gestorben ist, sind fünf Vertonungen des Gloria überliefert, und zwar sämtlich in der Hs. *Mod* (Nr. 2, 11, 40, 99, 101).

Satztechnisch sind die Stücke sehr verschieden: Ein Gloria (*Mod*, Nr. 11) besteht z. B. aus zwei kanonisch geführten Oberstimmen über einem begleitenden Tenor, ist also in Anlehnung an die weltliche Caccia komponiert, zwei andere (*Mod*. Nr. 99 und 101) sind dagegen über einem liturgischen Cantus firmus im Tenor gebaut. Die Oberstimmen weisen teilweise komplizierte rhythmisch-melodische Wendungen auf, wie sie für das späte 14. Jahrhundert in Frankreich typisch sind. Mit Ausnahme des vierstimmigen Gloria, *Mod*. Nr. 99, sind alle Sätze dreistimmig. Ebenfalls von Matteo da Perugia ist die dreistimmige Motette „Ave sancta mundi salus", die am Anfang der Hs. *Mod* steht und das Agnus dei aus der heutigen IV. Messe als Cantus firmus in der Tenorstimme verwendet. Ob das streng isorhythmisch gebaute Stück tatsächlich als Teil des Ordinariums oder aber an anderer Stelle der Messe als echte Motette gesungen wurde, bleibt offen.

Am häufigsten vertreten als Komponist von mehrstimmigen Messensätzen ist in den Quellen Zacharias. Ihm zugeschrieben sind 13 Vertonungen (7 Gloria und 6 Credo) zu drei und vier Stimmen, die in zehn Handschriften überliefert sind. Hauptquelle ist *BL*, die 12 Stücke enthält, von denen 10 als Gloria-Credo-Paare notiert sind. Allerdings sind nur in einem Fall die beiden Sätze auch musikalisch miteinander verwandt.

Die Zuschreibung der Stücke, die in verschiedenen Handschriften unter dem Namen *Zacar* oder *Magister Zacharias* überliefert sind, ist in der Forschung sehr umstritten. In Frage kommen mindestens zwei Musiker, nämlich Antonio Zachara da Teramo, über dessen Lebenslauf nichts bekannt ist, und Nicola Zacharie da Brindisi, der 1420 als Sänger in Florenz und von 1420 bis 1424 sowie 1434 als Mitglied der päpstlichen Kapelle nachweisbar ist. Pirrotta vermutet, daß sich die Bezeichnung sogar teilweise auf einen dritten, bisher sonst unbekannten Meister bezieht. Mit Ausnahme des dreistimmigen Gloria mit dem Tropus *Spiritus et alma*, das in *BL* (Nr. 134) ausdrücklich Nicola Zacharie zugeschrieben wird, betrachtet Layton alle Vertonungen des Ordinarium als Werke des Antonio, der auch der ältere Meister gewesen sein dürfte.

Auch die Stücke von Zacharias weisen keine stilistische Einheit auf, sondern benutzen, wie für die Messensätze im 14. Jahrhundert allgemein üblich, verschiedene Verfahren, die häufig von anderen Gattungen übernommen wurden. Immerhin kommen unter seinen Werken zwei Satzarten vor, die im 14. Jahrhundert unbekannt und erst in der folgenden Zeit einen wichtigen Platz in der

Messenvertonung einnehmen. Eine von diesen, die Verwendung eines kolorierten Cantus firmus in den Oberstimmen, mag eher als Zufall erscheinen, da sie nur in einem Stück von Zacharias auftritt (Credo, *BL* Nr. 84) und für das frühe 15. Jahrhundert überhaupt ein Unicum darstellt. Die zweite, das Parodieverfahren, wird dagegen von diesem Meister in mehreren Stücken angewendet. In drei Fällen sind uns die Vorlagen erhalten, und zwar die Balladen *„Rosetta che non canbi"* (Gloria, *BL* Nr. 56), *„Un fior gentil"* (Gloria, *BL* Nr. 58) und *„Deus deorum Pluto"* (Credo, *BL* Nr. 59), alles Werke des Antonio Zachara.

Der älteste dieser drei Meister schließlich ist zugleich in musikalischer Hinsicht der fortschrittlichste. Nach den jüngsten Forschungen von Susanne Clercx wurde Johannes Ciconia bereits um 1340 in Lüttich geboren, ist aber erst gegen Ende seines Lebens, im Jahre 1403, nach Padua übergesiedelt, wo er bis zu seinem Tode im Dezember 1411 blieb. Unter seinen in mehreren Handschriften überlieferten Werken sind einige geistliche Motetten sowie zehn Ordinariumssätze (6 Gloria und 4 Credo) zu drei und vier Stimmen erhalten. Zu welchem Zeitpunkt diese Messenvertonungen entstanden sind, läßt sich nicht mehr feststellen. Einige, wenn nicht sogar der Hauptteil, dürften auf jeden Fall aus der Paduaner Zeit stammen, wo Ciconia ein Canonat am Dom innehatte. In seinen Werken lassen sich zum ersten Mal neue musikalische Züge feststellen, die nicht in erster Linie auf rein formale Bauprinzipien zurückzuführen sind. Am wichtigsten mag, besonders im Hinblick auf die weitere Entwicklung, die melodische Vereinfachung erscheinen, die in einigen Messensätzen Ciconias zum Vorschein kommt. Man vergleiche z. B. folgenden Abschnitt aus dem Gloria, *BL* Nr. 71:

Notenbeispiel 2

Übertragung nach S. Clercx, *Johannes Ciconia,* Bruxelles 1960, Bd. 2, S. 99.
Gloria *BL* Nr. 71; *Tr 87*, Nr. 31

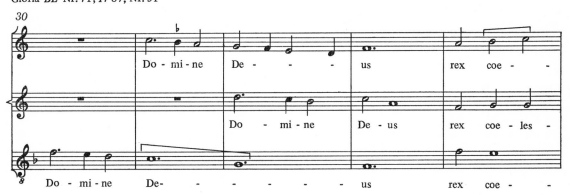

Anstelle der stereotypen, vom Text völlig unabhängigen Kolorierungsformeln des 14. Jahrhunderts, treten hier individuell geprägte Wendungen auf, die mit einzelnen Textabschnitten verbunden sind und nacheinander wiederholt oder in verschiedenen Stimmen imitiert werden können. Durch identische Vertonung der drei *Domine*-Rufe hebt Ciconia in diesem Abschnitt auch formale Entsprechungen des Textes hervor. Dadurch, daß die Stimmen mit derselben Wendung nacheinander einsetzen, wird auch das gleichzeitige Deklamieren des Textes in allen Stimmen, das für das 14. Jahrhundert typisch war, aufgegeben und die einzelnen Stimmen als melodische Sinnglieder einander gegenübergestellt. Gleichzeitig vollzieht sich eine Auflockerung im musikalischen Gewebe. Denn war bisher das Verhältnis der Stimmen innerhalb eines Stückes durch die Wahl der Satzart von vornherein festgelegt, so kann es sich jetzt im Verlauf des einzelnen Stückes ändern. Imitierende und akkordliche Teile wechseln sich dabei einander ab. In anderen Stücken unterscheidet Ciconia zwischen zwei- und vierstimmigen Teilen, die in den Quellen als *dui* (oder *unus*) bzw. *chorus* bezeichnet sind.

Daß die Ansätze Ciconias weder von ihm selbst noch von seinen Nachfolgern zu einem einheitlichen Verfahren ausgebildet wurden, mag wunderlich erscheinen, doch ist die Vielfalt der musikalischen Mittel, die auch seine Werke kennzeichnet, für die Zeit durchaus typisch. Immerhin liegt in seinen Messenvertonungen zweifellos das Bedeutendste vor, was auf dem Gebiet der liturgischen Musik in Italien in der Zeit vor Dufay entstanden ist.

Selbst im frühen 15. Jahrhundert kann man also trotz einer größeren Zahl von überlieferten Werken keine einheitliche italienische Tradition der mehrstimmigen Messenvertonung feststellen. Denn geradezu das Hauptmerkmal dieser Vertonungen ist ihre stilistische Verschiedenheit. Italienische und französische Eigenschaften treten nebeneinander auf, ohne daß durch eine Synthese etwas wirklich Neues hervorgebracht worden wäre. Züge, die im Hinblick auf die spätere Entwicklung als fortschrittlich gelten, sind zwar sowohl in satztechnischer als auch in formaler Hinsicht vorhanden, doch treten sie nicht als durchschlagende Neuerungen hervor.

Die Leistung der Ars nova auf dem Gebiet der liturgischen Mehrstimmigkeit bestand nicht primär im Musikalischen, denn weder in Frankreich noch viel weniger in Italien verband sich im 14. Jahrhundert ein neuer musikalischer Stil mit der kirchlichen Musik. Im Gegenteil, schon vorhandene Mittel wurden von anderen Gattungen übernommen oder, wie in Italien, ohne Änderung weitergeführt. Der eigentliche Beitrag des 14. Jahrhunderts liegt vielmehr auf dem Gebiet des Liturgischen, denn hier fand eine umwälzende Änderung statt: Die Mehrstimmigkeit entfernte sich von den liturgisch an ein besonderes Fest und musikalisch an eine je eigene Melodie gebundenen Sologesängen des Propriums und verband sich mit den Chorgesängen des Ordinariums, die an beliebigen Festen des Kirchenjahres gesungen werden konnten. Erst im Verlauf des 15. Jahrhunderts werden die eigentlichen musikalischen Möglichkeiten, die diesem liturgischen Wandel innewohnen, mit Entschiedenheit realisiert.

Marie Louise Martinez-Göllner

Überlieferung und Theorie der Mensuralmusik

Der Begriff *musica mensurabilis* begegnet erstmals um die Mitte des 13. Jahrhunderts bei Johannes de Garlandia und Franco von Köln; er umfaßt alle rhythmisch-proportional meßbare Musik (Reimer I, 1; Cserba, S. 231). Schon die Prägung des Begriffspaares *musica mensurabilis / plana* (bzw. *immensurabilis*) zur Klassifikation des gesamten ein- und mehrstimmigen Repertoires weist auf das Gewicht, das im späten Mittelalter der Rhythmik als kompositorischem Faktor beigemessen worden ist.

Die Musiklehre, die sich der neuen proportionalen Rhythmik wohl auch deshalb mit besonderer Intensität annahm, weil hier, im Bereich exakt mathematischer Zeiteinteilung, sich einmal mehr der quadriviale Charakter der Musik greifen ließ, vermochte ihrerseits die Entfaltung der Rhythmik zu fördern, indem sie, in immer neuem Bemühen um systematische Integration des kompositorisch Erreichten, jeweils die sichere Basis für das schöpferische „Darüberhinausgehen" bot. Die Kirchenmusik blieb zwar stets der Forderung nach künstlerischer Schlichtheit, dem Ideal psalmodischer gravitas und devotio unterworfen — am nachdrücklichsten geht dies aus der Constitutio *Docta SS Patrum* (1324/25) hervor, in der auch die Verwendung kleinster rhythmischer Werte in der liturgischen Musik mißbilligt wird. Gleichwohl sind in ihr die überwiegend in der weltlichen Musikpraxis — Tanz, Lied, Motette — entwickelten rhythmischen Neuerungen (vgl. die Copula der Choralbearbeitung von Notre-Dame oder die dem Stil der Balladen, Rondeaux und Virelais des späten 14. Jhs. verpflichteten Meßsätze am päpstlichen Hof in Avignon) in vielfach großartiger Weise verarbeitet und auch selbständig weitergebildet worden, bis die kultgebundene mehrstimmige Musik im 15. Jahrhundert in Messe, Motette und Hymne selbst wieder zu stilprägender Bedeutung gelangte. —

Der proportionale Rhythmus ist in den modalen Copula- und Discantus-Partien der zweistimmigen Choralbearbeitungen Leonins (2. Hälfte 12. Jahrhundert) erstmals sicher nachzuweisen und in den Tripla und Quadrupla, Conductus und Motetten seiner Nachfolger, besonders Perotins (seit dem späteren 12. Jahrhundert) zum ausschließlich geltenden Rhythmus erhoben. Der modale Rhythmus tritt im Schriftbild in Gestalt von stetig wiederholten, in der Regel zwei- bis viertönigen Notengruppen in Erscheinung, die jeweils bis zu einer Zäsur nach einem gleichbleibenden *modus* (Rhythmisierungsweise nach festen Modellen) vorzutragen sind. Die einzelnen Modi — die authentische Lehre überliefert deren sechs — sind aus wenigen rhythmischen Grundformeln durch Aufspaltung langer Werte (1./6.) oder durch Umkehrung der Wertverhältnisse (1./2., 3./4.) entwickelt worden. Der 1. Modus scheint am Anfang der Entwicklung gestanden zu haben. Die Modusschrift basiert auf den Zeichen der um 1200 zur „Quadratnotation" stilisierten nordwestfranzösischen Neumenschrift. Sie gibt keine Einzelwerte an, sondern macht den geltenden Modus durch charakteristische Gruppierung mehrtöniger Neumen kenntlich.

Die Neumen heißen nunmehr ineins geschrieben *ligaturae* (z. B.), mit getrennten Elementen geschrieben *coniuncturae* (z. B.); sie werden nach ihrer Notenzahl als *binaria, ternaria* usf. bezeichnet. Gleiche Zeichen können je nach Modus unterschiedliche rhythmische Bedeutung annehmen. Die aus der Liqueszenz hervorgegangene *plica* steht für eine eigene Note, die jedoch nie mit dem metrischen Schwerpunkt zusammenfällt; ihr Wert wird der unmittelbar vorangehenden Note abgezogen. Einzelnoten (*simplices*) kennt die Modusschrift beim isoliert stehenden Anfangsklang (*principium ante principium*); im 5. Modus (sofern nicht in Dreiergruppen notiert); in den „überzähligen" Anfangsnoten des 3. Modus; in der Copula non ligata; bei aufeinanderfolgenden Noten gleicher Tonhöhe, die nicht ligiert werden können, aber als zusammengehörig im Sinne der modalen Ligaturenordnung aufzufassen sind; Gleiches gilt im Falle syllabischer Texterung. Der Wert der Simplices ergibt sich allein aus ihrer Stellung innerhalb des Modusablaufs; in den Quellen begegnen zwar kaudierte und unkaudierte Zeichen (spätere mensurale Formen von *longa* und *brevis*), doch sind diese nach modaler Lehre rhythmisch nicht unterschieden. Die in der Regel ein bis zwei Spatien langen vertikalen Pausenstriche repräsentieren ebenfalls nicht absolute rhythmische Werte, sondern stehen ohne graphische Differenzierung für beliebige innerhalb des Modusablaufs ausgefallene Noten. Etwas länger gezogen sind die Zäsurstriche, nach denen ein neuer Modus einsetzen kann. Am Ende größerer Abschnitte steht das durch alle Spatien laufende *finis punctorum*. Das mit einem kurzen tractus angezeigte *suspirium* nimmt der vorangehenden Note zum Zwecke des Atemholens einen Teil ihres Wertes. Mit einem tractus (ohne Pausenbedeutung) wird auch der Wechsel von Silben kenntlich gemacht („Silbenstrich").

Die Rhythmus- und Notationslehre seit dem späteren 13. Jahrhundert hat den modalen Rhythmus mit der Metrik verglichen; so wird die modale Einheit, analog zum Versfuß, auch *pes* genannt, und Odington versucht sogar, zu jedem Modus ein entsprechendes Metrum ausfindig zu machen (z. B. 3. Modus/Daktylus, vgl. CoussS I, 238b). Eine weitere Analogie zum Versbau zeigt sich in der Zählung nach *ordines:* wie die Anzahl der in einem Vers vereinten Versfüße dem Versmaß den Namen gibt (z. B. daktylischer Hexameter), so die der modalen Pedes zwischen zwei Zäsuren dem kompositorisch analog behandelten, d. h. in der Regel mehrmals wiederholten Ordo (z. B. *sextus ordo tertii modi).* Wenn auch solche Analogien wohl nur eine nachträgliche „Entdeckung" der modalen Spätzeit sind und nicht etwa zu den noch unerforschten Ursprüngen des modalen Rhythmus führen, so sind sie doch für das Verständnis des von Formelhaftigkeit und Gerüstcharakter geprägten modalen Rhythmus bezeichnend. — Der modale Rhythmus ist akzentuierend. Zwar werden die rhythmischen Modelle von den Autoren als proportional beschrieben; doch lehrt das von den beiden Anonymi der siebziger Jahre des 13. Jahrhunderts beschriebene Verfahren der *transmutatio modi* (z. B. Vortrag eines 5. im 1. oder 2. Modus), daß es in der Praxis vor allem auf die geregelte Abfolge der Akzente ankam, während das Verhältnis der Zeitwerte zueinander variabel blieb.

Ein Vortrag modaler Rhythmen in binärer Messung wird im 13. Jahrhundert nirgends eindeutig bezeugt (die in der Diskussion herangezogenen Belege sind durchweg strittig und teilweise auch mißverstanden worden). Indes braucht die — seit dem frühen 14. Jahrhundert allenthalben gelehrte — Möglichkeit binärer Messung für das 13. Jh. nicht generell abgeleht zu werden: da sie mit dem akzentuierenden Charakter des modalen Rhythmus grundsätzlich gar nicht in Konflikt geraten konnte, hat man wohl auch auf ihre theoretische Erörterung verzichten können.

Bezeichnend für die modalrhythmische Komposition ist, daß der Komponist den Rhythmus nicht frei erfindet, sondern ihn aus einem begrenzten Vorrat gegebener Möglichkeiten gewissermaßen als fertiges Schema nur noch auswählt. Sein Gestalten in rhythmischer Hinsicht kann sich weithin auf die Abmessung und Gruppierung der Ordines, die Auswahl und Abwechslung der Modi in Aufeinanderfolge und simultaner Kombination sowie die Auflockerung der starren Modelle durch Aufspalten in kleinere Notenwerte (*fractio*) beschränken. Auch in Fällen stärkster Fractio bleibt der modale Grundablauf jedoch gewahrt, da die Anzahl der Ligaturen diesem gegenüber nicht vermehrt werden darf. —

Die strikte Geltung des modalen Rhythmus und die Abhängigkeit der Notation von diesem rhythmischen System scheinen spätestens um die Mitte des 13. Jahrhunderts als hemmend empfunden worden zu sein. Der Komponist strebt aus der Bindung an ein begrenztes System rhythmischer Modelle und sucht zugleich eine Notation, die auch vom modalen Schema unabhängige Werte eindeutig wiederzugeben vermag. Das Bestreben, den rhythmischen Wert von Simplices und Ligaturen bereits an deren äußerer Form, also ohne „Umweg" über den geltenden Modus erkennbar zu machen, wird erstmals in der Schrift *De mensurabili musica* (um 1240) des Johannes de Garlandia greifbar. Dieser große Gelehrte, auf dessen grundlegendem Werk das gesamte einschlägige Schrifttum des 13. Jahrhunderts direkt oder indirekt aufbaut, bis im 14. Jahrhundert Franco zur ersten Autorität erhoben wird, verbindet mit den verschiedenen Simplicesformen feste rhythmische Werte und engt durch zusätzliche graphische Charakterisierung die rhythmische Vieldeutigkeit der Ligaturen ein.

Der kaudierten Simplexform teilt er den Wert *longa* (*recta* und *perfecta*), der unkaudierten den Wert *brevis* (*recta* und *altera*) zu; die *semibrevis* (♦), die als Wert nur bei Fractio vorkommt, wird noch als unselbständiger Teilwert unter den Oberbegriff der Brevis („kurzer Wert") subsumiert; ebenso gilt die *duplex longa* (später *maxima* genannt) als Species der Longa. Die Pausenstriche für Brevis und Longa werden in ihrer Länge unterschieden. Die graphische Differenzierung bei den Ligaturen geht von den modalen Grundfiguren (nun *cum proprietate* genannt) und deren Originalwerten aus. Die Umkehrung aller Werte (z. B. ♪ ♩ statt ♩ ♪) wird am Ligaturenanfang durch Wegnahme des vorhandenen oder Hinzufügen eines normalerweise nicht vorhandenen abwärtsgerichteten tractus angezeigt (*sine proprietate,* z. B.); die Zusammenfassung aller Noten vor der Ultima auf den Wert einer Brevis geht aus dem tractus ascendens am Ligaturenanfang hervor (*cum opposita proprietate,* z. B.); eine *Binaria cum opposita proprietate* gilt als Ternaria ohne Ultima und repräsentiert den Wert einer Brevis ( ); „unvollständige" Ligaturen, deren Endnoten wegen Silbenwechsels oder gleicher Tonhöhe abgetrennt sind, werden nun zur Verdeutlichung der Zusammengehörigkeit der isolierten Elemente auch sichtbar „imperfekt" geschrieben (aus ◼ wird ◼▐, der Wert der drei Noten bleibt gleich: ♩♪♩). —

Die Neuerungen des Johannes de Garlandia sind nicht nur modalem Denken entwachsen, sondern wohl auch noch allein zur Erleichterung der modalen Praxis erfunden worden. Franco von Köln unternimmt es um 1260/80 in seiner *Ars cantus mensurabilis*, Rhythmus und Notation von den modalen Bindungen unabhängig zu machen. Trotz des allenthalben spürbaren Vorsatzes, das Neuerungswerk des Johannes so weit wie möglich zu respektieren und in sein eigenes System zu überführen, verwirklicht er diesen Plan mit solcher Umsicht und Konsequenz, daß die rhythmische Notation der folgenden Jahrhunderte im Grundsätzlichen nur noch als eine Entfaltung seiner fundamentalen Konzeption angesehen werden kann. Im Bereich der Simplices, die in dem Maße an Bedeutung gewinnen, in dem die weithin syllabisch textierte Motette zur beherrschenden Gattung des mehrstimmigen Repertoires wird, geht Franco insofern über Johannes hinaus, als er die Semibrevis als Vertreterin einer nunmehr selbständigen Stufe den übrigen Werten gleichordnet und somit Voraussetzung und Vorbild für den weiteren stufenweisen Ausbau des Systems in Richtung auf immer kleinere Werte schafft.

Analog zur Longa wird auch die Brevis nun in drei gleiche Semibreven geteilt (*semibrevis minor* = $1/3$, *semibrevis maior* = $2/3$ Brevis; in der Praxis scheinen zwei aufeinanderfolgende Semibreven allerdings oft auch als je $1/2$ Brevis aufgefaßt worden zu sein). Entsprechend werden die Pausenstriche weiter differenziert. Im Bereich der Ligaturen hält Franco an den graphischen Neuerungen des Johannes fest, schränkt ihre rhythmische Wirkung aber auf die Anfangs- bzw. Endnoten ein und hebt die bisherige rhythmische Variabilität der „mittleren" Ligaturennoten zugunsten definitiver Wertfestsetzung auf je eine Brevis auf. Bei den Ligaturen bedeutet nun die Schreibung *cum proprietate*: Anfangsnote Brevis; *sine proprietate*: Anfangsnote Longa; *cum perfectione*: Endnote Longa; *sine perfectione*: Endnote Brevis; *cum proprietate opposita*: die beiden Anfangsnoten Semibreven. Soll eine mittlere Note Longa sein, so muß die Ligatur zertrennt werden (z. B. 2. Modus: ♪♩ ♪ = ▟◼ oder ◼ ▐ ; seit dem 14. Jahrhundert kann dann auch jede mittlere Note durch Beigabe eines tractus zur Longa werden, z. B. ▐◼). Die infolge der intendierten Unabhängigkeit vom Modusablauf (an dem sich der Rhythmus gleichwohl noch bis ins 14. Jahrhundert orientiert) nunmehr erforderliche rhythmische Eindeutigkeit einer jeden Note kann nur mit Hilfe zusätzlicher Regeln und Zeichen erreicht werden, die unterschiedslos für ligiert und einzeln geschriebene Noten gelten.

Francos System basiert auf der dreizeitigen Mensur (*perfectio*), der eine *longa perfecta* entspricht, die ihrerseits drei *breves rectae* enthält. Die Brevis recta repräsentiert ein *tempus*, die kleinste reguläre Zeiteinheit der modalen Rhythmik. Perfekt ist eine Longa, der eine Longa oder deren Gegenwert (auch Pause) folgt (*similis ante similem perfecta*, vgl. 5. Modus); sie kann um ein Drittel „imperfiziert" werden, wenn ihr eine Brevis recta folgt (*imperfectio a parte post*, vgl. 1. Modus) oder vorangeht (*a parte ante*, vgl. 2. Modus). Stehen zwei Breven zwischen Longen, so bilden sie eine eigene perfectio, in der stets die zweite Brevis „alteriert", d. h. in ihrem Wert verdoppelt werden muß (vgl. 3./4. Modus). Sollen diese zwei Breven die sie umgebenden Longen (a parte post bzw. ante) imperfizieren, so müssen sie durch eine *divisio modi* (in Form eines tractulus) getrennt werden: ▐◼ · ◼▐. Bei längeren Brevis-Ketten entfallen je drei Breven auf eine Mensur, sofern nicht mittels Divisio modi ein anderer Rhythmus angezeigt ist. Gleiches gilt auch für das Verhältnis von Brevis und Semibrevis, doch müssen Semibreven stets in Gruppen vom Gegenwert einer vollen Brevis auftreten. —

Die ersten Ergänzungen zu Francos Lehre sind im VII. Buch des *Speculum musicae* des Jacobus von Lüttich (zw. 1321 u. 1324/25) und in den *Regulae cum maximis magistri Franconis cum additionibus aliorum musicorum* des Robertus de Handlo (1326) erwähnt als Neuerungen des wohl im letzten Drittel des 13. Jahrhunderts wirkenden Petrus de Cruce und seiner Zeitgenossen. Daß es sich hierbei lediglich um *additiones* handelt, geht auch aus einer Petrus zugeschriebenen Äußerung hervor: „*In semibrevibus est evidens nostra intentio*" (CoussS I, 388a). Mit dem Streben nach zunehmender Beweglichkeit der Motetten-Oberstimmen wächst zugleich das Verlangen nach neuer rhythmischer Vielfalt unter den kleinsten Werten. Schon von Franco vorbereitet ist die freiere Handhabung der Divisio modi (fortan meist in Form eines punctus divisionis, mitunter auch als winziger Kreis geschrieben) zum Zwecke der Scheidung beliebig abwechselnder Gruppen von zwei oder drei Semibreven (Cserba, S. 238; CoussS I, 387b). Eine entscheidende Neuerung ist dann jedoch die Anhäufung von bis zu neun Semibreven auf den Wert einer Brevis recta: der Vorstoß in den Bereich kleinerer Werte als die Semibrevis minor. Die Zusammengehörigkeit der Gruppen braucht durch Divisio modi nur angezeigt zu werden, wenn sie nicht von einer Brevis oder Longa, einer gleichwertigen Pause oder einer Ligatur auf natürliche Weise begrenzt sind; ihrem Wert nach werden diese Semibreven von Jacobus als *semibreves aequales* beschrieben (CoussS II, 427a).

Grundsätzlich kann die Notation der Petrus-de-Cruce-Zeit nicht als Weiterentwicklung, auch nicht eigentlich als Frucht der franconischen Konzeption angesehen werden. Denn die Semibrevis, von Franco in die Reihe der proportional aufeinander bezogenen selbständigen figurae aufgenommen und ebenso klaren wie strengen Regeln der Wertmodifikation unterworfen, steht hier wahlweise für $^2/_3$ bis $^1/_9$ Brevis recta. Vielmehr zeigt sich hier noch das alte Prinzip der modalen Fractio wirksam, bei der nicht das Zeichen selbst, sondern allein die Anzahl der auf einen Grundwert entfallenden Zeichen auf den Einzelwert schließen läßt. Wie die fast durchweg konservative Musiklehre nach Francos Reform, so ist auch die Notationspraxis noch tief im modalen Denken befangen, selbst wenn es sich um die Aufzeichnung zukunftsweisender kompositorischer Neuerungen handelt.

Die zögernde, aber unaufhaltsame theoretische Anerkennung einer zwei- neben der dreizeitigen Mensur, die zunehmende Tempoverlangsamung bei den Grundwerten und zahlreiche einander teils fördernde, teils bekämpfende, insgesamt jedoch in keiner Weise koordinierte Versuche, die neue Mannigfaltigkeit unter den kleinsten Werten in rationale Ordnung zu bringen und graphisch wie terminologisch zu bewältigen, charakterisieren die Jahrzehnte von der hohen Ars antiqua bis über die „neue Lehre" um 1320 hinaus. Die zweizeitige bleibt gleichwohl auch für das 14. Jh. noch eine „imperfekte" Mensur, die aus der dreizeitigen durch Substraktion erst abzuleiten ist. Im *Pomerium* des Marchetus von Padua (zwischen 1321 und 1326) findet sich erstmals eine Zusammenstellung von binären („imperfekten") Modi, die freilich angesichts der fortschreitenden Tempoverlangsamung kompositorisch nur noch von sekundärer Bedeutung sind, da sie hinter der rascheren Oberstimmen-Rhythmik kaum mehr als solche wahrgenommen werden. Die Verlangsamung ist darauf zurückzuführen, daß trotz der Aufspaltung und Vervielfachung der kleinen Noten das Tempo der syllabischen Deklamation als relativ konstant angesehen werden muß. Zwar verlagert sich (grob gesagt) die Deklamation in den Oberstimmen vom Bereich Longa/Brevis nach Franco zu Brevis/Semibrevis, im Laufe des 14. Jahrhunderts zu Semibrevis/Minima, um 1500 sogar zu Minima/Semiminima; doch nimmt etwa proportional zur Verkleinerung der Werte zugleich ihre reale Zeitdauer zu. Von großer Bedeutung sind schließlich Bestrebungen, nach dem Vorbild der größeren Notenwert-Verhältnisse schrittweise auch in die Semibrevis-Gruppen proportionalen Rhythmus einzuführen.

Es ist bezeichnend, daß der freien Bildung auch in diesem Stadium die stereotype Formel vorangeht, die — noch ganz franconisch — jeweils für den Gesamtwert einer Brevis gesetzt wird, und deren jeweiliger Rhythmus nur von der Brevis-Messung (zwei- oder dreizeitig) und der Anzahl der auf das tempus entfallenden Noten abhängt. Selbst noch eine der überkommenen Fassungen der *Ars nova* von Philippe de Vitry (zwischen 1321/22 und 1323) beginnt die Notationslehre mit der Darstellung solcher Formeln (CSM 8, 23). Daß die jeweils kürzesten Noten (*minimae:* ♩) hier bereits mit aufsteigender cauda „signiert", d. i. graphisch exakt auf ihre rhythmische Bedeutung festgelegt sind, ist wohl auf die späte Niederschrift und den Modernisierungswillen ihrer Urheber zurückzuführen; gemäß der *Ars nova* ist Signierung nur erforderlich, wenn der Rhythmus von den Grundformeln abweichen soll. Neben der Minima begegnet die abwärts kaudierte *semibrevis maior* (♩), die der Anonymus III als *semibrevis aequivoca* bezeichnet, da sie für den Wert von zwei bis sechs Minimen gesetzt werden kann (CSM 8, 87). In dieser „mehrdeutigen" Semibrevis manifestiert sich einmal mehr der experimentelle Zug einer Notationspraxis, die, da ihr das tradierte System nicht mehr ausreicht, dieses eher ad hoc ergänzt, als es in konsequenter Weiterentwicklung aus der Grundkonzeption heraus insgesamt neuen Erfordernissen anzupassen (vgl. auch nachträgliche Semibrevis-Kaudierungen in den Hss. *Fauv*; Chicago, Newberry Libr., 24; Oxford, Bodl. Libr., E Museo 7). Die Terminologie der kleinsten Werte ist nicht minder aufwendig und verwirrend. Da das Wort Semibrevis nach wie vor einen beliebigen Teilwert der Brevis meint, werden Wertabstufungen durch kurzlebige Beiwörter spachlich differenziert (vgl. etwa *semibrevis minor, minuta, minima, velocissima* bei Odington, CoussS I, 236a).

Einen entscheidenden Schritt auf dem Wege zur theoretischen Konsolidierung dieser Bestrebungen markieren die *Notitia artis musicae* von Johannes de Muris (1321) und die zitierten Schriften von Philippe de Vitry und Marchetus von Padua, die Grundschriften von *Ars nova* und *Trecento*. In der

Ars-nova-Notation ist nach Francos Prinzip auch für die kleinsten Werte der Petrus-de-Cruce-Zeit ein eigener *gradus* theoretisch fixiert: die Minima ist zu einer selbständigen *pars prolationis* erhoben. In der Folgezeit tritt, erwähnt bereits in einigen *Ars nova*-Fassungen, die *semiminima* hinzu. Die Anteile der beiden maßgeblichen Autoren an der Ausprägung der Ars-nova-Notation sind schwer zu bestimmen. Johannes de Muris, Mathematiker in erster Linie, sieht seine Aufgabe vor allem in einer Zusammenschau von Theorie und Praxis des Rhythmus und der Notation unter dem einenden Aspekt von Zahl und Proportion. Seine Verdienste um die neue Systematik können deshalb wohl kaum zu hoch veranschlagt werden, zumal da sich Philippe de Vitry in der *Fauv*-Fassung (1316) seiner Motette *In nova fert* (fol. 44') noch mit dem älteren Notationsverfahren begnügt hatte.

Der Musikpraxis freilich scheint Muris eher fremd gegenübergestanden zu haben; sein Vorschlag z. B., fünf in ihrer Länge nur um Nuancen verschiedene Pausenstriche für fünf unterschiedliche Werte in einem einzigen Spatium unterzubringen (GerbertS III, 296a), verrät eine fast rührende Nichtvertrautheit mit den elementarsten Erfordernissen einer praktikablen Notenschrift und ist auf der Stelle abgelehnt worden (Anonymus VI, CoussS III, 401b f.). Philippe de Vitry hingegen, selbst Komponist und als solcher weit pragmatischer, bemüht sich vor allem um die Förderung des praktischen Notations-Verständnisses, wobei es ihm nicht auf strenges Setzen oder Verwerfen, sondern auf umfassende Information über die Notation seiner Zeit ankommt.

Der folgende Überblick gründet sich auf den *Libellus cantus mensurabilis* des Johannes de Muris, der die inzwischen konsolidierte Lehre etwa im Stadium der Hs. Ivrea in konzentrierter Form darbietet. Die fünf partes prolationis (Maxima bis Minima) werden in vier gradus einander zugeordnet. Alle Werte bis auf die nur zweizeitige Minima können perfekt und imperfekt gemessen sein (die Maxima enthält also je nach Mensurenkombination zwischen 16 und 81 Minimen). Die gradus-Bezeichnungen lassen noch den Zusammenhang mit der Notationstradition erkennen: *modus* (*maior* und *minor*) erinnert an die Werte der rhythmischen Modi des 12. und 13. Jahrhunderts; *tempus* ist die Zeiteinheit einer Brevis recta; *prolatio* gibt, technisch gesehen, das neu erfaßte Verhältnis Semibrevis/Minima an und läßt als Bezeichnungsfragment aus *prolatio temporis* erkennen, daß die rhythmisch zu erfüllende Grundeinheit das tempus geworden ist; auch weist es darauf hin, daß dieser gradus Ergebnis der Musikpraxis, des „Vortrags" ist, nicht etwa abstrakter Aufteilung. Kompositorisch sind vor allem die vier Verbindungen von tempus und prolatio, die *quatre prolacions*, wichtig: ihre jeweilige Messung gibt der Komposition das metrische Gepräge.

Da der einzelne Notenwert nunmehr nicht nur von Form und Konstellation (Imperfektion/Alteration), sondern auch von der Mensur abhängig ist, und da die Notation zwischen zwei- und dreizeitigen Werten graphisch nicht differenziert, muß die Mensur dem Vortragenden eindeutig bekannt sein. Genügen zu ihrer Feststellung — besonders bei Mensurwechsel — *signa intrinseca* (Schreibweise der Pausen, Notengruppierung) nicht mehr, so werden *signa extrinseca* gesetzt: teils stilisierte „innere" Kriterien wie rechteckig eingerahmte Pausenstriche (modus minor perfectus: ⊞, imperfectus: ⊟), teils allgemein verständliche Symbole wie Kreis und Halbkreis (tempus perfectum: ○, imperfectum: ◡); die prolatio wird durch Punkte im tempus-Zeichen angegeben (maior: ⦂, ⊙, minor: ⦂ und fehlender Punkt). Seit dem späteren 14. Jahrhundert werden tempus und prolatio auch mit übereinandergesetzten arabischen Ziffern vorgeschrieben, doch hat sich das Verfahren wegen der Verwechslungsgefahr mit den Proportionsangaben nicht durchgesetzt. Insbesondere in Unterstimmen wird kurzfristiges Überwechseln in eine andere Mensur meist durch *color* (Rotschreibung, erstmals in *Fauv*), seit dem späteren 14. Jahrhundert auch durch Hohlschreibung angezeigt; bemerkenswert ist, daß der Color selbst nur den Wechsel, nicht aber eine bestimmte Mensur angibt.

Hand in Hand mit der Verästelung und Durchrationalisierung der Notation geht — vornehmstes Ziel aller Bemühungen um die Notenschrift — eine stetige Erweiterung und Verfeinerung der kompositorischen Möglichkeiten auf rhythmischem Gebiet. Imperfektion und Alteration werden beibehalten und auf alle gradus ausgedehnt. Neben der Imperfektion des nächsthöheren Wertes (*a parte propinqua*) wird die zwischen entfernteren Werten (*a parte remota*) gestattet; auch gleichzeitige Imperfektion a parte ante und post wird damit möglich. Grundsätzlich kann jede Note so weit imperfiziert werden, bis sie den geringsten Wert erreicht, der für ihren gradus vorgesehen ist: einer ○▪ kann also der Wert von fünf Minimen abgezogen werden (der Rest entspricht einer ◡▪). Die Semibrevis maior ↑ der experimentierenden Übergangszeit wird in diesem straffen System ebenso überflüssig wie der „Taktpunkt". Zum regulären punctus divisionis tritt der *punctus additionis*, der imperfekte Noten um die Hälfte ihres Wertes verlängert. Um im Falle der *syncopatio* die Anwendung von Imperfektion und Alteration auszuschließen, werden die aus der metrischen Normallage „verschobenen" Noten zwischen puncti divisionis gesetzt, die sie gegen den wertmodifizierenden Einfluß der sie umgebenden Noten abschirmen.

Auch für Marchetus ist der praktische Anknüpfungspunkt jenes Stadium der Notationsgeschichte, in dem zufolge der Vermehrung der kleinen Werte das tempus zur metrischen Grundeinheit geworden war, in dem die tempus-Einheiten durch puncti divisionis (bzw. Noten oder Pausen vom Wert einer Brevis an aufwärts) gegeneinander abgegrenzt werden mußten — die italienische Notation hält an dieser Praxis fest —, und in das die ersten Versuche einer rhythmischen wie auch graphischen Differenzierung unter den kleinsten Werten fielen. Über die rhythmische Konzeption der Petrus-de-Cruce-Zeit führt die Lehre des Marchetus insofern hinaus, als in ihr die Brevis-Teilwerte nun in einem dem französischen Mensurensystem vergleichbaren System von *divisiones* (Brevis-Unterteilungen) mathematisch-rational geordnet sind und untereinander in proportionalem Zusammenhang stehen; ihrer Struktur nach bilden die vier *divisiones secundae* das Gegenstück zu den quatre prolacions. In der Komposition ist nach Ausweis bereits der frühesten praktischen Quellen, wie in Frankreich die Mensur, die Unterteilungsart von vornherein festgelegt und somit die metrische Kontinuität gewährleistet; sofern sich die Notatoren auf die Evidenz von signa intrinseca nicht verlassen können, geben sie die divisio mittels der Anfangsbuchstaben der betr. Zahlwörter (b für binaria usf.) zu erkennen. Die im *Pomerium* erstmals dargestellte italienische Notation (die von Gallo auf ca. 1310/15 datierte *Ars musica mensuratae secundum Guidonem* ist nach dem *Pomerium* entstanden) zentriert sich um den einen Wert der Brevis.

Unterhalb der Brevis kennt sie keine weitere selbständige Stufe, keinen seinerseits unterteilbaren Wert mehr: als unmittelbare Teilwerte sind alle kleineren Werte (*semibrevis maior, minor, minima*) direkt auf die Brevis bezogen, selbst wenn sie nur ¹/₉ oder ¹/₁₂ tempus ausmachen. Aber auch oberhalb der Brevis gibt es keine eigentliche weitere Stufe: wie die kleinen Werte aus der divisio, so entsteht die Longa aus der „replicatio brevis" (Guido, ed. Gallo, S. 19).

Der Rhythmus regelt sich im Bereich von Maxima bis Brevis nach den Modi, unterhalb der Brevis folgerichtig nach der modalen Fractio: das tempus braucht den jeweils vorhandenen kleinen Noten nur noch nach einem Aufteilungsschlüssel „angepaßt" zu werden.

Auf die modale Fractio-Lehre spielt Marchetus sogar direkt an, wenn er in der Formel ♪♩ ♩. die Länge der Endnote mit den Worten „eo quod magis appropinquat fini" begründet (CSM 6, 112). Graphische Kennzeichnung bestimmter Brevisteilwerte (*via artis*) wird erst erforderlich, wenn der Komponist von der herkömmlichen Gruppierung der Fractiowerte abweichen will: Marchetus läßt hierbei für den kleinsten Teilwert, die *semibrevis minima* in der duodenaria, eine Signierung (♩) zu; in der Praxis wird die signierte Minima später auch für jeden anderen kleinsten ganzen Teilwert (also ¹/₄ tempus in der quaternaria usf.) gesetzt. Weitere Hilfe bietet die *semibrevis maior* (♦), die bei gleichzeitigem Vorkommen stets länger, oft doppelt so lang ist wie die *semibrevis naturalis* (♦) und mindestens ¹/₃ tempus repräsentieren soll. — Da das Interesse der italienischen Komponisten — nicht zuletzt wohl auch unter dem Einfluß der tempus-Abgrenzung — vornehmlich der immer subtileren ornamental-formelhaften Verästelung im Innern der Brevis-Einheiten gilt, wächst das Bedürfnis nach Aufzeichnungsmethoden, die auch kompliziertere Rhythmen eindeutig wiederzugeben vermögen. Semibrevis naturalis und maior erweisen sich zwar gerade auf Grund ihrer Wertvariabilität im Verein mit der Semibrevis minima als ein universeller Zeichenvorrat, doch ist das Wiedererkennen komplizierter Bildungen oft nicht einfach, da der Wert der Einzelnote nicht nur von Form, divisio und Konstellation (Imperfektion/Alteration) abhängig ist, sondern bei ♦ und ♦ darüber hinaus noch von der Anzahl der Noten pro tempus, und da überdies die drei Notenformen nicht in einem proportionalen gradus-Verhältnis zueinander stehen.

Um die Jahrhundertmitte werden deshalb neue Zeichen geschaffen, die, auf die wertmäßig fixierte Minima bezogen, weitere kleine Werte graphisch eindeutig festlegen (♪ = 3 ♩; ♪ = 1¹/₂ ♩; ♪ = ¹/₂ ♩; Triolen ♩♩♩ und ♪♪♪ = je 2 ♩); Semibrevis naturalis und maior bleiben neben diesen als variable Zeichen in Gebrauch.

Getragen von der wachsenden Einsicht in die qualitativen Unterschiede zwischen den beiden Notationen, gefördert wohl auch durch eine Intensivierung der bestehenden kulturellen Beziehungen zwischen Italien und Frankreich seit der Rückkehr des päpstlichen Stuhls von Avignon nach Rom (1377), wird die italienische seit dem letzten Drittel des 14. Jahrhunderts zunehmend der französischen Notation angeglichen:

Mensurzeichen ersetzen Divisionsbuchstaben; die französische Mensurterminologie wird aufgegriffen; die „Takt-punkte" werden aufgegeben zugunsten der Einführung von puncti divisionis und additionis, so daß nun auch die Brevis in synkopierter Stellung erscheinen und imperfiziert werden kann, wodurch zugleich die Semibrevis maior teilweise verdrängt wird; Hohl-, später selten auch Rotschreibung wird eingeführt; bei der Umschrift älterer italieni-scher Werke in französische Notation wird in den tertiae divisiones die wohl in Frankreich entwickelte augmentierte Schreibweise angewandt. Andererseits bewahren die italienischen Komponisten doch auch ihre eigenen vielfältigen Zeichen für kürzere Werte.

Aus dem Prozeß der Annäherung und Durchdringung entsteht eine „gemischte" Notation. Die Auszeichnung einer erneuten theoretischen Grundlegung bleibt ihr angesichts der prinzipiellen Divergenzen zwischen den graphischen Systemen allerdings versagt: Prosdocimus de Beldemandis bekennt sich nach eingehender Beschäftigung mit der französischen Notation (*Expositiones tractatus practice cantus mensurabilis magistri Johannis de Muris*, Anfang 15. Jahrhundert) im *Tractatus practice cantus mensurabilis ad modum Ytalicorum* (1412, revidierte Fassung 1425/28) einseitig restaurativ zur italienischen Notation.

In Frankreich folgt auf die rhythmische Ökonomie und Ausgeglichenheit noch und gerade in den späten Werken von Machaut eine kurze Epoche, die geprägt ist vom Dominieren rhythmischer Raffinesse in häufigem Mensurwechsel, komplizierter Mensurenschichtung, in Konfliktrhythmen und Synkopenketten (Ars subtilior).

Anregungen mag der neue Stil, der gleichwohl als folgerichtige und natürliche Weiterentwicklung der französischen Musik verstanden worden ist (vgl. CoussS III, 118a ff.), aus der intensiven Begegnung zwischen der italienischen und französischen Musik im letzten Drittel des 14. Jahrhunderts empfangen haben: seine Träger sind z. T. in Frankreich wirkende italienische Musiker, die zentrale Hs. Chantilly ist eine italienische Kopie eines französischen Originals, eine der ersten nachgewiesenen Kompositionen im neuen Stil ist die (nicht vor dem 20. Juni 1379) zu Ehren des nach Avignon zurückgekehrten Schismapapstes Clemens VII. geschriebene Ballade *Par les bons Gedeon* von Philipotus de Caserta. Zur Aufzeichnung der neuen Rhythmik reichen die traditionellen Mittel nicht mehr aus. Darum werden nicht nur neue Modifikationsverfahren eingeführt — neben den regulären Color treten *evacuatio* auch der roten Noten und Halbkolorierung —, sondern auch neue Zeichen gebildet wie ♩ oder ♩ , die als aus zwei Einzelzeichen zusammen-gesetzt erklärt werden, deren Werte zu addieren oder auch voneinander zu subtrahieren sind (vgl. schon Anonymus III über das *dragma* ♩ , CSM 8, 88). Eine systematische Integration dieser Zeichen in den herkömmlichen Notations-apparat ist nur zum Teil möglich: von den Komponisten für unterschiedliche Werte eingesetzt, sind sie keiner verbind-lichen Wertnormierung (auch nicht mehr generell dem Einfluß von Imperfektion und Alteration) unterworfen. So stehen für die Wiedergabe ein und desselben Rhythmus auch mehrere Notationsmöglichkeiten zur Wahl. — Ein Hilfsmittel zur Erleichterung, oft geradezu erst Ermöglichung des Notierens komplizierter rhythmischer Bildungen besonders im Bereich kleinster Werte, das auch nach der Ars subtilior seine Bedeutung behält, wird in den Propor-tionen geschaffen, deren Vorbild wohl die raumsparende Aufzeichnung von mehrmals, seit der Ars nova auch in rhythmisch geraffter Gestalt (diminuiert) wiederholten Motetten-Tenores ist. Bei den Proportionen geht es aller-dings nur um die Vereinfachung des Notentextes: die Aufzeichnung besitzt für sich (*ut iacet*) keine volle musikalische Realität; erst beim je nach Angabe proportional beschleunigten oder verlangsamten Vortrag ergibt sich die authen-tische musikalische Gestalt.

Korrespondierend mit der neuen Tendenz zu „Vollklang" und „kantabler Melodik", vorbereitet etwa in den Kompositionen Ciconias, erfährt die Rhythmik und mit ihr die Notation in der Zeit Dufays eine allmähliche Vereinfachung und Beruhigung. Das traditionelle französische Notations-system, dank der Proportionen noch elastischer geworden, setzt sich gegenüber der italienischen Notation endgültig durch und wird zur beherrschenden europäischen Schrift.

Die Sonderzeichen der Ars subtilior verschwinden rasch; Sonderformen (◊ ⅗ ⅗) zeigen nun Korrekturen an. Minima, seltener auch Longa und Maxima, werden seit dem späteren 15. Jh. je nach Lage im Liniensystem mit auf- oder absteigender cauda geschrieben. Seit etwa der Jahrhundertmitte werden die Notenkörper immer häufiger hohl („weiß") ausgeführt, einfache Tintenschwärzung ersetzt den Color. Erst in der zweiten Jahrhunderthälfte, verursacht durch die zunehmende Melismatik mit ihrem Bedarf an Zeichen für abermals kleinste Werte, wächst der Notenarbor nach bewährtem gradus-System noch einmal weiter, wobei die Werte von der Minima ab nur noch zweizeitig gemessen werden; Schwärzung wird zur Vermeidung allzu vieler Fähnchen auch bei Werthalbierung angewandt (Minima ♩ ; Semiminima ♩♪ ; Fusa ♪♪ ; Semifusa ♪♪).

Die Tempoverhältnisse innerhalb der Komposition werden durch die Proportionen eindeutig geregelt; nur das Anfangszeitmaß wählt der Präcentor selbst. Vor allem in den mehrteiligen Meßsätzen scheint ein starr-proportionales „Einheitszeitmaß" jedoch schon um die Mitte des 15. Jahrhunderts mitunter als monoton empfunden worden zu sein. Ist dies ausdrücklich auch erst durch Glarean bezeugt (*Dodekachordon* 1519/39, Druck 1547), der von freier Tempobeschleunigung berichtet (III, 8), so lassen Eigenheiten der Aufzeichnung, der neue *diminutio*-Begriff und die Bedeutung, die dem *tactus* beigemessen wird, vermuten, daß sich bereits im Laufe des 15. Jahrhunderts auch flexiblere Temporelationen (bei gleichzeitigem Wechsel in allen Stimmen) durchgesetzt hatten.

Seit etwa 1500 wird die Diminution *per medium* (vornehmlich im tempus imperfektum: ¢) mit einem exakteren Terminus *semiditas* genannt; *diminutio* hingegen meint in erster Linie die Verkürzung nur noch um rund ein Drittel (tempus perfectum: ⊙) und wird als freiere Tempobeschleunigung beschrieben, bei der sich nach Ausweis der Dissonanzbehandlung und der Struktur des Notentextes die Schlageinheit nicht ändert. Der Diminution analog wird mittels prolatio maior nicht nur Augmentation, sondern auch Tempoverlangsamung angezeigt. Angesichts der nun kompositorisch anerkannten flexibleren Tempomodifikationen erhält die Tätigkeit des Präcentors erhöhtes Gewicht: eine eigene Lehre vom Tactus entsteht (grundlegend Adam von Fulda, *Musica*, um 1490, Gerbert S III, 362a) — das bisherige mechanische Durchhalten eines Zeitmaßes bei proportionaler Festlegung war kein Gegenstand der Lehre gewesen.

Unterschieden werden bei imperfekter Mensur der *tactus maior* (alla semibreve: thesis und arsis umfassen im nichtdiminuierten tempus den Wert einer Semibrevis) und der bei gleichem Aufführungstempo doppelt so rasch geschlagene *tactus minor*, bei perfekter Mensur der *tactus proportionatus* (thesis doppelt so lang als arsis).

Obschon in der relativen Ungebundenheit gerade die historische Bedeutung des Tactus liegt, stieß sie schon im 2. Drittel des 16. Jahrhunderts als „vaga licentia" auf Kritik, nachdrücklich erstmals bei S. Heyden (*De arte canendi*, ²1540). Heyden fordert einen einzigen unveränderlichen Tactus mit dem valor essentialis der imperfekten Semibrevis im nichtdiminuierten tempus, auf den alle Mensuren zu beziehen seien: eine perfekte Mensur besitzt demnach den Zeitwert von 1¹/₂ Tactus. Die Mensurzeichen, die ohnehin nur die Verhältnisse unter den größeren Werten regeln, werden fortan zusehends als Tactus-Zeichen verstanden, die die Schlageinheit angeben (*tactus alla semibreve*: c; *alla breve*: ¢). Daneben hält sich freilich bis ins 17. Jh. die seit Dufay nachgewiesene Verwendung von c für einen *tactus tardior*, ¢ für einen *tactus celerior* bei gleicher Schlageinheit (M. Praetorius, *Syntagma Musicum* III, 1619, S. 48 ff.). Andere Autoren definieren c und ¢ als Zeichen für Tactus maior und minor. Diese Vieldeutigkeit führt dazu, daß seit dem frühen 17. Jahrhundert Tempomodifikationen mittels „wälscher Vocabula" (*adagio/presto* usf.) angezeigt werden.

Einschränkung auf zweizeitige Messung aller Noten, Außerkraftsetzung von Alteration und Imperfektion, Auflösung der Ligaturen in Einzelnoten mit Bindebogen und Einführung des Taktstrichs kennzeichnen die Entwicklung der Notenschrift seit dem späteren 16. Jahrhundert. Affekt- und gattungsbedingte freie Tempo-Unterschiede relativieren die Proportionen vollends: Temporelationen zwischen Abschnitten ergeben sich nun vor allem aus der Äquivalenz bestimmter Einzelnoten (z. B. 3 ♩ = c ♪). Die Proportionsangabe wird zur Bruchzahl umgedeutet, die nur noch den Inhalt eines Taktes angibt, bezogen auf den traditionellen essentialis valor der Semibrevis, die nun *gantze Note* heißt (ein ³/₄-Takt ist also auch in der realen Dauer um eine Viertelnote kürzer als ein c-Takt). Von gewissen „Überhängen" wie den mitunter noch als Proportionen aufgefaßten Tripeltakten abgesehen, sind schon im frühen 18. Jahrhundert alle „mensuralen" Eigenheiten aufgegeben: der Zeitwert der Einzelnote, der keinerlei Modifikation mehr unterworfen werden kann, wird allein bestimmt von den inzwischen stark vermehrten und auf enger umrissene Zeitmaße festgelegten Tempowörtern.

Fritz Reckow

Gottesdienstgestalt und Kirchenmusik im Spätmittelalter

Die Gottesdienstgestalt ist in den Riten grundgelegt. Die offiziellen liturgischen Texte erhalten durch den rituellen Vollzug Heilsbedeutung. Solange die Meßfeier ein Gemeinschaftsgottesdienst des gesamten Klerus mit der Gemeinde war, mußten entsprechend den verschiedenen Funktionen der einzelnen Kleriker verschiedene Bücher verwendet werden. Das Aufkommen der „Privatmessen" seit dem 10. Jahrhundert führte zu Plenarmissalien. Das im Auftrag Papst Gregors IX. von Haimo von Faversham im 13. Jahrhundert zusammengestellte Missale faßt nicht nur bisherige römische Traditionen zusammen, sondern ist auch Vorbild für das durch die Reform des Konzils von Trient angeregte Missale Romanum Pius V. vom Jahre 1570, das erst durch die Neugestaltung der Liturgie im Anschluß an das Vaticanum II eine durchgreifende Änderung erfährt. Riten und Meßtexte wurden als objektiver Vollzug für die Privatmesse genormt. Daraus erwuchs das pastorale Problem, die Meßfeier auch für die Frömmigkeit der Gläubigen nutzbar zu machen. Ein stark ausgeprägter Subjektivismus überlagerte das kirchliche Bewußtsein, und so erhielt die Meßfrömmigkeit eine individualistische Prägung, die durch die allgemein übliche Methode einer allegorischen Meßerklärung gefördert wurde.

Berthold Pürstinger, Bischof von Chiemsee, gest. 16.7.1543, bezeichnete als einen der Gründe für die Unsitte, nach der Elevation bei der heiligen Wandlung die Kirche zu verlassen, den weitverbreiteten Brauch, ein Seelenamt nur bis zur Wandlung zu singen und dann als stille Messe fortzusetzen, während dann an einem anderen Altar ein neues Amt begann; nur das letzte Amt wurde ganz gesungen. Dieser Mißbrauch der sogenannten Schachtelmessen gründet auf einer übertriebenen und falschen Wertschätzung des Schauens der heiligen Gestalten, als ob der ganze Vollzug des eucharistischen Sakramentes bis zum Opfermahl nicht mehr so wichtig wäre.

Viele Prediger wiesen darauf hin, daß nicht die einzelnen liturgischen Wörter, sondern der Gesamtinhalt, der Sinn, zu erfassen sei, und so wurde das Volk zur Betrachtung erzogen. Johannes Wessel Gansfort, gest. 4. 10. 1489, beeinflußt von Thomas Hermeken von Kempen, dem früher die Abfassung der weitverbreiteten Erbauungsschrift „Nachfolge Christi" zugeschrieben wurde, stellte die Forderung auf, daß man während der Messe nichts lesen oder beten, sondern nur das Leiden und Sterben Christi betrachten dürfe. Dazu sollten die zahlreichen allegorischen Meßerklärungen, die sogar bis weit in die neueste Zeit hinein beliebt waren, eine Anleitung bieten. Da die offiziellen lateinischen Texte für den liturgischen Vollzug die unverrückbare Grundlage bildeten, wurde ihre musikalische Ausschmückung und ihre umdeutende Erklärung der Ansatzpunkt für eine innere Teilnahme seitens des Volkes. Die Allegorese verstand es, jeden Text und jede liturgische actio auf die Betrachtung einer individuellen Begebenheit des Leidens Christi hinzuordnen.

Das Rosenkranzgebet, zwischen dem 12. und 16. Jahrhundert zu seiner heutigen Form ausgebildet, war ursprünglich nur ein volkstümlicher Ersatz des Breviers, nämlich 150 Vaterunser als Ersatz der 150 Psalmen. Bis in das 12. Jahrhundert hinein kannte das Volk ja nur das Vaterunser und das Glaubensbekenntnis. Nunmehr wurde auch das Ave-Maria hinzugefügt, das aber nur aus dem Engelsgruß und dem Gruß der Elisabeth bestand. Bis in die Mitte des 13. Jahrhunderts wurde es geschlossen mit „Jesus Christus, Amen". Im 15. Jahrhundert wurde die Bitte um eine glückselige Sterbestunde beigefügt. Seit dem 15. Jahrhundert wurde der Rosenkranz auch als Betrachtung des Lebens Christi verstanden, was die allmähliche Einfügung der freudenreichen, schmerzhaften und glorreichen Geheimnisse zur Folge hatte, welche seit dem Ende des 15. Jahrhunderts im wesentlichen dieselben geblieben sind. Diese betrachtende Gebetsweise des Rosenkranzes wurde besonders gefördert von den in Trier wirkenden Karthäusern Dominicus von Preußen, gest. 1427, und Adolf von Essen, gest. 1439, von welchem die selige Margarete von Bayern, gest. 1434, die Anregung zur weiteren Verbreitung des betrachtenden Rosenkranzgebetes übernahm. So fand es allmählich Eingang in die Messe als ein betrachtendes Gebet zu der am Altar vollzogenen und durch Chormusik ausgeschmückten Liturgie.

Mit der Farbenglut der Glasfenster der Dome und der Pracht der übrigen Bildwerke stimmte der Glanz der Kirchenmusik harmonisch zusammen. Choralgesang, einstimmig oder als cantus firmus, war die Grundlage jeglicher Kirchenmusikgestalt. Ihm gesellten sich nach den gleichen Kompositionsprinzipien auch weltliche Melodien als cantus firmus bei, öfters auch unter Beibehaltung des originalen Textes, während die anderen Stimmen den liturgischen Text sangen. Seit dem 10. Jahrhundert hat sich die zyklische Form der mehrstimmigen Meßkomposition entwickelt, seit dem 14. Jahrhundert auch mit Einbeziehung des Propriums.

Ein vom 11. bis ins 16. Jahrhundert gebräuchlicher Ersatz der Meßfeier war die sogenannte missa sicca, die der persönlichen Andacht diente. Sie bestand in der Rezitation der Texte, aber ohne Opferung, Wandlung und Kommunion. Heutige Wortgottesdienste sind in Form und Bedeutung davon abgehoben.

Bis in das 16. Jahrhundert hielt sich auch die missa bifaciata und trifaciata: man las aus verschiedenen Formularien die Texte zweimal bzw. dreimal bis zur Präfation, aber dann folgten nur einmal der Kanon mit der Konsekration und die Communio. Diese Meßfeier war also eine Wiederholung des Wortgottesdienstes mit verschiedenen Formularien entsprechend den verschiedenen Anliegen und ging dann in den eucharistischen Gottesdienst über.

Gläubige Hochschätzung zeigte sich auch in der Vorliebe für Reihungen von Messen, in der täglichen Wiederholung desselben Formulars mit der gleichen Intention. Eine Erzählung des heiligen Papstes Gregor des Großen von der besonderen Wirksamkeit solcher Reihungen für die Verstorbenen wurde Anlaß für den Brauch, Messen für Verstorbene als sogenannte Gregorianische Messen an sieben oder an 30 aufeinanderfolgenden Tagen zu feiern. Seit dem 13. Jahrhundert wurden auch für die Lebenden und ihre Anliegen Meßreihen, drei bis 45 aufeinanderfolgende Messen, empfohlen. Hierfür wurden eigene Proprien verwendet, deren Votivcharakter sich teilweise an die Kirchenjahreszeit anschloß. Häufig wurden für solche Messen auch die gleiche Anzahl brennender Kerzen entsprechend der Zahl der Reihung gefordert.

Einer besonderen Wertschätzung erfreute sich die „gulden mess", missa aurea, die feierliche Messe am Quatembermittwoch im Advent und die Muttergottes-Votivmesse im Advent, das sogenannte Engelamt. Vielfach dachte man dabei an eine Sühne für Versäumnisse beim Gottesdienst. In Verbindung damit stand der weit verbreitete Brauch, mit Hörnern zu blasen, was vielfach als Beschwörung böser Geister gedeutet wurde. Nach allgemeiner Anschauung konnte man mit dem Schall einen Einfluß auf die Umwelt und auf die Geisterwelt gewinnen. Bis zur Gegenwart ist das adventliche Rorateamt beim Volk sehr beliebt.

Der Primiz, der ersten Opferfeier des neugeweihten Priesters, liegt die Auffassung einer geistlichen Hochzeit mit der Kirche zugrunde, dargestellt auch durch das Primizbräutchen, daher auch die Primizkrone, das Myrtenkränzchen oder Myrtensträußchen und das Primizmahl.

Neben dem Sonntag, dem Gedächtnis der durch die Auferstehung Christi vollendeten Erlösung, wurde besonders am Mittwoch und am Freitag das Leiden Christi betrachtet. Seit dem 13. Jahrhundert war der Donnerstag als Erinnerung an die Einsetzung der heiligen Eucharistie und an das Ölbergsgebet Christi gefeiert. Die Monstranz wurde zunächst für die Fronleichnamsprozession geschaffen. Nur allzu leichtgläubig nahm man wegen vermeintlicher Blutspuren eucharistische Wunder an, denen viele Wallfahrten ihren Ursprung verdanken. Seit dem 7. Jahrhundert bildeten sich Votivmessen als Messen in besonderen Anliegen. Ihre überaus große Zahl wurde durch das Missale Pius V. beschränkt. Wie von den Bürgern die Dome mit ihren prachtvollen Kunstwerken geschaffen wurden, so wurden auch die Gottesdienste mit reichlichen Stiftungen bedacht. Die Herz-Jesu-Verehrung ging von Straßburg aus, der Wirkungsstätte des Meisters Eckehart und des Johannes Tauler, gest. 16. 6. 1361. Aus Straßburg stammt auch das älteste „Herz-Jesu-Büchlein", 14. Jahrhundert. Besondere Förderer waren die Kartäuser. Die Kreuzzüge, von Predigten und geistlichen Liedern entfacht, brachten einen großen Aufschwung der Heiligen- und Reliquienverehrung. Von der Krippe in Maria Maggiore in Rom mag der Brauch ausgegangen sein, an Weihnachten Krippen in der Nähe des Altars aufzustellen. Großen Einfluß hatte auch die Weihnachtsfeier des heiligen Franz von Assisi im Wald von Greccio im Jahre 1223. Die erste Krippe in der Kirche wurde 1478 in Neapel aufgestellt. Die Jesuiten brachten sie nach Deutschland, 1562 Prag, 1601 Altötting. Dann übernahmen diesen Brauch die übrigen Orden, und durch die Franziskaner wurde die Aufstellung auch einer Hauskrippe eingeführt.

Die chorale und die mehrstimmige lateinische Kirchenmusik zu den verschiedenen Feiern wurde auch durch deutsche Volksgesänge ergänzt. Bei den sehr zahlreichen lateinischen Sequenzen sind bereits vielfach eingeschobene deutsche Texte nachweisbar. Die letzte Strophe der Sequenz Victimae paschali laudes: Scimus Christum surrexisse diente wohl kaum als Vorlage für das Lied „Christ ist erstanden". Bis in das 15. Jahrhundert zurückreichende Quellen bringen dieses Lied in Zusammenhang mit dem Te Deum. Es hatte seinen Platz bei der Auferstehungsfeier und steht in melodischem Zusammenhang mit dem im Salzburgischen beheimateten Surrexit pastor bonus. Erst später wurde es mit dem Besuch des heiligen Grabes in Verbindung gebracht, wodurch es mit der Sequenz Victimae paschali in Berührung kam. In früheren Zeiten standen Offizium und Messe immer nahe beieinander, und so erscheinen volkssprachliche Gesänge sowohl vom Offizium als auch von der Messe beeinflußt. So bringt z. B. das 1483 von Dorothe von Hof geschriebene Buch „Tagzeiten und gebether" eine deutsche Übersetzung des Pange lingua.

Viele Synoden waren darauf bedacht, daß der offizielle lateinische Gesang nicht durch volkssprachliche Texte zurückgedrängt oder ersetzt würde. Die Synode von Schwerin im Jahre 1492 und die Konzilien von Basel im Jahre 1435 und 1503 haben den Gesang des ganzen Gloria und des ganzen Credo eingeschärft. Am 21. 2. 1643 hat die Ritenkongregation im Dekret 823 bestimmt, daß die Veränderungen der biblischen Texte und die Einlagen unpassender Gesänge beim Amt sowie eine zu lange Ausdehnung der Gesänge zu unterbleiben haben. Papst Alexander VII. bestimmte in seiner Constitutio Piae sollicitudinis vom 23. 4. 1657, daß während der Gottesdienste und während der Aussetzung des Sanctissimum nur Texte aus Brevier, Missale, Bibel und aus den Kirchenvätern gesungen werden dürfen.

Das älteste katholische Volksgesangbuch von Michael Vehe, 1537, enthält deutsche Lieder nur „vor und nach der Predigt". Es sind auch zahlreiche deutsche Lieder zur bzw. nach der Wandlung überliefert, denn die seit dem 12. Jahrhundert aufkommende Erhebung der heiligen Hostie bei der Wandlung gab der Volksfrömmigkeit starken Auftrieb. Johann Georg Leisentritt gab 1567 ein sehr umfangreiches Gesangbuch heraus. Dabei wollte er auch verschiedene Lieder während des Amtes gesungen wissen, und zwar anstelle des Credo, des Offertoriums und der Communio. Das Mainzer Cantual vom Jahre 1605 bringt eine Reihe deutscher Lieder, welche die lateinischen Meßgesänge ersetzen.

Wenn auch während der Messe deutsche Lieder gesungen wurden, so war doch der lateinische Gesang das Gewöhnliche. Darum kennt auch das Mittelalter keine eigentlichen Meßlieder, welche die Liturgie erklärend und deutend begleiteten oder etwa als liturgiefähig im heutigen Sinn angesehen werden können. Zahlreiche Auslegungen der Messe, auch in Versform (siehe A. Franz, S. 685 ff.), hatten den Zweck, die Messe als Mittelpunkt der Frömmigkeit darzustellen. Dichterische Kraft wußte sich oft mit volkstümlicher Darstellung zu paaren, und so wurde eine christliche Kultur geformt, die auch in der heutigen ganz anders gearteten Zeit ehrfürchtige Beachtung verdient.

Ferdinand Haberl

Die Ausführenden der Kirchenmusik im Mittelalter

Zu der Frage, wer die ein- und mehrstimmige Kirchenmusik im Mittelalter ausgeführt hat, findet sich erstaunlich wenig an sicheren Zeugnissen. Dem entspricht es, daß die Forschung bisher diesen Problemkreis mehr auf Grund von mosaikartig zusammengesetzten Zufallsfunden als durch systematische Untersuchungen einer Lösung näher zu bringen suchte. Daraus ergibt sich wiederum, daß eine Vielzahl von Hypothesen anstelle eines in sich geschlossenen Bildes steht.

Zwei Arten von Quellen sind in unserem Zusammenhang von besonderer Wichtigkeit: Literarische Zeugnisse und Dokumente sowie Bilddarstellungen.

Zu der ersten Gruppe gehören vor allem die in den verschiedenen Ordines niedergelegten Verordnungen über die Kirchenmusik und ihre Ausführung, die zahlreichen Konzilsbeschlüsse, die sich mit der Kirchenmusik befassen und sich meist gegen irgendwelche Mißstände richten, die Schriften der Kirchenväter und die darin enthaltenen Psalmkommentare sowie Urkunden und Berichte allgemeiner Art. Dabei müssen die einzelnen Stadtkirchen und Klöster mit ihren besonderen Traditionen, die nur einen beschränkten Geltungsbereich haben, aber zumeist in entsprechenden Ordines festgelegt sind, beachtet werden. In den Werken der Musiktheoretiker finden sich so gut wie keine Hinweise auf die Ausführenden, da sie sich in ihren Schriften nicht mit der Musikpraxis (Ausnahme Joh. de Grocheo), sondern mit der „ars musica" befassen und auseinandersetzen. Die zweite Gruppe umfaßt im wesentlichen Bilddarstellungen und vor allem Miniaturen. Hier ist allerdings von Fall zu Fall zu klären, inwieweit es sich wirklich um reale Darstellungen oder nur um die Verwendung bestimmter Typen handelt (so. z. B. wenn die Initiale C des Psalmanfanges *Cantate domino* mehrfach drei bis fünf singende Priester oder Mönche vor einem aufgeschlagenen Chorbuch zeigt). Durch kritische Betrachtungsweise muß der Gefahr voreiliger Rückschlüsse auf die Praxis der Verallgemeinerung begegnet werden (hierzu u. a. Mac Kinnon, *Musical Instruments* . . .). Die mittelalterliche Plastik kann zur Klärung der hier gestellten Frage kaum einen Beitrag liefern.

Die Ausführung der Kirchenmusik ist weitgehend bestimmt durch den Ort ihres Erklingens und damit verbunden ihre jeweilige Funktion. Entsprechend verschieden ist auch die Zusammensetzung der die Kirchenmusik ausführenden Gruppen und der ihnen im einzelnen übertragenen Aufgaben. Im wesentlichen sind es wohl fünf örtliche Bereiche, die unterschieden werden müssen: die Residenz des Papstes, die Kathedralkirchen, die Stifts- und Klosterkirchen, die Pfarrkirchen der Städte und die Hofkirchen.

Die erste stehende Vereinigung mit der Aufgabe, die Musik im Gottesdienst auszuführen, scheint die päpstliche Kapelle, die *schola cantorum* in Rom gewesen zu sein.

Als eine Elite, herausgelöst aus der Gesamtheit der Geistlichen und musikalisch besonders geschult, hatte sie die kunstvolleren liturgischen Gesänge vorzutragen. Zu welchem genauen Zeitpunkt die schola cantorum gegründet wurde, ob schon unter Papst Silvester I. (314–335) oder erst unter Papst Gregor I. (590–604) oder ob letztgenannter nur die Reform einer derartigen schon bestehenden Einrichtung durchgeführt hat, ist nicht mit Sicherheit zu sagen. Als Besetzung werden in den I. bis III. Ordines Romani sieben Sänger genannt, zu denen noch eine Anzahl von Sängerknaben (wohl durchschnittlich vier bis sechs) gerechnet werden muß. An ihrer Spitze stand der „Primicerius" als erster Sänger und Leiter. Ihm folgten der „Secundicerius", „Tertius" und „Quartus", der aber auch die Bezeichnung „Archiparaphonista" trug. Während die ersten drei Sänger wohl als Solisten angesehen werden müssen, scheint letzterer der eigentliche Leiter des Chores, vor allem auch der Singknaben gewesen zu sein (Handschin: Paraphonista = Chorsänger). In späterer Zeit führte der „Primicerius", meist in der Stellung eines Bischofs und mit zahlreichen Privilegien ausgestattet, nur noch die Oberaufsicht über die Schola, ihr eigentlicher Leiter war der „magister capellae". Der Stellung des „Primicerius" entsprach weitgehend diejenige des Präcentors oder Kantors an den anderen genannten Kirchen (z. B. an Notre Dame in Paris).

Die Vereinigung von Knaben- und Männerstimmen zum Chor mit ganz festumrissenen liturgischen Aufgaben, die mit bedingt war durch das Verdrängen der Frau als Sängerin aus dem kirchlichen Bereich, wurde, wie überhaupt die ganze Einrichtung der schola, zum Vorbild und gleichsam verbindlich für das christliche Abendland. Nach ihrem Muster entstanden in der Folgezeit überall derartige Sänger-Scholen (so u. a. in Metz, Cluny, Dijon, Cambrai, Chartres, Nevers). Die Synode von Aix-la-Chapelle im Jahre 803 empfiehlt beispielsweise die Einrichtung von *Scholae cantorum "dans différents centres"* (Gérold). Selbstverständlich traten aus diesem geschulten und sich praktisch nur aus Solisten zusammensetzenden Chor auch die Ausführenden der Sologesänge hervor.

Die Mitglieder der päpstlichen Kapelle gehörten überwiegend dem Klerikerstand an, was aber im Falle besonders begabter Musiker, vor allem seit Beginn der Mehrstimmigkeit, für die Aufnahme als Sänger nicht immer unbedingt eine Voraussetzung gewesen zu sein scheint. Die „pueri", meist Angehörige mittelloser Familien, wählte man auf Grund ihrer Stimmqualitäten aus und ließ ihnen neben der musikalischen eine geistliche Ausbildung für den Priesterstand zugute kommen. Die römische Schola tritt während der Residenz der Päpste in Avignon (1309—1377) gegenüber der dortigen Hofkapelle zurück. Diese wurde vor allem für die weitere Entwicklung der Kirchenmusik dadurch von Bedeutung, daß sie *„die satztechnischen Neuerungen der Mehrstimmigkeit"* (Fellerer) in diese einführte. Erst mit der Rückkehr der Päpste (1377) wurde Rom wieder ein bestimmendes Zentrum geistlicher Musik. Im 15. Jahrhundert scheint die päpstliche Kapelle durchschnittlich mit 18 Sängern besetzt gewesen zu sein, wobei bemerkenswert ist, daß zumindest über mehrere Jahre hinweg die Sängerknaben durch falsettierende Männerstimmen ersetzt worden sind. Instrumente scheinen hier konsequenterweise — mit Ausnahme der Orgel am Ende des Jahrhunderts — nicht verwendet worden zu sein.

Zugleich mit der wachsenden Bedeutung der Kirchenmusik und der Errichtung selbständiger Institutionen für deren Ausführung befassen sich mit diesem Bereich auch die verschiedenen Konzile. Doch beziehen sich die jeweils getroffenen Beschlüsse in den meisten Fällen mehr darauf, was und auf welche Art gesungen werden soll, als auf die Ausführenden selbst (z. B. Synode von Aachen 816). Da es offenbar mehr oder weniger selbstverständlich war, daß diese in der Regel dem Klerikerstand angehörten, so werden sie nur ausdrücklich erwähnt, wenn in irgendeiner Form von der Norm abgewichen wird (z. B. Synode von Trier 1227, can. 9. Mansi XXIII, 33; weitere Belege bei Browe, *Die Pflichtkommunion im Mittelalter*, 97). Die Quellen geben also für die hier gestellte Frage sichere Hinweise eher auf die Ausnahme als auf den Regelfall.

Die Ausführenden der Kirchenmusik an den Kathedralkirchen, die in Verbindung mit der Gründung zahlreicher Bistümer seit dem Ende des 8. Jahrhunderts entstehen, waren ebenfalls Geistliche, waren sie doch, wenigstens zunächst, allein fähig, die liturgischen Gesänge in lateinischer Sprache vorzutragen. So machte die Sorge um eine ordnungsgemäße Durchführung der in der jeweiligen für die Kathedrale und die zu ihrem Bereich gehörenden Kirchen maßgebenden liturgischen Ordnung festgelegten kirchenmusikalischen Vorschriften — auf das Bestehen regionaler Besonderheiten ist oben schon hingewiesen worden — die Errichtung von „scholae cantorum" notwendig. Bis zur Funktionsfähigkeit dieses nach römischem Vorbild organisierten und aus Knaben- und Männerstimmen bestehenden Chores wird man für die Anfangszeit eine Beteiligung der Gemeinde am Gottesdienst trotz sprachlicher Schwierigkeiten durch Übernahme kurzer Responsorienteile oder Akklamationen nicht ausschließen dürfen. Die Ausführung schwierigerer Gesänge war Sache der besonders Fähigen innerhalb des Sängerchores.

Die Mitwirkung der Sängerknaben scheint sich zunächst im wesentlichen auf das Choralsingen, den *cantus planus*, beschränkt zu haben. Selbst die mehrstimmige Kirchenmusik setzte nicht grundsätzlich die Beteiligung von Knabenstimmen voraus, obwohl sie offenbar in der Regel zur Verstärkung oder alleinigen Übernahme der Oberstimme herangezogen wurden. Es darf hierbei nicht vergessen werden, daß es sich bei den Singschulen um Einrichtungen handelte, die u. a. den Nachwuchs an Sängern erst heranbilden sollten. Dokumente und Abbildungen, die bis ins 15. Jahrhundert häufig Klerikerchöre ohne Knaben zeigen, ergeben jedenfalls kein einheitliches Bild. So werden beispielsweise in Siena im *ordo officiorum Ecclesiae Senensis* aus dem Jahre 1215 keine Knaben erwähnt, und es wird vorgeschrieben, daß „...quicumque aliquid cantat in Choro... debet esse Clericus" (v. Fischer, *Siena*, 171). In Lüttich werden ab 1291 an der Kathedrale Saint-Lambert *„douze pauvres écoliers"* verpflichtet, *„die offizien stündlich tag und nacht"* zu singen, während ebendort im Jahre 1358 das Kapitel von Saint-Paul beschloß, daß mit Ausnahme der Festtage die Chorknaben nur einmal im Monat am Gottesdienst teilnehmen sollten (Clercx, *Ciconia*, 5). Während man einerseits streng auf die Wahrung *„der Tradition der liturgischen Melodie im Gottesdienst"* (Fellerer) achtete und in diesem Zusammenhang eine musikalische Schulung der Kleriker — so u. a. Conc. Later 1215, Conc. Viennense 1311/12, aber auch noch in den Kapitelstatuten 1446 in Münster — und der Sängerknaben — z. B. Errichtung einer Sängerschule 1192 am Dom zu Bamberg zur Pflege des Chorals (MGG I, Bamberg, Sp. 1196/97) oder an der Kathedrale von Avignon im Jahre 1481, *„in der sechs Chorknaben ... in der Praxis des cantus planus unterrichtet wurden"* (MGG I, Avignon, Sp. 898) – mit dem Ziel der Vereinheitlichung des Chorals forderte, führte die weitere Entwicklung der mehrstimmigen Musik auch im kirchlichen Bereich, und hier besonders an den Kathedralen, zur Bildung von Chören, deren Mitglieder nicht mehr ausschließlich Kleriker waren. So finden sich z. B. am Dom von Münster *„seit 1402 24 Berufssänger mit fester Besoldung, die nicht dem geistlichen Stand angehörten und ,camerales' bezeichnet wurden"* (Salmen, *Westfalen* I, 114).

Derartige Vereinigungen von Berufssängern, allerdings überwiegend aus Klerikern bestehend, müssen, auch unabhängig von der eigentlichen „schola cantorum" bzw. neben dieser, als eine kleine Gruppe von Spezialisten seit dem 13. Jahrhundert angenommen werden. Ihnen oblag, wie dies z. B. für Notre Dame in Paris der Fall gewesen zu sein scheint, die Ausführung der mehrstimmigen und besondere Virtuosität erfordernden Abschnitte der liturgischen Gesänge. Dabei dürften die einzelnen Stimmen, wenn nicht einfach, so doch nicht mehr als doppelt oder allerhöchstens dreifach besetzt gewesen sein (wobei Abweichungen je nach Ort und Gattung angenommen werden müssen). Hatten doch die Chöre, wie erwähnt, schon allgemein nur eine Stärke von durchschnittlich vier bis sieben Sängern, zu denen noch vier bis sechs Knaben hinzukommen konnten.

In den Stifts- und Klosterkirchen bietet sich weitgehend das gleiche Bild wie in den Kathedralkirchen. Doch führen die in sich und nach außen abgeschlossenen Klostergemeinschaften ein stärkeres Eigenleben als dies an einer weltlichen Kirche, auch bei Vorhandensein einer Kathedral- oder Domschule, möglich ist. Hinzu kommt, daß im Grunde jedes Mitglied dieser Gemeinschaft zu liturgischen Aufgaben herangezogen werden kann. Das bedeutet für die Kirchenmusik, daß für ihre Ausführung eine größere Gruppe sachkundiger und fähiger Kleriker zur Verfügung steht, aus der bei Bedarf wiederum eine Elite, die schola cantorum, für besondere Aufgaben herausgelöst werden kann.

Diese Möglichkeiten führten einerseits dazu, daß innerhalb der einzelnen Orden eine Auslese der Sänger gefordert wurde (Benedictus, *Regula*, cap. 38; Migne PL LXVI, 604) und einzelne Klöster nur im Singen schon Erfahrene überhaupt aufnahmen (Gerbert, *de cantu* I, 284), und andererseits auch dazu, daß innerhalb der Klöster mit stark besetzten Chören gesungen wurde. So sollen im Hofkloster Karls des Großen St. Riquier zu Centula drei Chöre, jeder betehend aus 100 Mönchen und 33 bzw. 34 Knaben, im Gottesdienst gesungen haben. Der Wirklichkeit näher aber kommen wohl die von Kellner für Kremsmünster gemachten Angaben, die die Aufteilung der Gesänge auf die Schola (1013–40: sechs bis acht Mönche; 1040–50: zwölf Mönche) und die Gesamtheit der Mönche deutlich werden lassen (S. 23 ff.). Daraus geht auch hervor, daß die solistischen Teile in der Regel von nicht mehr als zwei bis vier, an Hochfesten von sechs Sängern vorgetragen wurden. Daß die liturgischen Gesänge auch nur von einer kleinen Gruppe ausgeführt werden konnten, zeigt die bei den Kartäusern geltende Regelung, daß die Anwesenheit von mindestens acht Mönchen bei Einschluß des Priors *„die Voraussetzung dafür ist, daß das Offizium gesungen wird"* (Hüschen, Artikel *Kartäuser* in MGG VII).

Das Volk aber ist hier vom Gottesdienst entweder überhaupt oder aber zumindest als aktiv am Geschehen teilnehmende Gruppe ausgeschlossen. Die Gesamtheit der Mönche steht repräsentativ an seiner Stelle. Da den Stiften und Klöstern die Errichtung von Schulen durch die Beschlüsse der Synode zu Aachen (*Constitutio de scholis*, 798) und die Erteilung von Unterricht in Musik durch die *Admonitio generalis* (789) Karls des Großen zur Pflicht gemacht wurde, stand von nun an bei Bedarf jederzeit eine Anzahl von im Singen geübten Schülern — gelehrt wurde vornehmlich Lektionen- und Psalmengesang — zur Mitwirkung in der *schola cantorum* zur Verfügung, und auch der Nachwuchs an ausgebildeten Sängern war auf diese Weise sichergestellt. Mit der verstärkten Entfaltung der Mehrstimmigkeit in der 2. Hälfte des 15. Jahrhunderts werden auch in den Stifts- und Klosterkirchen „weltliche" Musik zur Ausführung der Kirchenmusik mitherangezogen. Daß nicht alle Mönchsorden den kirchenmusikalischen Neuerungen gleich aufgeschlossen gegenüberstanden, zeigt das Verbot des Generalkapitels der Kartäuser aus dem Jahre 1326, mehrstimmige Gesänge im Gottesdienst vorzutragen. — In den Frauenklöstern, dem einzigen Ort, an dem sich die Frau überhaupt noch aktiv im kirchlichen Bereich betätigen konnte, wurden auch die liturgischen Gesänge von den Nonnen ausgeführt. Eine schola im eigentlichen Sinne ist nicht vorhanden.

Drei Gruppen waren für die Ausführung der Kirchenmusik an den Pfarrkirchen der Städte maßgebend: der Priester, der Schulmeister — z. T. ebenfalls noch Geistlicher — und der Schülerchor.

Existieren bis zum 13. Jahrhundert nur die kirchlichen Schulen, so entstand mit dem Aufblühen der Städte an vielen Orten ein stadteigenes Schulwesen (Lübeck 1262, Hamburg 1281, Kiel 1320, Hannover 1358). Trotzdem blieb der Zusammenhang zwischen Schule und Kirche ein enger, da die Stadtschule meist einer Pfarrkirche zugeordnet wurde. Dem Schulmeister wurde zur Auflage gemacht, aus den Reihen seiner Schüler einen „Singechor" zu bilden, mit dem er im Gottesdienst die liturgischen Gesänge auszuführen hatte.

Aber nicht nur in den Meßgottesdiensten, sondern auch bei Vigilen, Beerdigungen, Hochzeiten u. a. hatte dieser „Singechor" mitzuwirken. Hinzu kommt die Ausführung zahlreicher kirchlicher Handlungen, die auf Grund von Stiftungen wahrgenommen werden müssen. Die meist aus ärmlichen Verhältnissen kommenden Chorschüler (ihre Zahl wird mit vier bis 24 und mehr angegeben) übernehmen nun, häufig mit Stipendien versehen, die sie zur Mitwirkung im Chor verpflichten, als institutionalisierte Gruppe den Kirchendienst und sowohl den Anteil der Gemeinde am Gottesdienst als auch, allerdings vereinfacht, die Aufgaben der schola cantorum. Gesungen wird in der Regel einstimmig, doch ist die Verwendung einfacher mehrstimmiger Gesänge im 14. und 15. Jahrhundert auch für die Stadtkirchen anzunehmen.

Die Mitwirkung des Schülerchores aber ist für den Priester, da dieser, außer an den großen oder Hauptkirchen, meist allein war, eine unabdingbare Notwendigkeit. Eine ordnungsgemäße Durchführung des Gottesdienstes war sonst nicht möglich, wollte er nicht einen Teil der vom Chor auszuführenden Gesänge selbst vortragen und die Gemeinde wieder stärker aktiv am Geschehen beteiligen. Letzteres war aber wiederum wegen mangelnder Kenntnis sowohl in sprachlicher wie in musikalischer Hinsicht praktisch ausgeschlossen.

Im höfischen Bereich ist die Hofkapelle, im Mittelalter überwiegend aus Sängern und nicht aus Instrumentalisten bestehend, sowohl für die Ausführung der liturgischen als auch der weltlichen Musik zuständig. Da ihre Hauptaufgabe aber zunächst in der Mitwirkung beim Gottesdienst bestand, entspricht ihre Zusammensetzung derjenigen der *scholae cantorum*. Doch mußten die Sänger keineswegs dem geistlichen Stande angehören. Daher finden sich in diesen Kapellen in erster Linie gut ausgebildete Musiker, so daß auch deren Anzahl verhältnismäßig klein gehalten werden konnte. Die Ausführung mehrstimmiger Gesänge, offenbar meist solistisch besetzt und zum Teil auf die Mitwirkung der Kapellknaben verzichtend, die auch hier hauptsächlich für den Choralgesang zuständig waren, bot keine Schwierigkeiten und wurde bis zu höchster Virtuosität gesteigert.

Wie selbstverständlich für diese Kapellen die gleichzeitige Beherrschung von geistlichem und weltlichem Repertoire in damaliger Zeit war, zeigt die Tatsache, daß der Herzog von Gerona, der spätere Johann I. von Aragon, die sieben aus Avignon an seinen Hof im Jahre 1379 verschriebenen Sänger bittet, sie sollten ihm außer dem vollständigen Gesang der Messe möglichst viele *„motets e rondells e ballades e virelleys"* (Anglès) mitbringen. Und noch 1467 musizieren bei der Ankunft der Königin Charlotte von Savoyen, der Frau Ludwigs XI., in Paris *„ . . . les petits enfants de cuer de la Sainte Chapelle, qui ilec disoient de beaux virelais, chançons et autres bergeretes moult melodieusement . . ."* (Brenet). Besonders begehrt waren offenbar auch Sänger, die zusätzlich noch ein Instrument beherrschten und so vielseitiger verwendet werden konnten. Jedenfalls waren die einzelnen Regenten bemüht, möglichst die besten Musiker für ihre Kapellen zu gewinnen.

In diesem Zusammenhang kann die Frage nach der Mitwirkung von Instrumenten bei der Ausführung der Kirchenmusik im Mittelalter nur angesprochen, eine endgültige Antwort aber nicht gegeben werden. Doch scheint es, als seien Instrumente trotz aller Verbote in der kirchenmusikalischen Praxis weit häufiger verwendet worden als man bisher glaubte.

So muß das Wort „Organum" sicher häufiger als bisher angenommen wörtlich mit „Instrumente" und nicht mit „Orgel" übersetzt werden. Auch ergibt sich aus zahlreichen Dokumenten und Abbildungen der Hinweis darauf, daß neben der Orgel vor allem Psalterium, Harfe, Organistrum, aber auch der Dudelsack und die Fidel, also Instrumente, auf denen ein mehrstimmiges Spiel möglich war, zur Ausführung der kunstvollen organalen Gesänge verwendet worden zu sein scheinen. Trompeten erklangen im Gottesdienst bei besonders feierlichen Gelegenheiten und bei Anwesenheit eines Herrschers. Doch hatten sie keinerlei liturgische Funktion zu erfüllen, sondern dienten allein der Repräsentation. Die Ausführenden waren die Hoftrompeter. Wer aber hat die anderen Instrumente gespielt? Alles deutet daraufhin, daß außer den Klerikern selbst vor allem den Spielleuten, unter denen sich ja auch Geistliche befanden, diese Aufgabe zufiel. Während dies bis zum 13. Jahrhundert offenbar weitgehend ohne Widerspruch hingenommen wurde, häufen sich von da an die Verordnungen und Erlasse gegen *„trutannos et alios scholares aut goliardos"* (Conc. Trevirense 1227; Mansi XXIV, 207) und ihre Mitwirkung im Gottesdienst. Allerdings änderten diese Verbote allem Anschein nach nur wenig an der bestehenden Praxis, wie mehrfach nachgewiesen wurde (Salmen, *Spielmann*; Kellner, *Kremsmünster*; Günther, *Komponisten*; Pirro, *Histoire* u. a.). Doch mögen sie eine Strömung begünstigt haben, die, ausgenommen die Orgel, die Instrumente immer mehr aus dem kirchlichen in den höfischen Bereich verdrängte, in dem sie nun seit dem 14. Jahrhundert in verstärktem Maße zur Geltung kamen.

Die Mitwirkung der Spielleute bei Prozessionen ist seit dem 13. Jahrhundert mit Sicherheit belegt. Daß hierbei von diesen teilweise auch noch innerhalb der Kirche musiziert wurde, scheint einleuchtend (s. Pirro, *Remarques*, 56). In welcher Weise sie dagegen zu Kulttänzen, wie z. B. den Friedhofstänzen oder auch zu geistlichen Spielen herangezogen wurden, und ob dies überhaupt der Fall war, kann hier nicht näher untersucht werden.

Klerus, schola cantorum, Schülerchor und Volk sind also die vier Gruppen, die im Gottesdienst mit der Ausführung der liturgischen Gesänge betraut waren. Dabei waren die Aufgaben, die den einzelnen Gruppen zufielen, in den wesentlichen Grundzügen schon im 7. Jahrhundert festgelegt. Waren diese Aufgaben zunächst — bis etwa ins 6. Jahrhundert — nur auf Priester und Gemeinde verteilt, so wird im Zuge der liturgischen und musikalischen Entwicklung, die auch an die Ausführenden höhere Ansprüche stellte, und der dadurch notwendig gewordenen „Zwischenschaltung" der Schola bzw. später des Schülerchores das Volk immer mehr von der aktiven Betätigung in der Kirche ausgeschlossen. Jedoch werden dadurch die ihm ursprünglich im Ablauf der liturgischen Handlung zufallenden Funktionen, die es zunächst noch neben der Schola wahrnimmt, nicht aufgegeben, sondern sie gehen zum größten Teil auf Schola oder Schülerchor über, die nun stellvertretend für das Volk diese Aufgaben übernehmen. Das Volk seinerseits aber identifiziert sich mit dem Chor. Trotz dieser „Gewichtsverlagerung" kann und muß die oben vorgenommene Einteilung beibehalten werden. Sieht man von einigen z. T. durch regionale Traditionen (z. B. einzelner Klöster) bedingten Abweichungen ab, so ergibt sich im wesentlichen folgende Verteilung der kirchenmusikalischen Aufgaben innerhalb des Meßgottesdienstes (auf eine besondere Nennung des Schülerchores wird, da er in den Pfarrkirchen an die Stelle der Schola tritt, verzichtet):

Meßgesänge	Ausführende
Introitus	Schola; antiphonisch in zwei Chorhälften.
Kyrie	a) gallikanische Liturgie: (3) Knaben. b) stadtrömische Liturgie z. Zt. Gregors: Klerus und Volk respondierend. c) Ordo Romanus I und II: Schola, wobei zunächst ein Respondieren von Klerus (= Gesamtheit der Priester außer Schola) und Volk gemeinsam nicht auszuschließen ist. d) Ordo von S. Amand (römisch-fränkische Bischofsmesse): Schola und Regionarii (Subdiakone). e) Ordo von S. Amalar: Schola. f) Herard. von Tours 858: „a cunctis", also Klerus und Volk. g) Seit etwa 10. Jahrhundert: Schola; Tropierung; seit 13. Jahrhundert mehrstimmig; im Norden wird der Kehrvers weiterhin vom Volk gesungen. h) Außerhalb der Messe: Volk z. B. Buß- und Bittprozessionen (Synode von Riesbach-Freisingen 799) oder bei Beerdigungen (Herard. von Tours: „ . . . *et psalmos ignorantes Kyrie eleison ibi canant"*; cap. 58; Hardouin V, 454).
Gloria	Ursprünglich Volk; Intonation durch Bischof oder Priester. So weiterhin an kleineren Kirchen und in romanischen Ländern. Später Gesamtheit der im Gottesdienst bzw. im Altarraum anwesenden Kleriker. Intonation durch Priester. Kathedral- und Klosterkirchen. Seit 10. Jahrhundert Tropierung. Um 1140 in Rom: Schola. England: 5 Knaben; die ersten 8 Worte der Antwort 1 Knabe, dann ganzer Chor.

Meßgesänge	Ausführende
Graduale (Responsorium)	Ursprünglich 1, später bis zu 4 Solosänger (z. T. Knaben): Mitglieder der Schola. Responsum zunächst vom Volk, später von der Schola gesungen. Seit 13. Jahrhundert mehrstimmig.
Alleluja	Ein oder mehrere Solosänger: Responsum zunächst vom Volk, später von der Schola gesungen. Tropierung. Seit 13. Jahrhundert mehrstimmig. Volle Entfaltung der sängerischen Möglichkeiten.
Tractus	Nur Solosänger ohne Responsum. Statt Alleluja in der Buß- und Fastenzeit.
Sequenz	Ein oder mehrere Solosänger (z. T. Knaben; z. B. „quinque pueris") singen die Textzeilen, der Klerikerchor die Melismen. Offenbar Singen der Prosen sowohl alternatim als auch simultan anzunehmen. (Mitwirkung von Instrumenten sehr wahrscheinlich. Stäblein, *Sequenz*).
Credo	In Spanien nach 3. Konzil von Toledo (589) nach Intonation des Priesters von Klerus und Volk gesungen (Mansi IX, 993) (So weiter offenbar in Gallien). Erst seit 1014 in römische Messe aufgenommen. Hier nach Intonation durch den Bischof oder Priester vom Klerus gesungen (VI. und XI. Ordo Romanus: Pontifex und basilicarii. Meßerklärung Innozenz III. [13. Jahrhundert]: Pontifex und Subdiacone. Migne, PL CCXVII, 830).
Offertorium	Schola. Zunächst antiphonisch (2 Chorhälften), dann aber responsorisch (Solosänger – Chor) vorgetragen (kunstvolle, melismenreiche Melodien).
Sanctus	a) gallikanische Liturgie: Volk. b) römische Liturgie des Frankenreiches: Klerus und Volk gemeinsam. c) Pontifikalgottesdienst in Rom: Ursprünglich Volk, dann aber nur Klerus (Subdiaconi regionarii) (Ordo Romanus I, II und V). d) Karolingische Reformdekrete: Volk und Priester (siehe auch Ordo Romanus XV). Tropierung. (Später mehrstimmig: Chor. Rom, 15. Jahrhundert).
[Pater noster	a) Gallikanische Liturgie: Klerus und Volk gemeinsam gesungen. b) römische Liturgie: im wesentlichen Klerus; erst später Klerus und Volk.
Agnus Dei	Schola (Ordo Romanus I). Ursprünglich Beteiligung des Volkes denkbar. Tropierung. Später mehrstimmig.
Communio	Ursprünglich Solosänger und Volk, später Schola (responsorialer Gesang).

Im Offizium wurden die responsorialen und antiphonalen Gesänge von den Klerikern ausgeführt. Lediglich in den Pfarrkirchen wurde zu einzelnen Stundengebeten, z. B. zur Vigil, auch der Schülerchor herangezogen, wie er ja auch in der Messe vornehmlich die Ordinariumsgesänge zu bestreiten hatte.

Außerhalb der Meßliturgie beteiligte sich das Volk auch weiterhin mit Gesängen am kirchlichen Geschehen. So, wenn es in Prozessionen z. B. das *„Kyrie"* sang oder wenn es wie in Osterspielen den Schlußgesang *„Christ ist erstanden"* anstimmte.

Daß auf eine angemessene Ausführung der Gesänge und der dabei eingenommenen inneren und äußeren Haltung der Sänger größter Wert gelegt wurde, zeigen die zahlreichen diesbezüglichen Verordnungen und Ermahnungen. So sollen die Cantores beim Singen ihre Gesichter nicht zu Fratzen verziehen und ihre Körper ruhig halten; sie sollen mit klarer Stimme singen, aber nicht die Töne herausschreien. *„Andacht und ynnigkeyt"* sind auch für den Sänger eine Notwendigkeit, da er beides wiederum beim Hörer durch sein Singen hervorrufen soll. *„Deo non voce sed corde cantandum est."* Höchstes Gebot aber ist, daß im Gottesdienst *„unanimiter"* gesungen wird. Trotz all dieser Bemühungen um eine Hebung der Kirchenmusik, infolge derer man den Sängern eine möglichst gute Ausbildung zu vermitteln suchte, wird man sich aber, von wenigen Ausnahmen einiger hochqualifizierter Kapellen abgesehen, ihre Ausführung, z. B. durch den Schülerchor, allgemein nicht allzu glanzvoll vorstellen dürfen. Erst die Entwicklung zum Spezialistentum, in deren Verlauf der weltliche Berufsmusiker verstärkt im kirchlichen Bereich tätig wurde, brachte hier eine Änderung. Diese Entwicklung setzte mit dem Beginn der Mehrstimmigkeit ein und hatte am Ende des Mittelalters einen ersten Höhepunkt erreicht.

Christoph-Hellmut Mahling

Die Musik als gottesdienstlicher Ausdruck

Die Bindung an den *cantus gregorianus* in der *ars antiqua* und in einzelnen Formen der *ars nova* hat äußerlich die mehrstimmige Kunst des 13./14. Jahrhunderts in die Liturgie eingefügt. Im 15. Jahrhundert wird in der *Cantus-firmus*-Komposition und in der Choralparaphrasierung diese äußere Bindung an die Liturgie fortgeführt, gleichzeitig aber wurde schon seit dem *Conductus* des 13. Jahrhunderts auch eine choralfreie Kirchenmusik entwickelt, die durch das Wort, aber auch durch die Eigenart der musikalischen Gestaltung als gottesdienstlicher Ausdruck erschien. In der Fauxbourdontechnik und in der Choralfiguration ergab sich die melodische Freizügigkeit, vor allem in der Oberstimme, während im variablen Kanon die Stimmverbindung als konstruktives Problem betont wurde. Stand in dieser Entwicklung die satztechnische Struktur im Vordergrund, so hat im ausgehenden 15. Jahrhundert ein an das Wort gebundener Ausdruck die Stellung des Satzes als gottesdienstliche Musik gekennzeichnet.

Der Humanismus fand ein neues Verhältnis zum Wort, das in der Musik die Wortakzentuierung, die syntaktische Gliederung und den Wortausdruck, einerseits entsprechend der antiken *ars oratoria*, andererseits in einem subjektiven Affektausdruck, gestaltete. Die homophone Humanistenode hat die Metrik klar gekennzeichnet. In der Themenbildung konnten sich — gegenüber rein strukturellen Melodiegestaltungen — diese Wortbindungen immer stärker durchsetzen und zu den kontrapunktischen Themenqualitäten harmonische Schwerpunkte entwickeln. Damit wurde der Ausgleich harmonisch-vertikaler und kontrapunktisch-horizontaler Struktur neben dem ausdrucksmäßig bestimmten Nebeneinander von Polyphonie und Homophonie ermöglicht, der die altklassische Polyphonie im 16. Jahrhundert bestimmt. Das Konzil von Trient hat auf der Grundlage humanistischer Wort- und Ausdrucksvorstellungen das Problem der liturgischen Musik behandelt. In diesen Gegebenheiten konnten musikalische und deklamatorische Schwerpunkte ebenso entwickelt werden wie Satz- und Klangtechniken, Polyphonie, Homophonie und Polychorie, gebetsbestimmte Objektivierung des Textes und predigtmäßige Dramatisierung des Vortrags. Palestrinas Kunst in der Abklärung des Ausdrucks und seiner Gestaltungsmittel, Lassos Ausdruckssteigerung in mitreißender Wirkung bilden Gegensätze, die die Kirchenmusik des 16. Jahrhunderts beherrschen und ihre Mittel in verschiedener Weise entwickeln. Klang und Harmonik, Vortrag und Agogik treten bestimmend hervor und schaffen neue künstlerische Formen und neue Grundlagen zu ihrer klanglichen Realisierung.

Seit Obrecht werden diese Bestrebungen einer musikalischen Charakterisierung des Wortes angebahnt und finden bei Josquin des Prez († 1521) eine bewußte Verwirklichung. Wenn M. Luther Josquins Kunst hervorhebt, so beruht dies auf seiner Verwirklichung einer ausdrucksvollen Deklamation durch die Musik. In Josquins Schülerkreis werden diese Bestrebungen verfeinert und führen um die Mitte des 16. Jahrhunderts zu neuen Gestaltungen, die die Konstruktion des Satzes durch ausdrucksbestimmte freie Formen ablösen. In der Kunst der Niederländer, im Kreis um Dufay, Ockeghem, Obrecht, Josquin bis Lassus und Willaert vollzieht sich diese Entwicklung, neben der Abklärung Palestrinas, der Klangbetonung der Venezianer und der Harmonieerweiterung durch Chromatik, die sich vor allem in Italien vollziehen.

Die neue Kunst erfordert auch neue Träger, die in der Entwicklung der Kapellen und Kantoreien gewonnen werden. Der Schwerpunkt der gottesdienstlichen Musikgestaltung wird auf die Mehrstimmigkeit, ihre klangliche Entfaltung und ihre den Kirchenraum akustisch füllende Wirkung, die damit die Gemeinde in die gottesdienstliche Handlung stärker miteinbezieht, gerichtet. Die Gregorianik wird in den Reformfassungen zwar den neuen Deklamationsforderungen angeglichen, doch wird sie als liturgischer Pflichtgesang immer mehr zurückgedrängt und der Gruppe der Chorales im Gegensatz zu der die Musik tragenden Cappella überantwortet. Diese Doppelgleisigkeit kennzeichnet die führende Bedeutung der mehrstimmigen Kirchenmusik und das Zurücktreten der gregorianischen Melodien.

Andererseits aber fand das Kirchenlied in der Landessprache, nicht zuletzt auch als Auswirkung der Reformation, zunehmende Bedeutung vor allem in den Andachten und als Predigtlied. Über den Text hinausgehend sind Melodie und Musik Träger des religiösen Ausdrucks geworden und haben damit auch der Instrumentalmusik neue Möglichkeiten in der Kirche eröffnet. Die Orgel hat als Begleit- und Soloinstrument zunehmende Bedeutung gefunden.

Der große kirchenpolitische Einschnitt im 16. Jahrhundert, das Konzil von Trient, bestimmt auch für Liturgie und Kirchenmusik einen wesentlichen Abschnitt. Eine neue Grundlage der kirchlichen Gesänge wurde durch die Textreform der liturgischen Bücher geschaffen (Brevier 1568, Missale 1570), die katholische Gottesdienstgestaltung wie die katholische Glaubenslehre von der protestantischen abgegrenzt. Die Stellung der Musik in der Kirche wurde neu durchdacht und führte zu ihrer großen Entwicklung in der Kunst des Barock. Die Kirchenmusik wurde zum gottesdienstlichen Ausdruck in der Überwindung historischer Gestalten und in der zeitbedingten künstlerischen Ausdrucks- und Gestaltgebung.

Bis zur Endformulierung der kirchenmusikalischen Bestimmungen 1564 strebte die künstlerische und religiöse Entwicklung der Kirchenmusik seit der Ausdrucksgestaltung unter Josquin bewußt und unbewußt den dort festgelegten Forderungen der Textverständlichkeit und des liturgischen Ausdrucks zu. Die im Ockeghemkreis auf die Spitze getriebene kontrapunktische Strukturtechnik ist einer neuen Harmonie und Homophonie betonenden Ausdrucksgestaltung des Wortes gewichen. In den verschiedenen Klangsteigerungen und in der Tendenz zur monodischen Deklamationssteigerung in der Aufführungspraxis findet die vortridentinische Entwicklung der katholischen Kirchenmusik ihre Gestalten.

Karl Gustav Fellerer

Englische und franko-flämische Kirchenmusik
in der ersten Hälfte des 15. Jahrhunderts

Choralfiguration, Faburden und Fauxbourdon

Die Geschichte der Musik im hohen und späten Mittelalter bietet wie jede geschichtliche Epoche das Bild eines Nebeneinanders verschiedener Geschehenszusammenhänge, die sich sowohl durch Selbständigkeit wie durch Offenheit gegenüber anderen, gleichzeitigen Geschehenszusammenhängen auszeichnen. Angesichts dieser Gleichzeitigkeit selbständiger und sich doch wechselseitig befruchtender Vorgänge ist man gewohnt, zentrale und periphere Verläufe zu unterscheiden. Im 13. und 14. Jahrhundert erscheint Frankreich als musikalisch führendes Land, Deutschland, England, Spanien, auch Italien, gelten dagegen als musikalische Randgebiete.

Eine solche — vereinfachende — Einstufung gründet sich nicht auf größere oder geringere musikalische Aktivität in den einzelnen Ländern — die „Randgebiete" waren musikalisch nicht weniger aktiv als Frankreich —, sondern sie hat das Ganze der musikgeschichtlichen Entwicklung im Auge. Das für die spätere Entwicklung der abendländischen Mehrstimmigkeit vielleicht folgenschwerste Ereignis, die Entstehung der Motette, fand in Frankreich statt. Bis ins 15. Jahrhundert hinein wurden in der französischen Musik und Musiktheorie Errungenschaften gemacht — insbesondere in der stetig fortschreitenden Durchrationalisierung der Notenschrift und, damit zusammenhängend, in der Bewältigung rhythmisch-klanglicher Probleme —, auf denen die spätere Musik beruht.

Was nun insbesondere das Verhältnis zwischen Frankreich und England betrifft, so waren die Beziehungen zwischen den beiden Ländern im Musikalischen, sowie auch im politischen und im geistig-künstlerischen Bereich überhaupt, zahlreich und vielfältig.

Obwohl England, wie wir sehen werden, musikalisch sehr selbständig war und am Bestehenden stärker festhielt als andere Länder, nahm es doch ständig Anregungen vom Kontinent auf. Die Übernahme der isorhythmischen Motette sei dafür nur als Beispiel genannt. Zwar ist gerade in jüngster Zeit auf vielfältige Einflüsse aufmerksam gemacht worden, die die englische auf die kontinentale Musik schon im 13. und 14. Jahrhundert ausgeübt hat, aber im großen ganzen scheint während dieses Zeitraums doch England mehr als Frankreich der empfangende Teil gewesen zu sein.

Musikalische Beziehungen zwischen England und dem Kontinent im 14. Jahrhundert zeigen sich zunächst darin, daß in zahlreichen Fällen französische Musik in englischen und vor allem englische Musik in französischen oder überhaupt festländischen Quellen überliefert ist. Die wahrscheinlich jüngste Notre-Dame-Handschrift, Wolfenbüttel 628 (677) (W₁), wurde um 1300 in Schottland geschrieben; neben den Sätzen des Notre-Dame-Repertoires enthält sie (im letzten, 11. Faszikel, aber vereinzelt auch im Corpus) auch rein englische Musik. Die Worcester-Fragmente (*Worc*), die wichtigste Quelle der englischen Musik des 13. und der ersten Hälfte des 14. Jahrhunderts, enthalten auch einige französische Motetten. Die nordfranzösische Motettenhandschrift Montpellier (*Mo*) enthält eine Reihe von Motetten, die höchstwahrscheinlich englisch sind. Für den Bamberger Kodex und den Kodex Las Huelgas gilt ähnliches (Handschin). Weitere Beispiele aus kleineren Handschriften und Fragmenten dieses Zeitraums ließen sich aufzählen. Erwähnen wir nur noch zwei Fälle aus dem Old-Hall-Manuskript, das uns sogleich näher beschäftigen muß. In dieser abgesehen vom Winchester-Tropar und der Handschrift W₁ frühesten (nahezu) vollständig erhaltenen englischen Quelle mehrstimmiger Musik begegnet uns zum erstenmal eine große Anzahl von Komponistennamen. Der Komponist eines dreistimmigen Gloria, Aleyn (ed. *The Old Hall Manuscript*, Band 1, S. 7), ist vielleicht identisch mit dem englischen Komponisten der Motette „*Sub Arturo plebs vallata*", Johannes Alanus, aus der etwa gleichzeitigen französischen Handschrift Chantilly 1047 (ed. DTÖ Band 76, S. 9, sowie CMM 39, S. 49). Der französische Mahuet de Joan der Chantilly-Handschrift aber ist der Komponist Mayshuet der isorhythmischen Motette „*Arae post libamina*" aus *OH* (ed. *The Old Hall Manuscript*, Band 3, S. 150; vgl. Bukofzer, *Studies in Medieval and Renaissance Music*, S. 71 ff.). Von satztechnischen Beziehungen der in *OH* enthaltenen Musik zum Kontinent wird unten zu sprechen sein.

Aus verschiedenen direkten und indirekten Zeugnissen des 15. Jahrhunderts geht hervor, daß man jetzt auf dem Kontinent die englische Musik als eine besondere, selbständig wirksame Gegebenheit ansah; das spezifisch „Englische" trat als solches ins Bewußtsein. Immer mehr englische Musik erscheint in kontinentalen Handschriften; die Trienter Codices (*Tr 87—93*) sowie die Handschriften Aosta (*Ao*) und Modena lat. 471 (*ModB*) enthalten über 200 englische Kompositionen, die häufig in geschlossenen Gruppen zusammengestellt sind (wie in *ModB*) und, wenn nicht mit Komponistennamen, oft mit Bezeichnungen wie „*Anglicanus*" oder „*de Anglia*" versehen sind.

Das Werk Dunstables ist fast ausschließlich in kontinentalen Quellen überliefert (vorwiegend in den soeben genannten Handschriften). Die besondere Wertschätzung der englischen Musik, das Bewußtsein, daß von England etwas Neues, Befruchtendes ausgegangen sei, spricht ferner aus zwei oft zitierten (und sehr unterschiedlich interpretierten) Zeugnissen: In dem der Musik gewidmeten Abschnitt aus *Le Champion des Dames* von Martin le Franc (um 1440) heißt es von Binchois und Dufay:

> *Car ilz ont nouvelle pratique*
> *de faire frisque concordance*
> *en haulte et en basse musique*
> *en fainte en pause et en muance*
> *et ont prins de la contenance*
> *Angloise et ensuy Dunstable*
> *pour quoy merveilleuse plaisance*
> *rend leur chant joyeux et notable.*

Ähnlich äußert sich etwa 30 Jahre später Johannes Tinctoris im *Proportionale musices*: die Musik habe zu seinen Lebzeiten so außerordentliche Fortschritte gemacht, daß man von einer *„ars nova"* sprechen könne; der Ursprung dieser Fortschritte aber sei bei den Engländern und ihrem Haupt, Dunstable, zu suchen (Text bei Coussemaker, *Scriptorum . . .*, Band IV, S. 153 ff.).

Über die Art und das Maß der tatsächlichen Beeinflussung der kontinentalen durch die englische Musik und umgekehrt im fraglichen Zeitraum (den ersten drei oder vier Jahrzehnten des 15. Jahrhunderts) gehen die Meinungen zum Teil erheblich auseinander. Wohl am augenfälligsten äußert sich dies in der Frage nach der Priorität (der Sache wie dem Wort nach) von Fauxbourdon und Faburden: trotz zahlreicher Forschungen, die von den verschiedensten Seiten her wichtiges neues Material und neue Gesichtspunkte herbeigebracht haben, kann von einer einheitlichen Beurteilung der mit dem Fauxbourdon zusammenhängenden Fragen heute noch keine Rede sein.

Die Musik der Old-Hall-Handschrift

Für das musikalische Geschehen im hier zu behandelnden Zeitabschnitt haben wir auszugehen von der bereits genannten wichtigen englischen Sammelhandschrift, dem *Old-Hall*-Manuskript (*OH*). Die Handschrift ist repräsentativ für die englische Kirchenmusik unmittelbar vor dem Auftreten Dunstables; nur wenige Fragmente ähnlichen Inhalts (zum Beispiel die Hs. London, British Museum Add. 40011 B, das sogenannte Fountains Fragment —*LoF*—) lassen sich ihr an die Seite stellen.

Die heute im St. Edmund's College in Old Hall bei Ware aufbewahrte, fast 150 Sätze enthaltende Handschrift war für den Gebrauch der königlichen Kapelle (Royal Household Chapel) bestimmt. Ihre Zusammenstellung erstreckte sich über einen größeren Zeitraum. Der älteste, umfangreichste Teil wurde wahrscheinlich schon in der Regierungszeit Heinrichs IV. (1399—1413) geschrieben, der wohl auch der mit zwei Kompositionen in der Handschrift vertretene Roy Henry ist (Fr. Ll. Harrison). Erst eine zweite Schicht, von anderer Hand geschrieben, enthält Hinweise auf Heinrich V. (1413—1422). Zwei Sätze von Forest (gest. 1446) und das vierstimmige *„Veni sancte spiritus"* von Dunstable (gest. 1453) sind die letzten Eintragungen. (Die ältesten Sätze reichen demgegenüber weit ins 14. Jahrhundert zurück, so daß das Repertoire der Hs. einen Zeitraum von rund 80 Jahren umfassen dürfte.) Der zahlenmäßig am stärksten (schon im ältesten Teil) vertretene und neben Dunstable bekannteste Komponist ist Leonel (Lyonel Power, gest. 1445). Für nähere Einzelheiten sei auf die einschlägigen Arbeiten von Bukofzer, Trowell, Harrison und Hughes-Bent verwiesen sowie auf die Einleitungen der dreibändigen Ausgabe: *The Old Hall Manuscript*, hrsg. von A. Ramsbotham, Band 3 vervollständigt von H. B. Collins und Dom A. Hughes, 3 Bände, Burnham/London 1933—1938. Eine Neuausgabe erschien unmittelbar vor der Drucklegung dieses Beitrags: *The Old Hall Manuscript*, transcribed and edited by Andrew Hughes and Margaret Bent, Band I 1/2 und II, CMM 46, 1969. Mit Hilfe des hier abgedruckten Inventars (Bd. I 1, S. XXVI ff. bzw. Bd. II, S. XI ff.) lassen sich die im vorliegenden Beitrag nach der alten Ausgabe zitierten Sätze ohne Mühe auch in der neuen nachschlagen.

Weitaus die meisten Kompositionen in *OH* sind Meßordinariumssätze. Sie sind in der Art des Graduale, also gruppenweise in liturgischer Reihenfolge angeordnet (je eine Gruppe mit *Gloria*-, *Credo*-, *Sanctus*- und *Agnus*-Sätzen). *Kyrie*-Bearbeitungen fehlen, was für England charakteristisch ist. Denn der *Sarum Use*, die für den größten Teil Englands bis zur Einführung der Reformation verbindliche Liturgie-Ordnung der Kathedrale von Salisbury, sah eine einstimmige Ausführung, für Feste statt einer mehrstimmigen eine tropierte einstimmige Ausführung des Kyrie vor. In den übrigen Ordinariumssätzen aber kommt Tropierung, im Gegensatz zur älteren Mehrstimmigkeit (etwa in *Worc*) nicht mehr vor (mit der einzigen Ausnahme der gelegentlich noch erscheinenden Tropen „*Spiritus et alme orphanorum*" im Gloria und „*[Benedictus] Mariae filius [qui venit]*" im Sanctus).

Zwischen die Ordinariumssätze eingestreut sind Motetten und Marienantiphonen. Die schon im 14. Jahrhundert vereinzelt, in *OH* und dann in Quellen des 15. Jahrhunderts immer zahlreicher erscheinenden Marienantiphonen sind ein Ausdruck der zunehmenden Marienverehrung des späten Mittelalters, die nicht nur für England typisch war. Ein englisches Charakteristikum jedoch ist es, daß die Texte dieser Sätze nicht auf diejenigen der liturgischen Antiphonen beschränkt blieben, sondern auch Hymnen, Sequenzen oder neu gedichtete Texte umfassen konnten. Denn neben dem Gesang der in Entsprechung zum römischen Ritus am Ende der Komplet stehenden, also liturgischen Marianischen Antiphon (wie zum Beispiel „*Ave regina caelorum*") bürgerten sich in England außerliturgische Andachtsübungen zu Ehren der Heiligen Jungfrau ein; die Texte der hier gesungenen Votivantiphonen konnten den verschiedensten Quellen, zum Beispiel auch privaten Andachtsbüchern, entnommen werden.

Die repräsentative Handschrift für diese Gattung der englischen Marienantiphon ist das Eton-Chorbuch (Eton College, Ms. 178) vom Ende des 15. Jahrhunderts. In dieser Quelle findet sich außerdem — wiederum ein Ausdruck des Marienkultes — eine große Anzahl von *Magnificat*-Vertonungen. *OH* enthält keinen solchen Satz. Jedoch ist das mehrstimmige Magnificat höchstwahrscheinlich englischen Ursprungs; das älteste bekannte Beispiel stammt aus einer englischen Quelle aus der 2. Hälfte des 14. Jahrhunderts (Übertragung bei Harrison, *Music in Medieval Britain*, S. 345 f.), während die frühesten kontinentalen Beispiele sich erst bei Binchois und Dufay finden. Auch die mehrstimmige Antiphon scheint auf dem Festland nicht vor ca. 1420 vorzukommen; neben A. de Lantins und Hugo de Salinis ist es wiederum Binchois, der als erster die Gattung aufnahm. Zur Geschichte der beiden Gattungen vgl. Harrison, *Music in Medieval Britain*, besonders S. 295 ff. und 344 ff.

Eine andere Gattung, die spezifisch, ja ausschließlich englisch ist, ist das *Carol*. Wohl im Tanz wurzelnd, ist das Carol ein ursprünglich volkstümliches, einstimmiges, vielleicht auch aus dem Stegreif mehrstimmig gesungenes, in den Quellen des 15. und 16. Jahrhunderts aber durchwegs mehrstimmig überliefertes Refrainlied. (In neuerer Zeit wandelte das Wort Carol seine Bedeutung.) Sein Text ist volkssprachlich — die seltener vorkommenden Lieder mit lateinischem Text, die sich musikalisch vom eigentlichen Carol nicht unterscheiden, wurden *Cantilenae* genannt — und geistlich. In vielen Fällen bezieht er sich auf das Weihnachtsgeschehen oder auf die Heilige Jungfrau, was aber nicht immer der Fall sein muß (Beispiel: der berühmte Dankgesang nach der Schlacht von Azincourt „*Deo gratias Anglia redde pro victoria. Owre Kynge went forthe to Normandy ...*", ed. Stainer, *Early Bodleian Music*, Bd. II, S. 128 sowie *Musica Britannica*, Bd. IV, S. 8). Die äußere Anlage zeigt einen Wechsel von Refrain, *burden* genannt, und melodisch einheitlichen Versen (R V₁ R V₂...); das Reimschema ist a a a b. Das Carol ist somit in der Form mit dem Virelai und der Ballata, durch seinen Textinhalt aber mit der italienischen Lauda verwandt. Bald tritt ein musikalisch abweichender 2. Refrain hinzu, der meist dreistimmig chorisch gesungen wurde, während Verse und 1. Refrain zweistimmig solistisch erklangen (wohl R₁ R₂ V₁ R₂ V₂...). Es gibt Hinweise dafür, daß das Carol die Rolle des aussterbenden Conductus als *Benedicamus-domino*-Ersatz übernahm, also auch Bestandteil der Liturgie war. Die Bezeichnung des Refrains als *burden* und das Vorkommen des Wortes *faburden* in späteren Carols haben zur Vermutung geführt, daß einstimmige Teile des Carol als Faburden gesungen wurden; Cantus-firmus-Verwendung jedoch ist sehr selten (hierzu vgl. S. 423 ff.). — Die wichtigsten Quellen für das frühe mehrstimmige Carol sind die Hss. Oxford, Bodl. Libr. Ms. Selden B 26, Cambridge, Trinity College, Ms. O 3.58, und London, British Museum, Ms. Egerton 3307 (*LoM* nach Bukofzer); alle drei entstammen der Zeit vor oder um 1450. Die umfassendste Neuausgabe ist diejenige von J. Stevens, *Mediaeval Carols*, *Musica Britannica* Bd. IV, London 1952.

Die repräsentativen mehrstimmigen Gattungen der englischen Kirchenmusik zu Anfang des 15. Jahrhunderts sind die in *OH* vertretenen: Meßordinariums-(Einzel-)Sätze, Motetten und (Marien-)Antiphonen. Wir finden in diesen Kompositionen sehr verschiedene Arten von Satztechnik. Gattung und Satztechnik decken sich keineswegs; vielmehr zeigen sich innerhalb ein und derselben Gattung erhebliche satztechnische Verschiedenheiten. Das gilt besonders für Ordinariumssatz und Antiphon, weniger im Bereich der Motette.

OH enthält 11 (drei- und vierstimmige) Motetten; 3 davon sind die oben erwähnten spät eingetragenen Sätze von Dunstable und Forest. Die übrigen 8 — sowie der Satz von Dunstable — sind sämtlich isorhythmisch, folgen hierin also einer in Frankreich entwickelten Technik. Überraschend jedoch ist, daß Isorhythmie in *OH* in nicht weniger als 13 Fällen außerdem in *Messensätzen* erscheint, und zwar nur in Gloria und Credo. Die besondere Vorliebe für die Übertragung der Isorhythmie der Motette auf die Meßvertonung, und zwar vorzugsweise auf Gloria und Credo, ist eine englische Eigenart. (In der Messe von Machaut sind Gloria und Credo — außer dem Amen — gerade nicht isorhythmisch.) Der drei- oder vierstimmige, motettische, auf Tenor-cantus-firmus beruhende Messensatz, der seit den Tenormessen von Dufay in der Musik des Kontinents eine so zentrale Stellung einnehmen sollte, ist offenbar in England entstanden. (Die zahlreichen Messen-Einzelsätze Dufays, die im großen und ganzen der Frühzeit des Komponisten angehören, jedoch später entstanden sind als die englischen motettischen Sätze, sind noch im völlig anders gearteten Chansonsatz komponiert.) Mit Hilfe des gleichbleibenden Tenor-cantus-firmus wurde auch die Verbindung mehrerer Messen-Einzelsätze, zunächst zu Satzpaaren, dann zum Meßzyklus, der zentralen kirchenmusikalischen Gattung der Folgezeit, geschaffen, und zwar, wie wir sehen werden, wiederum zuerst in England.

Eine der in *OH* nicht nur in der Motette, sondern auch im Messensatz angewendeten Kompositionstechniken ist somit der motettische Satz. Zu seiner näheren Charakterisierung müssen wir auf zwei im 14. und beginnenden 15. Jahrhundert praktizierte, grundsätzlich verschiedene Satzarten zu sprechen kommen, deren eine offensichtlich für Frankreich und deren andere anscheinend mehr für England kennzeichnend ist. Auf die Merkmale und die Verschiedenheit dieser beiden Arten von Satz ist in den letzten Jahren besonders von E. Apfel aufmerksam gemacht worden, der den den für das Festland charakteristischen Satz „freien Diskantsatz" (oder „erweiterten zweistimmigen"), den anderen „klanglichen" (oder „mehrfach-zweistimmigen") Satz genannt hat. (Die verschiedenen Zwischenformen und Varianten, die Apfel außerdem noch beobachtet, brauchen uns im gegenwärtigen Zusammenhang nicht zu beschäftigen.)

Im „klanglichen" Satz wurden einem Tenor (cantus firmus) mehrere gleichberechtigte Oberstimmen „aufgesetzt". Geriet bei hoher Lage des Tenors eine der Oberstimmen — naheliegenderweise meist die tiefste — unter den Tenor, so konnte diese die Rolle des Tenors als Klangträger der übrigen Stimmen übernehmen, das heißt vor allem: Quarten zwischen den über ihr liegenden Stimmen, zu denen jetzt also auch der Tenor selbst gehören konnte, durch Terzen oder Quinten decken. Oder es konnte dem Tenor von vornherein eine Stimme in etwa gleicher Lage hinzugefügt werden, die mit diesem ein Klangträgergerüst bildete, d. h. immer dann die Rolle des (Quarten zwischen den Oberstimmen legitimierenden) Tenors übernahm, wenn sie tiefer als dieser lag. Kennzeichnend für beide Varianten dieses „klanglichen" Satzes ist also die von vornherein mehrstimmige (mehr als zwei-stimmige) Konzeption des Satzes sowie die Klangträgerfunktion der jeweils tiefsten Stimme, welche nicht der Tenor zu sein braucht.

Von dieser Art ist der englische motettische Satz, wie er uns in *OH* entgegentritt. (Daß er schon früher auch auf dem Festland, nämlich in der Messe von Machaut, erscheint, was die Frage nach seiner Herkunft aufwirft, sei hier nur erwähnt.)

Als Beispiel folgen zwei Abschnitte aus einem vierstimmigen Gloria von Pennard (*The Old Hall Manuscript*, Band 2, S. 241 ff.; der den Tenor und den Contratenor zu einer einzigen Stimme zusammenfassende „Solus Tenor" wurde fortgelassen):

Der Satz besteht aus zwei gleich langen Abschnitten mit je 10 Taleae von je 8 Tempora. Tenor (cantus firmus), Contratenor und die jeweils untextierte Oberstimme – die beiden Oberstimmen tragen den Text dialogartig abwechselnd vor – sind isorhythmisch. Der zweite Abschnitt ist in den Unterstimmen und der jeweils untextierten Oberstimme auch melodisch eine genaue Wiederholung des ersten, während die jeweils textierte Oberstimme gegenüber dem ersten Abschnitt eine freie melodische Variation bringt („Isomelie"). Aus der Gegenüberstellung der im Beispiel wiedergegebenen zweiten Taleae des 1. und des 2. Abschnitts ist diese Struktur deutlich zu erkennen. An den mit + markierten Stellen deckt der tiefliegende Contratenor Quarten zwischen Tenor und Oberstimmen.

Ganz anders der meist dreistimmige „freie Diskantsatz", der etwa den dreistimmigen Balladen und Rondeaux von Machaut und noch dem Chansonsatz – diese Bezeichnung erscheint mir besser als das gebräuchliche „Kantilenensatz" – und den auf diesem beruhenden dreistimmigen Messensätzen von Dufay zugrunde liegt. Dieser Satz nämlich besteht prinzipiell aus einem zweistimmigen Gerüst aus Tenor und einer Oberstimme.

Die meist Contratenor genannte dritte Stimme zeigt ihren für diese Satzart typischen Charakter einer Ergänzungs- (also zuletzt komponierten) Stimme vor allem dadurch, daß sie vom Tenor nie die Funktion der tiefsten Gerüststimme, d. h. des Klangträgers, übernehmen kann, mag sie sich auch noch so häufig unter ihm aufhalten. Anders gesagt: zwischen dem Tenor und jeder der über ihm liegenden Stimmen entstehen nie Quarten; der nicht antastbare (aber durch einen füllenden Contratenor oder eine zweite Oberstimme beliebig zu ergänzende) Kern des Satzes ist und bleibt das zweistimmige Grundgerüst Tenor-Oberstimme. Dieser französische Chansonsatz (von Bukofzer *„free treble style"* genannt) ist in *OH* ebenfalls vertreten, und zwar vorwiegend in den jüngeren Teilen der Handschrift. Man darf darin einen vom Festland ausgegangenen Einfluß sehen.

Das folgende Beispiel dieser Satzart bringt den Anfang eines Credo von Cooke (*The Old Hall Manuscript*, Band 2, S. 261). Die von Bukofzer „Teleskopierung" genannte Ineinanderschiebung des Textes ist ein zwar nicht ausschließlich englisches, aber in England gern geübtes Abkürzungsverfahren.

Mit der Bevorzugung des „klanglichen" Satzes (vgl. Notenbeispiel 1) durch die Engländer hängt auch zusammen, daß schon früher, im Bereich der älteren Motette, englische Sätze, die in mehreren Hss. überliefert sind, in allen Fassungen stets die gleiche Stimmenzahl aufweisen, während es bei mehrfach überlieferten französischen Sätzen öfters vorkommt, daß verschiedene Fassungen verschiedene Stimmenzahl zeigen, daß also in einem Satz Stimmen hinzugefügt, weggelassen oder durch andere ersetzt werden konnten (vgl. E. Apfel, *Zur Entstehung des realen vierstimmigen Satzes in England,* AfMw XVII, 1960, S. 81 ff.). Auch die in England gegenüber dem Festland allgemein zu beobachtende Neigung zur Viel-(4- und 5-)Stimmigkeit gehört in diesen Zusammenhang.

Sätze in der Art von Notenbeispiel 2 sind frei komponiert. Satztechnisch macht es jedoch keinen Unterschied aus, wenn der Oberstimme ein cantus firmus zugrunde liegt (man vergleiche etwa auch die zahlreichen Messen- und Hymnensätze mit Oberstimmen-cantus-firmus Dufays mit seinen Sätzen ohne cantus firmus, ja mit seinen Chansons). Sätze im Chansonsatz (2stimmiges Gerüst + Ergänzungsstimme) mit Oberstimmen-cantus-firmus sind von solchen ohne cantus firmus satztechnisch nicht zu unterscheiden. Man vergleiche mit dem vorigen Beispiel den Anfang eines Sanctus von Lyonel Power, dessen Oberstimme die um eine Quint aufwärts transponierte Melodie des 2. Sanctus im Graduale Sarisburiense (= 8. Sanctus im römischen Graduale) zugrunde liegt (*The Old Hall Manuscript,* Band 3, S. 66; c.f.-Töne: *):

Oberstimmen-cantus-firmus ist jedoch für England nicht typisch. Allerdings ist das älteste bekannte Beispiel, ein *Sanctus* aus der zweiten Hälfte des 13. Jahrhunderts, dessen Oberstimme den Choral notengetreu wiedergibt, englischer Herkunft (vgl. Bukofzer, *Geschichte des englischen Diskants . . .,* S. 115); auch im 14. Jahrhundert gibt es hierfür englische Beispiele, die älter sind als etwa die Hymnen der Avignoneser Handschrift Apt.

Aus dem sporadischen Vorkommen des Verfahrens in frühen englischen Quellen braucht jedoch nicht geschlossen zu werden, daß es von England ausgegangen ist und von den festländischen Komponisten dann übernommen wurde. Gerade der Chansonsatz (und, wie wir sehen werden, der durch den Chansonsatz bestimmte Fauxbourdon) eignet sich für Choralfiguration in der Oberstimme, und der Chansonsatz ist in Frankreich entstanden. Somit darf man auch in den relativ wenigen Sätzen mit Oberstimmen-cantus-firmus in *OH,* zu denen das zuletzt gegebene Beispiel von Lyonel Power gehört, die Anlehnung an festländische Vorbilder sehen.

Typisch für die englischen (nicht-mottetischen) Sätze mit cantus firmus sind zwei andere Techniken: der „wandernde" und der Mittelstimmen-cantus-firmus. — Sätze, in denen die fortlaufenden Choraltöne sich abwechselnd in verschiedenen Stimmen befinden (seit Bukofzer „wandernder" c. f. genannt), sind in *OH* mehrfach vertreten. Im folgenden Beispiel, einem anonymen Sanctus (*The Old Hall Manuscript,* Band 3, S. 20), ist zu erkennen, daß der Grund für das Hinüberspringen des Chorals (Sarum Nr. 5, Graduale Romanum Nr. 17) in eine höhere bzw. tiefere Stimme die höhere bzw. tiefere Lage des jeweiligen Melodieabschnitts sein kann (was jedoch nicht immer der Grund zu sein braucht):

Dieses Beispiel zeigt gegenüber den vorher gebrachten eine wesentlich einfachere, archaischere Satzstufe. Der Choral wird Note für Note übernommen, gleichmäßig mensuriert, nicht verziert; die Gegenstimmen sind Note gegen Note dagegen gesetzt und ebenfalls kaum verziert. Dieser Satz kommt in cantus-firmus-losen wie in Sätzen mit cantus firmus vor und wird meist „conductusartig" genannt (auch wenn c. f. vorhanden); er ist in *OH*, besonders im älteren Teil der Handschrift, oft vertreten. Charakteristisch für diese Satzart ist ferner die Notierungsweise: Sätze dieser Art sind, ihrer homorhythmischen Faktur und dem in allen Stimmen gleichzeitigen Textvortrag entsprechend, in *Partitur* aufgezeichnet. Ihr „klanglicher", gleichsam verschiedene Schichten bildender Aufbau kommt darin zum Ausdruck, daß alle drei Stimmen verschieden geschlüsselt sind (vgl. das Beispiel).

In den Sätzen mit wanderndem cantus firmus sind meistens Mittel- und Unterstimme die Träger der Choraltöne; seltener ist die Oberstimme beteiligt. Auch ist die Mittelstimme wiederum meist stärker beteiligt als die Unterstimme. Somit sind diese Sätze eng verwandt mit den am häufigsten vorkommenden: denjenigen mit Mittelstimmen-cantus-firmus.

Das folgende Beispiel zeigt den Anfang eines anonymen *Sanctus* (*The Old Hall Manuscript*, Band 3, S. 32), in dem die Choralmelodie (Sarum Nr. 8, Graduale Romanum Nr. 15) um eine Quint aufwärts transponiert von Anfang bis Ende in Breven in der Mittelstimme vorgetragen wird. Ober- und Unterstimme bringen an einigen Stellen kleinere Notenwerte (häufig rhythmisch miteinander parallel). Die merkwürdige Kadenz auf „*Sabaoth*" mit Quartsextklang ($^{6}_{3}$ $^{6}_{4}$ $^{8}_{5}$) ergibt sich aus der Tonwiederholung des cantus firmus (a) und ist somit typisch für Sätze dieser Art; ihr Auftauchen ist geradezu ein Hinweis auf das Vorhandensein eines Mittelstimmen-cantus-firmus, auch wenn dieser

nicht identifizierbar ist. Die dominierende Rolle der Terzsext-Parallelen in diesem Satz wird uns im nächsten Abschnitt beschäftigen.

Die oben charakterisierten Sätze vertreten die wichtigsten uns in *OH* begegnenden satztechnischen Möglichkeiten. M. F. Bukofzer (*The Music of the Old Hall Manuscript*, in *Studies* . . . , S. 74) hat, stärker ins Detail gehend, folgende Kompositionsarten unterschieden: 1. conductusartige Messensätze und Antiphonen, 2. Messensätze im Caccia-Stil, 3. Messensätze im „free treble style", 4. Messensätze mit Gruppenkontrast, 5. isorhythmische Messensätze und 6. isorhythmische Motetten. Von Bukofzers Gruppen 1., 3., 5. und 6. war oben, wenngleich in anderer Einteilung und teilweise unter anderen Aspekten, die Rede. Von den beiden anderen sei im folgenden kurz gesprochen.

Bei den Messensätzen im Caccia-Stil handelt es sich um 6 Sätze: 2 fünfstimmige Credo mit dreistimmigem Oberstimmenkanon im Einklang und frei komponiertem Tenor und Contratenor (beide textlos), sowie 4 Gloria (*The Old Hall Manuscript*, resp. Band 2, S. 82 und 101, sowie Band 1, S. 47, 76, 84 und 119). In den Gloria finden wir folgende Techniken: Mittelstimmenkanon im Quartabstand mit freier Oberstimme und Tenor (Bd. 1, 76), Oberstimmenkanon im Einklang mit Mittelstimme, Contratenor und Tenor (Bd. 1, 119), sowie Doppelkanon, jeweils zwischen den Oberstimmen und zwischen Tenor und Contratenor (Bd. 1, 84). (Der zuletzt genannte Satz ist in der Ausgabe unvollständig übertragen; vgl. zusätzlich Bukofzer, *Studies* . . . , S. 83 ff. Dasselbe gilt für das sogleich zu erwähnende Gloria Bd. 1, 47.) Diese drei Sätze stammen von dem auch sonst in *OH* vertretenen Komponisten Pycard. Im vierten Gloria, von dem ebenfalls häufiger vorkommenden Byttering (Bd. 1, 47), wird die kanonische Führung der Oberstimmen in den Dienst der „Teleskopierung" des Textes gestellt, wie der folgende Ausschnitt zeigt:

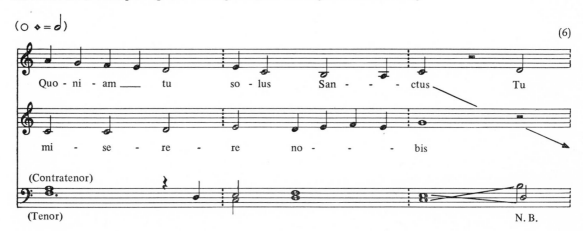

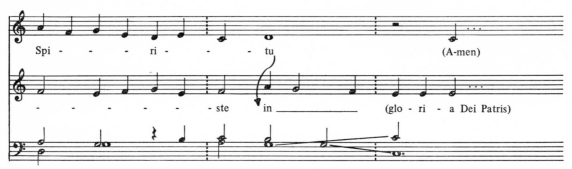

Die Kanontechnik dieser 6 Sätze war für Bukofzer ein Zeichen italienischen Einflusses (der sich in *OH* außerdem durch das Vorkommen eines italienischen Satzes äußert, vgl. *Studies . . .*, S. 40). In der Tat findet man eine ähnliche cacciaartige Behandlung der Oberstimmen in Frankreich zwar in einer Motette von Carmen (ed. Stainer, *Dufay and his Contemporaries*, S. 88), im Bereich der Messe aber erst in Sätzen, die später sind als diejenigen in *OH* (Arnold und Hugo de Lantins, je ein Gloria, ed. van den Borren, *Polyphonia Sacra*, S. 10 und 118; Dufay, Gloria *ad modum tubae*, ed. Besseler, Dufay-GA, Bd. IV, S. 79). Auch hierin sehen wir wieder, wie die Engländer die Messe als kompositorisches „Experimentierfeld" benutzten, neue Möglichkeiten versuchten, was in der Folgezeit für diese Gattung so außerordentlich fruchtbringend werden sollte.

Ebenso wichtig wie die caccia-Merkmale ist an diesen englischen Sätzen jedoch, daß sie satztechnisch alle die oben schon näher gekennzeichnete Struktur Tenor + Oberstimmen + ergänzender Contratenor, also nicht das „klangliche" Grundstimmengerüst Tenor-Contratenor wie in Notenbeispiel 1 aufweisen. Nirgends braucht hier, wie Notenbeispiel 6 erkennen läßt, der Contratenor Quarten zu legitimieren. (Dies gilt hier und in allen entsprechenden Fällen nicht für „durchgehende" Minimen oder noch kleinere Werte, sondern für die „klangtragende" Semibrevis. Wie ebenfalls aus dem letzten Beispiel zu erkennen ist — das in dieser Hinsicht stellvertretend auch für die kontinentale Musik bis weit ins 15. Jahrhundert hinein steht —, gilt allgemein, daß die Minima zwar Silbenträger, aber noch nicht Klangträger sein kann.) Daß andererseits der Tenor melodisch und rhythmisch so geführt wird, daß er *scheinbar* als dem Contratenor gleichberechtigt — statt ihm überlegen — erscheint, d. h. mit diesem scheinbar ein „klangliches" Unterstimmengerüst bildet, zeigt z. B. die sprunghafte Stimmführung in der 3. und 4. Mensur unseres Beispiels (bei N. B.).

Unter „Gruppenkontrast" verstand Bukofzer den planmäßigen Wechsel zwischen voll-(4- oder 5-)stimmigen und zweistimmigen Abschnitten innerhalb eines Satzes. *OH* enthält verschiedene Beispiele einer solchen Satzanlage (vgl. *The Old Hall Manuscript*, Band 1, S. 60, Band 2, S. 114, 125 u. a.), die dann in der festländischen Messe des späteren 15. Jahrhunderts häufiger anzutreffen sind. Es handelt sich hierbei nicht um ein satztechnisches Prinzip, sondern lediglich um eine Methode, die wortreichen Teile des Ordinariums durch wechselnde Besetzung zu gliedern.

Vom bekanntesten und wohl auch bedeutendsten englischen Komponisten des 15. Jahrhunderts, John Dunstable, findet sich in *OH* als später Nachtrag nur eine Komposition. Dunstables Wirken fällt in eine etwas spätere Zeit und überschneidet sich mit dem des großen französischen Musikers Guillaume Dufay. Dufay hat um 1430, also noch in seiner Frühzeit, als einer der ersten — soweit wir aus den erhaltenen Quellen schließen können, sogar als erster — die Fauxbourdon-Technik angewendet. Da im Fauxbourdon — zumindest dies wird heute kaum noch bestritten — der Einfluß einer in England verwurzelten, alten Klangtechnik wirksam ist, die schon für Dunstable kaum mehr aktuell war, erscheint es zweckmäßig, an dieser Stelle zunächst die mit dem englischen Faburden und dem französischen Fauxbourdon zusammenhängenden Fragen zu erörtern.

Faburden und Fauxbourdon

Der Satz, dem Notenbeispiel 5 entnommen wurde, zeigt ein starkes Vorherrschen von Terzsext-klängen, die durch Quintoktavklänge unterbrochen werden. Wir haben hier ein Beispiel einer aus-gearbeiteten Komposition, einer *res facta*, mit den typischen Merkmalen der englischen Stegreif-praxis des *Faburden* einerseits und der im klanglichen Ergebnis gleichen französischen Kompo-sitionstechnik *Fauxbourdon* andererseits.

Wie eingangs schon angedeutet, sind die damit zusammenhängenden Fragen, vor allem seit dem Erscheinen von H. Besselers Buch *Bourdon und Fauxbourdon* (1950), intensiv und zum Teil heftig diskutiert worden und heute noch immer umstritten. Zur hier folgenden Darstellung muß daher bemerkt werden, daß es andere Darstellungen gibt, welche die gleichen Quellenzeugnisse in abweichendem oder entgegengesetztem Sinne interpretieren. Das Folgende beruht in wesentlichen Punkten auf der 1959 erschienenen Arbeit von Br. Trowell, *Faburden and Fauxbourdon* (Musica Disciplina XIII, 1959, S. 43 ff.), wo vor allem die mit dem Faburden zusammenhängenden Fragen einer erneuten, gründlichen und erhellenden Analyse unterzogen werden. (Eine in vielem abweichende Auffassung vertritt demgegenüber E. Trumble, *Authentic and Spurious Faburden*, Revue belge de musicologie XIV, 1960, S. 3 ff.)

Die älteste — und uns hier allein interessierende — bis jetzt bekannte Beschreibung der Faburden-Technik ist diejenige am Schluß des sogenannten Pseudo-Chilston-Traktats in der Handschrift London, British Museum, Lansdowne 763. Der Traktat ist in englischer Sprache, wohl um die Mitte des 15. Jahrhunderts, geschrieben (Textabdruck bei Georgiades, *Englische Diskanttraktate . . .*, 1937, S. 27, und Bukofzer, *Geschichte des englischen Diskants . . .*, 1936, S. 152 f.).

Man hat immer wieder darauf aufmerksam gemacht, daß die ältesten Fauxbourdon-Stücke und mit ihnen die Bezeichnung „Fauxbourdon" aus der Zeit kurz vor 1430 datieren, also mehrere Jahrzehnte älter sind. Als Terminus kommt „Faburden" jedoch, wie sich in neuerer Zeit ergab, ebenfalls schon vor oder um 1430 vor, und zwar in einem Zusammenhang, der ihn den Engländern als damals schon geläufig erscheinen läßt (Trowell, S. 71). Daß das Wort nicht wie „Fauxbourdon" zusammen mit fertigen Kompositionen erscheint, rührt daher, daß es keine res facta bezeichnet, sondern eine Stegreifpraxis. Im übrigen nennt auch der Verfasser des Pseudo-Chilston-Traktats die Faburden-Praxis „natural and most in use", was ebenfalls nicht auf eine importierte Neuerung, sondern auf eine seit langem in England beheimatete Praxis deutet.

Die Beschreibung der Faburden-Praxis macht nur einen kleinen Teil des Traktats aus, der im übrigen allgemein die Stegreifausführung von Diskantstimmen zu einem gegebenen, notierten cantus firmus (plainsong) lehrt und damit einer größeren Gruppe von englischen Diskanttraktaten ähnlichen Inhalts angehört (vgl. die genannten Arbeiten von Georgiades und Bukofzer). Sie alle (zu denen u. a. auch der dem Pseudo-Chilston-Traktat unmittelbar in der Handschrift vorangehende Traktat des Komponisten Lyonel Power gehört) lehren die Ausführung der Diskantstimme mit Hilfe der sogenannten *Sight*-Technik.

Die Sight-Technik ist ein Transpositionsverfahren, das es jedem Sänger ermöglichte, sich seine Stimme im durch das Fünfliniensystem begrenzten Bereich des cantus firmus vorzustellen („*in sight*"), gleichgültig, in welcher Lage sie tatsächlich („*in voice*") erklang. So waren zum Beispiel beim Diskantieren über einem cantus firmus dem Sänger der zweiten Stimme, des „*Mene*", als wirklich, „*in voice*" erklingende Intervalle der Einklang, die Terz, Quint, Sext und Oktav über den Tönen des cantus firmus erlaubt. Vorzustellen hatte er sich statt dieser Intervalle jedoch die um das für den Mene geltende Transpositionsintervall einer Quint tiefer liegenden Intervalle, d. h. also Unterquint, Unterterz, Einklang, Obersekund und Oberquart zum cantus firmus. Damit blieb er in seiner Vorstellung („*in sight*") innerhalb des Lagenbereichs des cantus firmus. Entsprechend verfuhren die Sänger der dritten, nächsthöheren Stimme, des „*Treble*", für den die Oktav, und der Sänger der höchsten Stimme, des „*Quatreble*", für den die Duodezim als festes Transpositionsintervall galt.

Jede dieser Diskantstimmen erklang somit tatsächlich, „*in voice*", über dem cantus firmus. Dies gilt jedoch nicht für bestimmte bei Pseudo-Chilston außerdem behandelte Stimmen: für den Countertenor und den Counter (die uns hier nicht beschäftigen) und für den Faburden. „*Faburden*" wird die stegreifausgeführte tiefste Stimme eines besonderen, dreistimmig erklingenden Ganzen genannt, dessen zwei obere Stimmen, der Mene und der Treble, mitein-ander fortlaufend parallele Quarten bilden, während dem Faburden zwei Intervalle zur Verfügung stehen: die Ober-terz in sight = Unterterz in voice und der Einklang in sight = Unterquint in voice zum Mene (= untere Sext und untere Oktav in voice zum Treble). Auf diese Weise entstehen Ketten von Terzsextklängen, die von einem Quint-oktavklang ausgehen und am Schluß sowie an bestimmten Stellen im Inneren wieder in einen Quintoktavklang münden.

Schwierigkeiten macht nun die Frage, welche der beiden oberen Stimmen hierbei die gegebene, die cantus-firmus-Stimme ist. Bukofzer und Georgiades nahmen an, der cantus firmus liege, um eine Oktave aufwärts transponiert, in der obersten Stimme, dem Treble, da sie glaubten, der Faburden sei nichts anderes als der Fauxbourdon, bei dem nach Ausweis (fast) aller musikalischen Zeugnisse tatsächlich der cantus firmus in der Oberstimme liegt. Nun haben inzwischen aber einerseits eingehende linguistische Untersuchungen gezeigt, daß der Terminus „Fauxbourdon" wahrscheinlich in Anlehnung an (und Mißdeutung von) „Faburden" entstand und nicht umgekehrt (H. M. Flasdieck, dessen letzte, sehr eingehende Darstellung aus dem Jahre 1956 von philologischer Seite bisher unwidersprochen blieb), während sich andererseits ergab, daß in Pseudo-Chilstons Abschnitt über den Faburden, wenn sich keine Widersprüche oder Unklarheiten ergeben sollen, nur die Mittelstimme als cantus-firmus-Trägerin gemeint sein kann (Br. Trowell und E. Apfel, wie im Grunde schon 1931 O. Ursprung in Bückens Handbuchband *Die Katholische Kirchenmusik*, S. 142). Somit ergibt sich folgendes Bild:

In dem Traktat wird der Faburden als eine Praxis beschrieben, bei der einem mechanisch (aus dem Stegreif) in der Oberquart verdoppelten cantus firmus aus dem Stegreif, mit Hilfe der Sight-Technik, eine Stimme in Unterterzen und -quinten, faburden genannt, hinzugefügt wird (vgl. Notenbeispiel 7). Diese Praxis war spätestens um die Mitte des 15. Jahrhunderts in England *„natural and most in use"*. Sie zeigt Merkmale, die, wie wir früher gesehen haben, auch für die englische Kompositionspraxis charakteristisch sind: cantus firmus in der Mittellage und „klangliche" Aufstockung (die Verdoppelung des cantus firmus in der Oberquart). Der systematische Gebrauch von Terzsextklang-Ketten, die als solche auch in der festländischen Musik anzutreffen sind, begegnet in englischen Kompositionen ebenfalls schon früh (z. B. in *Worc*; vgl. auch Notenbeispiel 5 aus *OH*). Damit erscheint der Faburden gegenüber dem Fauxbourdon als die primäre, ältere Gegebenheit. Er stellt in England *eine* besondere Möglichkeit der Stegreif-Begleitung eines cantus firmus dar, die auf dem Kontinent aufgegriffen und, umgedeutet, als „Fauxbourdon" zu einer beliebten Kompositionspraxis wurde.

Für die Bedeutung des *Terminus* „Faburden" hat sich noch keine befriedigende Erklärung gefunden. Trowell weist darauf hin, daß die Faburdenstimme innerhalb des Hexachords niemals ein *b mi* (h), sondern immer *b fa* (b) — als Unterquint des *f fa* im cantus firmus — enthält und erklärt die Wortbildung daraus („*Fa*"-burden). Das schon von H. Besseler festgestellte Vorherrschen der „Subdominantregion" in englischen Musikdenkmälern trifft sich mit dieser Eigenart der Faburdentechnik; häufiges Kadenzieren auf b in der Unterstimme (und dadurch auch in der Oberstimme, während die Mittelstimme das f ergreift) ebenso wie doppelte b-Vorzeichnung in den Unterstimmen ist in der Tat ein Kennzeichen der englischen (z. B. auch Dunstables), nicht dagegen der französischen Musik.

Bukofzer, der, wie erwähnt, die Faburdentechnik für den Fauxbourdon und im Gegensatz zu Georgiades außerdem für einen kontinentalen Import ansah, stellte dem einen „englischen Diskant" gegenüber, der durch die gleiche Parallelbewegung in Terzen und Sexten gekennzeichnet gewesen sei, den cantus firmus jedoch in der *Unter*stimme geführt habe. Das Fehlen von Belegen in den Musikdenkmälern spricht aber gegen die Existenz eines solchen „englischen Diskants". Wie besonders S. W. Kenney gezeigt hat (*„English discant" and Discant in England*, The Musical Quarterly 45, 1959, S. 26 ff.; vgl. jedoch auch die im Literaturverzeichnis genannten Arbeiten von Fr. Ll. Harrison und E. H. Sanders), beruhte Bukofzers Theorie auf einer fehlerhaften Interpretation der von den Theoretikern gelehrten Regeln über den Diskant, in denen stets nur von *zwei* statt drei oder mehr Stimmen, von Parallelbewegung aber überhaupt nicht die Rede ist (was schon Georgiades in seiner gleichzeitig entstandenen Arbeit richtig hervorhob). Der Fauxbourdon entstand durch Umdeutung nicht des fiktiven „englischen Diskants", sondern eben der englischen Faburdenpraxis, die als einzige von den Theoretikern beschriebene tatsächlich durch Parallelbewegung gekennzeichnet ist.

Die frühesten bekannten Belege für den *Fauxbourdon* finden sich in zwei Sätzen im Korpus der Handschrift *BL* (Bologna, Civico Museo bibliogr. mus. ms. Q 15): in Dufays bekannter Communio „*Vos qui secuti estis*" am Schluß der *Missa Sancti Jacobi* (ed. Dufay-GA Band II, S. 44) und der vielleicht etwas jüngeren Marienantiphon „*Regina celi letare*" von Johannes de Lymburgia (ed. des Anfangs bei H. Besseler, *Bourdon und Fauxbourdon*, S. 18). Beide Sätze tragen beim Tenor den Vermerk „*fau(l)x bourdon*", derjenige Dufays außerdem eine Kanonanweisung zur Ausführung der nicht notierten Stimme in der Unterquart zur cantus-firmus-Stimme: „*Si trinum queras / a summo tolle figuras / Et simul incipito / dyatessaron insubeundo*".

Ob es wirklich Dufay war, der als erster die Fauxbourdon-Technik anwendete, ist angesichts der erheblichen Lücken in der handschriftlichen Überlieferung ungewiß. (Zur Annahme einer Begegnung zwischen Dufay und englischen Musikern vgl. die kritischen Bemerkungen von S. Clercx-Lejeune, *Aux origines du faux-bourdon*, Revue de musicologie 40, 1957, S. 151 ff.) Wichtiger als die Frage der Priorität jedoch ist die nach der Beschaffenheit und Entstehungsweise des Fauxbourdon.

Wir wählen als Beispiel einen Ausschnitt aus dem Sanctus Nr. 8 des Graduale Romanum. Nach den Regeln des Pseudo-Chilston-Traktats würde die Faburden-Ausführung dieser Melodie so lauten:

(7)

Der cantus firmus befindet sich in der Mittelstimme, erklingt aber infolge seiner mechanischen Verdoppelung eine Quart höher in der obersten Stimme ebenfalls. Für einen Komponisten, der mit dem dreistimmigen Chansonsatz und seiner Anwendung auf geistliche Sätze mit cantus-firmus-haltiger Oberstimme vertraut war, lag es somit nahe, das klangliche Ergebnis des Faburdensingens als einen solchen Chansonsatz, sei es zu mißdeuten, sei es bewußt umzudeuten, es in einen solchen Satz zu verwandeln. Er konstruierte in der ihm geläufigen Weise ein Gerüst aus einer die Töne des cantus firmus enthaltenden Oberstimme und einem Tenor, wobei der in solchen Sätzen ohnehin häufige Sextabstand nun zum Prinzip gemacht wurde. Da aber der Tenor sich in der Lage bewegte, in der bei einstimmiger (und bei faburdenmäßiger) Ausführung der Choral erklingt, mußte dieser selber jetzt, da er in der Oberstimme lag, um eine Oktav nach oben transponiert werden (was bei den allermeisten Fauxbourdonsätzen auch tatsächlich der Fall ist). Der ohnehin klangfüllende Contratenor aber erklang in Nachahmung des Höreindrucks des Faburdensingens nun ausnahmslos in der Unterquart zur Oberstimme, brauchte also nicht notiert zu werden. Das Ergebnis ist der Fauxbourdon:

(8)

Dieses Beispiel entstammt einem Sanctus von Dufay, in dem drei- und zweistimmige Teile miteinander abwechseln und in dem das hier wiedergegebene Benedictus als Fauxbourdon komponiert ist (ed. Dufay-GA Band IV, S. 53, sowie R. Bockholdt, *Die frühen Messenkompositionen von Guillaume Dufay*, Notenanhang, S. 22 f. in der Originalnotation). Der auf den Terzsextparallelen beruhende Klangcharakter ist eigentlich das einzige, was einen solchen Satz mit dem Faburden verbindet. Alle anderen Merkmale lassen ihn als einen typischen dreistimmigen Satz Dufays mit Oberstimmen-cantus-firmus erscheinen: die — in solchen Sätzen vorherrschende — Dreiermensur, das Bestreben, die beiden Gerüststimmen — trotz ihres klanglichen Parallelismus — rhythmisch so aufeinander zu beziehen, daß sie als selbständige Stimmen erscheinen (sehr bezeichnend sind die beiden Hemiolen im Tenor zu Beginn), sowie die geschmeidige Führung der Oberstimme, die den Choral eigentlich nicht „koloriert", sondern ihn, allerdings unter strenger Beibehaltung seiner einzelnen Töne in eine neugeschaffene melodisch-rhythmische Gestalt umschmilzt. Die zuletzt genannten, paradox wirkenden Merkmale sind für Dufays zahlreiche Sätze mit Oberstimmen-cantus-firmus (im Gegensatz zu englischen Sätzen und denjenigen von Binchois) hervorragend charakteristisch: die Töne des Melodievorbildes werden aufs strengste beibehalten und ihre Würde wird noch dadurch unterstrichen, daß sie in Abständen voneinander angeordnet werden, die so gut wie nie kleiner sind als der kleinste Notenwert, der Klangträger-Funktion haben kann, d. h. als die Semibrevis; prinzipiell sind die Choraltöne sogar tatsächlich Bestandteile echter Klänge, d. h. so gut wie nie sind sie Durchgangsnoten, sondern stets von einem Tenor-Ton gestützte Haupttöne. Dieses vom Choral gebotene melodische „Gerüst" liefert aber andererseits *nur* die Stützpunkte, und zwar für eine Oberstimmenmelodie, die dem Choral gegenüber so neu und selbständig ist, daß sie einer Oberstimme eines Satzes ohne cantus firmus zum Verwechseln ähnlich sieht. (Es ist daher fast angemessener, von cantus-firmus-haltigen „Stimmen" als „Sätzen" bei Dufay zu sprechen.) All diese Merkmale gelten gleichermaßen für Dufays Fauxbourdon-Sätze wie für seine sonstigen Sätze mit Oberstimmen-cantus-firmus. Wie weit sind solche kunstvollen Sätze von den schlichten, dem Faburden verpflichteten englischen Note-gegen-Note-Sätzen entfernt, wie sie uns in *OH* begegneten (vgl. Notenbeispiel 5)! —

Im ganzen sind uns mehr als 170 Fauxbourdon-Sätze oder -Abschnitte überliefert, darunter 24 von Dufay; der Beitrag jedes der anderen namentlich bekannten Komponisten ist viel kleiner als derjenige Dufays (z. B. Binchois 6, Johannes de Lymburgia 5 Sätze usw.). Weit über die Hälfte der Sätze ist anonym überliefert.

Mit nur 3 Ausnahmen haben alle diese Kompositionen liturgische Funktion und verwenden gregorianischen cantus firmus, so gut wie immer in der Oberstimme, meistens mit Oktavtransposition. Einen bekannten und für die auch sonst sich äußernden englischen Züge dieses Komponisten bezeichnenden Sonderfall stellt der Hymnensatz *„Ut queant laxis"* von *Binchois* dar (ed. Marix, *Les musiciens de la cour de Bourgogne*, S. 226), in dem statt der oberen die *mittlere* Stimme notiert ist, der Vermerk *„faulx bourdon"* somit die Ergänzung der dritten Stimme in der *oberen* Quart verlangt. Auch in einem Kyrie von Binchois (ed. DTÖ, Band 61, S. 48), das dreistimmig notiert und somit kein wirklicher Fauxbourdonsatz ist, liegt der cantus firmus in der mittleren Stimme, die von der Oberstimme mit leichten melodisch-rhythmischen Differenzierungen in der oberen Quart verdoppelt wird. Beide Sätze zeigen somit stärkere Anklänge an die englische Faburdenpraxis als der reine Fauxbourdon.

Bevorzugt angewendet wurde der Fauxbourdon in meist kleineren liturgischen Gattungen: Hymnen (46 Sätze, 12 von Dufay), Magnificat, Antiphonen, Psalmen, Sequenzen, Introitus sowie Ordinariums-(überwiegend Kyrie-) Sätzen. Häufig anzutreffen ist Alternatimpraxis, wobei Fauxbourdon-Partien abwechselten (z. B. strophenweise in Hymnen) sei es mit einstimmiger, sei es mit dreistimmiger, aber nicht als Fauxbourdon gesetzter Ausführung des Chorals.

Die Fauxbourdonsetzweise unterlag im Verlaufe der Jahrzehnte verschiedenen Differenzierungen und Modifikationen, vor allem rhythmischer Art, die wir hier im einzelnen nicht verfolgen können. Ein Ausläufer im späten 15. Jahrhundert ist der klangdeklamatorische Falsobordone. Der Fauxbourdon war im 15. Jahrhundert eine beliebte Praxis, eine Art Modeerscheinung, aber seine geschichtliche Bedeutung sollte nicht überschätzt werden; auf die wirklichen satztechnischen Errungenschaften, die im Bereich der Vierstimmigkeit gemacht wurden, hatte er keinen Einfluß.

Der *Name* „Fauxbourdon" scheint sich nicht zweifelsfrei erklären zu lassen. Das Wort steht in den praktischen Quellen entweder beim Tenor oder beim Diskant — eine weitere Möglichkeit gibt es ja auch nicht. Von Belang für die Worterklärung wäre dies nur, wenn das Wort sich überhaupt auf eine *Stimme* bezieht, nicht aber, wenn es sich, wie in der späteren Theorie belegt, auf die Satzart als ganze beziehen sollte. Die erwähnten beiden ältesten Sätze haben *„Tenor fauxbourdon"*, das Korpus von *BL* sonst aber vorwiegend *„Tenor au(x) fauxbourdon"* (= „mit F." oder „auf F.-Art"?). Später, z. B. in *ModB*, heißt es meist *„Tenor a fauxbourdon"* (= „auf F.-Art"). Immer unter der Voraussetzung, daß eine Stimme gemeint ist, liegt es am nächsten, an den Tenor zu denken, als an eine im Verhältnis zur Oberstimme infolge seiner Parallelführung „falsche" Tiefstimme, Stütze (= bourdon) (J. Handschin). Nun gibt es aber Sätze mit für Fauxbourdonausführung geeigneter Tenor- und Diskant-Notierung, die *„si placet"* auch mit eigens notiertem Contratenor üblicher Gestalt (also häufig sich mit dem Tenor kreuzend) ausführbar sind; in diesem Falle heißt der Contratenor *„contratenor sine fauxbourdon"*. Da in beiden Fällen, auch bei Ausführung mit diesem „Contratenor sine fauxbourdon", der Tenor der gleiche ist, erscheint es somit fraglich, ob *„fauxbourdon"* eine Bezeichnung für den Tenor gewesen sein kann. Nimmt man dagegen an, die Bezeichnung beziehe sich nicht auf ihn, sondern auf den Contratenor (H. Besseler), so ergibt der Ausdruck *„contratenor sine fauxbourdon"* ebenfalls keinen Sinn, auch deshalb, weil eine Bezeichnung *„contratenor (a) fauxbourdon"* im Alternativfall, also bei fauxbourdonmäßiger Ausführung, nicht vorkommt. Außerdem beruht diese zweite Hypothese auf der durch keine musikalische Quelle belegten Vermutung, der „normale", sich öfters auch unterhalb des Tenors aufhaltende Contratenor sei in der Dufayzeit *„Bourdon"* genannt worden, sowie auf einer viel zu neuzeitlichen Auffassung des in Wirklichkeit nur als Füll- und Ergänzungs-Stimme eingesetzten Contratenors als eines „Harmonieträgers", einer „Baß"-Stimme (*„Bourdon"* wäre nach dieser Auffassung „Baß", *„Faux bourdon"* „falscher Baß").

1490 erklärt Adam von Fulda das Wort daraus, daß der Fauxbourdon wegen der Quarten „häßlich klinge", *„tetrum reddit sonum"*. Er hat also den Gesamteindruck beim Hören im Sinn. Vielleicht war schon von Anfang an gar keine einzelne Stimme, sondern das Satzganze, und zwar als Höreindruck, gemeint. Unter dieser Voraussetzung drängt sich eine m. W. neue Vermutung auf, nämlich die, daß das Wort schon im Ursprung überhaupt kein exakter musikalisch-technischer Terminus war, sondern, als Entstellung des in seiner Bedeutung nicht mehr verstandenen Wortes *„faburden"*, als eine inhaltlich vage, unreflektierte, umgangssprachliche Wendung aufkam, die sich dann behauptete. Bei *„faux"* mag man etwa an die Quarten im Sinne Adams von Fulda oder aber an den ungewöhnlichen, gegenüber *„echter"* Drei- oder Vierstimmigkeit *„falschen"* Höreindruck gedacht haben, während *„bourdon"* dem Wortbestandteil *„burden"* (das in *England* tatsächlich *„tiefste Stimme"* bedeutet hatte) nachgebildet wurde.

Dunstable

Über das Leben von John Dunstable ist wenig Sicheres bekannt. Wohl zwischen 1380 und 1390 geboren, starb er am 24. Dezember 1453. Man weiß, daß er sich auch mit Astronomie und Mathematik beschäftigte und daß er als *„canonicus"* und *„musicus"* im Dienste des Grafen John von Bedford, des Bruders König Heinrichs V., stand. Seit dem Tode des Königs (1422) übte John von Bedford bis zu seinem eigenen Lebensende (1435) die Regentschaft aus und hielt sich während dieser Zeit vor allem in Frankreich auf. Daher kann es als sehr wahrscheinlich gelten, daß Dunstable ebenfalls längere Zeit in Frankreich verbracht hat. Auch fällt auf, daß Dunstables Musik fast ausschließlich in nicht-englischen Quellen erhalten ist. Einer früher einmal geäußerten Vermutung, Dunstable sei identisch mit Lyonel Power, steht entgegen, daß man Powers Todesdatum mit ziemlicher Sicherheit kennt (1445), und daß *OH* zwar viele mit dem Namen Powers signierte Sätze, jedoch nur eine einzige, spät nachgetragene Komposition Dunstables enthält.

In der Dunstable-Gesamtausgabe (*John Dunstable, Complete Works*, edited by M. F. Bukofzer, *Musica Britannica*, Band VIII, London 1953; im folgenden abgekürzt: GA) werden 31 Handschriften mit Werken des Komponisten aufgezählt. Läßt man diejenigen unberücksichtigt, die nur die beiden weltlichen Sätze oder zweifelhafte Werke enthalten, so bleiben außer den sieben Trienter Codices, der wichtigsten Quelle, etwa 10 Handschriften zu berücksichtigen. In *Tr 87—93* sind 32 (von 55), in *ModB* 28 (vor allem Motetten, keine Messensätze) und in *Ao* 19 Sätze überliefert.

Wir kennen etwa 55 Dunstable zuzuschreibende Sätze. Darunter sind nur 2 weltliche — wovon allerdings einer, *„O rosa bella"*, eine berühmte, in nicht weniger als 13 Handschriften überlieferte Komposition ist. Das übrige Werk setzt sich zusammen aus 22 Messensätzen (1 *Kyrie*, 8 *Gloria*, 7 *Credo*, 4 *Sanctus* und 2 *Agnus Dei*), 12 isorhythmischen Motetten, 1 Hymnen- und 1 *Magnificat*-Bearbeitung, sowie 17 weiteren geistlichen Sätzen, zum größten Teil Antiphonen, davon 9 zu Ehren der Heiligen Jungfrau. Die häufig, auch in der GA, geübte Rubrizierung von Sätzen der zuletzt genannten Art als „Motetten" ist irreführend, da sie nicht auf Tenor-cantus-firmus beruhen und nicht im motettischen, sondern im Chansonsatz komponiert sind. Vier isorhythmische Motetten und ein Gloria-Credo-Paar (GA Nr. 11—12; über solche Satzpaare vgl. unten S. 433) sind vierstimmig, alle übrigen Kompositionen dreistimmig.

Wie aus dieser Aufzählung hervorgeht, zeigt das Werk Dunstables in seiner Zusammensetzung eine deutliche Ähnlichkeit mit dem Repertoire von *OH*. Das ist kein Zufall, denn in verschiedenem Sinne sind beide, sowohl die Sammelhandschrift — als Spiegel der vielfältigen kompositorischen Möglichkeiten der Zeit — wie das Werk dieses einen bedeutenden Komponisten — als Zusammenfassung dieser ihm aus der Tradition zugewachsenen Möglichkeiten — gleichermaßen repräsentativ für die englische Musik vom Ende des 14. bis zur Mitte des 15. Jahrhunderts im ganzen.

Wie wir sahen, enthält *OH* Messensätze, die nach dem Vorbild der isorhythmischen Motette gebaut sind. Wir fanden in *OH* jedoch noch nicht den Zusammenschluß mehrerer über gleichem Tenor-cantus-firmus komponierter Sätze zu Satzpaaren oder zum Zyklus. Von Dunstable aber kennen wir zwei Satzpaare mit gemeinsamem isorhythmischem Tenor: *Gloria* und *Credo* über das Responsorium breve *„Jesu Christe Fili Dei"* und *Credo* und *Sanctus* über den Responsoriums-Versus *„Da gaudiorum premia"* (GA Nr. 15—16 und 17—18), sowie ferner eine einzige wirkliche Messe (ohne Kyrie) über die Antiphon *„Rex saeculorum"*, die vom (nicht isorhythmischen) Tenor in allen Sätzen leicht verziert vorgetragen wird (GA Nr. 19—21). Neben der Messe *Alma redemptoris* von Lyonel Power (in *Tr* und *Ao*, ed. von L. Feininger in *Documenta Polyphoniae Liturgicae* ..., Ser. I/2, 1947) ist die Messe *Rex saeculorum*, die in *Tr* zwar ebenfalls Lyonel Power zugeschrieben wird, die von Bukofzer aufgrund einer Zuweisung in *Ao* sowie stilistischer Merkmale jedoch als eine Komposition Dunstables angesehen wurde, der älteste bekannte Meßzyklus über einen gleichbleibenden Tenor-cantus-firmus. Die Tenormesse darf demnach als in England entstanden gelten, wobei Dunstable jedenfalls eine führende Rolle zuzusprechen ist.

Voraussetzung für die Entstehung der Tenormesse ist die Verwendung eines „Fremdtenors", eines nicht zum Ordinarium gehörenden cantus firmus, da dieser sonst von Satz zu Satz wechseln müßte. Der erste wichtige Schritt auf dem Wege zum Meßzyklus, der ebenfalls in England getan wurde, war daher die Komposition von Messen-Einzelsätzen über (isorhythmischem) Tenor nach Art der Motette.

Als Entstehungszeit der Messen *Rex saeculorum* und *Alma redemptoris* darf man das 2. Viertel des 15. Jahrhunderts ansetzen. Bald danach erscheint die Tenormesse auch auf dem Festland; zu den frühesten Werken dieser Art gehören die — jetzt vierstimmigen — Messen Dufays, der auch vielleicht als erster weltliche Melodien zum cantus firmus machte und damit einen weiteren Schritt auf dem Wege zur Messe als einer rein musikalischen (nicht mehr nur liturgischen) Einheit tat (Dufays Messen *L'homme armé* und *Se la face ay pale*).

Eine gute Übersicht über „The Origins of the Cyclic Mass" bringt Bukofzer, *Studies*..., S. 217 ff. Bukofzer nennt als weiteres Mittel zur Herstellung der Einheit der Messe die Verwendung eines „Mottos", d. h. eines in allen Sätzen gleichlautenden Anfangs, ein Mittel, das etwas früher als die Vereinheitlichung mit Hilfe des Tenors in Erscheinung trat, und zwar offenbar zuerst auf dem Festland. Jedoch ist im „Motto" wohl ein mehr äußerliches Mittel zu sehen, eine Art Hinweis auf die *Möglichkeit*, bestimmte Sätze im liturgischen Ablauf zur „Messe" zusammenzuordnen. In den Handschriften werden öfters Sätze zu einem „Ordinarium" angeordnet, die musikalisch wenig miteinander zu tun haben und sogar von verschiedenen Komponisten stammen können. So haben auch einige weitere Zusammenstellungen zu Satz-„Paaren" in der Dunstable-GA mehr zufälligen Charakter. In der ordinariumsmäßigen Anordnung in den Handschriften, ebenso im „Motto", drückt sich eher das *Bedürfnis* nach einer inneren musikalischen Einheit der Messe aus als schon diese selbst. Daß das „Motto" auch noch später, z. B. in den echten Tenor-Meßzyklen Dufays, erscheint, widerspricht diesem seinen „Hinweis"-Charakter nicht. Vgl. zu diesen Fragen R. Bockholdt, *Die frühen Messenkompositionen von Guillaume Dufay*, 1960, S. 184 ff.

Statt einzelne Werke zu besprechen, wollen wir uns einige Kennzeichen von Dunstables Musik im ganzen vergegenwärtigen. Charakteristische Merkmale sind von Bukofzer beschrieben worden (vgl. besonders *Über Leben und Werk von Dunstable*, Acta musicologica VIII, 1936, S. 102 ff., und den Artikel *Dunstable* in MGG, Band 3, Sp. 949 ff.). Als besonders kennzeichnend sah Bukofzer den „pankonsonanten Stil" an, in dem er die „contenance Angloise" erblickte, die nach Martin le Franc die festländische Musik so stark geprägt habe (siehe oben S. 419).

In der Tat zeigt sich in Dunstables Musik (wie auch in zeitgenössischen anderen englischen Werken, z. B. in den reifen — noch nicht in den frühen — Kompositionen Lyonel Powers) eine geregeltere Behandlung der Dissonanz als in der Musik von *OH* (mit Bukofzer jedoch vom „vorbereiteten Vorhalt" bei Dunstable zu sprechen, ist irreführend, da dies den Gedanken an die Dissonanzbehandlung Palestrinas nahelegt, wovon nicht die Rede sein kann).

Zum „pankonsonanten Stil" wäre allerdings folgendes zu bemerken. Dunstable starb nach der Jahrhundertmitte. In der Musik von Dufay aber ist schon vor 1430 (z. B. in Teilen der *Missa Sancti Jacobi*) eine so umsichtige, planmäßige und so originär wirkende Arbeit an der Vertilgung der Zufallsdissonanzen zu beobachten, daß es fraglich scheint, ob von den Engländern, einschließlich Dunstable, in diesem Bereich Einflüsse ausgegangen sind. Eher haben wir hierin zwei bei Dunstable und Dufay parallel verlaufende Entwicklungen zu sehen, wenn nicht sogar eine Einwirkung vom Festland aus. Das wäre auch nicht verwunderlich, denn wir haben schon in *OH* festländische Einflüsse beobachtet, und bei Dunstable ist solcher Einfluß auch in anderer Hinsicht wirksam, nämlich im Vorherrschen des oben beschriebenen Chansonsatzes in allen Werken — mit der bezeichnenden Ausnahme der isorhythmischen Motetten, die, auch wenn sie dreistimmig sind, den motettischen, „klanglichen" Satz aufweisen. Im übrigen sind „Zufallsdissonanzen" bei Dunstable ohne Zweifel häufiger als bei Dufay.

Vor allem aber ist seine Melodiebildung wesentlich anders geartet.

Charakteristisch für Dunstable ist an diesem Beispiel, dem Anfang eines Credo aus der Handschrift *Ao* (GA Nr. 5, Faksimile ebd. Tafel 1), der kontinuierliche Fluß der Oberstimme, die wie aus dem Stegreif entstanden, jeweils momentanen Impulsen folgend, wirkt. Es ist keine übergeordnete Gliederung fühlbar — ganz im Gegensatz zu Dufay —; das Erreichen des Schlußklanges c'-g'-c'' auf *(invisibili-)um* wirkt wie zufällig; die Entfaltung des Satzes hat etwas von einem Naturvorgang, man erkennt kein Ziel. Am Anfang wird der von den Unterstimmen mehrmals fixierte g-d'-g'-Klang von der Oberstimme durch die Dreiklangstöne g'-h'-d'' ausgefüllt — und zwar zweimal hintereinander. eine in der Musik Dufays nicht denkbare „Planlosigkeit" der Gestaltung, die aber hier ihren positiven musikalischen Sinn hat: es ist, als ob der Sänger der Oberstimme dem starren Klang der tieferen Stimmen nachhorcht und ihm durch die Dreiklangstöne und das abschließende Umkreisen des Tones d'', verbunden mit einem schlichten Sprechen des Textes, Leben einhaucht.

Die Fähigkeit der Musik, ruhig in einem Klangraum zu verweilen, sowie die zugleich schlicht und spontan wirkende Entfaltung des Satzes sind bezeichnende Merkmale, die vielen Kompositionen Dunstables ihr eindrucksvolles Gepräge geben. Bei der Besprechung der Choralfiguration bei Dufay (unten S. 436) werden wir bei der Gegenüberstellung mit einem Dunstable-Satz noch von einer anderen Seite her sehen, wie diese Merkmale sich bestätigen.

Umfang und Bedeutung seines Werkes ebenso wie der Ruhm seines Namens auf dem Kontinent lassen Dunstable als die überragende Gestalt unter den englischen Komponisten seiner Zeit erscheinen. Unter seinen Zeitgenossen ist vor allem der schon öfters erwähnte etwas ältere Lyonel Power zu nennen (Leonel, gest. wahrscheinlich 1445). Von ihm sind über 20 Messensätze erhalten, die zum Teil isorhythmisch und fast alle schon in *OH* enthalten sind, sowie ferner ein Hymnus „Ave maris stella" mit Mittelstimmen-cantus-firmus, ein „Beata viscera" und etwa 10 Antiphonen, dagegen keine isorhythmische Motette. (Außerdem ist Power der Verfasser des oben S. 427 erwähnten Diskanttraktats.) Mehrere Werke sind in verschiedenen Handschriften einmal ihm, ein anderes Mal Dunstable sowie weiterhin (im Falle der in der Dunstable-GA als Nr. 56—59 veröffentlichten *Missa sine nomine*) dem englischen Komponisten Johannes Benet zugeschrieben. Weitere Komponisten, die hier nur genannt werden können, sind Forest (7 Motetten und 1 oder 2 Messensätze in *Tr, ModB*, München *3232a* — *Em* —, sowie *OH*; vgl. oben S. 419), der etwas jüngere, am burgundischen Hof wirkende Walter Frye (3 Tenormessen in der Hs. Brüssel *5557*, 5 Motetten, sowie weltliche Werke) und der ebenfalls jüngere Johannes Bedingham (außer einigen weltlichen Werken eine dreistimmige Tenormesse „Deul angouisseux" — nach einer Ballade von Binchois — in *Tr 88* und *90*).

Nach Dunstables Tod brach die Tradition der geistlichen Mehrstimmigkeit und der kirchlichen Musikpflege in England nicht ab. Aber schon zu Dunstables Lebzeiten stand Dufay in der Fülle seines Schaffens. Das Schicksal der europäischen Musik lag von nun an eindeutig in den Händen der kontinentalen Musiker.

Dufay und seine Zeitgenossen

Was für Dunstable im Vergleich zur übrigen englischen Musik seiner Zeit gilt, trifft für Dufay im Verhältnis zu seiner Umgebung in noch viel stärkerem Maße zu. Dufay ist der produktivste und der mit Abstand größte Komponist der ersten Hälfte des 15. Jahrhunderts. (Erst in seiner späteren Cambraier Schaffenszeit, von etwa 1445 bis zu seinem Tode, tritt neben ihm ein Komponist gleichen Ranges auf: Johannes Ockeghem.) Weder unter seinen zahlreichen namentlich bekannten Vorgängern und älteren Zeitgenossen (wie die von Martin le Franc genannten Carmen, Tapissier und Cesaris, oder Dufays Lehrer in Cambrai, Loqueville, oder der spätere maître de chapelle in Cambrai, Nicolas Grenon), noch unter den etwa gleichaltrigen Musikern (wie z. B. Arnold und Hugo de Lantins, Johannes de Lymburgia, Johannes Franchois) ist einer, dessen Musik in ihren wesentlichen Merkmalen nicht im Werk Dufays aufgehoben, das heißt zusammengefaßt und jetzt als bedeutende Kunst realisiert worden wäre. Aus diesem Grund erscheint es berechtigt, das Werk Dufays als Inbegriff der Musik dieser Zeit anzusehen.

Lediglich die Namen von zwei — miteinander ganz unvergleichbaren — Komponisten ragen neben Dufay stärker aus ihrer Umgebung hervor als die oben aufgezählten. Der eine ist Johannes *Ciconia*. Dieser erste bedeutende „Niederländer" stammte aus Lüttich, schrieb seine Hauptwerke jedoch in Italien, wo er 1411 in Padua starb. Er wurde (nach den Forschungen von S. Clercx-Lejeune) schon um 1335/40 geboren und gehört somit einerseits noch zur späten französischen Ars nova, andererseits aber in die Geschichte der italienischen Musik. Seine etwa 36 erhaltenen Kompositionen (10 Messensätze, 10 Motetten, etwa 16 weltliche Sätze) zeigen sowohl Züge seiner nördlichen Herkunft

(z. B. in der floskelhaft-starren Rhythmik und — damit zusammenhängend — der noch ungeläuterten Klanglichkeit, ferner in der Verwendung von Isorhythmik in einigen Motetten), wie auch Einflüsse der Musik seiner Wahlheimat (starkes Überwiegen des Madrigals und der Ballata im weltlichen Bereich, Einbeziehen von Elementen der Caccia in die Motette und andere Merkmale).

Ciconias Hauptwerke entstanden zu Anfang des Jahrhunderts, also vor Dufays Auftreten. Dufays bedeutendster Zeitgenosse aber ist Gilles *Binchois*. Er wurde um 1400 in Mons geboren und starb 1460. In den 1420er Jahren stand er im Dienst des Grafen von Suffolk; möglicherweise verbrachte er einige Zeit in England. Von etwa 1430 bis zu seinem Tode war Binchois Kaplan in der Hofkapelle Herzog Philipps des Guten von Burgund. (Für Binchois und verschiedene andere Musiker trifft im Hinblick auf ihre Wirkungsstätte, nicht ihre Herkunft, somit die Bezeichnung „burgundisch" zu. Diese Bezeichnung jedoch auf die ganze Epoche anzuwenden, empfiehlt sich nicht; die Beziehungen beispielsweise Dufays zum burgundischen Hof waren nicht enger, sondern viel loser als zu anderen europäischen Fürstenhöfen. Eine Gesamtbezeichnung für die Komponisten, die im 15. Jahrhundert das musikalische Geschehen in Europa trugen, ist nur möglich im Hinblick auf ihre gemeinsame Herkunft. Die meisten von ihnen stammten aus dem heutigen nördlichen Frankreich und dem heutigen Belgien, einige auch aus dem heutigen südlichen Holland, also aus vorwiegend französischem, daneben flämischem und holländischem Sprachgebiet. Demnach ist die Bezeichnung „niederländisch" zu eng, obwohl sie seit langem eingebürgert ist; besser ist „franko-flämisch", was in neuerer Zeit ebenfalls häufiger anzutreffen ist; sachlich am treffendsten wären die Bezeichnungen „nordfranzösisch-niederländisch" oder „franko-niederländisch", die aber beide nicht üblich sind.)

Das Werk von Binchois besteht etwa zur Hälfte aus weltlichen Kompositionen (54 Chansons), der übrige Teil setzt sich zusammen aus 28 Messensätzen (davon etwa 10 mit Oberstimmen-cantus-firmus) und 26 anderen geistlichen Sätzen (einschließlich Motetten). Das Schaffen von Binchois ist stärker weltlich bestimmt als dasjenige Dufays, was aber nicht im quantitativen Sinne zu verstehen ist (vgl. die Zusammenstellung der Werke Dufays, unten S. 435 f.) Entscheidend ist vielmehr, daß bei Binchois einerseits die Tenormesse ganz fehlt, und daß andererseits seine Chansons ein stärkeres individuelles Gepräge tragen als die konventionelleren übrigen Werke.

Einige Messensätze von Binchois schließen sich zu Satzpaaren zusammen — nicht aufgrund eines gemeinsamen Tenor-cantus-firmus, auch nicht durch ein „Motto" (beides fehlt bei Binchois), sondern aufgrund der Identität der musikalischen Struktur, wie z. B. gleiche Schlüsselung, analoge Anordnung der Mensuren oder der zwei- und dreistimmigen Partien oder des Textes, gleiche Dissonanzbehandlung. Solche Satzpaarbildung aufgrund struktureller Verwandtschaft, die schwerer wiegt als das gemeinsame „Motto", kommt auch bei anderen Komponisten, z. B. Dunstable und Dufay, vor. Folgende Binchois-Sätze gehören zusammen: Gloria und Credo DTÖ Band 61, S. 55 und 58, Sanctus und Agnus ebd., S. 51 und 53 sowie S. 53 und 55, das Gloria in *Polyphonia Sacra*, S. 53, mit dem Credo bei Marix, *Les musiciens de la cour de Bourgogne...*, S. 169 (*nicht* mit dem Credo *Polyphonia Sacra*, S. 63), ferner Gloria DTÖ Bd. 61, S. 42, mit dem unveröffentlichten Credo in Ao Nr. 37, sowie schließlich das Gloria in Marix, *Les musiciens...*, S. 160, mit einem Credo in DTÖ Bd. 61, S. 25, das einem sonst unbekannten *J. Bodoil* zugeschrieben wird, in Wirklichkeit aber von Binchois sein muß.

Einige Merkmale der Musik von Binchois seien stichwortartig aufgezählt: extrem tiefe Lage mehrerer Sätze (z. B. das obengenannte Sanctus-Agnus-Paar DTÖ Bd. 61, S. 51 ff., die Motetten „Beata nobis" und „Gloria, laus et honor", ed. Marix, *Les musiciens ...*, S. 191 und 194); englische Merkmale: Fauxbourdon mit Faburden-Kennzeichen, siehe oben S. 427, ferner „klanglicher" Satz, z. B. im vierstimmigen Agnus Dei bei Marix, *Les musiciens ...*, S. 185 (Contra als Klangträger) und im dreistimmigen Gloria-Credo-Paar DTÖ Bd. 61, S. 55 ff. („Aufstockung" der c_1, c_3 und c_4 geschlüsselten Stimmen); das im Vergleich mit Dufay häufige Fehlen einer strukturellen rhythmischen Bedeutung der Mensurzeichen (vgl. z. B. die Agnus Dei DTÖ Bd. 61, S. 53 und 55, wo ein und derselbe Satz das eine Mal im tempus perfectum, bei der Wiederholung aber im tempus perfectum diminutum auszuführen ist, die Diminution also keinen Unterschied der Satzstruktur bezeichnet). Das zuletzt genannte Merkmal ist bezeichnend für die (mit Dufay verglichen) im ganzen gesehen naivere, weniger „gearbeitete" Schreibweise von Binchois.

Über Dufay und seinen Lebensgang sind wir besser unterrichtet als über irgendeinen anderen Komponisten seiner Zeit. Guillaume *Dufay* wurde um 1400, wahrscheinlich im Hennegau, geboren und starb am 27. November 1474 in Cambrai. Ab 1409 gehörte er zu den Kapellknaben in Cambrai; seine Lehrer waren N. Malin und vor allem dessen Nachfolger R. de Loqueville, von dem u. a. ein tropiertes Sanctus überliefert ist (*BL 20*), dessen Tenor auch in einem Sanctus von Dufay (*BL 19*) erscheint. Für den Zeitraum von 1420 bis 1426 ist eine Verbindung mit dem Hof der Malatesta belegt. 1428 begann Dufays fast 5jährige Tätigkeit als päpstlicher Kapellsänger in Rom, zunächst unter Martin V., ab 1431 unter Eugen IV. Die folgenden beiden Jahre verbrachte Dufay wahrscheinlich abwechselnd am Hof des Herzogs von Savoyen und in seiner Heimat; darauf trat er abermals in die päpstliche Kapelle ein, wirkte jetzt jedoch nicht mehr in Rom, sondern in Florenz und Bologna (1435–1437). In seinem Testament spricht Dufay von einer siebenjährigen Tätigkeit in Savoyen, doch ist weder klar, welcher Art diese war, noch in welchen Zeitraum sie fällt; fest steht nur, daß die Beziehungen zu Savoyen ab etwa 1437 wieder enger wurden. Den Beginn des langen letzten Lebensabschnitts, den Dufay endgültig — wenn auch durch Reisen unterbrochen — in Cambrai verbrachte, darf man vielleicht um 1445 ansetzen. — Im Verlauf seines Lebens wurden Dufay verschiedene Kanonikate und Präbenden verliehen, u. a. an der Kathedrale in Cambrai. In einem Dokument aus dem Jahre 1446 trägt er den Titel „baccalarius in decretis" (ebenso in der Inschrift auf seinem Grabstein; wir wissen jedoch nicht sicher, wann und wo er kanonisches Recht studierte) und wird als „*capellanus*" (in einer anderen Urkunde außerdem „*cantor*") des Herzogs von Burgund bezeichnet, was aber nur Ehrentitel gewesen sein dürften, da engere Beziehungen zum burgundischen Hof nicht bezeugt sind. Über etwaige Beziehungen zu Binchois wissen wir nur, daß die beiden Musiker einander 1449 in Mons begegnet sind. In seinem Testament äußert Dufay den Wunsch, daß an seinem Sterbebett die Motette „*Ave Regina caelorum*" — eines seiner letzten Werke —, deren Text auf seine eigene Todesstunde Bezug nimmt, gesungen werde. Das Werk erklang beim Einsegnungsgottesdienst.

Dufays Werk ist sehr umfangreich. Es sind erhalten: mehr als 80 weltliche Sätze (davon die meisten dreistimmige französische Rondeaux); 37 Messeneinzelsätze, die sich in einigen Fällen aufgrund struktureller Verwandtschaft zu Paaren oder Gruppen zusammenschließen (13 Kyrie, alle dreistimmig, davon 10 mit Oberstimmen-cantus-firmus; 13 Gloria, bis auf 3 vierstimmige Sätze alle dreistimmig, davon 4 mit Oberstimmen-cantus-firmus; 4 Credo, davon 2 vierstimmig — diese bilden mit 2 vierstimmigen Gloria je ein Satzpaar —; 4 Sanctus, davon 1 — das „*Sanctus papale*" — vierstimmig, von den übrigen 1 mit — nicht-liturgischem — Tenor-cantus-firmus und 1 mit Oberstimmen-cantus-firmus; 3 Agnus Dei, die auf der Musik der 3 dreistimmigen Sanctus beruhen); 3 bis auf Teile der *Missa Sancti Jacobi*, die auch ein Proprium enthält, dreistimmige Messen ohne Tenor-cantus-firmus (*Missa sine nomine*, *Missa Sancti Jacobi, Missa Sancti Antonii Viennensis*), 5 oder 6 vierstimmige Tenormessen (*Caput, Se la face ay pale, L'Homme armé, Ecce ancilla Domini* und *Ave Regina caelorum*, nach H. Besseler ferner die zeitlich nach der *Caput*-Messe anzusetzende anonyme *Missa La mort de Saint Gothard*); etwa 14 drei- bis fünfstimmige isorhythmische und 6 weitere Motetten; 22 Hymnen, 8 Sequenzen, 2 „*Benedicamus Domino*", 4 „*Magnificat*", 6 Marianische und 9 weitere Antiphonen.

Hinzu kommen mehrere zweifelhafte und einige Dufay zuzuschreibende Werke. Ein im Testament erwähntes *Requiem* ist verlorengegangen. (Die älteste uns erhaltene Requiemkomposition ist diejenige von Ockeghem.) Eine genaue Übersicht über Werk und handschriftliche Überlieferung gibt außer der, anfangs von G. de Van, später von H. Besseler betreuten Gesamtausgabe (GA) H. Besselers Artikel *Dufay* in MGG, Band 3, Sp. 899 ff.

Bei der außerordentlichen Vielseitigkeit Dufays läßt sich nicht ohne weiteres entscheiden, auf welchem Gebiet der Schwerpunkt seines Schaffens liegt. Alle geistlichen und weltlichen Gattungen sind vertreten. Nicht das kompositorische Können, das in allen Bereichen souverän ist, gibt den Ausschlag dafür, wo das Hauptgewicht liegt, sondern eher das geschichtliche Gewicht der einzelnen Gattungen selber. So gesehen sind die *Motette* und die *Messe* die zentralen Bereiche in Dufays Werk.

In seiner frühen und mittleren Schaffenszeit vertritt Dufay das Spätstadium der isorhythmischen Tenormotette. Die Werke dienen der festlichen Repräsentation im kirchlichen oder politischen Bereich, wie zum Beispiel „*Ecclesiae militantis*" zur Papstwahl Eugens IV. (1431), „*Supremum est mortalibus*" zum Friedensschluß zwischen dem Papst und dem von ihm zum Kaiser gekrönten Sigismund (1433) oder das großartige Werk „*Nuper rosarum flores*" zur Einweihung des Domes in Florenz (1436). In seinem späteren Schaffen gibt Dufay die Isorhythmik, nicht zuletzt infolge einer inneren Verwandlung seines musikalischen Satzes, preis. In dem wie die meisten früheren Motetten vierstimmigen „*Ave Regina caelorum*" (1463) beruht zwar der Tenor auf der Anti-phonen-Melodie, doch paraphrasieren in freierer Weise auch der höhere Contratenor und die Oberstimme, besonders an Stellen, wo der Tenor pausiert, Teile dieser Melodie. Späte Sätze wie dieser, dem sich die vierstimmigen Tenormessen an die Seite stellen lassen, zeigen eine rhythmisch-melodische wechselseitige Bezogenheit der Stimmen, die sich mit der Anlage der alten Tenormotette und mit der Isorhythmik nicht verträgt und die früher nur im Bereich der Dreistimmigkeit erreicht worden war.

Die Vierstimmigkeit der älteren Werke Dufays zeigt häufig die Struktur des Chansonsatzes (nur der Tenor ist Klangträger und bildet also auch bei tieferliegendem Contra keine Quarten; Beispiele: „*Nuper rosarum flores*" oder die beiden vierstimmigen Gloria-Credo-Paare GA Band IV, S. 20 ff.), unterscheidet sich also prinzipiell nicht von der Dreistimmigkeit, die *immer* auf dem Chansonsatz beruht (vgl. dagegen den oben S. 424 charakterisierten „klanglichen" Satz, der auch dreistimmig sein kann und z. B. in allen isorhythmischen Motetten Dunstables vorliegt). Hierin zeigt sich Dufays Herkunft aus der französischen Tradition, für die der Chansonsatz bestimmend war. Er kannte daneben jedoch von Anfang an auch den „klanglichen", für England typischen motettischen Satz (Beispiel: die Motette „*Rite maiorem*", GA, Band I/2). Dieser verdrängte nach und nach den Chansonsatz (oder nahm ihn in sich auf) mit dem Resultat, daß in Dufays späteren vierstimmigen

Werken immer die jeweils am tiefsten liegende Stimme (oft „*Bassus*" genannt) als Klangträger fungiert. Dies sollte auch in der Folgezeit so bleiben. Erst diese Integration der Tiefststimme mit dem Satzganzen bildete die Voraussetzung für die Entstehung des „Basses" im neuzeitlichen Sinne.

Sätze wie die in der GA Band V, Nr. 37—51 veröffentlichten Antiphonen, zu denen als einziger vierstimmiger auch das erwähnte „*Ave Regina caelorum*" (Nr. 51) zählt, sind strenggenommen keine Motetten. Das gilt auch für solche Sätze, wie z. B. das berühmte „*Vergene bella*" auf einen Text von Petrarca (ed. *Das Chorwerk*, Heft 19, sowie GA Band VI) oder „*Flos florum*" (ed. *Das Chorwerk*, Heft 19, sowie GA Band I/1), die meist „Liedmotetten" genannt werden und auf der Grenze zwischen geistlich und weltlich stehen — was übrigens auch für die meisten Motetten im eigentlichen Sinne gilt.

Wie die Antiphonen und „Liedmotetten" sind die Sequenzen, die Magnificat und die Hymnen fast ausnahmslos dreistimmig. (Zur Geschichte der mehrstimmigen Antiphonen und Magnificat vgl. oben S. 420.) Sie verarbeiten die vorgegebene Melodie in der Oberstimme; einige von ihnen sind Fauxbourdonsätze. In Anknüpfung an die oben S. 429 an einem Satz ohne cantus firmus von Dunstable gemachten Beobachtungen sei im folgenden Beispiel der Anfang der Oberstimme von Dufays Hymnenvertonung „*Ave maris stella*" (Dufay-GA Band V, S. 55, sowie *Das Chorwerk*, Heft 49) dem Anfang des „*Ave maris stella*" in der Komposition Dunstables (Dunstable-GA S. 95) gegenübergestellt.

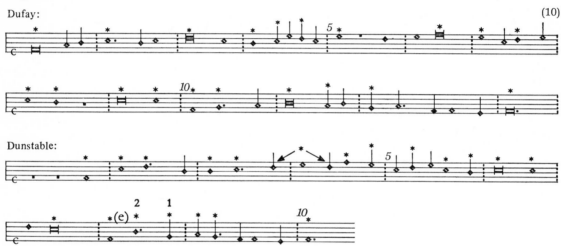

Dufay:

Dunstable:

Schon ein flüchtiger Blick auf die Oberstimme des Dunstable-Satzes (dem eine etwas abweichende Melodiefassung zugrunde liegt) zeigt, daß hier die Choraltöne nicht mit der gleichen Sorgfalt beibehalten werden wie bei Dufay (Auslassung des e bzw. Vertauschung von Tönen im 8., Tonwiederholung im 3./4. Tempus) und daß nach einer Minima, die einen Melodieton trägt, sofort wieder ein neuer Melodieton folgen kann (4., 5./6., 8./9., 9. Tempus). Dunstables Einstellung zum Choral sowohl wie zum Bearbeitungsverfahren ist unbefangener als diejenige Dufays. Er möchte eher den natürlichen melodischen Duktus der Choralmelodie auch in der Mehrstimmigkeit bewahren und achtet dementsprechend bei der Gestaltung des figurierten Cantus weniger auf Einzeltöne als auf einen fließenden Stimmverlauf, der nur im großen und ganzen, ungefähr, dem Melodievorbild folgt. Vor allem an den Kadenzen geht es Dunstable um den angestrebten Zielton, nicht um die im einstimmigen Choral zu diesem hinführenden Einzeltöne. Er möchte das Fließende der Einstimmigkeit gleichsam direkt in eine fließende, strömende Mehrstimmigkeit übersetzen. Dufay dagegen gelangt zu seiner melodisch so außerordentlich plastischen, zugleich blühenden und doch klar gegliederten Melodiephrase auf einem Umweg. Indem er die einzelnen *Töne* des Chorals für die Komposition so ernst nimmt, tritt er zum Choral als *Tonzusammenhang* in größere Distanz und schafft sich dadurch wiederum mehr Raum für eine eigenständig-musikalische Neugestaltung, nicht nur der cantus-firmus-Stimme, sondern des mehrstimmigen Ganzen überhaupt.

Generell läßt sich sagen, daß die Choralbearbeitung bei Dunstable und den Engländern — auch bei Binchois, siehe oben S. 434 — stärker ihren ursprünglichen Charakter einer mehrstimmigen *Ausführungsweise* des Chorals zeigt, wogegen Dufay eine mehr künstlerisch, kompositorisch, von der res facta bestimmte Haltung einnimmt. (Vgl. auch oben S. 435 sowie unten S. 437).

Wir wollen abschließend den Bereich der *Messe* bei Dufay ins Auge fassen, und zwar von den allgemeineren Gesichtspunkten aus, die uns auch bisher geleitet haben. — Es ist wesentlich, sich den fundamentalen Unterschied vor Augen zu halten, der zwischen Sätzen mit Oberstimmen-cantus-firmus (Choralfiguration) und solchen mit Tenor-cantus-firmus (die Motetten im eigentlichen Sinne und die Tenormessen) besteht. Erstere sind in gewissem Sinne identisch mit der Choralmelodie selbst, diese gibt dem Satz den Namen, sie ist melodisch führend, wird von den übrigen Stimmen — man möchte sagen: nur — begleitet (im wörtlichen, nicht im Sinne von „Melodiebegleitung"). Die Motette — jedenfalls in ihrem hier behandelten Spätstadium — und die Tenormesse dagegen *entlehnen* einen cantus firmus, brauchen diesen aus einem satztechnischen, rein musikalischen Grund, sind selber aber nicht mit ihm identisch. Der einheitliche Meßzyklus konnte somit nur auf der Grundlage des *Tenor*-cantus-firmus geschaffen werden, denn ein in allen Sätzen gleichbleibender cantus firmus in der Oberstimme wäre sinnwidrig und undenkbar gewesen.

Hieran läßt sich die geschichtliche Bedeutung des Schrittes ermessen, den Dufay tat, als er an die Stelle des einzelnen Messensatzes mit Choralfiguration die Tenormesse setzte. (Daß chronologisch die beiden Bereiche sich überschneiden können, ist selbstverständlich.)

Die Einheit eines aus frei komponierten Einzelsätzen, sei es in den Handschriften, sei es durch den Komponisten, sei es im realen Geschehen der Messe, zusammengestellten Meßordinariums bleibt eine liturgische. So müssen wir auch Dufays frühe Messen ansehen, die *Missa sine nomine*, die *Missa Sancti Jacobi* und die *Missa Sancti Antonii Viennensis*. (Bei der *Missa Sancti Jacobi* zeigt sich der liturgische Charakter ihrer Einheit besonders deutlich durch das Proprium.) Verarbeiten die Sätze aber in der Oberstimme Choralmelodien, so sind sie erst recht in der Liturgie verankert. Erst die Tenormesse verwirklicht außerdem eine im rein Musikalischen, also außerhalb der Liturgie liegende Einheit. Dies geschah bei Dufay zuerst in der „Caput"-Messe, seinem wahrscheinlich frühesten Meßzyklus. Ihre Anlehnung an englische Vorbilder zeigt sich deutlich, vor allem in der englischen Herkunft des „Caput"-Melismas und im anfänglichen Fehlen des riesenhaften Kyrie, das Dufay erst 1463 nachkomponiert hat. Einen Schritt über die frühen englischen Tenormessen hinaus jedoch bedeutete die für die Messe von nun an verbindliche Vierstimmigkeit, ein weiterer Schritt war die Verwendung weltlicher cantus firmi in den auf die *Missa Caput* folgenden Messen *L'Homme armé*, (*La Mort de Saint Gothard*) und *Se la face ay pale*. (Vgl. auch oben S. 435 f.)

Wenn wir also beim Hymnenvergleich mit Dunstable innerhalb des Bereichs der Choralfiguration selber bei Dufay schon ein stärkeres Vorherrschen rein musikalischer, kompositorischer Momente feststellten (oben S. 436), so sehen wir hier, in der von Dufay vollzogenen Preisgabe der Choralfiguration überhaupt, einen analogen, nur geschichtlich weit folgenreicheren Vorgang. Auf satztechnische Detailfragen kann hier nicht eingegangen werden; bedenkt man aber, daß sein Werk auch durch entscheidende innermusikalische Fortschritte sich auszeichnet (insbesondere durch eine zunehmende melodisch-rhythmische Individualisierung der Einzelstimmen bei gleichzeitig wachsender klanglicher Läuterung des Satzganzen), so erweist sich Dufay als eine der großen Gestalten, die den Lauf der europäischen Musikgeschichte bestimmt haben.

Rudolf Bockholdt

Die Kirchenmusik der Niederländer

In der Musikgeschichte des Abendlandes, besonders in der Periode von 1440 bis 1560, ist für die Musik der Meister von Ockeghem bis Willaert der Terminus „Musik der Niederländer" ein Begriff geworden.

Die Gebiete, die von den burgundischen Herzögen, insbesondere von Philipp dem Guten, politisch zur Einheit gebracht wurden und die das heutige Belgien, die Niederlande und Luxemburg bilden — mit Ausnahme des Fürstbistums Lüttich und der Herrschaft Utrecht, aber mit dem Gebiet Cambrai und dem Süd-Hennegau, die unter Ludwig XIV. von Frankreich erobert wurden —, erreichten um 1425 eine Höhe auf kirchenmusikalischem Gebiet, die in der Kulturgeschichte dieser Länder seitdem nie mehr erreicht wurde. Mehr als ein Jahrhundert hielt diese Blütezeit an, die einen besonderen Ausdruck im Musikleben an den großen Kirchen mit ihren Gesangsschulen, in der Aufführungspraxis und in der Komposition fand. Ursprünglichkeit im musikalischen Schaffen, die unbestrittene Hegemonie des musikalischen Stils in Messe, Motette, Magnificat und Hymne, schließlich die Auswanderung von Musikern, Sängern, Organisten und Kapellmeistern in die musikalischen Zentren des gesamten Westens kennzeichnen diese große Zeit der niederländischen Musikgeschichte. Gegenüber der gleichzeitigen Blüte von Malerei (die flämischen Primitiven), Skulptur (Claus Sluter in Dijon) und Architektur (Brabantische Gotik) in den burgundischen und später Habsburgischen Niederlanden fällt diese musikalische Epoche außerdem durch ihre europäische Expansion auf, die nach 1560 von italienischen Strömungen überlagert werden sollte, wobei aber unter anderem in Spanien und am Kaiserhof noch unbehindert Musiker aus den Niederlanden herangezogen und die traditionellen polyphonen Formen bis tief ins 17. Jh. gepflegt wurden.

Es wird deutlich, daß diese Blüte der Kirchenmusik eng verbunden war mit dem religiösen Leben dieser Provinzen, ja einen integrierenden Teil dieses religiösen Lebens ausmachte.

Sie muß gesehen werden als der gottesdienstliche Ausdruck dieser Zeit, genauso wie die Bilder von van Eyck, van der Weyden und van der Hoés, die Statuengruppen des herzoglichen Palastes und der Mosesbrunnen in Dijon, die Miniaturen und die Ausschmückungen der liturgischen Bücher aus dem 15. und aus dem Anfang des 16. Jh. Der gleiche Geist dogmatisch fundierten Glaubens in einer menschlich empfundenen Frömmigkeit, ein gleicher Sinn für das Dekorative und für handwerkliche Tüchtigkeit, ein gleiches Bedürfnis nach Symbolik wird in den verschiedenen Künsten deutlich. Wenn eine Bewegung zur religiösen Erneuerung, wie die der Brüder des Gemeinen Lebens, in allen wichtigen Städten der Niederlande durch das Eröffnen von Schulen und Skriptorien Fuß fassen konnte, wäre es erstaunlich, wenn die Kirchenmusik von dieser Strömung unberührt geblieben wäre. Sämtliche künstlerischen Äußerungen dieser reichen spätgotischen und Renaissance-Kultur zeugen von einer intensiv-religiösen Bewegung. Der Versuch, dieses Geistesleben auf Grund von Dokumenten über Sittenverbrechen und kirchliche Mißbräuche abwerten zu wollen, wie das vor kurzem W. Toussaert in *Le sentiment réligieux en Flandre à la fin du Moyen Age* unternahm, beruht auf einer ziemlich schmalen Basis. Das negative Urteil des Verfassers geht nicht zuletzt von der unhistorischen Voraussetzung aus, das religiöse und kirchliche Leben des 15. Jahrhunderts stehe in mancher Hinsicht zu unseren heutigen Strömungen im Widerspruch. Andererseits übt auch die um 1540 beginnende Reformation einen starken Einfluß auf die Kirchenmusik aus: in den Niederlanden gehören Psalmen, Motetten und Psalmlieder zum ständigen Repertoire, und niederländische Komponisten wirken an deutschen reformierten Liederbüchern mit.

Johannes Ockeghem und seine Zeit

Das Wichtigste, was Guillaume Dufay in die spätmittelalterliche Kompositionstechnik einbrachte, ist die Struktur des zyklischen Ordinariums, die auf dem Prinzip der gleichen Kopfmotive auf Einheit von Tonart und Stimmführung und auf der Tenor-cantus-firmus-Technik beruht, wie aus den späteren Messen des Meisters von Cambrai hervorgeht. Gegenüber der allmählichen, rational beherrschten — man könnte beinahe sagen klassischen — Entwicklung von Dufays Kunst, wie man sie aus den vielen datierbaren Werken verfolgen kann, erscheint Ockeghem (um 1425—1496) als ein urkräftiges phantasiereiches und systemloses Genie. Von den zwölf von ihm bekannten Messen entbehrt einzig die archaisch anmutende *Missa Caput*, über dem gleichen Tenor wie Dufays Messe komponiert, der Vollkommenheit. Der Tenor liegt hier in der tiefsten Stimme. Alle anderen Messen, wie verschiedenartig sie auch sein mögen, scheinen reifer zu sein. Ockeghems Messen sind schwer zu datieren, aber die Vermutung liegt nahe, daß sie während der langen Amtsperiode am französischen Hof unter Karl VII., Ludwig XI. und Karl VIII. entstanden und für die königliche Kapelle bestimmt waren. Zu den besten und originellsten Messen gehören die *Missa Cuiusvis toni* (4v.), die ohne Schlüssel notiert ist und in der dorischen, phrygischen, lydischen und mixolydischen Tonart gesungen werden kann, sowie die *Missa Prolationum* (4v.). Sie ist eine der frühesten Messen, die völlig im Doppelkanon geschrieben wurden. *Cantus firmus* und Kopfmotiv fehlen. Die Struktur beruht vielmehr auf den Prolationen: Sopran und Tenor stehen in der *Prolatio major*, Alt und Baß in der *Prolatio minor*. Vom Kyrie bis Hosanna vergrößern sich die Intervalle der Kanon-Einsätze vom Unisono bis zur Oktave. Reese bemerkt hierzu richtig, daß dadurch symbolisch auf den Höhepunkt des Meßopfers, auf die Wandlung, die Konsekration hingewiesen wird. Die beiden genannten Messen sowie die unvollständige, nur aus Kyrie, Gloria und Credo bestehende Missa *Fors seulement* (über Ockeghems gleichnamiger Chanson), die Messen *Au travail suis* (ebenfalls über einer eigenen Chanson), *De plus en plus* (über einer Chanson von Binchois), *L'homme armé*, *Mi-mi* und *Ecce ancilla Domini* zeigen ganz Ockeghems charakteristischen Stil. Dieser Stil greift die Innovationen Dunstables und Dufays auf, geht aber über die Vorbilder durch systematisches Kontrapunktieren aller Stimmen hinaus. Die Akzente fallen nicht zusammen, es entsteht ein „Stromrhythmus" (Besseler), der am Ende eines jeden Abschnittes eine Klimax in kürzeren Werten erreicht. Tenores in langen Werten kommen selten vor, was einer Homogenisierung der Stimmen entgegenkommt. Die kontrapunktierende Stauung wie das kontrapunktierende Vorwärtsdrängen vermeiden deutliche Kadenzen. An theologisch wichtigen Textstellen kommt die persönliche Empfindung in harmonischer Fülle und in expressiven melodischen Bewegungen zum Ausdruck. Auch in den zehn Motetten des Meisters findet man denselben Geist wieder. Die vierstimmige Motette *Ut Heremita solus* (Petrucci 1504) mit Rätselkanon nimmt eine Sonderstellung ein. Ockeghems Motetten sind mehrsätzig und formal und besetzungsmäßig breit angelegt. Sie bieten Raum für ausgedehnte Melismatik, zuweilen mit auffallenden rhythmischen Steigerungen, vor allem in der letzten Textzeile, wie etwa in der Marien-Motette *Intemerata Dei Mater* (Codex Chigi CVIII, Rom). In diesem Werk fällt die persönlich anmutende warme und expressive Behandlung des Textes auf. Man denkt hier an Kontakte mit der *Devotio moderna*: als Ockeghem an der Hauptkirche studierte, hatten die Brüder ein Haus in Antwerpen und auch in Brügge, wo er wahrscheinlich von 1444 bis 1448 am Hofe in der Umgebung von Binchois verblieb. Für die direkten Ursprünge von Ockeghems Stil gibt es bis jetzt keine definitive Erklärung.

Weder sein Antwerpener Gesangsmeister Johann Pulloys, noch Binchois, dessen Werken er einige Zitate entlehnt, noch die französischen Musiker am Hof zu Moulins und zu Blois haben ihn sehr inspiriert. Vielleicht muß in England nach stilistischen Vorbildern gesucht werden. Es ist deutlich, daß zahlreiche *votive anthems* aus dem *Eton Choirbook* eine starke Übereinstimmung mit Ockeghems Schreibweise zeigen: durch Vielseitigkeit der *Cantus-firmus*-Bearbeitungen, durch den synkopischen Rhythmus, durch die fortdauernde Abwechslung von vielstimmigen und solistischen Abschnitten und durch das „Unsystematische". Wo und wann mögliche Kontaktpunkte zwischen Ockeghem und dem englischen *florid style* liegen, konnte aber noch nicht gezeigt werden. Vielleicht hat die Umgebung in Brügge hier eine Rolle gespielt.

Am französischen Hof selbst ragt Ockeghems Persönlichkeit als einsame Größe hervor. Nach wenigen Jahren erreichte er den höchsten Posten und Gunstbeweise strömten ihm zu. Kein einziger Musiker aus seiner Umgebung kann mit ihm verglichen werden. Die Lobgedichte und Epitaphe, die ihm gewidmet werden, lassen hierüber keinen Zweifel bestehen. Erasmus' Trauergedicht „*Ergone conticuit vox illa quondam nobilis, aurea vox Okeghi*" rühmt seine edle Stimme und vielleicht, wie Pirro m. E. zu Unrecht behauptet, auch sein großes Einkommen. Jean Léaulté, Martin Courtois, Jean Fédé u. a. sind dagegen Namen von Kleinmeistern mit nur wenigen Kompositionen. Die Ockeghem zur Verfügung stehenden Mittel am Hof sind geringer als jene an der Burgundischen Kapelle. Die oft abgedruckte Miniatur von der französischen Hofkapelle unter seiner Leitung (Hs. 1537, fonds français, B. N. Paris) dokumentiert lediglich die geringe Sängerzahl (acht). Sie dient nur als Illustration für einen Poesiewettbewerb von 1523; und das Blatt, aus dem gesungen wurde, enthält nur Schmucknoten und keinen durchlaufenden musikalischen Text.

Als wichtigste Zeitgenossen von Johann Ockeghem können Busnois und Regis genannt werden. Anthoine Busnois aus Busne bei Hazebroek wirkte an der Kapelle von Burgund und starb 1492 als *rector cantoriae* an St. Salvator in Brügge. Wie andere Hofmusiker, z. B. der Engländer Robert Morton, ist er vor allem ein begabter Chansonkomponist. Seine liturgischen Kompositionen zeigen eine Vermischung von alten und neuen Elementen, Detailarbeit ohne die große Vision Ockeghems. Hierfür zeugt seine vierstimmige Messe *L'homme armé* aus der Hs. Chigi 234. Die Brüsseler Hs. 5557 enthält von ihm ein *Victimae paschali*, zwei *Salve Regina* und ein *Magnificat*. Mit Johannes Regis (gest. um 1485) befinden wir uns aufs neue im Milieu von Cambrai. Er war eine Zeitlang Sekretär von Dufay und lebte als Kanonikus und Scholaster in Soignies (Brabant). Seine zwei vierstimmigen Messen *Dum sacrum mysterium* und *Ecce ancilla Domini* sind Werke hoher Qualität mit Kompositionstechniken, die stark an Dufay erinnern. Weiter besitzt man von ihm acht Motetten.

Auch Johannes Touront muß als wichtiger Zeitgenosse gelten. Die große Verbreitung seines Werkes außerhalb der Trienter Codices und der böhmischen Handschriften — auch unter anderen in Bearbeitungen im Schedelschen Liederbuch und im Buxheimer Orgelbuch — steht in merkwürdigem Gegensatz zur Tatsache, daß man von seiner Biographie wenig weiß. In der Missa *Monyel* (4v.), in den Motetten *Pange lingua*, *O gloriosa regina* und anderen offenbart er sich als ein besonders begabter Komponist mystischer Natur mit starkem melodischem Ausdruck.

Die Josquin-Generation (1480—1520)

Die niederländische Blütezeit kulminiert in den Dezennien um die Jahrhundertwende durch eine auffallende Anzahl von großen Meistern, durch intensives musikalisches formales Schaffen und durch das hohe Niveau der musikalischen Praxis. Es ist auch die Zeit der großen Expansion der Musik aus den Niederlanden über ganz Europa. Brennpunkt dieses führenden Musiklebens waren an erster Stelle die Kathedralen und Hauptkirchen in den großen Zentren Cambrai, Brügge, Kortrijk, Antwerpen, Mecheln und Herzogenbusch mit ihren berühmten Gesangsschulen, daneben der Hof von Philipp dem Schönen zu Brüssel und der von Margareta von Österreich zu Mecheln. Nach dem Tode dieser Prinzessin wurde die Tradition von Maria von Ungarn und Karl V. fortgesetzt, besonders nach dessen Krönung zum Kaiser 1520.

Als Folge einer gründlichen musikalischen Schulung, die ihrer Zeit weit voraus war, wurden die Musiker aus den Niederlanden zu den wichtigsten Kirchen und Höfen eingeladen und als Kapellmeister angestellt. Sie beherrschten nicht nur die Aufführungspraxis, sondern bestimmten auch die Kompositionsschemata, die Formen und den Stil. Die Folge der Auswanderung von vielen niederländischen Komponisten ist die Überlieferung von zahllosen niederländischen Werken in italienischen, deutschen, spanischen und — in weniger hohem Maße — in den französischen Handschriften. Italien kannte unter der Josquin-Generation eine wahre niederländische Hegemonie, besonders in Mailand (Dom und Hof der Sforza), Rom (päpstliche Kapelle), Ferrara (Hof der Herzöge Este), Florenz (Hof der Medici), Venedig (San Marco) und Neapel (Hof von Aragon). Als ab 1501 die ersten Musikdrucke von Petrucci erschienen, die für ein internationales Publikum gedacht waren, spiegelte das Repertoire den herrschenden Geschmack von ganz Europa wider: drei Bände mit Messen von Josquin, zahlreiche Werke von Isaac, Compère, de la Rue, Brumel u. a. Abgesehen von 11 Bänden Frottolen steht die italienische Musik ganz im Hintergrund. In Venedig hat Adrian Willaert ab 1527 die unbestrittene Führung des Musiklebens in seinen Händen. Er bewirkte dort die Anstellung von zahlreichen Landsleuten als Sänger und Organisten. In den kaiserlichen Ländern entwickelt sich die Verbreitung der niederländischen Kunst später als in Italien. Die Musiker und das Repertoire aus den Niederlanden dringen ab 1520 jedoch immer weiter vor: nach Innsbruck, Wien, Prag, Graz und München. Nach 1520 werden München und Wien während zwei Generationen, besonders unter Lasso und De Monte, von niederländischer polyphoner Musik beherrscht. In Spanien zeugen die Musikarchive von Burgos, Valladolid, Toledo, Zaragosa, Escorial und Montserrat davon, wie tief das niederländische Repertoire die spanische Kirchenmusik durchdrungen hat, obwohl die Anzahl der Kapellmeister und Musiker aus dem Norden verhältnismäßig gering war. Als König von Spanien hat Karl V. für die Kirchenmusik ausschließlich seine *Capilla flamenca* eingesetzt, die ihn überallhin begleitete.

In Frankreich geht nach Ockeghem die große Verbreitung des niederländischen Repertoires aus einer großen Anzahl von Handschriften, auch aus Pierre Attaignants Sammlung *Treize livre de motets* von 1533—34 hervor. Gebiete wie Cambrai, Artois, Südflandern, der Süd-Hennegau gehörten damals zu den niederländischen Provinzen. Komponisten wie Dufay, Josquin, Busnoys, J. de Macque u. a. können also nicht als Franzosen betrachtet werden.

Die engen Beziehungen mit Italien verursachten in den Auffassungen der *Oltramontani* weitgehende Änderungen nicht nur auf musikalischem sondern auch auf geistigem und künstlerischem Gebiet. Die Jahre 1470—1520 sind darum besonders wichtig für die Konfrontation zwischen dem grundsätzlich linearen Klangbewußtsein aus dem Norden und dem akkordisch gerichteten Denken der italienischen Mehrstimmigkeit in *Lauda* und *Frottola*, zwischen der motivisch bestimmten Stimmführung und der weit ausschwingenden Melodik, zwischen spätgotischem Konstruktivismus und renaissancehafter architektonischer Breite. Da parallel hierzu die Komponisten auch von den lebendigen humanistischen Strömungen in Rom, Ferrara und Mailand berührt wurden, ergibt sich auch im Verhältnis Text–Musik eine grundsätzliche Verschiebung, die viel weiter reicht als zu einer größeren Berücksichtigung der Textunterlegung und der korrekten Deklamation. H. Osthoff nennt als das tiefste Resultat des Humanismus die Versprachlichung der Musik. In diesem Zusammenhang kann man im Bemühen um den Wortausdruck in der Tat eine der großen Neuerungen dieser Generation erkennen.

Der Einfluß des Südens wirkt sich normalerweise am stärksten auf die Italienfahrer unter den Niederländern aus. Die wichtigsten unter ihnen sind Josquin, Weerbeke und Isaac. Bei anderen Meistern, deren Wirken sich in ihrem Geburtsland abspielte, wie de la Rue und Obrecht, herrscht die traditionelle Linearität und die Tendenz zu rein musikalischer und formaler Gestaltung vor. Die Neuerung war jedoch keineswegs nur das Resultat örtlicher Kontakte. Auch bei de la Rue findet man akkordische Fragmente, und Josquin schrieb, nach einem Aufenthalt von mehreren Jahrzehnten in Italien, zur Ehrung eines italienischen Fürsten ein monumentales, typisch niederländisches Werk, die *Missa Hercules Dux Ferrariae*.

Die Trennungslinie zwischen italianisierten und in der Heimat verbliebenen niederländischen Meistern läßt sich nicht scharf ziehen. Josquin de Prez (geb. um 1445, gest. 1521) war schon 1459 am Dom zu Mailand als Sänger tätig.

Über Rom und Ferrara machte er Karriere in Italien, und erst nach 1500 kam er, nach vierzigjährigem Italienaufenthalt, in sein Vaterland zurück. In seiner Jugend komponierte er Frottolen, in Rom verkehrte er mit Dichtern und Humanisten und hinterließ ein Werk, in dem zum ersten Mal die Motette eine gleichwichtige Stellung wie die Messe einnimmt. Von den zwanzig authentischen Messen wurden von Petrucci siebzehn in drei Büchern gedruckt (1502 bis 1514), weiterhin noch drei in Nürnberg (1539). Die Verbreitung seiner Werke ist so groß, daß in fast keiner Handschrift oder in keinem einzigen frühen Druck sein Name fehlt. Die Probleme der Echtheit werden dadurch erheblich größer.

Seine Messen sind normalerweise mit vier Stimmen besetzt, die meisten sind *Cantus-firmus*-Werke auf gregorianischen Melodien (*Gaudeamus, Da pacem, Pange lingua*), auf weltlichen Tenores (*l'homme armé* [zweimal], *Una musca de Biscaya*), auf Chansons (*Faysant regretz* [Agricola], *Dung aultre amer* [Ockeghem]), oder auf Solmisationsthemen (*La sol fa re mi, Hercules*).

Bei Entlehnungen von mehrstimmigen Modellen wird meistens kein kontrapunktisches und harmonisches Material verwendet, das auf Parodietechnik hinwiese. Obwohl die Datierung oft Probleme aufwirft, sind struktureller Kanon, Proportionskanon, Krebs und Falso bordone stilistische Merkmale des Frühwerkes. Zu den am weitesten verbreiteten Werken gehören die Messen *La sol fa re mi, Hercules, L'homme armé, Super voces musicales*.

Die Messen *De Beata Virgine* auf das gregorianische Ordinarium IX, *Pange lingua* und *Da pacem* müssen zur späteren Periode gerechnet werden. Josquins Werk spiegelt die Entwicklung der Meßkomposition über ein halbes Jahrhundert wider. Kontrapunktische Kompositionstechniken, Ostinato- und Sequenzformen herrschen bis ungefähr 1490 vor, danach gelangt Josquin zur geschlossenen vokalen Stimmführung und in den späteren Werken zu ruhigem, fachmännischem Können. So wichtig Josquins Messen an sich auch sein mögen, in seinen rund neunzig Motetten löst er sich vom traditionellen Stil und tritt als Neuerer auf. Bis 1480 findet man auch in der Motette die konstruktive Schreibweise der Messe, nämlich Cantus firmus in langen Notenwerten, dann und wann auch einen doppelten Text. Einen extremen Fall bietet *Ut Phoebi radiis*; hier wird der logische Zusammenhang des Textes der musikalischen Formel von auf- und absteigendem Hexachord, die kanonisch in zwei Stimmen durchgeführt wird, geopfert. Spätere Werke, wie *Qui velatus facie*, lassen den Kontakt mit Italien spüren. Das Gefühl für Wohlklang, verbunden allerdings mit einer stark entwickelten künstlerischen Gestaltung, erinnert an die italienische Lauda. Die schon genannte Versprachlichung tritt auf, wenn der Text die Kontrastwirkung von Kontrapunktik und Akkordik bestimmt. Sie ist gleichfalls italienischen Einflüssen zuzuschreiben und kommt auch bei van Weerbeke und Compère vor, die sich mit Josquin in Mailand aufhielten. Noch frühere, rein strukturelle

Kompositionstechniken, wie der Ostinato, bekommen jetzt eine expressive Funktion. Der *Pes descendens* und *ascendens* in Josquins Psalmmotette *Miserere* ist hierfür das berühmteste Beispiel.

Gliedert man in diesem Repertoire die Motetten nach ihrer Funktion in Psalm, Antiphon, Sequenz, Evangelium und Devotionsmotetten, wie Osthoff es getan hat, so treten innerhalb der so gewonnenen Gruppen die Tendenzen der Textbehandlung noch stärker in den Vordergrund. Das gleiche gilt für die Motettenzyklen und für die fünf Motetten *In Circumcisione Domini*. Wortgezeugte Motive sind zahlreich: auch Stimmgruppierungen, Harmonie, Kadenzformeln tragen zur Textverdeutlichung bei. In den späteren Motetten ist der Maßstab für die Konstruktion nicht mehr der rein musikalische Aufbau, sondern der Text. Josquin überträgt hier die persönliche Textinterpretation der Humanisten auf die musikalische Gestaltung, geht dabei aber nicht von den antiken Dichtern aus. Gelegentlich kommen auch in späteren Werken noch Kanons und gelehrte Techniken vor, so in der Motette *Inviolata* in der I. Tenor und II. Tenor einen Kanon in der Oberquinte bilden. In *Veni sancte spiritus* sind Altus II und Tenor sowie Bassus und Tenor jeweils kanonisch in der Oberquinte gefügt, während im Superius der gregorianische Cantus firmus liegt.

Daß die Neuerung gerade in der Gattung Motette auftritt, während in der Messenkomposition bei Josquin dieselbe Entwicklung erst erheblich später einsetzt, ist das Resultat der Wertverschiebung zwischen Text und Musik. Wenn dasselbe Meßordinarium von vielen Meistern bearbeitet wird, kann Ursprünglichkeit im allgemeinen nur durch kompositionstechnische Mittel erreicht werden. Dagegen bieten die Texte der Motette sowohl in formaler als auch in inhaltlicher Hinsicht erheblich mehr Auswahlmöglichkeiten. Da zur Zeit Josquins bei der Vertonung der Schwerpunkt auf Form, Sinn und Gefühlswert des Textes lag, war es nur natürlich, daß die Gattung Motette mit ihrer textlichen Vielfalt schnell in den Vordergrund des Interesses rückte. Dadurch ist es zu erklären, daß man nicht in Josquins Messen, sondern in seinen Motetten eine Anzahl von Beispielen für die sogenannte *musica reservata* findet. Sie wurde ihm von Adrian Petit Coclico in seinem *Compendium musices* (1551) zugeschrieben. Nach Vicentinos Definition ist *Musica reservata* eine Musik, die den

Beispiele für *Musica reservata* sind aus den beiden Klagen Davids *Planxit autem David* in vier Teilen mit dem Lamentationston in der Oberstimme die Stellen „*Sic ego te diligebam*" und „*Absalom, fili mi*", die durch ungewöhnliche Modulation mit b-, Es- und As-Vorzeichen im Bassus auffallen (Osthoff 382). Als Beispiel einer großen Motette, allerdings aus der späteren Zeit, kann Josquins fünfstimmiges *Salve regina* gelten. Der Zusammenhang mit dem gregorianischen *cantus firmus* ist in diesem Werk weitgehend aufgelockert. Die Gruppierung der Stimmen wechselt. Die Melismen haben ausgeprägt expressiven Charakter. In der *quinta vox* erklingt in der *prima, secunda* und *tertia pars* jeweils zwölfmal das Incipit d'-c'-d'-g', ein symbolischer Hinweis auf die *Mulier amicta sole* aus Apoc. XII, 1. Der Baß hat dagegen einen eigenen *Ostinato*.

Wie Josquin, so wirkte auch der wahrscheinlich aus Oudenaarde stammende Gaspar van Weerbeke in Italien, besonders in Mailand (ab 1471) und in Rom. Wiederholt gab er Beispiele für die Rekrutierung niederländischer Musiker in Flandern. Von einer seiner Reisen in den Norden brachte er nicht weniger als zwanzig Sänger aus Flandern mit. Sein Werk — hauptsächlich Messen und Motetten — ist sehr verbreitet. Petrucci druckte von ihm ein Buch Messen und 24 Motetten wie auch Lamentationen in späteren Sammlungen. Bei ihm findet man auch Motetten *loco Missae*. Weerbeke war kein Schüler Ockeghems; stilistisch steht er Johannis Regis näher und zeigt ebenfalls Verwandtschaft mit Dufay. Klangbild und formale Gestaltung sind stark italianisiert: gregorianische *cantus firmi* sind nur selten zu finden, selbst dann nicht, wenn der Titel des Werkes die Verwendung eines Cantus firmus vermuten läßt. Er ist um einen klaren, durchsichtigen Aufbau ohne kontrapunktische Verwicklung bemüht. Auch Loyset Compère wirkte in Mailand und Rom. Er stammt wahrscheinlich aus St. Omer und starb 1518 als Kanonikus zu St. Quentin. Sein bekanntestes Werk ist das Sängergebet *Omnium bonorum plena*, eine Kontrafaktur der Chanson *De tous biens* von Hayne van Ghiseghem. Eine bemerkenswerte Komposition ist die *Missa Galeazzescha*, die aus acht fünfstimmigen Motetten besteht. Wie bei Weerbeke handelt es sich hier um Motetten *loco Missae*, ein Phänomen, das vermutlich aus der Ambrosianischen Liturgie erklärt werden muß. Manchmal sind sie als Zyklus geschrieben, mit einem gleichen c. f. und einer Schlüsselreihe. Die vor kurzem erschienene Monographie von L. Finscher (S. 252) sieht in Compères Werk die Reflexion aller stilistischen Strömungen seiner Zeit. Als Frucht eines unberechenbaren Temperaments, das sich mit pausenlosem Experimentieren befaßt, gelangt dieses Werk zu Höhepunkten, die schon von A. W. Ambros als „zarte tiefe Empfindung, anbetende Andacht" gekennzeichnet wurden.

Im Vergleich zu Josquin ist Heinrich Isaac (ca. 1450—1517) ein Niederländer mit breiterer Orientierung. Die einzelnen Motetten stehen manchmal auch in einem zyklischen Zusammenhang, was unter anderem in der Verwendung eines gleichen Cantus firmus zum Ausdruck kommt. Hierzu trugen nicht zuletzt sein ausgedehnter Aufenthalt in Florenz (er war mit einer Florentinerin verheiratet) und seine lange Dienstzeit bei Kaiser Maximilian bei. Isaac war als Persönlichkeit beweglicher als Josquin und auch diplomatisch begabt. Sein Werk zeugt einerseits vor großer Spontaneität, andererseits von der Integration ganz verschiedener Tendenzen. Unter Squarcialupi entwickelte er sich zum Organisten am Dom zu Florenz, machte sich den Frottola-Stil zu eigen und später den der deutschen Motetten und Lieder, vorwiegend den des Tenorliedes. In den liturgischen Werken überwiegt weiterhin die polyphone Schreibweise des Nordens. Seine Motetten sind nur wenig untersucht und nur sporadisch in modernen Drucken vorhanden. Die fünf Messen, die L. Cuyler nach dem Formschneider-Druck von 1555 herausgegeben hat, vermitteln uns einen Eindruck seiner großen kontrapunktischen Technik und seiner reichen Erfindung in der Cantus-firmus-Bearbeitung. So beruht die *Missa paschale* in *Kyrie und Gloria* auf dem gregorianischen *Ordinarium I (Lux et origo)* und in *Sanctus* und *Agnus Dei* auf *Ordinarium XVII (Dom. Adv. et. Quadr.)*.

Von überragender Bedeutung ist jedoch der *Choralis Constantinus*, der vom Kapitel der Kathedrale zu Konstanz als Jahreszyklus von vierstimmigen Propria Missae bestellt und der nach Isaacs Tod von seinem Schüler Ludwig Senfl fertiggestellt wurde.

Das jetzt vollständig in moderner Ausgabe vorliegende Werk fällt durch die Vielseitigkeit der choralen Paraphrasierungstechnik auf, durch die Gestaltung des Satzes gemäß der Hierarchie der Feste sowie durch die geniale Weise, wie die Modalität der in den Incipits zitierten Choralmelodien in den Versen der Introitusantiphonen und in zahlreichen Zitaten in langen Notenwerten gehandhabt wird.

Neben Josquin gehört, wenn er auch zu ihm in Gegensatz steht, Jakob Obrecht (ca. 1450—1505) ohne Zweifel zu den wichtigsten Meistern seiner Generation.

Er war Gesangmeister, zunächst in seiner Geburtsstadt Bergen-op-Zoom, danach in Cambrai und Brügge und dann zwölf Jahre lang an der Hauptkirche zu Antwerpen als Nachfolger von Jakob Barbireau. Zwei kurze Reisen nach Ferrara bereicherten seine künstlerische Orientierung, ohne jedoch seine niederländische Arbeitsweise grundlegend zu verändern. Obrechts umfangreiches Werk, das von Johannes Wolf herausgegeben wurde (1912—1921) und in einem von A. Smijers und M. van Crevel besorgten Nachdruck teilweise vorliegt, umfaßt unter anderem 22 Messen und 20 Motetten. Darüber hinaus muß Obrecht als der wichtigste Chansonkomponist, der niederländische Texte vertont hat, angesehen werden.

Gegenüber dem sich allmählich in der Kunst entwickelnden Josquin schillert Obrecht durch eine eklektische Vielseitigkeit und eine Phantasie, die ganz verschiedene Tendenzen in ursprünglichen Schöpfungen integriert. In seinen Messen verwendet er verschiedene *cantus firmi: Schoen lief, Maria zart, Fortuna desperata* stehen neben den gregorianischen tenores *Beata Viscera, O quam suavis*. Seine *Cantus-firmus*-Bearbeitungen sind vielseitig und gehen bis in Gruppierungen von mehreren *cantus prius facti*. Obrechts Kompositionstechnik charakterisiert vielleicht weniger die Verwendung vielgestaltiger Kanons als die motivisch bestimmte Melodik und die virtuose Handhabung des Ostinato und der aus kurzen Formeln herausgewachsenen Sequenz. Große, instrumental anmutende Sequenzketten, in denen das sequenzierte Melodieglied jeweils um eine Tonstufe erweitert wird (Additions-*ostinato*) finden sich im Benedictus der *Missa Salve diva parens*. Obwohl der musikalische Verlauf oft spontan und improvisatorisch wirkt, steckt in Obrechts Messen eine wohldurchdachte, oft auf symbolischen Zahlenverhältnissen beruhende Konstruktion.

Die *Missa Sub tuum praesiduum* beruht auf einer monumentalen Steigerung von der Drei- zur Siebenstimmigkeit, wobei für den Aufbau jeweils ein neuer Marien-*cantus-firmus* eingesetzt wird. Auch Fälle von esoterischer Symbolik, die erst nach gründlicher Analyse ans Licht treten, sind bekannt. Insgesamt bedeuten Obrechts Messenkompositionen einen Höhepunkt der kontrapunktischen Technik. Italianisierende Tendenzen, wie in Josquins späteren Messen, fehlen bei ihm.

Im Gegensatz zu der durchdachten Konstruktion der Messen strahlt aus den Motetten — besonders aus etlichen Marien-Motetten — Wärme des Gefühls. Offenbar besaß Obrecht die Fähigkeit, die menschlichen Gefühlswerte des Textes musikalisch zu gestalten. Hierbei bezog er sich nicht, wie Josquin, auf Ideen des Humanismus, sondern eher auf die der *Devotio moderna*. Feurige ekstatische Gebete wie die Antiphon-Motetten *Alma-Redemptoris, Ave regina coelorum, Salve regina* weisen auf die Gefühlswelt der Brüder des gemeinsamen Lebens und auf Devotionsbücher wie Thomas Hemerken van Kempens *De Imitatione Christi* hin.

Das Werk des Pierre de la Rue (ca. 1450—1518) trägt ebenso wie das Werk Obrechts das Gepräge eines „autochthonen" Künstlers ohne nennenswerte italienische Merkmale.

Er wurde vermutlich in Tournai geboren, begleitete Philipp den Schönen auf zwei Reisen nach Spanien und wirkte dann hauptsächlich in Herzogenbusch, Kortrijk und Mechelen, wo er am Hofe der Margareta von Österreich eine wichtige Stelle einnahm. Er starb als residierender Kanonikus zu Kortrijk. Obwohl de la Rue mit Chansons in den beiden Liederbüchern der Prinzessin Margareta (Hs. 228 und 11. 239 Königl. Bibliothek Brüssel) vertreten ist, muß er trotzdem besonders als ein Meister der Messe gelten: Nicht weniger als 31 vollständige Messen sind von ihm bekannt. Viele dieser Messen verwenden gregorianische *cantus firmi*: *Ave Maria, Conceptio tua, Alleluia* neben einer Messe *Tandernaken* und zwei *L'homme-armé*-Messen. Bei der gründlichen kontrapunktischen Struktur kommt es oftmals zu Kanonbildungen. Die *Missa O salutaris Hostia* ist sogar vollständig als vierstimmiger Kanon geschrieben und nur in einer Stimme notiert. Italianisierende Tendenzen sind in seinen Kompositionen nicht zu finden. Ein auffallendes Werk ist die sechsstimmige *Missa Ave sanctissima Maria*, die auf die gleichnamige Motette zurückgeht und, wie diese, ganz im dreistimmigen Kanon geschrieben ist. In diesem Werk kann man die Technik der *Missa parodia* in allen Einzelheiten verfolgen. Ein Beispiel für virtuose Handhabung des Ostinato ist die *Missa Cum jucunditate*. Ein fünftöniges Thema ist ständig in einer der Stimmen anwesend. De la Rues weitschweifende, breit konzipierte Schreibweise bevorzugt die Fünfstimmigkeit. Seine Melismatik verläuft mehr in traditionellen Linien und scheint weniger abgeklärt als bei den italienisierten Zeitgenossen. Doch finden sich auch in Motetten wie *Pater de coelis Deus* und *Gaude Virgo Mater Christi* zahlreiche Partien, die einem intensiven Gefühl und inniger Frömmigkeit Ausdruck verleihen.

Auf Antoine Brumel und Alexander Agricola, ebenfalls wichtige Meister dieser Generation, sei nur kurz hingewiesen. Agricola hielt sich eine Zeitlang als Kantor am Hof zu Mailand auf; sein Name begegnet häufig in den damaligen Listen wichtiger Meister und in den Lobgedichten. Petrucci druckte von ihm eine Sammlung Messen. Sein Stil ist jedoch weniger von Italien beeinflußt, erscheint vielmehr als eine Verschmelzung von dem Dufays und Ockeghems. Er kehrte nach dem Norden zurück, hielt sich einige Zeit in Cambrai auf und wurde Sänger von Philipp dem Schönen in Brüssel. Während der zweiten Reise nach Spanien im Gefolge dieses Fürsten starb er 1506 in Valladolid.

Der wahrscheinlich aus Französisch-Flandern stammende Komponist Antoine Brumel verbrachte die Periode seines musikalischen Schaffens in Frankreich: in Chartres, Laon und in Paris an Notre Dame. Auch von ihm druckte Petrucci ein Buch Messen. Brumel war besonders als Motettenkomponist bekannt, besonders durch eine Anzahl expressiver Marien-Motetten.

Nach dieser flüchtigen Charakterisierung der Hauptmeister und der wichtigsten Gattung soll versucht werden, ein Bild der stilistischen Besonderheiten und anderer Merkmale dieser bedeutendsten Periode der niederländischen Musik zu skizzieren.

Wenn wir auch noch immer wenige konkrete Anhaltspunkte über die Methodik des Unterrichts an den Gesangschulen und über die Pflichten der Gesangmeister an diesen Schulen haben, steht fest, daß die Ausbildung an den Kathedralschulen, wo die Knaben *in moribus et musica* erzogen wurden, Generationen von Gesangspädagogen, ausführenden Künstlern und Komponisten hervorbrachte, deren technisches Können im ganzen Abendland seinesgleichen nicht hatte. Die Tatsache aber, daß in diesem Augenblick im gesamten geistigen Leben die traditionellen „auctoritates" zugunsten der persönlichen Einsicht und einer freien Forschung verlassen wurden, hat sich auch in der Musiktheorie niedergeschlagen. Um 1500 findet eine Verschiebung in der *ars inveniendi* statt, die zur individuellen Kunstschöpfung führt, wobei man sich immer weniger streng an einen Cantus-prius-factus anlehnt, ihn vielmehr bearbeitet oder umgestaltet. Zu gleicher Zeit wird die Musik aus dem traditionellen kosmischen Zusammenhang gelöst.

Der brabantische Theoretiker Joh. Tinctoris leugnet die jahrhundertealte Sphärenharmonie und versetzt die musica mundana ins Reich der Astronomie. Das Gebiet der Tonkunst als *ars certe et modulate canendi* (S. Heyden) wird dadurch in den Bereich des Ästhetischen verlagert. Sie hat die Macht des *affectus exprimere* und wird zur musikalischen Sprache. Ein anderer wichtiger Zeuge, Adrian Petit Coclico, der sich stets, zu Recht oder zu Unrecht, auf seinen Meister Josquin beruft, erklärt in seinem *Compendium musices* (1551) unumwunden: Die Beurteilung eines Musikwerkes ist eine Frage des Gehörs. Sie wird nicht durch künstliche Verwendung der Proportiones bestimmt. Text und Musik müssen in derselben Gefühlssphäre verlaufen. Die praktische Bestätigung liefert Coclico in seinem Band Psalm-Mottetten *Consolationes piae*. Hier genügt es, die Vertonung von Textworten wie *afflictus sum, tribulatio, respiro, a gemitu meo* zu überprüfen, um die praktische Realisierung der neuen Musikästhetik zu entdecken.

Vor diesem kulturellen Hintergrund hat sich die Evolution der musikalischen Schöpfung um 1500 vollzogen. Bei dem emigrierten Komponisten wurde sie gefördert durch die Ideen des Humanismus in Italien und den traditionellen Sinn für zierliche melodische Wendungen und wohlklingende Harmonie, die dort lebendig waren. Dabei fragt es sich jedoch, ob dem historisch bestimmten Übergewicht der niederländischen Musiker auch ein eigener spezifischer Stil gegenübersteht, ob sie neben führenden Berufsmusikern, die die Aufführungspraxis der Kirchenmusik bestimmten, auch ein Repertoire mit besonderen, konkret definierbaren Merkmalen geschaffen haben, das sie von ihren Zeitgenossen und von der allgemeingültigen musikalischen Sprache ihrer Zeit unterscheidet. Zur Beantwortung dieser Frage sind die besonderen Erscheinungen und Techniken abzuwägen, die außerdem wichtig genug sind, um als Strukturelemente und nicht als zufällige Einzelheiten beurteilt zu werden.

Fest steht, daß die *Cantus-firmus*-Behandlung bei den Niederländern Aspekte zeigt, die sonstwo nicht vorkommen oder erst erheblich später übernommen werden.

Bei dem sog. segmentierten cantus firmus wird die Melodie in Fragmente aufgeteilt, die symmetrisch über ein Werk von erheblicher Länge verbreitet werden, wie z. B. in Obrechts Messen *Malheur me bat* und *Maria zart*. In diesem letzten Werk wird die ausgedehnte Melodie in zwölf Fragmente zerteilt und über die ganze Messe ausgebreitet, während die Haupt-Melodie als Synthese zweimal in einem Abstand, der dem Zuhörer eine gewisse Perspektive ermöglicht, erklingt. Auch die Verwendung von mehreren, um eine Haupt-Melodie gruppierten Cantus firmi kommt als Strukturelement in Obrechts Messe *Sub tuum Praesidium* vor. Vom dreistimmigen Kyrie bis zum siebenstimmigen Agnus wird hier ein eindrucksvoller Stapelbau ausgearbeitet. Die *soggetti cavati* als Cantus firmus stellen keine spezifisch niederländische Kompositionstechnik dar. Fest steht aber, daß Josquins Messe *Hercules dux Ferrariae* hierfür als Prototyp gedient hat und viele Nachahmer gefunden hat, und daß die strukturelle Rolle des soggetto als Schlußstein für den ganzen Aufbau große Originalität bezeugt.

Auch die Technik des strukturellen *Ostinato* erscheint als eine spezifisch niederländische Technik dieser Periode.

Es handelt sich hier um ein meist kurzes Thema, das immer wieder in irgendeiner Stimme während der ganzen Dauer der Messe wiederholt und nur rhythmisch variiert wird, sowie in Umkehrung oder in Hexachord-Alternation auftritt. Josquins Messen *Faysant regretz* und *La sol fa re mi* gehören zu diesem Typus. Im letztgenannten Werk kommt das Thema mehr als zweihundertmal vor, ohne daß Monotonie entsteht. Auch de la Rues Messe *Cum jucunditate* muß als ein Meisterwerk der Ostinato- und Variationstechnik betrachtet werden. Es liegt auf der Hand, daß die Ausbildung in den Gesangschulen diese Technik stark betont haben muß.

Obwohl der Kanon als Kompositionsverfahren so alt ist wie die Kompositionstechnik selbst, gewinnt diese Periode der Kanontechnik doch strukturelle Eigenarten ab, die auf die Komponisten aus den Niederlanden und aus Nordfrankreich beschränkt bleiben.

Josquins Messe *Ad fugam* führt über die ganze Länge einen zweistimmigen Kanon durch. Auch Noël Bauldewijn tut dies in seiner großartigen fünfstimmigen Messe *En douleur et tristesse*. Auf die extremen Fälle in de la Rues Werk, die vierstimmige ganz kanonische Messe *O salutaris hostia* und die sechsstimmige Messe *Ave sanctissima Maria*, wurde schon hingewiesen.

Aus allen diesen Satztechniken spricht ein starker Wille zur Einheit, ein führender Gedanke, der den ganzen Verlauf der Komposition durchdringt. Der Gesamtplan eines Werkes macht den Eindruck einer auf dem Reißbrett entworfenen Anlage und erinnert an architektonische Prinzipien (H. Osthoff). Im weiteren Verlauf des 16. Jh. werden die musikalischen Konturen melodischer, eleganter, mehr auf Zusammenklang und Vollklang abgestimmt, aber die strukturelle Geschlossenheit verleugnet sich nie.

Wollte man aus diesen klar erkennbaren Merkmalen auf eine stark zerebrale, mathematisch berechnete Kunst schließen, so ließe man einen anderen Zug außer Betracht, der überwiegend und in einigen Formen ausschließlich bei niederländischen Meistern vorkommt: die Tendenz zu einer vielfältigen Symbolik in zahllosen Werken, sowohl in den profanen als auch in den religiösen Gattungen. Hier wird eine Brücke zwischen dem Technischen und dem Außermusikalischen geschlagen. Das Symbol will über einen Umweg den tieferen Sinn des klanglichen Aufbaues in Übereinstimmung mit dem textlichen Inhalt verdeutlichen. Es will erklären, was hinter den Noten steckt.

Die technischen Mittel sind zuweilen sofort klar, wie etwa die schwarze Notation bei einer Trauer-Motette als Zeichen der Trauer. Andere sind absichtlich unklar, wie z. B. die Zahlenstruktur in einigen Messen von Obrecht. Auch esoterische Symbolik kommt vor, die sich nur Eingeweihten nach eingehender Untersuchung offenbart. Josquins berühmte *Déploration de Jehan Ockeghem*, die fünfstimmige Motette *Nymphes de Bois*, ahmt im ersten Teil gut erkennbar den Stil von Ockeghem nach, im zweiten Teil werden wie in einer Proklamation die Namen der besten lebenden Komponisten aufgerufen. Die ganze Motette ist in schwarzen Noten notiert, und als *cantus firmus* erklingt die *Introitus*-Melodie *Requiem aeternam*. Symbolik vielfältiger Natur enthält auch Math. Pipelares Motette *Memorare mater Christi*, die der Schmerzensmutter gewidmet ist. Die Motette ist siebenstimmig; in der einzigen bekannten Quelle, Handschrift 215—216 der Königlichen Bibliothek Brüssel, steht bei jeder Stimme notiert: *primus dolor, secundus dolor* usw. Außerdem dient als Cantus firmus der Tenor des spanischen Villancio *Nunca fue pena mayor* von Joh. Wrede. Die Deutung der Zahlensymbolik wird naturgemäß bei solchen Werken unsicher, deren Zahlen mehrere symbolische Bedeutungen zukommen (z. B. die Zahlen 3, 7, 8, 10 usw.). Vielerlei Assoziationen bezeugen außerdem die Vielschichtigkeit bestimmter symbolischer Techniken. Es kann übrigens vorkommen, daß nicht der Komponist sondern ein späterer Schreiber in hinzugefügten Worten auf eine symbolische Interpretation einer Komposition hinweist. In seinen vor kurzem erschienenen *Studien zur Symbolik der Musik der alten Niederländer* (1968) hat W. Elders eine große Anzahl von Beispielen für Verwendung musikalischer Symbolik zusammengetragen und aufgrund von Vergleichen etliche vermeintliche Fälle von Zahlensymbolik zurückgewiesen. Aber aus dem intensiven Detailstudium geht deutlich hervor, daß besonders für die Periode von 1480—1560 die musikalische Symbolik als ein besonders von den Niederländern entwickeltes Verfahren betrachtet werden kann.

Zwischen Josquin und Lassus (1520—1560)

Die Zeit, die Josquin von den ersten Bänden der neuen Kunst von Lassus trennt, baut die Errungenschaften der vorherigen großen Generation weiter aus, namentlich durch die systematische Verwendung der kontrastierenden Wirkung von Polyphonie und Homophonie, durch eine Orientierung der Messe an den Parodie-Techniken und durch die immer bedeutsamer werdende mehrteilige Motette, die bald wegen ihrer expressiven Möglichkeiten die führende Stellung der Messe erreichen oder sogar verdrängen wird. In der Stimmführung fallen besonders die Imitationstechniken auf und die systematische Durchführung desselben Themenmaterials in allen Stimmen. Hierdurch entsteht eine Homogenität der Stimmen; die früheren instrumentalen Wendungen, die abweichende Gestalt der *Cantus-firmus*-Stimme verschwinden zum größten Teil. Auch läßt sich in dieser Periode der große Einfluß des Musikdrucks erkennen. Überall entstehen neue Druckereien, deren Stimmbücher in Querformat nach dem Vorbild des Odhecaton und der *Libri Missarum* von Petrucci begeistert aufgenommen werden. P. Attaingnants erstaunliche Produktion und, etwas später, die von J. Moderne, werden in den Niederlanden von Tilman Susato, Hubertus Walraent und Jan de Laet in Antwerpen, Petrus Phalesius in Löwen nachgeahmt. Der Musikdruck garantiert nicht nur eine große Verbreitung der Kompositionen, sondern er bewirkt auch in starkem Maße die Internationalisierung des Repertoires.

Für die Niederlande ist auch die Rolle des Kaiserhofes von großer Bedeutung. Karl V. besaß die beste Musikkapelle Europas, die ihn überallhin begleitete. Ab 1526 ist Nicolas Gombert magister puerorum; nach ihm Crecquillon und Cornelis Canis. Benedictus Appenzeller ist Gesangmeister der Maria von Ungarn, die nach Margaretas Tod (1530) Regentin der Niederlande wird. Außerhalb des Kreises des höfischen Lebens wirken wichtige Komponisten wie Lupus Hellinck († 1541) an der Liebfrauenkirche und an St. Donatianus in Brügge und Jean Leleu oder Joh. Lupi als Gesangmeister in Cambrai. Hellinck schrieb auch eine Anzahl lutherischer Gesänge. Übrigens steht in dieser Zeit auch die *Chanson française* in großer Blüte; kein einziger namhafter Komponist unterließ es, in dieser Gattung zu komponieren. Drei große Meister, deren Orientierung sehr verschieden war, beherrschten diese Periode: Gombert, Clemens non Papa und Willaert. Der wahre Name von Clemens non Papa ist Jacques Clement.

Der Zusatz non Papa diente dazu, ihn von einem Zeitgenossen aus Ypern, dem Humanisten Jacobus Papa zu unterscheiden. Er wurde vermutlich in Mittelburg um 1510 als Kind französischer Eltern geboren. Darum muß die große Virtuosität seiner französischen Chansons nicht notwendigerweise auf einen Aufenthalt in Paris hinweisen. Er war Gesangmeister zu Brügge und in Diksmuide, wo er 1557 starb, und hielt sich auch als Sänger in Herzogenbusch auf. Viele von Clemens' besten Werken befinden sich in den Chorbüchern der Lakenhalle zu Leiden und in der Handschrift 27.088 des Konservatoriums in Brüssel. Phalesius druckte von ihm einen Band Messen und sechs Bücher Motetten.

Viele seiner Werke sind Beispiele eines perfekten vokalen Kontrapunkts. Sein ausgedehntes *Oeuvre* (von Bernet Kempers herausgegeben) umfaßt mehrere Parodie-Messen. Auch Parodie-Magnificats sind von ihm überliefert. Ein starker Sinn für Wohlklang und eine große technische Flexibilität charakterisieren diese Musik. Einige seiner besten Werke, wie die Motette *Fremuit spiritu Jesus* zu 6 Stimmen mit dem Ostinato *Lazare veni foras*, die Lassus als Modell nahm, zeugen von einer großartigen Erfindungskraft. Daß er ein Anhänger der Reformation war, geht aus den mehr als 150 *Souterliedekens*, die bei Susato als Nr. 4—7 in der Reihe *Musiekboexkens* gedruckt wurden, hervor. Es sind dreistimmige Sätze der gereimten Psalmtexte von Willem van Nievelt mit je einer Volksliedmelodie im Tenor. Die Reihe wurde von seinem Schüler Gerard Mes vervollständigt und gehört zum besten aus seinem ganzen Oeuvre. Die später entstandenen vierstimmigen *Psaumes de David* von Claude Goudimel tragen Spuren der Souterliedekens.

Nicolas Gombert stammt vermutlich aus Brügge und starb 1556 oder 57 in Tournai.

Auch er ist, wie Clemens non Papa, ein führender Komponist der Chanson française. Seine Laufbahn spielte sich zum größten Teil am Kaiserhof ab. Die Monographie von J. Schmidt-Görg enthält eine vollständige Aufzählung seiner Reisen nach Frankreich, Spanien, Deutschland und Italien im Gefolge des Kaisers. Die vielen Kontakte mit anderen Kapellen durch Konzerte und liturgische Aufführungen bedingen wertvolle technische Bereicherungen.

Gomberts Motetten sind in Attaingnants *Treize Livres* stark vertreten. Seine Aufgabe als Gesangmeister veranlaßte ihn, Stücke für vier Knabenstimmen zu komponieren (*Virgo sancta Catharine*) und Stücke für vier Männerstimmen (*Inter natos mulierum*). Bei Gombert ist das Klangbild durch seine Kontrastwirkung von Kontrapunkt und Akkordik bestimmt. Charakteristisch für seine Imitationstechnik sind die kurz aufeinanderfolgenden strettoartigen Einsätze.

Die Stellung, die Adrian Willaert durch sein Werk und seine Persönlichkeit in der Zeit der Niederländer einnimmt, ist vergleichbar mit der Bedeutung von Josquin und Orlando di Lasso: als Komponist und Pädagoge beherrscht er eine ganze Generation. Viele Informationen über seinen Unterricht wurden von seinem Schüler, dem Theoretiker G. Zarlino, überliefert.

Willaert wurde im Jahre 1490 in Brügge oder Roeselare geboren und in Paris, wo er Jura studierte, von Jean Mouton ausgebildet. Er machte Karriere in Rom und Ferrara, wurde 1527 Kapellmeister an San Marco in Venedig und bekleidete weiterhin diesen hohen Posten bis zu seinem Tode im Jahre 1562. Während von seinen Schülern Zarlino die Tradition vertritt, sind Cipriano de Rore und Andrea Gabrieli mehr typische Vertreter des chromatischen Madrigals und der konzertierenden Kirchenmusik. Als Kapellmeister beherrschte Willaert über 35 Jahre das Musikleben der Dogenstadt. Sein Einfluß war wichtig für das neue Madrigal, für die Doppelchörigkeit und das instrumentale Ricercar. Von der monumentalen Musik, die er für die Feierlichkeiten zu besorgen hatte, muß viel verlorengegangen sein. Durch seinen Einfluß bei den Procuratori der Basilika hat er bewirkt, daß viele Musiker aus den Niederlanden angestellt wurden, darunter bedeutende Organisten wie Jacob Buus aus Gent.

Venedig war inzwischen mit Scotto, Gardano, Vincenti ein wichtiges Zentrum des Musikdrucks geworden. Willaert publizierte hier ein Buch Messen, zwei Bücher vierstimmiger, ein Buch fünfstimmiger und ein Buch sechsstimmiger Motetten sowie die wichtige *musica nova* von 1559. Die *Salmi da cantarsi a uno e duo chori* (1550) sind für die neue Richtung der Kirchenmusik entscheidend, die in Giovanni Gabrielis Stil ihren Höhepunkt erreichen sollte. Der Kern der Erneuerung der sogenannten Venezianischen Schule liegt in der Gegenüberstellung zweier alternierender Klanggruppen, die in den beiden Doxalen im Querschiff der byzantinischen Basilika aufgestellt waren.

So wurde dem Klang eine neue Rolle zugeteilt. Während vorher eine Komposition sich besonders an der linearen Stimmführung und an der Verflechtung der Stimmen orientierte, wobei der Klang ein Nebenprodukt war, treten jetzt die Klangmöglichkeiten in den Vordergrund (H. Beck). Dadurch konnte auch die Kompositionsweise sich weiterentwickeln: die äußeren Stimmen dienen als Klanggerüst, die inneren Stimmen als Klangfüllung. Der Klangstrom führt zu einer nach Volumen, Dynamik und Struktur geordneten Gestaltung. Man experimentiert bewußt mit den formalen Faktoren des Klanglichen. Sind die zwei Gruppen von unterschiedlicher Zusammenstellung, so ist damit schon deutlich eine konzertierende Tendenz gegeben: Chorisch-solistische Abwechslung, wechselnde Klangdichte und betonte Textdeklamation sind hier unentbehrliche Bestandteile. Bei Willaert dominiert die Gattung der Motette über die der Messe und die des Madrigals. Besonders in der prachtliebenden venezianischen Liturgie haben Motette und Psalm eine wichtigere Funktion.

Von Willaerts Schülern sind Cipriano de Rore († 1565) und Andrea Gabrieli viel wichtiger für die weitere Entwicklung als Zarlino. Willaert tritt in San Marco als reifer, im Norden, in Rom und Ferrara gebildeter, erfahrener Künstler auf. Er bleibt bis zu seinem Ende dort. Niemand kann sich seiner Persönlichkeit und Kunst entziehen. San Marco ist der Mittelpunkt des ganzen Musiklebens der Dogenstadt. De Rore dagegen erscheint als junger Musiker; er singt von 1542—1546 unter Willaert in der Basilika, nimmt den neuen Stil in sich auf, bis er nach Ferrara reist. Seine Schüler, Ingegneri, Luzzaschi, de Wert sind nur locker mit Venedig verbunden. Auch de Rores kurze Tätigkeit als Kapellmeister an San Marco nach Willaerts Tod hat keine tieferen Spuren hinterlassen. Seine Motetten, von einer Klangpracht, die ihresgleichen sucht, wie *O altitudo divitiarum* (5st.), rechtfertigen den kostbaren Schrein, den der Hofmaler Hans Mülich dafür in München schuf (cod. Mus. B). De Rore ragt außerdem als einer der größten italienischen Madrigalisten seiner Zeit hervor.

Das Jahr 1555 dürfte als Wendepunkt in der Entwicklung der niederländischen Polyphonie gelten. Der junge Lassus, aus Italien heimgekehrt, läßt in Antwerpen bei Susato seine erste vierstimmige Sammlung erscheinen, worin unter anderem *Six motetz faictz à la nouvelle manière d'aucuns d'Italie* enthalten sind. Sie atmen den neuen Geist des klassischen Gleichgewichts zwischen Wort und Ton, den Geist Palestrinas. Mit Kaiser Karls V. Verzicht auf den Thron, gleichfalls im Jahre 1555, endet die Existenz der kaiserlichen Kapelle. Sie wird zwischen Kaiser Ferdinand I. und Philipp II., dem König von Spanien, verteilt. Kurz darauf entbrennt der spanische Religionskrieg und bringt jahrelanges Elend über die niederländischen Provinzen. Obwohl die Musikdrucker von Antwerpen noch sehr beschäftigt bleiben und obwohl das Übergewicht der Niederländer in den kaiserlichen Ländern und in Spanien fortlebt, wird doch die neue Musik jetzt in Italien geschaffen: Der sakrale *A-capella*-Stil der römischen Schule, die konzertierende venezianische Kirchenmusik und bald — über das chromatische Madrigal — die Vorboten des begleiteten Sologesanges.

René Bernard Lenaerts

Die liturgischen Gesänge im 15. und 16. Jahrhundert

Für die geschichtliche Betrachtung der liturgischen Gesänge stellen sich das 15. und 16. Jahrhundert als eine Fortführung traditioneller Gesangsformen in Messe und Offizium und als Pflege und Entwicklung früher entstandener Neubildungen auf außeritalienischem Boden dar. Eine genaue Abgrenzung des Zeitraumes entspricht nicht der musikgeschichtlichen und liturgiegeschichtlichen Gliederung, da die Geschichte des gregorianischen Chorals bis zum Ende des Tridentinischen Konzils (1545—1563) als eine Phase spätmittelalterlicher Choralgeschichte anzusehen ist, deren Liturgiereform mit dem Erscheinen des *Missale Romanum* (1570) abschloß. Bis etwa 1400 rückblickend befand sich der Choral zudem noch immer in einem Stadium der Auseinandersetzung mit dem Musikempfinden nördlich der Alpen. Die Bedeutung dieses Zeitraumes lag in der Bildung metrischer und prosaartiger Neuschöpfungen: der Sequenzen, Tropen und Reimoffizien. Dieser Abschnitt spätmittelalterlicher Choralgeschichte zeichnet sich außerdem in Parallelität zur Entwicklung der Mehrstimmigkeit und der Ausbildung und Fortsetzung der monastischen Sondertraditionen ab. Hatte die Pflege der Mehrstimmigkeit zu einem andersartigen oder nur bedingten Verständnis gregorianischer Einstimmigkeit geführt, so entwickelten sich innerhalb der Kirchen und der einzelnen Ordensgemeinschaften offiziumseigene Formen, die vor allem durch die ständig wachsende Zahl der Heiligenfeste in Tropen und Reimoffizien ihren Niederschlag fanden. Mit dem Konzil von Trient wurde in der Choralpraxis dem Gebrauch der Sequenzen eine Grenze, dem der Reimoffizien durch die Abschaffung ein Ende gesetzt.

Der Meßgesang, im frühen Mittelalter in den Gesängen des *Missale* oder *Graduale* kodifiziert, wurde in den Ordensgemeinschaften (seit den Normalbüchern) und in der Liturgie der Kathedralen der einzelnen Diözesen im allgemeinen unverändert beibehalten. Etwaige Änderungen erfolgten in der Auswahl der Gesänge, die sich durch lokalbedingte Patrozinien ergaben. Das gilt im wesentlichen auch für die Offiziumsgesänge. Die Melodien für die Texte neuer Feste erhielt man durch Übertragung bereits bekannter Melodien oder durch Neuschöpfung. Dabei ist es in den einzelnen Ländern innerhalb des römischen Ritus zu unterschiedlichen Entwicklungen in bezug auf das Melodienrepertoire gekommen.

Die Choraltheorie des fünfzehnten und angehenden sechzehnten Jahrhunderts hielt zunächst an den Lehren der Tradition fest. Der *cantus planus* wurde von der Mensuralmusik dem Begriff nach getrennt und die Frage nach der Bedeutung der Notenformen vom Prinzip der Gleichwertigkeit her gesehen. So bei Vanneo, Gafori, Pietro Aron, Angelo da Picitono, Zarlino, Aiguino da Brescia, Pietro Pontio, Salinas, Zacconi, Cerretto und Cerone. Eine abweichende und mehr von der Mensuralmusik bestimmte Auffassung wurde erst von Canuzzi, später von Tinctoris, Rossetti und Cinciarino vertreten. In der Sache hielt man den Unterschied zwischen choraler und mensuraler Notation noch aufrecht. Die Art der Beschreibung der Zeichen aber war bei Rossetti und anderen die gleiche geworden. Die Terminologie führte erst später zu Mißverständnissen in der Frage der Choralnotation und der Rhythmik. Die Namen der einzelnen Neumen waren in Vergessenheit geraten, aber die ursprünglichen Zeichen von *Punctum* (*Brevis*), *Virga* (*Caudata*, auch als *Longa* bezeichnet), *Podatus*, *Clivis*, *Torculus*, *Porrectus*, *Climacus* (mit Nebenformen) und *Climacus resupinus* noch in Gebrauch. Seltener waren die Zierneumen, der *Strophicus*, *Pressus* und das *Quilisma* zu finden. Bei Guidetti hatten diese Zeichen aufgehört zu existieren.

Auffallend gering ist die Anzahl der gedruckten Antiphonarien und Gradualien in der Zeit von 1520. Zu erwähnen sind das *Graduale secundum morem Romanae ecclesiae* (Venedig 1500), ein Graduale von 1527 (Liceo musicale Bologna), das *Graduale* Peter Liechtensteins (Venedig 1545) mit einem sich anschließenden *Antiphonarium* (1548) und das *Antiphonarium abbreviatum* Cinciarinos (Venedig 1547 nebst dem in dessen Vorrede erwähnten *Graduale* von 1546); für den süddeutschen Raum das *Graduale Basileense* (Basel 1488), ein *Graduale* für die Diözese Augsburg

(Augsburg 1494/95) und das *Graduale Herbipolense* (Würzburg 1496). Eine beachtliche Zahl hand-
schriftlicher Gradualien aus der Zeit von 1400 bis 1570 ist von Aengenvoort für den westfälischen
Raum nachgewiesen worden. Aengenvoort hat für diesen Zeitraum die Umbildung des römischen
Melodiengutes zu einem *„sächsisch-fälischen"* Choraldialekt hervorgehoben und gleichzeitig die
Beziehungen zu einer fränkisch-romanischen (Köln — Utrecht) und einer eindeutig germanischen
Tradition (St. Gallen — Einsiedeln) dargelegt.

Die zeitliche Verschiebung in der Missionierung des Nordens führte bei einigen Ländern zwangsläufig auch zu einer
erst später einsetzenden Auseinandersetzung mit den römischen Melodien. Das gilt vor allem für Polen und die
skandinavischen Länder. Zu einer Vermischung römischen und germanischen Melodiengutes kam es in den Gnesener
Gradualien (1418 und 1536), nachdem zuvor in einem *Graduale Franciscanum* (1232–1255) eine römische Tradition
begründet worden war. Diese wurde später im *Antiphonar* von Kielce (1372) aufgegeben. Unerforscht blieben bisher
die zahlreichen Handschriften der monastischen Tradition Polens. Ungeklärt blieb auch bis zum augenblicklichen
Zeitpunkt das Problem der von Feicht angeführten Neukomposition von Ordinarien. Die Handschriften der Diözese
Krakau liefern den Beweis für eine lebendige Choralpraxis im späten Mittelalter.

Zu einer Umbildung der römischen Melodien kam es auch im skandinavischen Bereich. Bei einem Überwiegen der
römischen Fassung spricht Bohlin von *„germanischen Spitzentönen"*.

Neben der Pflege der Gesänge des Graduale und der Weitergabe eines bestehenden Grundschatzes
liturgischer Melodien strebte die spätmittelalterliche Choralpraxis zu einer weiteren Ausbildung
metrischer oder prosaartiger Neuschöpfungen von Sequenz, Tropus und Reimoffizium. Wesentlich
gefördert wurde dieses Streben auch in der Zeit von 1400 bis zum Ende des 16. Jahrhunderts durch
die hinzugekommenen Heiligenfeste. Von nachhaltigem Einfluß auf die für das Offizium bestimmten neukomponierten Reimoffizien war die Schaffensfreudigkeit einzelner Ordensmitglieder, namentlich der Dominikaner und Franziskaner. Mit ihrer Missionstätigkeit konnten sich die Reimoffizien
neben dem deutschen Bereich auch die nordischen Länder (wie das Offizium Sancti Thorlaci um
1325–1350 aus Island) und Polen erschließen. Die Pflege der Sequenz erwies sich zunächst als eine
Fortführung bekannter Gesänge und Formtypen neben Eigenbildungen. Sie konnte sich weiterhin
vorwiegend nördlich der Alpen erhalten. Als Beispiel kann neben anderen die Sequenz des Notker
Balbulus *Agnus paschalis esu potuque dignas* angeführt werden. Sie kehrt in zahlreichen Plenarmissalien des westfälischen Bereichs wieder. Die germanische Kontinuität der Verbindung zum Raum
St. Gallen blieb damit gewahrt. Die lokale Tradition förderte aber auch die Neubildung von Sequenzen in Norddeutschland, Polen und Skandinavien.

Das *Graduale Monasteriense* des Druckers Alopecius (1536) enthält 69 Sequenzen (4 davon mit eigenen Melodien)
im Gegensatz zu dem *Missale completum secundum consuetudinem Romanae curiae* (Mailand 1481), das nur die
Sequenzen *Victimae paschali laudes, Veni Sancte Spiritus* und *Sancti Spiritus nobis adsit gratia* für Pfingsten, *Lauda
Sion* für Fronleichnam und *Trinitas unitas, deitas summa* für Dreifaltigkeit anführt. Ein weiteres *Missale Romanum*
(1504) nennt zusätzlich das *Dies irae*. Das häufigere Vorkommen der Sequenz nördlich der Alpen wird aus einem
Graduale Basel (1511) mit der Anzahl von 44 Sequenzen deutlich.

In den Diözesen Kopenhagen, Åbo, Uppsala, Linköping und Skara hatte die Dominikanermission die ordenseigene
Liturgie gefördert. Das Vorkommen der Sequenz wird ersichtlich aus dem *Codex Cumoënsis* der Diözese Åbo aus dem
16. Jahrhundert (im Besitz der Universitätsbibliothek Helsingfors), dem *Graduale Uskelense*, geschrieben 1518 (im
Besitz der Universitätsbibliothek Helsingfors), und dem *Graduale Ilmolense* aus dem Ende des 15. Jahrhunderts
(Bibliothek der wissenschaftlichen Gesellschaften Helsingfors). Das Missale Nr. 330 (F 7 aus der Sammlung der
Fragmentae membranea der Universitätsbibliothek Helsingfors) nordischer Provenienz enthält die Sequenzen der
Heiligen Erik und Birgitta ohne Notenschrift. Im *Codex Cumoënsis* sind die Sequenzen *Singularis Christus mansit,
Ave gemma praesulum, Odas summo regi Christo, Felix urbs est Paterea, Ave clara stella maris, Ante thorum virgi-
nalem*, im *Graduale Uskelense* (siehe Abb. 17) außerdem die Sequenz *Gaude martir gloriose* verzeichnet. Von
den mit F bezeichneten Missalien und Gradualien der Sammlung *Fragmentae membranea* der Universitätsbibliothek
Helsingfors enthält das Graduale F 12 die Sequenzen des finnischen Schutzpatrons Henrik *Cetus noster letus esto* und
Ecce magnus presbyter. Die durchweg gleichnamigen Sequenzen der übrigen Quellen F 1 bis F 14 sind nur zum Teil
mit Noten ausgestattet.

Die Pflege der Meß- und Offiziumstropen sowie der Reimoffizien hat sich in den Ländern des
römischen Ritus unterschiedlich bemerkbar gemacht. Der Hang zur metrischen Gliederung und textlichen Interpolation ist in den Ländern des germanischen Sprachbereichs stärker ausgeprägt als in

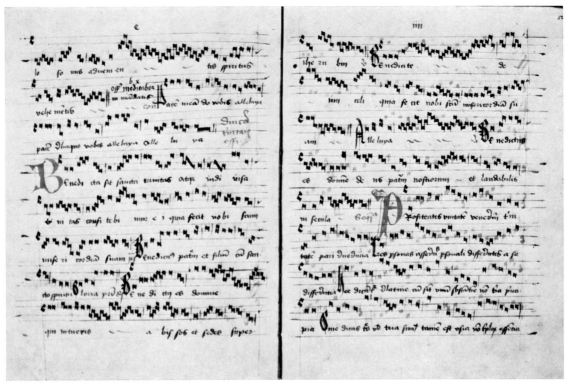

17. Helsingfors, Universitätsbibliothek, Graduale Ilmolense (15. Jh.), fol. 49v–50r

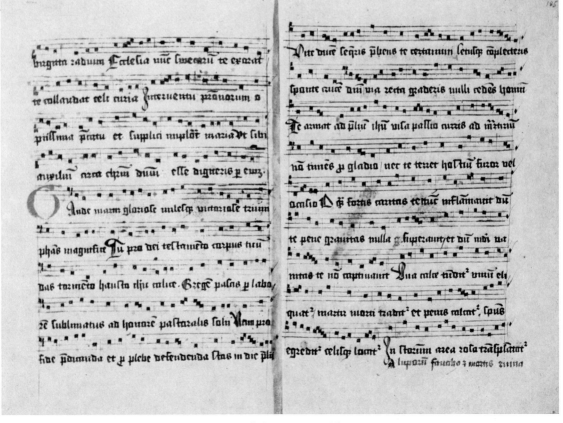

18. Helsingfors, Universitätsbibliothek, Graduale Uskelense (1518), fol. 184v–185r

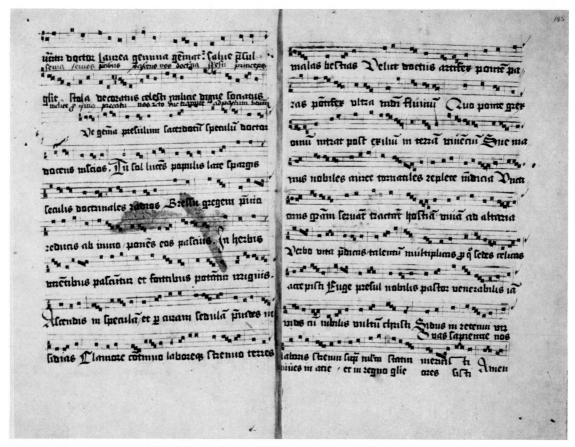

19. Helsingfors, Universitätsbibliothek, Graduale Uskelense (um 1518), fol. 185ᵛ—186ʳ

20. Johannes Prüss, Graduale, Strassburg 1501

den romanischen Gebieten. Intensive Pflege erlebten die Tropen zwar in Klöstern und Weltkirchen Frankreichs. Doch darf man annehmen, daß sie in späterer Zeit zu besonderer Blüte gelangten. In England war seit den 1450er Jahren die Pflege der Mehrstimmigkeit in den Vordergrund des Interesses getreten. Das Old-Hall-Manuskript enthält vorwiegend mehrstimmige Vertonungen des Ordinariums, des Magnificat und der Hymnen. Die Kyrie-Tropen wurden dem *Graduale Sarisburiense* entnommen und bilden eine Weiterführung der Liturgiepraxis der Kathedrale von Salisbury. Dieser Umstand bekräftigt die These Peter Wagners, nach der die historische Mission der Tropen in der wechselseitigen Pflege gregorianischer Einstimmigkeit und der gleichzeitig praktizierten Mehrstimmigkeit lag.

Mit der Form der Reimoffizien wurde sowohl in textlicher als auch in melodischer Hinsicht Neuland betreten (vgl. S. 293 ff.).

An der Neukomposition waren namentlich die Dominikaner und Franziskaner (Julian v. Speyer, Stephan v. Lüttich) beteiligt. Es liegt nahe, daß auch die Augustiner der Praxis folgten. Das Reimoffizium *Gratuletur omnis mundus* auf den heiligen Augustinus aus dem Antiphonale 1546 (Priesterseminar Münster K 1'146) legt dies nahe. Für den nördlichen Raum ist das, wenn auch früher entstandene, Reimoffizium Sancti Thorlaci (etwa 1325–1350) aus Island erwähnenswert. Man darf annehmen, daß die Verehrung der Heiligen Adalbert, Stanislaw, Jadwiga, Jacek, Kinga, Waclaw und Florian in Polen die Neukomposition in ähnlicher Weise gefördert hat wie im westfälischen Bereich die Verehrung der Heiligen Katharina, Ludgerus und Odger. Das neben zahlreichen anderen quellenmäßig belegte Reimoffizium der genannten im Manuskript 237 des *Breviarium notatum* (etwa 1475–1480, Diözesanarchiv Münster) bestätigt diese Annahme. Für die Zeit des 15. Jahrhunderts sind Ghiselher von Hildesheim, Leopold von Steinberg (beide um 1400 in Hildesheim wirkend), Johannes Hoffmann (Mitte des 15. Jahrhunderts Bischof von Meißen) und Johannes Hane (Ende des 15. Jahrhunderts) als Dichter von Reimoffizien von Bedeutung.

Die stilistischen Merkmale der Reimoffizien im späten Mittelalter liegen im wesentlichen in einer Verwischung der ursprünglichen Strukturen und in der Lösung von der Beziehung der Psalmodie und der Modi. Der Unterschied zwischen authentischen und plagalen Tonarten wird weniger spürbar, der Ambitus vielfach erweitert; das Schwergewicht verlagert sich von dorischen und phrygischen Melodien zu mehr lydischen und jonisch betontem Charakter der Gesänge.

Dieser stilistische Wandel wurde von Ossing für den westfälischen Bereich der Choralpraxis nachgewiesen. Ähnliche Merkmale finden sich auch in dem Reimoffizium des isländischen Bischofs Thorlak, der für die Diözese Skálaholt und als späterer Abt des Augustinerklosters Þykkvaboer eine bedeutende Rolle spielte. Die Gesänge sind beinahe völlig oder annähernd identisch mit entsprechenden dominikanischen Vorlagen und gekennzeichnet durch *„Reihung der Gesänge nach Ziffernfolge der Modi, Durchbruch terzgeschichteter Melodik, Beanspruchung eines weiten, die Oktav vielfach überschreitenden Ambitus, sehr bewegte, wesentlich kleinschrittige Melodieführung, sowie gegenseitig stilistische Annäherung der syllabisch-melismatischen Weisen zu den Antiphonen der Responsorien"* (Robert Abraham Ottósson S. 48).

Die Entwicklungsgeschichte der Gregorianik im späten Mittelalter ist für Meß- und Offiziumsgesänge als ein ständiger Prozeß der Umbildung und der Neubildung anzusehen. Der Grund für die Umbildung der Melodien beruht in der lokalen Aufführungspraxis. Von dem Umbildungsprozeß sind die Gesänge von Messe und Offizium in gleicher Weise betroffen.

Der Unterschied zwischen romanischem und germanischem Dialekt ist bis in die Psalmtöne zu verfolgen (Wagner II, 97–101.) Die acht Hauptformeln der Psalmtöne weisen jedoch nur geringe Varianten in allen Offiziumsbüchern des Mittelalters auf. Im Vergleich zu den italienischen und französischen zeigen sich bei den deutschen Tönen nur geringe Varianten. Bezeichnenderweise haben die *toni psalmorum* in Deutschland und Italien die choralfeindliche Zeit überdauert. In Frankreich dagegen wurden später starke Eingriffe durch liturgische und musikalische Änderungen durch die Oratorianer, so in der *Brevis psalmodiae ratio* François Bourgoings (1634), vorgenommen. In den Meßgesängen zeigt sich der Umbildungsvorgang durch Intervallveränderung des melodischen Grundbestandes, in der Kürzung der Melismen namentlich im Allelujagesang und in der Wandlung der modalen Struktur der Melodien. Die ursprüngliche Zahl der acht Modi wurde in Glareans *Dodekachordon* (1547) auf zwölf erweitert. Der diatonische Charakter der Melodien erfuhr eine Wandlung zur Dur-Moll-Tonalität, die u. a. in der Messe *De Angelis* des *Ordinarium Missae* VIII (15./16. Jahrhundert) und in der Marienantiphon des *Salve Regina* im 5. Modus die Terzbezogenheit der Melodie stilbestimmend werden ließ.

Neben der Zusammenfassung von Ordinariums- und Propriumssätzen zu eigenen Festformularen (Fronleichnam, Marienfeste), der Kombination von Ordinariumssätzen (tropiert oder untropiert) mit tropierten Proprien und Sequenzen zu Troparien zeigte sich weiterhin die Tendenz, die Sätze des Ordinariums in Zweiergruppen von *Kyrie—Gloria* oder *Sanctus—Agnus Dei* zusammenzufügen. Im späten Mittelalter erfolgte darüber hinaus eine Verknüpfung der Sätze nach tonartlichen und vor allem motivischen Gesichtspunkten.

Dieses Prinzip der Ordnung nach melodischem Gesichtspunkt zu einer zyklischen Einheit zeigt sich im *Liber votivalis et festivus* des Abt Johannes aus dem Benediktinerstift Oberaltaich aus dem Jahre 1452. Messen gleicher Art finden sich u. a. bei Du Mont und dem Zisterzienser Philippus à S. Joanne Baptista. Motivisch gebundene Formulare wurden zudem mit Namen bezeichnet, die über die Rubriken wie *de angelis, confessorum* und andere hinausgingen: so *Missa sexti toni* und andere.

Bei Tropus und Sequenz ist neben der melodischen Neuschöpfung die Textunterlegung unter eine gegebene Melodie von Bedeutung. Bei den Meßgesängen kam es zur Tropierung von Ordinariums- und Propriumsteilen. Das Offizium war von Tropierungen weniger betroffen, da die Antiphonen und Psalmen melodisch einfacher gehalten waren und keiner Interpolation bedurften.

Zu Tropierungen innerhalb der Offiziumsgesänge ist es bei den Responsorien der Nokturnen, dem Versikel *Deus in adjutorium*, dem *Tu autem Domine* am Schluß der Lektionen, dem *Magnificat*, den *Marienantiphonen* und dem *Benedicamus Domino* gekommen. Die Entwicklung des Offiziums hatte im späten Mittelalter den Wunsch nach Reform aufkommen lassen. Die unabsehbare Zahl der Heiligenfeste und Reimoffizien, die Kritik der Humanisten am schlechten Latein des Breviers sowie die Neigung zu einer Kürzung der Schriftlesungen sind als Hauptgründe anzusehen. Die Reformtendenzen setzten sich nicht in dem beabsichtigten Maße durch. Eine traditionalistische Richtung im Tridentinum verlangte die Rückkehr zur alten Gestalt. Die Heiligenoffizien wurden beschränkt, zweihundert Tage festfrei, die Zusatzoffizien der privaten Rezitation zugewiesen und die Reimoffizien bis auf wenige Ausnahmen ausgemerzt. Nur wenige privilegierte Formulare konnten sich in einzelnen Diözesen zum Teil bis in das neunzehnte Jahrhundert erhalten.

Die Verbreitung des Chorals auf außerrömischem Boden hatte zwar die Anpassung des melodischen Grundbestandes, wie er seit Gregor dem Großen überliefert worden war, an das musikalische Empfinden der Nationen gefördert; auch hatte das Stilempfinden im späten Mittelalter die diatonische Struktur der Melodien gewandelt und in Neukompositionen dem Musikstil der Zeit angeglichen. Der wesentliche Bestandteil hingegen blieb trotz aller Wandlungen unangetastet: der Psalter. Der Choral blieb in den wechselnden Gesängen der Messe und des Offiziums gesungenes Bibelwort im Sinne einer Schriftverkündung. Daran haben auch gelegentliche textliche Neuschöpfungen kaum etwas geändert. Die Ehrfurcht vor dem überlieferten Wort war so groß, daß man bei neuen Festen oder Meßformularen häufig Text und Melodie von einem alten Formular übernahm. In manchen Fällen übertrug man eine alte Melodie auf den neuen Text. Unabhängig von musikalischen oder ästhetischen Erwägungen blieb der Choral Ausdruck des Gebetes und der eucharistischen Opferfeier.

Heinz Wagener

Die kirchlichen Gesänge in der Volkssprache

Die geistlichen Gesänge in der Vulgärsprache emanzipierten sich von der lateinischen Liturgie im Verlauf einer längeren Entwicklung, die im 14. Jh. einen ersten Höhepunkt erreichte. Dabei gewann schon früh das gereimte Strophenlied die Vorherrschaft. Es verbreitete sich in nahezu allen mittelalterlichen Staaten Westeuropas und drang mit der Kolonisation und Christianisierung auch nach Mittel- und Osteuropa vor.

Der im Gottesdienst gemeinsam gesungene Teil des religiösen Lieds wird im deutschen Sprachgebiet seit der Mitte des 17. Jh. als Kirchenlied bezeichnet. Die Sammlungen von Ph. Wackernagel, Hoffmann von Fallersleben und J. Kehrein für die Textgeschichte, von K. S. Meister und W. Bäumker für die Melodiegeschichte legten den Grund für Untersuchungen des katholischen deutschen Kirchenlieds. Infolge dieser Vorarbeiten ist die Entwicklung des Kirchengesangs in deutscher Sprache gegenwärtig am besten zu überschauen und soll im folgenden stellvertretend für die Gesamtentwicklung in den verschiedenen Nationalsprachen in der Zeit des 16. bis 18. Jh. dargestellt werden. (Auch aus Frankreich, den spanischen Niederlanden und Holland sind Quellen in größerer Zahl bekannt, doch steckt ihre Erforschung noch in den Anfängen).

Das Kirchenlied unter dem Einfluß der Reformation

Von einem katholischen Kirchenlied als gemeinsamen Gesang der gottesdienstlichen Gemeinde und unter bekenntnismäßiger Festlegung kann erst seit der Reformationszeit gesprochen werden: *„Unter ‚Kirchenlied‘ verstehen wir jene strophisch gegliederten geistlichen Gesänge in der Landessprache, welche vermöge ihres kirchlichen Charakters dazu geeignet sind, während des Gottesdienstes, mag dieser nun innerhalb oder außerhalb der Kirche stattfinden, von der ganzen Gemeinde gesungen zu werden und zu diesem Zwecke von der kirchlichen Obrigkeit entweder stillschweigend geduldet oder ausdrücklich approbirt sind"* (Bäumker).

In der Reformationszeit wurden mit der Schaffung einer einheitlichen Hochsprache und der Aktivierung der laikalen Kräfte im Gemeindegottesdienst wichtige Voraussetzungen für das Kirchenlied geschaffen. Um den Wandel in der bisherigen Praxis kirchlichen Singens in der Landessprache richtig erkennen zu können, ist es notwendig, sich die Situation am Ausgang des Mittelalters zu vergegenwärtigen. Dabei zeigt sich als charakteristische Schwierigkeit, daß der neuzeitlich geprägte Begriff „Kirchenlied" nur sehr bedingt auf die mittelalterlichen Verhältnisse übertragbar ist und vulgärsprachlicher Kirchengesang keineswegs eindeutig von der Liturgie einerseits und dem geistlichen „Volkslied" andererseits abgegrenzt werden kann.

Kirchlicher Liedgesang am Ausgang des Mittelalters

Die landessprachlichen Lieder der Kirche, die sich im größeren Rahmen des geistlichen Lieds (geistlichen Volkslieds) entwickelten, sind aus der sekundären Schicht der lateinischen Liturgie, dem *„mittelalterlichen Choral"* (Jammers) hervorgegangen. Als ihre wichtigsten Zweige entwickelten sich im Hoch- und Spätmittelalter die Leise, das Hymnen- und das Antiphonenlied, die Cantio und schließlich der Ruf.

Die Berührung mit der mittelhochdeutschen Dichtung war offenbar nicht sehr eng; ihr Einfluß machte sich erst mit großer zeitlicher Verschiebung (auf dem Umweg über das weltliche Lied und den Meistergesang) bemerkbar. So blieb das religiös-kirchliche Lied weitgehend von Vorbildern aus der Liturgie bestimmt.

Über seinen Entstehungsprozeß herrscht noch keine Klarheit. Die Leisen und auch ein Teil der Cantionen haben sich offensichtlich aus dem Tropus entwickelt, aus vulgärsprachlichen, erweiternden Einschüben in die lateinischen liturgischen Gesänge (textlich-musikalische Interpolation). Tropiert wurden vor allem Sequenzen und Antiphonen des Stundengottesdienstes.

Die Leisen, Hymnen- und Antiphonenlieder und Cantionen nahmen ihren Ausgang von der Priesterkirche, in deren Umkreis sie bis an die Schwelle der Reformationszeit auch blieben. Gerade die Verdeutschungen von Gesängen aus dem Stundengottesdienst (und parallel die wachsende Zahl deutscher Hymnare) zeugen vom Interesse und Bedarf der Kleriker.

Ungeklärt ist, in welchem Umfang die deutschen Lieder von den Laien, von der mittelalterlichen Gemeinde, von Klerikern für Kleriker oder von Klerikern (und ihren Helfern) für die versammelten Laien gesungen worden sind. (So verzeichnet unter der Rubrik *„pro populo canitur"* noch J. Eck in seinem Ingolstädter Pfarrbuch (geschrieben 1525–1532) die Verwendung eines deutschen Lieds beim festtäglichen Offizium, und ähnlich heißt es in der sog. *Crailsheimer Schulordnung von 1480* vom Rector scholarium: *„pro populo vulgare carmen . . . adiungit canendum".*)

Zur Frage der Ausführenden gehört die Frage der gottesdienstlichen Funktion. Die mittelalterlichen Nachrichten hierzu sind ebenfalls noch nicht gesammelt und im Zusammenhang erörtert worden. Es ist klar, daß bei der ausschließlichen Verwendung des Lateins als Kultsprache im vornehmlich von den Klöstern und Stiften getragenen Gottesdienst der ständisch geschlossenen mittelalterlichen Hochkirche landessprachliche Bildungen wie das religiöse Lied keine wirklich selbständige Funktion, sondern nur eine Stellung akzidentellen Charakters erringen konnten. Immerhin fanden deutsche Lieder nach den vorhandenen Quellen und Zeugnissen in nicht geringem Umfang Verwendung beim Predigtgottesdienst (vor und nach der Predigt), bei den Bittgängen und Pilgerfahrten und im spätmittelalterlichen Andachtswesen — bei diesen Gelegenheiten ist eine stärkere Beteiligung der anwesenden Laien (Pfarrgemeinde) anzunehmen — und beim feierlichen Meß- und Stundengottesdienst — hier dürfte es sich vor allem um den Gesang der versammelten Kleriker gehandelt haben, ganz gewiß dann, wenn deutsche Lieder als Tenores mehrstimmiger Prozessionsmotetten dienten. Ein Stück mittelalterlicher Praxis lebt noch fort in der „additiven" Verwendung von Kirchenliedern in der lateinischen Messe der lutherischen Kirchenordnungen.

Die mittelalterliche Kirche kannte den vulgärsprachlichen Liedgesang, der in starkem Maß von den Klerikern geübt wurde; der geregelte Gemeindegottesdienst neuzeitlicher Art und damit auch der Gemeindegesang im präzisen Sinn waren ihr aber fremd.

Das Kirchenlied seit dem 16. Jahrhundert

Durch die Reformation erhielt der Gemeindegesang einen ungeheueren Aufschwung. Ihre laikale und bürgerlich-nationale Unterströmung fand in der Einführung der Nationalsprache in den reformatorischen Gottesdienst deutlichen Ausdruck. Das folgenschwere Ereignis, daß die deutsche Sprache zur Kultsprache erhoben worden war, und die nicht minder bedeutsame Überwindung der auch einer allgemeinen Verbreitung des Kirchenlieds entgegenstehenden sprachlichen Zersplitterung in Stammesdialekte, die sich mit Luthers Bibelübersetzung anbahnte, wirkten auch auf die alte Kirche zurück und bahnten dem katholischen Kirchenlied eine breite Gasse, ohne daß indes der lateinische Choral aus seiner liturgischen Stellung verdrängt worden wäre.

Zwei Kräfte vor allem haben das katholische Kirchenlied der ersten Periode, deren Ende im letzten Viertel des 16. Jh. anzusetzen ist, gefördert: der Humanismus und die als „vor- und nebentridentinische Reformwelle" bezeichnete theologisch-seelsorgliche Bewegung.

Der Humanismus

Die Zeit der frühen, vorreformatorischen Liedpublikationen (vom letzten Drittel des 15. Jh. bis in die 1520er Jahre) stand unter humanistischem Vorzeichen. Hinzu kamen Einflüsse des Meistergesangs, großenteils versifizierte Theologie und Mariologie. Dem Kreis der Humanisten, die z. T. anfänglich mit der Reformation sympathisierten, sind u. a. zuzurechnen der Straßburger Jurist und Schriftsteller S. Brant, der Würzburger Kleriker Hieronymus Schenk von Sumau (deutlich von der Poetik des Meistergesangs abhängig) und der Tiroler Lateinlehrer P. Tritonius.

Zur Bildung eines breiteren Lesepublikums trug wesentlich die Erfindung des Buchdrucks bei, der auch für die Verbreitung geistlicher Lieder günstige Voraussetzungen schuf. Seit 1470 wurden Lieder in rasch steigender Zahl in allen bedeutenden humanistischen Druckorten gedruckt, in Postillen und Plenarien, in deutschen Hymnaren, in Heiligenleben, Gebetbüchern, Beicht-, Wallfahrts- und Bruderschaftsschriften, nicht zuletzt auf Einblattdrucken und Liederblättern, häufig verbunden mit absatzfördernden kirchlichen Ablässen.

Einen weiteren wichtigen Schritt auf das neuzeitliche Gesangbuch hin bedeutete die Wiedergabe der Liedmelodien im Notendruck. Die ältesten bekannten Drucke mit Noten sind wohl zwei vermutlich 1496 in Basel hergestellte Einblattdrucke mit je einer Sequenzübertragung von S. Brant. Aus der Zeit vor dem Erscheinen des ersten katholischen Gesangbuchs (1537) sind folgende Veröffentlichungen mit Notendruck bekanntgeworden:

Sebastian Brant: *Ave preclara.*
: [Basel 1496?] 1 Bl. (1 Mel.)

Sebastian Brant: *Verbum bonum getütst.*
: [Basel 1496?] 1 Bl. (1 Mel.)

Von sant Ursulen schifflin.
: Straßburg 1497. 26 Bl. (1 Mel.)

Von der unbefleckten und reinen entpfengknüß . . .
: [Straßburg Ende 15./Anf. 16. Jh.] 1 Bl. (1 Mel.)

Sebastian Brant: *Ave preclara getutst.*
: Tübingen [nach 1500]. 1 Bl. (1 Mel.)

Ain schöne Tagweis wie Maria ist Empfangen worden on Erbsünd.
: [Ulm um 1500]. 1 Bl. (1 Mel.)

Der himelsch Rosenkrantz gesangßweis imm don. Wann ich gedenck der grossen lieb.
: o. O. [Anf. 16. Jh.] 1 Bl. (1 Mel.)

Hieronymus Schenk von Sumau: *Von der uberwirdigdigsten muter gotes und reinen junckfrauen Maria schoner entpfahung deutsches Carmen.*
: Würzburg 1503. 6 Bl. (1 Mel.)

Hieronymus Schenk von Sumau: *Eine Salve regina in ein Carmen gemacht.*
: Würzburg 1504. 12 Bl. (1 Mel.)

Johann von Lasphe: *Von dem hieligen sacrament und leben cristi ein ynnig gedicht.*
: Erfurt 1505. 4 Bl. (1 4st. Satz.)

Van der broderschaff der .vii. vreuden unser liever vrauwen.
: [Köln um 1510]. 20 Bl. (1 Mel.)

Die frau von himel mit vier stimmen.
: Nürnberg [um 1510]. 1 Bl. (1 4st. Satz.)

Das patris sapientia zu teutsch.
: Nürnberg [um 1510]. 1 Bl. (1 Mel.)

Maria zart.
: Oppenheim [um 1510]. 8 Bl. (1 Mel.)

Die Bruderschaft sancte Ursule.
: Nürnberg 1513. 28 Bl. (1 Mel.)

Die frau von hymel mit vier stymmen.
: [Nürnberg] 1515. 1 Bl. (1 4st. Satz.)

Hieronymus Emser: *enkōmion* [griech. Schr.] *in divum Bennonem.*
: Dresden 1524. 1 Bl. (1 Mel.)

Petrus Tritonius: *Hymnarius: durch das ganntz Jar verteutscht.*
: Schloß Sigmundslust bei Schwaz 1524. 144 Bl. (131 Hymnen mit gedruckten Notenlinien ohne Noten.)

Paul Schedel: *Novus Hortulus Anime.* [Gebetbuch.]
: Leipzig 1527. 116 Bl. (1 Mel.)

EYn clein innich gedicht tzo troest gegent de sweissende soecht.
: [Köln um 1529]. 1 Bl. (1 Mel.)

Mit dem 1524 von J. Piernsieder gedruckten *Hymnarius* des P. Tritonius, der 1519—24 als Lateinlehrer in Schwaz nachzuweisen ist, neigte sich die humanistische Phase ihrem Ende zu. Tritonius war der erasmianischen Richtung verbunden. Sein deutsches Hymnar steht noch ganz auf altkirchlichem Boden. Bemerkenswert ist ein auf Christus gewendetes Salve regina in einem kleinen Gebetbüchlein, das, um 1524 ebenfalls in der Piernsiederschen Druckerei hergestellt (von Tritonius herausgegeben?), den vorhandenen Exemplaren des Hymnars vielfach beigebunden ist. Piernsieders Betrieb wurde 1526 von der katholischen Landesregierung wegen gewisser ketzerischer Schriften aufgehoben; auch in einem deutschen Meßbuch, das Piernsieder noch in diesem Jahr verlegte, hat man reformatorische Tendenzen bemerken wollen.

Die vor- und nebentridentinische Reformwelle

Der zweite Abschnitt (1530—1570) der Gründungsperiode des Kirchenlieds wurde bestimmt durch die katholische Reaktion auf den deutschen Gottesdienst, die deutschen Gemeindelieder und die (nach tschechischem Vorbild) neu eingeführten Kirchengesangbücher der Reformatoren. Die katholische Hierarchie verhielt sich gegenüber der Herausforderung durch die neuen evangelischen Einrichtungen, deren Wirkung sie in der Zeit der bald überall ausbrechenden konfessionellen Kämpfe wenig entgegenzusetzen wußte, bis zum Tridentinum zunächst abwartend. Das Feld gottesdienstlicher Reformen und damit auch der Gemeindegesang blieben der Initiative einzelner Theologen und und theologisch gebildeter Laien überlassen, die nach ihren kirchlichen Zielen der vor- und nebentridentinischen Reformwelle — die in ihrer politischen Wirkung die auf konfessionellen Ausgleich und Erhaltung des Status quo bedachte kaiserliche Reichspolitik stützte — zuzurechnen sind.

Diese Richtung wird, was den landessprachlichen Liedgesang angeht, hauptsächlich von fünf Männern repräsentiert: G. Witzel, M. Vehe, K. Querhamer, Chr. Schweher und J. Leisentrit. Ihre Vorstellungen schlugen sich in Gesangbuch- und anderen Liedpublikationen nieder, deren Zahl zwar gering, deren Bedeutung für die weitere Entwicklung des katholischen Kirchenlieds jedoch erheblich war, und deren Wirkung über das von den Trienter Dekreten gesetzte Ende aller außertridentinischen Reformbestrebungen hinaus andauerte.

Waren in der humanistischen Phase die süd- und südwestdeutschen Städte die Zentren des geistlichen Lieds gewesen, so verlagerte sich nach dem Auftreten der Reformation die Aktivität der katholischen Liedpublizistik in das vom Abfall am meisten bedrohte Sachsen und die angrenzenden Gebiete. Hier arbeiteten Witzel, Vehe, Querhamer und Leisentrit. Auch in Südböhmen, Schwehers Wirkungsfeld, hatte sich die lutherisch-wittenbergische Reformation wichtige Positionen erobern können. Es war das Bestreben dieser zum überwiegenden Teil auf verlorenem Posten kämpfenden Katholiken, die Reste der alten Kirche, die der ersten lutherischen Flutwelle standgehalten hatten, durch Kompromisse in Fragen des Kults und durch Integration reformatorischer Impulse zu retten und zu konsolidieren. In diesem Rahmen muß auch ihre Arbeit auf dem Gebiet des Kirchenlieds gesehen werden.

Georg Witzel

Der Kopf der keineswegs homogenen Reformergruppe war zweifellos der lutherische Renegat und verheiratete Priester G. Witzel, der durch seine zahlreichen theologischen Schriften großen Einfluß auf seine Zeitgenossen und die nachfolgende Generation ausübte. An Vehes Gesangbuch war er direkt beteiligt, Leisentrit und noch R. Edinger können als seine Fortsetzer gelten.

Witzels gottesdienstliche Konzeption zog die aufgeschlosseneren katholischen Geistlichen der von der Religionsspaltung erfaßten Gebiete in den Bann, weil sich in ihr die Möglichkeit eines Kompromisses zwischen dem überkommenen lateinischen und dem evangelischen deutschen Gottesdienst, über dessen Wirkung niemand im unklaren war, abzuzeichnen schien. Die Spaltung des Gottesdienstwesens suchte Witzel zu überwinden durch stärkere Beteiligung der Laien an den kultischen Handlungen (*„publica Liturgia"*), die verbunden sein sollte mit einer maßvollen Anwendung der Landessprache und einer allgemeinverständlichen Erklärung der Zeremonien. Vor dem radikalen evangelischen Schritt, die deutsche Sprache in die Liturgie einzuführen, hielt er zwar ein, versuchte jedoch die Anziehungskraft der neuen deutschen Gebete und Lieder zu nutzen. Der Gemeinde wollte er *„teglich bey dem sacrament des altars oder mess"* (Stillmesse) das Singen deutscher, natürlich „katholischer" Lieder zugestehen: *„Auff das aber die hertzen des gemeynen Christen volcks wacker unnd erfrischet werden zum heyligen dienst, ist on fhar der religion, das man sie yn der pfarkyrchen ym ampt der mess unterweylen singen lasse: Wir gleuben alle an eynen Gott etc., ... [usw.] Auff die hohe fest des jars weiss man on das, was deudsch zu singen ist, nach gewonheit der kyrchen."* (Fuldaer Reformationsgutachten, 1541//42).

Witzels praktische Beiträge zum Kirchenlied bestanden vor allem in Übertragungen aus dem Lateinischen, von denen einige schon Anfang der 1530er Jahre entstanden sein dürften. Veröffentlicht wurden die ersten Lieder, fünf *„Gesänge aus der heyligen Schrifft"* (ohne Melodien), in Vehes Gesangbuch von 1537. Witzels kleines Gesang- und Gebetbuch *Odae Christianae*, St. Viktor bei Mainz 1541, bringt zehn Lieder (ohne Melodien), darunter die fünf aus dem Gesangbuch Vehe, mit der Bemerkung: *„Dise und der gleychen vil mehr Cantilen machet ich vorzeytten in Sachsen, wenn mich etwa ein lust zu singen ankame"*. Wichtigster und umfangreichster Beitrag ist der *Psaltes ecclesiasticus*, Köln 1550, eine bunte Sammlung von vielerlei, meist liturgischen Texten in deutscher Übersetzung, worin neben Übertragungen von Antiphonen, Hymnen und Sequenzen auch viele mittelalterliche deutsche Lieder (ohne Melodien) erscheinen und an verschiedene altdeutsche Gottesdienstbräuche erinnert wird.

In diesem bewußten Anknüpfen an mittelalterliche Traditionen kündigen sich bereits charakteristische Tendenzen der gegenreformatorischen Liedperiode an.

Nicht zu übersehen sind bestimmte bürgerliche Züge in den Liedpublikationen des humanistisch gebildeten, von der Devotio moderna beeinflußten Theologen. Wie in seinem *„humanistischen Reformkatholizismus"* (Pralle) der metaphysisch-gnadenhafte Charakter des Gottesdienstes hinter dessen sittlichem Nutzen zurücktritt, so beschränkt sich bei Witzel (und seither) das religiöse Lied nicht mehr allein auf den kirchlichen Dienst, sondern zieht auch in Schule und Haus zum Zweck der privaten Erbauung und als Mittel der Erziehung ein.

Michael Vehe und Kaspar Querhamer

Witzel hatte dem entstehenden katholischen Kirchenlied Programm und Grundlage gegeben, Vehe und Querhamer taten mit der Veröffentlichung des ersten katholischen Gesangbuchs (*Ein neu Gesangbüchlin Geystlicher Lieder*) den nächsten notwendigen Schritt. Daß es, in Halle a. d. Saale zusammengestellt und 1537 in Leipzig gedruckt, ebenfalls unweit von Wittenberg entstand, war sicher kein Zufall.

Herausgeber des Gesangbuchs war der Witzel nahestehende Probst des Neuen Stifts in Halle, der auch als Apologetiker hervorgetretene M. Vehe OP, ein Vertrauensmann des Hohenzollernprinzen Albrecht von Brandenburg.

Der Kardinal und Kurfürst, Erzbischof von Magdeburg und Mainz, dessen Finanzgeschäfte zum offenen Ausbruch der Reformation beitrugen, hatte Halle zu seinem bevorzugten Aufenthaltsort gewählt und dort 1520 das Neue Stift gegründet. Zunächst als Institut kirchlich-fürstlicher Repräsentation gedacht, in welchem zur Ausführung des Chorals ein enormer Apparat bereitstand, entwickelte sich dieses unter der schnell wachsenden Bedrohung durch die Reformation bald immer mehr zu einem antilutherischen Bollwerk („Trutz-Wittenberg"). 1531 unterzog es Albrecht einer tiefgreifenden Reorganisation und gliederte ihm eine neugegründete Universität an, zu deren Kanzler er den Stiftsprobst bestimmte. Trotz aller dieser Anstrengungen gelang es dem Kirchenfürsten nicht, seine Macht zu behaupten. Halles Bürgertum wurde innerhalb weniger Jahre von der neuen Lehre gewonnen. Es kehrte sich offen gegen seinen Landesherrn und verleidete ihm den weiteren Aufenthalt in seiner Lieblingsresidenz, so daß er schließlich 1541 seinen Hof nach Mainz verlegte (wohin er u. a. auch Witzel holte) und das Neue Stift aufhob.

Vehes Gesangbuch fällt in die bewegte Spätzeit des hallischen Stifts. Der Herausgeber beruft sich in seiner Vorrede auf das Verlangen vieler *„guter"* Christen nach *„unverdächtigen"* Liedern, die man in katholischer Gemeinde singen wolle. Er sah es als notwendig an, den Wünschen der Bürger, um sie dem alten Glauben zu erhalten, entgegenzukommen. Zugleich war er darum bemüht, daß hinsichtlich der gottesdienstlichen Verwendung der Lieder die altkirchliche Tradition respektiert werde. Die 52 Lieder (46 Melodien) des Gesangbuchs konnten gesungen werden vor und nach der Predigt und bei Prozessionen. Eine am Schluß mitgeteilte *Ordnung* gab Anweisungen, wie sie auf Sonn- und Feiertage, vor allem auf die großen Feste des Kirchenjahres zu verteilen waren.

Vehe nahm keineswegs nur ältere Lieder auf, im Gegenteil, die zeitgenössischen überwiegen sogar. Ihre Verfasser sind Witzel (5), damals katholischer Prediger im benachbarten Eisleben, und Querhamer (25), der letzte katholische Ratsmeister von Halle und Mitstreiter Vehes.

K. Querhamer, der als Mitverfasser des GB Vehe angesehen werden kann, ein theologisch gebildeter Verwaltungsmann, war zunächst, wie viele Humanisten, der Reformation zugetan. Später wurde er ihr Gegner und bekämpfte sie auch publizistisch. Seine Lieder zeigen, daß er von reformatorischen Vorstellungen nicht unbeeinflußt war, besonders von dem Gedanken, nur das im Anschluß an das Schriftwort gedichtete Lied sei für den Gottesdienst geeignet. Luther hatte mit seinen Psalmendichtungen einen neuen Typ des Kirchenliedes geschaffen; das Psalmenlied wurde zum zentralen Kultlied der Protestanten und fand bei den Zeitgenossen ein unerhörtes Echo. Auch unter Querhamers Neudichtungen befinden sich lutherischen Vorbildern verpflichtete Psalmenlieder (12). Ihnen gebührt als den ersten deutschen Paraphrasen von Psalmen in Liedform auf katholischer Seite besonderes Interesse.

Vehe und Querhamer folgten auch darin lutherischem Beispiel, daß sie viele der mittelalterlichen, z. T. einstrophigen Lieder redigierten und um neugedichtete Strophen erweiterten — oder sie übernahmen einfach die „christlich gebesserte" evangelische Version. Ähnlich wurde mit den alten Liedmelodien verfahren, von denen nicht wenige in Fassungen der lutherischen Gesangbücher erscheinen.

Als Komponisten der Lieddichtungen Querhamers kommen nach der Vorrede vor allem die beiden in den Diensten Albrechts stehenden hallischen Organisten in Betracht: der wenig bekannte Johann Hoffmann und W. Heintz, der seit 1529 in freundschaftlichen Beziehungen mit Luther stand und nach Albrechts Weggang erster Organist der neuen (evangelischen) Marktkirche in Halle wurde.

In Halle vermochte das GB Vehe die Reformation nicht aufzuhalten, doch sollte es deshalb nicht als erfolglos angesehen werden. Drei Jahrzehnte später (1567) wurde es noch einmal im Mainzer Erzstift nachgedruckt, und mehrere seiner Lieder, darunter auch die Neudichtungen Witzels und Querhamers, fanden Aufnahme in den gegenreformatorischen Gesangbüchern. Nicht zuletzt ging es fast vollständig im Leisentritschen Gesangbuch auf. Bedenkt man, daß 1537 — kaum anderthalb Jahrzehnte nach den ersten lutherischen Gesangbüchern — auf katholischer Seite, ohne den Rückhalt an einer breiten Kirchenliedbewegung, ein Gesangbuch betont kirchlich-gemeindemäßigen Charakters herausgegeben wurde, das an Umfang dem damaligen „offiziellen" wittenbergischen Gesangbuch, dem Klugschen, gleichkam und nach einer durchdachten Konzeption zusammengestellt war, wird man die Leistung Vehes, Querhamers und ihrer Mitarbeiter nicht verkennen können.

An dieser Stelle sollten wenigstens kurz erwähnt werden *Die hymni, oder geistliche Lobgeseng, wie man die in der Cystertienser orden durchs gantz Jar singet* des Zisterziensers L. Kethner, ein deutsches Hymnar, das auf Veranlassung des Abts des fränkischen Zisterzienserklosters Hailsbronn entstanden war und auf seine Kosten nach dem vorzeitigen Tod Kethners von dessen Schwager J. Gruen 1555 in Nürnberg im Druck herausgegeben wurde. Die 37 Hymnenübersetzungen (zu 27 bekannten Choralmelodien) — unter ihnen auch mehrere evangelischen Ursprungs — waren, wie schon der Titel anzeigt, für einen beschränkten Kreis bestimmt und haben im übrigen keine nennenswerte Resonanz gefunden.

Witzel, Vehe und Querhamer (auch Kethner) repräsentieren die erste Generation der frühen Liedperiode; mit Schweher und Leisentrit tritt bereits eine neue Generation in Erscheinung, in deren Verlauf das Königreich Böhmen (Südböhmen bzw. Lausitz) Ort der weiteren Entwicklung ist.

Christoph Schweher

Schwehers Bedeutung ist aus der vorliegenden Literatur kaum richtig zu erkennen. Man erblickte in ihm vornehmlich den Mitarbeiter Leisentrits und übersah, daß er schon vor dem Erscheinen des Gesangbuchs Leisentrits mit wichtigen, selbständigen Beiträgen zum Kirchenlied hervorgetreten ist.

Chr. Schweher (mit gräzisiertem Namen Hecyrus) wurde vermutlich in den 1520er Jahren geboren. 1541 kam er an die lateinische Schule in Budweis. Er heiratete und wurde nach 17jähriger Schultätigkeit Budweiser Stadtschreiber. Nach dem Tod seiner Frau studierte er in Prag Theologie und wurde 1571 zum Priester geweiht. Nach kurzer Tätigkeit in Budweis kam er 1572 als Pfarrer nach Komotau, 1573 nach Kaaden. 1581 kehrte er als Dechant nach Budweis zurück. Er resignierte 1590 und zog sich nach Prag zurück, wo er 1593 starb.

Während der fünf Jahrzehnte von Schwehers langer Tätigkeit in Budweis gestalteten sich dort, wie in ganz Südböhmen die kirchlichen Verhältnisse immer verworrener. Unter utraquistischen Vorzeichen drang das Luthertum in den Städten vor. Auch in den katholischen Kirchen hatte sich schon die Kommunion sub utraque festgesetzt. Bei katastrophalem Priestermangel förderte ein großer Teil der Priester, unterstützt von den adeligen Grundherren, ihren Kollatoren, die utraquistische, bald protestantische Bewegung.

Es ist nicht ausgeschlossen, daß auch Schweher in jungen Jahren mit der neuen Lehre sympathisierte; es wird berichtet, daß er die Budweiser Schule nach den Vorschlägen von Melanchthon und Bugenhagen reorganisierte. Als Stadtschreiber unterstützte er jedoch den kaisertreuen und streng katholischen Rat von Budweis. Auch seine Freundschaft mit Leisentrit und sein spätes Theologiestudium und Eintritt in den Klerikerstand lassen keinen Zweifel an seiner katholischen Gesinnung zu. Seine Religiosität scheint jedoch von ähnlicher Milde und Versöhnlichkeit gegenüber den Lutheranern bestimmt gewesen zu sein wie die Leisentrits.

Es kennzeichnet Schwehers Zugehörigkeit zur vor- und nebentridentinischen Reformwelle, daß er 1554 eine Übersetzung einer lateinischen theologischen Schrift des Irenikers F. Nausea veröffentlichte.

Eine vermittelnde Haltung spricht aus Schwehers erster großen Liedpublikation, die während seiner Amtszeit als Budweiser Stadtschreiber erschien, den *Veteres ac piae cantiones*, Nürnberg (J. vom Berg & U. Neuber) 1561.

Es handelt sich um eine Sammlung, bestehend aus einem drei- und 62 vierstimmigen motettenhaften Sätzen zum Gebrauch an höheren Schulen. Die Stücke sind überwiegend geistlichen Inhalts (59) und eingeteilt nach dem Kirchenjahr; am Schluß folgen einige moralisierend-weltliche (4). 32 Sätzen mit einem lateinischen Text stehen 21 mit einem lateinischen und einem deutschen und 10 allein mit einem deutschen gegenüber. Das interessante Schulgesangbuch ist noch nicht eingehend untersucht worden. Seine Bedeutung für das Kirchenlied liegt in der Verwendung zahlreicher geistlicher Lieder als Cantus firmi sowohl in Tenor- als auch in Diskantlage. Es ist die einzige auf katholischer Seite entstandene Sammlung polyphoner Liedsätze, die bis jetzt bekanntgeworden ist.

Mit Bedacht hat der Herausgeber es bei der Auswahl der Gesänge vermieden, sich konfessionell festzulegen; offenkundig sollte die Sammlung so angelegt sein, daß sie in den katholischen wie protestantischen Lateinschulen gebraucht werden konnte, worauf auch ihr Erscheinen in einem der großen Nürnberger Musikverlage hinweist, wo man wegen der Absatzchancen auf Überkonfessionalität achtete. So findet sich neben vielen mittelalterlichen lateinischen und deutschen Liedern u. a. auch Luthers Vater-unser-Lied. Andere vorreformatorische Lieder werden in der lutherischen Version übernommen. Enge Berührung zeigt Schwehers Auswahl auch mit dem Liedgut der Böhmischen Brüder. Mehrere Lieder stammen aus Weißes Gesangbuch von 1531; andere, die hier zum erstenmal vorkommen, erschienen wenige Jahre später auch im Anhang des großen Brüdergesangbuchs, Ivancice (?) 1566.

Die Namen der Komponisten der Sätze sind nicht genannt und müssen noch ermittelt werden. Schwehers Rolle war wohl vor allem die des Kompilators, wie auch in der Vorrede erklärt wird: *„. . . maiores nostros studiosos fuisse testantur multa cantica, quae de praecipuis Anniversariis festis composuerunt, et nobis quasi per manus tradiderunt. Quae cum viderem iam rarius in Scolis usurpari, imo neglegentia et fastu quodam abiici atque contemni, operae precium me facturum arbitrar, si ea, quae ipse non parvo labore in mea diutina Scolae administratione ex variis collegeram, in publicum darem, . . . "*. Darüber hinaus hat Schweher mehrere Neudichtungen sowie Übersetzungen lateinischer Originallieder beigesteuert.

Bereits 1552 hatte Schweher einen älteren, um viele hinzugedichtete Strophen erweiterten Bittfahrtsruf herausgegeben. Seit dieser Zeit muß er sich mit dem Verfassen neuer Kirchenlieder beschäftigt haben. Etliche Texte (24) wurden, ohne im einzelnen namentlich gekennzeichnet zu sein, zunächst in Leisentrits Gesangbuch von 1567 veröffentlicht. Im letzten Jahr seiner Tätigkeit als Pfarrer in Kaaden ließ Schweher 1581 in Prag ein Gebet- und Gesangbuch mit dem Titel *Christliche Gebet und Gesäng* drucken. Es erschien mit der Approbation des Prager Erzbischofs und enthielt neben vielen wohl vom Herausgeber verfaßten Gebeten 52 Lieder (23 Melodien). Die meisten Lieder hat Schweher vermutlich selbst geschrieben; daneben finden sich auch Luthersche Bearbeitungen und Lieder der Böhmischen Brüder. Die Lieder, die schon im GB Leisentrit standen, sind teilweise überarbeitet und gekürzt, vorhandene Melodien zumeist ausgewechselt worden.

Schwehers Lieder haben hauptsächlich das Leben und Leiden Christi sowie Glaubenslehren zum Inhalt. Dem betont kirchlichen Charakter des Buches entspricht — darin nicht unverwandt den Intentionen der Böhmischen Brüder — der enge Anschluß der Lieder an die Gesänge der Liturgie. Verhältnismäßig klein ist die Zahl der abgedruckten Melodien. Schweher dachte wohl, wie aus dem vorangestellten *Unterricht* zu erkennen ist, mehr daran, daß die Lieder von den *„einfeltigen die lesen können"* unter dem Meßgottesdienst still gebetet werden sollten.

Von den katholischen Liedverfassern der Reformationszeit war Schweher gewiß einer der lebendigsten und selbständigsten. Der strenge Ernst und die kirchentonale Herbheit seiner Lieder scheinen jedoch nur geringen Anklang gefunden zu haben. Vollends trug der mit der Gegenreformation eintretende Geschmackswandel dazu bei, daß sein Gesangbuch weder in Böhmen noch außerhalb Nachahmung fand.

Johann Leisentrit

Die außertridentinischen Reformbestrebungen auf dem Gebiet des Kirchenlieds gipfeln und klingen zugleich aus mit dem aus Olmütz gebürtigen Mähren J. Leisentrit. Gemeinsam mit Schweher verkörpert er ein letztes Stück jenes Traditionszusammenhangs zwischen den spätmittelalterlichen niederländisch-niederdeutschen und böhmisch-mährischen Laienbewegungen, die einen bedeutsamen Anteil am Aufblühen des geistlichen Lieds hatten.

Leisentrit, Dekan des Domstifts St. Petri in Bautzen, war 1561 zum päpstlich-kaiserlichen Administrator des im Besitz der böhmischen Krone befindlichen Lausitzer Teils des schon weitgehend lutherisch gewordenen und von der aufstrebenden sächsischen Territorialmacht hart bedrängten Bistums Meißen bestellt worden. Es ist wichtig zu wissen, daß er mit der Administratur die kirchliche Jurisdiktion über die Katholiken wie auch über die Protestanten der beiden Lausitzen ausübte und vom Kaiser auf strikte Wahrung des Augsburger Religionsfriedens verpflichtet war. (Seine unparteiische Amtsführung hat bekanntlich den Beifall der protestantischen Geschichtsschreibung gefunden.)

Leisentrits Gesangbuch kann nur unter Berücksichtigung der historischen Bedingungen und Umstände seiner Entstehung richtig verstanden werden. Ähnlich wie das Vehesche in Halle erschien es, als die Lage der katholischen Kirche in der Lausitz ihren kritischen Punkt erreicht hatte.

Besonders bezeichnend hatten sich die Verhältnisse an Leisentrits eigener Stiftskirche entwickelt. Seit 1530 wurde sie, die einzige Pfarrkirche in Bautzen, gemeinsam von den Katholiken und von den Lutheranern benutzt, denen ein eigener Prediger und die Ausübung fast des gesamten Kultus zustand. Dem Domkapitel war lediglich die Anstellung des vom protestantischen Stadtrat präsentierten Predigers sowie das Taufwesen und die Mitwirkung bei Begräbnissen vorbehalten geblieben. Leisentrit als der Vorsteher des Kapitels enthielt sich indes aller Maßnahmen, die das Simultaneum hätten gefährden können.

Seine zahlreichen theologischen Schriften, die in die Phase der auslaufenden humanistisch-nebentridentinischen Reformströmungen und der nur langsam einsetzenden tridentinischen Neubelebung fielen, galten vor allem der praktischen Seelsorge. In ihnen zeigt sich Leisentritt als fest in den katholischen Dogmen wurzelnder Kirchenmann von eigenständiger Prägung zwischen Vermittlungstheologie, deren dogmatische Kompromisse er ablehnte, und jesuitisch-neurömischer Richtung, deren theologische Schriften er schätzte. In religionspolitischen Fragen stand er der auf Ausgleich bedachten Haltung des kaiserlichen Hofs nicht fern, wie sie etwa im Reformationslibell Ferdinands I. von 1562 (u. a. Empfehlung maßvoller Anwendung der Landessprache und dogmatisch einwandfreier Gemeindelieder beim Gottesdienst) zum Ausdruck kommt. In den Fragen der Gottesdienstgestaltung stand er sichtlich unter dem Einfluß Witzels.

1567 ließ Leisentrit in Bautzen ein Gesangbuch, betitelt *Geistliche Lieder und Psalmen*, drucken. Es übertraf an Umfang und Breitenwirkung das 30 Jahre zuvor veröffentlichte Gesangbuch Vehe erheblich. Mehr als zwei Jahrhunderte lang hat es den katholischen Gesangbüchern als Vorbild und wichtige Quelle gedient; mit ihm beginnt recht eigentlich die Geschichte des katholischen Gesangbuchs.

Das Buch enthält 250 Lieder (178 Melodien). In seinem Aufbau schimmert noch deutlich das Gliederungsschema der liturgischen Bücher durch. Ein erster Teil umfaßt (im wesentlichen) folgende Gruppen: Festlieder (Advent bis Fronleichnam), Lieder für die Zeit zwischen Dreifaltigkeit und Advent, Lieder von der Kirche, Predigt- und katechetische Lieder, Sterbe- und Begräbnislieder, Morgen- und Abendlieder; in einem zweiten Teil stehen die Marien- und Heiligenlieder. Einzelnen Liedgruppen und Untergliederungen sind „Unterweisungen" vorangestellt, die — nach dem Vorbild von Witzel — die Feste und Zeremonien des Kirchenjahres ausführlich erklären und gegen die Angriffe der Protestanten verteidigen. Damit wollte Leisentrit der Unwissenheit und Unsicherheit des Pfarrklerus entgegenwirken, der als der hauptsächliche Adressat der Veröffentlichung gelten muß. Ihm und auch interessierten Laien bot Leisentrit ein wahres Kompendium von überlieferten und umlaufenden geistlichen Liedern — es übertrumpfte an Umfang alle bis dahin erschienenen lutherischen Gesangbücher —, gegen deren kirchliche Verwendung, wie der Bautzener Administrator meinte, vom katholischen Standpunkt aus nichts eingewendet werden konnte. In diesem Sinn nahm er nicht allein zahlreiche mittelalterliche Lieder und fast geschlossen den Bestand des GB Vehe sowie Neudichtungen von Witzel und Schweher auf, sondern berücksichtigte unbedenklich und großzügig auch Texte und Melodien evangelischer Kirchenlieder, darunter solche von Müntzer, Luther, N. Hermann und auffallend viele des den Schwenckfeldianern nahestehenden V. Triller. Diese änderte er z. T. stark ab, so daß ihre Herkunft kaum noch zu erkennen ist. Neben Liedern aus fremden Quellen finden sich etwa 40 neue Texte, deren Verfasser unbekannt sind. Leisentrits Anteil daran ist umstritten, dürfte aber insgesamt nur klein sein; eingestreute Gedichte in seinen Pastoralschriften zeugen nicht gerade von starker dichterischer Begabung.

Aus der Vorrede spricht die Absicht, der unbezweifelbaren, als schädlich erachteten Wirkung der evangelischen Lieder entgegenzuarbeiten und dem Verlangen vieler Katholiken nach deutschen Gemeindegesängen mit dem Druck eines Gesangbuchs nachzukommen. In der Frage der gottesdienstlichen Verwendung der Lieder ging Leisentrit einen wichtigen Schritt über Vehe hinaus, indem er es dem Pfarrklerus seines Diözesangebiets freistellte, aus Gründen der Opportunität bestimmte Teile der lateinischen Meßliturgie durch deutsche Lieder zu ersetzen: *„Es können unnd mögen auch aus den vorgehenden Psalmen und Geistlichen liedern etliche ausgezogen, und nach gelegenheit der zeit, nit allein vor und nach der Predigt, Sondern auch an stat des Patrem oder Offertorii auch des Commun, vor die hand genomen, und durch die Catholische Christliche gemein andechtig gesungen werden, Welchs wir dem trewen und auffrichtigen Christlichem Pastori und Seelsorger nach erforderung seiner eingepfarten andacht wollen trewlich und Christlicher meinung befohlen haben, gleichwoll also und keiner andern gestalt, dann das die Lateinische gesenge nit allenthalben abgeschafft, sondern viel mehr durch dieses mittel und zulassung, der gemeine einfeltige ungelerte Man, in gehorsam Christlicher Kirch möcht erhalten werden."*

Leisentrits Gesangbuch stellt auch für die Überlieferungsgeschichte der Liedmelodien eine erstrangige Quelle dar. Sein Bestand fügt sich zusammen aus Choralgesängen, deutschen und lateinischen (Cantionen) geistlichen Liedern des Mittelalters, jüngeren katholischen und evangelischen Kirchenliedern und auch weltlichen Liedern. Viele vorreformatorische Melodien treten hier zum erstenmal im Druck auf, mehrere davon sind allein durch das GB Leisentrit überliefert. Daneben finden sich etwa 80 Melodien, deren Herkunft noch nicht ermittelt werden konnte. Von ihnen dürften viele für das Gesangbuch geschrieben worden sein; Namen von musikalischen Mitarbeitern nennt Leisentrit nicht.

Leisentritt ließ sein Gesangbuch noch zweimal in Bautzen neu auflegen. Die Auflage von 1574 stimmt im wesentlichen mit der Erstauflage überein, die Auflage von 1584 enthält dagegen unter ihren 331 Liedern (246 Melodien) fast 100 neue, die nicht in der Erstauflage standen. Vor allem die Zahl der Lieder des zweiten Teils (Marien- und Heiligenlieder) ist bedeutend vermehrt worden, und als weitere Liedgruppe wurden hier die vormals im ersten Teil zu findenden Prozessions- und Wallfahrtslieder zusammengefaßt und eingereiht. Die neuaufgenommenen Lieder setzen die Linie der Erstauflage fort; an ihnen zeigt sich abermals die Souveränität, mit der der Lausitzer Administrator seine Auswahl auch aus protestantischen Quellen traf. Von den katholischen Quellen wurden ganz besonders die Lieder von R. Edinger berücksichtigt, in größerem Umfang ferner das von A. Walasser herausgebene GB Tegernsee 1577, auch die Regensburger Agende, Ingolstadt 1571, zwei Veröffentlichungen, die bereits zu den Anfängen der gegenreformatorischen Liedperiode gehören. Auch 1584 finden sich wieder viele Texte und Melodien, die noch in keiner älteren Quelle nachgewiesen werden konnten.

Mit dieser Ausgabe endete die Gründungsperiode des katholischen Kirchenlieds. Sie erschien zu einer Zeit, da in vielen süddeutschen Territorien schon die tridentinische Reorganisation des Kirchenwesens im Gang war. Wie die Gesangbücher von Vehe und Schweher war auch das Leisentritsche das Unternehmen eines einzelnen Geistlichen bzw. hochgestellten Prälaten, entstanden aus den besonderen Bedürfnissen seines Tätigkeitsbereichs. Wie alle Veröffentlichungen der ersten Liedperiode strebte es durch engen Anschluß an die Liturgie und die Schrift nach Wahrung eines streng kirchlichen Charakters. Die nachfolgenden „offiziellen" Gesangbücher der Gegenreformation haben vielfältig aus dem Liedrepertoire dieser Periode geschöpft; ihr Programm haben sie freilich nicht übernommen, sondern dem katholischen Kirchenlied von andersartigen Vorstellungen über seine gottesdienstliche Verwendung ausgehend eine neue Entwicklungsrichtung gegeben. Mit der Publizierung der Trienter Konzilsdekrete war die vor- und nebentridentinische Reformwelle historisch überholt, zumal sich schon damals zeigte, daß sie ihre politischen Ziele nicht erreichen konnte, ja daß ihre kultischen Kompromisse dem Protestantismus ungewollt in die Hände arbeiteten: *„Jeder Versuch, eine von Luther vorgenommene Reformmaßnahme oder auch nur eine äußerlich an ihn erinnernde Neuerung im katholischen Bereich einzuführen, mußte als Nachhinken hinter Luther und als dessen grundsätzliche Rechtfertigung im Volke wirken"* (Pralle).

Rutger Edinger

Erwähnt zu werden verdient noch der rheinische Kleriker R. Edinger. Nach seinen Lebensdaten (um 1545 — nach 1614) eine Übergangsfigur zwischen Reformations- und Gegenreformationszeit, gehört sein Beitrag zum Kirchenlied noch zur ersten Periode. Seine Schriften weisen ihn als Liturgiker in der Nachfolge Witzels, auch Leisentrits aus. Mit seinem Übersetzungswerk *Teutsche Evangelische Messen*, Köln 1572 (²1583, ³1616; ohne Melodien) hat er sich einen Platz in der Geschichte des Kirchenlieds gesichert. Zwar hat er keine selbständigen neuen Lieder geschrieben, aber durch seine gereimten Hymnenübertragungen, die sich der Wertschätzung Leisentrits erfreuten und über dessen Gesangbuch Eingang auch in gegenreformatorische Liederbücher fanden, viel Gebrauchsgut für den Gemeindegesang bereitgestellt. Er gab auch als erster auf katholischer Seite eine vollständige gereimte Übertragung der Psalmen (*Der gantz Psalter Davids*, Köln 1574; ohne Melodien) heraus, um gegen die protestantischen Psalmenlieder, insbesondere die des im Rheinland sehr erfolgreichen Bonner Gesangbuchs (1. Auflage vermutlich 1544), aufzutreten. Infolge mangelnden versifikatorischen Geschicks vermochte er jedoch seine Übersetzungen nicht in Liedform zu bringen, und es blieb beim einmaligen und erfolglosen Versuch, der durch K. Ulenbergs acht Jahre später veröffentlichten Liedpsalter gänzlich beiseite geschoben wurde.

Liedrepertoire

Die erste Kirchenliedperiode war, wie gezeigt wurde, die Zeit des Aufbaus eines Liedrepertoires für Kirche, Schule und Haus. Hierbei konzentrierten sich die Bemühungen zuvorderst darauf, aus der hoch- und spätmittelalterlichen Überlieferung solche Lieder auszuwählen, die nach den gottesdienstlichen Vorstellungen der genannten Reformergruppe für den Gesang der katholischen Gemeinde geeignet erschienen. Daneben bemühten sich die Gesangbuchherausgeber auch darum, den Bestand durch Gewinnung neuen Liedguts zu vermehren, sei es durch Eindeutschung von Choralgesängen, sei es durch textliche und melodische Kontrafaktur der verschiedensten Verfahrensweisen (u. a. Umdichtung protestantischer Lieder) oder durch das Schreiben selbständiger neuer Texte und Melodien.

Zur Pflege eines betont katholischen Kirchenlieds kam es erst in der Gegenreformation, während das Lied der Gründungsperiode die bestimmenden Züge der Reaktion auf das evangelische, besonders auf das lutherische Kirchenlied zeigt.

Die Zahl der auf schmaler Basis entstandenen neuen Lieder ist nicht einmal klein, Ansätze zu einem eigenständigen Gemeindegesang waren durchaus gegeben; die Qualität der frühevangelischen Lieder konnten sie allerdings aus verständlichen Gründen nicht erreichen. Neue Melodien, wie die von J. Hoffmann und W. Heintz komponierten, sind vielfach kunstvolle, die Hand eines geübten Polyphonisten verratende Gebilde, lassen es jedoch an der für den gemeindlichen Liedgesang unabdingbaren melodischen und rhythmischen Prägnanz fehlen.

Die Melodik der ersten Liedperiode ist noch weitgehend von den Strukturgesetzen der Kirchentöne bestimmt, wobei kirchentonales Melos zugleich als Garant kirchlicher Authentizität (im Sinn der Reformgedanken der frühen Gesangbuchherausgeber) fungiert. Der Begriff der Originalität ist dieser Zeit noch fremd, und Melodieerfindung wie Dichtung wurzeln noch in der handwerklichen Tradition der Arbeit nach festen Formeln und Modellen.

Als Erben der mittelalterlichen Überlieferung und mit den frühevangelischen Beispielen vor Augen, hielten die katholischen Gesangbuchkompilatoren am Strophenlied in Reimversen als der Norm des Gemeindegesangs fest. Ganz vereinzelt tauchten auch eingedeutschte gregorianische Prosagesänge, zumeist für den Chorvortrag bestimmt, auf, verschwanden aber schnell wieder, da sie im katholischen Gottesdienst — anders als im evangelischen — keinen rechten Platz hatten.

Die Kirchenlieddichtung der Zeit tritt nicht mit literarischem Anspruch auf; sie ist aus den aktuellen Forderungen der kirchlichen Praxis geboren und ordnet sich ihnen unter. Ambitionierte hohe Lyrik entfaltet sich im ganzen 16. Jh. vornehmlich auf dem Boden der lateinischen Humanistendichtung. Die neuen Liedtexte sind in starkem Maß von der Poetik des Meistergesangs beeinflußt. In der Versgestaltung herrschen Silbenzählung und Alternation vor, so daß es häufig zu schroffen, allerdings von den (ihren eigenen rhythmischen Gesetzen folgenden) mensurierten Singweisen wieder gemilderten Tonbeugungen kommt. Aber auch Einflüsse des altdeutschen Volkslieds machen sich bemerkbar, vor allem in der Vielfalt der Strophenformen.

Liedgesang

Ungeklärt ist, in welchem Umfang und auf welche Art und Weise die in den Gesangbüchern zusammengestellten Gemeindelieder gesungen wurden. Man hat davon auszugehen, daß die kirchlichen Liederbücher zunächst vor allem für den Bedarf des Seelsorgsklerus und der Lehrerschaft bestimmt waren, den beiden hauptsächlichen Stützen musikalischer Gottesdienstgestaltung in Landgemeinden, aber auch in den Pfarreien städtischer Stiftskirchen, deren kirchenmusikalischer Glanz aus mancherlei, vor allem wirtschaftlichen Gründen dahingeschwunden war. Sie wurden nur in kleinen Auflagen gedruckt, so daß sie kaum in die Hand der Gemeinde gelangen konnten. Ihrer größeren Verbreitung stand indes auch ein Umstand historisch-geographischer Natur entgegen: Mit dem Auftreten des Protestantismus, in dessen Lager das Bürgertum der Städte mit frühkapitalistischer Wirtschaftsstruktur übergetreten war, hatten sich die Bildungsgewichte zuungunsten des Katholizismus verschoben, dem — von wenigen Residenzstädten abgesehen — vornehmlich die dünnbesiedelten agrarischen Teile mit nahezu analphabetischer Bevölkerung geblieben waren.

Die Gemeinde sang auswendig, ihr Gesang war einstimmig und unbegleitet. Sie wurde unterstützt vom Gesang der Schulkinder, die in der Kirche vorsangen, was ihnen in der Schule beigebracht worden war.

Aus den Gesangbüchern, die bis weit in die Jahrzehnte nach dem Dreißigjährigen Krieg hinein neben den Texten auch die Melodien enthielten, lernten ihrerseits die Pfarrer, Lehrer und ihre Helfer die Lieder, die sie der Gemeinde geduldig einzuüben hatten. Der durchschnittliche Liederbestand einer Gemeinde kann danach nur sehr langsam gewachsen sein, und in der Tat reißen die Klagen über mangelhafte Fortschritte nicht ab. So antwortete beispielsweise der Würzburger Dompfarrer 1581 auf den gegen ihn erhobenen Vorwurf, daß keine Lieder mehr vor und nach der Pedigt gesungen würden, *„Der gemeine Mann könne mehr nicht, denn was Pfingsten, Weihnachten und Ostern gesungen würde. Was die übrigen Gesang des Leusentritts* [Leisentrit!] *sind, könne der gemeine Mann nichts, die Schüler lernten nichts daraus."*

Diese Bemerkung leitet über zu der Frage der Wiedergabe, die sich aus der Aufzeichnung der Melodien in Mensuralnotation (Vehe, Kethner, Schweher und Leisentrit) ergibt. Ob die Gemeinde die Lieder in der angegebenen rhythmischen Differenzierung, besonders wenn diese mit der Versmetrik nicht übereinkommt, singen konnte und auch tatsächlich gesungen hat, dürfte nur schwer zu ergründen sein. Bezüglich des evangelischen Gemeindegesangs, der sich allerdings unter wesentlich anderen und günstigeren Bedingungen entwickelte, wird heute angenommen, *„daß sich die Gemeinde einerseits kompliziertere Bildungen vereinfachend zurechtsang und andererseits isometrische Vorlagen nach dem Textrhythmus belebend ausgestaltete, wie sie es aus dem weltlichen Liedgesang gewöhnt war"* (Finscher).

Im katholischen Bereich dürfte weitgehende Isometrie die Regel gewesen sein, wie noch K. Ulenberg 1582 in der *Erinnerung* zu seinen (einstimmigen) Liedmelodien feststellte: *„Man findet viele leut, in sonderheit unter denen, welche in catholischen Stifft und Pfarrschulen erzogen sind, die wol auff den Chorgesang* [Choral!] *verstand haben; wissen sich aber nicht mit der signatur und noten musicae figuralis zubehelffen."*

Michael Härting

Orgel und Orgelmusik

Die Orgelbaukunst des 15. Jahrhunderts zeigt eine fortdauernde Lösung von den Gestaltungen des gotischen Blockwerks. Das Streben nach klanglicher Mannigfaltigkeit und polyphoner Durchsichtigkeit führt zu einer Vermehrung der Zahl der Tastaturen (Manuale). Die Domorgel von Halberstadt, die aus dem Jahre 1361 stammt und durch die berühmte Beschreibung von Praetorius bekannt ist, erlaubte schon die Gegenüberstellung von verschiedenen klanglichen Ebenen. Die großen Tasten und die Stellung der Tastaturen — nicht schräg, sondern senkrecht übereinander — zeigen aber, daß die Manualtechnik sehr verschieden von der heutigen gewesen war: es wurden nämlich die ganzen Hände und vermutlich auch die Ellbogen verwendet. Bald wurde aber die Tastengröße, zuerst in den kleineren Instrumenten, verringert, so daß sich die Fingertechnik entwickeln konnte. Das von H. und J. van Eyck im berühmten *„Mystischen Lamm"* der Bavokirche zu Gent abgebildete Positiv (1432) hat primitive herausragende, aber schon ziemlich kleine Tasten (ca. 32 mm gegen die 23,6 mm der heutigen). Manuale mit kleinen Tasten und großem Umfang (Contra-H—a") hatte die in der Abhandlung von Arnaut von Zwolle (ca. 1440) beschriebene Orgel von Notre Dame in Dijon.

Der Ausbau des Rückpositivs (das zum ersten Mal 1386 in Rouen bezeugt zu sein scheint) und die dadurch erreichte Verdopplung des Instruments in zwei verschiedenen Klangkörpern führen zu einer wesentlichen Bereicherung der klanglichen und aufführungspraktischen Möglichkeiten. Um eine klangliche Mannigfaltigkeit im Rahmen derselben Tastatur zu erreichen, wird die Doppellade erfunden, welche die Absonderung der den Grundton ergebenden Pfeifenreihe vom Blockwerk und die Gegenüberstellung des delikaten Klangs des Vordersatzes (Soloprinzipal oder Prinzipal + Oktave) zu demjenigen des Hintersatzes (große Mixtur) erlaubt. Eine wesentliche Übergangserscheinung von der mittelalterlichen zur modernen Orgel war die Erfindung der Register, die — schon in den ersten Jahrzehnten angekündigt — erst in den letzten Jahrzehnten des 15. Jahrhunderts endgültig angenommen wurde. Es entstanden so die Schleiflade und die Springlade. Die Windzuführung zu den einzelnen Pfeifenreihen wird in der ersten durch gebohrte Schleifen, in der zweiten durch Einzelventile geregelt; beide Typen erlauben, die einzelnen Pfeifenreihen oder eventuell Pfeifenreihengruppen unabhängig voneinander zu gebrauchen und sie in verschiedenen Arten miteinander zu verbinden. Dadurch wird die Orgel ein vielfarbiges Instrument. Die Orgelbauer streben danach, die verschiedenen Register mehr und mehr zu differenzieren, bleiben aber einem sich mit dem Blockwerk gefestigten Grundprinzip treu, nämlich demjenigen einer durch die künstliche Verstärkung der Obertöne bereicherten Klangfarbe. Die Zusammensetzung von Pfeifenreihen, die den Grundton und die darauffolgenden Oktav- und Quintaliquoten ergeben, bleibt der wesentliche Kern der Orgel, der überall als Plenum oder mit entsprechenden Termini (ital. ripieno, franz. plein-jeu) bezeichnet wird.

Während des 15. und am Anfang des 16. Jahrhunderts hat der Orgelbau eine besondere Blüte in Flandern, wo dortige Meister, wie Jan de Bukele, Daniel van der Distelen aus Antwerpen, Victor Langhedul aus Ypren — dieser letztere Begründer einer wirklichen Orgelbauerdynastie — und deutsche Orgelbauer, wie Johann von Koblenz (Jan van Covelen), Hans Suys von Köln und kurz danach Peter Briesger von Koblenz wirken. Eng verbunden mit dem niederländischen ist in dieser Zeit der Orgelbau in Norddeutschland und Frankreich. Einer vom niederländischen Henri Arnaut von Zwolle um 1440 geschriebenen Abhandlung verdanken wir schätzenswerte Nachrichten über den Orgelbau in Frankreich in den ersten Jahrzehnten des 15. Jahrhunderts. Wichtiger Mittelpunkt in den süddeutschen Ländern ist Nürnberg, wo um die Mitte des 15. Jahrhunderts der berühmte Heinrich Traxdorf tätig ist. In Spanien sind Juan Gil aus Valencia und Juan Rodriguez aus Cordoba, deren Tätigkeit in den zwanziger Jahren des 15. Jahrhunderts bezeugt ist, unter den ersten bekannten Orgelbauern. In der zweiten Hälfte des Jahrhunderts wirkte in Barcelona der deutsche Minoritenmönch Leonardus Marti. In Italien hat im 15. Jahrhundert die toskanische Schule, mit ihrem Mittelpunkt in Prato, eine besondere Bedeutung; es seien hier in der ersten Hälfte des Jahrhunderts Matteo da Prato erwähnt und in der zweiten Lorenzo di Giacomo, Erbauer der noch heute in wesentlichen Teilen erhaltenen Epistelorgel der Basilika S. Petronio zu Bologna (1470–75). Wichtig ist außerdem auf italienischem Boden die Tätigkeit zahlreicher deutscher, unter der Benennung *„d'Alemagna"* bekannten Orgelbauer.

Parallel zu der Entwicklung der Orgelbautechnik, der klanglichen Bereicherung der Instrumente, der Vervollkommnung des Manuals und des schon im 14. Jahrhundert erschienenen Pedals entwickeln sich das Orgelspiel und die Orgelliteratur. Dieser Prozeß wird im 15. Jahrhundert durch verschiedene deutsche Quellen bezeugt, während direkte Zeugnisse der Orgelkunst anderer Länder in dieser Zeit fehlen. Unter diesen Quellen seien, neben einigen um 1425—50 datierbaren Fragmenten, das *Fundamentum Organisandi* von Conrad Paumann erwähnt, dessen älteste Redaktion (im Ms. 554 der Universitätsbibliothek Erlangen) von ca. 1440 zu stammen scheint, und das 1470 redigierte *Buxheimer Orgelbuch* (München, Bayerische Staatsbibliothek, Cim. 352 b), das mit seinen 256 Stücken die reichste und bedeutendste Quelle der Orgelmusik des 15. Jahrhunderts ist. Die Organistenkunst gliedert sich schon in jene drei Formen, die für lange Zeit typisch bleiben werden: das freie Präludieren, die Übertragung (Tabulatur) von Vokalmusik und die cantus-firmus-Bearbeitung; es handelt sich um die Hauptformen der *Ars Organistarum*, die um 1520 in Hans Buchners *Fundamentum organisandi* kodifiziert werden: *„1. via ludendi — 2. ratio transferendi compositas cantiones in forma organistarum, quam tabulaturam vocant — 3. ratio quemvis cantum planum redigendi ad iustas duarum, trium aut plurium vocum diversarum symphonias"*. Die zweite Art, d. h. die Bearbeitung von geistlichen und weltlichen Vokalstücken, die noch durch das ganze 16. Jahrhundert gepflegt wurde, zeigt uns, wie lange die Klaviermusik den Vokalvorbildern verankert blieb; doch auch auf diesem Gebiet konnten sich rasch typisch instrumentale Wendungen und Formeln entwickeln, da die Tabulaturen von Vokalwerken wirkliche instrumentale Übersetzungen waren, worin die polyphone Struktur manchmal vereinfacht, die Linien aber mit Verzierungen, Passaggi und Diminuzioni bereichert wurden.

Der Ausdruck *Tabulatur* (ital. *Intavolatura*) bezeichnet besondere, für polyphone Instrumente bestimmte Notationssysteme, welche das gleichzeitige Lesen aller Stimmen erlauben. Es hat verschiedene Typen Orgeltabulaturen gegeben; die in Italien, Frankreich und England verwendete Art (normale Notenzeichen auf zwei Systemen, je für rechte und linke Hand, gruppiert) entspricht im großen und ganzen der heutigen Klaviernotation. Die ältere deutsche Orgeltabulatur (in Gebrauch bis etwa 1570) verwendet normale Notenzeichen für die Oberstimme und Buchstaben (mit Hinzufügung konventioneller Zeichen für die Bestimmung der Werte und der Lage) für die übrigen Stimmen, während die neuere deutsche Tabulaturschrift (bezeugt bis etwa 1750) völlig alphabetisch ist. In Spanien wurden Zahlentabulaturen, *Cifras* genannt, gebraucht; die Zahlen, mit rhythmischen Zeichen versehen, entsprechen den Tasten des Instruments oder den Noten jeder Oktave.

Die dritte der von Buchner verzeichneten Arten, die cantus-firmus-Bearbeitung, stellt die echte liturgische Orgelpraxis dar; sie basiert hauptsächlich auf dem Alternatim-Prinzip, wobei die Orgel bei antiphonischen und responsorischen Gesängen und bei den Hymnen mit dem Chor abwechselt bzw. einen der beiden Chöre ersetzt, so daß die Verse oder die Hymnenstrophen abwechselnd von der Schola gesungen und von der Orgel bearbeitet werden. Einige der ersten Quellen der Orgelmusik des 15. Jahrhunderts (wie die Stücke und Fragmente im Cod. 3617 der Nationalbibliothek Wien, im Ms. Qu 438 der Staatsbibliothek Breslau, im Cod. lat. 5963 der Bayerischen Staatsbibliothek München, im Ms. theol. lat. quart. 290 der Deutschen Staatsbibliothek Berlin, im Ms. N D VI 3225 der Staatsbibliothek Hamburg) weisen auf diese Praxis hin; es handelt sich um Sätze für das Messe-Ordinarium und für das Magnificat. Bald bereichert sich dieses Repertoire mit Hymnen, Antiphonen (insbesondere Marianischen Antiphonen), Psalmen und Sequenzen; dadurch wird die Rolle der Orgel im Rahmen der Liturgie, während der Messe, der Vesper und der Matutine, klar erleuchtet. Was das Messe-Ordinarium betrifft, sei es hier bemerkt, daß nicht alle gregorianischen Messen zu dieser Alternatim-Praxis verwendet wurden: die üblichste war die heutige Missa IV (bekannt mit den Tropusworten *„Cunctipotens Genitor Deus"* und in Italien *Missa Apostolorum* genannt); Kyrie und Gloria dieser Messe erscheinen schon in der frühesten Quelle liturgischer Orgelmusik (im Cod. 117 der Biblioteca Comunale zu Faenza); außerdem waren in Italien noch fast ausschließlich die Missa IX

465

„*cum jubilo*" (*Missa Beatae Mariae Virginis*) und die Missa XI „*Orbis Factor*" (*Missa Dominicalis*) gebraucht, während in anderen Ländern die Orgelbeteiligung auch für andere Messen, wie z. B. die Missa II „*Fons bonitatis*", bezeugt ist. Nach den oft wiederholten liturgischen Vorschriften hätte das Credo von der Alternierung ausgeschlossen werden sollen, eine Regel, die aber nicht immer beachtet wurde, wie die zahlreichen Credo der Orgelmessen der Renaissance zeigen.

Neben den cantus-firmus-gebundenen Kompositionen und den Bearbeitungen von Vokalwerken erscheinen freie Formen, die völlig unabhängig von vokalen Vorbildern sind; es handelt sich um Präludien improvisatorischen Gepräges. Die ersten Beispiele dieser Gattung sind die in der Tabulatur des Adam Ileborgh aus dem Jahre 1448 (Philadelphia, Curtis Institute of Music) enthaltenen *Praeludia diversarum notarum secundum modernum modum*. Solche, von jedem festgelegten Schema freie, der Phantasie des Komponisten entsprungene Stücke, angeregt nur von der Handfertigkeit und von den technischen Gegebenheiten des Instrumentes, stellen das erste Stadium der Geschichte der Tokkata dar.

Im Rahmen der Liturgie wurden solche improvisatorische Sätze zu Beginn und am Schluß der Zeremonien oder als Intonationen von Vokalstücken aufgeführt. Intavolierte Motetten und später Originalkompositionen konnten außerdem wahrscheinlich an bestimmten Stellen der liturgischen Ämter erklingen, z. B. während des Graduals, des Offertoriums und zuweilen der Wandlung der Messe, nach einer Praxis, die später im *Caeremoniale Episcoporum* von 1600 kodifiziert und in Frescobaldis *Fiori musicali* unübertrefflich behandelt wurde.

Der Wunsch der alten Orgelmeister, die Eroberungen auf den Gebieten der klavieristischen Kompositions- und Aufführungstechnik in festen Normen zu fixieren, spiegelt sich in den verschiedenen theoretisch-praktischen *Fundamenta* des 15. Jahrhunderts wider.

Daß die ersten Denkmäler der Orgelkunst im Vergleich zu der zeitgenössischen Vokalmusik starr und manchmal sogar unbeholfen erscheinen, ist dem begrenzten Niveau der Spieltechnik zuzuschreiben: daher die vorwiegende Zweistimmigkeit, während der den perfekten Konsonanzen gegebene Vorrang und der vorsichtige Gebrauch der unvollkommenen Konsonanzen mit der pythagoräischen Stimmung der Instrumente verbunden zu sein scheinen. Der Beitrag Paumanns (* Nürnberg um 1415, † München 1473), der in seiner Heimat als „*meyster ob allen meystern*" und in Italien als „*cieco miracoloso*" gepriesen wurde, ist nicht nur für die Entwicklung der Spieltechnik, sondern auch für die der Orgelkomposition von großer Bedeutung. Im Kreise seiner Schüler in München wurde wahrscheinlich das *Buxheimer Orgelbuch* geschrieben (so genannt, da es ehemals im Besitz des Kartäuserklosters Buxheim war); alle Formen der damaligen Orgelkunst (cantus-firmus-Bearbeitungen, Präludien und eine ganze Anzahl intavolierter Vokalkompositionen) sind in dieser Quelle vertreten. Vom Standpunkt der Kompositionstechnik stellt diese Sammlung die Krönung der Orgelkunst des Jahrhunderts dar: die schon bei Paumann entwickelte Dreistimmigkeit wird befestigt, die Vierstimmigkeit erscheint in einigen Stücken; die Kunst der Diminution bezeugt eine fortgeschrittene Manualtechnik und auch das Pedalspiel zeigt einen bemerkenswerten Entwicklungsstand. Das Pedal wird für die tiefste Stimme verwendet, und es ist auffallend, daß, da sich Tenor und Contratenor normalerweise ständig überkreuzen, dem Pedal abwechselnd die tieferen Töne der einen oder der anderen Stimme (etwa in der Art des *Solus Tenor* und des späteren *Basso seguente*) übergeben werden, nach der am Ende des Manuskriptes angegebenen Regel: „*Item nota quando contratenor altior est tenore tunc lude tenorem inferius in pedali. Sed quando contratenor ponitur inferius tenore tunc lude tenorem superius et contratenorem inferius*". Das *Buxheimer Orgelbuch* ist auch vom Standpunkt der Didaktik bedeutsam; es enthält nämlich zwei Versionen von Paumanns *Fundamentum*, ein weiteres *Fundamentum* und andere Lehrbeispiele.

Im 16. Jahrhundert werden der Entwicklungsprozeß und die klangliche Bereicherung der Orgel weitergeführt. Der Manualumfang erreicht schon regelmäßig die vier Oktaven, die in Italien schon oft überschritten werden, verzichtet aber meistens auf die chromatische Vollständigkeit der ersten Oktave (ein Gebrauch — derjenige der kurzen Oktave —, der in südlichen Ländern bis ins vorige Jahrhundert überlebte); Form und Breite der Tasten werden überall nach Normen festgelegt, die schon ungefähr der modernen Mensur entsprechen. Uneinheitlich sind dagegen die Formen, die das Pedal bei den verschiedenen Orgelbauschulen nimmt: in den deutschen Ländern begünstigt die Länge der Tasten die Entwicklung einer hohen Pedaltechnik, indem sie die Kreuzung der Füße und den Gebrauch der Absätze ermöglicht; in Italien hat das Pedal in der Regel einen kleineren Umfang und die Tasten sind kurz und schräg aufgestellt, so daß nur die Spitzentechnik möglich ist; kurz, obwohl anderer Form, sind ebenfalls die französischen Pedaltasten, während auf der iberischen Halbinsel das Pedal oft auf wenige, einigen tiefen Tönen entsprechende Knöpfe beschränkt bleibt. Nicht nur in diesen Merkmalen charakterisieren und unterscheiden sich aber die verschiedenen Orgelbauschulen. Der nordische Orgelbau entwickelt das Werkprinzip, wobei das Instrument sich in einzelne miteinander koordinierte Klangkörper gliedert; dem Paar Hauptwerk/Rückpositiv fügt sich als dritte Klangeinheit das Brustwerk hinzu; dies findet in einem kleinen Schrank oberhalb des Spieltisches Platz. Es besitzt ursprünglich sehr wenige Stimmen (oft ein einziges Regal) und kein eigenes Manual (in dieser Form wird das Brustwerk später auch in Italien bezeugt), entwickelt sich aber bald zu einem selbständigen mit eigener Tastatur versehenen Werk. Wo sich das Instrument in die Höhe ausdehnen kann, erscheint manchmal das über dem Hauptwerk liegende Oberwerk. Die Mehrheit der den verschiedenen Werken entsprechenden Tastaturen erlaubt die Gegenüberstellung von Klangterrassen und das Hervorheben von Einzelstimmen, z. B. eines cantus firmus. Dies begünstigt die Entwicklung von Soloregistern, insbesondere von Zungenstimmen.

Eine ganz andere Richtung wird von den italienischen Orgelbauern vertreten; diese verzichten in der Regel auf die Gliederung des Instruments in verschiedene Werke und streben nach klanglicher Mannigfaltigkeit und polyphoner Durchsichtigkeit innerhalb eines einzigen Werkes, das von einem Einzelmanual und von einem oft einfach ans Manual angehängten Pedal betätigt wird. Außerdem bleibt in Italien das Prinzipal das einzige Grundregister und die anderen Stimmen (sowohl diejenigen der Prinzipalfamilie, deren Zusammensetzung das *Ripieno* ergibt, wie die Flötenregister) werden nach den Oktav- und Quintaliquoten gestimmt. In den anderen Ländern finden Aequalstimmen anderer Familien (Flöten und Gedeckte) neben dem Prinzipal Platz. Während dort die Mixturen, als Spur des alten Blockwerkes, in mehrchörigen untrennbaren Registern gruppiert bleiben, zerteilen die Italiener ihr Ripieno in Einzelregister, um dem Spieler die Möglichkeit zahlreicher Zusammensetzungen zu überlassen. Es sei zum Schluß bemerkt, daß in der italienischen Orgel die Zungenregister — obwohl öfters vorhanden als im allgemeinen behauptet — eine sekundäre Rolle spielten, da das Einzelmanual ihre Verwendung zum Hervorheben eines cantus firmus nicht erlaubte.

In der ersten Hälfte des 16. Jahrhunderts hat die liturgische, cantus-firmus-gebundene Orgelmusik in den südwestdeutschen Ländern eine besondere Blüte; Arnolt Schlick, Paul Hofhaimer und Hans Buchner sind die Hauptvertreter dieser Kunst. In den vier bekannten, in den Tabulaturen von Kleber, Kotter und Sicher erhaltenen Orgelstücken von Hofhaimer erweist sich dieser Komponist als traditionsgebunden, sowohl in der noch ausschließlich in den Grenzen der Dreistimmigkeit gehaltenen Kompositions- und Aufführungstechnik, wie in den noch dem Geist der gotischen Kunst nahestehenden Stil und Ausdruck. Ein Neuerer ist dagegen Schlick in seinen *Tabulaturen etlicher Lobgesang und Lidlein uff die Orgeln* (Mainz 1512), die den ersten Druck auf dem Gebiete der Klaviermusik darstellen, und besonders in den zur Krönung Karls V. 1520 komponierten Stücken (Ms. in Trient, Staatsarchiv, Sez. tedesca, 105). Das letzte davon, ein zehnstimmiges *„Ascendo ad Patrem"*, ist vom Standpunkt der Orgeltechnik von höchstem Interesse, wegen der originalen Aufführungsvorschrift *„vir stim in dem pedal und sechs in dem manual, als ich sehen und hören lassen kann"* beinahe ein Einzelbeispiel von Quadrupelpedal im Rahmen der ganzen Orgelliteratur und ein erstaunlicher Beweis der schnellen Entwicklung der bis vor kurzer Zeit in den Grenzen der Dreistimmigkeit beschränkten Spieltechnik; auffallend ist außerdem, daß die Pedaltechnik, die in diesem Stück so kühn entwickelt erscheint, später in den süddeutschen Ländern sehr vereinfacht wurde. Ein vorwiegendes didaktisches Interesse zeigt das *Fundamentum sive ratio vera, quae docet quemvis cantum planum, sive — ut vocant — choralem redigere ad iustas diversarum vocum symphonias* von Hofhaimers Schüler Hans Buchner (dessen Hauptquelle in der Stadtbibliothek Zürich, S. Mscr. 284, erhalten ist). Zu demselben Kreis der Nachfolger Hofhaimers gehören Johannes Kotter, Leonhardt Kleber und Fridolin Sicher, Verfasser von umfangreichen Orgeltabulaturen (die beiden von Kotter in der Universitätsbibliothek Basel, F. IX. 22 und F. IX. 58, die von Kleber in der Staatsbibliothek Berlin, z. Z. Berlin-Dahlem (SPK), Mus. Ms. 4226, die von Sicher in der Stiftsbibliothek St. Gallen, Cod. 530). Die Tabulaturen von Kotter und Kleber enthalten interessante Beispiele von Übertragungen von Vokalstücken und von der freien, improvisatorischen Kunst des Präludiums und Präambulums. Solche Kunst entwickelt sich auch in Polen, wie die Präludien der um 1540 entstandenen Tabulatur des Johannes von Lublin (Krakau, Akademie der Wissenschaften, Ms. 1716) bezeugen. Diese und eine weitere polnische Quelle, das Ms. I. 220 der Musikgesellschaft zu Warschau, enthalten außerdem eine reiche und wichtige Anzahl liturgischer Orgelmusik.

In Italien, wo nach dem Erscheinen von sehr frühen Zeugnissen der Orgelkunst am Ende des 14. Jahrhunderts (im schon erwähnten Codex von Faenza) die Quellen im ganzen 15. Jahrhundert schweigen, tritt die Klaviermusik im Jahre 1517 in Rom mit der Veröffentlichung der Sammlung *Frottole intabulate da sonar organi* durch den Verleger Andrea Antico aus Montona wieder ans Licht. Es handelt sich um Übertragungen von Vokalstücken. Ebenfalls großenteils aus Überarbeitungen besteht das Werk des ersten großen italienischen Organisten und Komponisten, Marcantonio Cavazzoni aus Bologna, die *Recerchari Motetti Canzoni* (Venedig 1523); die beiden darin enthaltenen langen Ricercari sind aber unabhängig von jedem vokalen Vorbild und zählen zu den ersten und wichtigsten Beispielen weit ausgedehnter selbständiger Instrumentalkompositionen.

Der Begriff *Ricercare* galt ursprünglich, in der Klavier- wie in der Lautenmusik, für solche frei improvisatorische Stücke, für die später der Ausdruck *Toccata* verwendet wurde. Bald entwickelte sich aber eine neue, nicht mehr auf dem freien Phantasieren sondern auf dem strengen kontrapunktischen und imitativen Stil basierende Art des Ricercars, irgendwie ein Instrumentalgegenstück zur vokalen Motette.

Ricercari beider Typen sowie Übergangsformen sind handschriftlich im Archiv der Pfarrkirche von Castell'Arquato (Provinz Piacenza) erhalten. Sie stammen von anonymen und von aemilianischen oder in dieser Region tätigen Komponisten, wie M. A. Cavazzoni, die Modeneser Giulio Segni und Giacomo Fogliano, der Flame Jaches Brumel (1543—59 Hoforganist in Ferrara). Dieselbe Quelle enthält auch liturgische Orgelmusik, darunter die drei in Italien üblichen Alternatimmessen *„della Domenica"*, *„degli Apostoli"* und *„Beatae Mariae"*, deren erste dem Jaches Brumel zugeschrieben ist. Der bedeutsamste Beitrag zu solcher liturgischen Orgelliteratur in Italien sind zweifellos die drei Messen, die Hymnen und die Magnificat der zwei Bücher der *Intavolatura* von Marcantonio Cavazzonis Sohn Girolamo (erschienen je 1543 und zwischen 1543 und 1549).

Da die vorwiegend einmanualige italienische Orgel die klangliche Differenzierung verschiedener Stimmen nicht erlaubte, wurde in Italien der cantus firmus nie für eine Soloregistrierung erdacht; wenn der Komponist ihn hervorheben wollte, übergab er ihn einer der Außenstimmen, sonst wurde die liturgische Melodie zwischen den verschiedenen Stimmen zerteilt (*cantus firmus migrans*), oder frei paraphrasiert, oder es konnten einzelne Elemente davon als thematische Keime eines kurzen ricercarartigen Stückes behandelt werden. Zahlreiche Beispiele dieser vielseitigen Kunst sind bei Girolamo Cavazzoni zu finden.

In G. Cavazzonis Werk befinden sich auch die ersten bedeutenden Kompositionen auf dem Gebiet des strengen imitierenden Ricercars; in diesem ersten Stadium besteht das Ricercar aus verschiedenen, auf Einzelthemen basierenden, miteinander geketteten Abschnitten, nach dem Schema A—B—C usw. Ricercari außergewöhnlichen Umfangs enthält die 1549 in Venedig erschienene *Intabolatura d'organo di ricercari* des Jacques Buus. Gleichzeitig, nach dem Erscheinen (Venedig 1540) der Sammlung *Musica nova accomodata per cantar et sonar sopra organi et altri strumenti*, wird eine ganze Reihe von Ricercari in Stimmbüchern veröffentlicht. Es handelt sich um Ensemblemusik, wobei aber die Aufführung durch ein Tasteninstrument nicht ausgeschlossen ist, wie die Titel solcher Sammlungen manchmal ausdrücklich anzeigen. Aufschlußreich ist in dieser Hinsicht ein Ricercar von Buus, das gleichzeitig in Stimmbüchern im zweiten Buch seiner *Ricercari da cantare et sonare d'organo et altri strumenti* (Venedig 1549) und in Orgeltabulatur in der schon erwähnten im selben Jahr erschienenen *Intabolatura* herausgegeben wurde.

Neben dem strengen Ricercar steht die lebhaftere Canzone, eine Form, die aber länger den Vorbildern der vokalen französischen Chanson verbunden bleibt. Nach den vier Canzoni des Marcantonio Cavazzoni, deren Vorbilder unbekannt sind, bietet Girolamo Cavazzonis *Intavolatura* zwei sehr freie Bearbeitungen von Chansons. In der zweiten Hälfte des Jahrhunderts wird auch die Canzone zur selbständigen Instrumentalform, bewahrt aber als Erinnerung ihres Ursprungs häufig die Benennung *Canzon francese* oder *Canzone alla francese*.

Luigi Ferdinando Tagliavini

Ausgewählte Literatur IV

Abrahamsen, E., Eléments Romans et Allemands dans le chant Grégorien et la chanson populaire en Denmark, Diss. Kopenhagen 1923.

d'Accone, F. A., A Documentary History of Music at the Florentine Cathedral and Baptistry in the 15th Century, Diss. Harvard Univ. 1960.

Aengenvoort, J., Quellen und Studien zur Geschichte des Graduale Monasteriense mit besonderer Berücksichtigung des Graduale Monasteriense impr. 1536 (Alopeciusdruck), Regensburg 1955 (KB IX).

Albrecht, H., L. Hellinck, in: MGG VI.

ders., H. Isaac, in: MGG VI.

Aldrich, P., Rhythm in Seventeenth-Century Italian Monody, London 1966.

Anglès, H., El Còdex musical de Las Huelgas, 3 Bde., Barcelona 1931.

ders., La Música a Catalunya Fins al Seglo XIII, Barcelona 1935.

ders., La música en la Corte de Carlos V. Con la transcripción del „Libro de Cifra Nueva para tecla, harpa y vihuela" de L. Venegas de Henestrosa, Barcelona 1944.

ders., Una nueva versión del Credo de Tournai, in: RB VIII, 1954.

ders., Die mehrstimmige Musik in Spanien vor dem 15. Jahrhundert, in: KrB Wien 1927.

ders., Cantors und Ministrers in den Diensten der Könige von Katalonien — Aragonien im 14. Jahrhundert, in: KrB Basel 1924.

ders., Les musiciens flamands en Espagne et leur influence sur la Polyphonie espagnole, in: KrB I.G.MW. Utrecht 1952, Amsterdam 1953, 47—54.

ders., Domenico Pietro Cerone, in: MGG II.

Antegnati, C., L'arte organica, Brescia 1608 (Lunelli), Mainz ²/1958.

Apel, W., The French secular music of the late fourteenth century, in: AMl XVIII/XIX, 1946/47.

ders., Die Notation der polyphonen Musik 900—1600, Leipzig 1962.

Arnaut von Zwolle, H., hs. Abh. (Paris, BN, Ms. lat. 7295), Facs.-Ausg. von G. Le Cerf und E.-R. Labande, in: Les traites d'Henri-Arnaut de Zwolle et de divers anonymes, Paris 1932.

Axters, St., Geschiedenis van de Vroomheid in de Nederlanden, Bd. III, De Moderne Devotie 1380—1550, Antwerpen 1956.

Bachmann, W., Die Anfänge des Streichinstrumentenspiels, Leipzig 1964.

Bäumker, W., Niederländische geistliche Lieder aus Hss. des 15. Jh., in: VfMw 1888.

ders., Das kath. deutsche Kirchenlied in seinen Singweisen von den frühesten Zeiten bis gegen Ende des 17. Jh., 4 Bde., Freiburg 1883, 1886, 1891, 1911, unverändert. reprograf. Nachdruck 1962.

Baldello, F., P. de, La música en la casa de los reyes de Aragón, in: AnM XI, 1956.

Baxter, J. H., An old St. Andrews Music Book, London 1931.

Beck, H., Grundlagen des venezianischen Stils bei Adr. Willaert und C. de Rore, in: FS R. B. Lenaerts, Löwen 1969.

Benary, E., Liedformen der deutschen Mystik im 14. und 15. Jh., Diss. Greifswald 1936.

Bent, M., New and Little-known Fragments of English Medieval Polyphony, in: JAMS XXI, 1968, 137.

dies., Dufay, Dunstable, Plummer, in: JAMS XXII, 1969, 394.

Bernet-Kempers, K. Ph., Clemens non Papa, in: MGG II.

Besseler, H., Das musikalische Hören der Neuzeit (Berichte über die Verhandlungen der Sächsischen Akademie der Wissenschaften zu Leipzig, Philologisch-historische Klasse, Bd. 104, Heft 6), Berlin 1959.

ders., Bourdon und Fauxbourdon — Studien zum Ursprung der niederländischen Musik, Leipzig 1950.

ders., Zur „Ars Musicae" des Johannes de Grocheo, in: Mf II, 1949.

ders., Die Motette von Franko von Köln bis Philipp von Vitry, in: AMw VIII, 1926.

ders., Die Musik des Mittelalters und der Renaissance, Potsdam 1931.

ders., Antonius de Civitate, in: MGG I.

ders., Ars nova, in: MGG I.

ders., Ciconia, in: MGG II.

ders., Cordier, in: MGG II.

ders., Hat Matheus de Perusio Epoche gemacht?, in: Mf VIII, 1955.

ders., Johannes Ciconia, Begründer der Chorpolyphonie, in: ACMs, Roma 1950, Tournai 1952.

ders., The manuscript Bologna Biblioteca Universitaria 2216, in: MD VI, 1952.

ders., Studien zur Musik des Mittelalters I, in: AMw VII, 1925.

Birkner, G., Die Notre-Dame-Cantoren und -Succentoren vom Ende des 10. bis zum Beginn des 14. Jahrhunderts, in: In Memoriam J. Handschin, Bern 1957, 107 f.

Birtner, H., Die Probleme der spätmittelalterlichen Mensuralnotation und ihrer Übertragung, in: ZfMw XI, 1928/29.

Bittermann, H. R., The organ in the early middle ages, in: Speculum I B, 1929.

Bockholdt, R., Semibrevis minima und Prolatio temporis. Zur Entstehung der Mensuraltheorie der Ars nova, in: Mf XVI, 1963.

Bogler, Th., Deutsches Meßbuch von 1529, von Christophorus Flurheym, Klerusblatt 1968, 210.

Böhme, F. M., Altdeutsches Liederbuch, Leipzig 1877.

Bohlin, F., Schweden, in: MGG XII.

Bormann, K., Die gotische Orgel zu Halberstadt. Eine Studie über mittelalterlichen Orgelbau, Berlin 1966.

Borren, Ch. van den, Le manuscrit musical 222 C 22 de la Bibl. de Strasbourg, Bruxelles 1924.

ders., Missa Tornacensis, CMM 13, 1957.

ders., Polyphonia Sacra, a continental miscellany of the fifteenth century, Burnham 1932.

ders., Les origines de la musique de clavier en Angleterre, Brüssel 1912.

ders., Les origines de la musique de clavier dans les Pays-Bas, Brüssel 1919.

Bowles, E. A., The Role of Musical Instruments in Medieval Sacred Drama, in: MQ XLV, 1959.

ders., Were Musical Instruments used in the Liturgical Service during the M. A., in: The Galpin Soc. Journal X, 1957.

Brainard, P., Zur Deutung der Diminution in der Tactuslehre des Michael Praetorius, in: Mf XVII, 1964.

Brenet, M., Les Musiciens de la Sainte-Chapelle du Palais, Paris 1910.

ders., Musique et Musiciens de la vieille France, Paris 1911.

Browe, P., Die Pflichtkommunion im Mittelalter, Münster 1940.

Buhle, E., Die musikalischen Instrumente in den Miniaturen des frühen Mittelalters, Leipzig 1903.

Bukofzer, M., Changing aspects of medieval and Renaissance music, in: MQ XLIV, 1958.

ders., Studies in Medieval and Renaissance Music, New York 1950.

Burbach, H. J., Studien zur Musikanschauung des Thomas von Aquin, Regensburg 1966.

Burns, J. A., Neapolitan Keyboard Music from Valente to Frescobaldi, Diss. Harvard, Mass. 1953.

Calo., J. L., La música en la catedral de Granada en el siglo XVI, 2 Bde., Granada 1963.

Carapetyan, A., The codex Faenza, Biblioteca Comunale 117, a facsimile edition, in: MD XIII–XV, 1959–61.

Casel, O., Art und Sinn der ältesten christlichen Osterfeier, in: JbLw XIV, 1934, I–78.

ders., Das Gedächtnis des Herrn in der altchristl. Liturgie, in: Ecclesia orans 2, Freiburg i. Br. 1918, 6–8/1922.

ders., Christliches Kultmysterium, Regensburg 4/1960.

Casimiri, R., Musica e musicisti nella Cattedrale di Padova nei sec. XIV, XV, XVI, in: NA XVIII, 1941.

Caspari, W., Untersuchungen zum Kirchengesang im Altertum, in: ZfKg 26, 1905, 317 ff. u. 425 ff., 27, 1906, 52 ff.; 29, 1908, 123 ff., 251 ff. u. 441 ff.

Cattin, G., Il Manoscritto Veneto Marciano Ital. IX 145 (Bibl. di „Quadrivium", Serie Musicologica 3), Bologna 1962.

Cesari, G. und Fano, F., La Capella Musicale del Duomo di Milano, I. Le origini e il primo maestro di capella: Matteo da Perugia, Mailand 1957 (s. auch die Rezension v. Kurt von Fischer, in: Mf XII, 1959, S. 223 ff.).

Chailley, J., L'école de St. Martial de Limoges jusqu'à la fin du XIe siècle, Paris 1960.

ders., La Messe de Besançon et un compositeur inconnu du XIV siècle Jean Lambelet, in: AnnMl II, 1954.

Clercx, S., Johannes Ciconia, un musicien liégeois et son temps, Bruxelles 1960.

dies., Johannes Ciconia de Leodio, in: KrB der IGMW, Utrecht 1952 (Amsterdam 1953).

dies., Johannes Ciconia et la chronologie des mss. italiens, Mod. 568 et Lucca, in: L'Ars Nova, Recueil d'études sur la musique du XIVe siècle (Le colloques de Wégimont II — 1955), Paris 1959.

dies., Les débuts de la messe unitaire au XIVe siècle et principalement dans l'œuvre de Johannes Ciconia, in: L'Ars nova italiana del Trecento, Certaldo 1962.

dies., Propos sur l'ars nova, in: RB X, 1956.

dies., Question de Chronologie, in: RB IX, 1955.

Clutton, C. und Niland, A., The British Organ, London 1963.

Colling, A., Die religiöse Musik, Aschaffenburg 1956.

Collins, M. B., The Performance of Sesquialtera and Hemiolia in the 16th Century, in: JAMS XVII, 1964.

Combarieu, J., La Musique et la Magie (Etudes de philologie musicale 3), Paris 1909.

Constantin VII Porphyrogénète. Le Livre des Cérémonies, texte établi et traduit par Albert Vogt, Paris 1939, 2 vol.

Corbin, S., L'Eglise à la conquête de sa musique, Paris 1960.

dies., La cantillation des rituels chrétiens, in: RML XLVII, 1961, 3–31.

dies., Essai sur la musique religieuse portugaise au moyen âge (1100–1385), Paris 1952.

Coussemaker, Ed. de, Histoire de l'harmonie au moyen âge, Paris 1852.

ders., Scriptorum de musica medii aevi . . . , Paris 1864, 1867.

ders., Messe du XIIIe siècle traduite en notation moderne et précédée d'une introduction, Paris u. Lille 1861.

Crecelius, Crailsheimer Schulordnung von 1480, in: Alemannia III, 1875, 247–262.

Croll, G., Gaspar van Weerbeke, in: MGG IV.

Curti, N., Volksbrauch und Volksfrömmigkeit im kath. Kirchenjahr, Basel 1947.

Dadelsen, G. von, Zu den Vorreden des Michael Praetorius, in: KrB Wien 1956.

Dahlhaus, C., Zur Geschichte der Synkope, in: Mf XII, 1959.

ders., Zur Rhythmik der Mensuralmusik, in: MuK XXIX, 1959.

ders., Zur Taktlehre des Michael Praetorius, in: Mf XVII, 1964.

ders., Zur Theorie des Tactus im 16. Jahrhundert, in: AfMw XVII, 1960.

ders., Zur Entstehung des modernen Taktsystems im 17. Jahrhundert, in: AfMw XVIII, 1961.

Dannemann, E., Die spätgotische Musiktradition in Frankreich und Burgund, Straßburg 1936.

Degering, H., Die Orgel, ihre Erfindung und ihre Geschichte bis zur Karolingerzeit, Münster 1905.

Diruta, G., Il Transilvano. Dialogo sopra il vero modo di sonar organi et istromenti da penna, Venedig 1593; Seconda parte del Transilvano, Venedig 1609–10.

Dittmer, L., Publications of the Mediaeval Musical Manuscripts: II. Facsimile-Ausgabe der Handschrift Wolfenbüttel 1099 (1206). 1960. — III. Eine zentrale Quelle der Notre-Dame-Musik. 1959. — IV. Paris 13 521 and 11 411. 1959. — V. Worcester Add. 68, Westminster Abbey 33 327, Madrid B.N. 192. 1959. — VI. Oxford lat. liturg. D 20, London Add. Ms. 25 031, Chicago Ms. 654 App. 1960. — X/XI. Firenze Biblioteca Mediceo-Laurenziana, Pluteo 29 I.

Dreves, G. M., Beitrag zur Geschichte des deutschen Kirchenliedes, in: KmJb II, 1887, 26–36; III, 1888, 29–39; IV, 1889, 24–30; VI, 1891, 35–44.

Droysen, D., Zum Problem der Klassifikation von Harfendarstellungen in der Buchmalerei des frühen und hohen Mittelalters, in: JbStI 1968, Berlin 1969.

Duchesne, L., Liber pontificalis, 3 Bände, Paris 1955–57.

ders., Origines du culte chrétien, Paris 5/1925.

Dufourcq, N., Les facteurs d'orgue étrangers en France du 14e au 17e siècle, in: RM XIV, 1933, S. 183 ff.

ders., Documents inédits relatifs à l'orgue français, Paris 1934–35.

ders., Esquisse d'une histoire de l'orgue en France, Paris 1935.

Dürr, W., Vanneo, in: MGG XIII.

ders., Auftakt und Taktschlag in der Musik um 1600, in: Fs. Walter Gerstenberg, Wolfenbüttel und Zürich 1964.

Eisenmann, P., Studien zur Frühgeschichte der Orgel bis zum 12. Jahrhundert, Staatsexamensarbeit Freiburg/Br. 1959.

Elders, W., Studien zur Symbolik in der Musik der alten Niederländer, Bilthoven 1968.

Elling, A., Die Messen, Hymnen und Motetten der Handschrift von Apt, Diss. Göttingen 1924.

Erk-Böhme, Deutscher Liederhort, 3 Bde., Leipzig 1893.

Evans, P., The Early Trope Repertory of Saint Martial de Limoges, phil. Diss. Princeton, New Jersey 1970.

Faral, E., Les Jongleurs en France, Paris 1910.

Fatigati, E., Instrumentos músicos en las miniaturas de los códices espanoles (siglos X al XIII), Madrid 1901.

Federhofer, H., Die älteste schriftliche Überlieferung deutscher geistlicher Lieder in der Steiermark, in: KrB Wien 1954, 208 ff.

ders., Musikpflege und Musiker am Grazer Habsburger Hof, Mainz 1968.

Fehrle, E., Feste und Volksbräuche im Jahreslauf europäischer Völker, Kassel 1955.

Feicht, H., Die polnische Monodie des Mittelalters, in: MaEo, Warszawa 1966.

ders., Quellen zur mehrstimmigen Musik in Polen vom späten Mittelalter bis 1600, in: MaEo, Warszawa 1966.

Fellerer, K. G., Musikalisches Brauchtum in der Westschweiz, Mk, 30, 1938.

ders., Kirchenmusik als Brauchtumsmusik, in: Fs. Heinrich Lemacher, Köln 1956.

ders., Kirchenmusikalische Vorschriften im Mittelalter, in: KmJb XL/1956.

ders., Deutsches Musikempfinden und gregorianischer Choral im Mittelalter, in: HJB 57, 1937, 16–30.

Ficker, R. von, Die frühen Messenkompositionen der Trienter Codices, in: StMw XI, 1924.

ders., Sieben Trienter Codices, Fünfte Auswahl, in: DTÖ Jg. XXXI, Bd. 61, Wien 1924.

Finscher, L., Motette, in: MGG IX.

ders., Loyset Compère, Life and Works, in: MD 1967.

Fischer, K. von, Die Rolle der Mehrstimmigkeit am Dome von Siena zu Beginn des 13. Jahrhunderts, in: AfMw 1961, 167 ff.

ders., Zur Entwicklung der italienischen Trecento-Notation, in: AfMw XVI, 1959.

ders., Kontrafakturen und Parodien italienischer Werke des Trecento und frühen Quattrocento, in: AnnMl V, 1957.

ders., Studien zur italienischen Musik des Trecento und frühen Quattrocento, Bern 1956.

ders., Trecentomusik — — Trecentoprobleme, in: AMl XXX, 1958.

ders., Neue Quellen zur Musik des 13., 14. und 15. Jahrhunderts, in: AMl XXXVI, 1964.

ders., Neue Quellen zum einstimmigen Ordinariumszyklus des 14. und 15. Jahrhunderts aus Italien, in: Liber amicorum Charles van den Borren, Anvers 1964.

ders., Studien zur italienischen Musik des Trecento und frühen Quattrocento (Publikationen der Schweizerischen Musikforschenden Gesellschaft, Serie II, Vol. 5), Bern 1956.

ders., Zur Entwicklung der italienischen Trecento-Notation, in: AfMw XVI, 1959.

Fischer, K. von und Gollo, F. A. (Hrsg.), Polyphonic Music of the Fourteenth Century: Italian Sacred Music, Monaco (2 Bde.).

Flade, E., Literarische Zeugnisse zur Empfindung der „Farbe" und „Farbigkeit" bei der Orgel und beim Orgelspiel, in: AMl XXII, 1950.

Franz, A., Die Messe im deutschen Mittelalter, Beiträge zur Geschichte der Liturgie und des religiösen Volkslebens, Freiburg 1902; Darmstadt 1963.

Frere, W. H., The Winchester Troper (Publications of the H. Bradshaw Society, vol. 8), 1894.

ders., Antiphonale Sarisburiense, Introduction with a dissertation and analytic index, Nashdom, Abbey Burnham Buck 1927.

Froning, R., Das Drama des Mittelalters. Die lateinischen Osterfeiern und ihre Entwicklung in Deuschland, die Osterspiele, die Passionsspiele, Weihnachts- und Dreikönigsspiele, Fastnachtsspiele, Stuttgart 1891/92; Darmstadt 1964.

Frotscher, G., Geschichte des Orgelspiels und der Orgelkomposition, Berlin 1935–36, ²/1959.

Gallo, F. A., La Teoria della Notazione in Italia, dalla Fine del XIII all' Inizio del XV Secolo (Antiquae Musicae Italicae Subsidia Theorica), Bologna 1966.

ders., Da un Codice Italiano di Mottetti del Primo Trecento (Bibl. di „Quadrivium", Serie Paleografica 13), Bologna 1969.

Gallo, F. A. und Vecchi, G., I più antichi monumenti sacri italiani (Monumenta lyrica medii aevi italica III, 1), Bologna 1968.

Gastoué, A., Le manuscrit de musique du trésor d'Apt, Paris 1936.

ders., La Musique à Avignon et dans le Comtat du XIV au XVIII siècle, Turin 1904.

ders., Les primitifs de la musique française, Paris 1922.

ders., L'orgue en France de l'antiquité au début de la période classique, Paris 1921.

Gay, H. W., Liturgical role of the organ in France 757–1750, Phil. Diss. Indiana Univ. 1955.

Geering, A., Die Organa und mehrstimmigen Conductus in den Handschriften des deutschen Sprachgebietes vom 13. bis 16. Jahrhundert, Bern 1952.

Gennrich, F., Liedkontrafaktur in mittel- und althochdeutscher Zeit, in: ZAL 82, 1948/50, 104–141.

ders., Zur Musikinstrumentenkunde der Machaut-Zeit, in: ZfMw IX, 1926/27.

Gerbert, M., De cantu et Musica sacra a prima ecclesiae aetate usque ad praesens tempus, 2 vol., St. Blasien 1774.

ders., Scriptores ecclesiastici de Musica sacra potissimum, St. Blasien 1784.

Gérold, Th., Histoire de la Musique des origines à la fin du XIVe siècle, Paris 1936.

Gerstenberg, W., Adrian Willaert, in: MGG XIV.

ders., Die Zeitmaße und ihre Ordnungen in Bachs Musik, Einbeck 1952.

Ghisi, F., Italian Ars-Nova Music, in: Journal of Renaissance and Baroque Music I, 1946.

ders., L'Ordinarium missae nel XV secolo ed i primordi della parodia, in: ACMs, Roma 1950, Tournai 1952.

ders., A second Sienese fragment of the Italian Ars nova, in: MD II, 1948.

Goehlinger, A., La Musique à la cathédrale de Strasbourg, Strasbourg 1920.

Göllner, Th., Notationsfragmente aus einer Organistenwerkstatt des 15. Jahrhunderts, in: AfMw XXIV, 1967.

ders., Formen früher Mehrstimmigkeit in deutschen Handschriften des späten Mittelalters, Tutzing 1961.

Gombosi, O., Machaut's Messe Notre-Dame, in: MQ XXXVI, 1950.

ders., Jacob Obrecht, eine stilkritische Studie, Leipzig 1925.

ders., About Organ Playing in the Divine Service circa 1500, in: Essays on Music in honor of A. Th. Davison, Cambridge, Mass. 1957.

Gorissen, Fr., Das Stundenbuch im rheinischen Niederland, in: Studien zur klevischen Musik- und Liturgiegeschichte, Köln 1968.

Grüss, H., Über Notation und Tempo einiger Werke Samuel Scheidts und Michael Praetorius', in: DJbMw 1966, XI, 1967.

Gschwend, K., Die Depositio und Elevatio Crucis im Raum der alten Diözese Brixen. Ein Beitrag zur Geschichte der Grablegung am Karfreitag und der Auferstehung am Ostermorgen, Sarnen 1965.

Gülke, P., Johannes Touront, in: MGG XIII.

ders., Niederländische Musik. Von Ciconia bis Dufay, in: MGG IX.

Gümpel, K. W., Die Musiktraktate Conrads von Zabern, Wiesbaden 1956.

Guillemain, B., La cour pontificale d'Avignon, Paris 1962.

Günther, U., Zur Biographie einiger Komponisten der Ars subtilior, in: AfMw XXI 1964.

dies., Die Anwendung der Diminution in der Handschrift Chantilly 1047, in: AfMw XVII, 1960.

dies., Chronologie und Stil der Kompositionen G. de Machauts, in: AMl XXXV, 1963.

dies., Der Gebrauch des tempus perfectum diminutum in der Handschrift Chantilly 1047, in: AfMw XVII, 1960.

dies., Die Mensuralnotation der Ars nova in Theorie und Praxis, in: AfMw XIX/XX, 1962/63.

dies., Quelques remarques sur des feuillets récentement découverts à Grottaferrata, in: L'Ars nova italiana del Trecento III, Certaldo 1970.

dies., Das Ende der ars nova, in: Mf XVI, 1963.

Guidonis Aretini Micrologus, ed. Jos. Smits van Waesberghe. Dallas 1955.

Gurlitt, W., Die Epochengliederung in der Musikgeschichte, in: Universitas III, 1948 (Neudruck in: Musikgeschichte und Gegenwart, Bd. I, BzAfMw I, 1966).

ders., Form in der Musik als Zeitgestaltung (Akademie der Wissenschaften und der Literatur Mainz, Abhandlungen der geistes- und sozialwissenschaftlichen Klasse, Jg. 1954, Nr. 13), Wiesbaden 1954.

ders., Die Musik in Raffaels Heiliger Caecilia (1938), in: Musikgeschichte und Gegenwart Bd. I, BzAfMw I, 1966.

Haapanen, T., Dominikanische Vorbilder im mittelalterlichen nordischen Kirchengesang, in: Gedenkboek aangeboden aan Dr. D. F. Scheurleer op zijn 70sten Verjaardag, 's-Gravenhage 1925, 129–134.

Haar, J., The Note Nere Madrigal, in: JAMS XVIII, 1965.

Haas, R., Aufführungspraxis der Musik, Potsdam 1931.

Haberl, Fr. X., Die römische „schola cantorum" und die päpstlichen Kapellsänger bis zur Mitte des 16. Jahrhunderts, in: VfMw III, Leipzig 1887.

Hamm, Ch. E., A Chronology of the Works of Guillaume Dufay, Based on a Study of Mensural Practice (Princeton Studies in Music, I), Princeton (N.Y.) 1964.

Handschin, J., Miscellanea (Zum ältesten Vorkommen von „Organistae"), in: AMl VII, 1935.

ders., Aus der alten Musiktheorie, II. Orgel und Organum, in: AMl XIV, 1942.

ders., Zur Geschichte der Lehre vom Organum, in: ZfMw VIII, 1926, 321 ff.

ders., Angelomontana polyphonica, in: SJbMw 1928, 64 ff.

ders., Der Organum Tractat von Montpellier, in: Fs. G. Adler zum 75. Geburtstag, Wien 1930, 50 ff.

ders., Zur Geschichte von Notre-Dame, in: AMl XIV, 1942, 1 ff.

ders., Eine wenig beachtete Stilrichtung der mittelalterlichen Mehrstimmigkeit, in: SJbMw I, 1924, 56 ff.

ders., Über den Ursprung der Motette, in: Bericht über den musikw. Kgr. in Basel, Leipzig 1925.

ders., L'Organum à l'église, in: RGr XL 1936, 180 ff., XLI 1937, 14 ff. u. 41 ff.

ders., Aus der alten Musiktheorie, in: AM XIV 1942, 1 ff.

ders., Conductus, in: MGG II.

ders., Die Rolle der Nationen in der mittelalterlichen Musikgeschichte, in: SJbMw V, 1931.

ders., Trope Sequence and Conductus, in NOHM II, London 1954.

ders., Conductus-Spicilegien, in: AfMw IX, 1952.

ders., Zur Frage der melodischen Paraphrasierung im Mittelalter, in: ZfMw X, 1928.

Hankins, J. C., Musical instruments of the medieval church (Thesis Northwestern University/Illinois), 1950.

Harder, H. (Stäblein-Harder), Fourteenth-Century Mass Music in France, CMM 29 u. MD 7, 1962.

ders., Die Messe von Toulouse, in: MD VII, 1953.

Harder, H. und Stäblein, B., Neue Fragmente mehrstimmiger Musik aus spanischen Bibliotheken, in: Fs. Schmidt-Görg, Bonn 1957.

Hardouin, P., La composition des orgues que pouvaient toucher les musiciens parisiens aux alentours de 1600, in: La musique instrumentale de la Renaissance, hrsg. von J. Jacquot, Paris 1955, 259 ff.

Harrison, F. L., Tradition and Innovation in Instrumental Usage 1100–1450, in: Fs. Gustav Reese, New York 1966.

ders., England, in: MGG III, 1954.

ders., Music in Medieval Britain, London 1958.

Henrichs, N., Kult und Brauchtum im Kirchenjahr. Düsseldorf 1967, Münchener Theologische Zs. 1968, 79.

Hiekel, H. O., Der Madrigal- und Motettentypus in der Mensurallehre des Michael Praetorius, in: AfMw XIX/XX, 1962/63.

Hill, A. G., Mediaeval Organs in Spain, SIMG 14, 1912 bis 1913.

ders., The organ-cases and organs of the Middle Ages and Renaissance, London 1883 & 1891, Facs.-NA von W. L. Summer (Bibliotheca Organologica, Bd. VI), Hilversum 1966.

Hoffmann von Fallersleben, Geschichte des deutschen Kirchenliedes, Hannover 1861.

Holschneider, A., Die Organa von Winchester, Hildesheim 1968.

Hoppin, R., The Cypriot-French Repertory of the Manuscript Torino, Biblioteca Nazionale, J. II. 9 (CMM 21, Bd. 1), Rome 1960.

ders., Reflections on the Origin of the Cyclic Mass, in:

Liber amicorum Charles van den Borren, Anvers 1964.

Howell, A. Ch., The French Organ Mass in the 16th and 17th Centuries, Diss. Univ. of North Carolina 1963.

Hübner, A., Die dt. Geißlerlieder, Berlin–Leipzig 1931.

Hüschen, H., Dominikaner, in: MGG III.

ders., Franziskaner, in: MGG IV.

ders., Tinctoris, in: MGG XIII.

Hughes, A. und Bent, M., Mensuration and Proportion in Early Fifteenth Century English Music, in: AMl XXXVII, 1965.

dies., The Old Hall Manuscript, 3 Bde., CMM 46, 1969.

Husmann, H., Die drei- und vierstimmigen Notre-Dame-Organa, Leipzig 1940.

ders., Organum, in: MGG X.

ders., Das Organum vor und außerhalb der Notre-Dame-Schule, in: KrB IMG in Salzburg 1964 I, 25 ff.

ders., Die mittelalterliche Mehrstimmigkeit, in: Das Musikwerk, Köln.

Jackson, R., Musical interrelations between fourteenth century Mass movements, in: AMl XXIX, 1957.

Irtenkauf, W., Ein neuer Fund zur liturgischen Ein- und Mehrstimmigkeit des 15. Jahrhunderts, in: Mf XII, 1954, 4.

Jammers, E., Das mittelalterliche Epos und die Musik, in: Heidelberger Jbb. I, 1957, 31–90.

Janota, J., Studien zu Funktion und Typus des deutschen geistlichen Liedes im MA. München 1968.

Jeppesen, K., Die italienische Orgelmusik am Anfang des Cinquecento, Kopenhagen 1943, ²/1960.

Johannis Affligemensis, De Musica cum Tonario, ed. J. van Smits van Waesberghe, Rom 1950.

Jungmann, J. A., Brevierstudien, Trier 1958.

Kehrein, J., Katholische Kirchenlieder, 4 Bände, Würzburg 1859–1865.

Kellner, A., Musikgeschichte des Stiftes Kremsmünster, Kassel 1956.

Kienle, A., Notizen über das Dirigieren mittelalterlicher Gesangschöre, in: VfMw I, Leipzig 1885.

Kinkeldey, O., Orgel und Klavier in der Musik des 16. Jahrhunderts, Leipzig 1910.

Kluczycki, Rosmaitości, Zywot księdza Jana Jarmusiewicza, proboszcza w Zaczerniv pod rzeszowem zmarłego, in: Biblioteka Naukowego Zakładu Imienia Ossolińskich, Zeszyt IV, Wa Lwowie 1847, 427–431 [1a]. (Das Leben des Geistlichen J. J., Pfarrers in Zaczernia . . . in: Bibliothek der Ossolinskischen Lehranstalt, Heft IV, Lemberg 1847).

Knupfer, E., Urkundenbuch der Stadt Heilbronn I, Stuttgart 1904.

Kochs, T., Das deutsche geistliche Tagelied, Münster 1928.

Koren, H., Volksbrauch im Kirchenjahr, Salzburg ²/1935.

Korte, W., Die Harmonik des frühen XV. Jahrhunderts in ihrem Zusammenhang mit der Formtechnik, Münster 1929.

ders., Studie zur Geschichte der Musik in Italien im ersten Viertel des 15. Jahrhunderts, Kassel 1933.

Kothe, J., Die deutschen Osterlieder des Mittelalters, Diss. Breslau 1939.

Krömler, H., Der Kult der Eucharistie in Sprache und Volkstum der deutschen Schweiz (Schriften der Schweizerischen Gesellschaft für Volkskunde, Bd. 33), Basel 1949.

Kroon, S., Ordinarium missae. Studier kring melodierna till Kyrie, Gloria, Sanctus, och Agnus Dei (Lunds Universitets arsskrift N. F. Avd. I, Bd. 49), Lund 1953.

Krüger, W., Die authentische Klangform des primitiven Organum, Kassel 1958.

ders., Zum Organum des Codex Calixtinus, in: Mf XVII, 1964.

ders., Aufführungspraktische Fragen mittelalterlicher Mehrstimmigkeit. Zu Heinrich Husmann, Mittelalterliche Mehrstimmigkeit, in: Mf IX, 1956 und X, 1957.

Kunzelmann, A., Die gregorianischen Eigenmelodien des Augustiner-Eremitenordens, in: Der kultische Gesang der abendländischen Kirche, hrsg. v. Franz Tack, Köln 1950, 90–93.

Lasteyrie, Ch. de, L'Abbaye des St. Martial de Limoges, Paris 1901.

Layton, B. J., Italian Music for the Ordinary of the Mass 1300–1450, Diss. Harvard 1960.

Leitner, Fr., Der gottesdienstliche Volksgesang im jüdischen und christlichen Altertum, Freiburg 1906.

Lenaerts, R. B., Niederländische Musik, in: MGG IX.

ders., Paesi Bassi, in: Encyclopedia La Musica, III, Torino 1966, 659–678.

ders., Die Kunst der Niederländer (Das Musikwerk, Heft 22), Köln 1962.

ders., Zur Ostinato-Technik in der Kirchenmusik der Niederländer, in: Fs. Br. Stäblein, Kassel 1967.

Lengeling, E. J., Missale Monasteriense ca. 1300–1900, Texte und vergleichende Studien, Hab.-Schr., München 1958.

Lesure, F., Avignon, in: MGG I.

Li Gotti, E., Il piu antico polifonista italiano del sec. XIV, in: Italica XXIV, 1947.

Li Gotti, E. und Pirotta, N., Il Sacchetti e la tecnica musicale del trecento italiano, Florenz 1935.

Lindenburg, C. W. H., Het leven en de werken van Johannes Regis, Amsterdam 1938.

Lipphardt, W., Psalmen, Hymnen, Lieder, in: Sakrale Sprache und kultischer Gesang, Maria Laach 1965, 106–120.

Lissa, Z., Folk Elements in Polish Music from the Middle Ages up to the 18th Century, in: MaEo, Warszawa 1966.

Ludwig, Fr., Repertorium organorum recentioris et Motetorum vetustissimi stili, Halle 1910 (1964).

ders., Die geistliche nichtliturgische, weltliche einstimmige und die mehrstimmige Musik des Mittelalters bis zum Anfang des 15. Jahrhunderts, in: Hb Adler, Berlin 1924, 1930.

ders., Guillaume de Machaut, Musikalische Werke, Bd. 1–3, Leipzig 1926–1929 (Wiederabdruck 1954); Bd. 4 aus dem Nachlaß hrg. v. Heinrich Besseler, Leipzig 1943 (Wiederabdruck 1954).

ders., Die mehrstimmige Messe des 14. Jahrhunderts, in: AfMw VII, 1925.

ders., Die Quellen der Motetten ältesten Stils, in: AfMw V, 1923.

ders., Über den Entstehungsort der großen „Notre-Dame-Handschrift", in: Fs. Guido Adler, Wien 1930.

ders., Die mehrstimmige Musik des 14. Jahrhunderts, in: SIMG IV, 1902/03.

Lunelli, R., Note sulle origini dell'organo italiano in Note d'Archivio per la storia musicale X, 1933, S. 212 ff.

Maas, Chr. J., Geschiedenis van het meerstemmig Magnificat tot omstreeks 1525, Groningen 1967.

Machabey, A., Guillaume de Machaut, sa vie te son œuvre musicale, Paris 1955.

ders., Machaut, in: MGG VIII.

ders., La messe à quatre voix de Guillaume de Machaut, Lüttich 1948.

ders., Messe de Tournai, in: RM Nr. 243, Paris 1958.

Machatius, F.-J., Über mensurale und spielmännische Reduktion, in: Mf VIII, 1955.

Martinez, M. L., Die Musik des frühen Trecento (Münchner Veröffentlichungen zur Musikgeschichte IX), Tutzing 1963.

Maurer, F., Die religiösen Dichtungen des 11. und 12. Jahrhunderts, 2 Bde., Tübingen 1964.

McKinnon, J. W., Musical Instruments in Medieval Psalm Commentaries and Psalters, in: JAMS XXI, 1, 1968.

Messerer, W., Zum Kaiserbild des Aachener Ottonencodex (Nachrichten der Akademie der Wissenschaften in Göttingen aus dem Jahre 1959, Philologisch-Historische Klasse), Göttingen 1959.

Meyer, K., Der Einfluß der gesanglichen Vorschriften auf die Chor- und Emporenanlagen in den Klosterkirchen, in: AfMw IV, 1922.

ders., Der chorische Gesang der Frauen mit besonderer Bezugnahme seiner Betätigung auf geistlichem Gebiet, Leipzig 1917.

Michalitschke, A. M., Theorie des Modus. Eine Darstellung der Entwicklung des musikalischen Modus und der entsprechenden mensuralen Schreibung (Deutsche Musikbücherei, Bd. LI), Regensburg 1923.

Michels, H. U., Die Musiktraktate des Johannes de Muris. Mit Edition und Besprechung der Notitia artis musicae und des Compendium musicae practicae, Diss. Freiburg i. Br. 1967.

Mischiati, O., Rossetti, in: MGG XI.

Molitor, R., Die Nachtridentinische Choralreform zu Rom, 2 Bde., Leipzig 1901.

ders., Deutsche Choralwiegendrucke, Regensburg 1904.

Moser, H. J., P. Hofhaimer, ein Lied- und Orgelmeister des deutschen Humanismus, Stuttgart 1929.

Moser, H., Die Pumpermetten, in: Bayer. Jb. für Volkskunde 1956, 80—98.

Müller, H., Zur Musikauffassung des 13. Jahrhunderts, in: AfMw IV, 1922.

Müller, P., Alexander Agricola, in: MGG I.

Müller-Blattau, J., Die deutschen Geißlerlieder, in: ZfMw 17, 1935, 6—18.

ders., In Gottes Namen fahren wir, in: Fs. Max Schneider, Halle 1935, 65—73.

Müller-Heuser, F., Vox humana — Ein Beitrag zur Untersuchung der Stimmästhetik des Mittelalters (KB XXVI), Regensburg 1963.

Nagel, B., Meistersang, Stuttgart 1962.

Nickl, G., Der Anteil des Volkes an der Meßliturgie im Frankenreiche von Chlodwig bis auf Karl den Großen, Innsbruck 1930.

Niemöller, K. W., Untersuchungen zu Musikpflege und Musikunterricht an den deutschen Lateinschulen vom ausgehenden Mittelalter bis um 1600 (KB 54), Regensburg 1969.

Noack, E., Musikgeschichte Darmstadts vom Mittelalter bis zur Goethezeit (Beiträge zur mittelrheinischen Musikgeschichte VIII), Mainz 1967.

Ossing, H., Untersuchungen zum Antiphonale Monasteriense (Alopecius-Druck 1537), Ein Vergleich mit den Handschriften des Münsterlandes (KB XXXIX), Regensburg 1966.

Osthoff, H., Josquin Desprez, 2 Bde., Tutzing 1962 und 1965.

Ottósson, R. A., Sancti Thorlaci Episcopi Officia Rhythmica et Proprium Missae (Bibliotheca Arnamagnaeana Suppl. 3).

Palisca, C. V., Scipione Cerreto, in: MGG II.

ders., Salinas, in: MGG XI.

Parrish, C., The Notation of Mediaeval, New York 1957.

Perrot, J., L'Orgue de ses origines helénistiques à la fin du XIIIe siècle, Paris 1965.

Petit Coclico, A., Compendium Musices, 1551 (Documenta Musicologica IX), Kassel 1954.

Pfleger, M. C., Untersuchungen am deutschen geistlichen Lied des 13. bis 16. Jh., Diss. Berlin 1937.

Pietzsch, G., Zur Pflege der Musik an den deutschen Universitäten bis zur Mitte des 16. Jahrhunderts, in: AfMw I, III, V—VII, 1936/38/40—42.

ders., Orgelbauer, Organisten und Orgelspiel in Deutschland bis zum Ende des 16. Jahrhunderts, in: Mf XI, 1958, S. 160 ff., 307 ff., 455 ff.; XII, 1959, S. 25 ff., 152 ff., 294 ff., 415 ff.; XIII, 1960, S. 34 ff.

Pirrotta, N., Considerazioni sui primi esempi di Missa Parodia, in: ACMs, Roma 1950, Tournai 1952.

ders., Gherardellus, in: MGG V.

ders., Gratiosus de Padua, in: MGG V.

ders., Il codice estense lat. 568 e la musica francese in Italia al principio del '400, in: Atti della Reale Accademia di Scienze, Lettere e Arti di Palermo, Ser. IV, Vol. IV, Parte II, 1946.

ders., The Music of Fourteenth Century Italy (CMM 8), Amsterdam 1954 ff.

ders., Church Polyphony Apropos of a New Fragment at Foligno, in: Essays for Oliver Strunk, Princeton, N. J. 1968.

Pirro, A., Histoire de la musique de la fin du XIVe siècle à la fin du XVIe, Paris 1940.

ders., Remarques sur l'exécution musicale de la fin du XIVe au milieu du XVe siècle, in KrB IMG, Lüttich 1930.

ders., La musique à Paris sous le règne de Charles VI (1380—1422), Strasbourg 1930.

ders., L'art des organistes, in: Encyclopédie de la Musique (Lavignac), II, Teil 2, Paris 1925, 1181 ff.

ders., Musiciens allemands et auditeurs français au temps des rois Charles V et Charles VI, in: Fs. Guido Adler 1930.

Plamenac, D., Keyboard Music of the 14th Century in Codex Faenza 117, in: JAMS IV, 1951.

ders., Ockeghem, in: MGG IX.

ders., New Light on Codex Faenza 117, in: KrB IMG, Utrecht 1952.

Plumner, J., Four Motets ed. by B. Trowell (The Plainsong and Mediaeval Music Society), 1968.

Poncelet, E., La cessation de la vie commune dans les églises canoniales de Liège, in: Annuaire d'histoire liégeoise, IV, 1952.

Prado, G., Liber Sancti Jacobi. Codex Calixtinus. Reproduccion en Fototipia. Santiago de Compostela 1944.

Pratella, B., Il canto liturgico greco-byzantino e le origini dell'Organum, in: RMI 1946, 141 ff.

Probst, F., Die abendländische Messe, Münster 1896.

Rajeczky, B., Mittelalterliche Mehrstimmigkeit in Ungarn, in: MaEo, Warszawa 1966.

Rauch, M. von, Urkundenbuch der Stadt Heilbronn II, Stuttgart 1913.

Reaney, G., Early Fifteenth-Century Music (CMM 11), Rome 1955 ff.

ders., Matteo da Perugia, in: MGG VIII.

ders., The Manuscript Oxford, Bodleian Library, Canonici misc. 213, in: MD IX, 1955.

ders., Zachara und Zacharias, in: MGG XIV.

ders., The Manuscript London, British Museum, Additional 29 987 (Lo), in: MD XII, 1958.

ders., The Manuscript Paris, Bibliothèque Nationale, Fonds Italien 568 (Pit), in: MD XIV, 1960.

ders., New Sources of Ars Nova Music, in: MD XIX, 1965.

Reckow, F., Der Musiktraktat des Anonymus 4 (BzAfMw IV/V), Wiesbaden 1967.

ders., Proprietas und perfectio. Zur Geschichte des Rhythmus, seiner Aufzeichnung und Terminologie im 13. Jh., in: AMl XXXIX, 1967.

Redlich, H. F., Notationsprobleme in Cl. Monteverdis Incoronazione di Poppea, in: AMl X, 1938.

Reese, G., Music in the Middle Ages, New York 1940.

ders., Music in the Renaissance, New York, 1954.

Reichert, F. R., Die älteste deutsche Gesamtauslegung der Messe (Corpus Catholicorum, Bd. 29), Münster 1967.

Reimer, E., Johannis de Garlandia De mensurabili musica. Kritische Edition mit Kommentar und Interpretation der Notationslehre, Diss. Freiburg i. Br. 1969.

Répertoire International des Sources musicales. B. IV. Manuscripts of Polyphonic Music, 11th-Early 14th Century, ed. by G. Reaney, München–Duisburg 1965.

Richter, L. und Friedberg, Ae., Corpus iuris canonici I und II, Leipzig 1879–1881.

Richtstätter, K., Die Herz-Jesu-Verehrung des deutschen Mittelalters, München-Regensburg, ²/1924.

Robijns, J., P. de la Rue, een bio-bibliografische Studie, Brussel 1953.

Rokseth, Y., La musique d'orgue au XVe siècle et au début du XVIe, Paris 1930.

Roggen, D., Lentetij der Nederlanden, in: Studies aangeboden aan Prof. G. Brom, Utrecht–Nijmegen 1952, 147–162.

Roth, B., Seckau, Wien–München 1964.

Rücker, I., Die deutsche Orgel am Oberrhein um 1500, Diss. Freiburg i. Br. 1938, veröff. 1940.

Ruhnke, M., Joachim Burmeister. Ein Beitrag zur Musiklehre um 1600 (Schriften des Landesinstituts für Musikforschung, Kiel, V), Kassel und Basel 1955.

Rzyttka, B., Die geistl. Lieder der Klosterneuburger Hs. 1228, Diss. Wien 1952.

Sachs, C., Geist und Werden der Musikinstrumente, Berlin 1929.

ders., Rhythm and Tempo, New York 1953.

Salmen, W., Die Schichtung der mittelalterlichen Musikkultur in der ostdeutschen Grenzlage, Kassel 1954.

ders., Der fahrende Musiker im europäischen Mittelalter, Kassel 1960.

ders., Geschichte der Musik in Westfalen, Kassel 1963.

Sanders, E. H., Duple Rhythm and Alternate Third Mode in the 13th Century, in: JAMS XV, 1962.

Sandvik, O. M., Norsk Koral-Historie, Oslo 1930.

Sartori, C., Matteo da Perugia e Bertrand Feragut, i due primi maestri di cappella del Duomo di Milano, in: AMl XXVIII, 1956.

ders., Ponzio, in: MGG X.

ders., La Notazione italiana del Trecento, Florenz 1938.

Sasse, G. D., Die Mehrstimmigkeit der Ars antiqua in Theorie und Praxis, Diss. Berlin 1940.

Schering, A., Aufführungspraxis alter Musik, Leipzig 1931.

ders., Die niederländische Orgelmesse im Zeitalter des Josquin, Leipzig 1912.

ders., Studien zur Musikgeschichte der Frührenaissance, Leipzig 1914.

Schlick, A., Spiegel der Orgelmacher und Organisten, Mainz 1511; Facs. (Smets) mit Übertragung in die moderne deutsche Sprache, Mainz 1959.

Schlötterer, R., Die kirchenmusikalische Terminologie der griechischen Kirchenväter, Diss. München 1953.

Schmidt, G., Zur Frage des Cantus firmus im 14. und beginnenden 15. Jahrhundert, in: AfMw XV, 1958.

Schmidt-Görg, J., Nicolas Gombert, Kapellmeister Kaiser Karls V., Leben und Werk, Bonn 1938.

ders., Brumel, in: MGG II.

Schofield, B., The adventures of an English ministrel and his Varlet, in: MQ XXXV, 1949.

Schrade, L., Die Darstellung der Töne an den Kapitellen der Abteikirche zu Cluny, in: VjLG VII, 1929.

ders., A Fourteenth Century Parody Mass, in: AMl XXVII, 1955.

ders., The Mass of Toulouse, in: RB VIII, 1954.

ders., News on the Chant Cycle of the Ordinarium Missae, in: JAMS VIII, 1955.

ders., Polyphonic Music of the Fourteenth Century, Bd. I–III, Monaco 1956/57.

ders., The chronology of the Ars Nova in France, in: L'Ars Nova, Recueil d'études sur la musique du XIVe siècle. Les colloques de Wégimont II — 1955 (Paris 1959).

ders., News on the Chant — Cycle of the Ordinarium Missae, in: JAMS VIII, 1955.

ders., The Cycle of the Ordinarium Missae, in: In memoriam J. Handschin, Straßburg 1962.

ders., Die handschriftliche Überlieferung der ältesten Instrumentalmusik, Lahr 1931.

ders., Die Messe in der Orgelmusik des 15. Jahrhunderts, in: AfMf I, 1936, 150 ff.

ders., The Organ in the Mass of the 15th Century, in: MQ XXVIII, 1942, 330 ff., 467 ff.

Schuberth, D., Splendor imperii sonorus, Diss. theol. Hamburg 1964.

ders., Kaiserliche Liturgie. Die Einbeziehung von Musikinstrumenten, insbesondere der Orgel, in den frühmittelalterlichen Gottesdienst, Göttingen 1968.

Schünemann, G., Geschichte der Deutschen Schulmusik, Leipzig 1931.

ders., Geschichte des Dirigierens (Kleine Handbücher der Musikgeschichte nach Gattungen, Bd. X), Leipzig 1913.

Schwietering, A., Über den liturg. Ursprung des mittelalterlichen geistlichen Spiels, in: ZAL 62, 1925, 1–20.

Scott, A. B., The Performance of the Old Hall Descant Settings, in: MQ LVI, 1970, S. 14 ff.

Senn, W., Beitrag zum deutschen Kirchenlied Tirols im 16. Jh., in: Innsbrucker Beiträge zur Kulturwissenschaft 2, 1954, 146–155.

Slim, H. C., Keyboard Music at Castell'Arquato by an early Madrigalist, in: JAMS XV, 1962, 35 ff.

Smits van Waesberghe, J., La place exeptionelle de l'Ars Musica dans le développement des sciences au siècle des Carolingiens, in: RG XXXI, 1952.

ders., Cymbala (Bells in the Middle Ages), in: Musicological Studies and Documents I, Rom 1951.

Soest, J. von, Selbstbiographie, hrsg. von J. C. von Fichard, in: Frankfurtisches Archiv für ältere deutsche Literatur und Geschichte I, Frankfurt 1811.

Sowa, H., Zur Weiterentwicklung der modalen Rhythmik, in: ZfMw XV, 1932/33.

Spechtler, F. V., Der Mönch von Salzburg, Diss. Innsbruck 1963.

Spichal, R., Ein wiederaufgefundenes Missale der Augustinerchorherren von Marienkamp aus dem 15. Jahrhundert, in: Emder Jahrbuch (Jb. d. Ges. f. bildende Kunst und vaterländische Altertümer zu Emden, hrsg. v. d. Ostfriesischen Landschaft, Aurich 1872 ff.) 43, 1963, 79–90.

Stäblein, B., Messe, in: MGG IX.

Stege, F., Das Okkulte in der Musik, Münster 1925.

Stefanović, D., The Serbian Chant from the 15th to 18th Centuries, in: MaEo, Warszawa 1966.

Stenzl, J., Das Dreikönigsfest in der Genfer Kathedrale Saint-Pierre, in: AfMw XXV, 2, 1968, 118–133.

Stevens, D., The Mulliner Book. A Commentary, London 1952.

Strunk, O., Church Polyphony Apropos of a New Fragment at Grottaferrata, in: L'Ars nova italiana del Trecento III, Certaldo 1970.

Tagliavini, L. F., Le rôle liturgique de l'organiste des origines à l'époque classique, in: Actes du Troisième Congrès International de Musique sacrée, Paris 1957, S. 367 ff.

Thibault, G., Busnoys, in: MGG II.

Toussaert, J., Le sentiment religieux en Flandre à la fin du Moyen-Age, Paris 1963.

Trumble, E., Authentic and Spurious Faburden, in: RB XIV, 1960, S. 3 ff.

Ursprung, O., Spanisch-katalanische Liedkunst des 14. Jahrhunderts, in: ZfMw IV, 1921/22.

Van, G. de, Guglielmi de Mascaudio Opera I, La Messe de Nostre Dame, CMM 2, Rome 1949.

ders., Le manuscrit de musique du trésor d'Apt, in: AMl XII, 1940 (Bespr. der Ausgabe v. Gastoué).

ders., Les Monuments de L'Ars Nova, Fasc. I, Paris 1939.

ders., A recently discovered source of early fifteenth century polyphonic music, in: MD II, 1948.

ders., Inventory of manuscript Bologna Liceo musicale Q 15 (olim 37), in: MD II, 1948.

ders., La Pédagogie musicale à la Fin du Moyen-Age, in: MD II, 1948.

Vanický, J., Czech Mediaeval and Renaissance Music, in: MaEo, Warszawa 1966.

Vecchi, G., Tra monodia e polifonia (Historiae Musicae Cultores Bibl. VI, Coll. Hist. Mus. II), Firenze 1956.

Vente, M. A., Bowstoffen tot de geschiedenis van het nederlandse orgel in de 16e eeuw, Amsterdam 1942.

ders., Die Brabanter Orgel, Amsterdam ²/1963.

Vente, M. A. und Kok, W., Organs in Spain and Portugal, in: The Organ XXXIV, 1955, 193 ff.; XXXV, 1956, 136 ff.; XXXVI, 1957, 155 ff., 203 ff.; XXXVII, 1958, 37 ff.

Villard, L. J., Text underlay in the mass ordinary of Dufay and some of his contemporaries, Phil. Diss. Northw. Univ., Evenston/Ill. 1960.

Villetard, H., Office de Pierre de Corbeil, Paris 1907.

Vogeleis, M., Quellen und Bausteine zu einer Geschichte der Musik und des Theaters im Elsaß 500–1800, Straßburg 1911.

Wackernagel, Ph., Das deutsche Kirchenlied von der ältesten Zeit bis zu Anfang des 17. Jh., 5 Bde., Leipzig 1864–1877, Nachdruck 1964.

Waeltner, E. L., Das Organum bis zur Mitte des 11. Jahrhunderts, Diss. Heidelberg 1955.

Wagner, P., Die Gesänge der Jakobusliturgie zu Santiago de Compostela, Freiburg/Schw. 1931.

ders., Geschichte der Messe, Leipzig 1913.

Waite, W. G., The Rhythm of Twelfth-Century Polyphony, its Theory and Practice, New Haven 1954.

Walker, D. P., Aron, in: MGG I.

Westrup, J. A., England, in: MGG III.

White, J. R., The Tablature of Johannes of Lublin, in: MD XVII, 1963, 137 ff.

Wienandt, E. A., Choral Music of the Church, New York 1965.

Wiora, W., Deutschland/Grundschichten, in: MGG III.

ders., Zur Frühgeschichte der Musik in den Alpenländern (Schriften der Schweizerischen Gesellschaft für Volkskunde, Bd. 32), Basel 1949.

ders., Der Brautreigen zu Kölbigk in der Heiligen Nacht des Jahres 1020, in: ZVk L, 1953.

ders., Organicum melos. Zur Interpretation eines Textes von Johannes Eriugena, in: Fs. Marius Schneider zum 65. Geburtstag, Regensburg 1970.

Wolf, J., Geschichte der Mensural-Notation von 1250 bis 1460, Leipzig 1904 (hierzu Friedrich Ludwig, in: SIMG VI, 1904/05).

ders., Handbuch der Notationskunde, I. Teil (Kleine Handbücher der Musikgeschichte nach Gattungen, Bd. VIII, 1), Leipzig 1913.

Wolff, Chr., C. Paumanns Fundamentum Organisandi und seine verschiedenen Fassungen, in: AfMw XXV, 1968, 196 ff.

Wolff, H. Chr., Die Musik der alten Niederländer, Leipzig 1956.

Wonisch, O., Osterfeiern und dramatische Zeremonien der Palmweihe, Graz 1927.

Young, W., Keyboard Music to 1600, in: MD XVI, 1962, 115 ff.; XVII, 1963, 163 ff.

Zahn, J., Die Melodien der deutschen ev. Kirchenlieder, 6 Bde., Gütersloh 1889–1893.

Zaminer, F., Der Vatikanische Organumtraktat (Ottobeuren lat. 3025), Tutzing 1959.

Personenregister

Delehaye 28
Delling 51
Demetrius 153
Desderius 319
Deshusses 334
Deusdedit 27
Diaz 334
Dib 161
Diego von Azevedo 270
Didymus 31
van Dijk 189, 334
Dinkla 78, 79
Diodor 26
Diogenes 33
Dionysius 192, 232, 242
Diruta 471
van der Distelen 464
Dittmer 471
Dölger 51, 219
Dohmes 51
Dold 225, 227, 242, 319
Dominicus 270
Dominicus von Preußen 406
Donatus 211
Dorothea 322
Dorothe vom Hof 408
Dreimüller 334
Dreisoerner 51
Dreves 295, 332, 334, 471
Drinkwelder 334
Drocos 27
Droysen 352, 471
Duchesne 51, 192, 237, 471
Dufay 343 f., 405, 416, 419–423,
    426, 428–430, 432–440, 442, 444
Dufourcq 471
Dürr, W. 472
Dunstable 343 f., 418, 420, 426,
    431–436, 439
Duranti 346

Easton 296
Ebel 334
Ebner 334
Eck 454
von Eckhart 182
Eckehart 407
Edinger 450, 461
Egbert 182, 243
Egenter 51
Eger von Kalkar 268
Eginhard 241 f.
Eisenhofer 51
Eisenmann 472
Eitner 334
Ekkehard I. 284
Ekmalian 161
Eliade 51
Elias Salomon 379
Elders 224, 446, 472
Elisabeth 297, 322
Elling 382, 472
Ellinwood 334
Emma von San Juan 212
Emmeram 242 f.
Emser 455

Engberding 115
Engberg 145, 161
Engelbert von Admont 327 f., 330
Ennodius 44, 284
Engyldeus 313
Ephrem 43–46, 65, 70, 84 f., 89–91,
    283
Epikur 33
Epiphanius 43, 49
Erasmus 437
Erk 353
Eskillus 296
d'Este 440
Ethelwold von Winchester 306
Ett 345
Eucharius 243
Eugen II. 209, 247
Eugen IV. 434 f.
Eusebia 296
Eusebius 35, 43, 192
Evans 334, 472
van Eyck 436, 464
Ezechias 32

Fabian 236
Fabrega 334
Falvy 334
Faral 472
Fatigati 472
Fedé 437
Federhofer 472
Fehrle 472
Feicht 450, 472
Feininger 431
Felder 334
Fellerer 7, 15, 22, 51 f., 171, 184,
    188, 191, 249, 273, 334, 345,
    349, 358, 410, 417, 472
Ferdinand I. 448, 460
Férotin 334
Ferretti 133, 238, 240, 313, 334
Fétis 128
von Ficker 472
Finscher 442, 463, 472
Fischel 26
von Fischer 367, 410, 472
Flade 472
Flasdieck 428
Fleischer 66, 128, 161
Fleischhauer 51
Flindell 334
Florian 295, 451
Floros 161
Florus 184
Fogliano 468
Follieri 161
Folquinus 296
Forest 419 f., 433
Forkel 51
Formschneider 443
Fortunatus 44, 242, 284
Fossati 192
Franco 398–402
Frank 334
Franke 241
Franquesa 334

Franz 408, 472
Franz von Assisi 295, 408
Franz von Parma 194
Freistedt 51
Frere 139, 281, 346, 472
Friedberg 476
Friedlein 334
Froger 20, 51
Froning 472
Frost 231
Frotscher 472
Fuerth 52
Fulbert 184, 243, 260, 285, 296
Fulco 248
Funk 48

Gabra 161
Gabrieli, G. 447 f.
Gaffori 199, 328, 447
Gaisser 143, 161
Gajard 192, 334
Galilei 3
Gallo 390, 409, 472
Gallus 262
Galuppi 154
Gamber 19, 52, 220–222, 227, 334
Gandzaran 99
Gansfort 406
Garbagnati 194, 334
Gardano 447
von Gardner 159, 161
Gaster 52
Gastoué 52, 128, 161, 217, 225,
    242, 252, 334, 382, 472
Gatard 334
Gaudentius 49, 360
Gautier 334
Gay 472
Geering 378, 472
Gelasius 172, 178 f., 182, 185, 194,
    200, 209, 249, 250, 278, 348
Gelineau 52
Gemayer 162
Gennrich 292, 334, 472
Georg 350
Georg Anselmi 328
Georgiades 52, 334, 472
Gerardus 296
de Gerberoy von Amiens 296
Gerbert 128, 230, 235, 237, 240,
    242, 265, 311, 313 f., 324 f.,
    327 f., 350 f., 360, 367, 402, 405,
    411, 472
Gerloh 31
Germanus 139, 221, 222, 225, 232
Gérold 52, 334, 410, 472
Gerson-Kiwi 52, 266
Gerstenberg 472
Gervold 248
Gery 221
Getron 309
Gevaert 252, 278, 334
Gherardello 390
Ghiseler von Hildesheim 296, 451
Ghisi 472
Ghobrial 117, 162

Verzeichnis der Abbildungen